ISBN 978-0-428-10400-9
PIBN 11245877

English
Français
Deutsche
Italiano
Español
Português

www.forgottenbooks.com

Mythology Photography **Fiction**
Fishing Christianity **Art** Cooking
Essays Buddhism Freemasonry
Medicine **Biology** Music **Ancient**
Egypt Evolution Carpentry Physics
Dance Geology **Mathematics** Fitness
Shakespeare **Folklore** Yoga Marketing
Confidence Immortality Biographies
Poetry **Psychology** Witchcraft
Electronics Chemistry History **Law**
Accounting **Philosophy** Anthropology
Alchemy Drama Quantum Mechanics
Atheism Sexual Health **Ancient History**
Entrepreneurship Languages Sport
Paleontology Needlework Islam
Metaphysics Investment Archaeology
Parenting Statistics Criminology
Motivational

IBLIOTEKA RACZYŃSKICH
W POZNANIU.

ACZYŃSKISCHE BIBLIOTHEK
IN POSEN.

KATALOG

BIBLIOTEKI RACZYŃSKICH

w

POZNANIU.

OPRACOWALI

M. E. SOSNOWSKI, BIBLIOTEKARZ,

I

L. KURTZMANN.

———

TOM I.

Biografia hr. Edw. Raczyńskiego. Historya biblioteki.
Rękopisma. Dyplomata i przywileje. Inkunabuły. Teo-
logia. Prawnictwo. Filozofia. Pedagogika. Matematyka.
Nauki przyrodzone. Gospodarstwo. Przemysł. Handel.
Sztuka. Sztuka wojenna. Medycyna.

POZNAŃ.
DRUKARNIA NADWORNA W. DECKERA I SP. (E. RÖSTEL).
—
1885.

KATALOG

DER

RACZYŃSKISCHEN BIBLIOTHEK

IN

POSEN.

BEARBEITET

VON

M. E. SOSNOWSKI, BIBLIOTHEKAR,

UND

L. KURTZMANN.

————

I. BAND.

Biographie des Grafen Eduard Raczyński. Geschichte
der Bibliothek. Manuscripte. Urkunden. Inkunabeln.
Theologie. Rechtswissenschaft. Philosophie. Paedagogik.
Mathematik. Naturwissenschaften. Landwirthschaft.
Gewerbe. Handel. Kunst. Kriegswissenschaft. Medicin.

————

POSEN.

HOFBUCHDRUCKEREI W. DECKER & Co. (E. RÖSTEL).

—

1885.

Kürzung und Redaction der Titelcopien
für den Druck, sowie Correctur des Drucks von **L. Kurtzmann.**

Vom 2. Januar bis 1. April 1885.

Inhaltsangabe.

~~~~~~~

Biographie des Grafen Eduard Raczyński von Maximilian
    Eduard v. Sosnowski.
Geschichte der Raczyńskischen Bibliothek in Posen von
    L. Kurtzmann.
Manuscripte. Nr. 1—359. S. I.—CCCXI.
    Uebersicht. CCCXII.—CCCXXX.
Urkunden. CCCXXVII.—CCCXCVI.
    Uebersicht. CCCXXIX.—CCCXXXII.
Inkunabeln. CCCXCVII.—CDXLII.

Seite.

Von den Manuskripten hat Sosnowski verzeichnet:
Nr. 1, 26, 54--59, 62—136, 141—147, 150—208, 218—222, 228,
235—250, 252—275, 284, 294, 312—315, 317, 319, 320, 329,
333—343.

Kurtzmann: 2—25, 27—53, 60, 61, 137—140, 148, 149,
209—217, 223—227, 229—234, 251, 276—283, 285—293, 295—311,
316, 318, 321—328, 330--332, 344—359.

Die Urkunden sind verzeichnet von Kurtzmann.

Von den Inkunabeln sind Nr. 4, 5, 21, 23, 42, 52, 53,
71, 74, 80, 86, 88, 107, 108, 120, 121, 122, 132, 137, 141, 147,
148, 167, 169, 171 von Sosnowski verzeichnet; die Uebrigen
von Kurtzmann.

Von Sosnowski sind geordnet: Philosophie 160—192,
Kunst 273—293, Medicin 340—485.

Von Kurtzmann: Theologie 1—118, Rechtswissenschaft 119—160, Paedagogik 192—209, Mathematik 209—221,
Naturwissenschaften 221—262, Landwirthschaft 262—268, Gewerbe 268—272, Handel 272—273, Kriegswissenschaft 293—340.

Druckfehler-Verzeichniss.

Seite LXV. — 15 b. nicht 1677, sondern 1577.

„ CLIX. n. 63 nicht 1797, sondern 1767.

„ CLXXXVIII., Zeile 7 von oben, nicht 1618, sondern 1718.

„ CCLXXXII., Zeile 4 von oben, nicht Sigismundi, sondern Sigismundo.

„ CCLXXXII., Zeile 5, hinter „Zeitung" ein Komma zu setzen.

„ CCCXI., Zeile 3 von unten lies: Generalmajor von Thile 2.

„ CCCXXXII., Zeile 5 von oben, nicht F. 6—138, sondern — 135.

„ 24, s. v. Jaffé, nicht: ad a. p. Ch. n. 1598, sondern 1198.

„ 60, s. v. Schultensii nicht: in eadem commantarius, sondern commentarius.

„ 116, Zeile 3 von unten lies: Pinius, Joannes.

„ 120, Justiniani, Pancratii, ... Pandecta gehört nicht unter Rechtsquellen, sondern unter Religionsphilosophie.

„ 129, s. v. Perneder, nicht gemoynen, sondern gemeynen.

„ 139, s. v. Machiavelli, nicht ex Sylvestri, sondern Sylvestris.

„ 414, Slevogtius ... polypos capitis ... calculo philiatrorum ... exponit ... Gehört nicht nur unter die Steinkrankheiten.

In Band II.

Seite 867, s. v. Machiavell nicht III. K. i. 23, sondern l. 23.

„ 391, s. v. Flandern, fehlt in der Signatur f.

„ 384, s. v. Gardthausen, lies 1879 statt 1789.

„ 158, Cicero Paradoxa nicht 1488, sondern 1508.

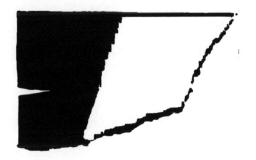

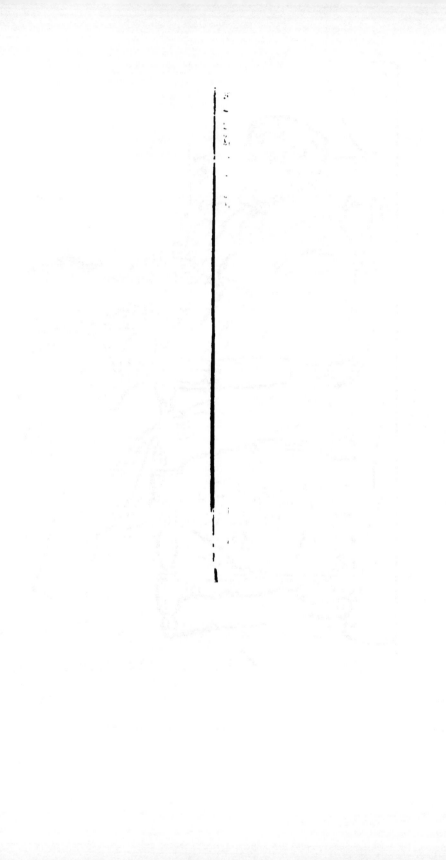

Lebensabriss

des Grafen Eduard Raczyński.

Der Stifter der nach seinem Familiennamen benannten
Bibliothek der Stadt Posen, Graf Eduard Raczyński,
dessen Bildniss diesem Bande vorgeheftet ist, entstammt
den Nałęcz's, einem uralten, ehemals sehr mächtigen Adels-
geschlecht Polens. Dasselbe — nach der Wappenlegende
— unter dem Könige Boleslaus Krzywousty (Schief-
mund), nach einer anderen Version sogar schon unter
Miecislaus I., oder seinem Sohne Boleslaus Chrobry
(dem Tapferen) enstanden, hat sich im Laufe der Zeit
in hundert und einige siebzig Familien verzweigt.

Das Wappen der gräflich Raczyński'schen Familie,
Nałęcz [(Kopf-)Binde], veranschaulicht folgende Abbildung:

Seit mehr als dreihundert Jahren hat sich die Familie
Raczyński im öffentlichen Leben des Königreichs Polen
bekannt gemacht. Ein Sigismund Raczyński war
um die Mitte des siebzehnten Jahrhunderts Landesrichter

von Nąkel und Starost von Jasieniec. Ignaz Raczyński, Urenkel seines zweiten Sohnes Franz Stephan, wurde 1792 zum Bischof von Posen und am 3. Mai 1805 zum Erzbischof von Gnesen ernannt. Er resignirte 1820 und starb — 84 Jahre alt — im Jahre 1823. Joseph, ein Enkel desselben Franz Stephan, ist der Stammvater der jetzt in Russland (Kurland) lebenden Raczyński's, auf welche das vom Grafen Athanasius Raczyński gestiftete Obersitzker Majorat erblich übergehen soll.

Sigismund Raczyński's dritter Sohn, Michael Kasimir, Wojewode von Posen († 1738), hinterliess zwei Söhne: Victor und Leon. Victors Sohn Kasimir, General von Grosspolen[*]), Hof-Kronmarschall und Starost von Czerwonogrod († 1824), hatte zwei Töchter: Magdalena, Gemahlin des Fürsten Michael Lubomirski, und Michalina. Leon hinterliess nur einen Sohn: den polnischen General-Major Philipp, Starosten von Mieściska, und zwei Töchter: Esther und Katharina.

Philipp Raczyński, dem vom Könige Friedrich Wilhelm III. von Preussen der Grafentitel verliehen wurde, heirathete seine oben genannte Cousine Michalina. Aus dieser Ehe stammen: Eduard und Athanasius Raczyński.

Graf Eduard Raczyński wurde angeblich[**]) am 2. April 1786 zu Posen, sein Bruder Athanasius 1788 daselbst geboren.

In ihrer frühesten Jugend verloren sie ihre Mutter. Der Vater leitete ihre Erziehung. Als dieser aber einige Jahre nach dem Tode seiner Gemahlin starb, nahm den jungen Grafen Eduard seine Grossmutter — väterlicherseits —, eine geborne Bnińska, secundo voto Wojewodin Mielżyńska auf Chobienice bei Bomst, zu sich und liess ihn unter ihrer Aufsicht von einem sehr strengen katho-

---

[*]) Es sei hier zu bemerken gestattet, dass dieser Titel keinen militärischen Rang bezeichnet. Der „General von Grosspolen", capitaneus generalis Majoris Poloniae", war der oberste („General"-) Starost der zwei grosspolnischen Wojewodschaften: Posen und Kalisch. Die einzelnen Starosten waren seine und nach eingetretener Vakanz von ihm selbständig eingesetzten Untergebenen.

[**]) Das Geburtsdatum, (das verschieden angegeben wird: 1786, 1787 und „um das Jahr 1787"), konnte leider nicht festgestellt werden. Der von uns aus den Kirchenakten von Rogalinek extrahirte Taufschein enthält nur das Taufdatum: „A. D. 1787, d. 28. Julii."

lischen Geistlichen erziehen. Hier war es namentlich seine bereits oben erwähnte Tante Esther, die sich seiner annahm und Mutterstelle an ihm vertrat. Mit dankbarem Herzen widmete er ihr das Hauptwerk seiner jüngeren Jahre, den „Dziennik podróży do Turcyi."

Zum höheren Studium zu Hause vorbereitet, bezog er die Universität in Frankfurt a. O., wo er sich vorzugsweise den Sprachen und Naturwissenschaften widmete.

Als Napoleon nach der Niederwerfung Preussens seine Waffen direkt gegen Russland richtete, durften die Polen, der ungeheuren Macht des französischen Kaisers und der gänzlichen politischen Umgestaltung Europas vertrauend, nicht ohne eine gewisse Berechtigung auf die Wiederherstellung ihres Vaterlandes hoffen. Den in Italien unter französischer Leitung gebildeten polnischen Legionen schlossen sich auf dem Zuge Napoleons gegen Russland die aus allen Theilen ihres Vaterlandes herbeiströmenden jungen Polen aller Stände an. Auch der junge Graf Raczyński trat beim polnischen Corps ein. Er avancirte bald zum Seconde-Lieutenant und machte als Adjutant im Stabe des Generals Fischer die Kämpfe des Jahres 1807 mit. Kurz vor der Schlacht bei Friedland wurde er vom General Dąbrowski mit Depeschen an den Kaiser Napoleon geschickt, der ihn mit Auszeichnung empfing und sich bei ihm nach der Stärke und den Stellungen der russischen Armeecorps erkundigte. Wegen dieses Umstandes machte Napoleon, der sich doch selbst sagen musste, dass ein Offizier in so untergeordneter Stellung unmöglich die ihm zugemuthete Kenntniss haben könne, keinen besonders günstigen Eindruck auf ihn.

Das durch den Kaiser der Franzosen ins Dasein gerufene Herzogthum Warschau konnte die weitergehenden Hoffnungen der Polen nicht befriedigen. Die nach dem Tilsiter Frieden eingetretene politische Ruhe im Osten Europas benutzte der junge Graf Raczyński, um seine militärischen Kenntnisse zu erweitern und dieselben für die Zukunft seinem Lande nutzbar zu machen. Zu diesem Zwecke sammelte er zunächst eine so grosse Anzahl topographischer Karten des polnischen Kriegsschauplatzes, dass er damit selbst dem polnischen Generalstab nicht unwesentliche Dienste leisten konnte. Um diese Sammlung noch zu vervollständigen, liess er durch einige von ihm gewonnene Ingenieure die Anfertigung einer Karte der ehemaligen Wojewodschaft Posen in Angriff nehmen, welche die Zanonische bedeutend an Umfang übertreffen sollte. Doch musste er dieses Vorhaben aus Gründen, die von ihm unabhängig waren, aufgeben.

An dem darauf zwischen Frankreich und Oesterreich ausgebrochenem Kriege nahm er mit Auszeichnung Theil, so dass er mit dem höchsten polnischen militärischen Orden „Virtuti militari" decorirt wurde. Nach dem Wiener Frieden kehrte er nach Hause zurück.

Doch sollte die Musse des Friedens, die damals nur Zwischenakts-Pausen zu bilden pflegte, nicht von langer Dauer sein. In Folge der Kriegserklärung Frankreichs an Russland (1812) berief Friedrich August, König von Sachsen und Herzog von Warschau, nach dieser seiner Residenz den polnischen Landtag, welcher die Wiederherstellung Polens in seinen alten Grenzen proklamirte. Raczyński, obgleich noch für ähnliche Würden zu jung, wurde zu diesem Landtag als Abgeordneter des Posener Departements gewählt. Dieser Beweis des ihm so allgemein geschenkten Vertrauens war auch noch deshalb um so höher anzuschlagen, als namentlich zwei Mitglieder seiner Familie wegen ihres politischen Verhaltens sich den Hass ihrer Landsleute zugezogen hatten.

Der gänzlich missglückte Feldzug Napoleons gegen Russland hat auch die Hoffnung der Polen auf die erwartete Wiederherstellung ihres Vaterlandes zu Grabe getragen. Diejenigen von ihnen, die an den Kämpfen Napoleons theilgenommen haben, kehrten meist in ihre Heimath zurück. Zu ihnen gehörte auch Graf Raczyński.

Sein stets lebhafter Geist, dem das Ringen nach höheren Zwecken ein unabweisbares Bedürfniss war, konnte nicht lange ohne eine ihm entsprechende und ihn ganz in Anspruch nehmende Thätigkeit bleiben. Ausserdem fühlte er den Drang, seinem Vaterlande stets Dienste zu leisten.

Nach seiner Ansicht war damals die Türkei dasjenige Land, welches sowohl durch seine geographische Lage und topographische Beschaffenheit, seine politische Vergangenheit, sowie durch das Interesse an seiner eigenen Erhaltung dazu bestimmt zu sein schien, stets ein Gegenwicht zu Russland zu bilden. Um dieses Land, seine politischen und militärischen Einrichtungen, seine Hilfsquellen und den Charakter seines Volkes durch eigene Anschauung genauer kennen zu lernen, beschloss er, eine Reise dahin zu unternehmen. Dieser Gedanke mag wohl schon viel früher in ihm entstanden sein, denn wir finden ihn bei der Ausführung seines Vorhabens literarisch so vorzüglich darauf vorbereitet, als wenn die Reise selbst nur die Controle und die praktische Bestätigung des seinem Geiste vorschwebenden Reisebildes und des ungemein reichen Materials, das er in seinem Gedächtnisse bereits angehäuft hatte, bilden sollte. Die Originalität des türkischen Volkes und Landes, sowie der Umstand, dass gerade die Türkei zur Zeit wenig bekannt war und selbst die Schwierigkeit des Reisens wegen der sehr unentwickelten Verkehrsmittel mögen dem Unternehmen noch einen besonderen Reiz verliehen haben.

Graf Raczyński trat seine Reise von Warschau aus am 17. Juli 1814 an. Die Frucht derselben war ein umfangreiches Werk in polnischer Sprache: „Dziennik podróży do Turcyi, odbytéj w roku 1814." (Wrocław, drukiem Grassa, Bartha i kompanii, 1821. Gr.-Fol.) Dieses „Tagebuch einer Reise nach der Türkei im J. 1814," geschmückt mit 83, von namhaften Künstlern in Rom, Wien, Prag, Dresden und Berlin nach Skizzen des Malers Fuhrmann, welcher ihn auf seiner Reise begleitete, gestochenen Kupfern, ist auch in einer deutschen Uebersetzung von Friedrich Heinrich von der Hagen unter dem etwas verändertem Titel: „Malerische Reise in einige Provinzen des osmanischen Reiches," mit denselben Kupfern ausgestattet erschienen. Einen Auszug daraus in französischer Sprache besorgte Tailliar (1843).

Dieses Werk, welches von specieller Geschichtskenntniss des Verfassers und seiner ungewöhnlichen Belesenheit in der Literatur der klassischen und der späteren Zeit, sowie in der einschlagenden Reiseliteratur zeugt, ist noch heute, (nach 70 Jahren,) nachdem die Kenntniss des osmanischen Reiches eine wesentliche Erweiterung erfahren hat, nicht ohne Bedeutung. Er hat auch die Ebene von Troja durchforscht, die Lage des heiligen Ilion und die von Homer erwähnten Orte genau zu bestimmen versucht. Denjenigen Theil seiner Reisebeschreibung, welcher sich auf die Untersuchung der trojanischen Ebene bezieht, hat er unter dem lebhaft auf ihn einwirkenden landschaftlichen, topographischen Verhältnissen und historischen Erinnerungen an Ort und Stelle verfasst.

Von dieser Reise (Anfangs December 1814) zurückgekehrt, widmete er sich dauernd weiteren wissenschaftlichen Studien und einer umfassenden literarischen Thätigkeit.

Sein zweites grösseres Werk waren die „Wspomnienia Wielkopolski" (Erinnerungen an Grosspolen), welches in Posen (in zwei Octavbänden) in den Jahren 1842—43 nebst einem Band Kupfern (in Fol. 1842) erschienen ist. Dieses Werk enthält die Beschreibung der Städte und der wichtigeren Ortschaften sowohl der 3 grosspolnischen Wojewodschaften Posen, Gnesen und Kalisch, als auch die des Landes Fraustadt und des Kreises Wałcz (Deutsch-Krone). Ausser einem historischen Rückblicke wird darin eine gedrängte Schilderung der Landwirthschaft, der landwirthschaftlichen Gewerbe und Thierzucht, des Handels und der Industrie im ehemaligen Polen gegeben. Auch die bäuerlichen Verhältnisse finden darin eine für die politische und sociale Lage dieses hochwichtigen Standes sympathische Berücksichtigung, ein Beweis, dass Graf Raczyński, weit entfernt den — namentlich in seiner Gesellschaftssphäre — hergebrachten Ansichten zu huldigen, sowohl die für den Staatsorganismus bedeutungsvolle Stellung des Bauernstandes, als auch dessen sociale Lage und deren Unzulänglichkeit mit vorurtheilsfreiem Auge zu betrachten verstand.

Bei der Schilderung der einzelnen Orte wird das historisch, kulturgeschichtlich, landschaftlich und das in Bezug auf Kunst- und Baudenkmaler Wichtigste hervorgehoben. So gewinnen alle die geschilderten, namentlich für die mit der Geschichte derselben nicht vertrauten Leser heute oft gleichgiltigen Orte an Interesse und Reiz, welchen die beigegebenen (66) Kupfer noch zu steigern geeignet sind. Sein Bruder, Graf Athanasius, sowie er selbst haben die Zeichnungen dazu geliefert, die meisten jedoch wurden von seiner Gemahlin nach der Natur angefertigt und von guten französischen, italienischen und deutschen Künstlern gestochen. Die ganze Schrift, eine Frucht eigener Forschungen und sehr detaillirter historischer Kenntnisse, beruht uberdies auf eigener Anschauung, die er an Ort und Stelle gewonnen hat.

Die aus seiner Begabung stammende Neigung fur Geschichtsstudien und besonders die Beschäftigung mit der Geschichte seiner heimathlichen Provinz mussten ihn zu weiteren wissenschaftlichen Spezialstudien fuhren. Er unterzog sich mühsamen, mit grossen Kosten verbundenen Forschungen, welche einem Manne, der die nöthigen

Mittel und seiner Berufsthätigkeit wegen auch nicht die nöthige Musse besessen hätte, unmöglich gewesen wären, und gab sein für das Detail der polnischen Geschichte wichtiges Werk: „Gabinet medalów polskich" (in vier Quartbänden) heraus. Dieses Werk, dessen dritter Band vom Bischof Albertrandi und der vierte von dem Historiker und Archäologen Lucas Gołębiowski bearbeitet ist, umfasste den Zeitraum von den ältesten Zeiten bis zur Regierung des Königs Stanisl. Augustus einschliesslich. Er durchforschte die zahlreichen und interessanten Münz- und Medaillensammlungen Polens, — nur Galizien zu besuchen war er verhindert, — die öffentlichen und Privatsammlungen in Berlin, Dresden, Wien, Venedig, Mailand und Turin. Der Direktor des Pariser Medaillen-Cabinets Lenormand besorgte für ihn das Verzeichniss sämmtlicher dort asservirten polnischen Medaillen und der Dichter und Staatsmann Julian Ursin Niemcewicz durchforschte die Londoner Sammlungen.

Diesem auch im Auslande allgemein bekannten und geschätzten Werke, dessen zwei ersten Theile mit gegen-überstehender französischer Uebersetzung erschienen sind, folgte die Herausgabe des von seinem Grossvater mütterlicherseits, Casimir Raczyński, zusammengestellten: „Codex diplomaticus Majoris Poloniae", die er auf seine Kosten (Posen, 1840) besorgte. Sodann folgte der „Codex diplomaticus Lithuaniae", den er selbst zusammen-stellte und in Breslau (1845) erscheinen liess.

Dies waren Werke, welche für die Gelehrtenwelt, um ihr auch diese Quellen der polnischen und lithauischen Geschichte zugänglicher zu machen, bestimmt waren. In der Natur der Sache lag es, dass sie, durch Stoff und Sprache (lateinisch und französisch) einen internationalen Charakter trugen. Aber als hätte Raczyński stets an den Ausspruch gedacht: Ignorantia omnis mali fons est, blieb er nicht bei dieser, der gelehrten Forschung zuge-wandten Richtung stehen, er suchte seinen polnischen Mitbürgern auch auf dem Gebiete der klassischen Lite-ratur, ferner der späteren Geschichte und der Sprache ihres Volkes nützlich zu sein. Diesem edlen Streben, auf dem geistigen Gebiete dem allgemeinen Besten zu dienen, verdanken wir eine lange Reihe von Werken, welche er theils übersetzen, theils auf seine Kosten drucken liess. Dahin gehören auch diejenigen Werke, die er aus erworbenen Handschriften herausgab und so

allgemein zugänglich machte. Er begnügte sich aber
damit nicht, nur die Geldmittel zur Verfügung zu stellen,
sondern er war selbst Bearbeiter, Herausgeber und, wo
es nöthig war, auch Uebersetzer. So verdanken wir
ihm selbst die polnische Uebersetzung des Vitruv und der
Wigandschen Chronik.

Um ein Bild auch von dieser seiner segensreichen
Thätigkeit und von ihrem Umfange zu geben, müssen
wir die von ihm herausgegebenen Werke wenn auch
nur kurz erwähnen. Die genauen bibliographischen Angaben würden uns hier zu weit fuhren.

Mit Johannes Voigt gab er zusammen: „Chronicon
seu Annales Wigandi Marburgensis" heraus.

Die von ihm herausgegebenen, bis dahin meist un-
bekannten Schriften zur polnischen Geschichte bilden
eine stattliche Reihe: „Poselstwo od Zygmunta III. . . .
do Dymitra, . . . cara moskiewskiego, samozwańca"; die
nach Vespasianus Kochowski bearbeitete „Historia Jana
Kazimirza"; „Żywoty sławnych Polaków XVII. wieku"
(in drei Theilen); „Pamiętniki do historyi Stefana, króla
polskiego"; „Pamiętniki Albrychta Stanisława księcia
Radziwiłła"; „Pamiętniki Jana Chryzostoma Paska"; „Pamiętniki do panowania Augusta II."; „Listy Jana III.,
. . . pisane do królowéj Maryi Kazimiry w ciągu
wyprawy pod Wiedeń"; „Obraz Polaków i Polski w XVIII.
wieku" (19 Bde.); „Wyprawa generała Dąbrowskiego
do Wielkiéj Polski w r. 1794"; ferner „Dzieła Tadeusza
Czackiego" (3 Bde.); „Rys statystyczny i polityczny
Anglii przez Edwarda księcia Lubomirskiego", (zu diesem
Werke liess er neue Typen bei W. Decker in Berlin
giessen); „Jacobi Parkossii Antiquissimus de orthographia
Polonica libellus"; „Dwie podróże Jakóba Sobieskiego,
ojca króla Jana III."; „Kontryma podróż . . . w roku
1829 po Polesiu"; „Dziennik podróży Józefa Kopcia przez
. . . Azyą . . . do portu Ochocka, oceanem przez wyspy
Kurylskie do niższéj Kamczatki i napowrót do tegoż
portu" . . .

Alle diese Schriften haben eine grosse Verbreitung
gefunden. Manche von ihnen haben mehrere Ausgaben
und Auflagen erlebt, wie der „Dziennik podróży Kopcia",
welcher in Berlin von anderer Hand zweimal und in
Paris mit einer Vorrede von Mickiewicz herausgegeben
wurde. Die „Pamiętniki Paska", in Posen selbst in
drei Auflagen erschienen, sind ins Deutsche von Gustav

Adolf Stenzel, ins Französische und Dänische übersetzt
worden. Die zu diesem Werke von Lewicki gelieferten Illustrationen sind Gemeingut des polnischen Volks geworden.
Nicht allein auf dem wissenschaftlichen, besonders
dem geschichtlichen Gebiete, sondern auch in Bezug auf
Poesie und Kunst hat Raczyński seinen Stammesgenossen
grosse Dienste erwiesen. So gab er den „Zbiór drama-
tyczny ... dla teatru amatorów w Poznaniu"; Krasickiego
Dzieła poetyckie. Tom I., (Prachtausgabe); „Ziemiaństwo
polskie Kajetana Koźmiana"; „Poezye Bohdana Zale-
skiego"; „Poezye Seweryna Goszczyńskiego" und einen
Roman des Grafen Fryderyk Skarbek: „Życie i przypadki Faustyna Felixa na Dodoszach Dodosińskiego"
heraus. Ausserdem sind noch die „Biblioteka klassyków
łacińskich", in welche er auch den Vitruv aufnahm, und
seine eigenen Schriften über die Domkapelle zu Posen
und die Aufstellung der Standbilder der beiden polnischen
Könige in derselben zu erwähnen. Ihre kurz angegebenen Titel sind: „Pomnik pierwszych monarchów
polskich w Poznaniu"; „Sprawodzanie z fabryki kaplicy
grobowéj Mieczysława I. i Bolesława Chrobrego w Poznaniu (1841)"; die Uebersetzung derselben: „Bericht
über den Ausbau der Grab-Kapelle" . . . (1845), und
„Verhandlungen, betreffend das den beiden ersten christlichen Regenten Polens in Posen errichtete Denkmal,
(Berlin, 1844).
Aus den Archiven in Warschau, Königsberg, Stettin,
Berlin, Dresden, Venedig, ferner aus den Vatikanischen
und Französischen liess er auf seine Kosten Auszüge von
denjenigen Handschriften, welche Nachrichten uber Polen
enthielten, besorgen.
Welch eine Reihe von bedeutenden und interessanten
Werken! Diejenigen, die er aus Manuscripten herausgab,
nur auszuwählen, zu bearbeiten und druckfertig zu machen,
oder endlich, wie die Eingangs schon genannten
Werke, selbst zu verfassen, dazu allein würde einem
Andern ein ganzes Leben nicht hingereicht haben. Welche
Opfer an Zeit, Arbeit und Geld waren zur Bewältigung
dieser Aufgabe erforderlich! Keiner seiner Zeitgenossen
und bis auf den heutigen Tag überhaupt niemand innerhalb der alten Grenzen seiner Heimath ist ihm, wenn
auch nur auf diesem einen Gebiete, gleichgekommen!
Kaum einer hat sich auf diesen edlen Wettstreit mit ihm
eingelassen.

Hätte Raczyński nur die der Stadt Posen geschenkte und mit reichlichen Fonds ausgestattete Bibliothek gestiftet und hätte er ausserdem seine ganze Thätigkeit nur auf das wissenschaftliche und literarische Gebiet beschränkt, so hätte er sich bei der Mit- und Nachwelt unvergängliche Anerkennung und aufrichtigen Dank gesichert.

Aber damit sind die dem Gemeinwohl gemachten Zuwendungen des Grafen Raczyński durchaus nicht abgeschlossen. Wir müssen ihm noch auf ein ganz anderes Gebiet, das wir das seiner baulichen Thätigkeit nennen möchten, folgen.

Er war der erste, der eine Realschule für Posen ins Leben rufen und derselben ein Kapital von 60 000 Mk. zuwenden wollte, „wenn in dieser Schule“, dies sind seine eigenen Worte, „der Unterricht eben so viel in polnischer, wie in deutscher Sprache ertheilt würde und er nach Verhältniss seiner Beisteuer zu den Kosten, welche die Stadt haben würde, Theil erhielte an dem Patronat über die Schule. Er wünschte seine Anhanglichkeit an seine Vaterstadt Posen zu bethätigen und erklärte (im Provinziallandtag von 1843), noch ein Jahr über die früher von ihm bestimmte Frist an seine, der Stadt Posen gegebene Zusicherung gebunden sein zu wollen, doch sei diese untrennbar von den von ihm gestellten Bedingungen“.

Die Stadt Posen hat dieses Anerbieten nicht angenommen.

Die Bürgersteige der Hauptstrassen der Stadt wollte er auf seine Kosten mit Asphalt belegen lassen. Die Kommune sollte sich verpflichten, für das fernere Instandhalten dieses Trottoirs Sorge zu tragen. Die städtische Vertretung hat jedoch fast einstimmig an den uneigennützigen Geber das Ansinnen gestellt, er mochte, wenn sein Anerbieten angenommen werden sollte, ein Kapital aussetzen, aus dessen Zinsen die Instandhaltung der Trottoirs für ewige Zeiten gesichert würde! Raczyński fand keine weitere Veranlassung, eine Antwort darauf zu ertheilen . . .

Auf seine Kosten errichtete er auf dem Posener Pfarrkirchhofe ein Rettungshaus für Scheintodte, schaffte ein reiches Inventar an, besoldete Aerzte und Wächter und übernahm die Unterhaltung desselben vorläufig auf sechs Jahre, dann sollte die Stadt dieses Institut als

Eigenthum und die weitere Fürsorge dafür übernehmen. „Sollte das Publikum", so schrieb er an den Magistrat, „die Nützlichkeit dieses Institutes nicht anerkennen und dessen künftige Unterhaltung nicht übernehmen, so würde ich voraussetzen, dass mein, wenn auch guter Wille, vorzeitig gewesen sei." Die Kommune hat das Institut übernommen; da indess bis Mitte 1852 von diesem Gebäude nicht in einem einzigen Falle Gebrauch gemacht wurde und auch damals ein Umbau desselben nothwendig geworden wäre, so wurde dasselbe abgebrochen.

Posen hatte, wenigstens in der westlich belegenen Oberstadt, Mangel an gutem Trinkwasser. Dies hatte den Grafen Raczyński bewogen, eine Wasserleitung zu erbauen. Er benutzte zu diesem Zwecke eine am nordwestlichen Ende der Stadt am Abhange des Festungskernwerks befindliche, am vorzüglichen Trinkwasser reiche Quelle. Von diesem Punkte führte er seine Wasserleitung — die Nivellirungsarbeiten hat er persönlich ausgeführt, — durch den westlichen, oberen Stadttheil und dann in östlicher Richtung bis zum Kloster und Lazareth der Barmherzigen Schwestern. An der Stelle, wo die Wilhelmsstrasse (Allee) von der Friedrichsstrasse durchschnitten wird, zwischen der „Alten Landschaft" und dem Postgebäude, hatte er einen von dieser Wasserleitung gespeisten Springbrunnen errichten lassen und denselben mit einem Erzmedaillon mit dem Priessnitzschen Bildniss und der Umschrift: „Wincenty Priessnitz" nebst dem Pindarschen „Ἄριστον μὲν ὕδωρ". geschmückt. Die zur Krönung des Sandsteinachtecks dieses Brunnens bestimmte, nach einer Rauchschen Zeichnung in Bronze ausgeführte Kolossal-Statue der Hygieia wurde später auf seinem Grabe aufgestellt. Am Endpunkte der Wasserleitung ist eine in gothischem Stil künstlerisch in hartem Sandsteine ausgeführte Kapellen-Nische erbaut, in welcher eine in Erz (nach der Sixtinischen) ausgeführte Madonna mit dem Kinde aufgestellt ist. Die Länge dieser Wasserleitung mit allen ihren Windungen beträgt mindestens 2 ½ Kilometer.

Die zur Zeit meist den ärmeren Klassen angehörende Bevölkerung des niedrig und ungesund gelegenen Stadttheils „Fischerei" und des südlichen Theils der „Halbdorfstrasse," war für ihren ganzen Bedarf fast ausschliesslich auf dasjenige Wasser angewiesen, welches aus zwei im evangelischen Kirchhofe angelegten Teichen durch einen kleinen, schmalen Graben bis an die Strasse geleitet wurde. Einem so dringenden Nothstande abzuhelfen, leitete er eine beim Ausschachten des Festungsgrabens gefundene Quelle in die Stadt. Diese zweite Wasserleitung ist, nachdem die städtische erbaut und an jener Stelle mehrere Privatbauten aufgefuhrt worden sind, eingegangen.

Stets von dem Wunsche beseelt, den Bedürftigen hilfreich beizustehen und ihr herbes Loos nach Möglichkeit zu lindern, hatte Graf Raczyński die Absicht, in der Stadt Posen eine Zufluchtsstätte fur unterstutzungsbedürftige Wittwen und ältere Jungfrauen aus dem Adelsstande zu gründen. Diese Anstalt sollte ihnen Wohnung und den ganzen Lebensunterhalt gewähren. Als Aequivalent dafur wünschte er nur, dass die so Versorgten ganz mittellosen Waisen Unterricht im Lesen, Schreiben und in den Handarbeiten ertheilen sollten. Der König Friedrich Wilhelm III. hat Raczyński zu diesem humanen Zwecke das in der Wronkerstrasse belegene ehemalige Dominikanerinnen-Kloster überwiesen, das er ausbauen und zweckentsprechend einrichten wollte. Verschiedene unvorhergesehene Hindernisse nothigten ihn, dieses Project aufzugeben.

Für eine gemeinnützige Schrift beliebigen Inhalts setzte er einen jährlichen Preis von 3000 Mark aus. Zum ersten Male wurde dieser für eine, als die beste anerkannte Arbeit in polnischer Sprache: „Ueber die Zuckerfabrikation aus Runkelruben" zuerkannt. Mit Rücksicht auf den damaligen Stand der Landwirthschaft in seiner Heimath und die zu jener Zeit sehr hohen Zuckerpreise, die noch durch die erheblichen Transportkosten aus sehr entlegenen Fabrikorten wesentlich gesteigert wurden, war dieser Gedanke von praktischer Bedeutung. Wenn damals schon Zuckerfabriken in unserer Provinz errichtet worden wären, so hätte die heimathliche Landwirthschaft und der Konsum dadurch wesentliche Vortheile erreicht. Aber seinem in ferne Zukunft schauenden Blick vermochten seine Stammesgenossen und Mitburger nicht zu folgen. Diese durch ihn versuchte Anregung hatte keine praktischen Folgen.

Ebenso plante er die Einfuhrung des Seidenbaues im Grossherzogthum Posen und wollte in seiner Geburtsstadt eine Schule einrichten, in welcher jungen Mädchen die Zucht und Pflege der Seidenwurmer und die Verarbeitung der Seide gelehrt werden sollten. An der Ausführung dieses Projektes sowie an der Gründung einer zur Einführung und Pflege edler Obstsorten projektirten Obstbaumschule ist er durch den Tod gehindert worden.

Aber nicht nur in seiner heimathlichen Provinz, sondern selbst weit über ihre Grenzen hinaus suchte er Unternehmungen in's Leben zu rufen, welche im weitesten Sinne des Wortes dem allgemeinen Besten dienen sollten. So hatte er sich im J. 1830 erboten, einen Schifffahrtskanal zur Verbindung der Narew mit der Weichsel auf seine Kosten herzustellen. Er hatte dazu 450 000 Mark bestimmt. Schon sollten zwischen ihm und dem damaligen Finanz- und Bautenminister des Königreichs Polen, Fürsten Lubecki, zu diesem Unternehmen die schriftlichen Abmachungen getroffen werden, als der am 29. November in Warschau ausgebrochene Aufstand demselben ein Ende machte.

Zu den von ihm aufgeführten Bauten gehört auch noch die auf seinem Gute Rogalin, das durch eine reiche Waffensammlung weiteren Kreisen bekannt ist, nach dem Muster des in Nimes befindlichen, aus römischen Zeiten stammenden Tempels erbaute Kapelle. Eine Abbildung derselben befindet sich in seinen: „Wspomnienia Wielkopolski." Auch die Kirche in Zaniemyśl (Santomischel) hat er erbaut.

Von den beiden durch Rauch angefertigten und künstlerisch bedeutenden Standbildern der polnischen Könige Miecislaus I. und Boleslaus Chrobry, welche Graf Raczyński auf seine Kosten (60000 M.) herstellen und in der „Goldenen Kapelle" der Posener Domkirche aufstellen liess, wird weiter unten die Rede sein.

Ueberhaupt zeichnete sich Graf Raczyński, wie sein jüngerer Bruder, Athanasius, durch Kunstsinn und Liebe zur Kunst aus. Neben der Musik, die er namentlich in seinen jüngeren Jahren pflegte, beschäftigte er sich mit der Glasmalerei und der musivischen Kunst. Für beide suchte er ein allgemeines Interesse in seinen Kreisen zu erwecken.

Seine sehr ausgedehnte Thätigkeit als Geschichtsforscher, Schriftsteller, Uebersetzer und Herausgeber, die unausgesetzte Beschäftigung .mit den Entwürfen und der Ausführung der von ihm ins Leben gerufenen Bauten und gemeinnützigen Institute musste seine Zeit, seine geistigen und physischen Kräfte vollauf in Anspruch nehmen.

Dennoch hatte er bei seiner rastlosen und aufreibenden Thätigkeit noch Musse gefunden, sich den öffentlichen und politischen Angelegenheiten seines engeren Vaterlandes mit Fleiss und Liebe zu widmen. Er gehörte zu den thätigsten und weitblickendsten Mitgliedern des Posener Provinziallandtages.

Abgeneigt jeder Konnivenz und treu seiner einmal gewonnenen Ueberzeugung, gerieth Raczyński, wie das bei einem so unabhängigen Charakter natürlich war, nicht selten in Gegensatz zur „öffentlichen Meinung."

Die Stände des Posener Provinziallandtages hatten in ihrer Sitzung vom 8. März 1843 eine Adresse an den König beschlossen, in welcher sie unter Anderem ausführten: „dass sie in der Vereinigung der ständischen Ausschüsse eine Fortbildung der standischen Verfassung erblicken, aber dafür halten, dass die Wirksamkeit derselben nur dann volle Bedeutung gewinnen kann, wenn mit dieser Vereinigung auch alle diejenigen Institutionen ins Leben treten, welche durch die Allerhöchste Verordnung vom 22. Mai 1815 verheissen worden sind", d. h. sie baten um Verleihung einer Verfassung für die ganze Monarchie.

Obgleich leicht vorauszusehen war, dass nach den damals an massgebender Stelle über diesen Gegenstand herrschenden Ansichten nur eine, wie es auch wirklich geschehen ist, scharfe Abweisung zu gewärtigen war, so wurde dennoch diese Adresse einstimmig beschlossen. Dieser Sitzung war Raczyński durch ein plötzlich eingetretenes Unwohlsein beizuwohnen verhindert. In der Sitzung vom 10. Marz erklärte er sich — zum allgemeinem Erstaunen sämmtlicher Mitglieder — gegen diese Adresse mit folgenden Worten: „ . . . Ich kann einen Antrag unmöglich gutheissen, der mit verdeckten Worten auf den Wunsch hinweist, eine Konstitution in den preussischen Staaten eingeführt zu sehen, weil ich der festen Ueberzeugung bin, dass eine solche Konstitution, die nothwendig im deutschen Sinne gedacht sein müsste, der polnischen Nationalitat im Grossherzogthum Posen den Tod geben würde, so wie die spanische Konstitution den Separatrechten der Baskischen Provinzen entschieden entgegen ist, . . . weil ich in der Adresse eine Schroffheit gegen den König bemerkt zu haben glaube, . . . dem wir hohen Dank schuldig sind, und weil, meiner vollkommenen Ueberzeugung nach, eine auswärtige Macht es gar gern sehen würde, wenn wir der Zuneigung des Königs verlustig gehen sollten, dieses, aber doch wahrlich nicht in unserem Interesse liegt." Was dem übrigen Inhalt der Adresse, namentlich was „die polnische Nationalität anbelangt, so trete ich derselben um so eifriger bei, als ich dieselben Grundsätze vor zwei Jahren in Königsberg nach Möglichkeit befürwortet habe."

Er erklärte sich schliesslich auch gegen die in' der Adresse beantragte Aufhebung der „Censur-Instruktionen, weil", wie er sagte, „ihm ein Damm nöthig zu sein schien, um Kirche und Religion vor Lästerungen zu schützen".

Wir haben alle diese Thatsachen hier vorweggenommen, um Raczyński dadurch in seinen politischen, kirchlichen und nationalpolnischen Ansichten sich selbst charakterisiren zu lassen und zu zeigen, dass er den Muth hatte, eine eigene Meinung zu haben und dieselbe den Ansichten Anderer, auch wenn diese noch so sehr für „zeitgemäss", „liberal" u. s. w. galten, entgegenzustellen.

Der Oberpräsident Flottwell, welcher die Verwaltung des Grossherzogthums Posen vom December 1830 bis zum Beginn des Jahres 1841 in Händen hatte, hat die Grundsätze, durch welche er sich in seiner administrativen und politischen Wirksamkeit leiten liess, in einer „Denkschrift" in folgenden Worten präcisirt:

„Während meiner Wirksamkeit in dem oben bezeichneten Zeitraum habe ich die, der Verwaltung der Provinz gestellte Aufgabe dahin verstehen zu müssen geglaubt: ihre innige Verbindung mit dem preuss. Staat dadurch zu fördern und zu befestigen, dass die ihren polnischen Einwohnern eigenthümlichen Richtungen, Gewohnheiten, Neigungen, die einer solchen Verbindung widerstreben, allmälig beseitigt, dass dagegen die Elemente des deutschen Lebens in seinen materiellen und geistigen Beziehungen immer mehr in ihr verbreitet, damit endlich die gänzliche Vereinigung beider Nationalitäten als der Schluss dieser Aufgabe durch das entschiedene Hervortreten deutscher Kultur erlangt werden möge."

Um diese Verwaltungspolitik zu stützen und „um die Zahl der intelligenten und zugleich in

ihrer politischen Gesinnung zuverlässigen Ritter-
gutsbesitzer in dieser Provinz zu vermehren, haben
des Höchstseligen Königs Majestät", wie der
Herr Oberpräsident in seiner „Denkschrift", mit-
theilt, „durch die Allerhöchste Cabinetsordre vom
13. März 1833 zu befehlen geruht, dass von den
zur Subhastation gelangenden grösseren Besitzungen
die zur Wiederveräusserung sich vorzugsweise
eignenden für Rechnung des Staates angekauft
und nach erfolgter Regulirung der bäuerlichen
Wirthe, . . . an wohlhabende, intelligente und
wohlgesinnte Erwerber deutscher Abkunft wieder
veräussert werden sollen."

Der nach diesen Grundsätzen und Zielen geleiteten
Verwaltung der Provinz verstand die polnischen Bevölkerung keine warmen Sympathien entgegenzubringen.
Sie fand darin Veranlassung zum Kampf und Widerstande,
dessen Schauplatz vorzugsweise der Provinzial-Landtag
war. Zu denjenigen, welche mit Lebhaftigkeit gegen
die provinzielle Verwaltungspolitik eintraten, gehörte und
zwar nicht an letzter Stelle auch Graf Raczyński.

Zu der Deputation, welche dem König Friedrich
Wilhelm IV. während der Krönungsfeierlichkeiten zu
Königsberg die Huldigung der Posener Stände darbringen
sollte, gehörte auch Raczyński. Er wurde bei dieser
Gelegenheit durch einen Orden und die Verleihung der
Kammerherrnwürde ausgezeichnet. Er war auch Mit-
glied der Kommission, welche mit der Redaktion der
Ansprache an den König seitens der Stände betraut war.

Nachdem der Provinzial-Landtagsmarschall, Graf
Poniński, die Anrede an den König gehalten hatte und
der Huldigungseid seitens der Posener Stände-Deputation
geleistet worden war, empfing der König alle diejenigen
Mitglieder der Deputation, welchen der Grafentitel, oder
ein Orden verliehen worden war — und zu diesen gehörte
auch Graf Raczyński — in einer besonderen Audienz.
Nach Beendigung dieser feierlichen Ceremonie trat Raczyński vor und bat den König, einige Worte über die
öffentlichen Angelegenheiten des Grossherzogthums Posen
vortragen zu dürfen, welche Bitte auch sofort gewährt
wurde. In einer längeren Rede*) trug nun Raczyński

---

*) Der Wortlaut dieser Rede ist in Nr. 243 der „Schle-
sischen Zeitung" vom 16. Oktober 1840 veröffentlicht. Siehe:

sämmtliche Beschwerden der polnischen Bevölkerung des Grossherzogthums vor. Der König erklärte hierauf, dass „die polnische Nationalität nicht gefährdet werden sollte."

Bald darauf wurde Flottwell nach Magdeburg versetzt und mit Beginn des Jahres 1841 Graf Arnim-Boytzenburg zum Oberpräsidenten des Grossherzogthums Posen ernannt. Da er jedoch sein Amt nicht gleich antreten konnte, so wurden seine Amtsgeschäfte von seinem Vorgänger bis auf Weiteres versehen. Noch vor Zusammentritt des Provinziallandtages, als dessen Königlicher Kommissarius vertretungsweise Flottwell fungirte, erschien die Ministerial-Verordnung vom 21. Januar 1841, welche die der polnischen Bevölkerung günstigen Bestimmungen über den Gebrauch der polnischen Sprache in allen gerichtlichen Angelegenheiten enthielt.

Das Verdienst, den Erlass dieser Verordnung wenigstens beschleunigt zu haben, kann dem Grafen Raczyński nicht abgesprochen werden. Wir finden es angemessen, dies hier ausdrücklich zu erwähnen, weil wir weiter unten uns darauf zu beziehen Veranlassung haben werden.

Durch den Brand der Posener Kathedralkirche im Jahre 1772 und den 1790 erfolgten Einsturz eines Thurmes derselben wurden die Gräber der beiden ersten Beherrscher von Polen Miecislaus I. und Boleslaus Chrobry so sehr beschädigt, dass ihre Ueberreste in einem besonderen Sarge niedergelegt, versiegelt und im Sitzungssaale des Kapitels untergebracht werden mussten. Der Wiederaufbau des Domes wurde erst 1801 vollendet. Der Posener Bischof Timotheus Gorzeński wollte den Ueberresten der beiden Könige ein Grabmal setzen und bestimmte dazu den zehnten Theil seiner jährlichen Einkünfte. Der Domherr, spätere Erzbischof von Gnesen und Posen, Theophil Wolicki, erliess am 2. Juli 1816 einen Aufruf an die polnischen Mitbürger, in welchem er zu Beiträgen zur Errichtung eines Grabmals für die beiden Herrscher aufforderte. Zur Veranstaltung von Sammlungen, an welchen sich der König Friedrich Wilhelm III. mit 100 Dukaten, der Kronprinz mit 20 Dukaten und der Kaiser von Russland Nikolaus mit 500 Thalern betheiligte, wurde die Genehmigung höchsten Orts ertheilt.

Historya sejmów Wielkiego Ks. Poznańskiego przez Ludwika Żychlińskiego. Poznań, Ludw. Merzbach, 1867. 8°. Band II., Seite 7.

Nach dem Tode des Erzbischofs Wolicki (19. December 1829) sprach der Provinziallandtag der Staatsregierung gegenüber den Wunsch aus, das Denkmal der beiden Könige vollendet zu sehen. In Folge dessen ernannte der König zu diesem Zwecke ein Comité, das der Kgl. Statthalter, Fürst Anton Radziwiłł, der Dompropst von Gnesen, der nachmalige Erzbischof Przyłuski, und der Graf Raczyński bildeten. Der Vorsitzende desselben, Fürst Radziwiłł, fasste die bis dahin weit auseinandergehenden Vorschläge dahin zusammen, dass den beiden Regenten Standbilder errichtet und zur würdigen Beisetzung ihrer sterblichen Ueberreste eine Grabkapelle erbaut werden sollte.

Nach dem (an der Cholera am 7. April 1833 in Berlin erfolgten) Tode des Fürsten Radziwiłł wurden die beiden überlebenden Mitglieder des Comités durch ein Ministerial-Reskript vom 17. Juli 1833 zur Weiterführung der Angelegenheit ermächtigt. Diese beschlossen nun, in der an der Ostseite des Domes gelegenen, nach einem Plane des Baumeisters Chevalier Lanci auszustattenden Domkapelle das Grabmal der beiden Herrscher zu errichten und ihre Standbilder aufzustellen. Der Stil der Kapelle sollte, dem Zeitalter der beiden Könige entsprechend, byzantinisch gehalten sein. Diese wurde dann mit den in Wachsfarben enkaustisch ausgeführten Bildern der polnischen Heiligen und den Wappen der vornehmsten polnischen Familien versehen. Ein Altar mit dem Muttergottes-Bilde in Mosaik, welches Prof. Salandri in Venedig angefertigt, vollendete den Schmuck der Kapelle. Hier wurde, zwischen dem Altar und dem Eingang, an der Südseite der Kapelle, der Sarkophag, welcher die Ueberreste der beiden Monarchen birgt, aufgestellt. In einer Nische der Nordwand, links vom Eingang, erhielten die Standbilder ihren Platz.

Da die Gesammtsumme der Beiträge nur 21576 Thlr. betrug, die kaum zum inneren Umbau und Ausschmückung der Kapelle, zur Errichtung des Altars und des Sarkophags reichten, so liess Graf Raczyński, wie bereits erwähnt, auf seine Kosten die beiden Standbilder anfertigen und aufstellen. An dem Postament liess er folgende Inschrift anbringen: „Ofiarowane do kaplicy Piastów przez Edwarda Nałęcza Hr. Raczyńskiego." (Der Piasten-Kapelle von Eduard Nałęcz Gr. Raczyński gewidmet.)

Er konnte damals nicht ahnen, wie verhängnissvoll die Anbringung dieser Inschrift für ihn werden sollte.

In seiner Eigenschaft als einer der drei Testamentsvollstrecker des verstorbenen Erzbischofs Wolicki glaubte der Landtagsabgeordnete Regierungsrath a. D. Pantaleon Schumann sich berufen, gegen diese Inschrift zu protestiren. Sein „persönliches Verhältniss zu dem Urheber des Gedankens dieser Denkmäler verbot ihm zu schweigen", und deshalb wandte er sich in einem Antrage vom 17. April 1841 und einem späteren vom 4. April 1843 an den Landtag, in welchen er darzuthun suchte, dass die „Idee" dieser Standbilder vom verstorbenen Erzbischof herrühre, „dass jemand anders sich das Verdienst ihrer Aufstellung zuschreibt", und „dieser Jemand anders sei der verehrte Kollege aus dem Schrimmer Kreise", dass die Standbilder unser sind, denn wir haben für sie beigetragen, dass sie für unser Geld angeschafft sind",*) dass ferner aus den gesammelten Fonds sowohl die ganze Ausschmückung der Kapelle, sowie die Beschaffung der beiden Standbilder hätte bestritten werden können u. s. w. Aus diesen Gründen stellte er den Antrag: „An einer geeigneten Stelle die Inschrift anzubringen: Nach dem Entwurfe (!) Wolicki's stellte für die Beiträge der Nation diese Standbilder auf und widmete zu ihrer Ehre diese Kapelle E. N. R. (E(duard) N(ałęcz) R(aczyński).

Dieser Antrag wurde mit allen Stimmen gegen die des Antragstellers verworfen.

In seinem zweiten Antrage stellte Herr Schumann das Verlangen an den Landtag: „die unterthänigste Bitte an Se. Majestät den König zu richten, dem Landtage die Erledigung dieses Werkes zu übertragen und, wenn Graf Raczyński die in seinem (Schumanns) oben angeführten (bereits verworfenen) Antrage gestellten Forderungen in Bezug auf Aenderung der Inschrift nicht erfüllen sollte, diese seine Anträge Allergnädigst zu bestätigen."

In seinen „Verhandlungen betreffend das den ersten beiden Regenten Polens in Posen errichtete Denkmal," welchen er die hierauf bezügliche „Urkundensammlung"

---

*) In dem Abdruck der officiellen Beitragsliste ist der Name des Herrn Schumann weder als Sammler, noch als Beitragsspender zu finden.

beifügte, widerlegte Graf Raczyński Satz für Satz diese Behauptungen seines verehrten Landtagskollegen.

Wenn auch der verstorbene Erzbischof Wolicki die Absicht, die „Idee" gehabt hätte, den beiden Königen ein Denkmal zu setzen, so hat doch Graf Raczyński die Standbilder der beiden Könige von Rauch ausschliesslich auf seine Kosten anfertigen und aufstellen lassen.

Mit 27 gegen 14 Stimmen verwarf der Landtag auch diesen Schumann'schen Antrag.

Raczyński, der in der uneigennützigsten Weise über eine Million Thaler für gemeinnützige Zwecke aufgewendet hatte, war nicht einen Augenblick zweifelhaft, was er unter so bewandten Umständen zu thun hatte. Er erbot sich, die aus den Sammlungen verwendeten Gelder nebst Zinsen dem Oberpräsidenten zur Verfügung zu stellen.

Aber seine edle Natur fühlte sich durch eine Insinuation tief verletzt, nach welcher man ihn einer Aneignung fremder „Ideen", einer dem allgemeinen Wunsche nicht entsprechenden Verwendung öffentlicher Gelder, also einer seinem Charakter gänzlich fremden Anmassung, Eitelkeit und des Bruches des allgemeinen Vertrauens zu beschuldigen wagte. Und doch hatten sich unter seinen Landtagskollegen vierzehn gefunden, die für solche Anträge gestimmt hatten.

Ueberdies erfuhr noch Graf Raczyński nachträglich, dass während dieser Landtags-Session „Unterschriften gesammelt wurden, um ihn für einen unwürdigen Vertreter des Schrimmer Kreises zu erklären, weil er die (oben bereits erwähnte) Adresse an den König nicht mitunterschreiben wollte." Es fanden sich sogar unter seinen Landsleuten nicht wenige Individuen, die ihn einen „Verräther" nannten. Graf Titus Działyński, welcher mit den Vierzehn, wie er hervorhob, nur in der Absicht stimmte, dass der Landtag autorisirt werden sollte, die vom Grafen Raczyński geführten Ausgaberechnungen entgegen zu nehmen, hielt jene Liste, als sie ihm vorgelegt wurde, zurück, weil er ein solches Verfahren ungesetzlich fand, da jeder Abgeordnete nur nach seinem besten Wissen und Gewissen zu handeln habe. Ihm war es auch nur zu verdanken, dass diese Unwürdigkeitserklärung nicht zu Stande kam.

Raczyński, der stets ohne Rücksicht auf die für ihn persönlich ungünstigen Folgen seinen Stammesgenossen und überhaupt seinen Mitbürgern mit Aufopferung seines Vermögens, seiner physischen und geistigen Kräfte gedient und nie selbstsüchtige Zwecke verfolgt, der unehrenhafter Handlungen vollkommen unfähig war, sollte für „unwürdig" erklärt werden, seinen Wahlkreis im Landtage zu vertreten"! Er, der selbst dem Thron gegenüber für seine Stammesgenossen mit Freimuth und Wärme eingetreten, war ein — „Verräther".

Die Thatsache, dass es unter der Gesammtzahl der Landtagsmitglieder nur vierzehn waren, die ihn so tödtlich verletzten, lässt diesen Vorgang in keinem milderen Lichte erscheinen, da diesen gegenüber, wie erwartet werden durfte, von einer allgemeinen offenen Entrüstung der gesammten polnischen Gesellschaft nichts zu bemerken war. Eine minder edle Natur hätte sich, so grausam im ganzen innersten Wesen verletzt, vielleicht mit Verachtung von denjenigen abgewandt, für die er alles das, was er für gut und erspriesslich hielt, gethan hatte.

Von Undankbarkeit, Missgunst und Hass verfolgt und tief gebeugt, fasste er den unglückseligen Entschluss, seinem Leben ein Ende zu machen! Nachdem er in seiner Gegenwart die Inschrift am Sockel der Standbilder hatte vernichten lassen, begab er sich nach seinem Schlosse Rogalin. Am folgenden Montag, den 20. Jan. 1845, fuhr er nach Zaniemyśl, einem seiner Güter, speiste bei dem dortigen Pfarrer, übergab demselben eine Kassette mit einem Konvolut seiner wichtigsten Papiere und bat ihn, dieselben bis zu seiner Rückkehr in Verwahrung zu nehmen. Hierauf ging er an den See, auf welchem sich ein englisches, zu Lustfahrten bestimmtes Boot mit einer kleinen Kanone befand. Diese lud er und kniete, wie es scheint, so vor ihr nieder, dass er das Zündloch mit der Lunte erreichen konnte. Der Schuss zerschmetterte ihm den Kopf.

In einem Briefe, den er einige Augenblicke vor seinem Tode an den Pfarrer durch ein Bauernmädchen gesandt hatte, bat er denselben, ihm zu verzeihen, dass er seinen Pfarrkindern durch seinen Selbstmord ein so böses Beispiel gegeben, und ihn dort zu begraben, wo er gestorben sei.

Mit ergreifenden Worten nahm er in einem hinterlassenen Briefe Abschied von seiner Gemahlin, der treuen Gefährtin seines Lebens und seines Wirkens. Am 24. Jan. wurde er begraben. Dem höchst einfachen Sarge folgten nur seine nächsten Angehörigen und seine treuesten Diener.

: ˙ Vermählt ˙war ˙ Graf Raczyński mit Konstanze Potocka, einer˙ Tochter des in der polnischen Geschichte
namentlich durch die Konföderation von Targowica wohl-
bekannten Szczęsny (Felix) Potocki, einer Frau von her-
vorragender Begabung und hoher Bildung. Sie war in
erster Ehe mit dem Geschichtsforscher und Archäologen
Jean Potocki vermählt gewesen und ging mit Raczyński
die zweite .Ehe ein, welcher ihr einziger Sohn Roger
entspross.

In religiöser Beziehung war Raczyński gläubig und
der katholischen Kirche aufrichtig ergeben. Wenn er
demnach seinen Glauben durch eine philosophische Weltanschauung zu erweitern, oder zu ersetzen nicht geneigt
war, so war˙ er darum nichts weniger als ein Eiferer,
oder gär intolerant gegen Andersdenkende. Sein einziger
Sohn, ein offenerAnhänger der Hegelschen Philosophie,
unterhielt, wie ihm wohl bekannt war, mit den Schülern
Hegels, wie mit Arnold Ruge u. A., freundschaftliche
und literarische Verbindungen.

Graf Raczyński, dessen äussere Erscheinung das
beigegebene Bildniss ziemlich treu wiedergiebt, war
von hoher, schlanker Gestalt und etwas nach vorn
gebeugter Haltung. Hochbegabt und von umfassendem
Wissen, war er eine zu sehr nach Innen gekehrte Natur
als dass er auf sein Aeusseres viel Sorgfalt verwendet
hätte. Mässig und einfach in seinen Lebensgewohnheiten
war er gastfrei und freigebig gegen seine Freunde und
seine Umgebung. Trotz seines stets auf das Gemeinwohl
gerichteten Sinnes hatte er eine offene Hand für den
einzelnen Nothleidenden und unterstützte im Stillen viele
Bedürftige, darunter namentlich solche junge Leute, welche
sich wissenschaftlichen Studien widmeten. Es konnte daher
auch nicht fehlen, dass sich verschiedene Personen selbst
aus weiter Ferne an ihn herandrängten, um seine Frei-
gebigkeit und Opferwilligkeit mehr oder minder geschickt
auszubeuten. Selbst wenn er zur Erkenntniss kam, dass
er hintergangen werde, nahm er sein einmal gegebenes
Versprechen nicht zurück. Er pflegte dann zu sagen,
man müsse sein gegebenes Wort mindestens eben so
gut halten wie eine vor Notar und Zeugen eingegangene
Verpflichtung.

Die Feinheit seiner Umgangsformen, kein äusser-
licher Firniss, sondern der wahre Ausdruck seines edlen
Geistes, wurde von Vielen als aristokratisches Wesen

aufgefasst oder empfunden. Auf eine mehr als drei-
hundertjährige Geschichte seiner hochedlen Familie zu-
rückblickend, wäre er zu einem gewissen Stolze berechtigt
gewesen. Aber er suchte und fand einen solchen nur
in den Vorzügen, welche Talent, Wissen und Adel der
Gesinnung verleihen, und vermochte den Werth solcher
Eigenschaften auch an Anderen zu schätzen. Er ver-
einigte in sich die dem Geburtsadel oft in hohem Grade
eigenthümlichen guten Eigenschaften mit denen der Aristo-
kratie des Geistes. Wenn aber Personen selbst seines
Standes und Ranges nicht zu intimen Beziehungen zu
ihm gelangen konnten, so lag dies lediglich daran,
dass eine seelische Verwandtschaft nicht vorhanden war
und blosse Gleichartigkeit der Lebensanschauungen und
Formen keine Anziehung auf ihn zu üben vermochte.

Von keiner festen Gesundheit und von besonders
leicht erregbarem Temperament, hatte er durch fortdauernde, von geistiger Beschäftigung nicht leicht zu
trennende physische Anstrengung seine Gesundheit,
namentlich in den letzten Lebensjahren, bedeutend ge-
schwächt, so dass er nur durch strenge Diät und eine
auf's Aeusserste gesteigerte Mässigkeit sich arbeitsfähig
erhalten konnte. Immerhin war ihm sicherlich noch eine
Reihe von Jahren fruchtbarer und segensreicher Thätigkeit beschieden, wenn er nicht, in seiner Ehre tief
gekränkt, verdüsterten Gemüths sich selbst den Tod
gegeben hätte. Er erreichte ein Alter von 59 Jahren.

Posen, den 1. 4. 1885.

M. E. S.

Geschichte

der

Raczyński'schen Bibliothek in Posen

von

L. Kurtzmann.

Dr. Rob. Naumann nennt im Serapeum (1846, S. 371) Stadtbibliotheken: „nothwendige Lebensäusserungen der schon vorhandenen geistigen und wissenschaftlichen Bildung grösserer Städte." Es würde auffallend sein, wenn wir dieser nothwendigen Lebensäusserung in Posen, der ehemaligen Königsresidenz, der Hauptstadt Grosspolens, dem Sitze eines Bischofs, einer Stadt, deren Bürgerschaft durch Handel und Gewerbe so wohlhabend geworden war, dass sie sich im 16. Jahrh. das monumentale Rathhaus erbauen konnte, nicht begegneten. Auf dem alten von Bodenehr gestochenen Plane der Stadt Posen finden wir denn auch in der That die Stadtwage auf dem Markte als „Bibliothek" bezeichnet. Die Bücher sind bis auf geringe Ueberreste, die sich im Stadtarchiv erhalten haben, durch die Ungunst der Zeiten, die über Posen hereinbrach, verzettelt oder vernichtet worden.*) Eine Neubegründung der städtischen Bibliothek erfolgte nicht, weil die religiösen Genossenschaften inzwischen Bibliotheken gesammelt hatten. Am Dom, in jedem Kloster fanden sich mehr oder weniger umfangreiche Büchersammlungen; ja selbst bei der im Jahre 1786 erbauten evangelischen Kreuzkirche wurde eine Bibliothek angelegt, welche neuerdings dem Kgl. Provinzialarchiv übergeben worden ist. Nach Aufhebung der Klöster und damit auch der Klosterbibliotheken durch die preussische Regierung erstanden in Posen: die Bibliothek des geistlichen Seminars, die Bibliothek des St. Maria Magdal.

---

*) Im Bücher-Verz. der Raths-Bibl. in Posen, 1883 finden sich: D e c r e t a l i u m lib. VI. Lugduni, 1507, G r e g o r i u s IX., Decretalium ... argumentum. Lugd. 1510, B e r n a r d i , Casus super 5 libros decretalium. Argentinae, 1498, D e c r e t a l i u m lib. VI. Venetiis, 1500, G r e g o r i i IX. compilatio ... decretalium, 1492, D e c i s i o n e s rotae, Lugduni, s. a. A b a n u s P e t r u s ... conciliator differentiarum philosophorum. Venetiis, 1496, C i c e r o , Rhetorica et epp. familiares. Venetiis, 1487, P l a t o n i s opp. a Marsilio Ficino traducta, 1518, S e n e c a , Tragoediae, Venetiis 1522 u. A. m.

Gymnasiums, die Regierungs-Bibliothek und die Gerichts-Bibliothek, so dass den Bedürfnissen der betreffenden Fachleute Rechnung getragen war, eine öffentliche Jedermann zugängliche Bibliothek fehlte aber, und diesen Mangel bemerkte ein Sohn der Stadt Posen, der die materiellen Mittel und den guten Willen besass, denselben zu beseitigen. Es entzieht sich leider unserem Wissen, wann Graf Eduard Raczyński den Plan fasste, seiner Vaterstadt eine Bibliothek zu schenken. Wahrscheinlich geschah dies, als die Aufhebung und Auflösung der Klosterbibliotheken ihm grössere Büchermassen zuführte. Wenige Jahre genügten, den gefassten Plan zu verwirklichen. Ein Grundstück wurde von der Stadt erworben, das Bibliothekgebäude errichtet, und Bücher massenhaft herbeigeschafft. Die Bücher selbst geben uns Aufschluss, woher sie stammen. Den Grundstock bildete die von seinen Vorfahren überkommene Bücherei. Der älteste Bestandtheil derselben trägt den Bibliothekstempel: „Michael Crus (Casimirus) Raczyński, Subjudex terrest. Posnanie." Die Bücher sind alle uniform in braunes Leder gebunden, mit theilweise vergoldetem originellen Schnitt, so dass sie sich leicht zusammenstellen liessen. Ausserdem ist auf jeden Band aussen ein gedrucktes Zettelchen mit der Bezeichnung „Wyszyńskie" aufgeklebt, woraus ersichtlich ist, dass sich diese Bücher einst in dem Schlosse Wyszyn befanden, von dem uns Graf Eduard Raczyński in seinen Wspomnienia Wielkopolski, Posen, 1842, eine historische Beschreibung und eine schöne Abbildung in Kupferstich überliefert hat.

Die Aufhebung der Klöster und die Verschleuderung ihrer Bibliotheken nutzte Graf Raczyński so weit aus, als es seinen Zwecken entsprach. Bücher, Urkunden und Manuscripte raffte er zusammen und erhielt so unserer Provinz einen Schatz historischer Denkmäler, der unfehlbar zersplittert, wo nicht gar vernichtet worden wäre; wie dies z. B. die Bibliothek des Klosters Obra beweist. Hauptsächlich war es die Bibliothek und das Archiv des Cistercienserklosters Paradies, die durch ihn theilweise gerettet wurden. Die Bücher dieses reichen Ordens, namentlich aber die Erwerbungen des Abts Ruszkowski, zeichnen sich auch schon äusserlich durch die eleganten weissen Pergamentbände und Sauberkeit der Exemplare aus, was sich von den Büchern der anderen Klosterbibliotheken nicht gerade behaupten lässt.

Aus allen Klosterbibliotheken unserer Heimathprovinz birgt die Raczyńskische Bibliothek mehr oder minder werthvolle Ueberbleibsel.

Demnächst wurde der Verkauf der Doubletten der Königl. und Universitäts-Bibliothek in Breslau reichlichst ausgebeutet, wodurch wieder viele Hunderte von Werken aus schlesischen aufgehobenen Klosterbibliotheken herkamen. Das an Büchern und Bibliotheken in den 3 voraufgegangenen Jahrhunderten so reiche Breslau hat überhaupt das reichste Kontingent für die Raczyńskische Bibliothek gestellt: so kam die schöne philologische und historische Bibliothek des Rector Manso hierher, deren Bücher fast durchgäng in einen gleichmässigen saubereren Halbfranzband gekleidet sind, ferner die Bibliothek des Breslauischen Arztes Mayer, der als Mitglied der Leopold.-Akademie der Naturforscher den Wahlspruch derselben „Nunquam otiosus" als Motto auf seinem Bibliothekzeichen führte. Seine Bücher sehen keineswegs vornehm aus, doch besass er seltene alte Drucke und eine Fluth medicinischer und naturhistorischer Dissertationen, die für die Geschichte der Medicin von Interesse und Werth sind. Drittens acquirirte Graf Raczyński einen Theil der an seltenen und ausgewählten Bücherschätzen so reich bestandenen Bibliothek des Laurentius Scholz, Ecclesiasten zu St. Elisabeth in Breslau. Nicht unerwähnt darf gelassen werden die kriegswissenschaftliche Bibliothek des sächsischen Generals und Kriegsministers de Thiollaz,*) die aus Dresden herkam.

Auch finden sich in der Raczyńskischen Bibliothek einige werthvolle Doubletten der Berliner Königlichen Bibliothek vor, darunter ein Exemplar der Bollandisten mit dem Monogramm „F(ridericus) R ex)." Eine bedeutende Anzahl historischer Werke, die sich auf Polen beziehen, darunter fast Alles, was in deutscher Sprache auf diesem Gebiete existirte, stammt aus der Bibliothek eines C. Bach, der ein evangelischer Pastor gewesen zu sein scheint. Diese Bucher sind sämmtlich in elegante, wohlerhaltene Papierbände gekleidet, mit grau marmorirtem Papierüberzuge, der Rücken roth, mit dunkelgrünem Schild, worauf der Titel in Gold gedruckt ist.

Die Manuscripte sind, abgerechnet die den Klosterbibliotheken entstammenden, von dem polnischen Patrioten, Freund und Schicksalsgenossen Kościuszko's, dem Historiker u. Dichter Julian Ursin Niemcewicz an den Grafen Raczyński

---

*) Siehe die Widmung Kabrun's, Réflexions etc., 1809. (Bd. I. S. 149. — II. E. h. 14.): „A son Excellence Monsieur le Colonel de Thiollaz, Aide de Campe, Gen. et Ministre Plénipotentiaire de S. M. le Roi de Saxe, Duc de Varsovie etc. etc."

für die Summe von 300 Dukaten verkauft worden, wie ein noch erhaltener Brief Niemcewicz's bekundet:

„A Madame Mme La Comtesse Raczyńska, née Comtesse Potocka. 26. 7bre 1835. Je réponds, chère Comtesse, à Votre lettre du 12., mais hélas dans quel moment, où votre âme est saisie de la douleur la plus vive, la plus juste. Quelle consolation puis-je Vous offrir, si non de Vous dire, un être aussi bon, aussi parfait est au ciel.

Vous me demendez, si je veux me defair de mes manuscrits pour 300 # en or. Vous savez, que depuis longtemps Vous avez plein pouvoir de ma part d'agir, comme Vous le croyez bon. J'y consens donc, Vous priant, m'envoyer cette somme le plus tôt possible, car Vous comprenez, que les delais à mon âge ne vaillent rien. Je Vous supplie encore une fois de m'envoyer un exemplaire de chacun de mes ouvrages imprimés. Il me sera doux de posséder ces souvenirs.

Je Vous écris de la campagne de nos amis M. M. Il n'est pas question, que je sache du mariage de Rosa. Mme Starzyńska se plait à Paris. On attend Pelagie le mois prochain. Le bon Mostowski est toujours souffrant. Mme va bien, tous deux vous disent mille et mille tendresses. J'y joins les sentimens invéterables de ma reconnaissance et mes voeux les plus sincères pour Votre bonheur.   Votre Ourse."

In Bezug hierauf hat Łukaszewicz im Manuskripten-verzeichniss notirt: P. M. Rękopisma od J. U. N. zakupione zostały w r. 1835, jak to kontrakt sprzedającego na końcu katalogu przylepiony okazuje. Kwit na 200 # znajduje się w rachunkach domowych JW. Hrabiego, z r. 1835/36. Kwit na ostatnie 100 # . . . d. h. Pro memoria. Die Handschriften sind von J. U. N. erkauft worden im J. 1835, wie dies der Kontrakt des Verkäufers, der am Schlusse des Katalogs eingeklebt ist, zeigt. Die Quittung über 200 # findet sich in den Hausrechnungen Sr. Hochgeboren des Herrn Grafen vom J. 1835/36; die Quittung über 100 # . . .

Mit den Manuscripten kamen noch mehrere werthvolle gedruckte Bücher aus der Bibliothek Niemcewicz's in den Besitz Raczyński's. Ich erwähne hier nur das grosse Janison'sche Kartenwerk, 1658, 11 Bde in Fol., das Ortelius'sche Theatrum orbis terrarum Fol. 1579., und verschiedene Doubletten aus der Fürstl. Czartoryskischen berühmten Bibliothek in Puławy. Unter den von Niemcewicz acquirirten Manuscripten sind hervorzuheben die Radzivilliana (s. die Uebersicht über die Mscr., Bd. I., S. CCCXV.) und das eigenhändige Manuscript Malczewski's der „Marya", dieser Perle der polnischen Poesie, ein Schatz von unbestimmbarem Werthe.

Wie eine auch nur oberflächliche Betrachtung des
Kataloges lehrt, hat Raczyński sein Hauptaugenmerk auf
„Geschichte und Literatur" gerichtet, besonders auf die
polnische, die ihm am nächsten lag. Sie ist im III. Bande
des Katalogs zusammengestellt und umfasst 8500 Werke;
während die Gesch. u. Lit. aller übrigen Völker, (Band II.)
etwas über 10000 Werke zählt, und die übrigen Wissenschaften
zusammen nur durch 5300 Werke repräsentirt sind. Nach
welcher Richtung er die Bibliothek ausgebaut wissen wollte,
zeigt § 41 der Schenkungsurkunde: „Bei der Wahl der alljährlich für die Bibliothek anzuschaffenden neuen Bücher ist
ganz besonders denjenigen der Vorzug zu geben, welche für
die Bewohner des Grossherzogthums Posen ein
National-Interesse' haben, im Allgemeinen aber diejenigen Schriften, die in das Gebiet der Moral, Geschichte,
Technologie und Philologie einschlagen, vor Werken,
welche der Unterhaltung gewidmet sind, oder auch vor Flugschriften."

Die Schenkungsurkunde wurde vom Grafen Eduard
Raczyński am 22. Febr. 1829 vollzogen. Dieselbe ist auch im
Druck erschienen unter dem Titel: „Statut der von dem
Grafen Eduard von Raczyński gegründeten öffent-
lichen Bibliothek in Posen. — (Posen, gedruckt bei
Louis Merzbach.) 8⁰. 16 Stn. Dieselbe lautet wie folgt:

Urkunde über die Stiftung und Einrichtung einer öffentlichen Bibliothek in Posen.

I. Abschnitt.

Gründung und Ausstattung der Bibliothek.

§ 1. Beseelt von dem Wunsche, Jedermann zur Er-
werbung nützlicher Kenntnisse und Wissenschaften behülflich
zu sein, habe ich beschlossen, in meinem Geburtsort Posen
eine öffentliche Bibliothek zu errichten und dieselbe nebst
dem dazu bestimmten auf der Wilhelmstrasse Nr. 134 aufgeführten Gebäude mit allen gegenwärtig darin befindlichen
Büchern und den zu ihrer Dotation bezeichneten Fonds,
dieser Stadt zum beständigen eigenthümlichen Besitz unter
folgenden Bedingungen zu überlassen:

§ 2. Die Bibliothek soll für immer die „Raczyński'sche
Bibliothek" heissen, und das Gebäude derselben wird mit
der in polnischer Sprache abgefassten Aufschrift: Biblioteka
Raczyńskich, versehen werden. Die Bibliothek - Vorsteher
werden sich in Amtsgeschäften eines Siegels bedienen, welches
das Raczyńskische Familien - Wappen und die Aufschrift:
Biblioteka publiczna zakładu Edwarda hr. Raczyńskiego,
(die vom Grafen Eduard von Raczyński gegründete öffentliche
Bibliothek) enthalten soll.

§ 3. Die Bestimmung dieser Bibliothek ist, Jedermann, ohne Unterschied der Person, in dem darin eingerichteten Lesezimmer den Gebrauch der Bücher in den dazu bestimmten Tagen und Stunden zu verstatten.

§ 4. Zur Ausstattung dieser Anstalt bestimme ich den Ertrag eines Kapitals von 120000 Fl. polnisch (20000 Thlr.), welches auf der Herrschaft Pleschen im Kreise gleichen Namens mit der Klausel hypothekarisch versichert ist, dass es von keiner Seite gekündigt werden darf, sondern für immer auf diesen Gütern haften bleibt; die diesfällige Erklärung, sowohl von Seiten des Unterzeichneten, welcher sein Kapital zu Gunsten der Bibliothek überweist, als von Seiten des Schuldners, soll in das Hypotheken-Buch der Guter Pleschen eingetragen werden. Die Revenuen der Anstalt sollen durch die aus den übrigen Räumen des Bibliothekhauses gezogene Wohnungsmiethe vermehrt werden.

§ 5. Ausser dem oben erwähnten Kapital schenke ich der Bibliothek zur Vergrösserung ihrer Fonds und zur Bestreitung künftiger unvorherzusehender Ausgaben die Summe von 12000 Fl. polnisch (2000 Thlr.) in Königl. Polnischen Pfandbriefen unter dem Titel eines mobilen Kapitals. Dieser Beitrag ist bei der Sparkasse in Warschau untergebracht, und die weiter folgenden Paragraphen enthalten darüber nähere Bestimmungen.

§ 6. Etwaige spätere Schenkungen Seitens des Stifters werden nach den Bestimmungen dieses Statuts behandelt; bei etwaigen Schenkungen von Seiten anderer Individuen soll es den Gebern überlassen bleiben, beliebige Bedingungen zu stellen, die jedoch den gegenwärtigen Statuten nicht widersprechen dürfen.

§ 7. Wer die Bibliothek mit einem Geschenk von 1000 Büchern und darüber bereichert, soll um die Erlaubniss ersucht werden, den Lesesaal mit seinem auf Kosten des Bibliothekfonds anzufertigenden Bildnisse verzieren zu lassen. Die Grafin Constantia Raczyńska, geb. Grafin Potocka, ist hierin mit gutem Beispiele vorangegangen und hat der Bibliothek 1680 Bände übereignet. Ihr Portrat wird bei Eröffnung der Bibliothek im Lesezimmer aufgestellt werden.

Geringere Gaben sollen in ein dazu eingerichtetes Buch eingetragen werden.

§ 8. Sollte die Bibliothek durch irgend einen unabwendbaren Unfall einen bedeutenden Verlust an Büchern erleiden, so wird der Lesesaal geschlossen, bis es dem Curatorio gelingt, durch verminderte Verwaltungskosten und andere Mittel die Sammlung bis auf 5000 Bände wieder herzustellen, hienächst tritt die alte Ordnung der Dinge wieder ein.

§ 9. Alle Einkünfte der Raczyński'schen Bibliothek fliessen direct zur Posener Stadtkasse, in welche ich auch am 7. Juli 1829 das im § 5 erwähnte mobile Kapital niederlegen werde. Die Stadtkasse hat auf Grund der ihr vorzulegenden Anweisungen (§ 14) alle die Bibliothek betreffenden Zahlungen zu leisten und sie ist befugt über alle Einnahmen rechtsgultig zu quittiren.

II. Abschnitt.
Curatorium oder Aufsichts-Behörde der Bibliothek.

§ 10. Die Oberaufsicht über die Bibliothek und ihre Fonds, sowie die Sorge für die Aufrechterhaltung und Ausführung dieser Statuten ist einem Curatorium anvertraut. Mitglieder desselben sind:

a) Seine Durchl. der Fürst Anton Radziwill als Präsident. Dies Amt, welches Sie aus eifriger Theilnahme an dem Wohle der Provinz zu übernehmen geruht haben, ist nur an Ihre Person gebunden, nicht aber an die Statthalterschaft des Grossherzogthums Posen;

b) der Unterzeichnete für seine Lebenszeit und sein Sohn der Graf Rogerius Raczyński, nach dessen Tode aber dessen gesetzmässiger Nachfolger für den Fall der Errichtung eines Majorats;

c) der Besitzer des vom Grafen Athanasius v. Raczyński gestifteten Majorats nach dessen vorgeschriebener Erbfolge;

d) derjenige, welcher den Regierungs-Präsidenten von Posen in Behinderungsfällen vertritt;

e) der Oberbürgermeister der Stadt Posen.

§ 11. In Abwesenheit Seiner Durchlaucht des Fürsten Radziwill werde ich, so lange ich lebe, im Curatorio den Vorsitz führen, späterhin aber mein Sohn der Graf Rogerius Raczyński, und nach diesem der Besitzer des etwa in seiner Linie zu errichtenden Majorats, sonst aber der Besitzer des Graf Athanasius von Raczyński'schen Majorats.

§ 12. Das Curatorium hat die Verpflichtung, darüber zu wachen, dass der Zweck des Instituts in seinem ganzen Umfange erfüllt und gesichert werde, sein Interesse wahrzunehmen, für die Erhöhung der Gemeinnützigkeit zu sorgen, die für dasselbe gegebenen Statuten in Kraft zu erhalten, mit einem Worte: das Wohl desselben mit Rath und That zu befördern.

§ 13. Zwei Mitglieder sind zur Bildung des vollständigen Curatorii hinreichend. Im Falle einer Meinungsverschiedenheit bei Berathungen entscheidet das von einem der drei abwesenden Curatoren eingeholte schriftliche Gutachten.

§ 14. Das Curatorium wird sich alljährlich am 8. Juli, und, wenn dieser Termin auf einen Sonn- oder Festtag fallen sollte, am nächstfolgenden Tage versammeln, und in dieser Konferenz, die für das verflossene Jahr gelegten Rechnungen abnehmen, den Etat für das folgende festsetzen, sich von dem Zustand der Einnahme überzeugen; von den Verhältnissen der Miether im Bibliothek-Gebäude nähere Kenntniss nehmen, die mit ihnen abgeschlossenen Kontrakte prüfen, bestätigen oder abändern, den Bibliothekar zur Anschaffung neuer Bücher nach Massgabe der im abgelaufenen Jahre verbliebenen Bestände autorisiren, und entweder aus seiner Mitte oder sonst in der Person irgend eines öffentlichen, eidlich verpflichteten Beamten einen Kommissarius ernennen. Letzterer hat den Zustand der Bibliothek zu untersuchen, die Bücher mit dem Kataloge zu vergleichen, sich von den im Gebäude nothwendigen Reparaturen zu unterrichten und dem Curatorium über den Ausfall dieser Revision einen umständlichen Bericht zu erstatten.

§ 15. Wenn dieser Bericht die Berathungen des Curatorii nöthig macht, wird dasselbe eine zweite Sitzung halten.

§ 16. Alle Verhandlungen des Curatorii werden in ein dazu bestimmtes Buch aufgenommen und von sämmtlichen anwesenden Mitgliedern unterschrieben. Ein besonderes Buch soll die Berichte der mit Revision der Bibliothek beauftragten Kommissarien enthalten. Uebrigens ist dem Curatorium bei einer jedesmaligen Versammlung das Bücher-Verzeichniss der Bibliothek vorzulegen, um die wirklich erfolgte Anschaffung neuer Werke zu bescheinigen.

§ 17. Die Mitglieder des Curatoriums können durch keine Bevollmächtigten vertreten werden.

§ 18. Sollten es unvorhergesehene dringende Umstände erheischen, der auf Pleschen eingetragenen Summe, welche nach § 6 als unablösbar auf diesen Gütern stehen bleiben soll, eine andere hypothekarische Sicherheit zu substituiren, oder das § 5 erwähnte mobile Kapital anzugreifen, so kann das Eine wie das Andere nur erfolgen, wenn dazu in Folge des einstimmigen Beschlusses aller Mitglieder des Curatorii die Genehmigung des Herrn Ministers der Unterrichts-Angelegenheiten nachgesucht und ertheilt worden ist.

§ 19. Die Majoratsherrn, welche nach § 10 im Curatorio Sitz und Stimme haben, werden im Falle ihrer Minderjährigkeit von ihrem männlichen Hauptvormunde in allen Rechten und Pflichten, welche ihnen durch die gegenwärtigen Statuten resp. eingeräumt und auferlegt werden, vertreten. Nach erlangter Volljährigkeit nehmen sie ihren Platz im Curatorio in eigener Person ein.

§ 20. Um meinem Neffen, dem Grafen Carl Raczyński einen Beweis meiner Zuneigung zu geben und zu gleicher Zeit die von mir angelegte Bibliothek seiner näheren Obhut und Sorgfalt anzuvertrauen und ihn gleichsam an dies Institut zu fesseln, überlasse ich demselben nicht allein die im unteren Stockwerk und im Souterrain befindlichen und auf den hier beigefügten Zeichnungen mit rother Tusche bemerkten Wohnungsräume, sondern auch Stallung für 6 Pferde und Remise für 2 Wagen zur freien und unentgeldlichen Besitzung.

Nach dem Ableben des Grafen Carl Raczyński sollen diese Wohnungsgelasse den Besitzern des vom Grafen Athanasius von Raczyński gegründeten Majorats in der von ihm vorgeschriebenen Erbfolge mit der Verpflichtung anheimfallen, die Wohnung aus ihren Mitteln zu unterhalten und den fünften Theil der Feuer-Societäts-Beiträge zu tragen.

§ 21. Nur den Mitgliedern des Curatorii steht es frei Bücher aus der Bibliothek gegen Quittung in ihre Wohnung zu nehmen; sie sind jedoch verbunden, die bei ihnen verloren gegangenen oder beschädigten Bücher zu ersetzen; mehr wie ein Werk darf nie verabfolgt werden, und die ausgegebenen Bände müssen stets am 8. Juli wieder an Ort und Stelle sein.

III. Abschnitt.
Beamte der Bibliothek.

§ 22. Auf Kosten der Bibliothek wird:
a) ein Bibliothekar mit einem jährlichen Gehalte von 1500 Fl. poln. mit freier Wohnung im zweiten Stockwerk des Bibliothekgebäudes, bestehend aus drei Stuben, einer Küche und einem Keller, die in dem Plane mit gelber Tusche angedeutet sind; der Gebrauch des Bodens wird ihm nicht gestattet,
b) ein Kastellan mit einem jährlichen Gehalt von 900 Fl. poln. und einer Wohnstube, Kammer und Keller, oder einer Stube und zwei Kellern,
c) ein Thürsteher mit 600 Fl. Gehalt und einer Wohnstube und Keller,
angestellt werden.

§ 23. Die Hauptpflicht des Bibliothekars ist die Konservation der Bücher, für welche er nach den ihm übergebenen Katalogen verantwortlich bleibt; derselbe ist ferner verbunden, während der bestimmten Lesestunden in der Bibliothek beständig anwesend zu sein, den Lesern die von ihnen verlangten Bücher zu behändigen, die Anschaffung neuer Werke aus den ihm Seitens des Curatorii hierzu überwiesenen Fonds zu besorgen, den diesfälligen Schriftwechsel zu führen und die Auslagen für Postporto, Papier und desgl. zu bestreiten. Zu dem letzteren Behuf wird bei Eröffnung der Bibliothek ein eiserner Fond von 300 Fl. poln. zu seiner Disposition gestellt werden.

Endlich hat derselbe alle Ausgaben, insoweit es thunlich ist, durch Beläge zu erweisen.

§ 24. Sollte die Bibliothek einst Manuscripte enthalten, und irgend Jemand davon Abschriften oder Auszüge wünschen, so ist der Bibliothekar verpflichtet, solche gegen das Entrichten der Copialien unentgeldlich zu besorgen.

§ 25. Der Bibliothekar kann nebenbei einen anderen Posten verwalten oder anderweitige Geschäfte betreiben, nur muss er die Stunden, in welchen die Bibliothek geöffnet ist, pünktlich innehalten und darf sich während derselben auch dann nicht entfernen, wenn keine Leser sich einfinden.

§ 26. Der Bibliothekar wird Seitens des Curatorii unter dreien von dem Lehrerpersonal der obersten Schule in Posen vorzuschlagenden Kandidaten durch Stimmenmehrheit erwählt, wobei vorzugsweise pensionirte Professoren zu berücksichtigen sind. Sollte dem Curatorio keiner der in Vorschlag gebrachten Kandidaten genehm sein, alsdann wird mit besonderer Beachtung der § 32 bezeichneten Qualifikations-Erfordernisse der Kandidat von dem Herrn Minister der Unterrichts-Angelegenheiten zu erwählen sein.

§ 27. Die Anstellung des Bibliothekars ist lebenslänglich. Sobald er aber seine Dienstpflichten vernachlässigen oder sich gegen die Leser ein unangenehmes Betragen erlauben sollte, ist das Curatorium befugt, ihn auf Grund eines vorhergegangenen durch Stimmenmehrheit gefassten Beschlusses darüber zurecht zu weisen oder nach Umständen zu entfernen.

III

§ 28. Der Kastellan der Bibliothek hat auf Ordnung und Reinlichkeit im Hause zu halten, er muss während der Lesestunden im Lesesaale anwesend sein, sich mit den Bücherverzeichnissen bekannt machen, um den Bibliothekar in Abwesenheit oder Krankheitsfällen vertreten zu können; er ist der jedesmalige Stellvertreter des Bibliothekars und dieser sein Vorgesetzter.

§ 29. Auch die Hauspolizei ist dem Kastellan anvertraut.

§ 30. Dem Thürsteher der Bibliothek liegt ob, im Hause überhaupt und insbesondere in der Hausflur, auf den Treppen, im Lesezimmer, in den Büchersälen und auf dem Boden Ordnung zu halten und während der Lesestunden im Lesesaale anwesend zu sein, um dort den Befehlen des Bibliothekars oder Kastellans nachzukommen.

§ 31. Die Anstellung des Kastellans und Thürstehers geschieht Seitens des Curatorii auf den Vorschlag des Bibliothekars, welcher sich hinsichts der Brauchbarkeit der vorgeschlagenen Subjekte genaue Kenntniss verschafft haben muss. Beide, der Kastellan sowohl, als der Thürsteher, werden auf Kündigung angenommen.

§ 32. Die Stellen des Bibliothekars, des Kastellans und Thürstehers sollen ausschliesslich mit Eingebornen des Grossherzogthums Posen, welche die vollständige Kenntniss der polnischen und deutschen Sprache besitzen, besetzt werden.

§ 33. Von den bei der Bibliothek Angestellten darf sich keiner bei Verlust seines Postens von demselben entfernen, ohne dazu die schriftliche Erlaubniss zweier Mitglieder des Curatorii erhalten zu haben, die hinsichts der beiden Unterbedienten auf die gutachtliche Aeusserung des Bibliothekars ertheilt wird. Hievon wird jedoch die freie Zeit ausgenommen, welche dem Letzteren nach § 36 während dem Sommer bewilligt ist.

IV. Abschnitt.
Ordnungsvorschriften für die Bibliothek.

§ 34. Die Bibliothek soll täglich drei Stunden und zwar Abends von 5 bis 8 Uhr geöffnet sein, diese Zeit ist sowohl für die lernende Jugend, als für diejenigen Personen, welche bei Tage ihre Berufs- und andere Geschäfte zu besorgen haben, als die gelegenste zu betrachten.

§ 35. Ausser den Mitgliedern des Curatorii hat kein Leser das Recht, die ihm im Lesesaale vorgelegten Bücher unter irgend einem Vorwande mit nach Hause zu nehmen. Geschieht dies dennoch, so trifft sowohl den Bibliothekar, als den Kastellan eine strenge Verantwortlichkeit. Auch darf sich kein Lesegast die Freiheit nehmen, in die Bücherzimmer zu gehen; er muss vielmehr im Lesesaal abwarten, bis ihm die verlangten Bücher vom Bibliothek-Beamten verabreicht werden.

§ 36. Während der Sommerferien des Posener Gymnasii von dem 15. des Monats Juli an bis zu dem 15. des Monats August ist die Bibliothek geschlossen.

V. Abschnitt.
Etat für die Bibliothek.

§ 37. Die Einnahme der Bibliothek, sowie sie jetzt dotirt ist, beträgt:
a) an Zinsen zu 5 Proz. von der auf Pleschen haftenden Summe von 120 000 Fl. poln. . . . . . . 6 000 Fl. poln.
b) an Wohnungsmiethe im Bibliotheks-gebäude ohngefähr . . . . 2 000 „ „

Summa . . . 8 000 Fl. poln.

§ 38. Dagegen werden folgende Ausgaben angenommen:
a) die Besoldung des Bibliothekars mit . . 1 500 Fl. poln.
b) „ „ „ Kastellans mit . . . 900 „ „
c) „ „ „ Thürstehers mit . . . 600 „ „
d) an Reparaturkosten des Hauses ohngefähr 600 „ „
e) an Abgaben, wenn das Bibliothek-gebäude nicht befreit werden sollte, an Schornsteinfegerlohn etc., approximative 600 „ „
f) an Heizungs- und Beleuchtungskosten des Lesesaals während der Wintermonate 600 „ „
g) an Feuer-Societäts-Beiträgen der verhältnissmässige Antheil von 100 000 Fl. poln., von welcher Summe der Besitzer des Graf Athanasius v. Raczyński'schen Majorats laut § 20 den fünften Theil zu bezahlen hat, folglich von 80 000 Fl. poln. nach einem zehnjährigen Durchschnitt 600 „ „
h) an unvorhergesehenen Ausgaben . . . . 400 „ „

Summa . . . 5 800 Fl. poln.

§ 39. Zur Vergrösserung des mobilen Kapitals, von welchem im § 5 die Rede ist, sollen alljährlich 600 Fl. poln. verwendet werden. Hiezu die obigen . . . . 5 800 „ „

Summa sämmtlicher Ausgaben . . . 6 400 Fl. poln.

§ 40. Die übrigen 1 600 Fl. poln. werden zur Bestreitung unvorhergesehener Ausgaben bestimmt, und das nach Befriedigung derselben verbleibende Quantum ist zum Ankauf neuer Bücher zu verwenden, welche von Buchhändlern oder auf Auktionen zu acquiriren sind.

§ 41. Bei der Wahl der alljährlich für die Bibliothek anzuschaffenden neuen Bücher ist ganz besonders denjenigen der Vorzug zu geben, welche für die Bewohner des Grossherzogthums Posen ein National-Interesse haben, im Allgemeinen aber diejenigen Schriften, die in das Gebiet der Moral, Geschichte, Technologie und Philologie einschlagen, vor Werken, welche der Unterhaltung gewidmet sind, oder auch vor Flugschriften.

§ 42. Zur Sicherstellung der Bibliothek gegen etwaige Feuerschäden oder andere Unglücksfälle, zur Deckung von Mehrausgaben, die in späterer Zeit vielleicht statthaben können, auch zu ausserordentlichen Reparaturen, zu deren Bestreitung die vorhandenen Mittel nicht ausreichen sollten, insbesondere aber zur Vermehrung des Fonds der Bibliothek ist derselben nach § 5 ein mobiles Kapital von 12 000 Fl. poln. verliehen worden, welches folgendergestalt zu benutzen ist:

§ 43. Die Zinsen von diesen 12000 Fl. poln., welche bei der Sparkasse in Warschau angelegt sind, werden nebst jenen 600 Fl. poln., welcher im § 39 Erwähnung geschieht, alljährlich zum Kapital geschlagen, und soll damit bis zur Schliessung der Sparkasse im Jahre 1852 fortgefahren werden.

§ 44. Nach Auflösung dieser Kasse wird das mobile Kapital zu 85000 Fl. poln. angewachsen sein; diese Summe ist sodann zu theilen. 40000 Fl. poln. sollen das mobile Kapital fernerhin bilden, welches behufs seiner weiteren Verstärkung in Grossherzöglich Posen'sche Pfandbriefe umzusetzen ist; die übrigen 45000 Fl. poln. dagegen werden vom Curatorio auf Landgüter gegen pupillarische Sicherheit ausgeliehen, und die Zinsen davon treten den Einkünften der Bibliothek zu.

§ 45. Sobald die festen Einnahmen der Bibliothek den im § 44 gedachten Zuwachs erhalten haben, wird das Curatorium die Besoldungen der Beamten auf die nächstfolgenden 50 Jahre anderweit festsetzen, wobei das Verhältniss der Roggenpreise in Posen, so wie es sich nach einem zehnjährigen Durchschnitt in den Jahren 1818—28 und in denen von 1842—52 gestaltet, den Maassstab abgeben soll. In der Folge ist alle 50 Jahre eine ähnliche Fortsetzung der Gehälter vorzunehmen. Dergleichen Abänderungen hinsichts der Gehälter erfordern indess den einstimmigen Beschluss des Curatorii, welches die dazu nöthige Genehmigung des Herrn Ministers der Unterrichts-Angelegenheiten in Antrag zu bringen hat.

§ 46. Da der Kredit-Verein des Grossherzogthums Posen im Jahre 1868 aufgelöst wird, so werden nach Ablauf dieses Termins das mobile Kapital der Bibliothek und die hinzugekommenen Zinsen im Jahre 1868 wieder berechnet; ein Theil davon im Betrage von 60000 Fl. poln. wird als mobiles Kapital in schlesische Pfandbriefe verwandelt und der Ueberrest in gleicher Art, wie in § 44 bemerkt ist, benutzt und auf Landgüter hypothekarisch ausgethan. Vom J. 1852 an fällt übrigens der Zuschuss von 600 Fl. poln. von den jährlichen Revenüen weg, welcher nach § 39 geleistet werden sollte.

§ 47. Mit dem Jahre 1868, wo die Fonds und das Einkommen der Bibliothek sich schon bedeutend vermehrt haben werden, wird das Curatorium unter Berücksichtigung des § 32 einen Bibliothekar ernennen, welcher sich diesem Amte ausschliesslich widmen kann, auch dessen Gehalt bis zu einem den Verhältnissen dieser Zeit entsprechenden Betrage erhöhen, dessen Feststellung von dem Beschlusse des gesammten Curatorii abhängt und von dem Herrn Minister der Unterrichts-Angelegenheiten bestätigt werden muss. Diese Gehaltserhöhung kann auch früher, als mit dem J. 1868, und namentlich dann stattfinden, wenn die currenten jährlichen Revenüen der Bibliothek bis auf 30000 Fl. poln. emporgestiegen sind.

§ 48. Für diesen Fall sind dann auch die Beamten der Bibliothek zu Emeritalpensionen berechtigt, die ihnen nach den Grundsätzen der Preussischen Verwaltung und Administration zugetheilt werden sollen.

§ 49. Vom Jahre 1868 an wird das mobile Kapital alle 50 Jahre berechnet und um 40000 Fl. vergrössert, der Ueberrest aber in Gemässheit des § 44 dem Kapitalvermögen der Anstalt einverleibt und auf Landgüter zinsbar untergebracht.

§ 50. Da indess eine solche fortdauernde unbegrenzte Steigerung der Kapitalien nicht gut zulässig ist, so setze ich hiermit das Maximum des Bibliothekvermögens auf 3 000 000 Fl. poln. fest; der Ueberschuss soll meinen Erben bis in den entferntesten Grad hinein und, falls von mir ein Majorat gestiftet werden sollte, dem Besitzer desselben ausschliesslich zu Theil werden.

§ 51. So oft das Bestehen der Bibliothek ausserordentliche Ausgaben unausweichlich nöthig macht, welche den Betrag einer dreijährigen Einnahme nach Abzug der davon zu bestreitenden currenten Ausgaben übersteigt, ist das Curatorium ermächtigt, das mobile Kapital anzugreifen, doch nur in sofern, als nach Bestreitung der currenten Ausgaben zur Erlangung des beabsichtigten Zweckes dreijährige Revenüen der Bibliothek nicht ausreichen.

§ 52. Ein Angriff des mobilen Kapitals von Seiten des Curatorii kann nur unter Beobachtung der im § 18 vorgeschrieben Formen stattfinden.

§ 53. Ich mache mich verbindlich, dem Curatorio in jedem Jahre eine Berechnung über die allmählige Vermehrung des mobilen Kapitals, so lange dasselbe in der Warschauer Sparkasse verbleibt, vorzulegen. Nach meinem Tode hat sich das Curatorium mit der Behörde dieser Kasse unmittelbar zu berechnen.

§ 54. Nach Einziehung des oben gedachten Kapitals geht seine Verwaltung in Folge der gegenwärtigen Bestimmungen auf das Curatorium über, welches sodann ein Mitglied beauftragen wird, für den nach § 43 dem mobilen Kapital zufallanden Zuschuss zinsentragende Papiere anzukaufen. Da dies vom 24. Juni bis zum 7. Juli bewirkt werden kann, so hat das gedachte Mitglied am 8. Juli über die Ausführung des diesfalligen Auftrags Bericht zu erstatten.

§ 55. Sollte die Bücher-Sammlung durch irgend ein unglückliches Ereigniss dergestalt vermindert werden, dass davon keine 5000 Bände übrig bleiben, so wird für diesen Fall, welcher bereits in den §§ 8 und 51 bedacht worden ist, die zu 5000 Stück noch fehlende Bücherzahl aus dem Ertrage des mobilen Kapitals in der Art ergänzt, dass die zu verbrauchende Summe nicht mehr beträgt, als die Hälfte eines einjährigen Anwachsens des mobilen Kapitals.

§ 56. Nachdem ich vorstehend die Bedingungen aufgestellt habe, welche ich an meine der Stadt Posen gemachte Schenkung knüpfe, behalte ich mir für meine Lebezeit noch folgende Rechte vor:

a) den freien Zutritt in den Büchersälen zu jeder Zeit, das Lesezimmer ausgenommen in den dem Publiko zum Lesen bestimmten Stunden, für mich und meine Familie;

b) die beliebige Ernennung des Bibliothekars, des Kastellans und des Thürstehers;

c) für mich, meine Gemahlin und meinen Sohn, den Grafen Rogerius Raczyński, die Miethe dreier in der Belletage

der Bibliothek belegenen Zimmer, die auf dem Plane
mit grüner Tusche bemerkt sind, über deren zu fixiren-
den Preis ich mich ein für allemal bei Eröffnung der
Bibliothek mit dem Curatorio einigen werde; ferner
hinsichts aller in der Bibl. vorhandenen bewohnbaren
Piecen als Miether den Vorzug, nebst dem Rechte, die ge-
mietheten Räume anderweit zu vermiethen, oder dieselben eine Zeitlang zu verlassen und wieder zu beziehen.

§ 57. Ich behalte mir vor, auf dem Hofe neben dem
Stallgebäude, welches nebst Wagenremise laut § 20 dem
Grafen Carl Raczyński zu erb- und eigenthümlichen Rechten
verliehen ist, ein ähnliches Stallgebäude nebst Wagenremise
errichten zu lassen, welche letztere nach meinem, meiner
Gemahlin und meines Sohnes Tode der Stadt Posen unter
den nämlichen Bedingungen angehören sollen, unter welchen
ihr die Bibliothek abgetreten worden ist.

§ 58. Niemand ist ermächtigt, in den vorstehenden An-
ordnungen ohne meine Zustimmung eine Aenderung zu treffen,
oder ihnen entgegen zu handeln. Die gegenwärtige Stiftung
kann unter keinen Umständen zu einem anderen öffentlichen
oder Privatzweck benutzt, und ebensowenig die Bibliothek
anders wohin verlegt und einer fremden Sammlung einverleibt
werden oder selbst eine fremde Sammlung unter einem anderen
Namen in sich aufnehmen. Ebensowenig darf die Aufschrift
auf dem Bibliothekgebäude § 2 abgenommen oder verändert
werden.

Mir und meinen Erben steht das Recht zu darüber zu
wachen.

Sollte die ursprüngliche Bestimmung meiner Stiftung
verändert, oder die Fonds derselben anderweitig verwendet
werden, für einen solchen Fall erkläre ich die gegenwärtige
Schenkung für ungültig und behalte hinsicht aller darunter
begriffenen Gegenstände nicht nur mir selbst, sondern auch
meinen Erben bis zum entferntesten Grade und ausschliesslich
dem Besitzer des eventuell von mir zu gründenden Majorats
das Besitzrecht vor.

Posen, den 22. Februar 1829.

(gez.) Eduard Graf Raczyński.

Die landesherrliche Bestätigung erfolgte am 24. Januar
1830, und lautet:

Bestätiguug des Statuts für die vom Grafen
von Raczyński zu Posen zu errichtende
öffentliche Bibliothek.

Wir Friedrich Wilhelm von Gottes Gnaden König von
Preussen etc. thuen kund und fügen hiermit zu wissen, dass
wir die angeheftete 58 Paragraphen in 4 Abschnitten ent-
haltende Urkunde vom 22. Februar 1829 über die von dem
Grafen Eduard von Raczyński in Posen zu stiftende öffentliche Bibliothek nach ihrem ganzen Inhalte hierdurch landesherrlich bestätigen, indem wir zugleich genehmigen, dass
1) diese Stiftung dieselben Stempelbefreiungen, welche den

Universitäten und Schulen nach Unserer Allerhöchsten Kabinetsordre vom 16. Januar 1827 zugestanden sind, geniessen, 2) von allen Staatsabgaben, namentlich von der sogenannten Rauchfangsteuer befreit und 3) das von Allen im Grossherzogthum im Verlag erscheinenden Werken bisher der gesetzlichen Bestimmung vom ... December 1824 zufolge an die Universitätsbibliothek in Breslau abzuliefernde Exemplar fernerhin nicht an diese, sondern an die vom Grafen von Raczyński gestiftete Bibliothek in Posen, so lange nicht eine Universität im Grossherzogthum errichtet wird, abgegeben werde. Dessen zu Urkund haben wir diese Bestätigung höchsteigenhändig vollzogen und mit Unserem Königlichen Insiegel bedrucken lassen.

So geschehen Berlin, den 24. Januar 1830.

L. S.   Gez. Friedrich Wilhelm.

Altenstein.   Schuckmann.

Der „Przyjaciel ludu", eine in Lissa herausgegebene polnische Zeitschrift, brachte in seiner ersten Nummer eine Abbildung der Bibliothek in Holzschnitt und dazu einen kleinen Aufsatz von 40 Zeilen, welcher als Datum der Eröffnung der Bibliothek für das Publikum den 5. Mai 1829 angiebt.

Das Bibliothekgebäude, welchem der Louvre in Paris zum Muster gedient haben soll, ist auf der Ecke des Wilhelmsplatzes und der Wilhelmstrasse, somit auf dem schönsten Punkte der Stadt, errichtet. Es stand ursprünglich von allen Seiten frei da, ein grosser Vorzug für Bibliothekgebäude. Später beschloss der Bruder des Stifters der Bibliothek, der Graf Athanasius, der Stadt Posen seine kostbare Gemälde-Gallerie zu schenken. Er erkaufte von seinem Bruder einen Theil des Bibliothekplatzes, der nach der Wilhelmstrasse zu liegt, u. errichtete darauf das Galleriegebäude, welches nicht nur direct an das Bibliothekgebäude anstiess, sondern auch durch zwei Thüren mit dem Saale II. der Bibliothekräume verbunden war. Da die Stadt Posen jedoch die Schenkung ohne ein für den Unterhalt bestimmtes Kapital nicht annehmen wollte, veräusserte Graf Athanasius sein Grundstück und den darauf errichteten Bau an den Hotelbesitzer Ed. Schwarz 1837, von welchem die Frau A. Mylius denselben erwarb.

Die frühere Isolirung des Bibliothekgebäudes ist somit leider für immer verloren gegangen. Da bei dem Verkauf des in Rede stehenden Grundstückes die Grenzen des beiden gräflichen Brüdern gehörigen Terrains nicht ganz genau bestimmt worden waren, so entstand daraus in der Folge ein Process mit dem Hotelbesitzer Mylius, in welchem die Bibliothek unterlag und einen beträchtlichen Theil ihres Territoriums einbüsste.

Das Bibliothekgebäude liegt mit der 115 Fuss langen Frontseite nach dem Wilhelmsplatze, somit nach Süden zu und ist mit 12 korinthischen, aus Eisen gegossenen Säulenpaaren geschmückt.

Unterhalb des über den mittleren vier Säulenpaaren sich erhebenden Frontispizes ist die Aufschrift „Biblioteka Raczyńskich" angebracht.

Die schmale 40 Fuss lange, der Wilhelmstrasse zugekehrte Ostseite würde mit dem von Graf Athanasius angebauten Galleriesaal, wie es der Kupferstich in den Wspomnienia Wielkopolski (Nr. 27.) zeigt, einen ästhetisch-befriedigenderen Anblick gewährt haben, als es heute der Fall ist.

Die Nordseite des Gebäudes liegt nach dem Hofe zu, welcher zum grossen Theil in einen an das Hotel Mylius vermietheten Garten umgewandelt ist.

Zwischen der Westseite des Bibliothekgebäudes und dem Nachbarhause ist zur Einfahrt in den Hof ein freier Zwischenraum von ca. 33 Fuss gelassen worden.

Das Bibliothekgebäude, in Posen gewöhnlich das Raczyńskische Palais genannt, besteht aus Keller, Erdgeschoss, erstem und zweitem Stock, sowie Boden.

Für den Gebrauch der Bibliothek sind im ersten Stock 4 Zimmer auf dem Ostflügel bestimmt. Den Westflügel hat gegenwärtig miethsweise die Posener Handelskammer inne. In dem beträchtlichsten Theile des Erdgeschosses hat das Bankhaus Hirschfeld und Wolff seine Geschäftsräume, der Rest bildet die Amtswohnung des Bibliothekdieners. Im zweiten Stock befinden sich die Amtswohnungen der beiden Bibliothekare und eine Privatwohnung.

Die Vertheilung der Bibliothekräume (s. die gegenüberstehende Zeichnung) ist folgende:

Im Lesezimmer (I) ist ein langer, mit grünem Wachstuch ausgeschlagener Tisch für etwa 14 Lesegäste aufgestellt (a). Daneben steht der Arbeitstisch für den ersten Bibliothekar (b). Vor dem ersten Fenster hat der Bibliothekdiener seinen Sitz. An dem mit d bezeichneten Platze ist das Portrait der Gräfin Raczyńska, Büste in Lebensgrösse, aufgehängt mit folgender Unterschrift: Konstancya z Potockich Raczyńska darowała bibliotece książek 1680. R. 1829. D. h.: Konst. Raczyńska, geb. Potocka, schenkte der Bibliothek 1680 Bücher. Ao. 1829. An der mit e bezeichneten Stelle hängt das lebensgrosse

Wilhelmstrasse.

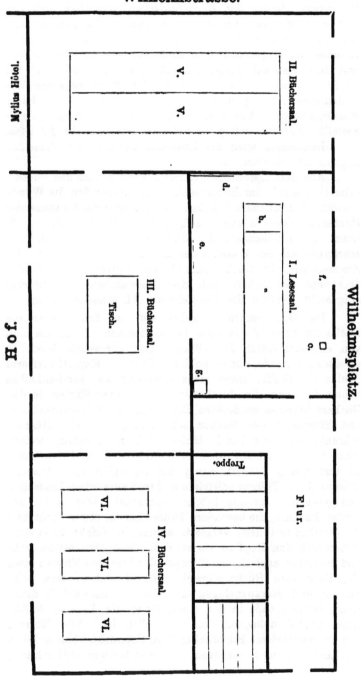

Porträt des Stifters mit folgender Unterschrift: „Graf Eduard Raczyński, Stifter der Raczyńskischen Bibliothek, geb. den 2. April 1786, gest. den 20. Januar 1845. Sein Bruder Graf Athanasius Raczyński schenkte am 6. Februar 1865 dieses Bildniss der Bibliothek zum Andenken an das viele Schöne und Gute, was der Verstorbene für seine Heimath und für die Stadt Posen geleistet hat." In der Ecke zwischen den beiden Bildern hängt eine schöne Roccocouhr in vergoldetem Messinggehäuse. Vor dem 2. Fenster sind die Kataloge aufgestellt. Auf dem mit g bezeichneten Platze steht der Ofen.

Beleuchtet wird die Lesetafel durch 3 über derselben angebrachte Gaslampen.

Aus dem Lesezimmer führen 2 Thüren nach den Büchersälen II. und III. Im Büchersaale II. ist ausser den die Wände bekleidenden Bücherschränken noch ein grosses freistehendes Bücherrepositorium aufgestellt, welches die Bezeichnung V. führt. Im Büchersaale III. findet sich ausser den Bücherschränken an den Wänden nur der Tisch in der Mitte des Zimmers vor. Im Büchersaale IV. sind ausser den die Wände deckenden Schränken noch drei freistehende Repositorien aufgestellt, welche die Bezeichnung VI. erhalten haben.

Die Bücherschränke gehen von der Erde bis an die Decke der etwa 13—14 Fuss hohen Zimmer. Dieselben sind von einander durch Holz-Wände und äusserlich durch je zwei weisse, runde, mit vergoldetem Fuss und Kapitäl verzierte Säulen abgetheilt, einen mehr eleganten als vortheilhaften Schmuck; denn die durch die vorstehenden Säulen in den Bücherschränken verdeckten Ecken sind beim Herausnehmen und Einstellen der Bücher sehr unbequem. Die Bücherschränke sind mit Drath - Gitter - Thüren versehen, welche einen Sinn hätten für eine Bibliothek, die im Privatbesitz ist und wenig benützt wird; bei tagtäglichem Gebrauche müssen diese Thüren aufstehen und sind ausserdem hinderlich und gefährlich für das Bibliothekpersonal. Wer in den untersten Fächern, die besondere Thüren haben, etwas sucht und die Drathgitterthüren vergisst, kommt in Gefahr beim Aufstehen sich den Kopf zu verwunden. Wer oben etwas sucht und die Leiter anstellt, muss wegen der besagten Thüren etwa $1^{1}/_{2}$ Fuss vom Bücherschrank entfernt stehen, was beim Suchen und Herausnehmen der Bücher, namentlich dann, wenn der Suchende in der einen Hand die Laterne halten muss, höchst unbequem und gefährlich ist. Alte Herren, wie der verstorbene Biblothekar Prof. Popliński, können daher die Leitern niemals benützen. Diese so lästigen Gitterthüren wären im Interesse des Bibliothekpersonals und der Aesthetik zu beseitigen, denn die vielen, theils halb, theils ganz aufgeschlagenen Gitterthüren bilden für den Beschauer keinen angenehmen Anblick, indem sie die Symmetrie der sonst so gefälligen Schränke stören.

Das Aeussere der Bücher kann im Allgemeinen ein elegantes genannt werden, von Prachteinbänden seien nur erwähnt: die Werke Friedr. des Grossen in 34 Foliobänden, die Werke Rousseau's vom J. 1782, das N. T. griech. Paris, 1550, in Fol., die Imitatio J. Chri von Thomas a Kempis, Dedicationsexemplar für den Erzbischof Dunin. Zur Conservirung der Bücher trägt der Umstand wesentlich bei, dass dieselben nicht aus dem Hause gegeben werden dürfen. Eine Ausnahme bilden die aus manchen Klosterbibliotheken stammenden Bücher, die man gern in anderem Einbande sehen würde, und die Acquisitionen aus der Zeit Łukaszewicz's und Popliński's, die fast durchgehends nachlässigen Einband zeigen.

Die Abstempelung der Bücher hat viel Schaden angerichtet. Statt auf der Rückseite des Titelblattes und letzten Seite, wo sich meistens ein geeigneter Platz findet, ist die Stirnseite des Titelblattes abgestempelt, und der Stempel, der zu stark mit Farbe versehen war, in der Regel auf gedruckte Zeilen, oder wenn das Titelblatt Kupferstich-Vignetten hatte, theilweise auf diese aufgesetzt. Ausserdem ist der Stempel auf der 100. Seite wiederholt, und zwar auf dem gedruckten Texte. Viele Titel, z. B. in kleinen Elzevir-Ausgaben, sind dadurch unleserlich geworden und können nur mühsam mit dem Vergrösserungsglase entziffert werden.

Das Publikum behandelt die Bücher auch nicht immer mit der fremdem Eigenthum gebührenden Achtung. Einen traurigen Beleg dafür giebt das Niesiecki'sche Wappenwerk, aus welchem ein eifriger Heraldiker das Wappen „Pomian" herausgerissen hat.

Was die Aufstellung der Bücher anlangt, so scheint der Graf Raczyński ursprünglich die Absicht gehabt zu haben, dieselben nach Wissenschaften geordnet aufzustellen. Es deuten wenigstens darauf die über den Bücherschränken angebrachten Inschriften hin:

Filologia, Historya, Literatura etc. Massenhafte Anschaffungen durchbrachen aber bald die Dämme und es wurden die neuankommenden Bücher hingesteckt, wo sie Platz fanden. Die Signatur ist auf einem rothen Papierschildchen unten auf dem Rücken des Buches angebracht, und besteht aus vier Angaben: Saalnummer II., III., IV., V., VI., Repositorien-Bezeichnung durch grosse lat. Buchstaben, Brettbezeichnung durch kleine lat. Buchstaben und die lauf. Nummer des Buches auf dem Brett in arabischen Ziffern; z. B. IV. R. l. 28.

Um die vorhandene Büchermasse dem Publikum nicht bloss durch Oeffnung der Bibliothek zu gewissen Stunden zugänglich zu machen, sorgte Graf Raczyński selbst für Kataloge. Er bezeichnete mit Bleistiftstrichen auf den Titelblättern der Bücher dasjenige, was seine Schreiber auf Zettel abschreiben sollten. Es war demnach ganz richtig mit einem Zettelkatalog begonnen worden, doch hatten die Zettel kein einheitliches Format, und da die Schreiber keine sprachlichen und sonstigen literarischen Kenntnisse besassen, so taugten die Titelcopien auch nicht viel. Aus diesem unzulänglichen Material wurde ein alphabetischer Katalog in 4 Foliobänden, desgl. ein systematischer Katalog in 10 Foliobänden zusammengestellt. Diese Kataloge waren zwar besser, als gar keine, sind jedoch vom Standpunkt der Bibliographie betrachtet ganz unzulänglich. Jm Jahre 1865 wurde auf „Grundlage dieser unter persönlicher Leitung des Stifters selbst angefertigten Kataloge" der Catalogus alphabeticus gedruckt. Da man versäumt hatte, die vielfältigen Irrthümer zu berichtigen, und durch das mechanische Abschreiben neue Fehler hinzukamen, überdies die Herstellung dieses Katalogs schon in die Zeit fiel, wo der erste Bibliothekar Herr Prof. Popliński gelähmt und an das Krankenbett gefesselt war, so ist leicht erklärlich wie diese Arbeit ausfiel. Da ich im Jahre 1866 im Serapeum Nr. 23 mich ausführlich darüber ausgesprochen habe, so mag es genügen, darauf zu verweisen.

Die Beamten der Raczyński'schen Bibliothek in Posen, ertheilten mir eine „Verspätete Antwort" im Serapeum 1867 Nr. 24 und publicirten dieselbe in polnischer Sprache im „Dziennik Poznański" 1867 Nr. 268, worauf ich 1868 im „Dziennik Poznański" Nr. 3, und im Serapeum Nr. 10 entgegnete. Eine ebenso ausführliche uud mit mir übereinstimmende Recension veröffentlichte Karl Estreicher, der jetzige Bibliothekar der Krakauer Universitäts-Bibliothek und Herausgeber der Bibliografia polska, in der Biblioteka Warszawska 1867, II. 462.

Jm Jahre 1878 gab der gegenwärtige erste Bibliothekar der Racz. Bibl. Herr Sosnowski, einen Ergänzungsband, welche die Erwerbungen der Bibliothek von 1865—77 umfasst, heraus. Ueber die wissenschaftlichen Kataloge der Raczyński'schen

Bibliothek hat sich derselbe in der „Posener Zeitung" Nr. 201 und (207—10) ausführlich ausgesprochen und sein Urtheil dahin formulirt: „dass die wissenshaftlichen Kataloge der Raczyński'schen Bibliothek auch den mässigsten an solche Werke zu stellenden Anforderungen nicht genügen können." Diesem Uebelstande abzuhelfen, übertrug das Kuratorium die Herstellung eines systematischen Katalogs dem damaligen Posener Kgl. Provinzial-Archivar Herrn Dr. Christian Meyer. Da jedoch dieser Arbeit der gedruckte Catalogus alphab. vom Jahre 1865 zu Grunde gelegt war, so konnte sie kein richtiges Bild der Raczyński'schen Bibliothek abgeben. In Folge eines an das Curatorium vom Unterzeichneten gerichteten Promemoria's beauftragte das Curatorium denselben, in Gemeinschaft mit dem Bibliothekar, Herrn Sosnowski, den wissenschaftlichen Katalog der Raczyński'schen Bibliothek herzustellen, so wie die vorhandenen Manuscripte und Urkunden, die im Catalogus alphab. unberücksichtigt geblieben waren, zu verzeichnen.

Die Arbeit begann am 1. Oktober 1883. Am 1. April 1884 war der Zettelkatalog beendet. Der Bibliothekar, Herr Sosnowski hatte 8367, der Unterzeichnete 15243 Titelcopien angefertigt, zusammen 23 610; während der nicht approbirte Katalog des Herrn Dr. Meyer nur 14 247 Positionen zählt. Ueber die vorhandenen in 359 Volumina eingebundenen Handschriften hat Herr Sosnowski 578, der Unterzeichnete 720 Zettel angefertigt zusammen 1298. Dazu kommen noch die von dem Letzteren angefertigten 230 Urkundenregesten. Das Verzeichnen der Handschriften und Ordnen der 23 610 Titelcopien dauerte vom 1. April bis 20. August 1884.

Der Druck begann am 20. August 1884 und dauerte bis zum 1. April 1885, bis wohin der Druck der drei Bände des wissenschaftlichen Katalogs der Raczyński'schen Bibliothek abgeschlossen war. Die Kürzung und Redaction der Titelcopien für den Druck, sowie die Correctur des Drucks führte der Unterzeichnete aus. Derselbe fühlt sich gedrungen, an dieser Stelle dem Hohen Curatorium, sowie dem Herrn Bürgermeister Herse, der von dem Curatorium für die Dauer der Katalogarbeiten als Sachverständiger mit der Beaufsichtigung derselben betraut war, für die ausserordentliche Theilnahme an der Arbeit und ihre Förderung seinen tiefempfundensten Dank auszusprechen.

Beamte der Bibliothek.

Als Bibliothekare haben in der Raczyńskischen Bibliothek von ihrer Eröffnung bis auf den heutigen Tag gewirkt:

1. Joseph von Łukaszewicz, 1829—52.
2. Anton Popliński, 1852—68.
3. Eduard Maximilian von Sosnowski, 1868 bis jetzt.

Als zweite Bibliothekare:

1. Gerichts-Rendant Kurzhals, 1829—42.
2. Joseph Krąkowski, (geb. 1817), (1841 provisorisch, fest-angestellt 1842) bis jetzt.

Endlich als Bibliothekdiener:

1. Maciejewski, 1829—64.
2. Szymański, 1864—66.
3. Alb. Boberski, 1866 bis jetzt.

Der 1873 im Verlage des Tygodnik Wielkopolski erschienenen Schrift: Józef Łukaszewicz, wspomnienie pośmiertne, die auch der historisch-statistischen Beschreibung des Kreises Krotoschin, seiner letzten Arbeit, vorgedruckt ist, entnehmen wir folgende Notizen:

J. v. Łukaszewicz war d. 30. Nov. 1797 zu Krąplewo beï Stęszewo geboren. Seine Mutter Katharina, eine geb. Poplewska, stammte aus einer grosspolnischen Familie, der Vater Theodor v. Ł. war in Galizien geboren, im Kreise Stanisławów, hatte in Lublin in der Palaestra practicirt, um die Gerichtskarrière einzuschlagen, und war dann als Bevollmächtigter in die Dienste des Fürsten Jabłonowski getreten. Als solcher verwaltete er den Gütercomplex Racot, Czeszewo u. s. w. im Kreise Kosten. Nach dem Verkauf dieser Güter an den Fürsten der Niederlande nahm er das Gut Czeszewo in Pacht, da das kleine und vernachlässigte Krąplewo für die Bedürfnisse seiner Familie nicht ausreichte. Wenige Jahre darauf starb er. Der Bankerott des Bankhauses Klug entzog der Wittwe einen grossen Theil ihres Vermögens, dennoch vernachlässigte dieselbe, so schwer es ihr auch wurde, nicht die Erziehung des Sohnes. Nachdem er zu Hause von ihr selbst und dem Dorflehrer in den Elementen unterrichtet worden, brachte sie ihn zu den Franziskanern nach Peisern (Pyzdry), wo er drei Jahre lang verweilte und im Latein einen guten Grund legte. Von hier aus kam er in das Haus des Pastor Rothwied in Bnin, wo er die sorglichste Pflege und Erziehung, neben tüchtiger Unterweisung im Lateinischen und Deutschen empfing. Dieser Aufenthalt in dem Hause des protestantischen, wahrhaft frommen, von Zelotismus weit entfernten, toleranten Pastors hat auf Geist und

Gemüth des Knaben einen so bedeutenden Einfluss ausgeübt, dass er bis zu seinem Tode der dort eingeschlagenen Richtung gemäss lebte und wirkte, wie er denn auch diesem seinem Lehrer ein pietätvolles Andenken bewahrt hat. Von Bnin aus kam er in die mittleren Klassen des Posener Gymnasiums, welches damals unter der Direktion Przybylski's und später Kaulfuss's stand, und ward der Obhut und Pflege des Professors Thomas von Szumski übergeben. In der diesem gehörigen Buchhandlung verbrachte der wissensdurstige Knabe alle freien Augenblicke, was ihn jedoch nicht hinderte, in der Schule die erfreulichsten Fortschritte zu machen.

Hier legte er den Grund zu seiner ausgebreiteten und gründlichen Kenntniss der Literatur, vornehmlich der polnischen. Leider unterbrach eine langwierige gefährliche Krankheit seine Studien, so dass er die Schule verlassen und eine Zeitlang auf dem Lande zur Kräftigung seiner Gesundheit leben musste. Wieder hergestellt ging er nach Kalisch, wo er seine Gymnasialstudien beendete. Da er wegen mangelnder Geldmittel die Universität noch nicht beziehen konnte, nahm er eine Hauslehrerstelle im Hause des Herrn Żółtowski in Ujazd an. Dort verlebte er einige Jahre auf das Angenehmste und bezog dann die Universität Krakau, um neben Latein, Französisch und Italienisch, polnische Geschichte und Literatur zu studiren, wozu keine Universität so geeignet war, als Krakau, deren Universitätsbibliothek grade in diesen Fächern sehr reich ist. Trotz seines eminenten Gedächtnisses las er stets mit der Feder in der Hand und sammelte sich so Stösse von Auszügen an, welche für seine spätere Arbeiten die Grundlagen bildeten. Die meiste Unterstützung für seine Studien fand er bei den Professoren Bandtke und Skucz. Bandtke wollte ihn in Krakau festhalten und versprach ihm eine Anstellung an der Universitätsbibliothek, aber Łukaszewicz zog es nach der Heimath. Er kehrte nach Posen zurück und trat bald, vom Grafen Eduard Raczyński veranlasst, eine wissenschaftliche Reise an, welche wohl schon im Zusammenhang mit der vom Grafen geplanten Bibliothek stand und auf Bücherankäufe für dieselbe abgesehen war. Ł. besuchte Breslau, Warschau, die bedeutenderen Städte des Königreichs Polen und verweilte längere Zeit in Königsberg, Danzig, Elbing, Thorn und widmete seine Aufmerksamkeit vornehmlich den Bibliotheken und Archiven. Später wiederholte er diese Ausflüge, die sich auf das Grossherzogthum Posen und andere polnische Provinzen ausdehnten, und durchstöberte überall Bibliotheken, Rathhäuser, Kirchen, Klöster, die Höfe des Adels und die Läden der Trödler und Antiquare, oder wo er sonst alte Bücher, Handschriften und auf Polen bezügliche Alterthümer finden zu können glaubte. Diese praktischen Forschungen, die seine wissenschaftlichen Studien begleiteten und ergänzten, verschafften ihm eine solche Virtuosität in der polnischen Bibliographie, Historie, Genealogie und Heraldik, dass sich in ganz Polen nur wenige, und im Grossherzogthum Posen nur der eine Graf Tit. Działyński, mit ihm messen konnten.

Dass er darüber ein leidenschaftlicher Büchersammler wurde, ist leicht erklärlich. Er lebte und sammelte noch in einer Zeit, wo man in Folge der aufgehobenen Klosterbibliotheken vielen, guten und seltenen Büchern begegnete, für die sich nur wenige Liebhaber fanden. Trotz seiner mässigen Hilfsmittel brachte er eine Bibliothek zusammen, die noch 40,000 Bände gezählt haben soll, nachdem er an Asher in Berlin einen grossen Theil seiner Bücher, vielleicht die Doubletten, verkauft hatte. Nach seinem Tode ging die Bibliothek in den Besitz seines Schwiegersohnes, des Herrn v. Łyskowski, über.

Ehe Graf Raczyński noch mit seiner Bibliothekschöpfung fertig war, hatte er schon Łukaszewicz zu deren Bibliothekar ausersehen und berufen. Drei und zwanzig Jahre hat Łukaszewicz mit seltener Pflichttreue seines Amtes gewartet. Soweit es die Mittel zuliessen, bemühte er sich, die Bibliothek vornehmlich durch polnische Werke zu ergänzen und zu bereichern; und wäre ihm mehr Zeit gelassen worden, so hätte er wohl auch die vorhandenen Nothkataloge umgearbeitet, wenigstens spricht dafür ein von seiner Hand begonnener Zettelkatalog; allein, wie gesagt, Graf Eduard Raczyński benützte ihn zu seinen vielfachen, ununterbrochenen, literarischen Veröffentlichungen. So musste denn Łukaszewicz die polnische Uebersetzung der Naturgeschichte des Plinius für die Bibliothek lateinischer Klassiker in polnischen Uebersetzungen liefern, die 1845 und 1846 gedruckt wurde. Für dieselbe war auch die Uebersetzung der 12 Bücher Quintilians über die Beredsamkeit bestimmt, die in seinem Nachlasse fertig daliegt, bis jetzt aber keinen Verleger gefunden hat. Auch die 2. Ausgabe der polnischen Kirchengeschichte Theodor Ostrowski's, die Ł. mit zahlreichen Berichtigungen und eigenen wichtigen Anmerkungen bereichert hat, gehört hierher.

Ausserdem gab er mit den Brüdern Jan und Ant. Popliński den Przyjaciel ludu, eine Wochenschrift, heraus, die für die Geschichte der Provinz Posen in ihren 15 Jahrgängen (1834—49)

ein werthvolles und reiches Material bietet und deswegen
heute noch von Bibliophilen gesucht wird. Zu den 5 ersten
Jahrgängen lieferte Łukaszewicz eine bedeutende Anzahl
histor., biographischer und archaeologischer Artikel und übernahm 1839 nach dem Tode Jan Popliński's die Redaction,
die er bis zum J. 1845 behielt. 1838 gründete er mit Ant.
Popliński in Posen eine lit. krit. Wochenschrift: Tygodnik
literacki, die unter solcher Führung zu den besten polnischen
Zeitschriften zählte. Da beide Männer aus Rücksicht auf
ihre amtlichen Stellungen (Popliński als Lehrer am M.-Magd.-
Gymn., Łukaszewicz als Lehrer der poln. Sprache am Fr.-W.-
Gymn.) sich als Redactoren nicht nennen konnten, engagirten
sie einen gewissen Ant. Woykowski als Mitarbeiter, welcher
zugleich seinen Namen als Redacteur hergab. Woykowski
rechtfertigte jedoch das in ihn gesetzte Vertrauen nicht und
setzte sich in den alleinigen Besitz des Blattes, dessen Farbe
und Tendenz er änderte. Popliński und Łukaszewicz gründeten sich ein anderes Organ, das sie „Orędownik naukowy"
nannten, und von 1840—45 in ihrer eigenen Druckerei heraus-
gaben. Da sie aber aus denselben Gründen, wie beim Tygodnik literacki, als Firmeninhaber der Druckerei sich nicht
nennen konnten, wählten sie einen ihrer Drucker zum nomi-
nellen Firmeninhaber, machten aber eine noch traurigere
Erfahrung, da derselbe gestützt auf seinen Rechtstitel sich
in den Besitz der Druckerei setzte, ohne dass die beiden
wirklichen Besitzer rechtlich dagegen einschreiten konnten.
Neben den Arbeiten für die Bibliothek, den Publikationen
Raczyński's und den Redaktionsgeschäften fand Łukasze-
wicz noch Zeit und Musse eine Reihe wichtiger historischer
Schriften zu veröffentlichen:
„Wiadomość historyczna o dyssydentach w mieście Poznaniu
w 16. i 17. wieku. 1832.
O kościołach braci czeskich w dawnéj Polsce, 1835.
Obraz historyczno-statystyczny miasta Poznania, 1838.
Dzieje kościołów wyznania helweckiego na Litwie. 1844. 2 Bde.
Historya szkół w Koronie i na Litwie, — 1794, 1849—51. 4 Bde.

Im Jahre 1852 legte er sein Amt als Bibliothekar
nieder, da eine Erbschaft, welche seine Frau machte, ihn in
den Stand setzte, unabhängig zu leben und sich ungetheilt
seinen literarischen Studien hinzugeben. Er verkaufte das
von den Eltern übernommene Kraplewo und kaufte das Gut
Targoszyce im Krotoschiner Kreise. Als Frucht dieser Musse
erschien 1853 die Vervollständigung seiner früheren Arbeit
über die böhm. Brüder:

IV

Dzieje kościołów wyznania helweckiego w dawnéj Maléj Polsce. Darin versprach er auch eine Geschichte der Socinianer herauszugeben, wozu er leider nicht mehr gekommen ist. Wer wird wie Łukaszewicz das Material so vollständig zusammenbringen können?

1858. Krótki opis historyczny kościołów parochialnych w dawnéj dyecezyi poznańskiéj.

In deutscher Uebersetzung erschienen:

Geschichte der reformirten Kirchen in Litthauen. Lpz., Dyk. 8°. 2 Bde.

Geschichtliche Nachrichten über die Dissidenten in der Stadt Posen und die Reformation in Grosspolen. Nach der Folgenreihe der Jahre geordnet. Ins Deutsche übersetzt durch Vinc. v. Balitzki. Darmstadt, 1843. 8°.

Histor. statist. Bild der Stadt Posen. Lissa und Gnesen, E. Günther, 1846. 12°. Heft 1.

Histor. statist. Gemälde der Stadt Posen . . . 968—1793. Aus dem Poln. übers. v. L. Königk im J. 1846., revidirt und berichtigt von Prof. Dr. Tiesler. Posen, W. Decker u. Co. (E. Röstel), 1878.

Von den Kirchen der böhm. Brüder im ehemal. Grosspolen, übers. von G. W. Th. Fischer. Grätz, 1871.

1859 starb ihm seine Frau, Severine geb. Fryze, nach 26jähr. glücklicher Ehe, und zwei Jahre später entriss ihm der Tod seine älteste Tochter Constantia. Diese Schicksalsschläge brachen die Kraft des Greises, der von da ab zu kränkeln begann, bis ihn der Tod am 11. 2. 1873 von seinen Leiden erlöste.

Die letzte Frucht seiner Arbeit war die Statistik des Krotoschiner Kreises von der ältesten Zeit bis z. J. 1794 (in poln. Spr.). 1860 gab er selbst noch den ersten Band heraus, den zweiten Band liess er druckfertig zurück, erschien 1875, und für den dritten die vollständig gesammelten Materialien.

Gründliche Gelehrsamkeit, erstaunenswürdige Kenntniss der Quellen und grosse Unpartheilichkeit zeichnen ihn als Historiker aus. Den Menschen schmückte Wahrheitsliebe, ächte Humanität, ein mitleidiges, stets opferfreudiges Herz und der durch Nichts unterbrochene Fleiss einer Biene. Ein wohlgetroffenes Porträt in Kupferstich mit dem Facsimile seiner sauberen, deutlichen und dabei feinen Schrift ist dem II. Bande der Statistik des Krotoschiner Kreises beigegeben worden. Ueber Wappen und Genealogie vgl. die Złota księga szlachty polskiéj, herausgegeben von Th. v. Żychliński. Band VI.

Auf Łukaszewicz folgte im Bibliothekariat Prof. Ant. Popliński. Derselbe war 1797 in Podpłymyki bei Ostrowo geboren. Seine Eltern waren, obwohl nicht sehr begütert, dennoch darauf bedacht, ihren Kindern eine sorgfältige Erziehung angedeihen zu lassen. Sie schickten ihre Zwillingssöhne Anton und Jan auf die Schule in Kalisch, welche damals unter der Direktion des Geistlichen Przybylski stand, und 1816 auf das Posener Gymnasium in die VI. Klasse (heute Prima). Nach absolvirtem Gymnasium bezogen beide Brüder die Universität Berlin, wo Jan alte Sprachen, und Anton hauptsächlich Mathematik studirte. Daneben trieben Beide eifrig polnische Geschichte, Sprache und Literatur. Nach abgelegtem Staatsexamen kehrten sie in die Heimath zurück. Jan kam an das Gymnasium in Lissa, an dem er bis zu seinem Tode 1839 unterrichtete, Anton an die Fraustädter Schule. Kaum hatten die beiden Brüder ihre Lehrthätigkeit begonnen, als sie mit Marcinkowski und einigen anderen Universitätsgenossen arretirt, nach Berlin gebracht und in der Hausvogtei eingeschlossen wurden. Der Ausfall der mehrmonatlichen Untersuchung war für die Brüder günstig, sie wurden freigelassen und kehrten zu ihrer Arbeit zurück. Nach 2 Jahren wurde Anton im Jahre 1826 an das Posener Gymnasium berufen, wo er zunächst Latein in den unteren Klassen docirte, später, als Muczkowski sein Amt niederlegen musste, und Joseph Królikowski nach Warschau abging, übernahm er noch den Unterricht in poln. Literatur und Sprache, den er bis zu seiner Emeritirung im Jahre 1850 ertheilte. Als Lehrer zeichnete ihn Energie und Strenge in der Schulzucht aus, sowie die Gabe klaren, ruhigen, fesselnden Vortrags. Seine Schüler hatten vor seiner Strenge und Willenskraft Respekt, achteten und liebten ihn aber auch.

Als pädagogischer Schriftsteller entfaltete er eine bedeutende Thätigkeit. Seine Schriften sind: Deutsche Lesestücke (Auswahl). Grössere lat. Grammatik nach Zumpt. Kleinere lat. Grammatik für untere und mittlere Klassen. Beispiele zum Uebersetzen aus dem Lat. ins Poln. und aus dem Poln. ins Lat. für VI., V. und IV. Auswahl polnischer Prosa und Poesie. Geographie nach Selten. Elementarbuch der poln. Sprache für Deutsche. Bibl. Gesch. des alten und neuen Testaments. Katechismus. Allgemeine Geschichte in 3 Bänden.

Einige seiner Lehrbücher erfuhren 6—8 Auflagen. Mit Łukaszewicz gab er den Tygodnik literacki heraus, wozu sie eine eigene polnische Druckerei errichteten. Durch Unredlichkeit um die Druckerei und den Verlag ihrer Zeitschrift gebracht, legten sie, keineswegs entmuthigt, eine zweite Druckerei an und gründeten den Orędownik naukowy. In dieser Druckerei liess Graf Ed. Raczyński seine Publicationen erscheinen.

Nach Łukaszewicz's Abgange von der Raczyński'schen Bibliothek 1852 folgte er diesem im Amte, das er bis zu seinem im März 1868 erfolgten Tode verwaltete. Professor Popliński war eine sympathische Persönlichkeit, freundlich, gefällig, im Verkehr zuvorkommend, leicht zugänglich, makellos redlich, von stets gleichmässigem Humor und Heiterkeit des Geistes. Seine letzten Jahre waren leider getrübt durch häusliches Unglück, Krankheit und Tod des Sohnes, und eigene Leiden und Krankheiten. Stoisch ertrug er die lange Leidenszeit bis ihn der Tod von seinem Schmerzenslager erlöste. Die Herausgabe des Catalogus alphabeticus fällt in seine letzten Lebensjahre, in denen er, an das Schmerzenslager gefesselt, sich fremder Augen und Hände bedienen musste. Dieser Umstand muss bei Beurtheilung des qu. Kataloges mit in die Wagschale gelegt werden.

Ein Bild von ihm besitzt die Bibliothek nicht, doch ist seine noch lebende Tochter, Frau Prof. Szulc, im Besitz einer wohlgetroffenen Photographie.

S. den Nekrolog im Dziennik pozn. Nr. 71.

Auf Popliński folgte **Max. Ed. v. Sosnowski**, geb. zu Posen den 7. Okt. 1822. Er besuchte das hiesige Gymnasium ad St. Mariam Magdalenam, darauf das Fr.-Wilh.-Gymn.; absolvirte das Abitur.-Examen in Berlin und bezog die dortige Universität, wo er zuerst die Rechte, dann Philologie studirte. Nachdem er von der Prüfungskommission zu Berlin examinirt worden, war er am hiesigen kath. Gymnasium $1\frac{1}{2}$ und bei der städtischen Realschule zu Bromberg 2 Jahre als Lehrer beschäftigt. Nach dieser Zeit privatisirte er in Posen. Seit Ostern 1865 verwaltete er interimistisch die durch den Abgang des Dr. Brandowski vakante dritte ordentliche Lehrerstelle an der hiesigen Realschule und wurde 1868 zum ersten Bibliothekar berufen. Im Jahre 1878 gab er einen alphabetischen Katalog über die Erwerbungen der Raczyński'schen Bibliothek in den Jahren 1865—77 heraus. Von anderen Publicationen sind zu erwähnen: ein Band Gedichte: Kilka poezyi, Pozn., L. Türck, druk Daszkiewicza, 1871. 8°. Ferner eine Biographie des Philosophen Kuno Fischer. Mit einem Porträt Kuno Fischers in Radirung. Separat-Abdruck aus „Nord und Süd". Aug. 1880. Neue Ausg. Breslau, Schottländer, 1882. 8°. — Ist der Professor der Philosophie zu Heidelberg, Geh. Rath Kuno

Fischer nicht ein Posener Kind? Posener Ztg. 1880 n. 211 ff.
— Ein wissenschaftlicher Katalog der Raczyński'schen Bibliothek. Posener Ztg., 1883, Nr. 201 u. Nr. 207—10.

Das Curatorium.

Die Zusammensetzung des Curatoriums, wie
solche durch § 10 der Stiftungsurkunde bestimmt worden war,
hat im Laufe der Zeit eine wesentliche Abänderung erfahren:

Der Statthalter von Posen, Fürst Anton Radziwiłł, war
nur für seine Lebenszeit zur Mitgliedschaft berufen und
starb bald.

Nach des Stifters Tode führte sein Sohn Graf Roger R.
den Vorsitz im Curatorium. Da er jedoch kein Majorat
errichtet hatte, so war sein Sohn Graf Eduard II. laut § 11
des Statuts nicht mehr berechtigt, als Curator zu fungiren.
Graf Athanasius Raczyński hat nicht nur von dem ihm
§ 10 c. und § 11 zugestandenen Rechte keinen Gebrauch
gemacht, sondern auch durch eine Erklärung vom 29. Jan. 1838
und 8. Febr. 1865 allen Rechten und Pflichten der Bibliothek
gegenüber für sich und seinen Sohn feierlich entsagt.

Zum Ersatz dafür hat der Stifter Graf Eduard R. von
Sr. Maj. dem Könige eine Cab.-Ordre, vom 18. Sept. 1837 er-
beten, welche bestimmt, dass der jedesmalige Landtags-
marschall als Mitglied des Curatoriums zu fungiren habe.
In dieser Cabinetsordre wird jedoch der Descendenz des
Stifters das Recht gewahrt, den oder die Besitzer des Graf
Athanasius R.'schen Majorats auf ihren Wunsch wiederum
in das Curatorium zu berufen.

Mithin bildeten nun das Curatorium: der Stifter, und
nach dessen Tode sein Sohn Graf Roger, der jedesmalige
Regierungspräsident, der Landtagsmarschall und der erste
Bürgermeister der Stadt Posen.

Die Stellung der Raczyńskischen Familie zu der Stiftung des Grafen Eduard ist durch die Erklärungen des Grafen
Athanasius R. gleichfalls umgestaltet worden.

Graf Athanasius und sein Sohn Carl haben von den
ihnen eingeräumten Rechten, im Curatorium zu präsidiren
und gewisse Räume des Bibliothekgebäudes als Wohnung
resp. Absteigequartier zu benützen, nie Gebrauch gemacht.

Graf Athanasius R. hat das Nutzungsrecht der Wohnung
an seine Schwägerin die Gräfin Constantia R. und deren
Sohn Roger am 29. Jan. 1838 abgetreten, welche von dem

ihnen überwiesenen Rechte auch Gebrauch machten. Sie
traten einen Theil der Wohnung an die polnische Gesellschaft der Freunde der Wissenschaften ab, welche dort
ihre Sammlungen aufstellte und ihre Sitzungen abhielt.
Nach Graf Roger's Tode benutzte die Wohnung sein Sohn,
Graf Eduard II. Raczyński, und dessen Freunde und Verwandten.

Das Curatorium, war durch den klaren unzweideutigen
Wortlaut der Statuten gezwungen, dagegen einzuschreiten,
da Graf Eduard II. keine Rechtstitel auf die Nutzung der
betreffenden Räume besass. Es verlangte vom Grafen Eduard
R. Räumung der Wohnung und, da dieselbe verweigert wurde,
musste es den Spruch des Gerichtes einholen. Der Rechts-
streit wurde durch alle Instanzen hindurchgeführt und in
allen Instanzen bis hinauf zum Obertribunal (am 24. Sept.
1869) entschieden, dass der Enkel des Stifters kein Recht
auf die qu. Wohnung habe. Graf Carl Raczyński, der so
lange sein Vater lebte, gegen dessen aufs Bestimmteste aus-
gesprochenen Willen die ihm durch das Statut verliehenen
Rechte aus kindlicher Pietät nicht geltend machte, bean-
spruchte dieselben jedoch nach dem Tode des Vaters. Zunächst handelte es sich um das Nutzungsrecht der Wohnung.
Das Landgericht Posen entschied am 11. 3. 80, das Ober-
landesgericht Posen am 22. 11. 80, das Reichsgericht am
9. 2. 82:

„Nach dem Ableben des Grafen Carl von Raczyński
stehen die im § 20 der von dem Grafen Eduard Raczyński
am 22. Februar 1829 errichteten und am 24. Januar 1830
bestätigten Stiftungs- und Schenkungsurkunde aufgeführten
Wohnungs- und Nutzungsrechte nach Massgabe dieses § 20
dem jedesmaligen Besitzer des Athanasius von Raczyńskischen Majorats zu."

Darauf erfolgte durch den Enkel des Stifters der
Bibliothek Graf Eduard II. Raczyński die Berufung des
Grafen Carl R. in das Curatorium. Graf Eduard leitete das
Recht der Berufung aus dem Allerhöchst bestätigten Nach-
trage vom 20. Mai 1831 her.*)

---

*) In dem Allerhöchst bestätigten Nachtrage zur Stif-
tungsurkunde vom 20. Mai 1831 heisst es nämlich: „Mein
Bruder Athanasius Graf Raczyński, Besitzer des von ihm
gestiften Majorats, durch seine Abwesenheit und sonstige
Verhältnisse verhindert, das Interesse der Bibliothek unaus-
gesetzt wahrzunehmen, wünscht für sich und seine Nachfolger
als Mitglied des Curatorii ganz auszuscheiden. Als Stifter

Das Curatorium erkannte das Recht des Grafen Eduard II. zu solcher Berufung nicht an, da in der Graf Eduard Raczyński'schen Linie kein Majorat errichtet worden, von welcher Majoratserrichtung erst die leiblichen Nachkommen des Grafen Roger ein Recht in Angelegenheiten der Bibliotheksstiftung erhalten; bahnte jedoch, von dem Wunsche beseelt, den Grafen Carl Raczyński an den Arbeiten des Curatorii theilnehmen zu lassen einen Vergleich an. Graf Carl Raczyński leistete für sich und die Majoratsnachfolger Verzicht auf das Recht der Wohnungsnutzung und zwar für so lange, bis das mobile Kapital der Stiftung die Höhe von 480 000 Mark erreicht haben würde. Von da ab würde dem Majoratsherr das Recht der Wohnungsnutzung wieder dienen. Dagegen erhält er und seine Majoratsnachfolger das Recht des Eintritts in das Curatorium und die Mitgliedschaft desselben mit den im § 10, 11 der Stiftungs-Urkunde aufgenommenen Rechten, d. h. des Vorsitzes.

Damit ist denn der Friede hergestellt und der Wunsch des Stifters erfüllt: „die von ihm angelegte Bibliothek der näheren Obhut und Sorgfalt seines Neffen des Grafen Carl Raczyński anvertraut und diesen gleichsam an dieses Institut gefesselt zu sehen."

Bibliothek-Statistik.

Um dem § 14 in Betreff der Bibliothekrevisionen zu genügen, hat das Curatorium wiederholt Kommissarien ernannt und sich von denselben über den Zustand der Bibliothekstiftung Bericht erstatten lassen, und Verbesserungsvorschläge entgegengenommen.

Im Jahre 1845, während des Bibliothekariat's Łukaszewicz's, revidirte die Bibliothek der Stadtrath Thayler und

---

der in Rede stehenden Bibliothek will ich der Erfüllung dieses Wunsches nicht entgegentreten, entlasse vielmehr meinen erwähnten Bruder, sowie überhaupt den Besitzer des von ihm gestifteten Majorats der Mitgliedschaft im Curatorio der von mir gestifteten Bibliothek. Um indessen den nachfolgenden Besitzern des von meinem Bruder gestifteten Majorats die Gelegenheit zu gewähren, das Interesse an die von mir gestiftete Bibliothek zu bethätigen, so behalte ich mir und nach meinem Tode meinem Sohne Rogerius Graf Raczyński, sowie nach dessen Ableben, dessen gesetzmässigem Nachfolger die Befugniss hiermit vor, den oder die nachfolgenden Besitzer des von meinem Bruder gestifteten Majorats auf deren Wunsch und zwar mit denselben, bis jetzt eingeräumten Befugnissen als Mitglied des Curatorii wiederum aufzunehmen."

erstattete am 1. Sept. 1845 Bericht; er fixirt die Bändezahl auf 23 000.

Im Jahre 1854 revidirte derselbe die Bibliothek unter dem Bibliothekariat Popliński's und erstattete am 24. Aug. 1854 Bericht. Er konstatirt einen Zuwachs von etwa 7000 Bänden.

1871 geschah die Revision durch den Stadtrath Dr. jur. Samter. Der von ihm am 31. 8. 71 erstattete Bericht umfasste folgende Punkte:

1. Einleitung. 2. Der Stifter, biographische Skizze. 3. Die Stiftungsobjecte: a) das Gebäude, b) die Stiftungsfonds. c) die Büchersammlung. 4. Curatorium u. dessen Verhältniss zur städt. Verwaltung. 5. Das Beamtenpersonal. 6. Anhänge: a) Spezielle Vermögensnachweisung ad 3 b., b) Etatsentwurf pro 1872.

Hervorzuheben ist aus diesem Bericht der Hinweis, „dass ein festes Princip über den Modus des Bücherankaufs nicht bestanden hat", und die Vorschläge zu einer allmäligen Ergänzung der Bibliothek nach festen Principien. Die Vorschläge schliessen sich im Ganzen dem Willen des Stifters an, beantragen nur noch Ergänzung auf dem Gebiete der Volkswirthschaft, Statistik und Naturwissenschaft, und wünschen für Theologie, Jurisprudenz und Medicin keine erheblichen Aufwendungen zu machen. Diese Vorschläge wurden acceptirt.

Ferner beantragte er für Neuanschaffungen von Büchern 300 Thlr. jährlich zu verwenden.

Am 6. Nov. 1879 revidirten die Curatoren: Oberbürgermeister Kohleis und Reg.-Präsident Wegner die Bibliothek, in Folge dieser Revision wurden im Saale IV. die drei freistehenden mit VI. bezeichneten Repositorien aufgestellt.

Im Jahre 1881 revidirte die Bibliothek der Staatsarchivar Dr. Meyer und erstattete darüber Bericht am 16. November 1881. Er machte hauptsächlich aufmerksam auf den Mangel eines Zettel- und wissenschaftlichen Katalogs.

Diesem Mangel hat das Hohe Curatorium durch die Herstellung eines Zettelkatalogs und den Druck des vorliegenden wissenschaftlichen Katalogs beseitigt, wodurch der § 12 der Stiftungs-Urkunde, welcher von dem Curatorium eine Erhöhung der Gemeinnützigkeit der Stiftung verlangt, eine reiche Erfüllung erfahren hat.

Welche Förderung hat die Stiftung des Grafen Raczyński von aussen her erfahren? Anfänglich schien es, als ob das Publikum sich an ihrem Ausbau betheiligen wollte. Das hörte aber bald auf, wie das leere Buch der Schenkungen (s. Manuscr. nr. 359) beweist. Die Erste, die sich in der Bibliothek durch eine Schenkung von 1680 ausgewählten,

äusserlich auch wohl ausgestatteten Büchern verewigte, war
die Gräfin Constantia Raczyńska. Das Bild dieser ebenso
geist- und talentvollen, als schönen Tochter Felix Potocki's,
welches gemäss § 7 der Statuten in der Bibliothek aufgestellt
wurde, bildete mit der hellklingenden Roccocouhr Decennien
lang den einzigen Schmuck des zu nüchtern aussehenden Lese-
saales. Im Jahre 1865 kam durch die brüderliche Pietät des
Grafen Ath. Raczyński das lebensgrosse Bild des Stifters hinzu.
Prof. Muczkowski, als Bibliothekar in Krakau gestorben,
hat mehr als anderthalb Hundert Bände der Bibliothek geschenkt. Graf Adam Felician Junosza-Rościszewski schickte
der Bibliothek einige Hundert werthvoller und interessanter
neu erschienener Bücher aus Galizien her, darunter solche
Libri rarissimi, wie das Bd. III., S. 274 sub Morska Magdalena z Dzieduszyckich verzeichnete, nur in 50 Exemplaren
gedruckte Kupferwerk. Ein wahrhaft königliches Andenken
hat Friedrich Wilhelm IV., welcher als Kronprinz im Jahre
1830 in Gesellschaft der Fürstl. Radziwiłł'schen Familie und
Alexander von Humboldts die Bibliothek besucht hatte, derselben hinterlassen: die von ihm herausgegebenen Werke
Friedrichs des Grossen in 34 Foliobänden. Dies nur in 200
Exemplaren gedruckte, zu Geschenken bestimmte und nie in
den Buchhandel gekommene Prachtwerk deutscher Typo-
graphie, illustrirt mit den von dem genialen A. Menzel ge-
zeichneten Vignetten, ist, da der blosse Einband auf etwa
400 Thlr. geschätzt wird, ein unschätzbares Keimelion
der Bibliothek. König Friedrich Wilhelm III. hat seine
Theilnahme an dem gemeinnützigen Werke Raczyński's da-
durch bekundet, dass er ihm die Pflichtexemplare aller im
Grossherzogthum Posen gedruckter Bücher zuwies. Das
preussische Kultusministerium schickt seit den Zeiten des
Ministers Altenstein, welcher die königliche Bestätigung der
Schenkungsurkunde contrasignirt hat, viele mit Beihülfe des
Staates gedruckten Werke der Bibliothek zu. Es seien daraus
nur folgende hervorgehoben: das chinesische Lexikon de
Guigne's, das grosse Werk Lepsius' über Egypten, die preuss.
Expedition nach Japan u. A. m. Die vereinzelten oft rüh-
renden Gaben von Posenern oder Polen, wie P. E. Strzelecki,
Physical description of New South-Wales and Van Diemens-
Land, London, 1845. — Renczyński, The Moabit-Stone, Lon-
don, 1875, die aus weiter Ferne ihrer Heimath Bücherandenken
zuschicken, beschämen die im Laufe der Jahre schon nach
Hunderten und Tausenden zählenden hiesigen Leser, die sich
bisher so wenig dankbar erwiesen haben.

Aus eigenen Bibliotheksfonds sind vom Jahre 1830 bis 1885 für Bücheranschaffungen und Einbände **14 000 Thlr.** ausgegeben worden. Man wird nicht sehr fehlgreifen, wenn man annimmt, dass der Zuwachs seit 1830 dem ursprünglichen Bestande gleichkommt.

Die Bibliothekfonds sind von **22 000 Thlr.** auf **56 750 Thaler** oder **170 250 Mark** angewachsen!

Das Bild, welches die Stiftung des Grafen Ed. Raczyński heut, ein Seculum nach ihrer Eröffnung, darbietet, gereicht allen denen, die als Curatoren an ihrer Erhaltung und Förderung sorgend und rathend mitgewirkt haben, Regierungspräsidenten Landtagsmarschällen und Bürgermeistern der Stadt Posen, zum Ruhm und zur Ehre, wie es andererseits ein glänzendes Zeugniss für die Weisheit des Stifters ablegt, der weithinaus in die Zukunft für seine folgen- und segenreichste Schöpfung Blüthe und Gedeihen vorausbedacht hat.

Wir schliessen mit dem Wunsche, dass derjenige, der diese Geschichte der Raczyński'schen Bibliothek einst weiter führen wird, ein gleiches Facit möge ziehen können!

Posen, am 1. April 1885.

MANUSCRIPTE.

1.

Spis rękopismów znajdujących się w Bibliotece Raczyńskich w Poznaniu. Fol. 33 Blatt, wovon nur 12 Seiten beschrieben. Mit einem eigenhänd. Brief Niemcewicz's an die Gräfin Raczyńska, betr. d. Verkauf seiner Manuscripte.

2.

Sprawy publiczne w Polsce w roku 1619, 20, 21 i 1622 (1623), (pag. 73—1317) 17. Jahrh. Acc. pag. 1318—34:

1. Artykuły Wdstwa Łęczyckiego seymikowe, 11. Oct. 1649.
2. Consilia Calimachowe królowi Albrachtowi dane, ad absolutum dominium należące.
3. Kopia listu Jerzego Lubomirskiego, 11. 7 bris 1662 do króla.
4. Tegoż list do Senatu.

Neuer Halbfranzbd. Deutliche schöne Schrift in sog. ital. Kalligraphie. Im alten Katalog: „Rękopism zawierający listy różnych osób, mowy, instrukcye na seymiki, sprawy publiczne." Pag. 1—72 fehlt, pag. 1335—39 unbeschr. Fol. — II. H. a. 1.

3.

Pamiętniki Alberta X. Radziwiła, 1562 stron. Fol. 18./19. Jahrh., pag. 61. Memoryał rzeczy znacznieyszych, które się w Polszcze działy od śmierci Zygmunta III. od roku pańskiego 1632, aż do roku 1652 spisany po łacinie przez Jaśnie Oświeconego Xiążę. JMCia Albrychta Stanisława Radziwiłła, kanclerza W. W. Xstwa Litt., a przez Jaśnie Oświeconego Xiążęcia JMCi Hieronima Floryana Radziwiłła, Kanclerzyca W. Xa. Litt., praprawnuka pomienionego autora, na polski język przetłomaczony, r. 1731.

Pag. 1—60 (58) „Memoryał S. P. Xiążęcia JMCi. Authore Jllri M. Domino Tokarski, Cubiculario Celsissimi Principis, postea subjudice Pinscensi.

[Vom Grafen E. Raczyński herausgegeben: Pamiętniki Albrychta Stanisława X. Radziwiłła, Kanclerza W. Litew-

1*

skiego, wydane z rękopismu przez Edw. Raczyńskiego.
Pozn., Scherk, 1839. 8°. 2 voll.|
Früher im Besitz J. U. Niemcewicz's. — II. H. a. 2.

4.

Albertrandy o medalach Polskich, 159 gez. Bogen.
18./19. Jahrh. Beginnt mit Zygmunt I. 1527, und schliesst
mit der Medaille v. J. 1756 auf Gotthilf Wernick, Burggr.
u. Senator d. Stadt Danzig.

Dieses Werk ist vom Grafen Edw. Raczyński in sein
„Gabinet medalów Polskich" mit einigen Abänderungen
verarbeitet worden.

Halbfranzband; aus der Sammlung des Niemcewicz,
mit der Notiz von der Hand Łukaszewicz's: Dar od JW.
Eydziatowicza. Fol. — II. H. a. 3.

5.

Rękopisma. (Zbiór rękopism J. U. Niemcewicza.) Im
alten Katalog: „Rękopis zawierający materyały do panowania Jana Kazimierza."

Nach dem Index: O buntach kozackich korrespondencye
z Rakocym i inne pod Janem Kazimirzem, a p. 1 ad 220.

Uniwersał Województw Wielkopolskich przed Rokoszem, dnia 8. lipca 1606 p. 221. Informatio de negotio
Anglicano, p. 223—229.

Thl. II. mit neuer Pagination: Philippus Callimachus:
Rady Albrachtowi po koronacyi dane, p. 1 ss. De morbo
et obitu Regis Stephani Batorei epistola . . . Georgii
Chiakor. — Epistolae ejusdem . . . examen. Id. Febr.
1587. — Votum króla Jana III. w Grodnie d. 20. marca
1688, p. 32 ss. — De obitu ducum Masoviae, p. 35. —
Exorbitancye względem osób duchownych, p. 42—44.

Thl. III. mit neuer Pagination: Rokosz roku p. 1606
pod Sendomierzem złożony jest na dzień 6. Sierpnia.
Fol. 1—311. Fol. Halbfranzband. Handschrift aus dem
Ende des 18. od. Anfg. des 19. Jahrh. — II. H. a. 4.

6.

Zbiór Rękopism. J. U. N********* i. e. Niemcewicz.
Compendium Rerum Variarum ex Historicis Polonis
collectum.

Eine poln. Gesch. in lat. Sprache von der frühesten Zeit bis auf den Tod Sobieski's.

Darauf folgt: Instrukcya urodzonemu Franciszkowi Siemieńskiemu, posłowi naszemu na seymik partykularny Sadkowski, dnia 11. miesiąca czerwca przypadający, w Warszawie dnia 14. miesiąca maja 1607 r. dana. — Fol. 494 Seiten. Halbfranzbd. Handschrift des 19. Jahrhunderts. — II. H. a. 5.

7.

Rękopisma. (Zbiór rękopism J. U. Niemcewicza.) Mit der handschr. Bemerkung desselben. „Z rękopism Józefa Sierakowskiego, Starościca Olszowskiego." Im alten Katalog: „Rękopis opisujący wojny Moskiewskie Zygmunta III."

1. Dyaryusz Sam. Maszkiewicza o wyprawie na Moskwę p. 1—82. Wyprawa z Dymitrem na Moskwę.
2. Zamordowanie Dymitra Cara Moskiewskiego dnia 21. Maia w Sobotę 1606, pag. 85—139.
3. Relacya oblężenia i poddania Smoleńska, p. 143—147.
4. Dyaryusz drogi posłów od . . . Zygmunta III. . . . do kniazia Moskiewskiego r. p. 1606, 148—153.
5. Relatio gloriosissimae expeditionis, victoriosissimi progressus et faustissime pacificationis cum Estibus sereniss. et potentiss. Principis Dni Joannis Casimiri Regis Poloniae, 1649, p. 159—178.
6. Dyaryusz rzeczy w Wojsku Kommisarskim pod Zbarażem oblężonem a 10. ma octaua . . . Junii roku 1649, p. 179—212.
7. Ferdinandus II. ad Sigismundum III. Reg. Pol. Viennae, 24. martij 1620, (petit auxilium.)
8. Fundament, z którego rokosz i wszystkie rozruchy w koronie polskiéy zrosły za Zygmunta III. Polskiego i Szwedzkiego króla. Satyra na Zamoysk. 217—252.
9. Seym r. 1619, p. 253—310.
10. Seymik Srzedzki, 11. Apr. 1619, p. 311.
11. P. 315—370. Variae epistolae et relationes, 1619, de Bohemis, de Cosacis, de Moscovia, Ungaria, Transylvania, Silesia.
12. Dyaryusz Bogusława Kazimierza Maskiewicza; początek swoy bierze od r. 1643 a lata po sobie następujące, 371—406.

13. Mowa JKM. w senacie na seymie walnym w Warszawie, 4. Julii 1663, 407—411.
14. Diariusz Seymu Abdicationis Jana Kazimierza Króla
r. 1668 zaczętego 27. Sierpnia, 411—434.
15. P. 434. Witanie JKMści przez JM. P. Sarnowskiego,
podkomorzego Łęczyckiego, Marszałka Izby poselskiéy,
na seymie d. 29. Aug. 1668.
16. Mowa JMci X. Podkanclerzego, w któréj deklaruje
abdykacyą JKMci, p. 438.
17. Mowa JKMci ostatnia przy abdykacyi. 439—444.
18. Projekt o Abdykacyi z Rąk JKMci wzięty i przez
JM. X. Podkanclerza czytany w tey Izbie Senator-
skiéy i poselskiéy d. 30. Sierpnia r. 1668.
19. Racye które przywiodły żeśmy na prowizyą Królowi
JMci pozwolili. P. 447.
20. Konkurenci do sceptrum Polskiego.
21. P. 462. Diarium Electionis Króla Polskiego Jana III.
z domu Sobieskich po śmierci ś. p. Króla Michała
Korybuta, w Warszawie odprawionéy w r. 1674, d.
20. Aprilis.
22. Dyaryun Koronacyi Jana III. Króla polskiego w r.
1676, p. 520.
23. List Dymitra 4. Julij 1609.
24. Dyaryusz elekcyi Walnéy Warszawskiéy podczas
Interregnum po Abdykacyi Nay. Jana Kazimierza
Króla Polskiego, zaczęty roku p. 1669 die 20. Maij,
p. 535—584.

Fol. 585 Stn. Handschrift aus dem Anfang des 19. Jahrh.
od. Ende des 18. Jahrh. — II. H. a. 6.

8.

Rękopisma [J. U. Niemcewicza.] Im alten Katalog:
„Dyaryusze sejmowe i inne pisma do panowania Zygmunta
III. i Władysława IV.“

1. Testament króla JMści Zygmunta III., pag. 1—11.
2. Śmierć Króla. Sejm zwołany (11—24.)
3. Przemowa P. Marszałka Poselskiego do Króla JMści
na Seymie Warszawskim Anno 1619. Odpowiedź X.
Podkanclerzego Panu Marszałkowi . . .
4. 25. Jan. Pan Żółkiewski Kanclerz i Hetman koronny
czynił relacyą rerum a se gestarum in eum sensum.
Odpowiedź Króla JMości przez X. Podkanclerzego
na Relacyą P. Hetmana in eum sensum.

Dziękczynienie X. Gembickiego Arcybiskupa Gnieżn.
Panu Hetmanowi Koronnemu . . . imieniem senatu.
Sententia X. Wołowicza biskupa Wileńskiego.
Sententia X. Lipskiego . . . Podkanclerzego.
29. Jan. Skończyły się Vota. Mowa Pana Marszałka
Poselskiego.
Odpowiedź X. Podkanclerzego Koronnego Panu Mar-
szałkowi Poselskiemu ze strony Vacantiey.
Odpowiedź X. Arcybiskupa Gnieźnieńskiego P. Mar-
szałkowi Poselskiemu.
Pag. 39—44 herausgeschnitten.

5. Instrukcya posłów woyska Króla JMci przy Królewiczu JMści w Moskwie perseverującym, dana P.
Janowi Hornowskiemu, P. Marcinowi Kozuchowskiemu,
do Króla JMści, d. d. z Orsze 28. Martii 1619.

6. Exemplar literarum ad S. R. M. ab equitibus novi
ordinis militiae Christianae, dat. Viennae 30. Mai 1619.
p. 48. Exemplar litterarum ab ordine totius militiae
Christianae s. t. B. M. V. et S. Michaelis Archangeli
ad Illmum Lucam de Bnin Opaliński . . . Viennae,
16. Jul. 1619.

7. List Sadiry Kozaka do Saydacznego Hetmana Ich
na oszukanie Kozaków za Inwencją Skinder Basze.
Exempt z Xiąg Niemieckich o Kardynale Glezeliusie.
List Hetmana Koronnego do króla JMści d. d. z
Żółkwie 5. Julii 1619.
List Gratiana Hospodara Wołowskiego do P. Hetmana
Koronnego, d. d. w Jasiech 11. Julii 1619.
List Pana Żółkiewskiego Kanclerza i Hetmana Koron-
nego do Króla JMści de d. z Obozu nad Rostawicą
poniż Pawołoczy 21. 8bris 1619.
Postanowienie Kommissarskie z Kozakami i przysięga
Ich d. d. 8. 8bris 1619.
Rota przysięgi Starszym Hetmanom, Assaułom, Puł-
kownikom i Setnikom. Piotr Konaszewicz starszy
wojska zaporowskiego JKMści.
Rota Hetmanom i wszystkiej Czerni.
P. 64. Exemplar literarum Comitis ab Althan ad Illm.
et Mum Dnum Lucam de Bnin Opaliński, Castell.
Posnan. d. d. Warsz. 16. Sept. 1619.
List Króla do tegoż Opalińskiego d. d. Warszawa,
29. Sept. 1619.
Respons P. Łuk. z Bnina Opalińskiego 7. 8bris 1619.
Exemplar litterarum S. R. Mtis. ad Gabrielem Bethlem
Palatinum Transylvaniae d. d. 28. Sept. 1619.

Responsum a Gabriele Bethlem . . . Oct. 1619.

List Króla do Żółkiewskiego Hetm. Kor. Warsz., 30. Sept. 1619.

8. O Moskwie powiedzieć (pag. 82.)

O Kozaki. — O upominkach.

List Króla do Hetmana . . . 13. Octob. 1619.

P. 87. List Króla JMści ad principes Silesiae d. d. z Warszawy 28. Oct. 1619.

List P. Hetm Kor. do Króla JMści d. d. Kamionki 15. 12. bris 1619.

Copia Listu P. Stanisława Żułkiewskiego Hetmana i Kanclerza Koronnego do JKMści in Vim testamenti napisana. 25. Aug. 1620 (90—94.)

De Historicis Sigismundi III. res gestas narrantibus. (95—99.)

9. P. 103—156. Zniesienie calumniey z Pana Wojew. Krakowskiego i zaraz deklaracyja skriptow Stezyckich strony Praktik.

10. P. 157—197. Proces Stadnickiego z Opalińskiem. 1608—1610.

11. P. 198—205. Transactia Wielgopolska z Listu Pana Morawskiego Podstarościego z Reika d. 30. Julii.

Kopia listu od p. Hieron. Radziejowskiego do IchMC. Panów Wojewodów Pozn. i Kalisk. Dan w Szczecinie 12. Julii 1655.

12. P. 207—247. Diarium legationis in Sueciam Illustrissimi Domini Palatini Lanciciensis Ao. 1653.

13. P. 249—258. Porządek na Seymie Walnym Elekcyi między Warszawą a Wolą przez opisane artykuły, postanowiony r. p. 1532 (pro 1632) d. 27. Września.

14. P. 258—288. Oznaymienie króla nowo obranego na seymie walnym z elekcyi między Warszawą a Wolą. Przysięga IchMciów Panów Senatorów i Deputatów z Koła Rycerskiego.

Artykuły Pactorum Conventorum.

Jurament Posłów IchMości 8. listop. 1632.

Nazwiska Szlachty wyborców.

15. 289—587. Jakób Sobieski Krayczy Koronny Starosta Kramostawski Marszałek Koła Rycerskiego. O spokojnéj elekcyi. O spokojnym Interregnum. Annus domini 1633. (Opisanie pogrzebu Królewskiego i Koronacyi Władysł. IV.) Sejm konoracyjny. Przysięga miasta Krakowa. Witanie Króla od Koła poselskiego . . . przez Marszałka swego . . . Mik. hr. Ostroroga 8. Febr. 1632. Akta sejmowe.

P. 519a. Propositio legatorum Ducis Pomeraniae.
Handschrift aus dem Ende des 18., Anfang des 19. Jahrhunderts. Fol. Halbfranzband. — III. H. A. 7.

9.

Rękopisma późnieysze. (Zbiór rękopism J. U.
Niemcewicza.) Im alten Kataloge:
„Rękopism z czasów późnieyszych zawierający rozmaite
dyaryusze sejmówe, instrukcye na sejmiki, opisy bitw
i t. p." Von verschiedenen Händen geschriebene Stücke:
Das erste d. d. 16. Nov. 1644. Das letzte ein Lied Niemcewicz's vom 28. Juni 1812: Do koni bracia, do koni
mit Musik von K. Karpiński, in K. gestochen. Fol. —
II. H. a. 8.

Instrukcya Urodzonemu Franciszkowi Bogdańskiemu na
seymik powiatowy Szadkowski, na dzień wtóry miesiąca
Stycznia, Posłowi JKMci dana w Warszawie d. 16. listop
r. p. 1644. Na Własne JKr. Mci rozkazanie Jacobus
Maximilianus Fredro Regens Cancellarn Regni. [6 Bll.
Abschr. des 18/19. Jahrh.] Fol. — II. H. a. 8/1.

My Rady Koronne y W. X. Litt. na ten czas przy K. J
M. bendące . . . Dan w Obozie pod Smoleńskiem d. 6.
mca Maja r. p. 1610. J . . . Potocki z Potoka, Wojew.
Bracławski. Stan. Żółkiewski Woysk Hetman Koron
Chrph. Momus na Dorostaiach Mar. W. X. Lit. Leo
Sapieha Kancl. W. X. Lit. Kryski w Dobrzynie? pod-
bieracz cel koronny. [2 Bll. Fol. Copie des 18/19. Jahrh.
Anweisung an die Kasse zur Zahlung.] — II. H. a. 8/2.

Verzeichniss einer Sammlung von Briefen fürstlicher Personen aus dem poln. Reichsarchiv [?].
1. Ducatus Pomeraniae literae. 1343—1533.
2. Brandeburgenses 1309—1538.
3. Ducatus Silesiae 1290—1527.
4. Litterae ducatus Prussiae 1215—1503.
407 Briefe. Abschr. aus d. 18/19. Jahrh. Fol. 9—38. —
II. H. a. 8/3.

Ordynek wjazdu Xiążęcia JMci Chrystopha z Zbarażu
Koniuszego Koronnego Posła wielkiego do Konstanty-
nopola w dzień świętego Marcina 1622. Fol. 39—62.
Abschrift des 18/19. Jahrh. — II. H. a. 8/4.

Niemcewicz, J. U., Marzenia w zbiegu dzisiejszych okoliczności politycznych. Una salus victis sperare salutem.
Fol. 63 — 68. Geschrieben nach 1806. — II. H. a. 8/5.

Summaryusz w Zuppach Wieliczkich tempore administrationis Interregni a die 19. Novembris 1673 ad ultimum Junii 1674. Abschrift des 18/19. Jahrh. Fol. 70—75. Fortsetz. 82—83, unvollst. — II. H. a. 8/6.

Hyberna żołnierza ukrainnego. Około r. 1609. Fol. 76—80. Odpis z 18/19. wieku. My niżej podpisani Deputaci zjechawszy się tu do Lwowa na mieysce i czas konstitucyą przeszłey szczęśliwy JKMci Konwokacyjej seymu naznaczeni etc. — II. H. a. 8/7.

Summariusz rachunków jeneralnych skarbowych . . . Augustowi III. . . . na seym ordyn. Grodzieński pro die 5. Oct. anni 1744 . . . podany. Abschr. d. 18/19. Jahrh. Fol. 84—87. — II. H. a. 8/8.

Protokół zawierający:

1. Treść listów od nieprzyjacieli Ojczyzny pisanych lub onych kopie.

2. Treść różnych papierów o zagrożenie bezpieczeństwu publicznemu podeyrzanych a. w deputacyi Bezpieczeństwa publicznego złożonych.

Rozpoczęty roku 1794 d. 28. kwietnia w Wilnie. Fol. 88—190. Abschrift d. 18. Jahrh. — II. H. a. 8/9.

Rządzący Synod prawowiernego wszech Rossyi kościoła . . . Odezwa przeciw Napoleonowi. Tłomaczenie z rossyjskiego. Fol. 191—194. Gleichzeitige Hand. — II. H. a. 8/10.

Niemcewicz, J. U

1. O czerwcu. Rozprawa do Konkursu 1806. Odpowiedź na pytanie Towarzystwa Warszawskiego Przyjaciół nauk o Czerwcu. Adde parum modico. 1. Opisać doskonałą Historyą naturalną Czerwca z wyłożeniem czem jest rzeczywiście etc.

2. Wypis z Dziennika Czynności Towarzystwa Warszawskiego Przyjacioł Nauk. 1. Maja 1806. [Krytyka poprzedzającej rozprawy]. Stan. Staszic. Arnold Wiesiolowski. A. Dąbrowski. J. Bystrzycki. Gleichzeit. Abschriften. Fol. 195—209. 210—215 unbeschrieben. Fol. — II. H. a. 8/11.

Opisanie Olkienickiey Bitwy. Z manuskryptu starego. Poln. Ged. Abschr. des 18/19. Jahrh. Fol. 216—235. Schlacht bei Olkieniki 1700, Nov. 19., zwischen Michał Sapieha u. dem lit. Adel. Fol. — II. H. a. 8/12.

Wstęp i Uwagi ogólne. Nayjaśnieyszy Panie! Deputacya którą W. Kr. M. dekretem 20. czerwca . . . naznaczyć i którejszukania sposobów wydoskonalenia Systematu Administracyi, uwagę na sposób podatków w pobieraniu

niezawodnych . . . Fol. 236 — 261. Aus der Zeit der
Gründung des Herzogthums Warschau, da auf den
Kaiser von Frankreich Bezug genommen wird. Fol. —
II. H. a. 8/13.

Sprawa z czynności rządu centralnego tymczasowego woy-
skowego Galicyi od dnia 4. czerwca 1809 do d. 1. Stycznia
1810 roku. Gleichzeit. Handschrift. Fol. P. 262 — 383.
— II. H. a. 8/14.

Discours adressée à sa Majesté le Roi de Saxe Duc de
Varsovie lors de son premier passage par Posen, pro-
noncé publiquement par le soussigné Président du dit
département le 15. 9bre 1807. 2 Bll. Fol. 388 — 389.
B. (?) Gorzenski. Original. Fol. — II. H. a. 8/16.

[Bardzo niedokładny] Budiet jeneralny przychodów i roz-
chodów skarbu Xięstwa Warszawskiego na rok 1812/13
[przez posła Godlewskiego.] Fol. 394—397. Gleichzeit.
Abschr. Die Zusätze in Klammern rühren von Niemcewicz's Hand her. Fol. — II. H. a. 8/18.

Adres do Króla Saskiego, Xięcia Warszawskiego d. Warszawa dnia — Grudnia 1811 od posłów y deputowanych
na seym. Fol. — II. H. a. 8/19.

10.

Series archivorum regni sen compendium pactorum
foederum tractatuum com (sit) monarchiis regnis provinciis
dominiisque ne‑ non privilegium summorum pontificum
Imperatorum Regum Ducum Principum et Vassalorum
insuper inscriptionum variarum et transactionum in Archivo Regni reperibilium summarie cum expressione
essentialium, vigore Commissionis Sae. Rae. Mtis. et
Reipublicae conscripta anno Salutis 1730 quae in Thesauro
Regni Cracoviae reperiebantur. Fol. 521 Stn. Abschr.
des 18/19 Jahrh. Aus der Sammlung der Hdschr. des
J. U. Niemcewicz. — II. H. a. 9. Vgl. Mscr. 9. p. 9—38.

11.

[Rekopisma dawne.] Aus der Sammlung der Handschr.
des J. U. Niemcewicz. [Im alten Katalog: „Dyaryusz
sejmowy z r. 1642. Życie Tomasza Zamojskiego. Akta
od śmierci Stefana Batorego aż do roku 1618. Rękopism
w Kopij z nowszych czasów."] —

Wypisy z rękopis. należących do Świątyni Sybilli N. 9.
Akta od śmierci Stef. Batorego aż do roku 1607. Ważna
ta Xięga zbiorem jest pism, przez Jakuba Sienińskiego
Kasztelana Lwowskiego etc. Wyciągi. 1590 Opis niektórych twierdz. 1602 Wykaz siły wojskowéj. Nr. 12.
Ustawy Rzemieślnicze od 1606 do 1627. Nr. 11. Wyprawa królewicza Wład. do Moskwy. — Sorgfältige Handschrift des 19. Jahrh. Fol. — II. H. a. 10,ęfol. 1—8.

List Jana Zamojskiego do Króla pisany przez rękę
pisarza, własnoręcznie podpisany [o położeniu polityczném
Rzpltéj.] „V. R. M. swego miłościwego pana rada i W.
Hetm. K. J. Zamojski". Dan z Rzeczycze dnia 10 miesiąca Lipca roku 1596. Rzeczyca miasto nad Dnieprem
przy ujściu doń rzeki Wiedrzycy. Był tam dawny zamek.
Fol. — II. H. a. 10, fol. 9—10.

Dyaryusz seymowy . . . a die 23. ad 28. 9bra 1647. Abschrift des 19. Jahrhunderts. Fol. — II. H. a. 10, fol.
11—24.

Życie Tomasza Zamojskiego, Kanclerza W. Koronnego etc. Dedykacya datowana: W Zamościu d. — m.
— r. p. 1646. Autor Stanisł. Żurkowski. [Życiorys ten
wydał Bielowski we Lwowie 1859.] Abschrift des 19.
Jahrh. Fol. — II. H. a. 10, fol. 25—288.

Expedycya Wołoska, in fine: Działo się w Konstanty-
nopolu dnia 14. 7bra, ao. 1620. Abschrift des 19. Jahrhunderts. Fol. — II. H. a. 10, fol. 289—294.

Rapport z Urzędu Cenzury w r. 1817. Acc.:
    1. Memoryał względem braku księgarń i drukarń w kraju.
    2. Projekt założenia papierni w Król. Polskiem.
    Fol. 303—308. Gleichzeit. Abschrift. Fol. — II. H. a. 10,
    fol. 295—302.

Zygmunta III. Testament wypisany z rękopismu biblioteki
Puławskiey, szafa D., liczba 325, str. 273, dat. Varsav.,
5. Maii 1623. Saubere Abschrift des 19. Jahrh. Fol. —
II. II. a. 10, fol. 309—314.

Sigismuud Reg. Pol. epistola Rvdo in Chsto. Pri. Domino
Simoni Rudnicki Episcopo Varmiensi, sincere nobis dilecto.
Dat. Warschaviae, 5. Martii 1612. Abschrift des 19.
Jahrh. Fol. — II. H. a. 10, fol. 315—316.

— Reverendo in Christo Patri Domino Simoni Rudnicki
Episcopo Warmiensi syncere nobis dilecto. Z Obozu pod
Smoleńskiem 12. Grudnia 1610. Abschrift des 19. Jahrh.
Fol. — II. H. a. 10, fol. 317—318.

1. Memorandum względem wolności druku do Cesarza.
    (Brulion Niemcewicza.)

2. **Memorandum** tej samej treści. (Brulion Niemcewicza.) „NB. Uwagi te nie były przyjętemi. Tak dziś przemysłem zajęci zupełnie, o merynosach i hiszpańskiej wełnie piszemy, nawet rozprawiamy wszędzie, żemniemam, iż to od rzeczy nie będzie.“ Fol. — II. H. a. 10, fol. 319—325.

Rapport z wydziału cenzury na rok 1819. Brulion Niemcewicza. Fol. — II. H. a. 10, fol. 327—332.

12.

Zbiór rękopismów J. U. Niemcewicza.

Tarnowskiego, Jana, o sztuce wojenney. In fine: Za rozkazanim y nakładem Wielm. Pana Jana Tarnowskiego, kasztel. Krakowskiego, Pana Jego Miłości Łazar Andrysowic drukował w Tarnowie MDLVIII. dnia dziesiątego Marca. Abschr. aus dem Anfange des 19. Jahrh. Fol. — II. H. a. 11, fol. 1—30.

Pacificatia między Jego MP. Kanclerzem a Zborowskim na convocatiey Zborowey w Warszawie dnia 1. Martii ao. 1587 uczyniona. 31—32.

Fol. 33. Series kłótni w sprawie PP. Samuela i Krzysztofa Zborowskich za króla Stefana. Prośba powinnych P. Samuela Zborowskiego do P. Zamoyskiego kanclerza, Hetmana Koronnego.

Fol. 34. Respons od P. Kanclerza na prośbę za Panem Samuelem Zborowskim . . .

Fol. 96—104. Exekucya Zborowskiego. Abschrift des 19. Jahrh.

Fol. 104. List P. Zamoyskiego kanclerza koronnego pisany do panów Senatorów po bitwie pod Byczyną, 25. Jan. 1588. Abschrift des 19. Jahrh.

[Poniński,] Mowa JW. JM. Pana Ponińskiego Marszałka Konfederacyi Ziemi Wieluńskiey Posła od Konfederacyi Generalney do JKMci na Publiczney Audyencyi w Warszawie miana d. 17. Julii 1767 roku. Fol. — II. H. a. 11, fol. 43 b. 44.

Sprawa Pana Krzysztofa Zborowskiego de crimine laesae majestatis, na seymie Warszawskim roku 1605 go skończona, która się toczyła za Śp. Króla Polskiego Stefana Bathorego, a zaczęła się dnia 28. Januarii 1585 r. Abschr. des 19. Jahrh. Fol. — II. H. a. 11, fol. 45—101.

Zygmunt III. z Bożey Łaski Król Polski. — List, dat.
z Warszawy, 11. czerwca 1612.

1. Obchodzi nas niemało ten ucisk, który poddani nasi
   Oeconomiey Mohilewskiey od żołnierza Smoleńskiego
   ponoszą.
2. List tegoż z Warszawy 13. czerwca 1612 donosi o wy-
   zdrowieniu własnem i syna starszego, jak też o urodzeniu drugiego syna etc.
3. List tegoż z Warszawy 2. Nov. 1612 względem armaty,
   która jest w Orszy, którą król na bezpieczniejsze
   miejsce sprowadzić kazał, a Hetman nie dopu-
   ścił etc.
4. List tegoż z Warszawy 18. Maja 1613 r. Poséła
   Hetmanowi W. X. Litt. listy, które Goniec Moskiewski
   przyniósł, aby na nie odpisał.
5. List tegoż 8. Września 1613 r. donosi, że moskiewskie
   siły się zbierają do Smoleńska.
6. List tegoż 17. Września 1613 r. względem dział z Orszy,
   mających być ztamtąd wyprowadzonemi.
7. List z Warszawy 1. Sierpnia 1615 o odpowiedzi danéj
   Bojarom mosk , o Lisowskim, nalega o oswobodzenie
   Smoleńska, oekonomią Mohilewską każe oszczędzać,
   o sprawie Więckowskiego, który miał nieprzyjacielowi wydać sekrety. Kapitan Leimant ma piechotę
   swoją rozpuścić.
8. List tegoż 31. Dec. 1615 z Warszawy o żywności
   z włości Mohilewskiej do Smoleńska sprowadzonéj,
   ma być w lepszym szafunku, jak była do tych czas;
   o dzielności Lisowskiego.
9. List tegoż, z Warszawy 2. Jan. 1616. Do pana
   Kanclerza, iżby żywnością w Smoleńsku Jezuitów
   i Bernardynów opatrzył.
10. List tegoż, z Warszawy 31. Grudnia 1616. Królewicz
    Władysław ma na wiosnę wyruszyć do Moskwy;
    Litwa ma na tę wyprawe podatki na dwa lata przy-
    padające poświęcić.
11. List z Warszawy, 7. stycznia 1617 względem ceł nowo
    podwyższonych dla wyprawy królewicza Władysława
    na Moskwę. O Wojtostwie Żoranskiem w starostwie
    Żmojdzkim.
12. List tegoż 6. Września 1617 z Warszawy zakazuje
    oddawanie żywności Moskalom.
13. List tegoż 26. Czerwca 1618 r. Cieszy się, że propo-
    zycya podwyższenia podatków dobrze przyjętą została;
    przy powiększeniu wojska chce żeby na szczupłość środ-

ków wzgląd miano, Mikołaj Sapieha dostaje Wojewodztwo Nowogrodzkie.

14. List tegoż z Warszawy 8. Maja 1619, względem krzywd
wyrządzonych przez wojsko polowe i Lissowskiego
pułk dobrom królewskim. Tatarzy litewscy mają się
do wojska przyłączyć.

15. List z Warszawy 22. Maja 1620 r., że odpowiedź do
Moskwy wysłana, o więźniach moskiewskich; Kanclerz
Littew. ma poinformować posłańców wysłanych do
Moskwy.

16. List tegoż z Warsz. 9. lipca 1619, względem summy
9000 złp. na potrzebę Rzeczypospolitej dla Królewicza
Władysława w Smoleńsku porzyczonéj.

17. List tegoż z Warszawy d. 8. Sierpnia 1619. Król
zezwala na odesłanie synów Wojewody Wiaziemskiego
Inguldejowa do Moskwy. Trubeckiemu zamek Tru-
buesko i włość do niego należącą, wydać nie pozwala;
także Szujskiego wypuścić nie chce; żołnierze z roty
Ferensbacha mają być ukarani dla uszkodzenia
mieszkań Zomazkich [?].

18. List z Warszawy, 4. czerwca 1620, względem ludzi
narodu moskiewskiego zbuntowanych a połapanych
ze Staroduba; ułaskawieni od króla, — jak Sołtykowi
odpisać, — wioski jemu wzięte oddać, — jako też
innym Moskalom possessye zostawiać.

19. List tegoż z Warsz., 20. Czerwca 1620. List posłany
do Moskwy przez Gońca ma Kanclerz W. X. Litt.
otworzyć, przeczytać i królowi odpisać zdanie swoje,
w czem by można poinformować posłańców. Nowe
listy od królewicza przybyły z Grodna, jak z gońcem
moskiewskim postąpić, który więcej na szpiega jak
na posła wygląda.

20. List tegoż z Warsz. 30. Lipca 1620. Znowu o tym
moskiewskim gońcu (szpiegu).

21. List tegoż z Warsz. 6. 8bra 1620. O zatrzymanych
przez mieszczan Wileńskich szpiegach moskiewskich.

22. List z Warsz. 22. Stycznia 1621. Smoleńsk zawczasu
opatrzeć w żywność. ,

23. List tegoż, Junij 1621. Król chciałby pokój z Moskwą
utrzymać, lecz widząc, że Moskale wojska do granic
polskich zsciągają, myśli o środkach zabespieczenia się.

24. List tegoż z Warsz. 1625. Król rad z zaopatrzenia
Smoleńska w żywność. O saletrze w Brześciu. Wy-
wóz z kraju zakazać. Smoleńsk ma mało prochu
i ołowiu.

Zygmunt III., Król Polski etc.

25. List tegoż z Warszawy 5. czerwca 1621. O zamkach i powiatach od Moskwy „rekuperowanych", — urzędy tym tylko rozdawać, którzy tam mieszkać i o bezpieczeństwo dbać obligować się będą.

26. List tegoż, 12. lipca 1622 z Warsz. Senatorów Litewskich poinformować względem prowadzenia Czarzyków do Moskwy, że przez to pokój nie wzruszony.

27. List z Warsz. 21. stycznia ao. 99. O śmierci Borysa Hodunowa, rozmaite relacye; król prosi o pewniejsze wiadomości.

28. List tegoż z Warsz. 12. Stycznia 1600. Względem listu od Senatorów do Bojarów mającego być pisanym.

29. List tegoż z Warsz. 2. Febr. 1600. Jeszcze raz o liście Senatorów do Bojarów; król chce list ten, nim będzie wysłany, widzieć.

30. List króla z Warsz. 2. Aug. 1600. Bartłomiéj Berdowski, który gońcem w Moskwie był i się dobrze zasłużył, ma być po śmierci Soleckiego tegoż następcą. List od kniazia, skopiowany i kanclerzowi posłany.

31. List tegoż z Warsz. 4. Aug. 1600. Poleca zakupienia 40 seroków kur w Moskiewskiej ziemi.

32. List z Warszawy 16. kwietnia 1601. Dziękuje za poselstwo dobrze odprawione do Moskwy, objecuje nagrody.

33. List tegoż z Warszawy 18. marca 1604. Względem posła rossyjskiego Offanaszeya Dyak i paszportu dla niego.

34. List tegoż, 3. Dec. 1604. Poseł rossyjski chce przez Potok, gościńcem niezwyczajnym jechać, król chce, żeby poseł był „lekko" prowadzony.

35. List tegoż z Krakowa 5. marca 1607. Król pisze, że Witowski musi zostać posłem, a zamiast Podkomorzego Trockiego trzeba innego wybrać, co Kanclerzowi poleca.

36. List tegoż z Warszawy 15. kwietnia 1612. Włości Mohylewskie mają przez wojsko być oszczędzone, ażeby tam żywność została „na przejazd szczęśliwy do ziemi Moskiewskiej". Mikołaj Rzymiński posłany jest aby w włościach Mohylewskich stacyą urządzać.

37. List tegoż 11. maia 1612 z Warszawy. Konfederaci Moskiewscy ku Smoleńskowi idą. O środkach, aby swoich przestrzegać.

Abschriften des 19. Jahrh. Fol. — II. H. a. 11, fol. 102—124.

J. Sierakowski, pisze, d. 21. września 1791, w Sztokholmie, do Xięcia Biskupa (Krasickiego?) O nagrobku Katarzyny Jagiellonki w Upsali, i Anny jej córki w Toruniu, w kościele OO. Bernardynów, † 1628, a pochowana 1637, wspomina grób Kopernika. Do listu tego dołączone Wyciągi z dzieł szwedzkich i niemieckich, odnoszące się do śmierci Anny, i wiersz Karóla IX. o Annie. [Abschriften des 19. Jahrhunderts.] Fol. — II. H. a. 11, fol. 124—127.

List od moskiewskiego Cara Iwanowicza. Moskwa in Januario, Anno od stworzenia świata 7095. Ubiega się o koronę polską. [Abschr. des 19. Jahrh.] Fol. — II. H. a. 11, fol. 128.

(Zborowskich sprawa.) Odpowiedź Jo. Mości Pana Kanclerza i Hetmana koronnego na requisitią przez JW. Pana Jnowłockiego, imieniem JMości X. Arcy-Biskupa Gnieźnieńskiego, o podpisanie scriptu w sprawie Panów Zborowskich na Convocatiey wniesionego, do siebie uczynioną. [Abschr. des 19. Jahrh.] Fol. — II. H. a. 11, fol. 129—136.

List Xcia JMści Samuela Koreckiego do Braci albo Szlachty Polskiey. Dat. w Jasiech, 6. Mai 1616. (O woynie Wołoskiey.) Fol. — II. H. a. 11, fol. 136.

Wypis wesela JKMości Władysława Czwartego z Cecylią Renatą, Córką Cesarską Ao. 1637. Fol. — II. H. a. 11, fol. 138—139.

List od JM. Pana Stanisława Żołkiewskiego, Kancl. i Hetmana Wielkiego Koronnego do Króla JMości Zygmunta III. Anno 1620, die 26. Augusti, z Baru na woynę Cesarską wychodząc. Fol. [Abschrift des 19. Jahrh.] — IV. H. a. 11, fol. 140.

Od woyska Zaporowskiego do JMPana Hetmana koronnego. Datum z Kaniewa, 27. Junii 1626. Instrukcya od Woyska Zaporowskiego Posłom dana, z Kaniewa, 27. Junii 1626. Fol. — II. H. a. 11, fol. 141.

Contynuacya woyny każdey. Radzi, żeby chłopi także wyprawiali na wojnę żołnierzy: 20 jednego. [Abschrift des 19. Jahrh.] Fol. — II. H. a. 11. 143 b.—145.

Respons od Xcia JMości Pana Krakowskiego, dany Panu Wielkorządcy krakowskiemu, który przyjeżdżał Sta Tysięcy złł. od Króla JMci Zygmunta pożyczając na drogę Litewską. [Abschrift des 19. Jahrh.] Fol. — II. H. a. 11, fol. 146.

Mowa JW. JM. Pana Rzewuskiego wojewody Krakowskiego, Hetmana Polnego Koronnego, na Seymie Extra-

ordynaryjnym miana w Warszawie, d. 5. 8 bris 1767 roku.
Fol. [Abschrift des 19. Jahrh.] — II. H. a. 11, fol. 149.

Passo (Passio?) Domini nostri Sigismundi tertii Regis Poloniae secundum et (?) fidelem subditum domino suo com-
patientem. — Travestie der ev. Leidensgeschichte auf den
„Rokosz Zebrzydowski“. [Abschrift des 19. Jahrh.] Fol.
— II. H. a. 11, fol. 150—152.

Protestatio PP. Kommissarzów koron. i W. X. Litt. przed
Posłem Cesarza Jo. Mści o rozerwanie Traktatów z wy-
pisaniem Traktowania o pokóy z Moskwą 1616. In
Castro Smoleńscii, d. 12. Febr. 1616. [Abschrift des 19.
Jahrh.] Fol. — II. H. a. 11, fol. 152 b.

O chowaniu żołnierza Quarcianego, Pana Żółkiewskiego
Hetmana Traktat na seymie Anno 1616. [Abschrift des
19. Jahrh.] Fol. — II. H. a. 11, fol. 160.

Instructia K. Jmości na Seymik obrania Rotmistrza
i Poborce. Na własne Króla JMości rozkazanie. [Ohne
Zeitangabe. Regierung Zygm. III. Abschrift des 19.
Jahrh.] Fol. — II. H. a. 11, fol. 163 b.

Spisek wyprawy Wojenney Polskiey przeciw Turkom, z wy-
nalazku i z obrachowania ś. pamięci Króla Stephana uczyniony, a to na pół roku wiele wyniosie. Podpis: Christoph Dzierzeli Horąży Trocki. [Abschrift des 19. Jahrh.]
Fol. — II. H. a. 11, fol. 165 b.

Copia listu Beklerbekowego pisanego do JMPana Hetmana
Koronnego, pisan w Silistry przez (sic!) daty. [Abschrift
des 19. Jahrh.] Fol. — II. H. a. 11, fol. 166 b.

1. List do Xdza Arcybisk. Konfederatów Moskiewskich (upo-
minają się o żołd) z Smoleńska d. — 9 bris 1612.

2. Respons JKMości żołnierzom dany, (obiecujący —).

3. List do żołnierze Smoleńskich Króla JMci Zygm. III.
z Warszawy, 15. Września 1612, (Król obiecuje i po-
ciesza woysko.)
Pag. 171 b. Artykuły Panów Confederatów Moskiewskich, roku 1612.
Pag. 173 b. Przemowa Pana Szczęsnego Herborta
gdy Króla JMci przepraszał po rokoszu.
Pag. 174. Reprotestacya przeciw Konfederaty ze
strony religiey. Actum in Castro Sochacouien. feria
tertia post Dominicam Quinquagesimae proxima Ao.
dni 1573.
Prostestacya żołnierzów moskiewskich w Warszawie
8. Martij roku 1612 uczyniona. List króla, 4. marca
1612. (Wybiera się z synem do wojska.) Fol.
— II. H. a. 11, fol. 167 b.—175.

Contenta z listu Stadnickiego w Przedborzu, 14. Novembris 87 anno. Zwolennik Maximiliana grozi partyi królewicza Szwedzkiego. [Abschr. des 19. Jahrh.] Pol. — II. H. a. 11, fol. 176.

1. Summa wszystkich wsi w koronie polskiey z skarbu koronnego.
2. Folio 177. Summarius quartae partis anno 1607 ad Thesauros Reipubl. importatae.
3. Summarius . . . anno 1608.
4. 177 b. Civitates et Oppida in palatinatu Cracoviensi. Castra in palatinatu Cracoviensi. Civitates et oppida Podlaskie. Fol. — II. H. a. 11, fol. 176—177.

List JMP. Hetmana W. Koronn. do Hospodara Wołoskiego. Stanisław Koniecpolski Kasztel. Krak. Hetman. W. Kor. — Pomimo przyjaznych oświadczeń Turcyi, Wojska tureckie wkroczyły do Ziemi Wołoskiey, przeciwko Paktom; jeżeli ztąd nie wyjdą, będzie to rozerwaniem paktów i początkiem wojny. [Abschr. des 19. Jahrh.] Fol. — II. H. a. 11, fol. 178.

Relacia transakciey Wiedeńskiéj JMci Pana Kochanowskiego Starosty Radomskiego Ao. 1670 względem, małżeństwa Króla Michała z Eleonorą siostrą Cesarza Leopolda. [Abschrift des 19. Jahrh.] Fol. — II. H. a. 11, fol. 178 b.

Seym walny Warszawski złożony przez Króla JMci ad diem 9 Maii Anno Dni 1607.

P. 185. Die 24. Junii skończenie rokoszu pod Warsz.
P. 187. Poymani ci są:
P. 187 b. Nowiny podczas Seymu.
P. 188 b. Podane od KJMci sposoby do przyjęcia w łaskę Pana Wojewody Krakowskiego.
P. 189. Postempek, gdy przyjmowani byli niektórzy do łaski KJMci Anno 1608 sexta Junii, to jest w piątek po Bożym Ciele.
P. 191. Intrata Królewska Anno 1607.
P. 192. Leges sumptuariae albo Uniwersał poborowy na zbytki, utraty i niepotrzebne wystawy ze strony niepotrzebnych strojów i utraty od srebra stołowego — z strony szat białogłowskich — ze strony mężczyzn. Fol. — II. H. a. 11, fol. 178 b.—195.

Explicatio sequentis figurae. |Erklärung technischer kriegswissenschaftlicher, besonders fortifikatorischer Ausdrücke. Lat.-poln. Abschrift des 19. Jahrhunderts.] Fol. — II. H. a. 11, fol. 196.

Oddawanie tryumfalne Wasila Szuyskiego Cara Moskiewskiego i z Bracią Jego KJMci na Seymie w Warszawie

2*

przez Hetmana Koron. Pana Stanisława Żółkiewskiego.
który Woyska Wielkie Mosk. pod Kluszczynem poraziwszy,
Stolicę Moskiewską spaliwszy, Cara Szuyskiego tego
poimał, w r. 1611, d. 29. paźlż. [Abschr. des 19. Jahrh.]
Fol. — II. H. a. 11, fol. 200.
Commoditates po Królewiczu Szwedzkim.
  Fol. 210. Commoditates drugie po Królew. Szwedzkim
krótko zebrane. Korzyści wypadające z wyboru Królewicza Szwedzkiego (Zygmunta III.) na Króla Polskiego.
[Abschr. des 19. Jahrh.] Fol. — II. H. a. 11, fol. 201.
[Stephan Batory.]
1. Contenta w Testamencie nieboszczyka Króla Stefana
   Batorego.
2. Artykuły sub Interregno po Sławnym Stefanie.
3. Przysięga pachołków.
4. Artykuły Panom Żołnierzom pieszym z Stanu Szlacheckiego podane, które im kożdą niedzielę czytane
   być mają.
5. Informacya o któréj się wyżéj wzmianka czyni.
6. Rachunek za Króla Stephana. — [Abschr. d. 19. Jahrh.]
   Fol. — II. H. a. 11, fol. 211.
Relacya przyjęcia w stolicy moskiewskiey posłów wielkich
JKM. Jana Kazimierza i całey Rzpltey Anno 1667. Fol.
[Abschr. aus dem 19. Jahrh.] — II. H. a. 11, fol. 220.
1. Przemowa Króla JM. na seymie w Warszawie dnia
   13. Junii 1607 do IchMci Panów Senatorów i wszystkich
   posłów w obec uczyniona.
2. Konwokacya Krakowska zaczęta 21. April 1608.
3. Kopia listu do Pana Wojewody Krakowskiego od
   Panów Senatorów zjazdu Krakowskiego.
4. Respons Pana Wojewody na list IchMości Panów
   Senatorów 11. maia 1608. Mikołaj Zebrzydowski.
5. Mowa Pana Wojewody Krakowskiego do Króla JMci.
   Responsum Domino Palatino Cracoviensi culpam
   publice deprecanti datum nomine Regiae Mtis d.
   6. Junii per Matthiam Pstrokoński Cancellarium Regni
6. Rzecz Pana Wojewody Krakowskiego do Ichmościów
   Panów Senatorów.
7. Respons na tę rzecz przez JMĆ. X. Biskupa Lwow-
   wskiego.
   Następują dalsze sprawy sejmowe.
8. Poselstwo od JMĆ Pana Podczaszego Wgo X. Litewskiego do Senatu Koronnego y W. X. Litewskiego
   na Konwokacyi w Krakowie 1608 r. pan Grądzki . . .
   odprawował.

9. Odpowiedź Senatorów przez Firleja posłana Podcza-szemu Litewsk. Druga Odpowiedź dana Grądzkiemu.
10. Odpowiedź Firlejowi dana.
11. Herborta Szczęsnego przeproszenie Króla Jegomości.
12. Kopia listu Pana Radziwiłła do KJM. Dat. w Starey wsi 9. Julii 1608.
13. Justifikacya Chotkiewicza Hetmana Litewskiego na zdanie Radziwiłłowe na Konwokacyi.
Fol. — II. H. a. 11, fol. 230 b.

Dyaryusz Seymu Warszawskiego in ao. 1624. In fine: Ta kopia przepisana z manuskryptu w Bibliotece Załuskich znajdującego się sub titulo Miscellanea ab anno 1621 ad* annum 1632. [Abschr. des 19. Jahrh.] Fol. — II. H. a. 11, fol. 254—320.

13.

Pamiętnik P. Paska. Odpis w. 19. [Wydany przez Edw. Raczyńskiego w Poznaniu 1836.] Fol. — II. H. a. 12/1.

Remanifest JWo Złotnickiego przeciwko JWu Szczęsnemu Potockiemu, podpis: General - Leitnant Kawaler Antoni Złotnicki. [Abschrift des 19. Jahrh.] Remanifest Złotni-ckiego z akt sądu Radomyślskiego wyjęty, przez Anto-niego J. (Rolle), w Opowiadaniach historycznych Serya III. Tom L, użyty do charakterystiki Antoniego Nowiny Zło-tnickiego. Fol. — II. H. a. 12/2.

14.

Medale Króla Stanisława Augusta z objaśn. Gołembiowskiego. J. U. N(iemcewicz.) Dem Manuscript, das 175 mit Roth-stift foliirte Blätter hat, ist ein von andrer Hand geschrie-bener Katalog vorgebunden, welcher die Denkmünzen aufzählt, die auf polnische Könige, Staatsmänner etc. von Zygm. L bis auf Stan. Aug. geprägt worden sind. (18 Bll.) Fol. — II. H. a. 13.

15.

Rękopisma J. U. N(iemcewicza). Mit dem Bibliothek-zeichen Niemcewicz's. Im alten Kataloge: „Panowanie Zygmunta III. przez J. U. Niemcewicza (autograf).„ Diese Bezeichnung ist falsch. Der Band beginnt mit

einer Geschichte Sigismund III., die aber weder von Niemcewicz verfasst, noch auch von seiner Hand, sondern von
der Hand eines Schreibers copirt ist. Die Ueberschrift
lautet: „Zygmunt trzeci“ 1577. Zygmunt trzeci urodził
się w zamku Grypsholm w Szwecyi roku 1566 dnia
20. czerwca etc. Die Geschichte erstreckt sich bis zum
J. 1595 incl. und schliesst mit den Worten: „Gdy Achmet
radca Hana skarzył się i w tem wszystkiem dla Pana
jego nic pożytecznego nieustanowiono, słuszna zaś rzecz
jest, aby i on wiedział czego się o Króla spodziewać ma;
Zamoyski przełożył mu. Bemerkung von Niemcewicz's
Hand „więcej nie masz.“ Fol. — II. H. a. 14, fol. 1—54.

Informacya o prawach świętey Katolickiey w obrządku
ruskim religii w pięciu uwagach nad pięcią propozycyami
w Memoryale JWXdza Koniskiego Episcopa Nieunita
Białoruskiego wyrażonem przez JWXdza Antonina Młodowskiego Biskupa Brzeskiego Koadjutora Włodzimirskiego. Przełożona roku pańskiego 1766 miesiąca Maja
5 tego dnia. [Abschr. des 19. Jahrh.] Fol. — II. H. a. 14,
fol. 55—197.

Wierny wypis z autentycznego manuskryptu z xiąg kame-
ralnych Radziwiłłowskich z Nieświeżskiego Archiwum.
(Sprawa Krzysztofa Chodkiewicza z Januszem Radziwiłłem,
albo raczéj następcami jego Bogusławem i siostrami o
Słuck.) [2 Bll. Abschr. des 19. Jahrh.] Fol. — II. H. a.
14, fol. 198—199.

Relacya Kommissii in Ao. 1690 ca. evacuationem Kamięca
odprawioney, jako y innych Kommissyi sequentibus annis
expedyowanych, uczyniona przez Jaśnie W. JMci Pana
Stefana z Rychtna Sokolca Humieckiego Wojewodę Podolskiego na Seymie Walnym Grodzkim in Anno 1718 (von
verschiedenen Händen gleichzeitige Copien.) Fol. 200—225.

1. Relacya Kommissyi do Granic Tureckich ex ordinatione
magni Consilii Jarosławiensis expedyowaney in Anno
1717 uczyniona przez tegoż Jego Mości Pana Humieckiego
Wojewodę Podolskiego na walnym seymie Grodziń-
skim in Anno 1718, niedokończone.

2. Jedna karta z téj saméj relacyi ale inną ręką pisana, wyr-
wana z większéj całości.
Fol. 226—227.

Akta sejmowe; seym pacyfikacyjny 1735 r. 27. września —
8 bra. Początku nie ma. (Manuskrypt równoczesny.)
Fol. — II. H. a. 14, fol. 230—256.

Kopia Testamentu Stanisława Ursina Niemcewicza Aktual-
nego Konsyliarza Stanu. Datum w Adamkowie 1815 dnia

Augusta 10. Gleichzeit. Abschrift. Fol. — II. H. a. 14, fol. 257.

(Niemcewicz, J. U) Prospekt na dzieło p. t. Dzieje panowania Zygmunta III. króla Polskiego W. X. Lit. przez J. U. Niemcewicza. Warszawa, 1818. 4⁰. 2 Bll. (Gedr.) — II. H. a. 14, fol. 260—261.

[Dąbrowski, Henr.] Historya pierwszey Legii Polskiey od czasu jey zawiązku aż do Traktatu Lunewilskiego, wyjęta z rękopismu pewnego sztabowego officera francuskiego, a w Europejskich Rocznikach Posselta (Europäische Annalen v. Posselt) r. 1804. Nr. 1. umieszczona. [Gleichzeit. Mscr.] Fol. — II. H. a. 14, fol. 262. ss.

Dyakowski, Mik., Dyariusz Wiedeńskiey okkazyi. [Abschrift des 19. Jahrhunderts; mehrfach herausgegeben, z. B. Krakau, bei J. Czech, 1861.] Fol. — II. H. a. 14, fol. 276 ss.

Postanowienie Wileńskie, d. d. Wilno 24. 9bra 1700, uznanie Fryderyka Augusta za dziedzicznego Xięcia Litewskiego. Odpis wieku 19go. Fol. — II. H. a. 14, fol. 300.

Zapytania statystyczne, co do mieszkańców wiejskich, właścicieli, dzierzawców, i ich czeladzi, włościan, krajowych i obcych, natury dóbr etc. [Manuscript aus d. 19. Jahrh.] Fol. — II. H. a. 14, fol. 302—305.

Adres Rady departamentowéj departamentu krakowskiego, łączący głos swój do oświadczeń komitetu Centralnego, umieszczonych w Liście do J. O. Xięcia Adama Czartoryskiego pisanym, dnia 20. Listopada 1813 r. [Gleichzeit. Abschrift.] Fol. — II. H. a. 14, fol. 306. ss.

Do Nayjaśnieyszego Cesarza Wszech Rossyi. Adres Senatorów z prośbą za królem Saskim Xiążęciem Warszawskim Fryd. Aug. i za wolnością i całością narodu Polskiego. [Gleichzeit. Abschrift.] 2 Exempl. Fol. — II. H. a. 14, fol. 308.

Tabella szkół i instytutów i w nich nauczycieli i uczniów w Xięstwie Warszawskiém. Szkół 1629, nauczycieli 2012, uczniów 54424. Odpadło Traktatem Wiedeńskim r. 1815 od Xięstwa Warszawskiego. Szkół 710, nauczycieli 830, uczniów 23429. Fol. 316—317. Wiadomości statystyczne odnoszące się do szkół, budynków, nauczycieli, zbiorów naukowych Xięstwa Warszawskiego, 31. Maja 1815 r. Równoczesny rękopism. Fol. — II. H. a. 14, fol. 309—315.

Odezwa do sprzymierzeńców i narodu angielskiego o Przywrócenie Królestwa Polskiego. Pismo wyszłe w Anglii w Styczniu roku 1814, przełożone z angielskiego. [Gleichzeit. Abschrift.] Fol. — II. H. a. 14, fol. 318—344.

C e s a r z Napoleon do Armii po odebraniu wiadomości, że Senat wypowiedział Mu posłuszeństwo. [Gleichzeit. Abschrift.] Fol. — II. H. a. 14, fol. 346.

Z e n o w i c z. Kampania oddziału woysk polskich pod Generałem Sierakowskim w roku 1794 odbyta, opisana przez Zenowicza Marszałka Guber. Minskiego Orderu St. Stanisława Kawalera. Do Dzieci moich. [Gleichzeit. Abschrift.] Fol. — II. H. a. 14, fol. 348, 356—373.

K o c h a n o w s k i, J., O potrzebie y ważności skutków edukacyi statystyczney. Rękopism przez pisarza napisany; zakończenie i podpis własną ręką autora. Z czasów Xięstwa Warsz. Fol. — II. H. a 14, fol. 350—355.

P r a ż m o w s k i poseła Niemcewiczowi wypisy z rękopismu objaśniające mieysce, w którym spoczywają zwłoki królów Władysława Hermana i Syna jego Bolesława, oraz ciekawe wyjątki o powietrzu w Płocku r. 1603 i o Mikołaju Zielińskim wieżę wysiadującym na onczas za wyrokiem sądowym i obszerny opis rękopisu: „Laurentii Doctoris dicti Lauryn, poenitentiarii cathedralis Plocensis." D. d. 22. Paźdź. 1817. [Original-Mscr. Adam Prażmowski's, Bischofs von Płock, 1764 ╪ 1836.] Fol. — II. H. a 14, fol. 375.

O administracyi Xięstwa Warszawskiego. Wytłumaczone z dziennika niemieckiego Minerva. [Gleichzeit. Abschrift.] Fol. — II. H. a. 14, fol. 379—381.

R a p p o r t du président du comité de l'Intérieur présenté à la Commission de Gouvernement de Lithuanie en 1812. [Sauberes gleichzeit. Mscr.] Fol. — II. H. a. 14, fol. 384 — 394.

L i n d e. Rozdział historyi polskiéj na 18. części i programm w jakim duchu powinna być pisaną. Podpisał własnoręcznie R(ektor) Linde. Fol. — II. H. a. 14, fol. 395 — 396.

P e t y c y a pisana ręką Niemcewicza (Brulion.) Les députés de la société de bienfaisance s'étant rendu chez V. E. le jour de son depart de Varsovie ont obtenu d'Elle la permission de lui écrire ainsi que la promesse, qu'elle voudroit porter aux pieds du trône les très humbles remonstrances sur l'état allarmant, où se trouve une Société, qui se glorifie de compter V. E. au nombre de ses membres. [Bez dat i adresu, z czasów Cesarza Alexandra.] Fol. — II. H. a. 14, fol. 397.

R a d y ekonomiczne ojca dla synów, co jeść mają, jak żywność kupować i przysposabiać, jak się ubierać, broń przy-

sposabiać etc. Zdaje się z wieku 17 go. Ważne pod
względem kultury. Odpis z w. 19 go. Fol. — II. H. a.
14, fol. 399.

List królowéj Anny d. z Warszawy, 19. kwietnia 1587 do
Króla. Respons JM. na ten list królowey. Na zamku
Krakowskim. April 1587. Odpisy 19. wieku. Fol. — II
H. a. 14, fol. 400.

Bibliograficzne zestawienie źródeł do historyi czasów
Stanisława Augusta, krajowych i zagranicznych, oraz
rękopismów. Fol. — II. H. a. 14, fol. 401—402.

Bibliografia źródeł rękopiśmiennych do czasów Zygmunta III. w Bibliotece Puławskiéj znajdujących się.
Manuskrypt 19 stulecia. Fol. — II. H. a. 14, fol. 403
— 409.

— źródeł do historyi Karóla XII. i Wazów Polskich
i w ogóle do historyi polsko-szweckiéj.

Fol. 428—449. Tłomaczenie G. A. Sılverstolpe historyi
Swedzkiey, siódmy oddział, zaczęte we wtorek d. 21. Aug.
1810 w Sztokolmie, skończone we Środę d. 26. Września.

Fol. 450 b. Rekrutenlied von der Frau von Helwig.
Lebt wohl ihr Freuden der Knabenzeit etc. 26. Wrześn.

Fol. 403 — 450 pisane od jednéj i tej samej ręki. Fol.
— II. H. a. 14, fol. 410—427.

Zestawienie rozmaitych tytułów książek i cen tychże.
Manuskrypt z 18/19 w. Fol. — II. H. a. 14, fol. 452—453.

Spis dyplomatów polskich zaczyna się od nr. 54 i kończy na
nr. 116, od roku 1524—1571, następuje spis 7 osobnych
dyplomatów. Zdaje się, że należy do rękopisu: II. H. a.
9, Series archivorum regni etc. Fol. — II. H. a. 14, fol.
455—460.

Projekt na akademią praktyczno-teoretyczno-rólniczą.
Z czasów królestwa Polsk., za cesarza Alex.

Fol. 463 — 464. Niemcewicz, J. U, Własnoręczny spis
rzeczy odnoszących się do historyi Zygmunta III. z Lu-
bińskiego. Fol. — II. H. a. 14, fol. 461.

16.

Rękopisma do Zygmunta III. Z Bibl. Jul. Ur. Niemcewicza. [Mit dem Bibliothekzeichen des J. U. Niemcewicz.]
Im alten Kataloge: „Akta do panowania Zygmunta III.
Kopie rozmaitych czynności i opisów zdarzeń za tego
monarchy."

Fol. 1—4. O przyjeździe Zygmunta III. obranego króla
do Gdańska. (Autor tego dyaryurza jest jakiś Anonim,

tenże sam, który Marcinowi Kromerowi donosił o konwokacyi Warszawskiey, jako masz pod tymże rokiem wyżej
4 febr. [Abschrift des 19. Jahrh.]   Fol. — II. H. a. 15.

Opisanie krótkie żałośney sprawy, która się pod Krakowem
tempore Interregni działa 1587. [Abschrift d. 19. Jahrh.]
Fol. — II. H. a. 15, fol. 4 b.—6.

Treść rękopismu Biblioteki JW. Tadeusza Czackiego.
[Własnoręczny dodatek Niemcewicza. O Rokoszu wiele.
Woyna moskiewska. Dyaryusze Żołkiewskiego i Zdano-
wicza.] Fol. — II. H. a. 15, fol. 7.

Katalog der Mscr., die im Besitze Tadeusz Czacki's
waren und später in den Besitz Czartoryski's nach Puławy,
in der Folge nach Paris kamen.

7 b. fol. Wstęp krótki.

8. Akta za panowania Zygmunta III. od 1586 do 1589
roku.

10. Akta po większej części w Oryginałach za panowania Zygmunta III. od 1600 do 1610 roku.

13. Akta po większéj części originalne za panowania
Zygmunta III. od roku 1611 do 1632 r.

16. Akta za panowania Zygmunta III. od 1595 do 1627
roku.

19 b. Akta za panowania Zygmunta III. od 1592 do 1638
roku.

24. Akta za panowania Zygmunta III. od 1613 do 1620
roku.

26. Akta za panowania Zygmunta III. od 1587 do 1628
roku.

27 b. Akta za panowania Zygmunta III. od 1589 do 1632
roku.

29. Akta za panowania Zygmunta III. od 1586 i 1626
roku.

32. Akta od 1611 do 1626 roku.
Akta Zygmunta III. od roku 1618 do 1622 roku.

49. Akta kommissyi w Rydze odbytéj przez wyznaczo-
nych od Zygmunta III. i Seymu Warszawskiego
1589 roku kommissarzów: Severina Bonara z Balic
Kasztelana pierwey Biedzkiego potem Krakowskiego
i Lwa Sapiehę Kanclerza WWX. Litt., spisane przez
Skrzetuskiego od KJMci do tego dzieła za Sekretarza
przydanego r. 1589.

50. Różne zdarzenia za panowania Zygmunta III.

51. Akta za panowania Zygmunta III. od 1621 do 1629
roku, za czasów władania kancellaryą koronną Jak.
Zadzika.

Treść rękopismu Bibl. JW. Tad. Czackiego.

Treść rękopismu Bibl. JW. Tad. Czackiego.

106 b. Rokosz Zebrzydowskiego od 1605 do 1608.
110. Akta za panowania Zygmunta III. od 1606 do 1615.
   Rozmaite zdarzenia za panowania Zygmunta III.
114. Przyczyny niedawania pomocy Austryi. Dat. Pozn.
   w dzień św. Marcina 1619.
115. Życie Jerzego Farensbacha Wojewody Wendenskiego
   przez Dawida Hilchena Sekr. Król. etc.
117. Treść listów i różnych rękopismów w Bibliotece JW.
   Tadeusza Czackiego znaydujących się. Woyna Inflantska. 1603—1623.
137. Treść listów i różnych rękopismów w Bibliotece JW.
   Tadeusza Czackiego znajdujących się. Woyna Tu-
   recka. 1598 do 1631. r.
150 b. Dodatek do Woyny Tureckiey.
154. Treść rękopismu biblioteki JW. Tadeusza Czackiego.
   Od 1613 – 1633.
155. Akta za panowania Zygmunta III. z oryginałów złożone od 1613 do 1632 r.
160. Akta od 1618 do 1661 roku.
162. Bezkrólewie po Stephanie Batorym. Wybór Zygmunta III.
163 b. Akta różnych panujących, zacząwszy od Zygmunta L
   aż do Zygmunta III.
172. Treść listów i różnych rękopismów w bibliotece JW.
   Tadeusza Czackiego znajdujących się. (Panowanie
   Zygmunta III. Seymy).
183. Treść listów i różnych rękopismów w bibliotece
   JW. Tadeusza Czackiego znaydujących się.
   Akta za panowania Zygmunta III. z oryginałów
   złożone od 1588 r. do końca 1612 r. Korrespondencye
   z Turkami, Tatarami, Wołochami, Interes Pruski,
   starania, aby arcyxiąże Maximilian wolność odzyskał.
   Woyna z Szwedami i Moskwą. Summy Neapolitań-
   skie y inne skarbowe okoliczności.
191. Interes Pruski. 1600—1605.
193. Elekcye na urzęda.   .
195. Woyna Inflantska. 1593—1603.
222. Panowanie Zygmunta III. Drobne interessa. 1595
   —1628. (Rzeczy duchowne).
228. Panowanie Zygmunta III. Miscellanea. 1606—1616.
233. Panowanie Zygm. III. Rzeczy duchowne. 1597—1627.
   Listy Kardynałów, Breve Papieżów i inne w inte-
   ressach kościoła, tudzież żądania wyznających religią
   grecką, aby nie byli uciskani.

238. Związek konfederacyi stołeczney. „My rycerstwo pułków JMci Pana Zborowskiego, JP. Starosty Chmielnickiego, JMci Pana Chetmanowego, JMci Pana Waierowego, JMci Pana Kazanowskiego, JMci Pana Starosty Wieliskiego. Działo się na stolicy Moskiewskiey. 14. Januarij 1612.

240. Porządek i Artykuły do Konfederacyi należące.

242. Credens Pana Sczuce z Panem Wichrowskim z Rogaczowa do JKMci posłanym dany. Moskwa, 28. Jan. 1612. Instrukcya tymże.

243 b. Uniwersał tym Ichmościom, którzy do Polskiey odjechali, naznaczający czas zwrócenia się do woyska. 27. Febr. List od JMci Pana Hetmana Lit. przyniesiony do Iwanowicza. 8/3. 1612.

244. List od Jchm. PP. Smolenszczan w Fiederowsku 7/3. 1612, podpis: Chotkiewicz Hetm. W. X. Lit. i Stan. Koniecpolski. Kopia Listu od Króla JMci 8/3. 1613. Respons na list JMci P. Hetmanowi Lit. 10. marca 1612.

246. Kredens Posłom do JMCi X. Arcybiskupa Gnieźń. 18. Maii 1612. Instrukcya do JMCi X Arcybiskupa Gnieźnieńskiego.

247. Uniwersał tymże Posłom dany, którzy na Seym byli posłani, rozkazując, aby się do woyska wrócili. 18. Maii 1612.

247 b. Copia Listu do P. Sołtykowskiego. 18. Maii 1612.

248. List od Braci na stolicy Moskiewskiey pozostałych. 18. Maii 1612. Uniwersał od K. J. M. Warsz., 28. 4. 1612.

249. Uniwersał od K. J. M. Warsz., 1. 7. 1612.

250. Odpis na list P. Wojewody Bracławskiego. 18. Mai. 1612. Józ. Cieklinski etc.

250 b. Credens P. Posłom do Xxia JMCi Instrukcya ustna. 18. Mai 1612. Józef Cieklinski. Credens P. Posłom do JMP. Hetm. Koronnego. 18. Maii 16. Cieklinski. Instrukcya do JP. Hetmana Koronnego tymże.

251 b. Credens P. Posłom do Deputatów Lubelskich i Wilińskich. 18. Maii 1612. Józef Cieklinski. Instrukcya tymże Posłom do P. P. Deputatów, w którey na Uniwersały K. JMCi justifikacyą i na nich odpowiedź dane.

253 b. Respons na Uniwersał albo odpis królowi 26. Mai 1612. Józef Cieklinski.

254. Copia Poselstwa z Seymu. **Respons PP. Posłom z Rycerstwa z Stolice. Warszawa, 26. Octobris 1612 dany.**

256. Respons ... Wacł. ... Sczuce, Alex. Wichrowskiemu, Posłom od Rycerstwa, imieniem JKM. w Warszawie, 15. marca 1612 dany. Copia listu od JMX. Arcybisk. Gnieźn. z Łowicza dnia 13. Junii 1612. Albert Baranowski.

259. Respons od JMP. Wojewody Kijowskiego na poselstwo od rycerstwa ... w Żołkwi dany 28. Junii 1612. Stanisł. Żołkiewski.

259b. Respons od ... Deputatów Lubelskich na Poselstwo. Lublin, 16. Junii 1612.

260. Respons od ... Deputatów Wileńskich. 15. Junii 1612. Respons Jchmom PP. Kommissarzom od KJM. w Sokalu dany z koła Generalnego 27. Junii. Józef Ciekliński.

261. Punkta poselstwa JchM. PP. Rotmistrzom Kosakowskiemu i P. Wysokińskiemu do JchM. Konfederatów Brzeskich z Sokala dane.

261b. Copia listu do Towarzystwa od K. J. M. Warsz., 12. 4. 1612. Zygmunt III.

262. Uniwersał od KJM. 18. 4. 1613.

263. List od Króla JM. w kwietniu 1613.

263b. Uniwersał od P. Marszałka Woyska Stołecznego, w Krasnie 2. Maii 1613. List do JchMCi PP. Kommisarzów, we Skle 5. Junii 1613.

264b. List do Króla, we Skle 6. Junii 1613. List Króla z Warsz., 8. Maja 1613.

265. Respons ... Kommissarzom od KJM. na pewne punkta od Woyska Stołecznego we Lwowie. 13. Junii 1613.

267b. Copia listu do Towarzystwa świeżo z Stolice Moskiewskiey zeszłego w Sokalu d. d. 13. Aug. 1613.

268b. Copia listu od JMP. Hetmana w którym mieysce obozowi pod Serlejowym wyznacza, do P. Cieklińskiego. 20. 8. 1612. Stan. Żołkiewski.

269. Copia Instrukcyi od JKM. do Rycerstwa świeżo z Stolice zeszłego.

270b. Respons od Rycerstwa na to Poselstwa JKM. w Słoninie. 4. 9. 1612.

271b. Copia listu do Towarzystwa świeżo z Stolice Moskiewskiey zeszłego w Szerlejowie. 25. 9. 1612. Copia listu do Panów Sapieżyńców. 25. 9. 1612. **Dan w Obozie pod Szerlejowem.**

291. Copia listu do JMX. bisk. Krak. z strony Kwoty.
Lwów, 4. 10. 1613. Copia listu od Króla JMCi
Zygm. III. Warsz.. 19. 8 bra 1613.

292. Instrukcya PP. Posłom P. Brodowskiemu, P. Woryt-
kowi od Woyska JKM. Smoleńskiego do JchMci
Braci Woyska JKM. Stołecznego. 6. 8 bris 1613 dana
w obozie pod Wierzbołowem; podp. Zbigniew Silnicki
Marszałek.

293. Credens PP. Posłom Woyska Smoleńskiego, we Lwowie
2. Nov. 1613. Józ. Ciekliński. Respons JchM. PP.
Posłom . . . we Lwowie 2. Novembris 1613. Józef
Ciekliński.

293 b. Instrukcya JchM. PP. Posłom do Woyska Stołe-
cznego, dana w Brześciu dnia 1. Novembre 1613.
Wacław Pobiedzinski Marszałek Woyjska Imieniem
Konfederacyi Brzeskiey.

294 b. Copia listu do . . . Braci Konfederacyi Brzeskiey,
we Lwowie 8. Nov. 1613. Józef Ciekliński.

295. Credens PP. Posłom od Rycerstwa Stołecznego do
Woyska Konfederacyi Brzeskiey, dany we Lwowie
die X. Nov. ao. 1613. Instrukcya tymże PP. Posłom.
Józef Ciekliński. Credens PP. Posłom na Seymiku,
dany we Lwowie 3. Nov. 1613. Instrukcya na Seymiku PP. Posłom tymże dana od Rycerstwa Stołecznego.

298. Credens JchM. PP. Posłom na Seym Walny Warszawski dany we Lwowie die 25. Novembr. 1613,
Józef Ciekliński, marszałek. Instrukcya na Seym
Walny Warsz. tymże PP. Posłom od Woyska Stołecznego do KJM. dana we Lwowie 25. d. Nov. 1613,
Józef Ciekliński. Credens PP. Posłom do izby po-
selskiej 25. Oov. 1613, Józef Ciekliński. Instrukcya
na seym walny Warszawski do izby poselskiey . . .
eod. die et anuo.

302 b. Petita do króla . . . Józef Ciekliński.

304—308. Opisanie gonitwy w Maszkarach czynioney na
placu Krakowskim pod czasem weselia JKMci do
ręki żelazney u słupa przykowaney septima die Junii
Anno domini 1590.

310. Rozkaz porządku wjazdu Króla i Arcyksiężney do
Krakowa.

312. Diariusz rzeczy wszystkich przez wesele króla JMCi
począwszy od przyjechania Czarowego posła, 9. Nov.
26. Decembr.
Fol. — II. H. a. 15.

List Xcia Jeo. Mci Krzysztofa Zbaraskiego, Koniuszego Koronnego, do Xdza Biskupa Krakow., o zaciągu
na Cesarską Lisowczyków.
    Fol. — II. H. a. 15, fol. 330.
List Xięcia Krzysztofa Radziwiłła, Hetmana Litt.
do Król. JMci Zygmunta III. 9. 7bra 1625. List tegoż
Xięcia Krzysztofa Radziwiłła do Xiążęcia Zbaraskiego,
Pana koniuszego koronnego. Dat. z Obozu 11. 10bra
1623. Fol. — II. H. a. 15, fol. 331 b.
List Pana Mińskiego, podkanclerzego do P. Samboreckiego. Stanislaus Minski Surdus Nicolao Samborecki
Caeco S. P. D. (artiger Briefstyl!) List JMCP. Stani-
sława Skarszewskiego, Podstolego Sendomirskiego, do
JMP. Lamparta Sierakowskiego, Miecz. Pozn., Starosty
Kopa: 7. 3. 1641, (auch artig!) List Pana Zborowskiego
Starosty Horodelskiego do P. Lamparta Sierakowskiego,
1634, (macht Witze über d. Namen Lampart.) List tegoż
do tegoż P. Lamparta S. „Moy Panie Sierakowski, moy
kochany i kosztowny Lamparcie!" 14. Julii 1628. Do
P. Lamparta Sierakowskiego z Lenartowic, 17. Junii 1621.
(Zur Culturgesch.) Fol. — II. H. a. 15, fol. 337.
  342. Fol. List Xcia JM. Jerzego Zbaraskiego, kasztelana
krak., do królewicza JM. Władysława, pisany r. 1626,
królewicz żądał większych dochodów jako successor
króla —, na co mu odpowiada, że Polska successorów
nie zna, a dochodów synom Panów swych cum detri-
mento Reip. dać nie może.
List Xięcia JM. Janusza Radziwiłła, Podczaszego Litt., po
tym Kasztel. Wileńskiego, do Królewicza JMci Władysława, 1616. (Królewicz chce nowéj wojny, Radziwiłł
odmawia bez ogródki ze względu na nieszczęśliwe położenie kraju.) Fol. — II. H. a. 15, fol. 343 b.
— Xcia Jerzego Zbaraskiego, kasztelana krakowskiego, do
P. Wojewody krakowskiego Tenczyńskiego (Krak., 10.
Jan. 1627.), chce Władysława wybrać na króla —, ale
vacante regno —, nie za życia Ojca, aby to nie weszło
w consuetudinem. Fol. — II. H. a. 15, fol. 344 b.
— Xcia Jerzego Zbaraskiego do X. Biskupa krakowskiego,
o obraniu królewicza za życia Zygmunta. — List tegoż
do Konfederatów, dowodzi że w Polsce tylko jeden
stan rycerski, bo senatorski wychodzi z rycerskiego —,
dowodzi dali, że oni raczéj krzywdę wyrządzają, a nie że
im się krzywda dzieje. Fol. — II. H. a. 15, fol. 346.
— JM. P. Rachwała Leszczyńskiego, Wojewody Bełzkiego,
do Xcia JMci Zbaraskiego, P. Krakow., 1627, 20. Juni

pisany, o dekrecie trybunalskim między X. biskupem
Przemyskiem a panem Bolestraszyckim, który Leszczyński
uważa za niesprawiedliwy, a raczéj nielegalny. Odpis na
ten list. Fol. — II. H. a. 15, fol. 350.

List Xcia JM. Zbaraskiego, kasztelana krakowskiego, do X.
Biskupa Łuc. Łubińskiego. — (Xiąże Zbaraski w liście
Króla uraził, Łubiński donosi o tem i przestrzega, za co
dziękuje Zbaraski, dziwi się, że długoletnie zasługi zapo-
minają i zaraz o nieżyczliwość podejrzywają —, dowodzi
że jako senator miał prawo upomnienia Króla. Koniec
listu wycięty. Fol. — II. H. a. 15, fol. 352.

— Xcia Krzysztofa Radziwiłła, Hetmana Litt., do X. Arcybiskupa Gnieźnieńskiego. Połowa listu odcięta. — Przy-
chodzi na sejm, — jest w niełasce u Króla, — naraża
się na większą niełaskę —, ale uważa za swój obowiązek
przyjść na sejm; czem Króla nie chce irritować. List
tegoż Krzysztofa Radziwiłła do Xcia Zbaraskiego. Dziękuje mu za przychylność i poséła pana Kurosza, aby
odkrył plany pana swego i o dobrą radę prosił. Dalsza
korrespondencya w tej samej sprawie; Radziwiłł prosi
o wytłomaczenie kroku swego przed Królem, iż nie-
chciałby Króla tem obrazić. Fol. — II. H. a. 15, fol. 353.

— Stanisława Łubieńskiego, B. P., do Króla 1629, d. 21. Apr.,
żali się, że Polska musi szukać żołnierza najemnego —,
odradza, przewiduje wielkie ciężary i niebezpieczeństwa
ztąd dla państwa powstające; — Hetman ma być przy
wojsku, aby porządek utrzymać i wprawić wojsko. Fol.
— II. H. a. 15, fol. 357.

— Xcia Zbaraskiego, kasztelana krakowskiego, do Króla
Jo. Mości z Krakowa, 29. Aprilis 1629. Król obawia się,
że wojsko pruskie nie będzie chciało dalej służyć, że się,
rozejdzie, — chciałby część woyska Cesarskiego za pieniądze Rzpltej zaciągnąć. Xiąże Zbaraski „perhorruje“
tę myśl, nie bywało, żeby Polska za swoje pieniądze
u siebie ludzi nie znalazła na obronę; nie ma też niedo-
statku własnych rąk, nie tylko siebie obroniła Polska
własnemi siłami, ale i obcym pomoc dała. — Przyczyną,
że wojsko się rozchodzi, jest nieobecność wodza na jego
czele; nie wierzy żeby wojsko się chciało rozejść. Odradza, zaciągać obcych żołnierzy. Obtestor, abyś tego
czynić nie raczył, a jeżeli już musi być, tylko dwa pułki
obcych nająć. Fol. — II. H. a. 15, fol. 357 b.

Notitiae Stetino Pomeraniae, Novem colonelli cum
marschallo Arnhemio in Prussiam contra Gustavum de-
stinati versus Pruss. abierunt c. 40 torm. 1629, d. 12. Maii.

Wiadomości od Xiążęcia Pruskiego z Królewca. Ceduła w liście Króla J. Mci do P. Wojewody Chełm. 1629, d. 18. Maii. Król pisze do Wojewody, żeby Arnheimowi perswadował, kontentować się żywnością jemu obmyślaną, a jeżeliby nie starczyła, aby nie ku Toruniowi, lecz ku Gniewu szli, gdzie im prowiant łatwo wodą obmyślą.

Puncta Legationis ad exercitum Caesareum in Prussia per Generosum Dobrogostium Grzybowski, Capitaneum Varsaviensem, nomine S. Rae. Mtis. expediendae, Varsaviae, d. 18. Maii 1629. Fol. — II. H. a. 15, fol. 359.

Relacya bitwy Trzciańskiey, posłana od JMci P. Hetmana. Pod Nową Wsią, 26. Junii 1629. (Koniecpolski zwyciężył 25. Czerwca 1629, Gustawa Adolfa pod Sztumem.) Kontinuacya dyaryusza o dalszych postępkach wojennych ze Szwedami, a die 1. Julii, — 31. Julii. II. H. a. 15, fol. 360

Fol. 372b. Wiadomość z obozu pod Malborgiem, 1629 die 26. Aug.

Fol. 373. Wiadomość z Torunia y z Warszawy. Wojsku cesarskiemu służbę wypowiedziano, posłowie wojska są u dworu i proszą o danatywę, — pieniędzy nie ma. Z Warsz., 14. 7bris: Wojska Cesarskiego większa część od głodu i chorób wyzdychała, wojsko polskie się zapowietrzyło; musiało się cofać; nieprzyjaciel widząc to w traktatach stanął „mordicus." Fol. —

List Króla JMci do Panów Kommissarzów. Warszawa, 13. Września 1629. Wojsku cudzoziemskiemu, skoro traktaty zawarte będą, służbę wypowiedzieć. Wojewoda Chełmiński ma się odprawą wojska cesarskiego zająć. Fol. — II. H. a. 15, fol. 372.

Łubieński, Bisk. Płocki, do X. Arcybisk. Gnieźnieńskiego, 20. Julii 1629. Obawy, że tyle woyska obcego najęto, że przezimowało w Polsce; radzi, żeby król teraz pokój zaproponował, „kiedy potiores partes habere videatur." Fol. — II. H. a 15, fol. 372.

List Xcia Zbaraskiego, Kasztelana Krakowskiego, do Króla, 20. Sept. 1629. Ambaras z wojskiem obcem przewidział i swego czasu odradzał —, pomimo dość szczęśliwego przebiegu wojny, strach w kraju większy przed tym najętym żołnierzem, jak przed nieprzyjacielem; wymawia królowi, że wojsko obce najął bez przyzwolenia Rzpltéj, — Król chce pieniędzy, aby czem prędzéj wojsko obce zapłacić i wysłać z kraju. Zbaraski nie chce na kommisarzów wpłynąć, aby pieniądze dali, bo nie chce przy-

sięgi swojéj złamać. Król ma sam sobie radzić i czem
prędzéj wojsko przez siebie najęte zapłacić i wysłać,
ażeby strach w kraju ustał. — Wojska obce chcą zapłatę
i dla tych co umarli. Radzi zapłacić żywym i wysłać.
Królewiec ma te koszta zapłacić. Fol. — II. H. a. 15,
fol. 373.

Kopia listu Króla JMci do JMci Pana Hetmana. Chwali
Hetmana, że już przeciwko swawoli wojska cudzego wy-
stąpił i każe poskromić je. Warsz. 24. Września 1629.
Rezolucya ostatnia JKMci dana Panom Kommissarzom
z strony pokoju. — Oświadcza, że już dał rozkaz, tyle
chorągwi zaciągnąć, aby poskromić mogli wojsko obce.
24. Września 1629. Dyaryusz Sejmu Warszawskiego 1629.
Wrzawy o zaciąg obcego wojska. — Król wykazał konie-
czność i przyrzeka na przyszłość, wojsk obcych nie naj-
mować. — Sejm przystaje na propozycyą Króla: uchwala
środki do zapłaty wojska obcego. Fol. — II. H. a. 15,
fol. 375.

Tractatio cum milite Caesariano. Jacobus Zadzik, Episcopus
Culmensis et Pomesaniae, Regni Poloniae Cancellarius,
Melchior Weyer (Weiher), palatinus Culmensis, Valecensis,
Stuchoviensis Capitaneus, S. R. Mtis Commissarii ..., notum
facimus hisce literis nostris, in Civ. Culmensi, die 12. Oct.
1629. [Łukasz Gołębiowski, dozorca biblioteki Poreckiéj,
poświadcza, że odpisy zgadzają się zupełnie z oryginałami.]
Fol. — II. H. a. 15, fol. 376.

Kopia listu Chodkiewicza, Starosty Żmudzkiego do Króla
1604 19. Martii (ex orig.) Carewicz moskiewski wielkie
nadzieje wzniecił, ale Chodkiewicz upatruje niepewne
commoda, a pewne niebezpieczeństwa dla Polski, radzi,
pierwéj pokój domowy ugruntować, a potem się téj
okazyi chwytać. Fol. —· II. H. a. 15, fol. 379.

List J. Zamojskiego, z Zamościa d. 4. Kwietnia 1604 do
Króla w sprawie Dymitra. Przechodzi wszystkie stósunki
Polskie, zewnętrzne i wewnętrzne, i konkluduje, że byłoby
niebezpiecznie wojnę z Moskwą zacząć o człowieka tak
niepewnego urodzenia, a przedewszystkiem bez Sejmu
kroku stanowczego uczynić nie radzi. Na końcu finan-
sowe rady. Fol. — II. H. a. 15, fol. 379.

Fol. 382. List Jerzego Mniszcha, Wojewody Sendomierskiego, do króla JMci z Kozuchowa, 2 mile za Konstan-
tynowem, dnia 29. 7bris 1604 roku. Zapewnia króla, że
wojska we Lwowie, zgromadzone na poparcie sprawy
Carewicza, żadnych swawol nie czynią; że to tylko
obmowy.

Fol. 383. Votum Jegomości Pana Zamoyskiego 1605, Jan. 20. (Zamojski † 3. Junii 1605.) Odradza wmięszania się do sprawy Dymitra, którego autentyczność podejrzywa, nie wierzy jemu; bez sejmu nic nie robić; posłać do Moskwy, co się tam dzieje.

Fol. 383b. Kopia listu Carewicza Dymitra do Jego Mości Pana Mniszcha, Wojewody Sandomierskiego: Mości Panie Oycze! etc. z Putiwla 11. maja 1605. Donosi, że Borys nagle umarł. Drugi list z Putiwla 24. maja 1605 donosi, że Moskale po śmierci Borysa jego za Cara uznawają. Literae Demetrii I. Pseudo-Czari Russorum ad Sigism. III. (5. Sept. 1605), donosi o koronacyi swojéj na Cara. Cracoviae 9. Novembris: Nowiny o przyjściu poselstwa Dymitra i o podarunkach przywiezionych dla króla, jak i dla Maryny Mniszchówny. Poselstwo Wo. Kniazia Moskiewskiego Dimitra Iwanowicza do króla Jegomości [o koronacyi; o konieczności jedności państw chrześciańskich przeciwko Turkom, którzy się coraz więcéj rozszerzają; — prosi o rękę Mniszchówny i zaprasza na wesele.] 1605, 29. Novembris.

Fol. 387—391. Porządek albo wypisanie Ślubin Posła Wielkiego Kniazia Dimitra Iwanowicza z Wojewodzianką Sendomierską Mniszkowną Panną Maryną roku 1605 29. 9bris w Krak. Podarunki dla wojewodzianki od Cara.

Fol. 392—405. Rewolucya w Moskwie z okazyi Dymitra do r. 1606.

Fol. 406. Dyaryusz Dziejów Moskiewskich y Legacyi Ichmości Panów Posłów Jaśnie Wielmożnego Pana Mikołaja Oleśnickiego z Oleśnice, Kasztelana Małogoskiego, a JMci Pana Alex. Korwina Gosiewskiego, Starosty Wieluńskiego, Sekretarza Jego Kr. Mości, spisany w r. 1606 w Moskwie od 25. kwietnia.

Fol. 407b. List Mikołaja Oleśnickiego do króla. 1607, 8. Aug. (Do fol. 416.)

Fol. 391. List z roku 1605, 21. Dec., donosi o ślubie Carowy Moskiewskiéy w domu Firlejowym. X. Kardynał ślub dawał; zachowanie się posła moskiewskiego; przemowa Króla do Carowéj. Perski poseł przyjechał. Wjazd królowéj. Ślub. — Wiadomość z Podola, że Tatarzy nadchodzą. Seym na 7. marca w Warszawie postanowiony.

Fol. 416. Kopia Listu Cara Moskiewskiego do Pana Sapii y Inszych. My Dymitr Iwanowicz etc. 1607 dnia 6. 7bris. „żądamy WM. abyście z kupą ludzi rycerskich narodu polskiego do państw naszych jako najprędzey przybywali."

Fol. 416 b. 1607. Z listu JMci Pana Starosty Orszańskiego. Relacya o Piotrze Moskwieiczu, który mianował
się bydź synem Kniazia Wielkiego Moskiewskiego Fie-
odora Iwanowicza, z matki Iniczy Hodonówney.
1608 d. Julii. List z Moskwy od posłów do Króla
JMci. Donoszą że na trzy lata pokój z Moskwą zawarli,
aby się uwolnić z więzienia.
Rzeczy polskich w Moskwie na Jarosławiu Xięgi III.
Rozdział XI., November. V. p. 419.

Fol. 437 b. 1609. 21. X bris. Kopia listu z pod Moskwy
za przyjechaniem P. P. Posłów do obozu tamtego pisanego, die 21. Decembris przyniesionego d. 30. eiusd. pod
Smoleńsk.

1610, d. 1. Jan. Wiadomość o poselstwie. Carowa i
Dymitr zmyślony absque respectu quovis patrzali na
na posły. Dymitr nie ufa woysku, myśli pierzchnąć.

1610, 18. Januar. List Carowy Moskiewskiey (Mnisz-
chówney) do króla JMci pisany. Niemogła się w opiekę
króla oddać, bo była w więzieniu. Życzy królowi przy-
bywającemu do Moskwy szczęścia, przedstawia zmiany
losu swego, obstaje na prawach swoich, jako Carowa,
i życzy królowi szczęścia w zamiarze dawania jéj pomocy.

Fol. 419. List od panów posłów KJMci y Pana Wdy
Sandomirskiego do Rycerstwa Pol. pod Moskwą będącego.
Przypominają, że już dawniéj prosili wojsko o wyjście
z Moskwy, bo to ich położenie utrudniło. Teraz oznaj-
mują wojsku pokój zawarty na lata 3 i miesięcy 11,
wszyscy Polacy mają być na wolność puszczeni najdaléj
do 8. 8bra 1608. Wojsko ma od Dymitra Iwanowicza
(miasto tego, który — ubit jest) się odłączyć i wyjść
z Moskwy, wszelką wojenną myśl odłożyć.
Rzeczy polskich w Moskwie na Jarosławiu Xięgi III.
Rozdział I.

Januarius r. p. 1608. Szczęść Panie Bożo Wszech-
mogący ∇ zmiłuj się nad ubogimi więźniami etc.
Februarius Rozdział II., Martius Rozdział III., Aprilis
Rozdział IV., Majus Rozdział V., Junius Rozdział VI.,
Julius Rozdział VII, Augustus Rozdział VIII., 7ber
Rozdział IX., 8ber Rozdział X. November, v. p. 416 b.

Pag. 440. List Kniazia Romana Kużyńskiego, Hetmana
Woysk Dymitrowych do króla. Opisuje położenie wojska:
wielka część Rossyi odpadła, brak żywności, wojsko nie
bardzo pewne, — osłabia się przez rozdzielenie dla braku
żywności, nieprzyjaciela siły wzrastają, pomimo to chce

pozycyą swoją utrzymać; prosi króla o pomoc, — aby nieprzyjaciela zaczepić i Moskwę oblegać.

[Ł u k a s z G o ł ę b i o w s k i poświadcza zgodność odpisu z aktami w bibliotece Poryckiéj znajdującemi się.]

Fol. 443—444. O przybyciu Maryny Mniszchowny do miasta Moskwy w 1606 roku, z historyi rossyjskiéj kniazia Michajła Sczerbatowa. Tom VII. cz. 2. str. 64.

Fol. 445. Wypis z księgi, ktorey tytuł-Istoria Smoleńska ot drewnieynych wremen do 1804 hoda, trudami Swiaszczennika N. Muczakiewicza. Peczatana w Smolensku 1804 in 8°. od 161 do 173 karty. (Wypis przez Łukasza Gołębiowskiego dokonany; rzeczy tyczące się historyi Polski.)

D y a r y u s z wojny Tureckiéj pod Chocimem, roku p. 1621, opisany przez Pana Jakuba Sobieskiego. Odpis wieku 19. nie dokończony; kończy się: domagał się i tego, aby przy Cesarze jechał goniec nasz i mieszkał niż poseł wielki przyjedzie, wczas mu wszelaki Cesarskim kosztem miał być obmyślony. Fol. — II. H. a. 15, fol. 446—492.

17.

M a n u s c r i p t aus dem 17. Jahrh.; gebunden in rothgefärbtes Pergament. 270 Bll. Fol. Im alten Catalog: „Rękopism zawierający rozmaite Akta do panowania Władysł. IV. i ojca jego Zygmunta III."

1—6. Fol. Vladislaus IV. Electus Rex. Akkredytywa dla Jerzego z Tęczyna Ossolińskiego, podskarbiego nadwornego koronnego, d. d. Warszawa, 19. Stycznia 1633 do sejmu. Król sam dla choroby nie mógł się stawić.

2. Jerzy z Tęczyna Ossoliński po przeczytaniu listu ustnie nie przybycie Króla na pogrzeb i koronacyą tłomaczy i prosi o zwłokę.
Odpowiedź Senatorów przez Arcybisk. Gnieźń.
P. Jakób Sobieski, krajowy koronny, jako marszałek koła rycerskiego od izby poselskiéj odpowiada.
Sessya sejmowa, o odłożoniu sejmu.

3b. 1. Febr. Sessya sejmowa. Pan krajczy koronny Jakób Sobieski żałuje, że Król jeszcze odpowiedzi nie otrzymał — koronacya i sejm odłożony — Skargi na brak gospód.

6 b. 3. Februarii, 1633. Wjazd Króla JM. obranego do Krakowa (czwartek).

4. Febr. Opisanie pogrzebu ciał Zygmunta III. i Con-
stantiey małżonki jego.

10 b. Oratio in funere D. Sigismundi III. dicta a . . .
Stanislao Łubieński, episc. Plocensi.

15. Oratio funebris etc. a Joanne Lipski, Referendario
Regni (ex libro impresso).

25 b. 5. Februarii. Sessya sejmowa.

28 b. 6. Februarii. Opisanie dnia tego Actu coronationis Władysława IV. w kościele S. Stanisława na
zamku krakowskim.

7. Febr. Początek seymu coronationis. (Fol. 32).

33 b. Opisanie ceremoniey oddawania przysięgi miasta
Krakowa Królowi JMci wpośrzód rynku krakowskiego.

34. 8. Februar. Sessya seymowa.

35 b. Witanie Króla JMci od koła Poselsk. przez marszałka . . . Mikołaja Hrabiego z Ostroroga, Woje-
wodzica Poznańskiego, na seymie walnym koronaciey
1633, die 8. Febr.

40. 9. Februarii. Sessya sejmowa.

40 b. Puncta propozycyey JKMci przez X. Jak. Zadzika,
bisk. Chełm., kancl. koronnego.

41. Puncta sententiey . . . X. Jana Wężyka, Arcybiskupa
Gnieźnieńskiego.

10. Febr. Sessya seymowa.

41 b. Puncta sententiey . . . X. Jak. Zadzika, . . . kanclerza koronnego.

42 b. . . . Bogusław Radoszowski, biskup kijowski.
. . X. Paweł Piasecki, biskup kamieniecki.
. . . Stanisł. Koniecpolski, kasztelan krakowski, Hetm.
W. Koronny.

43 b. Jan Tęczyński, wojewoda krakowski.
Mikołaj Firlej, wojewoda Sędomirski.

44 b. 11. Februarii. Sessya sejmowa.
Pan Stanisł. Radziejowski, wojew. Łęczycki.

45. Jakób Szczawiński, wojewoda Brzeski.

45 b. 12. Febr. Sessya seymowa.

47. 13. Febr. (Niedziela). 14. Febr. Sessya seymowa.

48. Deputaci do słuchania rachunków PP. Podskarbich.

52. 15. Febr. Deputaci do namówienia wojny moskiewskiey y disciplinae militaris.

55. 16. Febr. Sessya seymowa.

56 b. Deputaci do Mennice.

57 b. 17. Febr. Sessya seymowa.

59. Deputaci z senatu do woyny et disciplinam militarem.
Deputaci do Mennice.

60. 18. Febr. Sessya seymowa.

61 b. 19. Febr. „   „

63 b. 20. Febr. (Niedziela). 21. Febr. Sessya seym.

66. 22. Febr. Sessya seymowa.

67 b. Deputaci ad Compositionem inter Status z W. Polski, z Małéj Polski, z W. X. Litt.

69 b. 23. Febr. Sessya seymowa.

72. 24. Febr. Święto Macieja Apostoła.

25. Febr. Sessya seymowa.

73. Mowa JM. Pana Marszałka Poselskiego do Króla JM. przed czytaniem Punctów ex Pactis Conventis.

75. 26. Febr. Sessya seymowa.

78 b. 27. Febr. „   „

79 b. 28. Febr. „

83. 1. Martii „   „

86 b. 2. Martii „   „

87 b. Propositio legatorum Ducis Pomeraniae, liberalitatem poscunt, clementiam exigunt.

88 b. 3. Martii. Sessya seymowa.

4. Martii. „   „

90 b. 5. Martii. „   „

91 b. 6. Martii. (Niedziela).

7. Martii. Sessya seymowa.

92 b. Instructia na sejm coronatiey.

94 b. 8. Martii. Sessya seymowa.

95 b. Disciplina militaris generalna.

96. Porządek Woyska Quarciannego.

97. Krótka explicatia podatków koronnych, co in simplo uczynić mogą. Wojsko do Moskwy.

98. 9. Martii. Sessya seymowa.

99 b. 10. Martii. „   „

101. 11.   „   „

103. 12.   „   „

106 b. 13.   „   „

14.   „   „

108 b. 15.   „   „

110 b. 16.   „   „   „

112. 17.   „   „   „

113. Y tak wszystkie na seymie coronationis odprawiane były consilia.

113 b. Protestacya Katholików pro Unitis przeciwko Schyzmatykom.

21. Martii. Posłuchanie posłów obcych.

114 b. Komput generalny podatków Rzptey na seymie Warszawskim r. 1635 komputowany.

115. Rachunek skarbowy na tymże seymie, 1635, poborów, podymnego, czopowego.

116. Stosowanie poborów do podymnych.

Apologia pro libertate reipublicae et legibus regni Poloniae contra callidos noui juris repertores posterior auctior. To jest: Dowód jasny, z historyey, z zwyczajów, z praw, z statutów y z constitutiey koronnych, że Najaśniejszemu Królestwu Polskiemu nie godzi się, ani privatim w Koronie y w Wielkim Xięstwie litewskim, żadnego y żadnym sposobem dostawać ani mieć dziedzictwa. (Autor: „Syn koronny, Szlachcic Polski.")

126. Fol. Occasio Apologiae.
  Inter Komorowskie et Rylskie decretum Actum Lublinii in judiciis ordinariis generalibus . . . die festo S. Jacobi Apostoli, A. 1624.

130b. Donatio bonorum Zywiecz per Komorowsky Serenissimae Constantiae Reginae Poloniae etc.

133b. Apparatus ad Apologiam.

135b. Zniesienie dziedzictwa królewskiego y dziedzicznego szafunku z dóbr królewskich.

235. Secundum fundamentum libertatum reipublicae Polonae est: Terrarum et ducatuum in unum corpus univ. — Fol. II. H. a. 16, fol. 117—271.

18.

Manuscript aus dem 17. Jahrhundert. In Pergam. geb. Einband schadhaft. „Ex Bibl. Andreae Horodyski. Conventus Przcmetensis." O Rokoszu Zebrzydowskiego.

Im alten Kataloge: „Rękopism zawierający opisy rozmaitych czynności rokoszu Zebrzydowskiego." 347. Bll. Nach alter Zählung waren es 371 Bll.

Das Mscr. beginnt jetzt mit dem Blatte 6 alter Zählung. „Acta zjazdów Stężyckiego, Lubelskiego, także rokoszu pod Pokrzywnicą odprawionego. Tych tedy zjazdów liber generationis hic est etc."

1b. Fol. „Diarius zjazdu Stężyckiego" 1605, 9. Aprilis.

5. Urazy pokazane z tego zjazdu na seymie od PP. Posłów z tegoż zjazdu posłanych.

6. Proces zjazdu pod Lublinem, koła ricerskiego, na którym rokosz uchwalono y pod Sendomierzem go złożono roku 1606, (5. Junii).

19. Diarius rokoszu który się odprawował w polu między miastem Pokrziwnicą a wsią Sosniczany, dwie mile od Sendomierza, die 6. Aug.

23. Artikuły na rokoszu pod Sendomierzem, dobrowolnie przez wszystkie obojga narodn korony téj obywatele zgodnie uchwalone.

23 b. Confederatia.

24. Respons K. J. M. PP. posłom z zjazdu Lubelskiego do K. J. M. posłanym dany w Krakowie, 30. dnia Czerwca 1606.

25. Deklaracya od Xcia JM. P. Krakowskiego. Janusz Xiąże Ostrogski etc.

76. Propositia zjazdu pod Lublinem in Anno 1606.

81. Objectie.

82. Titul: Praktyki przedtym in parabolis p. Stężycą dane.

84. Artikuły JchMciom PP. Posłom koła Generalnego Rokoszowego z zjazdu pod Sendomierz zgromadzonego, które do KJM. zgodnie odnieść zleciliśmy, die 9. Sept. Ao. 1606.

88 b. Exorbitacje na rokoszu pod Pokrzywnicą czytane przez P. Strosza.

89. Puncta Rokoszowe . . .

92. Artikuły niektóre rokoszowe, które recesem nazwali y do przyszłego seymu odłożyli.

95 b. Artykuły Wiślickie od Wszech JchMCi PP. Senatorów na ten czas tam zgromadzonych uchwalone y przez JKM. tamże potwierdzone, dnia 4. września 1606.

99. Puncta ex Chronicis Regni Poloniae, compilata, quae lectorem docent, quod a prima hujus regni fundatione et origine similes conventus (id est) Rokosz fieri consueverunt.

101. Definitio albo natura Rokoszu. Rokosz co jest? — jaki ma bydź y co na niem stanowić? — Libera respublica quae sit? Absolutum dominium quid sit?

111. Credens albo list od KJM. przez X. Tylickiego bisk. Kujaw. przy Instructiei do PP. Koronnych na ten czas pod Coprziwnicą zgromadzonych.

111 b. Receptae 15. pro conseruanda Republ.

112. Tragedya rokoszowa. Concepit dolorem, vel potius dolum, et peperit iniquitatem.
Principium et causae rokoszu: Ambitia. Rancor. Perfidia. Astutia. Processus rokoszu: Superbia. Arrogantia. Concursus de ambitiey mowy. Praesumptia. Confusia. Pan Licentia Marszałek. Latrocinium. Stultitia. Veritas. Acclamatio. Metus. Furor.

120. Poselstwa tak od KJM. jako też od PP. Rokoszanskych do JKM. wysyłane.

Poselstwo z seymiku Proszowskiego wojewodztwa Krakow. na seym walny Warszawsky.

123 b. Peroratio od posłów ziemskich, gdy się już zjazdy zaczynały partykularne na seymie 1606 do KJM. y ich MPP. Senatorów uczyniona, a po responsie na to poselstwo od KJm. wziętych w Stężycy 10. April. tegoż roku na zjezdzie Braciey proponowane y z responsem.

126. Poselstwa zjazdu Lubelskiego do KJM., 15. czerwca 1606.

132 b. Respons KJM.

133 b. Peroratio poselstwa JKM. przez JMX. Tylickiego, biskupa Crakowskiego, także przez JM. Mińskiego, Podkanclerzego koronnego, odprawowana do JchM. PP. Coronnych w kole rycerskim na ten czas pod Pokrzywnicą na rokosz zgromadzonych d. 14. sierpnia 1606.

136. Respons na poselstwo KJM. przez JchM. PP. radnych y rycerstwo koronne y WX. Litt. na rokosz pod Sendomirz zgromadzone JchM. PP. Posłom KJM. dany d. 18. sierpnia 1606.

137 b. List albo poselstwo do JMP. Hethmana Polnego Castelana Lwowskiego od Rokoszan. 12. Aug.

138 b. Respons Hetmana. 19. Aug. 1606.

139 b. Respons od żołnierzów Quarcianych PP. Rokoszanom. 18. Aug. 1606.

140. Poselstwo od KJM. przez JMP. Korycińskiego w poysrzodek PP. koronnych na Rokoszu pod Sendomirzem zgromadzonych odprawowane w kole 24. Aug. 1606.

141 b. Respons od Rokoszan KJM. przez Koricińskiego. 29. sierpnia 1606.

Poselstwo . . . do Senatorów do Rokoszan. 23. Aug. 1606.

142. Respons z Koła generalnego na poselstwo z pod Wiślicę przysłane przez JchMciów . . . P. Bydgoskiego y . . . Minskiego . . . 30. Aug. pod Pokrziwnicą.

142 b. Confederatia albo raczey unia obywatelów Wojew. Krakowskiego.

143 b. Confederatia albo kaptur rokoszem dobrze obwarowany przez deputaty wedle statutu w Radomskim uczynionego 12 miesiąca sierpnia 1606.

144. Confederatia tam tych, co pod Wyślicą byli.

146. Confederatia Województw Wielkopolskich, Poznańskiego y Kaliskiego.

146 b. Instructia albo poselstwo do JKM. JchMciom PP. Posłom od koła generalnego rokoszowego pod Sendomirzem dana.

148 b. Respons KJM. PP. Posłom do JKM. posłanym od obywatelów koronnych y W. X. Litew. pod Sendomirzem zgromadzonych, dany w Wiślicy dnia 16. 7 bra 1606.

151. Poselstwo od KJM. do Jendrzejowa, po Janowieczkiey rozprawie.
Respons na to Pana Podczaszego koronnego.

152. Instructia od KJM. na seymiki powiatowe przed seymem walnym dana 1607.

157. Instructia dana na zjezdzie Wyślickim Ichm. PP. Janowi Remiszewskiemu Rozpierskiemu, Maciejowi Lenkowi Derpskiemu kasztelanom, Wielebnemu X. Henrykowi z Dąbrowice Firlejowi, Referend. koron., Józef. Narajewskiemu, podsędkowi ziemie Lwowskiey, Andrzejowi Gurskiemu, podsędkowi ziemskiemu Kamięnieckiemu, do JchM. PP. Braciey pod Sendomirzem zgromadzonych.

158 b. Respons od JchM. PP. Rokoszanów na to poselstwo z pod Wyślicy przysłane.

159 b. Declaracya Janusza Xięcia Ostrogskiego, kasztelana Krakowskiego, po tym responsie na piśmie podana, czytana za tym.

160. Instrukcya JchMciom PP. Posłom od Koła Rokoszowego do JchM. PP. Posłów ziemskich koronnych y W. X. Litt. . . . pod Wąchockiem. 4. Maii 1607.

161 b. List albo respons od Rokoszan do tychże PP. Posłów . . . pod Wąchockiem. 4. Maii 1607.

162 b. Instructia na walny seym Warszawsky, pro die 9. Maii Anni 1607 przez JKM. złożony, Jchmciom PP. Posłom Województwa Sendomirskiego y Seymiku Opathowskiego zgodnie obranym za wszystkich wspólną zgodą namówiona, spisana y oddana.

163 b. Poselstwo od Wojewodztwa Krakowskiego do KJM. przed Seymem.

165 b. Instructia JchMciom PP. Posłom od Koła Rokoszowego do JchMciów PP. Posłów ziemskich koronnych y W. X. Littew. w Warszawie na ten czas będących dana d. 1. Junii 1607.

166. Respons na poselstwo.

166 b. List do Rokoszanów, którzy z pod Czerska wysłali byli posły do Warszawy na seym, przy responsio na ich poselstwo. W Warszawie, 11. Maii 1607.

167 b. Senatorowie inwitują Wojewodę Krakowskiego na
seym listem z Warszawy, 19. Maii 1607.
Respons Wojewody Krakowskiego etc. w Stężycy,
24. Maii 1607.

168 b. List JMP. Krakowskiego do Króla JMCi. 25. Jan.
1608.
W Ostrogu Janusz Xiążę Ostrogski.

169 b. List od KJM. do JMP. Krakowskiego. Kraków,
20. Febr. 1608.

170. List od JMCi X. Arcybisk. Lwowskiego na list JMCi
Pana Krakowskiego.

171. Respons od JMCi X. Arcybisk. Lwowskiego na list
JMCi Pana Wojewody Krakowskiego do PP. Senatorów.

172. Respons JMCi P. Wojewody Poznańsk. do Wojewody
Krakowskiego. Send., 30. Jan. 1608.

172 b. Respons P. Poznańsk. na list JMP. Wojew. Krak.
z Kretowa, 15. Febr. 1608.

174. Respons od JMP. Wojewody Łęczyckiego do P. Wojewody Krakowskiego.

174 b. Respons od JMCi P. Wojewody Sieradzkiego Panu
Wojewodzie Krak.

177. Copia listu do JMP. Wojewody Krakowsk. na jego
pisanie od P. Wojewody Wileńskiego. Dan z Nie-
swieża, 12. Jan. 1608.

178. Copia listu P. Wileńskiego etc. do Wojew. Krakowsk.
26. Jan. 1608.

179 b. Protestacya Wojewodztw Poznańskiego y Kaliskiego
przeciwko zjazdom Rokoszanów, w Pozn., 18. Julii
1606.

181 b. Condicie P. Wojewodzie Krakowsk. y P. Januszowi
Radziwiłłowi Podczaszemu Lit. od Króla JMCi podane
pod Janowcem, d. 7. Octobr. ao. 1606.

182. Na te Conditie respons Pana Wojewody Krakowsk.
y Pana Podczaszego Litewskiego.
Attestatia. Pod Janowcem, 7. 8bris ao. 1606.
Quid est Rokosz?

183. List P. Krakowsk. do P. Lwowsk., aby dopomógł me-
diować między Królem a Rokoszanami. 17. Julii 1607.
Janusz Xiążę Ostrowski. (sic.)
Respons na ten list . . . 20. Julii 1607.

184. List P. Krakowsk. do JM. X. Cardinała, aby pomógł
im mediować Rokoszany z KJM., z Ostroga. 4. Nov.
1607.

185. Respons na tenże list.

185 b. List biskupów z Piotrkowa na seymie powszechnym prowincialnym d. 12. Octobr. 1607 do JW. y zacznie urodzonych Mciwych Panów y Braci.

187 b. Respons na ten list z koła Rycerskiego pod Warszawą. 18. Oct. 1607.

188 b. List zjazdu Kolskiego do X. Bernatha Maciejowskiego, Cardinała y Arcybisk. Gnieźn.

189. Respons JM. X. Bernatha Maciejowskiego, Cardinała y Arcybiskupa Gnieźń., . . . w Uniowie 14. Februarii 1607.

191. Uniwersał Nowomieyski na zjazd Stężycki. 23. Febr. 1606. Mik. Zebrzydowski etc.

191 b. Uniwersał z zjazdu Stężyckiego na zjazd Lubelsky w sobotę przed Św. Woyciechem. 1606.

192. Uniwersały, tak KJM., jako y od osób tych zjazdów, jakoteż Hetmanów oboyga narodów.
Uniwersał KJM. z seymu Warszawskiego oznamujący o tych zjazdach y za niemi niebezpieczeństwa w Koronie. 28. kwietnia 1606.

193 b. Uniwersał z zjazdu Lubelskiego. 15. czerwca roku 1606.

196 b. Rozpis KJM. na konwokacyą do Jchmci PP. Senatorów. 18. Junii.

197. Uniwersał Województwa Sandomierskiego pod Iwaniskami. 18. 3. 1607.

198 b. Uniwersał KJMCi, z pod Janowca. 7. paźdź. 1606.

200 b. Uniwersał albo raczey mandat po rozjechaniu się z pod Janowca pode Lwow do żołnierstwa króla JMCi, o krzywdy starostwa Pilznieńskiego. 12. listop. 1606.

201. Uniwersał zjazdu Kolskiego, który mieli rychło po rozjechaniu z pod Janowca, ao. di. 1607, 14. lutego.

204 b. Uniwersał z pod Jendrzejowa. 26. Aprilis 1607. Janusz Radziwiłł etc.

206 b. Uniwersał Generalny Rokoszowy pod Sendomirzem. d. — 7 bris 1606. Janusz Radziwiłł.

210. Uniwersał z seymu strony assekuracyi do odkrycia praktyki. Zygmunt III. etc. Warsz., 25. Maii 1607.

210 b. Uniwersał z pod Cyrska (Czerska) od Rokoszan. 13. Junii 1607.

211 b. Uniwersał wypowiadający posłuszeństwo . . . w obozie nad Jeziornym 24. d. Czerwca 1607.

213. Uniwersał Rokoszanów na pospolite ruszenie przez pany deputati spisany w Sendomierzu 20. Września 1606. Janus Radziwiłł etc.

214. Uniwersał J. K. M. na pany Rokoszany wydany. 3. 8 bris 1606.

214 b. Uniwersał albo mandat na lud służebny przy tych rokoszanach.

Zygmunt III. pod wsią Borują 3. Oct. 1606.

215. Uniwersał Hetmana polnego animusze ludzkie uspakający po pogromieniu Rokoszan. Stan. Żołkiewski. 20. Julii 1607.

216. Uniwersał do żołnierzów. aby nie bawieli się przy Rokoszanach. Stanisł. Żołkiewski.

216 b. Artikuły z rokoszu z pod Warszawy die 1. Junii.

217. Uniwersał Rokoszański po pogromieniu ręką samego podczaszego pisany. 11. Lipca 1607. Janusz Radziwiłł.

217 b. Uniwersał K.JM. po rozproszeniu Rokoszan, aby się już nie kupieli więcey, z obozu pod Zolzą 10. lipca 1607.

219 b. Uniwersał KJM. z pod Orońska. 6. Julii 1607.

221. Uniwersał pana Hetmana polnego do żołnierza Rokoszańskiego. Stanisław Żołkiewski, we Lwowie 17. Jan. 1608.

221 b. Uniwersał KJM. po rozprawie Guzowskiéj. 26 lut. 1608 w Krak.

222. Uniwersał . . . Hetmana polnego do szlachty. Stanisł. Żołkiewski . . . 4. Martii 1608.

222 b. Compendium naprawy Rzpltéj.

224. Pismo Herbortowe z więzienia wyrzucone.

225. Obmowa JMX. Kardinała Primasa Koronnego, że tak cicho odprawuje ten swój primassów urząd.

226. Replika na respons X. Primasa panu wojewodzie krakowskiemu przez szlachcica jednego napisany.

228. Nowiny po seymie, nim przyszło do utarczki.

228 b. Rythm po pogromieniu.

231. Echo. (Wiersz.)

233. Na teraźnieysze czasy nieszczęsne. (Wiersz.)

234 b. Rythm po progromie.

235. Excytarz. (Wiersz.)

236. Bonum principis consilium. (Wiersz polski.)

237. Tyrannus strenuus etc. (Wiersz polski.)

258. Imago votorum totius consulatus regni Poloniae cum rege Sigismundo III. libertates regni opprimente. A. D. 1606. (Zur politischen Literatur).

262 b. Avisi.

Quid novi a Cracovia? Summum malum, discordia, Rapina, vis, oppressio et Dei maledictio.

Quare jam nobis timenda regni ruina horrenda.
Autor tantę discordiae palatinus Cracoviae etc.
(Lat. Gedicht).

263 b. Przyjaciel do przyjaciela pisze o rozprawie pod Jąnowczem. (Poln. Ged.)

265. Rescript sliachczicza jednego na ów script, który przeciwko Zebrzidowskiemu, Wojewodzie Krakowskiemu, ktosz wydał. Otosz tobie Rokosz.

271. Seim walni Warszawski złożoni przesz KJM. ad diem (10.) 9. Maii . . . 1607. Datum w Warszawie die 19. Maji.

273. Justificatia króla JM. na seymie.

274 b. Die 24. Junii skończenie rokoszu pod Warszawą, na którym wypowiedzieli posłuszeństwo kroliowi, chocz niemało ich na tho ssarkało.

240. Copia listu Senatora do Lublián, Chełmián y Bełzán o pogromieniu Rokoszán.

241. Scripta rozmaite pod czas zjazdów, Stężyckiego, Lubelskiego y walnego Coprzywnickiego (Pokrzywnickiego) rokoszu.
Votum JMci P. Jana Zamoyskiego, Kanclerza, . . . na seymie Warszawskim, już ostatnim za jego żywota, in ao. 1605.

244 b. Przestroga rzeczypospolitéj potrzebna, którą on Kanclierz Zamoyski dwiema Slachcziczom godnym wiary ukazawszy ssię niedawno [ma się rozumieó po śmierci Zamoyskiego;] in publicum podacz y komu należy odniescz kazał, właśnie formalia czo do nich mówił the słowa beły. [Cała rzecz jakby w duchu jego napisana.]

249 b. Victoria albo raczey ironia jey.

250. Rzeczypospolitey Polskiey żałosna mowa.

253. Justifikacja JMP. Mikołaja Zebrzydowskiego Wojewody Krak., o niewinności. którą między ludzie podał miasto testamentu.

275. Obóz PP. Rokoszanów . . . W niedzielę 1. Julii poraniwszy się P. J. M. z woyskiem uszli do Warki i beli na sniadanne godziny, tam zastali Pany Rokoszany za samą Warką etc. . . .

276 b. Poymani czi ssą . . .

277. Nowiny pod czas seymu.

278. Podane od K. J. M. sposoby do przyjęczia w łaskę Pana Wojewody Krakowskiego.

278 b. Postępek, gdy przymowani beli niektórzy do łaski K. J. M. Anno 1608, 6. Junii.

4

List JMci P. Stadnickiego do JMci P. Jazłowieckiego.
List trzeci P. Jazłowieckiego, Wojewody Podolskiego,
do P. Stadnickiego Lanczuckiego. Odpis tegoż. 328 b.
329 b. Mciwy Panie Swagrze . . . (Skargi na króla.)
332. List jednego posła sejmowego o nowotnych consti-
tutiach. 1607.
339. Respons przeciwko niejakiemu.
347. Censorowi, który Constitutie sejmowe Anni 1607
oblique interpretował, ludzie cnotliwe y Rzpltej za-
służone sczypiąc.
Fol. — II. H. a. 17.

19.

G e s c h i c h t e des Herzogthums Warschau von N e u g e b a u e r.
Inhalt:

1. Zustand der Polen vor der Errichtung des Herzogthums Warschau.
2. Aufstand im J. 1806 und Schicksale der Polen bis
zum Frieden von Tilsit.
3. Organisation des Herzogthums Warschau.
4. Geschichte des Herzogthums Warschau bis zu dem
Kriege mit Oestreich.
5. Organisation der mit dem Herzogth. Warschau verb.
neuen Departements.
6. Die Verwaltung des Herzogthums Warschau nach
seiner letzten Ausdehnung bis zum Kriege mit
Russland.
7. Uebersicht des Zustandes des Herzogth. Warschau
vor dem Beginn des russischen Krieges.
8. Das Herzogthum Warschau während des Krieges
mit Russland bis zur Auflösung dieses Herzogthums.
4°. 623 gez. Bll. Halblederband. — II. H. a. 18.

20.

K r o n i k a B e n e d y k t y n e k w P o z n a n i u. Ein Foliant,
mit Holzdeckeln, die mit schwarzem gepresstem Leder
überzogen sind. 400 Bll., wovon aber der grösste Theil
unbeschrieben ist. Bll. 4—15 sind mit Federzeichnungen,
die 12 Monate darstellend, geschmückt. Bl. 17, das eigentliche Titelblatt, ist gleichfalls kalligraphisch geschmückt

4*

auf beiden Seiten. Auf Bl. 22 b. der heilige Benedictus das
Kloster segnend; Federzeichnung, augenscheinlich mit
Metallfeder gezeichnet.

Zwischen Bl. 43 — 45 fehlt Etwas, [nach alter Zählung
Bl. 42 u. 43.]

Desgleichen fehlt zwischen 55 und 57. [Blatt 64 alter
Zählung.]

Bll. 115 unbeschr. 120—310 unbeschr.

311 Titelblatt des II. Theiles, gleichfalls auf beiden
Seiten mit Federzeichnungen geschmückt.

Blatt 332 — 400 unbeschrieben, mit Ausnahme des Bl.
397, welches Notizen von der Hand einer Aebtissin des
Klosters enthält, die sich einer Neuerung in der Form der
Abendmahlsspendung widersetzt.

1. fol. R. p. 1601. Krótki Memoryał fundacyi naszey.
17. Xięga dziejów potocnich klasztoru naszego Swiętego
Benedikta w Poznaniu.
23. Fundacia klasztoru naszego, regoły świętego oyca
Benedikta w Poznaniu.
112. Bricht das Manuskript ab mit der Lebensgeschichte
der Aebtissin Głoskowska, geb. 1610.
114. Die Bemerkung:
Tu już potym od roku Pańskiego 1665 dzieje prze-
padłe aż do roku 1704 niezapisane.
116. Noch eine Notiz aus dem Jahr 1704, dass die Schweden
den Klostergarten vor dem Wronker Thore vernichtet haben. Am Schlusse noch einmal die Bemerkung: „Od czasu tego wszystkie przypadki, Rewolucye
i rzeczy pamięci godne zaniedbane, opóźnione, zanie-
chane, niekonnotowane aż do roku 1780."
Von derselben kalligraphisch vorzüglichen Hand
117—119.:
„Wizyta generalna w roku jeszcze 1778 . . ., zapisana
przez X. Józefa Walichta, na on czas spowiednika."
1780, 12. grudnia.
311. Druga księga, w którey opisują się siostry tem porządkiem, jako wstępują do zakonu. Ostatnia 74 ta
P. Anna Kierska.
329. W r. 1730 w dzień S. Łukasza po świętey Jadwidze
za Xięstwa Panny Jadwigi Rokososki umarła jedna
siostra w nocy, co nikt niewiedział . . .
331. Notizen aus dem Jahre 1692. Consecration der Soph.
Głoskowska zur Aebtissin. Nowicyat ihrer Schwester
Anna Głoskowska. Ankauf und Schenkung von
Blech.

397. Protestation einer Aebtissin gegen die Neuerung: das
Abendmahl den Nonnen durch ein Fensterchen zu
reichen. „Choćby y w ostatnim terminie śmierci
okienkiem komoniey przyjmować niepozwolę.“
Fol. II. H. a. 19.

21.

Manuscript in Folio. Lederband.

Fol. 1.—238. Im alten Katalog: „Akta kriminalne
miasta Grodziska.“ Enthält vornehmlich Hexenprocesse.

1. Protocollum consulare praesidente Spectabili Domino
Joanne Cichoszeski proconsule, Joanne Laba, Matth.
Kloska, Thoma Wałecki, Stanislao Slatała, Alberto
Grzyboski et Gregorio Psarski, Consulibus, 1675—1681,
Fol. I.—LXIV.

2. Protocollum Aduocatiale sub spectabilibus Dominis
Jacobo Kostkowicz, Aduocato Grodzicensi, Alberto
Tarczeski, Matthia Hayk, Nicolao Osuchowski, Francisco Cichoszeski, Laurentio Kozak et Gasparo Cich-
nik, Scabinis Juratis, per me Paulum Rybczyński,
Notarium Juratum, scriptum. 1675, 1676, 1677, 1678,
1679, 1680, 1681.

Pag. 49. Verurtheilung einer Hexe. Pag. 92 ss.
eine ganze Reihe Besessener, 12, 6, 7 jährige Kinder.
97. ss. desgl. 109. ss. desgl. 164. desgl. 200. desgl.
207 ss., 234. desgl.

Fol. — II. H. a. 20.

22.

Protokuł zawierający:

1. Treść listów od nieprzyjaciół oyczyzny pisanych lub
onych kopie.

2. Treść różnych papierów, o zagrożenie bespieczeństwu
publicznemu podeyrzanych, a w deputacyi bespieczeństwa publicznego złożonych.

Rozpoczęty roku 1794 dnia 28. kwietnia w Wilnie.
[Listy Igelströma, Alesk. Łaskina, Brunerka, Buscha,
Schroettera, Borysa Tyncowa, Szymona Kossakow-
skiego, Fiedora Hrynblanta, Karola von Hertzberk,
Generała Arszeniewa, Szymona Jazykowa, Generała
Cycanowa, Tutolmina.

Listy Kościuszki pag. 40—46. . Fryderyka Xięcia
Holsztyńskiego, Goltza, Sulzera, Grimaniego, Liszew-

skiego, Michała Dejowa, Michała Kossakowskiego,
X. Kontryma, Józefa Kossakowskiego, Karóla Nar-
butta, etc.]
Fol. 130 gez. Stn., 131—186. unbeschr. — II. H. aa. 1.

23.

Manuscript aus der zweiten Hälfte des 18. Jahrhunderts.
151 Bll. Fol. 1—138 von einer Hand, 139—151 von
späterer hinzugefügt.
Im alten Catalog: „Rozmaitości, zawierające rozmaite
wiersze, mowy, listy, czynności urzędowe i t. p."
Ein Collectaneenheft, in welchem Muster von Briefen,
Adressen, Reden, Redewendungen, Verse, Epigramme,
Satiren, hin und wieder auch Briefe und Reden historischer
Personen enthalten sind, jedoch nicht zu historischem
Gebrauche gesammelt und copirt, sondern zur Unter-
haltung. Für die Sitten- und Culturgeschichte von
Interesse. Fol. — II. H. aa. 2.

24.

Manuscript von 96 Blättern, aus dem 17. Jahrhundert.
1620—1667.
Im alten Cataloge: „Rozmaitości, obejmujące rozmaite
listy, relacye, traktaty i inne akta urzędowe z czasów
panowania Zygmunta III."
Die Blätter 86—90 sind später eingefügt, 86—89 enthält
die Inhaltsangabe einer Komödie. Bl. 90 ein Schreiben
Stanislaus Leszczyński's.

1. fol. List od . . . Stanisława Żołkiewskiego Canclerza
   y Hetmana Wielkiego Koronnego, do Króla JMci
   Zygmunta III., Anno 1620 die 26. Augusti z Baru
   na woynę Cecorską wychodząc.
2. . . . jest słup gdzie go scięto, t. j. Żołkiewskiego,
   marmurowy wystawiony od sukcessorów jego z takim
   napisem zkąd przepisałem sam . . .
2b. Respons Xiążęcia JMci Pana Krakowskiego dany
   Pany Wielkorządcy, który przyjeżdżał od Króla JMci
   Zygmunta III. . . . pożyczając 100 000 zł. p.
5. Od tegoż Xiążęcia Pana Krakowskiego do X. biskupa
   Krakowskiego.
5b. Votum . . . Jana Zamoyskiego Hetmana y Kanclerza Koronnego: „Najjaśnieyszy Miłościwy Królu,

niech W. K. M. nic nie obraża, że insolito more
z stołka swego senatorskiego powstawszy napoy-
srzód izby votum swe odprawnję.

7. Comput generalny włości w Koronie polskiey, za
Zygmunta Augusta Króla r. 1562, przez Piotra Konar-
skiego, posła Kaliskiego, na seymie Lubelskim ob-
jaśniony.
Copia listu od Mechmet Gierey Hana y Szangiereia
Gałgi do P. Stephana Chmieleckiego 1628, 20. Aug.

7b. List od Mehmet Dyak Paszy Sylistryjakiege do
JMci Pana Stanisława na Koniecpolu Koniecpolskiego, Wojewody Sendomierskiego, Hetm. Kor., d.
5. Junii 1626. Dat. z Baby nàd Dunajem m. Maja
d. wtorego r. 1626.
Respons do Mehmet Dyak Paszy, Bar. 9. Aug. 1626.

9. Od X. JMci Pana Krakowskiego do JMci Pana
Hetmana, Krak. 27. Sept. 1626.

10b. Od tegoż Xiążęcia do Hetmana Stan. Koniecpolskiego.

11. Od Stan. Koniecpolskiego do Mehmet Dyak Paszy.
Z Baru 6. Julii 1626.

11b. Od St. Koniecpolskiego do Alit Paszy Wezyra . . .
Z Baru 6. Julii 1626.

12. Od Stan. Koniecpolskiego do Muftego . . . 6. Julii
1626.

13. Do Kaymakana. Z Baru 6. Julii 1626.

14b. Od Woyska Zaporozkiego do JMci Pana Hetm.
Kor. Z Kaniowa 27. Junii 1626.

15b. Instrukcya od Woyska Zaporozkiego posłom dana.
27. Junii 1626.

16b. Continuatia woyny każdey.

18b. Dziękowanie Królowi JMci Zygmuntowi III. za
pieczęć mnieyszą od JMci Pana Tomasza Zamoyskiego, Wojewody Kujawskiego, w Warszawie na
seymie trzyniedzielnym, 1628, 3. Febr.

21. List St. Koniecpolskiego, Hetm. K., do Moyżesza
Mohyły, Hospodara Wołoskiego, pierwszy. Pod Ka-
mieńcem 26. Sept. 1633.

21b. Drugi list do Hospodara, 30. Sept. 1633.

22. Odpis na te listy Hospodara Moyseia, 4. Oct. 1633.

23. Znowu do Hospodara, d. d. 12. Oct. 1633.

23b. Transakcya z Abazy Paszą, die 21. Octobris . . .

25. Po tey potrzebie pierwszy list od Abazy Paszy do
. . . Hetmana.

26. Respons od Hetmana, pod Kameńcem, 24. Oct. 1633.

26 b. Drugi list od Abazy Paszy.

28. Respons na ten list. 26. Oct. 1633. St. Koniecpolski. Listy Moyseya, Wojew. Mołdawskiego, y Matheya Bassaraba, Wojew. Multańskiego, do Hetmana.

29. Odpowiedź P. Hetmana. 29. Oct. 1633.

30. Kuczuk Suliman za prośbą dworzan cesarskich, którzy na tej wojnie byli, pisze do Keynan Pasze Erzenego Wezera.

31. Uniwersał Króla JMci Władysława do pewnych Województw, z Moskwy, gdzie szczęśliwie wojował. W marcu 1634.

31 b. Umowa z Ces. Tureckim Sołtanem Muratem posła Króla Woyciecha Miaskowskiego, . . . który ją sam opisał.

32. Conditie od Szeyn Agi, posła Tureckiego, przyjęte y podpisane, 1634.

34 b. Conditie pokoiu postanowione w Prusiech miedzy Wład. IV. y Królewną Krystyną Szwedzką. 1635. 2. Sept.

35. Wyjscie Sołtana Murata, Cesarza Tureckiego. z Konstantynopola na woynę do Polski, dnia 8. Kwietnia ao. 1634, i powrot bez walki.

39. Regestr upominków od Wład. IV. Mechmet Gerejowi, Hanowi Krymskiemu, oddanych w Bakczyseraju. 11. Junii 1642.

40. Rokosz Gliniański albo pospolite ruszenie Ao. 1379.

44. Sposób życia na świecie pierwszy: Xiędzem być. — Drugi sposób do życia: Służyć —.^ Puncta uspokojenia obywatelów korronnych y W. X. Lit. narodu ruskiego, w religiey greckiey będących, przez . . . Króla Władysława ad affectationem wszytkiey Rzpltey przy Deputatach utriusque gentis et ordinis namówione. 1. Nov. 1632.

46 b. Instructia z Podola.

48 b. Hyberna żołnierza ukrainnego.

52 b. In obitum . . . Stanislai Koniecpolscii, Castellani Cracoviensis, etc. aquilae polonae lessus, cum vitae elogio.

55 b. Copia listu Rakocego Gerzego, Xiążęcia Siedmiogrodzkiego, do . . . Piotra z Potoka Potockiego, Generała Podolskiego. 31. Dec. 1656. Respons Potockiego. 26. Jan. 1657.

56. Z Preszowa d. d. 1. Jan. 1657. Jllme. Dne Palatine Braclaviensis, Ex vestra Polonia quidam nequam Abbas mansit apud principem Transilvaniae, habuit una secum

quendam ex societate. Iste Abbas nomine totius reip.
invitabat ad coronam regalem Rakocium . . .

56 b. Copia listu Rakoczego, 8. Febr. 1657. Na to nie
dał responsu JMC. P. Wojewoda Bracławski.

56. Puncta Commissiey, pod Białą Cerkwią odprawioney,
d. 28. września 1651.

58. 1658 d. 20. Jan. w Kamieńcu Podolskim przejęte listy
Jana Kazimierza Jaroszewskiego, szpiega króla francuzkiego . . .

63. Mowa pana Jerzego Niemirycza, Podkomorzego Kijowskiego, Owruckiego Starosty, posła woyska Zaporozkiego na seymie. 1659.

65. Do stanów koronnych od JM. Pana Hier. Radziejowskiego, podkanclerza koronnego.

65 b. Hier. Radziejowskiego Supplika do Króla na Seym
rozerwany 1654, z Francyey przysłana.

66. List Piotra Potockiego, Wojewody Bracławskiego,
29. Aug. 1655. · (Początku niema.)
·Epitaphium ducis Janussii Radziwilii.

67. Grzegorz Sefferowicz prosi stany Wojewodztwa listem
z Kamieńca, 25. Oct. 1656, o prawa szlacheckie.

68. Puncta z Moskwą postanowione w Wilnie a potym
na Seym przyszły wzięte dla concludowania. (Początku niema.)

70. Zakończenie umowy kommissyi posłów Króla JMCi.
1656, 3. Nov., pod miastem Wileńskiem. (Z Moskwą.)

70 b. Contra Commissyey tey. (4. punkta.)

71. Sententiae bellicae et quaestiunculae militum spectantes.

72 b. Votum . . . Stanisł. Koniecpolskiego na propozycyą
. . . Władysława IV., ratione sui matrimonii inferu-
waną . . . 30. Nov. 1635.

75. List Królewicza JMCi Władysława do stanów koronnych y WXL. Warsz., 15. Maii 1632.

76. Dziękowanie za mnieyszą pieczęć koronną JM. X.
Alexandra Trzebińskiego, Biskupa Przemyślskiego.
4. Martii 1633 na seymie.

77. Dziękowanie JM. X. Alexandra Trzebińskiego, Dziekana Sendomierzskiego, . . . Kanclerza Królewny, . . .
za pannę Oborską, Chorążankę Czerską, od JM. Pana
Pęcławskiego.

80. Ossoliński, Kanclerz Wielki Koronny, dziękuje od JMCi
Pana Działyńskiego, Wojewody Brzyskiego, za pannę
z froncymeru Krolowey JMCi Cecyliey Renaty, po
szlubie danym.

85. Copia listu od JKMCi do JMCi X. arcybisk. Gniežn.
ze Lwowa d. 16. Dec. 1662, o zabicie P. Gąsiewskiego
w Litwie, Podskarbiego Wielkiego y Hetm. Poln.
WXL. przez ręce gwałtowne woyska WXL.
W teyże materyi od PP. Commissarzów koronnych
do PP. Commissarzów WXL.

86. . . . . . . Nova Facies Rzeczypltey Polskiey w Paryżu
publicznym Aktym wystawiona przy obecności króla
JMCi francuzkiego. (Treść.)

90. List Stanisława Leszczyńskiego, króla obranego, . . .

91. List króla (ze Lwowa 18. Dec. 1662), o zabicie Hetmana przez woyska.
Xiądz Stanisł. Łojowski, Definitor prowincyi ruskiey
y litew., Gwardyan natenczas Grodecki zakonu Św.
Franciszka, daje list Osadźcy swemu do Szerzeniowic,
we Lwowie 1. Januarii 1663, ma wieś zaludnić i za-
gospodarować.

92. Puncta do Króla JMCi i wszystkiey Rzpltey na
Commissyą Lwowską od woysk JKMCi koronnych
w kole generalnym w Wolborzu. 12. Dec. 1662.

94 b. Actus fundationis ecclesiae et conventus Barensis
ord. min. conventual. per Severinum Kaliński, Samuelem Łojewski, Albertum Miaskowski, ao 1664.

95 b. Oblata constitutionum in comitiis generalibus Var-
savien. regni laudatarum, ex quibus constitutionibus
titulo Franciszkani Barscy rescriptum. (1667.) De
fundatione conventus Barensis ordinis minorum conventualium.
Fol. — II. H. aa. 3.

25.

Manuscript, 136 Bll. Von späterer Hand und völlig ab-
weichendem Inhalt, Blatt 137—144. Im alten Katalog:
„Rozmaitości obejmujące listy, relacye, wiersze i t. p.
akta urzędowe od r. 1609—1641." Mit dem Bibliothekzeichen: „Ex libris Mich. Comitis Vandalini Mniszech."
Alte handschriftl. Notiz: „z Wiszinowca Przepisana."
1—9. Fol. durch Moder sehr zerstört.

1. Copia listu do Archiepiskopa Smoleńskiego y wszystkie . . . od JKMCi 1609, mies. Decembr., zachęca
do poddania się pod „naszą wysoką rękę królewską."
Copia listu od KJM. do strzelców Smoleńskich, 1609
mies. Decembr., tej saméj treści.

17 b. Propositia na seymie anni 1613 dnia 3. Decembr. przez JMP. Szczęsnego Kryskiego, kanclerza koronnego, odprawiona.

18. Instrukcya PP. posłom woyska stołecznego do KJMci na seym walny Warszawski, dana we Lwowie 25. Novembr. 1613.

20. Instructia do poselskiey izby od tegoż rycerstwa stołecznego na seym walny warszawski dana, we Lwowie d. 25. Novembris 1613.

22 b. Instructia na seym walny warszawski PP. Posłom: Andrzejowi Branickiemu, pułkownikowi Stanisławowi Dobraczyńskiemu, deputatowi od woyska Smoleńskiego, w Bydgoszczcy dana, dnia 7. Grudnia 1613.

23 b. Imperatori Turcarum. Dat. Varsaviae X. Dec. 1640.

24. Copia listu od Chana do KJMci 22. Julij pisany, 26. Novembris oddany 1640.

24 b. Respons na ten list, 9. Grudnia 1640.
Do Islan Gereja Gałgi. (Dat. ut supra.)

25. Copia listu przimiernego od Behadur Gereia Chana Krymskiego, w wigilią Św. Andrzeja w Warszawie KJMci oddanego 1640.

26. Legatorum Sermi Electoris Brandenburgici ad S. R. Mtem postulata 1640.

27. Przeciwko morowemu powietrzu bardzo doświadczona recepta za staraniem J. O. JMci Pana Krystopha na Zbarażu, koniuszego koronnego, z pilnością napisana za consultem wielu zacnych doktorów, dla pożytku wielu ludzi z łaski Xcia JMci wydana.

28. Imperatori Turcarum responsum, 8. Aprilis 1641, (a rege Poloniae.)

29—41. Satyr na twarz teraźniejszą Rzeczypospolitey w roku 1640.

41. Imperatori Turcarum responsum, 28. Junii 1641.

41 b. Ad Supremum Wezyrum.

42 b. Ostatnie dwie mowy Thomasza Wenthworta, Graffa z Strafordu y Viceregis królestwa Irlandzkiego etc. Pierwsza w zamku nim wyszedł z więzienia, a druga przi executiey na Zamkowey górze dnia 12. Mai, secundum novum stylum, a sec. veterem 22. Maii 1641. Za tego praktyką woyna angielskiego króla ze Scotami wszczęła się, sam pojmany, osądzony y ścięty.

45. Przetłumaczenie listu od Sultan Ibrama Cesarza Tureckiego, przyniesionego do Warszawy przez ręce Mustafi Causza, który przy P. Alexandrze Otwinowskim przyjachał. 1641.

45 b. Informacya krótka de juribus, które służą Xiążęciu JMci Panu Koniuszemu na dwór pusty w Warszawie. 1444—1597.

46. Juramentum Friderici Wilhelmi, Electoris Ducis in Prussia, anno 1641.

47. Vaticinium albo copia listu Kaspra Bojaneckiego, w którym wypisał widzenie swoje królowi JMci 1641.

48 b. Instructia na seymiki na dzień 7. stycznia złożone, od JKMci dana w Warszawie 30. paźdz. 1641.

50. Prognosticon seu vaticinium super Eclipsim lunae praeteritam et die 18. Oct. hora 7, 58 minut., hujus anni 1642 factam. Carolus à Löwenaus, Ser. princ. Casimiri Astronomus.

50—51. Ex literis Lasari Aquilini, Dobrocensis Ecclesiae Pastoris ac Senioris Antesylvani Capituli in Transylvania, d. 24. Junii 1642. Nova anno 1642 in Turcia facta.

55. Epitaphium sermae infantulae Reginulae Polonae, anno 1642 post diem 31. summo cum omnium dolore extinctae.

55 b. List od Duńskich Kozaków, co się na Azowie Turkom y ich szturmowaniu mężnie bronili anno 1641.

58. Instructia urodzonemu Iliczowi, komornikowi JKMci y posłowi do Chana Tatarskiego Mechmet Gereja, dana w Warszawie . . . Marca 1642.

58 b. List przez posła JKMci P. Ilicza ao 1642.

59. Drugi list do tegoż Tatarzina przez jego Czausza Derwisza, 1642 Martii.
Trzeci list do tegoż Chana przez Kuwet Bega, 1642 Martij.

59 b. Paskwil ruskym językiem (wiersz.)

60 b. Dziękowanie JM. Xiędza Trzebnickiego, referendarza koronnego, za pieczęć mnieyszą koronną anno 1643.

62. Copia listu od P. Podkanclerzego koronnego do JMci Pana Podskarbiego koronnego.

62 b. O Kozakach excerpta z listu Łukasza Brzozowskiego.

63. Literae ad Electorem Prussiae ab Illmo Castellano Sendomiriensi Adamo a Kazanow Kazanowski, supremo regni Camerario.

63 b. Kalwińskie prognostica albo raczey Pikartskie.
Jan Nicodemi, Secretarz pozostały Herliciusa, prognostyki wydał.
Responsum Illmi Adami Kazanowski, Castellani Sendomirien., ad literas Gedanensium. Dat. Varsaviae.

64 b. Kaymakano. Dat. Varsav. 18. Apr. 1638.

65. Do Mechmet Baszy.

65 b. Imperatori Turcarum.

66. Do Chana Cara Tatarskiego, 13. Julii 1638.

67. Fundatio Monialium in Grodno per conjuges Wesso-
łowski.
Chph. Wessolowski et Alexandra de Sobiesciis.

71. Excerpta z listu pewnego o drodze Króla JMci de
data 15. Augusti 1638 z Częstochowy. (Do Wiednia
y do Cieplic Badeńskich, — 1639.)

72. Copia juramentu Xcia Kurlandzkiego, który czynił
w Wilnie 16. Febr. 1639 przed Królem JM. y PP.
Senatorami: Ego Jacobus Dux Curlandiae etc.

72 b. Joannis Lipski, Archiep. Gnesn., epistola ad Claudium
Memmium, Galliarum Regis Legatum. Januar 1639.

74. Uniwersał Jm. P. Podskarbiego na cła morskie
Gdańskie. Jan Mikołaj Daniłowicz, 25. Sept. 1637.

74 b. Copia pozwu rocznego P . . . . na retentores pecu-
niae podwodarum . . . Vladislaus IV. Vilnae, 1635.
Copia responsi legati Francici ad literus Illmi archiepiscopi Gnesnensis.
Claudius de Mesmes. Hamburgi, 9. Martii 1639.

78 b. Imperatori Turcarum. Varsaviae, 5. Aug. 1638.
Do Wezyra.

79. Copia listu Tureckiego cesarza, na który wyżey
jest respons JKM.

79 b. List Beglerbega . . . do Króla JMci.
Literae Chph. Radziwillii Palatini Vilnensis . . . ad
Electorem Prussiae. Vilnae, 5. Aug. 1639.

80. Additament Supplementu pierwszego Instruktiey Jo.
K. M. Posł. na seymik ziemie Inflanckiey Dunemburski.

80 b. List Cesarza Tureckiego Osmana posłany do Jo. Kr.
Mci Zygmunta III., Ao. 1618, 26. Lipca.
Przetłumaczenie listu Inaet Kireja Chana Krymskiego, przez Mechmem Age posła do KJM. przywie-
zionego do Warszawy, d. 7. Kwietnia 1637.

81 b. Przetłumaczenie listu od Galgi, przez tegoż posła
przyniesionego.

82. Epitaphium Regi Sigismundo III.

83 b. List od Cara Moskiewskiego, de dato z stolicy
1. Novemb.

84. Literae Regis Galliarum ad regem Pol. Dat. ap. S.
Germanum.

85. Ad regem Galliarum 27. III. 1639. [Carcer gallicus.]

86. Ad cardinalem de Richelieu, 27. III. 1639.
Rationes oppositae scriptowi Macieja Dargockiego, iż
domowi Radziwilowskiemu tytuł Xiążęcy należy.

88. Essentialia relatiey niejakiego Romarkiewicza a sługi
P. Krakowskiego, który powrócił z Constantinopola
od Mechmet Baszy Kaymakana, 22. Jan. 1640.

90 b. Inscriptio tumuli patris Josephi Capucini Confessarii
Ludovici XIII., Regis Galliae.

91. Copia listu JMP. Krakowskiego do KJMci d. d. z Ko-
nuncze, d. 16. Febr. 1640. St. Koniecpolski.

91 b. Copia listu do P. Kochana od P. Borzeckiego, pod-
starosty Pereasławskiego, d. 16. Febr. 1640.

92. Votum P. Kasztellana Przemyskiego, JMci P. Feli-
ciana Grochowskiego, na seymie w Warszawie in
Anno 1639.

94. Ad Wezyrem post prima nova de obitu Turcarum
Imperatoris Amuratis. Vars., 13. III. 1640.
Ad Imperatorem Turcicum 13. Martij 1640.

94 b. List od Admirała Duńskiego do Króla JMci przeciwko Spiringowi. Gedani, 5. Dec. 1637.

95. Privilegium reformationis Sac. Reginali Mtti in bonis
Cap[ita]neatuum Mag. Duc. Lithuaniae. [Dotem
Caeciliae Renatae uxori in bonis supradictis confirmat.]

95 b. Literae S. R. Mtis ad Gedanenses in negotio Thelonei. Vars., 24. Oct. 1637.

96 b. Lrae a Gedanensibus ad S. R. Mtem in eodem
negotio. 19. Januaris 1639.

97. Lrae ab Gedanensibus ad Vicecancellarium regni.
19. Jan. 1639.

97 b. Responsum Illmi Vicecancellarii. 11. Febr. 1639.

98. Libellus protestationis contra omnes illegitimos et
injustos actus et processus in sui suorumque fratrum
et agnatorum injuriam et praejudicium institutos . . .
Carolus Ludovicus Dei gratia Comes Palatinus Rheni.
Actum Hampthocurii in Anglia. 27. Jan. 1637.
(„Scorpio moriens caudâ Caesari minatur.")

98. Pacta portorii Gedanensis Anni 1585, die 26. Dec.
Dat. Vars. in conventu generali regni, 26. Febr. 1585.
Steph. Rex.

101 b. Rationes contra exactionem Thelonei maritimi
noviter affectatam.

103 b. Literae S. R. Mttis ad residentem suum in Hollandia.

104. Responsum S. R. Mttis ad literas regis Angliae paulo
acerbius scriptas. Grodnae, 16. Octobris 1636.

105. Lrae Regis Daniae ad S. R. Mttem ratione thelonei
maritimi. 13. Jan. 1638.

105 b. Consens Królewicowi Janowi Olbrychtowi od Rzpltey
na biskupstwo krakowskie.

106. Instructio legatis regiis Viennam pro tractando matrimonio S. R. M. nomine cum Serma. Caecilia Renata.

108. Act weselny Króla JMci polskiego Władysława IV. z Naj. Renatą Cecilią w Warsz., 14. Sept. 1637.

111. Rosprawa z Kozakami rebellizantami na Ukrainie, Anno 1638 począwszy a Maijo.

117. Exorbitantie, excessa y gravamina, które Katholicy tymi czasy w Wilnie od Haeretyków odnieśli, Anno 1640.

118—120. Testament O. P. P. Zygmunta Augusta, Króla Polskiego, † 7. lipca 1572. [Nie ma końca.]

121. Commissia z ramienia Króla nakazana o krzywdy Katolikom wyrządzone przez haeretyków.

121b. Dekret na ten akt y zbrodnie haeretyków Wileńskich w sobotę, 26. Maij 1640.

122. Prognosticon clarissimi mathematici ac medicinae doctoris de Turcico imperio ad Illum et Rnmum Petrum, S. Basilicae Vladislaviensis Pontificem, anno 1412 transmissa.

123. Commissia Wileńska y dysceptacya strony gwałtu kościołowi Ś. Mich. Mniszek Ś. Klary w Wilnie przez Zborowych uczynione. Anno 1640. (cf. fol 121.)

137—144. Excerpta historica e historia Romana, itemque Persica.
Fol. — II. H. aa. 4.

26.

Kopie listów cesarzów niemieckich, arcyksiążąt austryackich, markgrabiów brandenburgskich, królów pruskich, Ludwika XIV., Piotra I. i carowéj Anny do książąt Radziwiłłów i do Wojewodów Weiherów pisanych. Fol. 101 Blatt im vorigen Jahrh. angefertigter Abschriften derjenigen eigenhändigen und Original-Briefe oben genannter Personen, deren Originale unter II. II. bb. 1/1 — 126 einzeln angeführt sind. — II. H. aa. 5.

27.

Manuscript aus dem Ende des 16. und Anfang des 17. Jahrhunderts. 201 Bll. Mit dem Bibliothekzeichen: „Ex libris Mich. Comitis Vandalini Mniszech." Handschr. Bemerkung: „Z Wiszniowca", „Przepisana przez Kalinowskiego."

Im alten Katalog: „Rozmaitości, obejmujące listy, dya-
riusze sejmowe i t. p. akta publiczne. Rękopism z 17.
wieku."

1. Fol. Auctore Cypriano Leonitio a Leonicia, Bohemo,
Calculus Ephemeridum.
Ephemeris ad annum dni 1587. Ephemeris ad annum
dni 1593 . . . 1594 . . . 1595 . . . 1596 . . . 1597 . . .
1598 . . . 1599 . . .

4. Juramentum electi palatini Moldauiae. Nos Heremi
Mohila, Dei prouidentia Palatinus Moldauiae, fateor
gratiam Sermi Sigism. III. nobis adfuisse . . . Datum
in Jassy, 21. Augusti 95.

4 b. Przywilej panów litewskich na unią dany, Anno
1569.

9 b. Juramentum siue comprobatio Sigismundi Augusti
omnium libertatum Duc. Lithuaniae.
Dat. Vilnae in conuentione generali feria II. ipso die
festi S. Valentini, Anno dni 1547.

15 b. Stephanus Dei gratia Rex Poloniae etc. confirmat
libertates Lithuaniae, dat. Varsav., 29. Junii 1677.

18 b. Juramentum Sigismundi tempore coronationis in
Regnum Sueciae.
Formuła Przysięgi panów rad.
Przysięga Pisarza Wo. Xa. Lith.

21 b. Przysięga Pana Podskarbiego Ziemsk. Litt.

22. Przysięga PP. Rad.
Przysięga Starościna na Ukrainie.

22 b. Druga.
Przysięga Kuchmistrzowska.
Przysięga Sekretarska.

23. Responsum ab ordinibus statuum Belgicorum generoso Paulo Działyński, Legato S. R. M., datum anno
1597. Hagae, Comit. Hollandię, 21. Julii 1597.

25. Literae credenscionales (sic) duo (Paulo) Działyńskio
ad ordines Belgicos. Dat. Crac., 19. Maji 1597.

25 b. Responsum Reginae Angliae in eodem negotio
datum D. Działyński, legato Sigismundi III. Reg. Pol.

26. List od obywatelów W. X. Litt. do króla JM., skoro
się dowiedzieli o nominacyi danej Xu. Maciejowskiemu
na biskupstwo Wileńskie, Wilno 15. Junii 1597, prote-
stujący i proszący o człowieka narodowości lit. na
biskupstwo Wileńskie.

26 b. Respons JM. PP. Litewskim ze strony biskupstwa
Wileńskiego Xu. Maciejowskiemu danego. 1. Junii
1597.

5

27 b. List od obywatelów W. X. Littew. do X. Maciejowskiego samego in eadem materia. Wilno, X. Junii
1597.

28 b. Respons na ten list od JMCi Maciejowskiego.

29—49. nie zapisane.

50. Sejm PP. Zborowskich. Feria secunda post festum
conuersionis S. Pauli, Ao. di. 1585, 28. Januarii.

77 b. Sententia Serenissimi Stephani regis Poloniae contra
Christophorum Zborowski lata 1584. Dat. Grodno,
feria II. ante festum S. Andreae, Apli. 1584.

78 b. Tutellae Chphi. Zborowski eae fuere.

79. List Pana Chrz. Zborowskiego do Pana Samuela
Zborowskiego pisany. W Krak., 12. Julii 1585.

81. List P. Krzyszt. Zborowskiego do Kozaków niżowych.
Dat. . . .

81 b. Anno 1585, d. 24. Novembr. na sejmie walnym
w Warszawie, żegnanie poselskie JKM. przez Pana
Jakuba Niemojewskiego.

82. Skarga JMCi PP. Zborowskich na Conuokatiey Warszawskiey 1587 d. 26. Februarii w radney izbie czy-
niona przez JMCi P. Andrzeja Zborowskiego.

84 b. Regis Stephani in Senatu objectioni nuntiorum quorundam terrestrium, in comitiis Zborowien., responsum. (Initium tantum, reliqua desideruntur.)

85—87. niezapisane.

88. Kopia odpisu na list Basse Tureckiego od PP. Rad.
podczas Interregnum pro królu Stephanie, w którym
liście Bassa napominał, aby tego za króla obrali, kogo
oni podadzą.

88 b. List Hernesta Arcyks. do P. Marszałka koronnego,
ręką własną pisany w Interregnum. Dat. Pragae,
6. Maii 1587.

89. List ręką pisarską do P. Marszałka koronnego. Henricus Dei gra Archidux Austriae etc. Pragae, 2. Maii
1587.

89 b. Mathias Archidux Austriae ad Opalinscium, Mareschalcum regni. Dat. Stetini, d. X. Apr. 1587.

90 b. Responsum ad easdem Mareschalci. Dat.
Maximilianus, Archidux Austriae, Opalińscio, Mareschalco Regni. Dat. Viennae, XV. Maii 1587.

91. Responsum ad easdem Mareschalci.

91 b. Maximilianus Archidux ... Opalińscio ... Viennae,
X. Junii 1587.

92. Literae a Caes. Mtte ad Dnum Mareschalcum ...
Pragae, XXIII. Maii 87.

121. Tractatio ineundae societatis contra Turcarum Imperatorem inter Clementem VIII., . . . Rudolphum et Sigismundum III., facta Cracoviae 1596.

121. Priumum DD. Commissariis traditum scriptum die 2. Augusti.

124. Illmi Dni Cajetani Cardinalis rescriptum die 13. Aug.

124 b. DDorum Commissariorum S. C. M. rescriptum die 14. Augusti.

126. Secundum DDnorum Commissariorum Regni scriptum die 17. Augusti.

128. Secundum DD. Commissarior. Caes. Mttis rescriptum d. 19. Augusti.

129 b. Illmi Cardinalis Cajetani Legati secundum rescriptum d. 19. Augusti.

130. Tertium DDorum Delegatorum Regni rescriptum.

131 b. Protestatio DD. Commissariorum regni die 26. Aug.

132 b. Conditiones Confoederationis non per modum interrogationis sed postulationis legatis Caesareis proponendae.

133 b. Ultimum DDnis Legatis S. C. Mtis scriptum traditum.

136 b. Oratio Illmi Cardinalis Cajetani Legati Apostolici in Comitiis Regni generalibus Cracovien. habita.

141. Zdanie o Lidze.

141 b. Paulus V. P. M. ad Marianam, filiam Dni Palatini Sandomirien., Demetrio Duci Moschor. desponsatam, 3. Nonas Dec. 1605.

143—145. nie zapisane.

146. Copia wypowiedzenia posłuszeństwa Zygmuntowi III. JKMci P. n. m. przez Rokosz, pod Jezierną w Obozie die 23. Junii 1607.

148. Podane od KJMci sposoby do przyjęcia w łaskę P. Wojew. Krakowskiego.

148 b. Literae S. R. Mtis ad summum pontificem . . . Crac. 20. Julii (de pacata seditione).

150. Instructia IchMciom PP. Samuelowi Starzechowskiemu y Florianowi Oświecimowi posłom od zjazdu rycerskiego obywatelów ziemie Przemyslskiey na ten czas zgromadzonych w Radymnie pro die XII. Decembris 1607, do JKM.
Odprawione poselstwo w Krakowie d. 22. Decembris 1607.

151. Confederatia.

152 b. Literae archiepiscopi Gneznensis, Reg. Pol. Primatis, ad Gabrielem Bathoreum, Palat. Transilvaniae, regnum Poloniae astu (sic) et perfidia quorundam ambigentem,

[„i tho PP. zborowych albo Kalwinistów techna była."]
Cracov. 25. Januarii 1610.

154. Ejusdem lrae universales ad Regnicolas ... Wojciech
Baranowski ... z Krakowa 27 (?) Stycznia 1610.

155. ln imaginem Joannis Caroli Chotkiewicz, palatini .
Wilnensis ... (lat. versus) † 1621, 7 bris 23.

156. Postanowienie Ich Mściów PP. Commissarzów Coron.,
z Seymu naznaczonych, z Kozaki Zaporowskiemi.
6. listop. 1625.

159. Woysko króla JMci pod Smoleńsk. (Obliczenie ludzi.)

161. Oratio Illmi Cardinalis Strigoniensis in adventu Smi
Principis Matthiae Archiducis Austriae in Campo
Posoniensi habita.

162. Propositio ao di 1608 die 20. 8 bris Posonii in comitiis
generalibus promulgata.

163 b. Literae Suae Mtis Caesareae ad status et ordines
Regni Hungariae ... Rudolphus II. ... 28. Junii 1608.

164. Literae ad status et ordines Hungariae ... cessionales
Suae Mtis 27. Julii 1608.
Gravamina regnicolarum (Hungariae).

167. Ad gravamina responsio S. R. Mtis 7. 9 br. 1608.

171. Responsio Regnicolarum.

174. Anno 1626. Neutralitas Regiomontana.

175 b. Reversales Dnn. consiliariorum regentium ducatus
Borussiae. Regiomonti Borussorum 18. Julii 1626.

177. Legatio a statibus Hollandiae 6. Julii 1627 anno
expedita Varsaviae. Copia literarum a statibus Hollandiae ad S. R. M., d. 4. Maji 1627.

180. Responsum per Illustrissimum Procancellarium Regni.

181 b. Instrukcya na seym walny Warszawsky PP. posłom
od woyska stolicznego do KJMci dana we Lwowie,
die 28. Novembris anno 1613 Panom ... Sciborowi,
Samuelowi Maskiewiczowi, Piotrowi Białaczewskiemu,
Piotrowi Paryszewskiemu; podp. Joseph Ciekliński
Marszałek imieniem woyska Stolicznego.

186. Copia Conditii y pactow ponowionych s Turki.
9. paźdz. 1617.

187 b. Harda y nieprzystoyna legatia y postulata woyska
koronnego z Wołoch zeszłego, żadney tam w polu
posługi nieuczyniwszy, okrom pilnowania wału, tak
hardzie et bullatis verbis to poselstwo odprawowując,
na rzecz niepodobną R. P. y króla JM. wyciągają,
Instructia Panom Posłom do JKMci dana ... ze
Lwowa d. 8. Januarii 1622.

189 b. Punkta Instrukcyey P. Posłow ze Lwowa do KJMci.

192. List do Wesera od KJMci przez Czausza, którego
po rozprawie pod Chocimem Veser był posłał.

193. Respons KJMci na list Cesarza JMci, którym Cesarz
na weselie invitował. Dat. 6. Febr. 1622.

· 193 b. Drugi respons na list Cesarzsky, którym do spolney
woyny przeciwko Turkowi wzywał.

195. Respons na legacyą żołnierza z Wołoch zeszłego,
który się pod Lwowem confederował.

198. Anno 1620. Formuła juramenti quod Bethleem-Gabor
Imperatori Turcico praestitit Cassoniae coram legato
Turcico et postea per legatum suum Constantinopolim
missum.

199 b. Juramentum a Turcico Imperatore Gabrieli Bethleem
praestitum.

201. Puncta, które się otrzymały w dokończeniu od Cara
Przekopskiego przez Pana Floryana Oleszka, Woy-
skiego Włodzimierskiego, in Ao. 1607.

Fol. — II. H. aa. 6.

28.

Manuscript aus dem 16. Jahrh. (II + 201 Bll.) Im alten
Kataloge: „Rachunek z dochodów królewskich z r. 1558,
złożony przez Jana Bonara, Podskarbiego W. K.‟

Regestrum racionis omnium et singulorum proventuum
ad magnam procuracionem spectantium a die prima Januarii ad diem ultimam decembris inclusiue pro anno domini 1558. Sub foelici regimine magnifici dni. Joannis
Bonar de Balicze, Castellani Biecensis et arcis Crac.
magni procuratoris.

59. Regestrum rationis distributorum magnae procura-
cionis Cracoviensis a die prima Januarii ad diem
ultimam decembris pro anno domini 1558.

138. Percepta de thesauro Sacrę Regię Mtis pro coëmendis
nitris et super alias artis artelarię necessitates anni
domini 1558.

191 b. Siegel und eigenhändige Unterschrift von Severin
und Friedr. Bonar und Simon Lugowski.

Fol. — II. H. aa. 7.

29.

Manuscript in folio, 188 Blätter. Im alten Katalog: „Życie
Tomasza Zamojskiego przez Stanisława Żórawskiego.
Rękopism z początku 17. w.‟ Wahrscheinlich aus der
Bibliothek des J. U. Niemcewicz.

1. Dedikacya Stanisława Żorawskiego, Dat. w Zamościu
. . . r. 1646, do Jana Zamoyskiego, . . . Kałuskiego
Starosty.

2. O młodości y zabawach w niey tego pana (Tomasza
Zamoyskiego) od r. 1608. Koniec na stronie 180 b.

181. Kontrakt, dat. w Zamościu 10. września 1651 (spust
stawu Łaskiego we włości Jarosławskiéy, za 6000 złp.
zaarendowanego sławetnym pp. Szymonowi Moszkowi-
czowi, Janowi Bieleckiemu y Janowi Piotrsotnikowi,
mieszczanom y kupcom Przemyślskim.)

183. Memoriał wyprawy wojenney.

185 b. do 188. Rozmaite recepta lekarskie.

Fol. — II. H. aa. 8.

30.

Manuscript, früher im Besitz des J. U. Niemcewicz, von
dessen Hand die Notiz: „Manuskript przez JWmgo Łoyka,
Chambell., pisany." Łojko, Felix, 1717 + 1779. Die
Handschrift ist jedoch von zwei verschiedenen Händen
geschrieben. Die erste Hand reicht bis 83 b., unmittelbar
daran schliesst sich die zweite an, die bis ans Ende geht.
718 Bll. und ausserdem noch 2 lose Blätter, die zu dem
Manuscript gehörten, jetzt aber durch fehlende Blätter
zusammenhanglos sind. Zusammen 720 Blätter.

Im alten Kataloge: „Rękopism, zawierający rozmaite
mowy, listy. dyaryusze sejmowe i t. p. akta z panowania
Władysława IV., Jana Kazimierza i Jana Sobieskiego."

Der Anfang des Manuscriptes Blatt 1—23, [alter Zählung]
fehlt, ebenso wie das Ende.

1. Przemowa synów zmarłego Kanclerza W. X. Lit.
i Hetmana do Króla Jana III. przy wręczeniu jemu
pieczęci i buławy. Synowie albo Krzysztofa Paca
-+ 1684, albo Maryjana Ogińskiego + 1690.

1 b. Mowa do carów Moskiewskich 1674.

3. Dziękowanie za laskę poselską 1674.

3 b. Mowa, gdy equestris ordo do szopy przychodził, 1674.

4. Mowa upominając się Senatus Consultorum.

4 b. Mowa od Izby poselskiey do JKMci przez JMci Pana
Podczaszego Sieradzkiego Opoczyńskiego, Starostę
Szumowskiego.

5 b. Uniwersał na koronacyją, . . . Jan III. etc. w obozie
nad Zbruczą, rzeką pod Czarnokoziencami d. 7. m.
listop. 1675.

7. Mowa JMCi Xiędza Biskupa Chełminskiego d. 11. Febr.
1689, gdzie wielki był motus w Senacie . . . „aut
Rex esse desine, aut afflictos audi".

8. Mowa JMci Pana Stanisława Lubomirskiego, marszałka W. K., oddając laskę nadworną kawalierowi
bratu swojemu.

9. Mowa JMci Pana Odrowąża Pieniąszka, Wojewody
Sieradzkiego, in Senatus Consilio w Grodnie 18. Mart.
1688.

11. Mowa JMci Pana Starosty Bolesławskiego Radziejowskiego, dziękujac za kasztellanią wieluńską.

12. Oddawanie Jeymci Panny Brzostowski, Referenda-
rzowney W. X. Litt., JMci Panu Radziejowskiemu,
Staroście Bolesławskiemu, przez JM. Pana Michała
Druckiego Sokolińskiego, pisarza W. X. Litt. 1681,
4. Maji w Warszawie.

13. Mowa JMci Pana Wojewody Sieradzkiego w Senacie.

16. Respons JMci Pana Czackiego, Starosty Włodzimierskiego, na list JMci Pana Starosty Krasnostaw-
skiego, Potockiego.

18b. Copia listu JMci X. biskupa Kujawskiego do JMci
Pana Podskarbiego W. X. Litt. 22. Martii 1696.

21. Apoteosis Jchmciów PP. kommissarzów Hyberno-
wych we Lwowie 1688. (Wiersz satyryczny.)

22b. Wiersze, jaką sobie dobierać żonę. Mulier si foeda
est amat; si pulehra est amatur, utrobique periculum
ingens etc. (Polnisches Gedicht.)

24. Oddawanie pierścienia. (Mowa.)

24b. Mowa JMci Pana Krzystofa Grzymułtowskiego,
Wojewody Poznańskiego, w Senacie na zarzuty JMci
Pana Władysława Przyjemskiego, kasztelana Chełmińskiego, przeciwko JMci Panu Wojewodzie Kijow-
skiemu Niemierzycowi. 1681.

25. Examen wolności polskiey, podrzucony w seym
w Warszawie 1681.

27b. Respons na to.
Zdanie, quid statuendum in defensionem Reip. sic
stantibus rebus 1681 ao.

28b. Mowa tegosz (?) pod czas seymu 1683 w poselskiey izbie.

29b. Mowa tegosz (?) w senacie in materia defensionis
w Warszawie 1683 ao.

31. Mowa tegosz (?) in materia postępku Pa. posła francuskiego, y o sądzie Pa. Morsztyna, podskarbiego W.
K. 1683.

32. Mowa tegosz (?) w senacie.
33 b. Mowa tegosz in materia ceł.
34 b. Copia listu JKMci do seymiku Sieradzkiego 1683, 3. Maii.
36 b. Mowa JMci Pana Grzymułtowskiego, Wojewody Poznańskiego, w Senacie około Traktatu z Portą.
39. Mowa tegosz circa coaequationem względem niewyprawionych wypraw piechot na seymie coronationis uchwalonych.
39 b. Mowa tegosz w senacie.
41. Mowa tegosz w senacie.
42. Mowa tegosz.
43. Mowa tegosz przy oddawaniu kluczy miasta y zamku Malborka.
   Respons dany Jchmciom PP. posłom Wielkopolskim w Malborku od Króla JMci.
44 b. Tenże imieniem JMci Pana Starosty Nowodworskiego Gębickiego dziękuje za żonę.
45. Tegosz condolentia od Króla JMci na pogrzebie JMci Pana Jana Bogusława (?) Leszczyńskiego, Wojewody Krakowskiego, Generała Wielkopolskiego, w Poznaniu 1678.
46. Mowa tegosz w senacie.
46 b. Forma exkomuniki na Pana Wojew. Wileńskiego (Kazimierza Jana Sapiehę).
48. Rozmowa królowey Jeymci z królewiczem JMcią Jakóbem o teraźnieyszych rzeczach 1696.
51. Zdrowa reflexya (bo responsu niegodzien) nad Paszkwilem p. t Rozmowa królowej JMci z Królewiczem Jakóbem. Dzień I.
55. List od Królowey Jeymci na seymik Srzedzki. (Warsz. 12. 7. 1696).
55 b. List do tegosz seymiku od Królewiczów. Warsz., 10. Julii 1696.
56. Copia listu do tegosz seymiku od JMci Pana Krakowskiego. (Lwów, 9. Jul. 1696).|
57. Copia listu JMci Pana Generała Wielkopolskiego do Wwdztwa Łęczyckiego. Anno 1696.
   Copia listu JMci Panna Kasztellana Krakowskiego, Hetmana Wielkiego Kor. do JMci Pana Starosty Uyskiego. Lwów, 9. Julii 1696.
58. Quae sunt metuenda sub interregnum.
59. Zabiegając temu wszystkiemu optandum: etc.
59 b. Consideracie względem aresztu na summy y deposita Żołkiewskie.

60 b. Epithaphium (regis Sobieski).

61. Mowa na konwokacyi pod Interregnum ś. p. Króla
Jana III. od Woyska do Rzpltey, miana przez JMć
Pana Alexandra Jabłonowskiego etc. 1696.

62. Mowa JMci Pana Starosty Odalanowskiego, posła
na konwokacyą Warsz., do Krolowéy Jeymci od
Wojewodztw 1696.

63. Copia listu J. P. Wojewody Kaliskiego Małachowskiego do Seymiku Sieradzkiego. 14. 8 bris.
Mowa JMci Pa. Starosty Odalanowskiego przy zagajeniu seymiku relacyjnego w Srzedzie.

64. Mowa tegosz Starosty Odalanowskiego przy zasia-
daniu mieysca marszałkowskiego na seymiku srzedzkim poselskim przed conwokacyą warszawską 1696.
Copia listu JMci X. bisk. Krakowskiego do Xcia
JMci Prymasa.

65. Copia listu JMci X. bisk. Kujawsk. do seymiku
Sieradzkiego z Warszawy d. 13. Oct. 1696.

67. Respons na ten list od seymiku Sieradzkiego.

67 b. Copia listu Królewicza JMci Jakuba do seymiku
Sieradzkiego.

68. Respons na ten list od tegosz Seymiku.
Copia listu od tegosz Seymiku do Województw.

68 b. Copia listu JMci Panna Wojewody Łęczyckiego,
Generała Wielkopolskiego, do Województwa Łęczyckiego.

69. Copia listu posła pewnego w Warszawie rezydują-
cego do JMci X. bisk. Kujawskiego de dato d. 8.
8 bris 1696.
Copia listu JMci Pana kasztelana Sendomirskiego do
JMci Pana Wojewody Sendom.
Copia listu JMci X. Kanclerza Koronnego do JMci
Pana Wojewody Pomorskiego.

70. Tegosz Copia listu do JMci X. biskupa Warmińskiego w tcyże materyi.

71. Tegosz Copia listu do JMci Pa. Wojewody Pomorskiego in eadem materia.

71. Mowa JMCi P. Alexandra Rogalińskiego, dziękując
za Jeymć Pannę Gęmbicką, Podkomorzankę Poznań.,
od Jegomości Pana Adama Iwańskiego.

71 b. Vaticinium de regibus Poloniae.

72. Mowa do naȳjaśn. Stanów koronnych poskich y W.
X. Litt. Rzpospolitey miana, 18. 7 bris od JMCi P.
Ablegata Moskiewskiego, tudzież y relacya o expu-
gnacyey fortecy potężney y potrzebney Ozowa y po-

rażeniu Turków Tatarów różnie przez walne woyska Prześwietleyszego Cara JMCi, Monarchy Moskiewskiego.

73 b. Odkryta maszkara przyczyny zerwania seymu convocationis, listem z Warszawy, d. d. 4. 8 bris 1691 pisanym.

75. Prawda bez maszkary w, responsie na list pod tytułem Odkryta Maszkara pisany.

78 b. Projekt : My rada, senatorowie, dygnitarze, urzędnicy y całe rycerstwo . . . czynimi między sobą takową Konfederacyą . . .

79 b. Manifestacya woyska koronnego skonfederowanego.

80. Podscriptum listu JMCi Pana Hetmana Polnego koronnego do Xcia JMCi Karóla, pisanego d. 15. praesentis. (?)
Copia listu JMCi P. Bełskiego ze Lwowa, d. 31. 8 bris 1696.

80 b. Copia listu JMCi Pana Kasztelana Sendomirskiego, Strasznika Koronnego do pewnego Senatora ordynowany.
Copia listu JMCi P. Krakowskiego do Xcia JMCi Kardynała ze Lwowa, d. 24. 8 bris pisanego.

81. Przestroga luboli informacya poufała do Pana Marszałka Koła Rycerskiego od JMCi X. Szumlańskiego posłana.

81 b. Excerpt z nowin Lwowskich, de d. 24. 8 bris, których niewypisuję, bo są w liście JMCi P. Krakowskiego wyrażone, to tylko w innych przydano.

82. Z Zmudzi, d. 4. 9 bris 1696.
JchMść PP. obywatele tyteysi, chcąc wybić się kiedykolwiek ex jugo servitutis, obligowali JMć. P. Chorążego swego, że co actus musiał na pospolite ruszenie, alias popis generalny, wydać uniwersały sub tenore sequenti.

83. Rationes pro non eligendo Galliae Principe in regem Poloniae.

83 b. Rationes pro eligendo principe Jacobo.

84 b. Kontynuacya dyaryusza konwokacyi Anno 1696, a d. 14. Sept.

87 b. Kontynuacya dyaryusza A. 1696, Sept. 1.—14.

91. Copia orationis, quam habiturus erat Excellentissimus Christianissimi Regis Legatus in Comitiis Convocationis, si non abrupta subito fuissent.

92. Odezwa do Województwa Brzeskiego Hreora Antoniego Ogińskiego, Chorążego W. X. Litt., Regimen-

tarza Generalnego Woyska Litt., w Horodcu, 17. 8 br. 1696.

Projekt pewny. (Wiersz polityczny.)

Epitaphium Wyżgi. + VIII. id. Sept. 1685.

93 b. Sprawa przed sądem. (Epigram.) Item. Ze Lwowa, d. 14. 9 br. 1696. (Nowiny.) Zguba Oyczyzny opisana. (Wiersz.) Podp. Zacharyasz Prawdęmowca, starosta Niebałamądzki.

95 b. Series popisu Nakielskiego roku 1696. Idibus Septembris odprawionego. (Wiersz.)

97 b. Extrakt pewny. (Ex Actis Capturalibus Terrae Leopoliensis et Districtus Żydaczoviensis extraditum.)

101. Supplika do Królowey JMCi.

101 b. Kopia kartki JMCi X. Bisk. Kujawskiego do JMCi X. Bernicza, Nominata Chelmskiego.

102. Respons ks. Bernicza. Oraculum prawdziwe o królu przyszłym, (wiersz) kompozycyi JM. Pana Marszałka W. K.
Copia Responsu do Wwdy Krakowsk. od Xcia (?) (jest rzecz o Jakóbie Sobieskim.)

102 b. Excerpt z listu Xcia JMCi do Seymiku Kujaw. pisanego ze strony Kommissyi Lwowskiey.

103. Super concursu trium Dearum Nempe Germaniae et Galliae de Aureo Poloniae Pomo.
Copia listu od Wojewodztwa Sieradzkiego do Seymiku Srzedskiego, d. 31. 8 br. 1696.

103 b. Copia listu do tegoż Seymiku Srzedzkiego od Seymiku Radziejowskiego, de d. 23. Novembr. 1696.
Copia listu do tegoż seymiku od ziemi Rawskiey.

104. Copia listu do tegoż seymiku od Wieluńskiego seymiku, de d. 29. 8 br. 1696.

104 b. Copia listu JM. P. Kasztelana Krak. do seymiku srzedzkiego, 9. Nov. 96, S. Jabłonowski, H. W. K.

105. Copia listu JMCi Pana Baranowskiego, marszałka woyska skonfederowanego, do Xcia JMCi Prymasa.
Copia listu Xcia JMCi Kardynała do JMCi P. Marszałka Związkowego, 10. Decembris 1696 w Radziejowicach.

106. Copia listu Xcia JMCi Kardynała do seymiku Srzedzkiego, 15. 8 br. 1696.

106 b. Mowa JMCi Pana Stanisława Leszczyńskiego, Sty Odalanowskiego, Marszałka Seymiku Srzedzkiego, witając Ichmciów PP. Kommissarzów, do Woyska Związkowego posłanych od Rzpltey, d. 11. X bris 1696.

107. Tegoż mowa na tym seymiku, witając pp. posłów
woyskowych od woyska skonfederowanego.
Mowa JMCi Pana Starosty Odalanowskiego, przy
zagajeniu seymiku Srzedzkiego, oraz witając JM. P.
Wojewodę Kaliskiego na Wojew. wjeżdżającego,
d. 10. 9br. 1696.

107 b. Instrukcya od woyska Litt. skonfederowanego, dana
posłom do woyska Koro. skonfederowanego, 29. 8br.
1696.

108. List z Opatowa, d. 15. Nov. 1696.

109. Uniwersał Kazimierza Jana Sapiehy, Hetm. W. X.
Litt. 26. 9br. 1696.

109 b. Uniwersał, ... podpisany Hreory z Kozielska Ogiński,
Chorąży W. X. Littew., Kazimierz Pociey, Chorąży
Wojew. Trockiego.
Ludwik Pociey, Podkomorzy Brzeski.
Kopia listu JMCi Xdza Szaniawskiego.

110. Punkt ex Instrumento Komplanacyi JM. PP. Sapiehów z JM. Panami Kryszpinami.

110. Supplement instrukcyi posłaney do Wiednia do Jmci
X. Bernicza, posła wyprawionego do Cesarza Jmci od
królewicza Jmci Jakuba, d. 19. Novembr. 1696.

111. Respons tymże (?) JM. PP. Posłom Litt. od woyska
koronn. skonfederowanego w Samborze d. 13. Nov.
1696, podp. Bogusław Baranowski. cf. 107 b.
Instrukcya JM. PP. Posłom . . . do Naj. Xcia JMci
Prymasa . . . od woyska skonfederowanego dana,
w Samborze d. 13. Nov. 1696, podp. B. Baranowski.

112. Respons na tę instrukcyą z kancellaryi Xią. JMci
Prymasa Radziejowskiego, w Radziejowicach, d. 1.
Xbr. 1696.

112 b. Przysięga JMci Pana marszałka woyska kor. skonfederowanego. P. B. Baranowski.

113. Kopia listu do królowey JMci od Xcia JMci Prymasa.

113 b. Kopia Responsu na ten list, z Warsz. 26. Mar. 1697.

114. Dyalog per modum projektu wydany, cujus Titulus
w ten sens: Polska tak ratione pretensyi do korony
królewicza Jakóba utrapiona, jako potym, kiedy królem
nie został, ucieszona . . .

117 b. Kopia listu od województwa Brzeskiego Litt. do
seymiku Srzedzkiego, z Brześcia Litt. d. 5. Febr. 1697
podp. Ludw. Pociey, Podkomorzy Brzeski.

118. Kopia listu od seymiku Brzeskiego Kujaw. do Koła
Generalnego Srzedzk. d. d. 22 Mar. z Radziejowa
1697, podp. Jakób Szczawiński, M. K. R.

118b. Kopia listu do seymiku Srzedzkiego na dzień 15. kwietnia złożonego od Xcia JMci Kardynala, de d. 11. Apr. 1697 z Radziejowic. Kardynał Radziejowski Prymas.

Listy na seymik Srzedzki przed samą Wielką nocą złożony.

Kopia listu JMP. Wojewody Łęczyckiego, Generała Wielkopol., do seymiku Srzedzk., z Warszawy dnia 11. Mar. 1697, podp. R. Leszczyński.

119b. Kopia listu do seymiku Srzedzkiego od wojewodztwa Rawskiego.

Kopia listu Wdztwa Sędomierskiego do seymiku Srzedzkiego, d. d. 25. Febr. 1697 z Opatowa.

120. Kopia listu JMci Pana Żychlińskiego, Kommissarza na trybunał skarbowy, od Rzpltey Województw Wielkopolskich.

120b. Mowa JMci Pana Stanisława Leszczyńskiego, Star. Odalanowskiego, marszałka seymiku Srzedzkiego, d. 15. Apr. 1697.

Mowa tegoż przy konkluzyi ostatniego seymiku, d. d. 20. April 1697.

121. Kopia listu Xcia JMci Kardynała Prymasa do JMci P. Kasztel. Krakowsk., z Warszawy d. 5. Febr. 1697 pisanego.

121b. Kopia listu JMci Pana kasztelana krakowskiego do Xcia JMci Kardynała, ze Lwowa 20. II. 97.

122. Kopia listu Xcia JMci kardynala do kommissyi Lwowskiey, 28. Febr. z Warszawy.

Excerpt z listu JMP. kasztelana krakowskiego do Xcia JMci kardynała pisanego, ze Lwowa d. 23. Jan 1697.

122b. Dyskurs JM. PP. Kommissarzów z PP. Związkowymi. (Lat., Fiction.)

123b. Kopia listu od kommissyi Lwowskiey do Xcia JMci kardynała, podp. S. Jabłonowski KK. H. W. K.

124. Instrukcya JM. Panom Adamowi Chociszewskiemu, Andrzejowi Gorkowskiemu, kommissarzom od woyska skonfederowanego do J. prześw. kommissyi Lwow. wyprawionym, dana w Samborze d. 24. Mar. 1697.

124b. Kopia listu Sułtana Garigieły do Jmci Pana Krakowskiego (Gazygiery Sołtan.)

125. Excerpt listu pewnego z Warszawy, d. d. 9. Xbr. 1696.

125b. Kopia listu szlachcica Mazowieckiego.

126b. Kopia literarum serenissimi principis de Conti, Regis electi, ad Eminentissimum Primatem et Rempublicam.

127. Epitaphum Illmi Dni. Wessel, palatini Masoviae.
Relacya seymikowania z wdztwa krakowskiego, w
Proszowicach d. 9. 7 bris 1698.

128 b. Leo Ogiński pisze do stolnika Mozyrskiego. (Umierający prosi o odesłanie listu dołączonego do króla.)
Psalmus politicus poenitentialis.

129 b. Allusio in Raphaelem (lat. Ged.)
Applausus Saxoniae in Polonia triumphantis.

131. Uniwersał: August II. etc. Warsz. 15. 9 br. 1698.

131 b. Kopia listu od Jmci X. bisk. kujaw. do Xcia Jmci
kardynała 6. Febr. 1698.

132. Respons od Xcia Jmci kardynała.

132 b. Dyaryusz legacyi moskiewskiey, który się zaczyna
od deputacyi do instrukcyi moskiewskiey podczas
seymu ao 1685. Sequitur traktat z Moskwą zawarty
d. 6. Maji 1686.
Propozycya króla Jmci Ichmościom autoritate seymu
do podpisania instrukcyi, wprzód posłanikowi Panu
Zębockiemu, a potym Jm. PP. Posłom Wielkim na
stolicę a. 1685.

133 b. Kopia postanowienia Jmci Pana Zembockiego na
stolicy z Moskwą 23. Aug. 1685.

134. List Radziejowskiego, kanclerza koron., do wojewody
Poznańskiego.
List cesarza Leopolda, Viennae 18. Junii 1685, zachęca
Polskę do zgody, dla niebezpieczeństwa od Turcyi
grożącego.

134 b. Respons na list JmP. kanclerzowi wielkiemu Litt.
JmP. wojewod. poznańskiego, z Czarnkowa d. 1. 7 br.
1685.

135. Kopia listu do Xcia Jmci podkanclerzego koronnego,
z Czarnkowa pod tąż datą.

135 b. Kopia listu do Xcia Jmci biskupa warmin., z Pozn.
d. 14. 7 br. 1685.

136. Kopia listu do króla Jmci, z Czarnkowa, die 20. 7 bris
1685.

136 b. Kopia listu do JmP. podskarbiego W. K., z Czarnkowa d. 25. 7 bris 1685.

137. Kopia listu do Jmci P. Sty Wałeckiego pod tąż datą.
List Jana III. 16. 7 bris 1685, względem poselstwa
Moskiewskiego i Zembockiego.

137 b. Dyaryusz od p. Zembockiego przysłany z stolicy,
d. 24. Aug. (1685).

138 b. Kopia postanowienia JMP. Zembockiego z Moskwą.
23. Aug. 1685. cf. 133. b.

139. Kopia listu do JMPana Kasztelanica Kaliskiego, z Czarnkowa, d. 6. 8 br. 1685.
Kopia responsu na ten (?) list Króla Jmci, z Czarnkowa, d. 28. 7 br. 1685.

139 b. Kopia listu do JMPa Sty Obornickiego, z Czarnkowa, d. 12. 8 br. 1685.

140. Dyaryusz drogi mojey na legacyą Moskiewską, w którey includuntur occurrentia różnych wiadomości y listów. Ao. 1685.

141. Kopia listu z Sochaczowa do Seymika Srzedzk., dnia 25. 8 br.

142 b. Do JMci P. Wwdy Ruskiego pod tąż datą.
Kopia listu do JmPana Kanclerza kor., z Willanowa, d. 31. 8 br. 1698.

143. Kopia listu do Króla JMci, z Willanowa pod tąż datą.
Kopia listu do JmP. Szczuki, Regenta kor., dnia 31. 8 br.

143 b. Ceduła przy liście tymże do JmPana Regenta.

144. Prawdziwa Relacya praeclare gestorum woyska Jo. KMci seu kampanii in Ao. 1685 po wielu mieyscach, a osobliwie w Włoszech.

150. Kopia listu do JMPana Wwdy Ruskiego pod tąż datą. (?)

150 b. Kopia listu Jmci Pana Wdy Poznań. do Jm. Pana Wdy Ruskiego, z Żołkwi, d. 15. 9 bris (1685).

151. Kopia listu do Króla Jmci z Mohylewa, de dato 13. X br. 1685.

152. Kopia listu do Xcia Jmci Podkanclerzego koronnego, z Mohylewa.

152 b. Kopia listu do JMPana Kanclerza Litt. pod tąż datą.

153. Kopia Listu do Cesarza Jmci (względem ugody z Moskwą.)
Kopia listu do Króla Jmci, z Mohylewa, d. 18. Febr. 1685.

153 b. Kopia listu do JMPana Wdy Smoleńskiego, z Mohylewa, 18. X br. 1685.

154. Kopia Responsu JmPanu Kanclerzowi, z Horków, d. 23. X br. 1685. (?)

154 b. Kopia listu do Xcia Jmci Biskupa Warmińskiego, z Horek d. 29. X br. 1685.

155. Kopia listu do Jm. Xdza Nuncyusza, z Horek 30. X br. 1685, od posła polskiego do Moskwy, do zawarcia pokoju i traktatu przeciw Porcie.

155 b. Kopia listu seymiku Srzedzkiego, do Jmci Pana Wojewody Poznańskiego, podp. Piotr Jakób Bronisz.

List Xdza Radziejowskiego, biskupa Warmińskiego.
15. 9 br. 1685.

156. Punkta do rady.

156 b. Kopia listu do Kniazia Jmci Galiczyna Jmci Pana
Żyrowskiego, Ablegata na dworze Króla JMci Cesarza
JMci, a nie dawno Posła Wielkiego do Carów, pod-
pisany: Joannes Christophorus Zierowski, Sa. Caes.
Mtis Ablegatus.

157. List Stanisł. Szczuki do Xcia Goliczina, z Żółkwi,
d. 20. X br. 1685.

157 b. List X. Radziejowskiego, biskupa Warm. do Wojewody Poznańskiego, w Żółkwi, d. 20. X br. 1685.
List F. Sapiehy, Koniuszego Litt., do Wojew. Pozn.,
w Opolu, 15. X br. 1685.

158. Annus domini 1686, Januarius, d. 1. 3. 4.

158 b. Kopia listu do Jm. Pana Podkanclerzego Kor. pod
tąż datą.

159. Kopia listu do JmPana Zębockiego, pod tąż datą.
Kopia listu do Xcia Jmci Podkanclerzego Litto.,
z Horek, 9. Jan.

159 b. Kopia listu do Jm. Xdza Sarnowskiego, pod tąż datą.

160. Kopia listu do Króla JMci od JMci Pana Wdy Pozn.
y W. Jmci Pana Podstolego Kor., pod tąż datą.

160 b. Kopia listu do Jm. Xdza Biskupa Kijow., w Horkach,
d. 15. Januar. 1686.

161. Ceduła do tegoż listu wzwyż pisanego.

161 b. Kopia listu do Jm. Pana Kanclerza Wo. Ko., z Horek,
18. Jan.

162. Kopia listu do Jm. Pana Regenta koronnego z Horek,
d. 18. Jan. 1685. (?)

162 b. Kopia listu do Jmci Xdza biskupa Kijowskiego,
pod tąż datą.

163. Kopia listu do Jm. Xdza Sarnowskiego, w Horkach,
d. 15. Jan. 1686.

163 b. Kopia listu do Jmci Pana Wdy Łęczyckiego,
z Kadzynia, d. 26. Jan. 1685. (?)
Kopia responsu Jmci Xdzu Podkanclerzemu pod tąż
datą.

164. Kopia Listu do Króla JMci od Jmci PP. Posłów
collegialiter pisanego, w Kadzyniu, d. 26. Januar
1686.

164 b. Kopia listu do Jmci P. Regenta Kancellaryi Koron.,
z Kadzynia; d. 30. Januarii 1686.

166. 1. Februarii (1686).

167. Kopia listu do Króla JMci collegialiter pisanego.

6

167 b. Kopia listu do Króla JMci pod tąż datą.

168. Kopia listu Jmci Pana Wojewody Poznań. Krzysztofa Grzymułtowskiego, posła wielk. do Kniazia Galiczyna, dat. w Drohobazu, 8. Febr. 1686.
Kopia listu do Króla JMci collegialiter pisanego, z Widzmy d. 11. Febr. 1686.

169. Kopia Listu do JMci Pana Galiczyna, z Mozayska d. 14. Febr. 1686.
Kopia listu do JMci Pana Kanclerza Koronnego, z Mozayska d. 15. Febr. 1686.

169 b. Kopia listu JMci Pana Wojewody Poznań. do JMci Xdza Podkanclerzego, ze stolicy Moskiewskiey, dnia 21. Fobr. 1686.

170 b. Mowa JW. JMci Pana Wojewody Poznańskiego, Marszałka Królowey JMci, Kościańskiego Starosty, przy powitaniu Carów Moskiewskich na stolicy. Ao. 1686 d. 21. Febr., ad genium gentis akkomodowana, żeby w niey żadnego słowa łacińskiego, ani derivativum nie było.

172. Upominki od Króla, . . . od posłów, . . . od dworzan JKMci Koronnych, od dworzan JKMci Litt.

172 b. Ceremonie powitania Ich Carskiego Wieliczeństwa. List drugi od Ojca Świętego Klemensa Papieża IX. do Króla JMci, d. 21. Julii 1668.

173. List trzeci. (Nie masz.)
Seym 27. Aug. (Seym abdykacyi).

173 b. 29. Aug. 1668 poszli na górę Ichm. PP. posłowie ziemscy, gdzie JM. P. Marszałek Ich miał takową przemowę.

174 b. 30. Aug. Król deklarował przez Podkanclerzego, że persistit in suo abdicandi regni proposito. Kondycye abdykacyi.

175 b. 31. Aug. (Seym nie może się zgodzić.)
1. Sept. (Seym prosi króla przez marszałka o zatrzymanie się na tronie.)
4. 7bris. Sejm prosi króla o colloquium cum senatu „absente principe.“
5. 7bris. Narada z senatem względem prowizyi dla króla.

176. 14. 7bris. Król deklaruje przez Prymasa, iż się kontentuje prowizyą Statysięcy z Korony, a z Litwy 50,000, dobrą monetą na cłach wodnych i ruskich . . .
15. 7bris. Król zaproszony na sessyą. P. Marszałek prosi go, aby raczył immutare suam abdicandi sententiam.

16. 7bris. Sessya: mowy do króla, błagające żeby został.

178. Mowa króla ore proprio, obstaje przy abdykacyi i każe podkanclerzemu czytać akt abdykacyi.

178b. Mowa arcybiskupa Gnieźnieńskiego do króla.

179. Mowa żegnająca JMci Pana marszałka poselskiego do Króla JMci powtórnie miana d. 16. 7bris.

180. Mowa samego Króla JMci ostatnia przy abdykacyi, którey nie mogąc dla łez y żalu skończyć, oddał JMci Xdzu Podkanclerzemu do przeczytania.

181. 17. 7bris Senatus consilium było PP. Senatorów z PP. posłami ziemskiemi w zamku Warszawskim. Do trybunału Koronnego y W. X. Litt., Dat. w Warszawie 13. 7bris 1668.

181b. Ad summum pontificem. Varsaviae, 17. 7bris 1668.

182. Oratio Clementis IX. Papae, dicta Romae ipso die inaugurationis suae Anno 1667mo.
Copia literarum Clementis IX., Papae, ad Sereniss. Poloniae et Sveciae Regem, 4. Aug. 1668.

182b. Mowa JMci Xiędza Mikołaja Prażmowskiego, biskupa Łuckiego, Kanclerza W. K., do związkowych przy rozwiązaniu woyska Ao. dni 1663.

183. Votum JMci Pana Wojewody Pomorskiego super propositionem senatus consulti, w Krakowie d. 16. 9br. po seymie, odprawionym 1669.

183b. Votum JMci Pana Kanclerza W. K. circa matrimonium J. K. Mci.

184. Votum JMci Pana Marszałka nadwornego na propozycyą JKMci, ratione ineundi matrimonii z arcyksiężną . . . Eleonorą, siostrą cesarza JMci, . . . w Krak. 16. 9bris 1669.

184b. Votum JMci Pana Wdy Pomorskiego super puncta senatus consulti w Krakowie po seymie rozerwanym, d. 13. 9bris zaczętego, a. d. 15. skończonego, Ao. 1669mo, podp. Bąkowski, wojew. Pomorski.

186. Zagajenie seymiku srzedzkiego.

186b. Respons J. K. Mci posłowi z instrukcyą. — Votum.

187. Po skończeniu replika posłowi JKMci.
Respons JMci Pana Starosty Nurskiego na expostulacyą względem pisanych do dworu przeciwko Haravatom . . . listów.

187b. Ejusdem kopia Listów z Gniewic za odebraną relacyą pokątnych o nim paszkwilów.

188b. Excerpt z mowy JMci Xiędza Arcybisk. Gnieźń. na Traktacie Lwowsk, d. 15. Febr. 1698.

189. Kopia mowy JMci Pana Oleckiego.

189 b. Kopia listu pewnego przyjaciela do JMci Pana Starosty (Nurskiego) (cf. 187) względem paszkwilów na niego wyrzucanych.

190 b. Exemplum literarum ad Reg. Pol. a Smo. Electore Brandeburgico exaratarum, quibus ad injuriosas ac immeritas exprobrationes, quae in universalibus stylo polonico publicatis continentur, respondetur, Coloniae ad Sveuum (?) d. 22. 9 bris 1698 Fridericus Elector.

191 b. Apocripha litera p. t. JMci Pana Starosty Nurskiego sub specie listu do Xcia JMci Kard. pisanego. Responsio apologica JMci Pana Starosty Nurskiego od pewnego przyjaciela super apocryphon listu wzwyż pomienionego.

193. Kopia listu Hospodara JMci Wołoskiego do JPa Kasztelana Krakowsk. (Bez dat).

194. Akt zapustny komedyantów w Warszawie na zamku 1699 r. (Wiersz).

195. Instrukcya JKMci Pana Mo. Mo. na seymiku przedseymowym seymu walnego sześcioniedzielnego ordynacyjnego Urodzonemu (?) . . . dana w kancellaryi koronney. 1699.

197 b. Mowa przy oddaniu wielkiey pieczęci JW. Jm. Panu Janowi Wielopolskiemu, Kanclerzowi Kijow., przez JPa. Marszałka W. Ko. w Grodnie na seymie, de d. 7. Mar. 1679.

198. Oddawanie pieczęci mnieyszey, de eadem qua supra, JMci Xdzu Janowi Małachowskiemu, biskup. Chełmińskiemu.

199. Reflexye nad Manifestem Jchm. PPów Wielkopolan, zaniesionym przeciwko mandatowi Pana Gruszczyńskiego.

201. Powitanie od Izby poselskiey króla JMci przez JM. Pana Stanisława Szczukę, Referendarza kor., Marsz. Poselskiego na seymie r. 1699.

203. Echo w głębią porzuconéy wolności polskiey, z ziemianinem korrespondujące z podziemnego marmuru trzema słowy. (Wiersz polski.)

204. Manifestacya JmPana Kaz. Mich. Paca, kawalera maltańskiego Pozn., . . . przed bogiem, światem y rzpltą, że nie jest authorem zerwania seymu.

205 b. Zwierciadło sprawiedliwości, reprezentujące żywą prawdę światu. (Wiersz.)

206. Alluzye JmPana Działyńskiego, Chorążego Pomorskiego. (Wiersz, po łać. i po polsku.)

227. Uniwersał składający seymik Wojew. albo ziemi
     Łomżyńskiey od JM. Xdza Arcybisk. Gnieźnieńsk.,
     Joannes Wężyk . . .
     Literae a Caesare ad Archiep. Gnesnensem, Ferdinan-
     dus II. etc. Viennae, 26. Maii 1632. (Commendat
     Joannem Bilefeld, „in certis negotiis rem nostram
     tormentariam concernentibus".)
228. Literae a legatis regis Gustavi missis ad Electionem
     novi Regis Illmo Archiepiscopo Gnesnensi. Elbingae,
     17. 7br. 1632.
     Responsio summi pontificis ordinibus regni. Urbanus
     P. M., 18. Julii 1632.
228b. Literae ad Summum Pontificem a Summo principe
     Joanne Alberto. Dat. Varsav., 29. Julii 1632.
229. Responsum a consiliariis et regentibus ducatus Prussiae
     Illustrissimo Archiepiscopo Gnesnensi . . . Dat. Regio-
     monti, 16. Maii 1632.
229. Artykuły do konwokacyi od JM. PP. Deputatów przez
     JM. P. Podkomorzego Poznańsk. Manieckiego y JM.
     P. Sędziego Kaliskiego, Zajączka do JM. Xdza Arcy-
     bisk. Gnieźń. posłane y przy bytności Jchmościów
     Xięży Biskupów Wileńskiego, Płockiego y Przemysł-
     skiego, także y innych prałatów z kapituł różnych
     traktowane.
232. Capita postulatorum Electoris Brandenburgici.
233. Capita gravaminum et praejudiciorum, quae contra
     jura regalia serenissimi Electoris ceu Ducis in Prussia
     in Ducatum invecta sunt, praecipua sunt ista.
233b. Responsum ab Illmo Archiepiscop. Gnesn. eidem
     Electori nomine suo. Vars., d. 14. Julij 1632.
     Responsum ab universis ordinibus Regni et M. D.
     Litt. ad haec ipsa eorum postulata et gravamina.
235. Literae ad eundem Electorem ab archiep. Gnesn.
     14. Aug. 1632.
     Literae ad Illustrissimum Archiepiscopum Gnesnen-
     sem et reliquos ordines Regni et M. Ducat. Lithua-
     niae, Friderici principis in Livonia, Curlandia et
     Semigallia.
236b. Assekuracya od wszystkich stanów Rzpltey na to
     postulatum dana. Warsz., 16. Julii 1632.
     Literae a principe Curlandiae Wilhelmo ad Illmum
     Archiepiscopum Gnesnensem. 29. Junii 1632. Stettini.
237. Instrukcya PP. posłom na Konwokacyą Warszaw-
     ską od Woyska Ukrainnego kwarcianego. 11. Junii
     1632.

239 b. Respons PP. posłom Woyska Kwarcianego dany od Senatu w Warszawie na poselstwo do Ichmciów panów senatorów sprawowane.

240. List do Xcia JMci Radziwiłła, Het. Pol. Litt., od JMci Xiędza Arcybiskupa Gnieźnieńskiego. Z Łowicza d. 4. Aug. 1632.

241. Punkta na Konwokacyi Generalney pro d. 22. Junii złożonéy te są podane in causa ludzi religii greckiey posłuszeństwa Oyca Ś. patryarchy Konstantynopolitanskiego cerkwie wschodniey, także inszych in religione dissidentium.

243. Respons na też punkta heretyckie od PP. Katolików, który do Kapturu przyłożyć zezwalali, to im pozwalając: . . .

244. List od Kozaków Zaporowskich do JMci Xiędza Arcybisk. Gnieźń. 3. Junii 1632. Podpis Iwan Petryzycki.

244 b. Respons od JMci PP. Senatorów y Stanów Koronn. y W. X. Litt. PP. posłom Laurentemu Paszkowskiemu, Ilarytymowi Kozie, Doroszowi Kachtowiczowi y Fedorowi Puchowi od Starszego y Wszystkiego Woyska Zaporowskiego posłanym, w Warszawie d. 17. Julii 1632. Podp. Jan Wężyk, Arcybisk. Gnieźń. i Krzysztof Radziwiłł.

245. Literae ad Illmum Archiepiscopum Gnesn. a civibus Thoruniensibus. 9. 7 br. 1632.

246. Literae ad Illmum Archiep. Gnesnensem a civibus Gedanensibus. 10. 7 br. 1632.

247. Literae ad Illustrissimum Archiepiscopum Gnesnensem a civibus civitatis Gedanensis tempore Convocationis generalis. 22. Junii 1632.

247 b. Literae ad eundem archiep. Gnesn. a civibus Thoruniensibus. 26. Junii 1632.

248 b. Nominacya y Petitum nomine totius Reipublicae do Oyca Św. Papieża za Królewiczem Jmcią Janem Albrychtem. 14. Julii 1632.

249. Konsens Królewiczowi JMci Olbrychtowi od wszystkiey Rzpltey na biskupstwo Krak. in Ao. 1632.

249 b. Artykuły na konwokacyi uchwalone, na seymikach proponowane, aby na seymie do effektu były przywiedzione.

251 b. Relatio seu ratio Illmi Dni Archiepiscopi Gnesnensis . . . Sso Dno Urbano VIII. post peractam convocationem generalem de concordia et postulatis dissidentium in religione. Warszaviae, 17. Julii 1632.

252 b. Exorbitancye na konwokacyi Warszawskiey Anno
1632 odprawioney od wszystkich Stanów namówione.
O podnoszeniu wojny. O wojennych potrzebach.
Sposob prowadzenia y konkludowania seymu. O rezy-
dentach senatorach et de ratione Senatus Consiliorum.
De extraneis ad curiam et rempublicam non admit-
tendis. Seymowe Króla JMci w sprawach sądowych
deliberationes. Candidatus Regni non intersit Electioni.
Kaucya przeciwko rozerwaniu Rzpltey. Wakansy.
Incompatibilia. O pieczęciach koronnych y W. X.
Litt. pokojowych. O szafunku pieniędzy ze skarbu
Rzpltey. O rozchodzie prowiantów stołowych JKM.
Ekonomie. Punkta niektóre przyszłemu kandydatowi
ut conditiones proponendae. Bona terrestria Regiae
Mtti. donata. Szlacheckie dobra krolewskim Imieniem uproszone. Puszcze Rzpltey aby robieniem
Towarów nie były spustoszone.
259. De pedestri militia honoratorie instituenda. Urzędy
koronne y W. X. L. Marszałkowscy sędziowie y
władza Ich. Skarbowi pisarze y Woyskowi sędziowie.
Trybunał. Regestra Trybunalskie, Seymowe y Sądowe. Pisanie ruskich praw. O wywodzeniu szla-
chectwa. Wakanse Dygnitarstwa y Urzędy Kijo-
wskiege, Bracławskiego, Wołhyńsk. Wwdztw. Disciplina militaris y Hyberna żolnierza ukrainnego.
Aerarium publicum. Jurydykom albo rokom grodzkim kadencya. Dobra Rzpltey w starych summach
y f. 500 000. O lustracyach dóbr Rzpltey, bądź wol-
nych, bądź summami onerowanych. Kommissye kor.
y W. X. Litt., kommissye Pruskie. Restytucya dóbr
Siewierskich. Port królewiecki, W. X. Litt. y innych
Obstacula portów. Mieyskie Kaduki y privilegia.
De prole illegitima. Szpital Warszawski. Cła nowe
y niezwyczayne. O soli województwa Mazowieckiego.
O Obywatelach ziemi Inflantskiey. Targowe, tam
gdzie główne Rzpltey zjazdy bywają.
263 b. Privilegium indigenatus ziem pruskich. Akademia
Krakowska. Przywileje różnych wojew. albo ziem.
Skład Kowiński. Forma kawalerów maltańskich.
Tatarszczyzny w Litwie. Monopolium Karczmy
litewskiey. De distributiva justitia. Desideria stanu
szlacheckiego od stanu duchownego.
264 b. Orationes per legatos exterorum principum dictae
in electione novi Regis Ao. Di. 1632 ad ordines Regni,
ab iisdem Ordinibus responsiones. Propositio przez

JMci X. Arcybisk. Gnieżn. w polu między Wolą
y Warszawą, przy obecności senatorów y stanu rycerskiego oboyga narodów, d. 27. 7bris szczęśliwie po-
czynając elekcyą, odprawioną r. 1632.

265b. Przemowa Królewicza JMci Kazimierza w kole
generalnym, gdy w poselstwie do koła przyjachali.
Kredens króla JMci Szwedzkiego panom posłom
swoim dany. Władysław I. etc. Swedzki król dzie-
dziczny, królewic polski i obrany wielki car moskiewski etc. Warsz., 20. 8br. 1632.

266. Legacya króla Jmci Szwedzkiego przez JM. X. bisk.
Przemyslskiego Firleja odprawiona.

267b. Respons Jm. PP. posłom króla Jmci Szwedzkiego
od Jmci X. arcybisk. Gnieźnieńskiego dany imieniem
senatu wszystkiego.
Respons Jm. PP. posłom króla Jmci Szwedzkiego
przez pana Jakóba Sobieskiego, krayczego koronnego,
marszałka rycerskiego, Imieniem Koła rycerskiego.

268. Credens nuntio apostolico a summo pontifice ad universum Clerum . . . Urbanus VIII.

269. Oratio ab Illmo . . . Honorato Vicecomite archiep.
Larisseno . . . legato a latere, nuntio apostolico . .
habita 1632, d. 22. 8bris ad senatum equitesque polonos
ac Lithuanos in castris prope Varsaviam congregatos
ad novum sibi regem eligendum.

274. Responsum legato apostolico ab Illmo archiep. Gnesnensi nomine totius Senatus. Responsum eidem
legato apostolico ab Illmo Dno Mareschaleo nomine
totius ordinis equestris.

274b. Literae responsoriales summo pontifici a republica
tota post electionem novi regis Vladislai, 15. Novembr.
1632.

275. Credens Romanorum Imperatoris legato suo ad uni-
versum ordinem Regni et M. D. Lith. Ferdinandus II.
Viennae, 14. 7br. 1632.
Legatio a S. C. R. Mtte ad ordines Regni per Julium
S. R. Imp. Comitem.

276b. Responsum legatis S. C. Mttis ab Illmo archiepiscopo
Gnesnensi datum nomine totius senatus.

277. Responsum iisdem legatis datum ab Jacobo Sobieski,
Mareschaleo equestri.

277b. Responsum post Electionem Novi Regis legatis S.
C. Mttis nomine totius Reip.
Oratio Legati Imperatoris valedicendo toti Senatui
atque equestri ordini.

279. Credens Gustavi Adolphi Svecorum Regis . . . in
Castris ad Norimbergam, d. 16. Aug. 1632.

Legatio a Gustavo Adolpho Sv. Rege ad ordines
Regni per legatos suos superius nominatos dicta.

281 b. Responsum legatis Gustavi per Illustrissimum archiepiscopum Gnesnensem nomine totius Senatus. Responsum iisdem legatis nomine ordinis equestris per
Jacobum Sobieski, ejusdem ordinis mareschaleum.

282 b. Responsum legatis Gustavi post electionem novi
regis nomine totius Reipublicae.

Literae ad Gustavum (Adolphum) Regem Sueciae a
Serenissimo Wladislao Rege, jam creato Poloniae et
haeroditario Sueciae . . . [invitat ad funus parentis].
Literae ad eundem Gustavum (Adolphum) ab Illmo
Archiepiscopo Gnesnensi.

283 b. Credens Ducis Prussiae Georgii Guilhelmi ad uni-
versos ordines. Dat. Joannisburgi 10. Aug. 1632.

284 b. Legatio Ducis Prussiae Brandeburgensis ad ordines
Regni.

286 b. Protestatio legatorum ducis Brandenburgii vel potius
literae ad ordinem equestrem missae post non admissam
sibi audientiam. Vars. 25. 8 bris 1632.

287. Responsum Legatis Ducis Brandenburg. post Electionem novi Regis.

288. Credens Serenissimi Regis Angliae . . . Carolus Rex.
20. Aug. 1632.

Memoriale eorum, quae nomine Regis Caroli . . . Franciscus Gordon proposnit d. 30. 8 bris.

289. Responsum Legato . . . Regis Angliae ab ordinibus
regni Poloniae, post electionem novi regis.

289 b. Credens Ducis Curlandiae ad equestrem ordinem
Regni Poloniae. Dabantur Goldingae, 10. 7 br. 1632.

290. Legatio ducis Curlandiae ad ordines regni et M. D. Lith.

290 b. Literae ad Ducem Curlandiae ab Illmo archiepisc.
Guesn.

291. Credens ab ordine equestri ducali Curlandiae et Semi-
galliae. Dat. Goldingae, 13. 7 br. 1632.

Literae ad nobilitatem ducalis Curlandiae ab eodem
Illmo archiep. Gnesnensi.

291 b. Literae ad ordines Regni od kozaków Zaporowskich,
d. 4. 7 br. 1632. Andrzey Haurylowicz.

292. Iustrukcya przez też posly do kola rycerskiego podana
y tam czytana.

293. List do króla Szwedzkiego od kozaków Zaporoskich,
4. 7 br. 1632.

Ad episc. Samogitiae idem.

„   „   Plocensem idem.

„   „   Vilnensem idem.

„   „   Chełmensem idem.

„   „   Praemisliensem idem.

„   „   Culmensem idem.

„   „   Kijoviensem idem.

„   „   Camenecensem idem.

309.   „   „   Vendensem idem.

Ad supremum Poloniae Mareschalcum, Urbanus P. VIII.

Ad supremum Lithuaniae Mareschalcum, Urbanus P. VIII.

Ad Vicecancellarium Regni Poloniae, Urbanus P. VIII.

Ad Cancellarium Magni Ducatus Lithuaniae, Urbanus P. VIII.

310. Ad Thesaurarium regni Poloniae, Urbanus P. VIII.

Ad thesaurarium Magni Ducatus Lithuaniae idem.

Ad Mareschalcum Curiae Regni Poloniae, Urbanus P. VIII.

Ad Vicecancellarium Magni Ducatus Lithuaniae idem.

„ Mareschalcum Curiae M. D. Lith. idem.

„ Palatinum Cracoviae idem.

„   „   Posnaniae idem.

311.   „   Vilnensem idem.

„   Braclaviensem idem.

„   Pomeraniae idem.

„   Minscensem idem.

„   Vendensem idem.

„   Dorpatensem idem.

„   „   Pernaviensem idem.

311 b. „   „   Brestensem idem.

312. „   „   Sendomiriensem idem.

„   Calissiensem idem.

„   Vitebscensem.

„   Trocensem idem.

„   Sieradiensem idem.

„   Lanciciae idem.

„   Kijoviae idem.

„   Junivladislaviensem idem.

313.   „   Russiae idem.

„   Brzesciensem idem.

„   Lublinensem idem.

„   „   Połocensem idem.

313 b. „   „   Bełzensem idem.

„   „   Volhyniae idem.

Ad Palatinum Podoliae idem.

    „   „   Novogrodensem idem.

314.   „   Płocensem idem.

          „   Masoviae idem.

          „   Podlachiae idem.

          „   Culmensem idem.

    „   „   Mscislaviensem idem.

    „   „   Marieburgensem idem.

Ad nobiles vires 4. Urbanus Papa VIII.

315. „ castellanum Cracoviensem.

    „   „   Gnesnensem.

              Posnaniensem.

    „   Woynicensem.

315 b. „   Calissiensem.

    „   Sandomiriensem.

              Elbingensem.

              Culmensem.

316.   Brzesciensem.

              Gedanensem.

              Minscensem.

    „   Mscisłaviensem.

316 b. „   Cernensem.

    „   Ravensem.

              Vitebscensem.

              Novogrodensem.

317.   Polocensem.

              Smolenscensem.

              Cameneciensem.

              Leopoliensem.

              Junivladislaviensem.

              Brestensem.

              Lanciciae.

              Sieradiensem.

              Kijoviensem.

318.   Vilnensem.

              Bełzensem.

              Płocensem.

              Lublinensem.

              Wołhyniae.

    „   „   Braclaviensem.

    „   „   Samogitiae.

318 b. Ad principem Alexandr. Reg. filium Urbanus P. VIII.

319. Ad capitaneum Samogitiae etc.

Compendium electionis regiae post obitum . . . Sigismundi III . . . między Wolą y Warszawą 1632,

27 bris . . . Jan Wężyk jako prymas przyjechał do Warszawy w niedzielę d. 29. 7 bris antycypując seym elekcyi dies 27. 7 bris, dies 28., dies 29., dies 30., dies 1. Octobris, dies 2.—31., Nov. 1.—10.

361 b. Mowa JM. Pana Generała Wielkopolskiego, Marszałka Rycerskiego, witając Króla JMci w Warszawie na Seymie Sześćniedzielnym, Ao. 1649, de d. 23. Novembris.

363 b. Początek Dyaryuszu Seymu Sześćniedzielnego Warszawsk., który się zaczął d. 22. 9 bris 1649, d. 23.—28.

365. Votum JWo. JM. Pana Podskarbiego Wo. Ko. na consilium bellicum w Grodnie in scriptis podane.

368. Kopia listu JMci Pana Podskarbiego Koronnego, 8. Apr.

369. List Hiero. Radziejowskiego do Króla, prosi o ułaskawienie: „bez łaski WKmości nie tylko dobrze żyć, ale żyć nie mogę."
List Stanisława Michała Radziejowskiego, (9. Maji 1657) do Senatu. (?)
List Hiero. Radziejowskiego (15. Maji 1657) do . . Panów y Braci. (Senatu?)
List tegoż (?) do Podkomorzego Koronnego. 21. Junii 1657.

370. Respons na ten list 23. Junii 1657.
List do JmPana Kanclerza Wo. Ko. (Z Wrocławia 26. 7. 1656, bez podpisu.)

371 b. List Wojewody Wilińskiego (Radziwiłła). Wilno, 9. Maji 1654, do Panów i Braci, (Senatu?)

372. Respons na ten list.
Kopia listu Jm. Pana Lubomirskiego de d. 9. 9 br. 1655.
Kopia listu JPana Podskarbiego, do JP. Kanclerza Koronnego.

373. Przemowa na seymiku Malborskim, posła od Królewica Karola.

374. Kondolencya królewicom Jchmościom P. Marszałka Poselskiego, Bogusława Leszczyńskiego, Generała W. Polskiego.

375. Kopia listu Jm. Pana Wdy krakowskiego, do Króla JMci, w Niepołomicach, 25. Maii 1645. (Zarzuca Królowi, że zanadto samowładnie panuje.)

376. Mowa do Króla Jana Kazimierza po wyborze. (?)

377 b. Mowa X. arcybisk. Gnieźń., Andrz. Leszczyńskiego, dziękując za P. Ossolińską, P. Staroście Sokolskiemu.

378 b. Rosprawa pod Zborowem.

Kopia Listu do Króla JMci od koła rycerskiego, d. 3. Oct. 1650. (Prezentują kandydatów na urząd Podkomorski.)

379. Respons od JKMci PP. Posłom od Wojew. Poznań. y Kalisk. w obozie pod Warszawą, d. 1. Junii 1656, przez Andrzeja Morsztyna.
Kopia punktu spisanego do Xdza Schenoffa? do Widnia Jm. Pana Wdy Pozn. Listu, d. 9. Aug. 1656 z Częstochowy.

380. Dziękowanie za pieczęć mnieyszą. (Bez daty i nazwisk.) Za czasów Jana Kazimierza.

380b. Kopia listu do Jm. Pana Vice-Instygatora Ko., z Elbląga d. 19. Januar 1656.

381b. Kopia responsu na tenże list de d. 28. 1. z Gdańska.

382. Kopia listu Jm. Pa Vice-Instygatora do Jm. Pa Instygatora, d. 5. Febr. 1656, z Gdańska.

383. Kopia responsu Jm. Pana Vice-Instygatora do Jm. Pana Instygatora, de d. 11. Mar. 1657, z Gdańska.

384. Conditiones deditionis Varsaviae inter Illmos et Excellentissimos Deputatos ad id a Serenissimo Rege Poloniae, Andream Trzebicki, Episcopum Praemysl., Vicecancellarium Regni, Joannem Comitem a Leszno, Palatinum Posnaniensem, Geo. Lubomirski, Comitem in Wisnicz, Supremum Regni Mareschalcum, Comitem de Piliza, Koryciński, Supremum Regni Cancellarium, Corvinum Gąsiewski, thesaurarium et campiductorem exercitus MDL. et inter Excellentiss. Dominum Arfurdum Wittemberg, Comitem a Dorben, Regni Succiae Campi-Mareschalcum, d. 1. Julii Ao. 1656, conventae et conclusae.

384b. Conditiones et articuli inter S. R. M. Pol. Regnique Senatorem et Campi-Mareschalcum Illmum Dnum Wittemberg, Comitem —, et Gubernatorem Arcis et Urbis Cracoviae, Illmum haeredem in Czarnica Czarnecki, Castell. Kijoviensem circa deditionem dictae arcis et urbis initam mense Octobri Ao. 1656.

385b. Puncta pactorum deditionis Cracoviensis cum Virtio Generali Majori Svetico.

386. Conditiones et articuli evacuationis Costensis. (Posn. 26. Julii 1652.)

386b. Votum Jm. P. Kanclerza koronnego na seymie, względem propozycyi król. (bez daty).

387. Respons od JKMci posłom przez Jm. Xdza Podkanclerzego kor. na witanie na seymie walnym, Anno 1646.

387 b. Dziękowanie za laskę przez JP. Andrz. Maximiliana
z Pleszewic Fredra, Marszałka Koła Poselskiego.

388. Przez tegoż Pa Fredra, Witanie Króla JMci od Koła
Poselskiego.

388 b. Przez tegoż JP. Fredra, Upomnienie się Wakansów.

389 b. Mowa JMP. Fredra, podkomorzego Przemyślskiego,
którą oddawał żonę JP. Wypyskiemu, Chorąż. Mirsk.
1637. (Była to kochanka Króla.)

390. Mowa Jm. Pana Podmorzego Kaliskiego, Marsz.
Poselskiego, przy witaniu JKMci.

391. Tegoż druga przy odbieraniu Laski.

391 b. Tegoż trzecia przy upomnieniu się wakancyi.
Tegoż upomnienie się w rozdaniu wakancyi buławy.
Tegoż dziękowanie posłom woyskowym.

392. Tegoż mowa na seymiku srzedzkim.

392 b. Propozycya na seymie przez JmP. Xdza Kanclerza
Wo. Ko, którą czynił we drzwiach PP. Senatorom
y Posłom.

394. Anagrammata Regis Sueciae: Carolus Gustavus
Rex Sueciae etc.

395 b. Elogium . . . Gaspari Denhoff, palatini Siradiens.
† 1645, 4. Julii.

396. Antilogium contra eundem.

397. Carolus dux Lotharingiae, (Epitaphia).

398. Epitaphium Stanislai Stadnicki.

398 b. Mowa JPana Starosty Grabowieckiego, na zasią-
dzeniu izby poselskiey na konwokacyi d. 16. Julii
Ao. 1648 zaczętéy.

399. Copia literarum Rakocyi (do Rzpltey Polskiey), Dat.
ex Castris ad oppidum Czmielow positis, 18. Aprilis
  • 1658·
Kopia listu Jm. Pa. Kanclerza do Wittemberga.
Respons Wittemberga.
Konfederacya rycerstwa Wwdztwa Poznańskiego
y Kaliskiego uczyniona w Wrocławiu, d. 15. Maji
1656.

400. Literae Rakocii ad proceres regni, 31. Xbr. 1656.

400 b. Magisne expediat regno Poloniae cum Moscho an
cum Sveco tractatus pacis inire?

402. Punkta (skargi na króla.)
Arynga do Responsu na te 12 pnuktów.

403. Respons na te punktów 12.

404. Kopia listu Jm. Pana Podskarbiego do Xcia Prymasa.

404 b. Kopia listu primasa do Jm. Pana podskarbiego Kor.
List do Króla (Szweckiego) przez Wlad. Lubowickiego.

405. Carolus Gustavus Suecorum . . . Rex. Dat. Cracoviae 12. Oct. 1655.
„Palatinis Cracov. et Lublin. ac Supremo Regni Pol. Mareschalco." (Przez Wlad. Lubowieckiego.)

405. Chph. Żegocki, Capitaneus Babimost. Dat. in Slichtynkowo, d. 1. 9 br. 1655, (przeciwko pamfletom Jana Weyhard de Urzeszewicz.)

406. List Jana Kazimierza do Krzysztofa Grzymułtowskiego, podkomorzego Kaliskiego, (w Obozie pod Wolborzem, 10. 7 bris 1655.)
Examen rationum sive thesis cum hypothesi de praesenti statu konkurrentów na pieczęć.

407. Manifestatio innocentiae Illmi et Excellmi Domini Hieronymi in Radziejowice Radziejowski.

409 b. Mowa posła sekretarza Xcia de Conte w Warsz. pod czas konkluzyi seymu do Króla JMCi, przy JM. PP. Kanclerzach Kor. y Litt., in conclavi przy prezencyi posła Francuskiego, teraz po polsku wytłumaczona.

410. Respons JM. Pana Kanclerza X. Littew. imieniem obudwuch.

411. Reskrypt z listu pewnego, to co się w kole JM. PP. Związkowych stało.
Punkta propozycyi Króla JMci, tak wszystkiemu rycerstwu przezemnie podane, w Kielcach d. X br. 1661 na którą deklaracyą proszą. Podp. Jan Bełżycki, ststa Wyszogrodzki.

412. Respons na punkta dany JM. Panu Bełżyckiemu ... posłowi JKMci do woyska koron., podp. Jan Samuel Świderski.

413. Traktat dalszego procederu w Kole general. uchwalony, d. 25. 9 bris Anno 1661 w Kielcach.
Protestacyą solenną uczynić, dla czego woyska przyszli do odbierania dóbr królewskich, duchownych i innych Rzpltey.

415. Zgodne woysk JKMci koronnych postanowienie, tak polskich, jako y cudzoziem., w kole General. w Chęcinach, d. 23. Maji.

416. Projekt pewny rozmowy czterech Towarzystwa, nim piąty nadszedł, u OO. Franciszkanów we Lwowie, 1662.

417. Rada tajemna przy boku Króla JMci we Lwowie na kommissyi, Anno domini. 1662. Propozycya króla Jegomości. (Wiersz.) Votum Xiędza Arcybiskupa Lwowskiego, (wiersz, z przypiskiem późniejszéj ręki: rusin kiep, dureń, błazen, świnia, selma, złodzi wielki.)

7

Votum Hetmana Polnego Lubomirskiego. Votum
JP. Wwody Sandomirskiego, Votum JP. Wwody
Bełzkiego, Votum JP. Wdy Ruskiego Czarneckiego,
Votum Xdza kanclerza kor. Prażmowskiego, Votum
kasztelanaWołyńskiego, Votum StarostyŁukowskiego,
Votum StarostyBabimostskiego,Votum P.Reja,Votum
JP. Podskarbiego koron., Votum innych kommisarz.
zgodne. Związek. A Pan Rej do związku co ma za
przyczynę. — (Politische Dichtung.)

421. Kopia listu do pewnego przyjaciela.

421 b. Kopia listu od Senatu do woyska.

422. Spólna wszystkiego rycerstwa, polskiego, jako y cudzoziemskiego zaciągu, w kole generalnym rada, d. 3.Julii
odprawiająca się w Jędrzejowie, 1662.

423. Traktat koła rycerskiego w Wolborzu, d. 28. Febr.
odprawiającego się, zgodnie od woysk JKMci y Rzpltey
koron., tak polskich, jako y cudzoziemskiego woyska,
postanowiony, a dla inwalidowania onego rękami podpisany Ao. 1662. Jan Samuel Świderski etc.
List tegoż Sam. Świderskiego do Jaśnie Oświeconych
JW. W. Panów y Braci.

425. Przestroga przyjacielska od związku. (Wiersz.)

426. Postanowienie w kole generalnym wolborskim, zaczętym d. 26. Apr. 1663.

426 b. Manifestacya Kommissyi Lwowskiey, wyrażająca
wszytek proceder swoy z woyskiem y z JM. PP.
Deputatami tu rezydującemi, Anno di. 1663, podp.
Potocki, Wojewoda Krakowski, Het. W. Koronny, M.
Kommissyi.

429 b. Kopia listu do JM. X. bisk. Pozn, de d. 30. Apr.,
od JM. P. Kasztel. Poznań. (Bez dat.)

430. List do WJM. P. Panów y Braci. Datow. z Wą-
chocka, d. 7. Mar. 1663.

430 b. Kopia responsu od JM. PP. Związkowych do JM.
P. Marszałka koron., w Wolborzu 9. Mar.

431. Przemowa Xcia biskupa Kijowskiego od królewicza
JMCi Karóla do Stanów koron., na ten czas w War-
szawie na elekcyą zgromadzonych, Ao. di. 1648.
List do Xcia JMci Prymasa od Senatora inszego.

432 b. Puncta zawarte z Kozakami, d. 19. 8 bris pod Podhaycami.
Pakta z Tatarami pod Podhaycami, d. 16. 8 br. 1667.

433 b. Epitaphium Regis Poloniae Casimiri, jam pridem
civiliter, nunc autem viliter in Gallia demortui. (Lat.)

434. List od Seymiku do Brandeburczyka.

Kopia listu do JM. Pana Marszałka y Hetmana W.
K. od Cesarza JMci, z Wiednia, de d. 24. 9br. 1673,
Leopoldus.

434 b. Mowa in Senatus Consilio JM. P. Grzymułtowskiego,
Wojewody Poznań., jeżeli dać assekuracyą od Senatu
X. Lit. taką, jakiey potrzebowało na seymie, d. 14. Mar.
1685.
Mowa in Senatus Consilio na tymże seymie JM. P.
Wojewody Pozn.

435 b. Votum Senatorskie JM. Pana Grzymułtowskiego,
Wojewody Pozn.

436 b. Mowa posła Xcia Lotharyn. na elekcyi.

438 b. Kopia listu od Xcia JMci Prymasa Prażmowskiego
do króla JMci Michała, d. 24. Jan., w Dzierzgowie
1670?

439. Od tegoż do JM. X. Podkanclerzego Olszewskiego.

439 b Projekty dwa. Kopia listu JMci Pana Łuszczew-
skiego do JMci Pana Fredra, kasztel. Lwow., d. d.
25. Junii 1668.

440. Respons JMP. Kasztelana Lwow. Fredra, JMP. Łu-
szczewskiemu.

441 b. Mowa JMci Xdza Wyżgi, biskupa Warmińsk., podkanclerza koron., miana na seymie. Warsz., d. 19. Maji
1675.

442. Przemowa przed ślubem na weselu JMP. Piotra
z Bnina Opalińskiego, Starosty Międzyrzeck., y JMci
Panny Katarzyny z Przyjmy Przyjemskiey, Chorą-
żanki Kaliskiey, na zamku Poznańsk., przez JMX.
Piotra Dunina, soc. Jes., Ao. 1679.

443. Kopia listu JMci P. Jana Gorzyńskiego, Łowczego
Litt., do Jmci P. Wojewody Wileńskiego, Hetm. W.
X. Litt.

443 b. Respons na ten list.

444. Mowa Jmci X. Opalińskiego, biskupa Chełmińskiego,
w Senacie, d. 11. Febr. 1689.

444 b. Mowa Jm. P. Bidzińskiego, kasztel. Sandomirsk.

445. Mowa pierwsza w Senacie JM. Pana Pieniążka, Wdy
Sieradzk. za przyjęciem Izby Poselskiey na Górę, po
przerwaniu votorum senatoriorum, d. 25. Januar. 1689,
miana w Warszawie.

445 b. Mowa powtórna Jmci P. Wdy Sieradzk. d. 29. Jan.
ao 1689 contra Censores głosu wolnego et in causa
laesi divini honoris, miana w Warszawie.

447. Kopia listu JmPP. Sapiehów na seymiku Srzedzkim
1689.

C

449. Kopia listu Jmci Pana Leszczyńskiego, podkanclerza K., Generała Wielkopol., do JKMci. Castrum doloris.

450. Tegoż (?) Votum na tymże seymie, 1640.

450 b. Kopia listu królewica Jmci Jana Kazimierza do seymiku srzedzkiego, 1641 anno.

451—456. Relacya Legacyi Pana Miaskowskiego, Podkomorzego Lwow., do Amuratha y Ibraima Cesarzów Ottomańskich, 1641 anno.

456 b. Discors Sarmata audi! „princeps Conti coronandus erat.“ Tu spoczywa Jan trzeci, a Sobieski z rodu. (Wiersz.)

457. Na elekcyi króla Augusta panowie polscy w karty grali. (Polit. Satire.)

457 b. Sermo Celsissimi et Reverendissimi Andreae Załuski, Episcopi Varm., . . . post evacuationem a milite extraneo Elbingae, in praetorio, 3 Febr. 1700.

458. Sermo Illmi Legati Poloniae ad Imperatorem Portae Ottomaniae, 4. Maji 1700.

458 b. Kopia responsu podufałego oyczyzny przyjaciela na list niepewnego dworzanina.

460. Postanowienie stanów W. X L., generalne, wieczne y nigdy nieporuszone, na zjezdzie walnym wdztw y powiatów pospolitem ruszeniem pod Olkienikami uchwalone.

461. Lament orła polskiego nad herbowną W. X. L. pogonią, wzbudzającą szlacheckie serca. (Wiersz.)

462. Instrukcya na seym walny Warszawski, Poznański, y Kaliski Wwdztw, za uniwersałem JKMci, 30. Maji 1701 złożony.

463. Mowa JWo Jmci Pana Ludwika Pocieja, strażnika Litt., posła do całey Rzpltey, miana przed królem Jmcią, d. 15. Febr.

464. Propozycye zjazdu województw y powiatów W. X. L. do Wilna, d. 9. 9br. 1700.

464 b. Decisum per Manifest.

465. Mowa antecomitialis consilii, w Warszawie, d. 18. Jan. 1701 do JKMci.

466. Kopia listu Jmci Pana Generała Wielkopol. na seymik srzedzki. Kopia listu Jmci Pana Hetmana W. X. L. na seymik srzedzki, d. 8. Febr. ao 1701.

466 b. Mowa JW. Jmci Pana Wdy Sieradzkiego, miana in Senatus Consilio, w Warszawie, d. 26. Maji ao 1700.

469. Conclusum Senatus Consilium.

469 b. Punkta do rady naznaczoney d. 18. Jan.
Przestroga do całey Rzpltey.

470. Xiądz biskup Żmuydzki pisze do Xcia biskupa, jakiego.

470 b. Mowa JMci Pana Karola Suchorzewskiego, posła od seymiku srzedzkiego, do króla JMci, d. 20. mar.

471. Strzała Sapieżyńska bez lotów.
Respons strzały bez grotów y żelezca. (Wiersze.)

472. Kopia listu Jmci Pana Wwdy Wileńsk. do JMci X. biskupa Wilińsk.
Respons na to, z Kruszyny pod Często chową.

472 b. Respons na mowę kłamstwem y obelgą napełnioną, mianą przez Jmci Pana Pocieja, Strażnika W. X. L. (Wiersz.)

476 b. Copia protestationis Emi. Cardinalis Primatis Regni et nonnullorum regni procerum, factae contra M. D. L., nolentem inire media amicae compositionis cum domo Sapiehana. Vars., 22. Junii 1701.

477 b. Kopia listu JKMci do stanów W. X. L., na komplanacyą pro d. 22. Julii do Wilna zgromadzonych, 15. Julii 1700.

478. Insigni et generoso domino Joanni de Czernina, haeredi in Rydzyna, Castellano Międzyrzeczensi ac armigero Posnaniensi et Capitaneo in Wschowa etc. Petrus Rydzynski atavo suo charissimo de se, de patria et de republica benemerito hoc epitaphium posteritati posuit, Anno Dni 1532. (Lat. Gedicht.)

478 b. De cane ad viatorem. (Carm. lat.)
Sposób nayprętszy zebrania znaczney summy (w skarbie państwa.)

479. Dziękowanie za pieczęć mnieyszą koronną Jmci Pana Bogusława na Lesznie, podskarbiego W. X., na seymie walnym Warszawskim, d. 12. Aug. 1658.

480. Responsum Sae Rae Mttis Poloniae et Sueciae Dominis Ablegatis Collegii Electoralis in Comitiis Regni Generalibus, d. 19. Xbr. 1658, Varsaviae.

482. Manifestacya woysk W. X. Litt. contra Novam Electionis Materiam y przeciwko manifestacyi nomine W. X. L. na seymie contra mentem wdztw y powiatów et totius equestris ordinis uczynioney, w Kielcach, 2. 8br. 1661.

482. Mowa JMci P. Jerzego Niemierzyca, podkomorzego Kijow., Owruckiego y Krzemienieck. Starosty, posła Woyska Zaporowsk., w Warszawie, d. 23. Aprilis 1619.

CII Manuscripte.

483. Witanie JKMci od koła poselskiego przez JMci Pana Gnińskiego, Stę Gnieznińskiego, dyrektora na ten czas koła izby poselskiey, Ao. 1619.

483 b. Responsio Serenissimi Regis Sueciae, Nos Carolus Gustavus . . . 30. Augusti.

484. Kopia listu JMci Pana Wdy Ruskiego do Króla JMci.

484 b. Kopia listu Chmielnickiego do JMci Pana Krakowskiego. 2. Junii 1651.
Speculum prawdziwe synom koronn. in hac afflicta calamitate będącym.

485. Votum JMci Pana Krzysztofa Grzymułtowskiego, Kasztellana Poznańsk., na seym dwuniedzielny. Ao. 1665.

486. Instrument Elekcyi w Częstochowie, z JKMcią, z podpisanymi niżey Ichmciami . . . Podp. Jan Kazimierz król.

486 b. Kopia listu JMci Pana Warszawskiego, Kasztellana Krakow., do Xcia JMci Prymasa.

487. Dziękowanie JMci Pana Gnińskiego, Wwody Chełmińsk., imieniem króla JMci, za diploma wolney elekcyi, w Warsz., w Kościele S. Jana. 7. 7. 1669.

488. Relacya seymu r. 1689 zerwanego.

491 b. Elucydacya relacyi, sub praetextu quasi tuendae libertatis, na utajenie konceptów zawziętych in eversionem status Rzpltey, rozrzuconych quasi sub nomine prawdziwey relacyi; ta na seymiki podaie się odemnie Stanisława Szołkowskiego, Stolnika Wiłkomirskiego. 1689.

493. Zagajenie seymu Warszaw. przez JMci Pana Szczukę, Referendarza koronnego, d. 16. Januar 1690 r.

493 b. Oddawanie panny młodey przez JM. Pa. Rydzyńskiego, Cześnika Kaliskiego.

494. Przez tegoż oddawanie panny frauncymeru JW. JMci Pani Wdziny Poznańskiéy, panny Zabinskiey. Przez tegoż oddawanie od tegoż dworu JM. Panny Wygrzazewskiey.

495. Przez tegoż oddawanie od teyże Jeymci trzeciey panny Jeymci panny Kępowskiey.

495 b. Dziękowanie przez tegoż za Jeym. Pannę Modlibowską od JM. Pana Andrzeja Przyjemskiego.

496. Przez tegoż dziękowanie od rodzonego swego za JM. Pannę Korycińską.

496 b. Przez tegoż oddawanie Jeymci panny Gzowskiey. Przez tegoż mowa pogrzebowa od gości na pogrzebie jedynaka.

497. Przez tegoż mowa pogrzebowa od gości.
497 b. Mowa pogrzebowa od gości przez tegoż.
498 b. Żegnanie koła przy zerwanym seymiku y do JM.
Panów Senatorów prośba przez JPana Cześnika
Kalisk., jako marszałka.
499. Votum szlachcica na seymiku przedseymowym, d.
5. X br. 1689.
499 b. Mowa JMci Xdza, Rydzyńskiego, Gnieźn. y Pozn.
Kanonika, Posła króla JMci na seym srzedz.
500. Compendium listów y projektów różnych pod czas
seymu electionis w Warszawie konnotowanych. Ao.
1697.
Censura kandidatury z narodu franc., Rzpltey dla
przestrogi potrzebna.
501. Diwinacya Apollina Sarmackiego o Szatonofie, pośle
francuskim. (Poln. Vers.)
501 b. Kopia listu od Wwdztw. Wielkopolskich do JM.
Pana Krakow, z Warszawy.
Templum pacis.
503 b. List do króla JMci, dziękując za urząd koronny.
504. List do krolowéy Jeymci.
Votum do konwokacyi Warszawskiey.
504 b. Na teyże drugie.
Konkluzya Rady wielkiey Warszawskiey.
506 b. Głos na seymiku deputackim do sprawy Wschowskiey.
507. Mowa na seymiku.
Relacya kommissyi Lwowskiey.
508. Mowa na seymiku relationis po rozerwanym seymie.
508 b. Oddawanie Jeymci Panny Nieruchowskiey.
509. Witanie króla JMci imieniem izby poselskiey.
510. Upominanie się pactorum y rationum Senatus Consiliorum.
Upominanie się wakansów.
510 b. Responsoria legato extraordinario in materia con-
junctionis armorum.
Zagajenie nominacyi marszałka.
Dziękowanie posłom woyskowym W. X. Litt.
511. Instancya powtórna Izby Poselskiey po rozdanych
wakansach, o zatrzymanie kasztelanyi Wilinskiey.
In materia Xcia Kurlandzkiego, aby sam in persona
przysięgał.
Pożegnanie posła, imieniem izby poselskiey idącego
do Senatu.
Takież do drugiego.

511 b. Złożenie laski w izbie poselskiey.

Złączenie się izby poselskiey z senatem.

Różne zagajenia seymowe.

512. Zagajenie przy prolongacyi przed czytaniem skryptu ad archivum.

513. Żegnanie króla JMci imieniem izby poselskiey.

513 b. Kopia listu JM. Pana Kasztelana Krakowskiego do JXcia JMci Prymasa, z Lezayska, d. 10. Junii 1684.

514. Kopia listu JW. JMci Xiędza Dąbskiego, biskupa Kujawskiego, na seymiki relationis postkonwokacyjne, d. 15. 8 bris 1697.

514 b. Kopia listu JM. Xiędza Biskupa Kujawskiego do posła Francuzkiego.

515. Respons posła Francuzkiego.

517. Kopia listu JM. Xdza biskupa Płockiego do JM. P. Kasztellana Chełmińskiego.

518. Kopia responsu JM. Pana Kasztelana Chełmińskiego z Krakowa, na list JM. Xdza biskupa Płockiego.

518 b. Dziękowanie za laskę w izbie poselskiey.

Łącząc izbę poselską z senatem.

519. Mowa do posłów posłusznego woyska koronnego.

Do posłów W. X. L. woyskowych.

Do posłów woyska koronnego zkonfederowanego.

Pożegnanie izby senatorskiey, którego jednak ob rationes doyścia partykularney konfederacyi siła kontradykcyi nie pozwoliły wymowić.

519 b. Mowa JM. P. Marszałka poselsk. po wyjściu z senatu w izbie poselskiey miana.

Mowa tegoż przy powitaniu JM. P. Marszałka W. K., w izbie poselskiey w tenże dzień przytomnego.

Kopia listu do JPa. Krakowsk., Het. W. K., de d. 3. Febr. z Biały 1698.

Kopia listu do JM. P. Starosty Włodzimirskiego.

520. Kopia listu pewnego senatora do jednego rokoszanina, z Krakowa, d. 12. 9 br. 1697.

520 b. Respons na ten list od Rokoszanina, z Łowicza.

522. Pożegnanie na wyjezdnym y konwoy podróżny Xcia JMci de Conti do jego wiernych przyjacioł y promotorów. (Wiersz.)

522 b. Copia literarum Sae Rae Mtis ad Eminentissimum Car. Primatem ... Augustus II. Varsav., 22. Jan. 1698.

523. Responsoria.

Mowy JMci X. Andrzeja Załuskiego, bisk. Płockiego, w Samborze podczas traktatów z woyskiem zkonfe-

derowanym miane, na prośbę Collegii Commissorialis
zkonnotowane, d. 11. Mar. 1697.

524 b. Homo quidam nobilis abiit in regionem longinquam
accipere sibi regnum. Ev. Lucae, Cap. 19. vers. 12.
(Polit. Pamphlet.)

525. Kopia listu, bez daty, podpisu i adresu, (piszący żali
się na Kontystów i cieszy się, że król ich z Czarnkowa wyprowadzi.)

525 b. List do Króla JMci.
Konfederacya prowincyi pruskiey.

526 b. List z Warszawy X. bisk. Przemyskiego, kanlerza
Wo. Ko.
Oddawanie Jeymci Panny Wojewodzianki Podlaskiey,
w Poznaniu.

527. Oddawanie Jeymci Panny Czarnkowskiey, w Poznaniu,
1690.

527 b. List od króla JMci ad deliberatorias na seym Gro-
dziński.

528. Votum in senatus consilio w Grodnie 1688 po zerwanym seymie, dziękując oraz za Wojewodztwo Po-
znańskie.

529. Zagajenie na seymiku relacyalnym po zerwanym
seymie Grodzinskim, w Srzedzie, d. 17. Maii 1686.
Mowa w sprawie atheisty Kazimierza Łyszczyńskiego,
podsędka Brześciańskiego, miana in senatu na seymie,
w Warszawie, d. 28. Febr. 1689.

529 b. Instrukcya od Nas, zkonfederowanego woyska W.
X. L. pod kommendą JWo JMci Pana Hreorego
z Kościelca Ogińskiego, Chorążego W. X. L., regi-
mentarza generalnego, zgromadzonych, dana JM. P.
posłom z koła generalnego uproszonym do JP. kasztel.
Wilinsk., Hetm. Poln. L., w Szkudach, d. 6. Mar. 1698.

530. Uwaga polityczna na skrypt JMci Pana posła francuzkiego, wydany pod tytułem responsu na list JM.
Pana biskupa Kujawsk., w którey Aristogenes Fila-
delfowi punkta skryptu tego do reflexyi podaje, stanom
koronnym y wszystkim kochającym Oyczyznę Synom,
aby przed czasem mędrsi byli, do konsyderacyi bardzo
potrzebna, w Warszawie, w drukarni JKMci w Coll.
Schol. Piar. r. 1697, d. 15. Jan. (Odpis.)

538 b. Konwikcya fałszu pod imieniem posła francuskiego
wydanego listu, Dan w Krakowie, 17. X br. 1698.

539. August II., dat. w Warsz. 10. 9 br. 1698, (pisze o wyprawie wojenney, zamiarach odzyskania Kamieńca,
i t. d.)

539 b. Kopia listu do JM. Pana Krakowsk.
Mowa JM. P. posłów Wdztwa Brzeskiego W. X. L.
do Xcia JMci kardynała, d. 25. 7 bris 1699.

540. Kopia listu JM. Pana Jabłonowskiego, kasztelana
Krakowskiego.
Kopia listu do JM. Pana Sty. Włodzimirskiego.

540 b. Vita honesta. (Carmen lat.) Elogium Joannis Sobieski.

541. Kopia listu JM. P. Godlewskiego, Regenta Ko., Starosty Nurs., do JM. X. Bisk. Płockiego, d. 2. Febr.
1699.
Kopia listu tegoż JMci do JM. Pana Wdy. Malborskiego.

542. Auspicatus ingressus Illmo Principi et Reverendissimo
Domino Joanni a Lipie Lipski, . . . archiep. Gnesn.,
per Illem Stanislaum Sławęcki, Cancellarium Gnesn.,
S. R. M. Sec., nomine venerabilis capituli ejusd. ecclesiae congratulatus, d. 22. Augusti 1639.

543 b. Respons P. Posłom P. Jerzego Ossolińskiego, Podkanclerzego koron., na seymie dany, 1640.

544. Copia literarum Regis Sueciae ad Eminentissimum
Cardinalem et Primatem Regni Poloniae. Nos Carolus etc. in Castris Nostris Guippe Bacystehi 30. Julii
1701.

545. Epistola a Summo Pontifice ad Reg. Pol. Augustum
secundum . . . Clemens papa XI. Romae, 30. Julii.

546. Z Karynthii. (Nowiny.)

545 b. Kopia listu Jmci Pana Marszalka W. X. Lit. do
Jmci Pana wdy Malborskiego za powrotem z Olawy.

516. Mowa do stanów W. X. L. przez Jmci Pana podkanclerzego W. X. L. w Grodnie, d. 12. 8 br. 1701.

517 b. Kopia listu Jmci Pana podkanclerzego Litt. do
Jmci Pana wojewody Malborskiego (Stan. Szczuka,
podkan. Litt.)

548. Pieśni różne.

548 b. Kopia listu JmPP. Sapiehów do króla Jmci.

549. Instrukcya JW. JmPP. e medio collegii, tak z kom-
missyi traktatowey, jako y z trybunału skarbowego
Lwowsk., JmX. Andrzejowi Załuskiemu, Bisk. Płock.,
etc. na traktat z woyskiem skonfederowanym do
Sambora uproszonym dana, d. 27. Febr. 1697, podp.
Stanisław Jabłonowski.

550 b. Instrukcya Jmci Panu Adamowi Chociszewskiemu,
Andrzejowi Gorkowskiemu, kommissarzom od woyska
skonfederowanego do . . . kommissyi Lwowsk. wypra-

wionym, dan w Samborze, 14. mar. 1697, podp. Bogusł.
Baranowski.

551. **Respons.**

551 b. Odpowiedź na instrukcyą WW. JM. PP. Szymonowi
Wolskiemu, Stolnikowi Halickiemu, z Sanockiey, Kazi-
mierzowi Dłużewskiemu, Podczaszemu Chełmskiemu,
z teyże ziemie, kommissarzem na trybunał skarbny
dworski, obranym e medio collegii ImPPów kommissarzów trybunału tegoż, przysłanym do woyska skonfederowanego, od onegoż, dana w Samborze, d. 29.
Jan. 1697, podp. B. Baranowski.

552 b. Kopia listu od kommissyi Lwow. do Xcia Jmci
kardynała . . . S. Jablonowski.

553. Respons Jmci Panu Jerzemu Sędziwojowi, towarzy-
szowi rothy pancern. JWo Jmci Pana podskarbiego
W. K., y Jmci Panu Janowi Podolskiemu, towarzy-
szowi rothy pancern. W. JM. Pana Sty Olsztyn.,
posłom do wdztwa krakow. na seymik Proszowski
od woyska Rzpltey zkonfederowanego wyprawionym,
na instrukcyą wdztwa tegoż w Proszowicach, dnia
4. Febr. 1697 odprawiającym się dany.

554. **Extrakt;** ad officium et acta praesentia castrens.
capitanealia Cracoviensia . . . veniens nobilis Gregorius Foltynowicz, Generosi Stan. in Mzcina (?)
Skrzesz, Vice Capitanei et Judicis Causarum Officii
Castren. Biecensis, Conventus Particularis Cracouiensis celebrandi mareschalci, aulicus, nomine supra
scripti Stanisława Skrzesz infra scriptum laudum
. . . ad actitandum obtulit etc. (po śmierci króla
Jana.)

556. **Warszawskie** nowiny anni 1702 pod czas zgody Litt.
List Xcia Jmci kardynała do Jmci Pana Brezy, wdy
Pozn., . . . M. Radziejowski Prymas.

556 b. August II., Krak., 30. 9br.

557. **August II.** (Książe Conti zabrał ex mari baltico okręty
Gdańskie; król chce sejm zwołać i prosi o radę senatora, do którego pisze.)

557 b. **Kopia** listu do JWW. MM. PP. y Braci, obiecuje
amnestyą, ale wymaga, żeby wojsko skonfederowane
aż do zjazdu w Samborze cierpliwie czekało.

558. **Excerpt** z listu Jmci Pana kasztelana krak. do Xcia
Jmci kardynała prymasa, pisanego (w sprawie związkowych.)

558 b. **Kopia** listu Jmci Pana Starosty Wałeckiego do
Xcia Jmci kardynała.

Kopia listu jednego senatora, X. biskupa Płockiego, do arcybisk. Gnieźn. (?)

Emme princeps, patrone colendissime . . . (relacya z czynności kommissyi wysłanéj do układania się z wojskiem skonfederowanym, we Lwowie.)

560 b. Leopoldus, divina favente clementia, electus Romanorum Imperator, semper Augustus . . . (list rekommendacyjny dla posła swego, wysłanego na elekcyą króla polskiego, po śmierci Jana III.

Instrukcya od nas dygnitarzów etc. wdztwa witebskiego, powiatu Orszańskiego y województwa Mścisławskiego juxta confoederationem pospolitym ruszeniem zgromadzonych, dana Jmci Panu Łukomskiemu etc. 15. Jan. 1698.

563. Eleonora, Dei gratia Regina Poloniae. Viennae, 12. Febr. 1697. O wyborze Xcia Lotharyngii, rekommenduje posła swego Alexandra barona de Fin.

Kopia listu Jmci X. biskupa Płockiego do Xcia Jmci prymasa, ze Lwowa, d. 6. Febr. 1697.

564 b. Excerpt z listu pewnego przyjaciela ze Lwowa, d. 6. Febr. 1697.

565. Kopia listu Jmci X. biskupa Kujawsk. do Jmci Pana wdy Poznańskiego.

565 b. Kopia listu JM. PP. kommissarzów kommissyi skarb. do Jmci Pana wdy poznańskiego, ze Lwowa, d. 6. mar. 1697.

566. Kopia listu Xcia Jmci kardynała do Jmci Pana wdy poznańsk., z Warsz., d. 15. Febr. 1697.

566 b. Excerpt z listu Jmci Pana wdy Łęczyckiego, ze Lwowa, d. 6. Febr. 1697.

567. Excerpt z listu Xcia Jmci kardynała do Jmci Pana wdy Łęczyckiego, z Warsz. do Lwowa pisanego.

Kopia listu Xcia Jmci prymasa do Jmci Pana wdy poznańsk., 3. Jan. 1697.

567 b. Uniwersał króla Augusta II. Krak., 6. 7br. 1697.

569. Reflexye ziemianina pewnego na uniwersał Xcia Jmci kardynała prymasa do wdztw y ziem rzpltey, d. d. 5. Julii 1697 wydane.

571. Censura na zawsze Ojczyznie potrzebna.

572. Szala do rozważenia, kto godnieyszy królować Polakom, czy Xiążę JM. Kurfyrszt Saski, czyli Xiążę JM. de Conty.

574 b. Respons Rzpltey polskiey na uniwersały y manifest Xcia JMci Franciszka Ludwika de Borbon de Conti.

576. Mowa JW. JM. Xdza Potockiego, biskupa Chełmińsk.,
Anno 1702.

576 b. Actum in curia regia Varsav. feria secunda post
dominicam quadragesimalem proximam. Anno di
1698.

578 b. Parallela historica trium electionum, quae divisa
rep. contigerunt in Polonia, pro informatione Electoris
populi concinnata: I. electio: Maximiliani Imp. et
Steph. Bathorei. II. electio: Sigism. III. et Maximiliani, archiducis Austriae. III. electio: Franc. Ludov.
Borbonii, principis de Conti, et Ser. Friderici Augusti,
Electoris Saxoniae.

582 b. Comparatio Candidatorum.

Respons na relacyą seymiku Wdztwa Krakowsk.,
w Proszowicach 9. 7 br. odprawionego.

584. Kopia Responsu Carowi Jmci Moskiewskiemu od
JW. JM. Xdza biskupa Kujaw. y Pomorskiego.

585. Uniwersał . . . August II.

586 b. Uniwersał . . . Michał S. Kościoła Rzymskiego
Kardynał Radziejowski.

587 b. Copia literarum ad Regem Sueciae. Dat. Warsz.,
10. Mar. 1702.

588. Respons na instrukcyą Xtwa Żmudzkiego JM. PP.
Michałowi Eperyaszowi, Stcie Czerwińskiemu, Kazi-
mierzowi Szczęsnowiczowi, . . . posłom z seymiku
Grodzińskiego wyprawionym, od JXcia Kardynała
Prymasa korony polskiey y W. X. L., dany w War-
szawie.

588 b. List dat. z Warszawy, 17. Mar. 1702.

589. Literae a Magistratu Gedanensi ad M. D. Polignac,
legatum Galliae.

589 b. Responsoriae Magistratui Gedanensi a. M. D. Polignac, legato Galliae.

590. Respons na list JM. Pana Kasztelana Bydgoskiego
do JM. X. bisk. Kujaw. pisany w Warszawie.

592. List . . . Franc. Ludov. de Borbon, princeps de Conti, Dei
Gratia et affectu inclytarum Nationum Sermae Reip.
Poloniae et M. D. L. in regem electus. (Do Prymasa).

594. Copia orationis, quam habiturus erat Excellentissimus
Christianissimi Regis legatus in comitiis Convocationis, si non alrupta subito fuissent.

594 b. Instrumentum pacis inter . . . Regem et Rempub-
blicam Poloniarum et Eccelsmum Imperium Ottoma-
num ad Carlowicz in Sirmie in congressu generali
confoederatorum plenipotentiariorum confectae.

597. Kopia listu JM. Pana Marszałka W. K. do Xcia JMci Kardynała.

597 b. Kopia listu do JMci Pana Marszałka W. K. od JKMci Augusta II. w Krakowie, 20. 7 br. 1697 r.

598. Kopia listu JM. Pa. Krayczego kor. do Xcia JMci Kardynała, d. 27. 7 br. 1697.
Kopia listu JMci Pana Kasztelana Kaliskiego do Xcia JMci Kardynała, d. 7. 7 br. 1693.

598 b. Kopia listu JM. Pa. Przyjemskiego, Kasz. Kalisk., do JMci Pana Marszałka Rokoszowego. 17. Febr. 1698.

599. Kopia listu JM. Pa. Podskarbiego W. K. do swego konfidenta.

599 b. Manifest Rokoszu Generalnego in consilio umówiony, w Łowiczu, d. 12. 9 br. 1697.

600. Kopia responsu JX. biskupa Kujaw. na list JM. Xdza arcybiskupa.

601. Wersya listu Poligniaka, posła francuzkiego, opisanego y przestrogi nań uczynionéy.

602. Kopia mowy JM. PP. Gosłów Ziemie Bielskiey do JKMci.

602 b. Conclusum Senatus Consilii post comitia rupta. Anno 1702.

604. Przestroga na list wzwyż wyrażony Poligniaka.

604 b. Marmur vocale.
Epitaphium Sophiae Leszczyńskiae, Demetrii Wiśniowiecki filiae, Venceslai Comitis de Leszno II. conj.

605. Sława . . . Zofii Leszczyńskiey etc. (Poln. Ged.)

606. Epistola Jo. Bapt. Wenzl, Eccl. Cathedr. Frisingens Brixiens. et Salisburgi ad nives Canonici, S. C. Mtis Consiliarii . . . Ad Senatum Poloniae — de bello Turcico.

606. Epistola Pontificis M. ad Regem Joannem III. Dat. Romae, 1678, 11. Febr.

609. Kopia listu JM. Xdza biskupa Zmudzkiego Kryszpina do króla JMci Augusta pisanego.

609 b. Dyalogizm Polaka animującego, aby nie dependowała Polska, zkoncypowany w Warszawie podczas inkursyi Szwedzkiey, r. 1702. (Wiersz.)

610. Lament Polski. (Wiersz.)

610 b. Kopia listu króla JMci na seymik srzedzki. Krak., 29. Maii 1702.

611 b. List Xcia JMci Prymasa do JPa. Podskarbiego W. X. Litt.

612. Mowa JM. Pana Podkoniuszego Koronnego.

612. Kopia listu JP. Marszałka koron. do JP. Podskarb. Litt.
613. Kopia listu JM. P. Podskarb. kor. Leszczyńskiego, na seymik srzedzki.
614. Kopia listu króla JMci Augusta na seymik srzedzki.
614 b. Kopia listu JM. P. kasztel. krakow. Lubomirskiego, na seymik srzedzki.
615. Smętna mowa strapioney . . . rzpltey polskiey . . . 1702.
621 b. Kopia listu JM. P. Podskarbiego W. kor. Leszczyńskiego do Województw Wielkopolskich.
622. Kopia listu JM. P. krakowsk. Lubomirskiego z pod Horczyna po komplemencie.
622 b. Kopia listu Xcia Prymasa do JP. kasztelana krakowskiego.
623. Kopia listu JM. P. Podskarbiego Wo. kor. do chorągwi swey.
623 b. Kopia listu JM. Pana Wojewody Kalisk. do koła generalnego.
624. Kopia listu JM. Pana Podskarb. Wo. kor. Leszczyńskiego, do ziemi Wieluńskiey.
625. List JMci Pana Podskarb. kor. do króla JMci po francuzku, przetłumaczony.
625 b. Kopia listu JMP. Wojew. Malbor. do JP. Podskar. Wo. kor.
626 b. Uniwersał Augusta II. 22. Aug. 1702.
629. List króla JMci do stanów W. X. L. na zjazd Wileński. (Podp. Augustus Rex.)
629 b. Kopia listu JP. Podskarb. kor. Leszczyńskiego do Wojewodztw Wielkopolskich.
630 b. Respons króla JMci do JMP. Podskarbiego Wielk. koronnego.
631 b. Kopia listu JMP. Podskarb. koron. do Wojewody Malborsk.
633. Kopia listu JMP. Podskarb. W. koron. do Xcia Kardynała, in materia responsu JKMci.
634. Kopia listu posła francuzkiego do JPana Refferend. koron.
636. Kopia listu JP. Podskarb. koron. do Xcia Prymasa. Instructio statuum et ordinum reipubl. Polonae expeditione bellica in congressu generali ad Serenissum Carolum Regem Sueciae juncta opera Emmi primatis Radziejowski extraordinariis commissariis data in campo ad Sandomiriam 1702.
637. Spowiedź JMP. Wojewody Kalisk. (Wiersz.)

638. Mowa JMci P. Raphała Leszczyńskiego, Wojewody Łęczyck., miana in Senatus Consilio po zerwanym seymie, w Warsz., 14. Febr. 1702.

639. Votum JM. Pana Wojewody Pozn. na tymże senatus Consilio.

639 b. Kopia listu JMCi P. Podskarb. W. kor. na seymik Srzedzki, w Rydzynie, 14. 8 br. 1702.

640. Kopia listu pewnego.

640 b. Kopia responsu króla Szwedzkiego na list JP. Wojewody Mazow., in castris Crac., d. 25. 7 br. 1702.

641. Kopia responsu Graffa Pipra JMci P. Wojewodzie Mazowieckiemu, ibid. 23. 7 br. 1702.

642. August II., w Warszawie 27. 8 br. 1702.

642 b. Konfederacya województw i ziem ... Wielkopolskiey. 30. 8 br. 1702.

646. Uniwersał Augusta II. 1702.

647. Zelislai ducis fugientis ex castris Boleslai Chrobri, Regis, cui rex post fugam misit collum et pellem leporinam, ex quo ille se suspenderit. (Poln. Ged.)

647. Elogium lacrymarum ex labbe Gallo.

648. Kopia listu JKMci do pewnych senatorów na seymik, Srzedzki. Dan w Thoruniu, 25. Dec. 1702.

648 b. Instrukcya dana JM. PP. Posłom JM. P. Chorążemu Poznań. y JM. P. Gruszczyńskiemu do JKMci z seymiku Srzedzkiego.

649. Hollandia succube! Uniwersał ... August II.

651. Kopia uniwersału JKMci Augusta II. Thor., 25. Jan. 1703.
Kopia listu JKMci do JM. Pana Srzemskiego. Thor., 28. Jan. 1703.

652. Kopia listu Xcia Kardynała do JP. kasztel. Srzemskiego.

652 b. Articuli pactorum conventorum stanów rzpospltey y państw do niey należących.

659. Kopia listu króla Szwedzk. do Xcia JMci Kardynała. Carolus XII. 24. Januar. 1703.

659 b. Kopia listu JKMci do JP. kasztelana Srzemskiego: August II. Toruń, 9. Febr. 1703.
Kopia listu JKMci do tegoż.

660. Kopia listu JKMci do tegoż.

660. Instrukcya na seymiku od Xcia prymasa dana, w Warszawie, d. 23. Febr. 1703.

660 a. Kopia listu pewnego Konfidenta z okkazyi Warszaw. Paskwinacyi (?), pisanego z Grodna.

661. Lament osierociałey Oyczyzny, Matki Polskiey, wzruszający synów odrodków do upamiętania się, oraz pobudzający kochających synów do dalszéj siebie miłości, przez opłakującego niewdzięczność tę syna polskiego ku matce swey.

663 b. Mowa Jm. Pa Homętowskiego, Sty Radomskiego, posła od Województwa Sandomirskiego, do JKMci Augusta II., w Malborku.

664. Kopia listu Jm. P. Podskarbiego ko. do JX. biskupa Poznańskiego, podp. J. Przebendowski, P. W. K.

664 b. Kopia responsu Jm. Xa. biskupa Poznań. etc.

666. Epitaphium. (Epigramma latinum in Lescinium). ·
Kopia responsu Jm. Pana Kasztel. Bydgoskiego na list JO. księcia Prymasa.

667. Konkluzya kontynuowaney rady malborskiey. 1703.

667 b. Konfederacya seymiku Opatowskiego, 1703.

668. Instrukcya JKMci z kancellaryi kor., urodzonemu posłowi JKmci na seymik pro d. 30. Maii 1703.

669. Kopia listu JKMci do Jm. Pa. kasztelana Srzemskiego.
Kopia listu Jm. PP. koronnych pieczętarzów na seymik srzedzki.

670. Kopia listu Xcia kardynała na sejmik srzedzki.

670 b. Kopia responsu tegoż na list J. P. kasztelana Bydgoskiego.

671. Kopia listu JK. Pana Branickiego na tenże seymik.

671 b. Kopia listu Jm. Pana krakowskiego, do województw Wielkopolskich.

672 b. Kopia mowy Jm. PP. Hetmanów do Jm. Pa. Wdy Wołyńskiego, żegnającego imieniem izby całéj kommissyą.
Kopia listu od seymiku Srzedzkiego do innych województw.
Kopia listu Jm. Pa Wdy Łęczyckiego do JX. Opata Srzemskiego.

673. Na wesele Jeymci Panny Komorowskiey, upominek od Jm. Pa. Młodego.

674. Reskrypt na respons Jm. Pana kasztelana Bydgowskiego, Xcia Jmci Kardynała, z Warszawy, d. 1. Mar. 1703.
Na pogrzebie Jm. Pa N. N. na chleb zapraszający.

677. Sacrae Regiae Mttis Sueciae declaratio Cardinali Primati exhibita in Stativis ad Pragam 1703.

679 b. Kopia responsu na list Jm. P. Kijewskiego, Wdy Malborsk., od Jm. P. Wdy Łęczyckiego, d. 24. Mar. 1703.

Copia ad Cardinalem a Rege Sueciae, Thorun. 29. 5.
1703.

680. Actum in Castro Ravensi sub interregno, feria quinta
post festum S. Egidii Abbatis proxima 1697. (Oblata
Confoederationis Varsav. Generalis, d. d. 26. Aug.
1697.)

681. Kopia sprzysiężonèy Konfederacyi Wdztw Wielkopolskich na seymiku Srzedzkim, d. 9. Julii 1703.

683. Kopia listu, tegoż Jm. P. Marszałka, Imieniem całego
koła do Wwdztw i ziem wszystkich Polskich y W.
X. L. do spólney zapraszając Konferencyi Ao 1703,
w Środzie uczynioney.

683 b. Uniwersał, d. w Srzodzie, 13. Aug. 1703.

684. Kopia listu do Jm. Pana Marszałka konfederacyi od
Króla JMci, z Białego Dworu, d. 20. Aug. 1703.
Kopia listu Xcia Jmci Wiśniowieckiego, do tegoż
Jm. Pana Marszałka konfederacyi Wdztw Wielko-
polskich.

684 b. Respons od Jm. Pana Marszałka konfederacyi na
list Jo. Xcia Hetm. W. X. L.
Respons Jm. PP. Posłom z konfederacyi Wdztw
Wielkop. od JKMci przez JO. Xcia Biskupa Warm.,
kancl. W. Ko.
Kopia responsu Jm. Pana Wdy Poznań. na list Xcia
biskupa Warmińskiego, kanclerza W. Ko.

685 b. Kopia listu Xcia Kardynała do JM. Pana Wojewody
Poznań.

686. Kopia listu JM. P. Krakowskiego do Xcia JMci Kardynała.
Copia Literarum Regis Sueciae ad Eminentiss. Cardinalem. Nos Carolus, Thorunii, 30. Julii 1703.

686 b. Copia literarum Dni Piper ad Commissarios Pol.

688. Sacrae Regiae Mttis Sueciae Responsoria ad illa, quae
nomine Confoederatorum in Majori Polonia — Vlad.
Comes a Czarnkow . . . ac Ludovicus a Gorzen
Gorzynscius proposuerunt, data in Castris ad Tho-
runium, 17. 8 br. 1703.

688 b. Kopia listu Jm. Pana Podkanclerzego Litt. do Xcia
Kardynała.
Respons na list Jm. Pana Podkanclerzego.

689. Contenta listów Króla JMci Polskiego y Paniey
Konixmarkowey y Pana Fixtuma (sic! Vitzthum) do
Króla JMci Szwedzkiego.
Tractatum inter Reges Sueciae et Borussiae, offen-
sivum substitisse in his articulis . . .

689 b. Kopia listu pewnego, (o konfederacyi zawięzu-
jącéj się.)

690. Copia literarum ex confoederatione.
Kopia listu JKMci do Jm. P. Sty Gnieżń., August II.
urodzonemu Adam. Śmigielskiemu etc., w Ujazdowie,
d. 1. 8 br. 1703.
Respons na list, który jest a tergo, poczyna się:
„Stanąwszy u dworu." (O konfederacyi zawięzu-
jącéj się.)

691 b. Świadectwo Janowe o niewinności JPa Podskarbiego koronnego.

694 b. Wypis z Xiąg Grodzkich Wdztwa Wilińsk., 1702.
Actum in curia Branscensi (Brańsk.) Sabbatho ante
Dominicam Oculi quadragesimalem proximo, ao dni
1702.

694. Oblata Manifestu, podpisanego przez Kazim. Sapiehę,
Benedykta Sapiehę, Alexandra Sapiehę, Michała Sa-
piehę, Jerzego Sapiehę. Roku 1702, d. 20. April.
Extrakt Manifestu . . . Panów Sapiehów.

696 b. Kopia listu JM. Pana Wdy Malbor. do JM. Pana
Kaszt. Krak., Hetm. W. K., z Jaworowa. Ao. 1703.

697. Respons JKMci Urodzonym Mikołajowi Świniar-
skiemu, Józefowi Radolińskiemu, Alexandrowi Złot-
nickiemu i Steffanowi Duninowi, posłom Województw
Pozn. i Kalisk. na Instrukcyą dany z kancellaryi
JKMci, d. 12. 7 br. 1709.

697 b. Diploma regis Augusti. Tractatus de d. 14. 7 bris
1706, in pago Altranstedt signatus. Acc.:
1. Articulus separatus, d. d. Altranstedt, 14. 7 br. 1706.
2. Plenipotentia regis Augusti.
3. Plenipotentia regis Stanislai.

701. Foedus inter sacram regiam Mttem Sueciae et Rempublicam Poloniae, conclusum Varsaviae in coenobio
Carmelitarum discalceatorum 18. ? br. 1706 in fine
1705.

707. Ratificatio Regis Caroli XII. tractatus, d. d. 24. 9 br.
1705. Acc.: Ratificatio de parte senatorum Poloniae,
d. d. 25. 9 br. 1705.

707 b. Żegluga serdeczna. (Wiersz.)

708. Batalia affektów. (Wiersz.)
Różnicza affektów. (Wiersz.)
Lament I., II., III., IV.
Język obmowy. Lament V., VI., VII., VIII.

713. Kopia listu Cara JMci do Woyska kor., z Petersburga.

8*

713 b. Kopia listu W. Marszałka Związkowego do JM.
Pana Generała Brauna.

714. Kopia listu Generała Brauna.

714 b. Respons na list posłany przez Porucznika od JP.
Marszałka.

Kopia listu JM. PP. Hetmanów Koronnych y Wojewody Podolskiego do Xcia JMci Prymasa ze Lwowa
1715.

715. Kopia listu Xcia Prymasa do JKMci.

Reflexye szlachcica polskiego do drugiego szlachcica
z tegoż narodu, przyjaciela swego, z strony woysk
saskich w Polszcze subsystujących . . .

715 b. Reflexye, któreby mogły służyć Xciu Prymasowi
y JMci Panu Marszałkowi Konfederacyi ad repres.
Mtti.

Na kartach wydartych luźnych bez oznaczenia liczby:

Relacya Drezdeńska pewnego pana polskiego przy-
jacielowi swemu kommunikowana.

Fol. — II. H. aa. 9.

31.

Manuscript aus dem 17. Jahrhundert. Auf dem ersten
Blatte: „Nr. 1519. — Panegyryk Tarnowskim y Inne
Rękopisma. — Jan Amor Hrabia Tarnowski mpr.“

Im alten Catalog:

„Panegiryk Tarnowskich przez Gaspra Siemka. Rękopism z 17. wieku.“ Die (wahrscheinlich) Originalhandschrift des Panegyricus geht bis Bl. 29. Bl. 30—43 sind
unbeschrieben. Bl. 44 — 168 sind Briefe und öffentliche
Actenstücke aus d. 17. Jahrh. in gleichzeit. Abschrift,
von 2 verschiedenen Händen copirt. Bl. 169—198 sind
unbeschrieben.

3. fol. „Nowy miesiąc prześwietnego Horizontu Leliwów,
abo przy szczęśliwym (zdarz Boże) urodzeniu Piotra
Pawła Hrabie Tarnowskiego panegiryk.

Hoc datum Poloniae Lumen ut Numen.

Ut coelo nitido cum Sydere Cynthia fulget,

Sic Domus in nostro Tarnovia imperio. — Gasp.
Siemek.

44. Literae Reginae Poloniae. Polonia, sine data; cum
Responso.

Ad electorem Brandeburgicum. (De militibus Germanis a rege conductis, de quibus princeps Vladislaus Electori relationem facturus est.)

44 b. Ad consiliarium.
Duci Curlandiae.
45. Turcarum Imperatori.
Gregorius Kochański, Secretarius Regis, rem totam
significabit.
45 b. Turcarum Jmperatori Achmeth. (Post bellum
Moschoviticum.)
Supremo Turcarum Veziro nomine Cancellarii Regni.
46. Turcarum Imperatoti. (Excusatio de motibus hosti-
libus in confiniis Turcicis).
47. Stanislai Żołkievii . . . literae ad Regiam Mttem
datae, ex Polonico translatae.
48 b. Duci Curlandiae. — Palatino Moldaviae.
49. Ad status et ordines Liuoniae Legatio.
50. Saxoniae Electori. (De periculo a Turcis imminente.)
Bavariae Duci. (De eadem re.)
Saxoniae Duci Electori. (De eadem re.)
51. Electori Brandeburgico.
Georgio Zechi.
51 b. Litterae Bethlehemi Regem Poloniae pro nuptiis
invitantes, 6. Nov. 1625. Responsum a Regia Mte.
51 b. Electori Brandeburgico in causa matrimonii Tran-
silvanici.
52. Responsum Electori nomine Sermi Vicecancellarii
Regni. 13. Dec. 1625.
53. Ad electorem Brandeburgicum, (de pace concilianda
inter regem Poloniae et Gustavum.)
Duci Hetruriae . . . (Andr. Przyjemski commendatur.)
53 b. Sacrae Reginali Mti.
Literae S. Reginalis Mtis ad Dn. Regni Secretarium
. . . Varsav., 15. Maii 1630.
Marsalcatus supremus. Vicecancellariatus regni.
54. Capitaneatus Bydgostiensis. — Sigismundus III.
56. A cardinali Bentiuolo. Romae, Idibus Julii 1634.
56 b. Ab eodem Romae, XII. Cal. Nov. 1634.
Ab eod. Romae, IV. Non. Dec. 1634.
57. A cardinali de Torres.
Nuncio apostolico.
Cardinali Barberino.
57 b. Cardinali Santacrucio.
Custodi Klecensi.
Cardinali de Torres.
58. Bentivolio.
Nuncio apostolico.
58 b. Bentiuolio.

Cardinali Nepoti.
Cardinali de Torres.
Cardinali Barberino.
59. Nuncio Apostolico.
Annibali Bentiuolio.
Cardinali de Torres.
59b. A cardinali Barberino.
Ab illmo dno Bentiuolo.
Annibali Bentiuolio.
60. Ad Sacram Regiam Majestatem (a nuncio apostolico.)
Taxa episcopatuum et aliorum beneficiorum pro sex-
tupla laudata facit . . .
60b. Do marszałka wielkiego koronnego.
61. Annibali Bentivolio.
61b. Matthesio. — Cardinali de Torres. — Cardinali Barberino. — Praeposito Crusvicensium. — Eidem.
62. Cardinali Torres. — Eidem. — Eidem. — Eidem.
62b. Cardilnali Torres. — Jo. Bapt. Lancelotto. — Nepoti
Francisco Barberino.
63. Cardinali Santacrucio.
63b. Nuntio Apostolico. — Eidem.
64. Cardinali Bellarmino nomine Sermi principis Vlad.
Cardinalis Ludovisius S. R. Mti.
Responsum a S. R. M.
Cardinali Burgesio a S. R. M.
64b. Cosmo do·Torres. Eidem. Eidem.
Joanni Bapt. Lancelloto.
65. Ad Cardinales et Nuntios.
Ad Cardinalem Barberinum.
65b. S. R. Mtas Cardinali de Torres. Eidem.
Nominatio (Stanislai Łubinski) ad episcopatum Luceo-
riensem.
66. Cardinali Torres. — Eidem.
67. A Cardinalem Magalotum.
Capitulo Plocensi.
Ad capitulo ecclae cathedralis Plocensis.
Eidem Ecclae Responsum.
67b. Cardinali Barberino.
Cardinali Torres. — Episcopo Nolano.
68. Nuncio apostolico. — Cardinali Torres.
69. Nuncio apostolico. — Cardinali Montalto.   Eidem
26. August 1621.
69b. Abbati Landensi a S. R. M.
Cardinali Ludovisio nomine synodi Petricoviensis. —
Responsum a Card. Ludovisio, 27. Febr. 1621.

70. Nuncio apostolico. — Cardinali Torres. — Eidem. — Joanni Bapt.
70 b. Lanceloto. — Cardinali Montalto. — Cardinali Ludovisio. — Francesco Cardinali Barberino. — Capitulo Luceoriensi.
71. Cardinali de Torres.
71 b. Nuncio Apostolico Laurentius Gembicki, Cancellarius Regni.
   Idem Wladislao Principi.
72. Hispaniarum Regi Philippo Secundo.
72 b. Eidem. — Nuncio Apostolico. — Cardinali de Torres.
73. Illrmo Epo Plocensi a Cardinali de Torres.
   Karasio.
74. Literae ad Papam.
75. Cardinali Santa Crucio.
75 b. Cardinali Barberino.
   Rndo P. Sarbiewski, Soc. Jesu. P. Rudnicki, S. J.
76. Bentiuolio — Casim. Sarbiewski, Soc. J.
76 b. Sarbieuio, S. J.
   Gedanensibus.
77. Torunensibus.
   Praeposito Crusvicensi.
77 b. Dominico Ursio. — Annibali Bentivolio.
78. Sermo Regi gratulatoria od X. Płockiego etc.
80. Do króla JMci. 81. dto.
81 b. Do pana Krakowskiego.
82. Do króla JMci.
82 b. Zygmunt III. (napomina niektórych panów za najazdy i spustoszenia.)
83. Xiążęciu Constantemu Wiśniowieckiemu.
   Episcopo Luceoriensi.
   Do pana Kiszki.
84. Do tegoż.
85. Do Podskarbiego Nadwornego Koronnego.
   Do króla. — Do kuchmistrza koron.
86. Do Wojewody Łęczyckiego. — Do króla. — Artykuły albo puncta Jchmci Panów Duchownych circa tractatum compositionis podane.
87. Artykuły urazów mnieyszych stanu duchownego na akcie compositionis inter status podane.
87 b. Petita stanu duchownego na akcie compositionis inter status podane.
88. Puncta Affectatiey Equestris ordinis in negotio compositionis inter status Jchmciom Panom Duchownym na requisitią Jchmm. podane.

89. De praesenti rerum statu ac militari confaederatione, quae anno di. 1622 accidit, dissertatio et querela.

94. Guilhelmo Kochański, Secretario Regio.

95 b. Na protestacyą Wielgopolską przeciwko Duchownym uczynioną.

99 b. In synodo provinciali Petricouiensi, Anno Di. 1621 celebrata, d. 26. Aprilis.

100 b. Cancellarius Regni Felix Kriski hac forma. declaratus.

101 b. Palatinus Pomeraniae Samuel Zalinski, hac forma declaratus.

102. Ad Ferdinandum II. Imp. ac S. Imperii Principes in conventu Ratisbon. congregatos legatio demandata a S. R. M. Polon. et Suec. Mgfico Tuczyński, Castellano Sanocensi, Vars., 14. Aug. 1621.

104. Joannis Zamojscii, Supremi Regni Cancellarii et exercituum Gnalis Praefecti, testamentum.

107. A Joanne Zamojscio . . . tradita in studiis versandis methodus filio Joanni Thomae Zamojski.

108 b. Zdanie Xiążęcia JMci P. Krakowskiego na seymik Proszowski, Anno 1622, d. 13. Dec. posłane.

109 b. Ad Matthiam, Imp. renunciatum, Nicolao Wolsky, Mareschalco Regni et Legato, praescripta forma gratulationis, Ao. 1612.

111. Capta arce Smolenscio nomine capituli Varsaviensis Regis Salutatio.

111 b. Podziękowanie JKM. przez Pana Krukiewnickiego przy odprawie woyska expeditiei Tureckiey.

112. List od wojska do KJM.
Przemowa P. Wincentego Krukiewnickiego, żołnierza od wojska do KJM., przy witaniu w Warszawie.

113. Assecuratia Jchmciów P. Senatorów wojska z Confaederatami uczyniona. 1622.

114 b. Assecuratia od króla JMci w Warszawie Confederatom 1622 dana.

115. Do króla JMci.

115 b. Akt Commissarski, Strony Mennice.

116 b. Do Pana Starosty Bobrownickiego.

117. Na seymik Racięzki.

117 b. Na sejmik Lipinski.

118. Do króla i od króla Władysł. IV.

118 b. Mowa Podskarbiego Nadwornego od koła Poselskiego na seymie koronnym w Warsz., 30. Jan. 1635 zaczętym do króla.

119 b. Od królewica . . . Alexandra do biskupa Płockiego.

Do królewica Alexandra.

Do królewny.

Do biskupa Wrocławskiego.

120. Do panny Urszuli Meyerin.

Do X. Kołudzkiego.

Do P. Starosty Bobrownickiego.

Do wojewody Wilińskiego.

Do arcybiskupa Gnieźnieńskiego.

121. Do. X. Kanclerza.

Do króla.

Do Paniey kuchmistrzowey koronney.

121 b. Do podkanclerzego koronnego.

Do króla JMci.

Na seymiki mazowieckie.

122. Do podskarbiego koronnego.

Do wojewody mazowieckiego.

122 b. Do X. kanclerza.

Do podskarbiego koronnego.

123. Do hetmana.

Do X. arcybiskupa.

Na seymiki podlaskie.

Na zjazd generalny warszawski.

124. Do pana Lubelskiego.

Do biskupa Łuckiego, 19. Nov. 1633.

Do X. kanclerza koronnego.

125. Do króla.

Do arcybisk. Gnieźń.

Do królewney.

Do Łowczego Podlaskiego.

Do biskupa Warmińskiego.

Do kanclerza koronnego.

126. Do kanclerza. — Do tegoż.

Do Jmci P. podkomorzego Przemyskiego.

Do króla Jmci.

Archiepiscopo Gnesn.

Do króla Jmci.

127. Do P. Starosty Rożańskiego.

Do arcybiskupa.

Do X. kanclerza.

127 b. Copia listu od IchMM. Panów Commissarzów, de data z obozu nad Gronefeldem, do J. K. M., die 23. Aug. 1629.

128 b. Instructia J. K. M. na seymik.

129 b. Do arcybiskupa.

130. Do podkomorzego Przemyskiego.

Do podkanclerzego.

Do P. Inowłocławskiego.

Do podkanclerzego koronnego.

131. Do bisk. Kujawskiego.

Do hetmana koronnego. .

Do kanclerza.

Do arcybisk. Gnieźń.

Instructia na seym dwuniedzielny po rozerwanym,
3. Martii 1637 rozesłana.

133. Responsio ad literas commendativas.

List Jana Kazimierza, w Opolu, 20. Nov. 1655.

135. Uniwersał koła rycerskiego, 21. grudnia 1655, podp.
Constant. Lubomirsky, marszałek koła rycerskiego.
Jan Wielopolski do obywateli wojew. krakowskiego,
21. Dec. 1655.

136. Copia uniwersału Potockiego, wojewody Bracławsk.,
26. Nov. 1655.

Confederacya y związek generalny tak woyska jako
y obywatelów rzeczy pospol., in hoc calamitoso statu
R. P., 29. Xbr. 1655.

139. In laudem theologiae oratio.

141. In laudem divi Thomae Aquinatis, theologorum principis, oratio.

144. In laudem Perusiae oratio.

150. In Plinii Secundi et Pliniani operis de naturali historia
commendationem oratio.

152. In laudem jurisprudentiae oratio.

153 b. In laudem philosophiae oratio.

160. Selectiora quaedam exempla ex veteri juxta ac recen-
tiori historia petita, quae alterne ut plurimum colli-
gebam.

168. Exercitia Rhetorica: De pellenda ignorantia oratio.

169—198. Chartae non conscriptae.

Fol. — II. H. aa. 10.

32.

Manuscript aus dem 17. Jahrhundert.

Im alten Katalog: „Traktat teologiczny o małżeństwie,
o rozwodach i t. p. Rękopism z 17. wieku."

Die Handschrift besteht aus 2 Theilen.

Der erste Theil enthält eine theologische Abhandlung,
wovon der Anfang leider fehlt.

I. Cap. handelt von der Nothwendigkeit der Einheit der
Religion für den Staat, und namentlich von dem
Vorzuge der katholischen Religion.

II. O małżeństwie.

III. O mężu y żenie.

IV. O przyjacielstwie y powinnościach rodziców do dzieci
y z obu stron dzieci ku rodzicom, o sukccessiach
y opiekunach.

36—64. fol. Eine von der obigen ganz verschiedene Abhandlung, die vom Staate handelt. Fol. 36 fehlt der
Anfang für das erste Capitel. Fol. 44, Capitel II.
Co jest rzeczpospolita, zkąd y jako swe pierwsze
wzięła początki y na wiele rozdzielona jest rodzajów.

65. Folgt die Fortsetzung der ersten Capitelzählung.
Cap. V. O panu y słudze, najemnem, podanem, y nie-
wolniku, (także o dworzaninie.)

86—89. Bll. unbeschrieben.

90—117. Der zweite Theil, enthält Abschriften von
Briefen:

90. List Xcia JMci Krzysztopha Zbaraskiego, Koniuszego
koronnego, do X. bisk. Krak., o zaciągu na cesarską
Lissowczyków.

91 b. List Xięcia Krzysztofa Radziwiłła, Hetm. Lit., do
Zygmunta III. 9. 7 bra 1625.

95. List tegoż do Xięcia Zbaraskiego. 11. 10 bra 1625. (?)

97. List Pana Mińskiego, Podkanclerza koronnego, do P.
Samboreckiego.
List JMP. Stanisł. Skarszewskiego, podstolego Sendo-
mirskiego, do JMP. Lamparta Sierakowskiego, Miecz.
Poznań., Starosty Kopanick. Warsz., 7. Marcii 1641.

98 b. List Pana Zborowskiego, Starosty Horodelskiego,
do P. Lamparta Sierakowskiego, pod czas expedycyi
pod Kamieniec pisany, w r. 1634, 20. 7 bra.

99 b. List tegoż Pana Zborowskiego, do tegoż P. Lamparta Sierakow., 14. Julii 1628.

100 b. Do P. Lamparta Sierakowskiego, z Lenartowic,
17. Junii 1621.

101 b. List Xcia . . . Zbaraskiego do królewica Władysława, r. 1626.

103. List Xięcia Janusza Radziwiłła do królewica Wlady-
sława, 28. Martii 1616.

104. List Xięcia Jerzego Zbaraskiego . . . do Wojew.
Krak. Tenczyńskiego w Krak., 10. Jan. 1627.

105 b. List tegoż Xcia Pana Krak. do X. Bisk. Krak.

106. List Xcia Jerz. Zbaraskiego do Konfederatów.

109 b. List Rachwała Leszczyńskiego, Wojew. Bełzkiego,
do Xcia Zbaraskiego, 1627, 20. Junii.
Odpis na ten list od Xcia Zbaraskiego.

110b. List Xcia Zbaraskiego do bisk. Łubińskiego . . .
28. Augusti 1625.

112. List tegoż Xcia Zbaraskiego do Jezuity, 1619.

112b. List Krzysztofa Radziwiłła do Arcybisk. Gnieźń.

114. List Krzysztofa Radziwiłła do Xcia Zbaraskiego. —

115. Odpis (?).

114b. List do Xcia Zbaraskiego. (Krzysztofa Radziwiłła.)
Odpis (?).

116. List Pana Firleja Starosty Lubelskiego do Xcia P.
Hetmana Litt. na pogrzeb żony swojey zapraszając.

116b. List Xcia Wisniewieckiego do Xcia. (Hetmana
Lit.?)

117. Oddawanie Upominków na zaręczynach Hospodaró-
wny Wołoski od Xcia JMci P. Podkomorzego Litt.
Oddawanie Upominków Hospodarzycom młodym.
Fol. — II. H. aa. 11.

33.

Manuscript aus dem 17. Jahrhundert, früher im Besitz
J. U. Niemcewicz's. Fol. — II. H. aa. 12.

Im alten Kataloge: „Rękopism opisujący zamordowanie Dymitra Samozwańca i zawierający opis bitwy
pod Kluszynem, opis oblężenia Smoleńska i inne zdarzenia za panowania Zygmunta IIIgo."

Die Handschrift zählt gegenwärtig noch 347 Bll. Am
Anfange und Ende sind Spuren herausgerissener Blätter.

1—9. fol. Koronacya i wesele Maryny Mniszchówny
z carem Dymitrem (początku niema), od 6. kwietnia
do 26. kwietnia.

9b. O zamordowaniu wielkiego Kniazia y pobiciu Polaków na Moskwie, dnia 27. maja w roku 1606.

15. Spisek co przedniejszych osób narodu naszego po-
mordowanych na Moskwie.

17. List od województwa Wołoskiego do Króla Jo Mci,
(z Jas., 20. Febr. 1609).
Respons K. J. Mci wojew. Wołoskiemu.
Od obywatelów Wołoskich, (z Jas, 2. Febr. 1609).

17b. Respons obywatelom Wołoskim, 22. marca 1609.
Uniwersał z strony niewyjeżdżania z granic na
służbę do cudzych panów, w Krak., 12. marca 1609.

18. List drugi od Hospodara Wołoskiego do KJMci,
12. Febr. 1609.

18b. Odpis Króla JMci, Warszawa, 4. Marcii.

66 b. Instructia Wielm. y urodzonemu Stanisławowi Stadnickiemu . . . Posłowi JKMci do Szujskiego, 9. Nov.
1609.

68 b. Copia listu pewney osoby z pod Moskwy do Jmci
Pana podkanclerzego koronnego w obozie pod Moskwą,
13. 8 bris.

71. Respons na ten list.

73. Copia listu pewnego z pod Moskwy do pewney osoby.

75. Copia listu pewnego z pod Moskwy, d. d. 28. 9 bris
do posłów.

76. Copia z listu Dymitra do Carowéj z Kaługi.

76 b. Drugi list.
Instructia Wielm. Stanisł. Stadnickiemu, . . . Chph.
Zbarawskiemu, . . . Janowi Skuminowi Tyszkiewi-
czowi, . . . Ludwikowi Weiherowi, . . . Stanisławowi
Domarackiemu, . . . Marcinowi Kazanowskiemu, posłom
J. K. Mci do rycerstwa polskiego y W. X. Lit., pod
Moskwą, . . . z obozu pod Smoleńskiem, 8. Novembr.
1609 dana.

78. Alia ad eosdem instructio secretior.

79 b. Credens PP. posłom do teyże instrukciey.
Poselstwo od rycerstwa pod Moskwą będącego do
J. K. Mci pod Smoleńsk przysłane.

81 b. Do IchMci P. senatorów y koła rycerskiego od tychże
ustnie odprawowane.

82 b. Respons słowny przez JM. Pana podkanclerzego
koron. imieniem J. K. M. posłom od rycerstwa z pod
stolice Moskiewskiey.

83. Respons na piśmie posłom rycerstwa pod Moskwą
na ten czas będącego od J. K. M. z obozu pod Smoleńskiem dany 25. m. Novembra, roku 1609.

85. Respons od Jmci Pana Hethmana y od Ich Mciów
Panów Rad Coron. y W. X. Litt. y wszystkiego
rycerstwa przy K. J. M. będących na poselstwo od
rycerstwa, pod Moskwą będącego, dnia 26. Nov. 1609.

86. List pana Alexandra Zborowskiego do Jmci Pana
Przemyskiego, 10. 9 bris 1609.

87. List Carowej do Jmci P. Przemyskiego, 10. 9 bra 1609.
„Marina Carowa."
Od P. Dobka, Gońca J. K. M., przed posły, z Wiazmu,
6. X br. 1609.

88. Wiadomość z pod Moskwy za przyjachaniem P. P.
posłów do obozu tamtego, de d. 21. Dec., pod Smoleńsk
30 ejusd. od P. Dobka przysłana.

89 b. Script podany do koła rycerskiego pod stolicą.

149 b. Od Serheia, archiepiscopa Smoleńskiego, do Hospodara Szujskiego.

150. Od wojewody Smoleńskiego, do tegoż.

150 b. Od Posackych ludzi Smoleńskich, do tegoż.

151. Od wojewód Smoleńskych Szcina y Gorczakowa do kn. Dymitra Iwanowicza Szujskiego.
Od Archiepiscopa Smoleńskiego Serheja do Hermohena, Patriarchy Moskiewskiego.

151 b. Od JMP. Hetmana z drogi pod Białą jadąc list I. 9. Junii 1610.

152. List drugi, 10. Junii 1610.

152 b. List trzeci, 22. Junii 1610.

153. Od JMci Pana Hetmana do KJM. z pod Carowa. 25. Junii 1610.
Ceduła w liście tymże.

154 b. Od JMci Pana Hetmana po Kluszyńskiey potrzebie do Kr. JMci, 5. Julii 1610.
Ceduła.

156. b. Od Jmci P. Hethmana. — Ceduła.

157. Instructia Ichmciom PP. Posłom: JMci Panu Staroście Chmielnickiemu, Jo Mci Panu Zborowskiemu, Panu Cechowskiemu, P. Białoskorskiemu, P. Oborskiemu, P. Wojakowskiemu, P. Ujejskiemu, P. Ramułtowi... „Stanisław Żółkiewski, za zdaniem rycerstwa wszystkiego podpisałem.“

158. Respons Jmci Pana Podkanclerzego koronnego na przemowę PP. posłów od JMci Pana Hethmana y rycerstwa pod Smoleńsk posłanych, zaraz po otrzymanym 4. Julij nad nieprzyjacielem zwycięstwie.

159. List Pana Hetmana do JKMci z pod Mozaiska. 28. Julii 1610.

159 b. Ceduła.
Od Pana Hetmana do kn. Mścisławskiego y innych na Moskwie Bojar.

160. List do Pana Hetmana z Stolice od Bojar Smolian y Bransean, 14. Julii.

160 b. Respons P. Hetmana Bojarom tymże, 16. Julii.

161. List P. Hetmana do KJMci, d. d. 3. Wiaziemy, 2. Augusti.

162. Wypis listu JM. Pana Hetmana do Stolice za Szujskimi pisanego. 22. Czerwca.

162 b. Respons od Bojar z Stolice JMci Panu Hetmanowi na list pierwszy, 22. Julii.

163. Od P. Hetmana do KJMci.
Od Carowey do JM. Pana Hetmana, 28. Czerw. 1610.

262 b. Respons panom posłom rycerstwa dawniejszego w téj ziemi zaciągu, na stolicy na ten czas będącego od J. K. Mci pod Smol., d. 7. Dec. 1610.

263 b. Assekuratia wojsku Sapieżynemu od J. K. Mci dana, iterum correcta, 28. Januarii 1610.

264. Assecuratia od rycerstwa pułku p. Sapiehy K. J. M. dana, 22. Novembr. 1610.

264 b. Ceduły w list K. J. M. do p. senatorów. Druga ceduła.

265. Śmierć Dimitra zmyślonego pod Kaługą, 27. grudnia 1610.

265 b. Instructia od rycerstwa J. K. M. na stolicy będącego p. Lipskiemu y p. Podoleckiemu, posłom do J. K. M. posłanym dana, z Moskwy, 8. Januarii, Jędrzej Firlej z Dambrowiec, Samuel Dunikowski.

267. Respons J. K. Mci na prośby rycerstwa na stolicy będącego.
Petita rycerstwa w stolicy moskiewskiey na ten czas będącego do J. Kr. Mci.

269. Regestr okaleczonego y postrzelonego towarzystwa z różnych rot w potrzebie pod Kłuszynem.

269 b. Deliberatoriae na sejm, 6. Febr. 1610.

270 b. Instructia urodzonemu Alexandrowi Slizeniowi . . . do kozaków zaporogskich, na Wielkich Łukach będących, w obozie ,pod Smoleńskiem, 9. Februarii 1610, dana.

271. Instructia do żołnierstwa w stolicy będącego, panu Jakubowi Bobowskiemu . . . Andrz. Rusieckiemu, . . . Mikoł. Tarbowskiemu i towarzystwu do JKMci dana 23. Febr. ao 1610.

272. Instructia tymże do Ich M. panów senatorów.

273. Respons rycerstwu w stolicy będącemu od J. K. M. dany, pod Smoleńskiem — marca 1610.

274. Respons od IchM. p. senatorów.

275. Instructia panom posłom Ichmciom: panu Adamowi Olizarowi, rotmistrzowi K. J. M., panu Waleryanowi Slaskiemu, p. Kasprowi Ludzickiemu, od rycerstwa pułku na ten czas Jmci p. starosty Chmielnickiego do króla Jmci dana.

276. Respons panom posłom od rycerstwa pułku na ten czas Jmci pana Strusowego od JKM. dany pod Smoleńskiem, dnia — marca r. 1611.

277. Puncta na deklaratią J. K. Mci panu Janikowskiemu od rycerstwa pułku urodz. Jana Sapiehi podane, 14. marca 1611.

277 b. Respons urodzonemu Janikowskiemu na postulata rycerstwa pułku urodz. Jana Piotra Sapiehi . . . 27. marca 1611, pod Smoleńskiem dany.

278. Respons drugi posłom z wojska tegoż, 24. Januarii.

279. List od K. Jmci do p. Sapiehy, pułkownika.

279 b. Do pułku tegoż.

280. List X. arcybiskupa Gnieźnińskiego na deliberativas odpisując, z Łowicza, 8. Martii 1611.

283. List X. biskupa kujawskiego, kanclerza koronnego w teyże materyi, 15. Martii 1611.

284 b. Statie kotorje Ichm. P. Rady podali czeres poszły Wielikoho Hosudarstwa Mosk. Siedzielcom Smoleńskim. — Druhyje Statie etc.

285. Czołobitnie Siedzielcow Smoleńskich.

286. Respons Ichmci P. Senatorów na Stacye Czołobitne Siedzielców Smoleńskich.

287. Czołobitnia do KJMci posłów Moskiewskich.

288 b. Instrukcya posłom KJMci dana pod Smoleńskiem, do rycerstwa narodu pol. y litt., tak tego, co pod Stolicą na strach nieprzyjacielowi zostawieni, jako y tych, co na zatrzymanie miasta stołecznego y dziś w Moskwie trwają.

290 b. Instructia urodzonym Adamowi Żółkiewskiemu, Chph. Przyjemskiemu, Stanisł. Witowskiemu, Steph. Pacowi, p. posłom do Bojar Dumnych na stolicę, imieniem JKMci, pod Smoleńskiem dana 16. Martii 1611.

292 b. List od Iwana Sołtykowa do JKMci.

293. List KJMci do Zmienników, po wzięciu Smoleńska, pisany dnia 15. Junii 1611.

295. List od JKMci do Bojar w stolicy będących y z ludźmi narodu naszego oblężonych po wzięciu Smoleńska, 15. Junii 1611.

297—347. Diariusz drogi Króla JMci Zigmunta III. od szczęśliwego wyjazdu z Wilna pod Smoleńsk w roku 1609 a die 18. Aug., y fortunnego powodzenia przez lat dwie do wzięcia zamku Smoleńska w roku 1611. Koniec wydarty.

Fol. — II. H. aa. 12.

34.

Manuscript aus dem 17. Jahrhundert; geschr. v. Jan Brzostowski. Im alten Catalogue: „Listy, relacye, uniwersały, instrukcye i t. p. akta urzędowe, z początku

17. wieku. Handschr. Bemerkung auf Bl. 1. „Manuskrypt różnych expedycyy." „Ex libris Joan. Brzostowski." cf. fol. 88.

1. Loci communes alias Zwierziniec.
3—6. In russischer Schrift. Inhalt?
7. Pobór w Xięstwie Litewskim półzłotowy wybierany w roku 91.
7 b. Kalendarz alias Cisiojanus polskie domowe.
9. Anno 1606. — Rozmaite daty historyczne.
9 b. Jarmarki po miastach różnich.
10. Convocacia Wileńska. Anno 1605.
● 12. Opisanie kniaziów Wielkich Moskiewskich.
13. Calimachowe rady królowi Albrichtowi dane.
15. Testament Stephana I., Króla P.
17. List Cesarza Tureckiego do Króla Polskiego, Zygmunta III.
19 b. Anno 1608. Nowina o Diamencie y Kolenhauzie (Hohenhauzie).
20. Punkta z listu przymiernego Moskiewskiego, Anno 1608.
22. Discurs o Xięstwie pruskim.
25. Convocatia Wileńska, Anno 1613, 4. 9br.
27. Convocatia Wileńska, Ao 1614.
33. List od P. Podczaszego (Janusza Radziwiłła) do Króla Jmci. (20. Julii 1608.)
33 b. Respons od Króla.
34 b. Mowa Pana Łaszcza do Jego KMci, 6. Junii 1608 i Odpowiedź Kanclerza.
35. Uniwersał Ao 1607, 23. lutego.
36 b. Słonimski zjazd, Ao 1607.
38. Uniwersał, iż posłuszeństwo PP. Rokoszanie wypowiedzieli Królowi JMci, 28. Czerwca 1607.
40. Pieśń nowa, aby P. Bóg ten rokosz raczył uspokoić y do dobrego końca przywieść, jako Bogu ufay duszo moja.
41. Instructia do Moskwy, Ao 1607. Stanisł. Witowskiemu, Janowi Sokolińskiemu, posłom do Wasila Iwanowicza Szujskiego, 22. maja 1607.
44 b. Instructia na sejm walny Warsz., po 7. Maii 1607.
45 b. List abo Uniwersał JMci Pana Janusza Radziwiłła do wszystkich stanów Wielgo - Polskich posłany. Wilno, — Jan. 1607.
46 b. Poselstwo panów Sędomirzan do Króla JMci podp. Przecław Lanckoroński, marszałek, imieniem koła wszystkiego.

47b. Uniwersał Zygmunta III.

49. Respons od Króla JMci dany panom posłom rycerstwa inflanckiego, którzy świeżo zeszli do Jego Kr. Mci do Krakowa posłanym.

50. Respons ich Mościom PP. Posłom od Ich Mości Panów Braci pod Sieciechowem zgromadzonych na poselstwo, które do Ichm. pp. rad koronnych y W. X. Litt. na teraźniejszym sejmie walnym w Warszawie legitime złożonym będących było przełożone, dany od tychże Ichmci pp. Rad, w Warszawie, dnia 8. Czerwca Anno 1607.

52. Uniwersał rokoszowy, iż posłuszeństwo Królowi wypowiadają, pod Jeziorną, w dzień S. Jana Chrzciciela 1607.

53b. Script podany od P. Wojewody krak., in vim testamenti, Ao 1607.

57b. Trajedia rokoszowa na sejmie anno 1607 wydana. Osoby: Ambitia, Rancor, Perfidia, Astutia etc.

64b. Copia listu Xiędza biskupa Łuckiego, 24. Septembris 1607.
Actum in oppido Rogożno propter auram pestiferam Posnaniae vigentem feria VI. ante festum S. Matei Apostoli proxima 1607. Oblata Sejmiku Srzedzkiego 11. Sept. 1607.

65b. Nowiny. Ao. 1607, m. 8 br.

66. List od Pana Hetmana Litt. do X. Wołowicza Referendarza . . . 1607. Podp. Jan K. Chodkiewicz.

67. List od Masalskiego, Wojewody Rosławskiego, do Boćwini. (Po rossyjsku.)

68. Copia listu P. Mikołaja Charlinskiego, o Dmitrze. 19. Octobris 1607.

69. Copia listów, które Pan Wojewoda Krakowski poróżnie do niektórych Panow Senatorów rozesłał 1608, 12. Jan.

70. Stanisław Żołkiewski, Kasztelan Lwowski, Hetm. Polny Koronny . . . 17. Januarij 1608.

70b. Copia listu Pana Krak. do Króla. Dat. w Ostrogu 25. Januarij 1608. Janusz X. Ostrogski.

71. Respons na to króla Zygmunta III.

72. List od P. Wojewody Krakowskiego do P. Wileń., [w tenże sens y do innych pp. Senatorów pisał], 12. Jan. 1608. Mikołaj Zebrzidowski, Wojewoda y generał Krak.

72b. Respons od Pana Poznańskiego na takowyż list Panu Wojewodzie Krakow. 15. Febr. 1608.

73 b. List od P. Wojewody Sieradzkiego na takowyż list Panu Wojewodzie Krak.

77. List od PP. Senatorów z Convocatiey Cracowskiej do P. Wojew. Crak., 4. marca 1608.

77 b. Srzodki, przez któreby JMść P. Wojew. Krakowski do łaski JKMci miał przyjść przez Ich M. PP. Senatory moderowane y podane.

78. Respons od Pana Wojewody Krak. do Panów Senatorów. W Zamościu, 11. Maii 1608. Mikoł. Zebrzydowski.

79. Poselstwo od Arcyksiążęcia Rakuskiego Matiasza do króla JMci polskiego Zygmunta III. Ao. 1608.

80. Respons na mowę P. Wojewody Krak. od króla J. M. przez X. kanclerza koronnego. Junii 6.
Mowa P. Wojewody Krakowsk. do Panów Senatorów. 6. Junii 1608.

80 b. Respons Panu Wojewodzie od PP. Senatorów przez X. Arcybiskupa Lwowskiego.

81. Mowa Pana Wojewody Rawskiego do JKMci. Respons na to przez X. kanclerza kor.

81 b. Mowa P. Wojew. Rawskiego do PP. Senatorów. Na to JM. X. Płocki od Senatu Respons dał.

82. Status spraw ... w Moskwie od nas posłów króla JMci w Moskwie zatrzymanych, Mikołaja Oleśnickiego y Alex. Gąsiewskiego.
O zamordowaniu Dmitra, Hsdra Moskiewskiego. 27. Maij. (Zakończenie wycięte.)

88. Punkty o porządnéj wojnie y sposoby nabycia dla pospolitej potrzeby pieniędzy, podane od Jana Brzostowskiego, w roku 1603, kiedy wszitko państwo uczynione było żołnierzem skonfederowanym.

90. Ao. 1612. Wojsko do Wołoch z panem Stephanem Potockim, starostą Felińskim, prowadząc na państwo Wołoskie szwagra swego, Hospodara Mogiłę.
Tegoż roku 1612. Condicie, które się postanowiły i zawarły 8. paźdź. pod Chocimem.

91. Interciza tego zastanowienia.

92. Ao. 1612. Respons połku Pana Zborowskiego, który z Moskwy wyszedłszy confederatią uczynił, Panom Kommissarzom od KJM. do nich wysłanym, aby z dóbr królew. ustąpili etc.

93. Uniwersał króla JMci albo Edikt z Sejmu Ao. 1607, d. 25. maja.

94. Catalog PP. Senatorów na sejmie Warszawskim. Ao. 1607.

94 b. List od PP. Senatorów i posłów z Sejmu do P. Wojew. Krak. Warsz.. 12. maja 1607.

95. Respons od P. Wojewody Krak. W Stężycy, 24. maja 1607.

96. Nota albo diariusz rokoszu ′pod Sędomirzem. Ao. 1606.

98. Extrakt dekretu od szlachty y panów Szwedzkich uczynionego w Norkopingu. Ao. 1604, marca 22.

101. Burda po rokoszu. Ao. 1606 Pan Szczęsny Herbort pojmał pana . . . Stadnickiego etc.

102. Dnia 16. Augusta. Posłów króla JM. słuchano na rokoszu pod Sędomirzem, a nazajutrz po justifikacyi króla JM. przez PP. posły JMP. Krakowski declaratią swą dał autentice z podpisem swoim przez pana Łysakowskiego i p. Sielnickiego, któréj sensus ten jest.

102 b. Votum Pana Wojewody Krak. pod Sędomirzem na rokoszu.

103. Deklaratia panów duchownych w kole rokoszowym.

104. Nowiny z Węgier Ao. 1606 in Decembr.′

105. Postulata niektórych PP. Posłów na sejmie Warszawskim. Ao. 1606. Królowi JMci podane.

107. Respons króla na te postulata.

111. List od kardynała do P. kanclerza Litt. 5. Maii 1606. Bern. Card. Maciejowski.
Respons Lwa Sapiehy na ten list. Z Warsz., 7. Maji 1605.

113. Articuli z koła jeneralnego rokoszowego z pod Sędomirza do króla JMci przez posły pod Wislice posłane. Ao. 1606.

119. Wieść, Ao 1607.

120. Respons od Pana Myszkowskiego, marszałka, Panu Wojew. krakowsk. Zebrzydowskiemu, na list, który jest niżej kart 75, (cf. fol. 69). Dat. w Pinczowie, 24. 9 bris 1606.

123 b. Pieśń po Rokoszu, Ao 1606, nota jako o Połocku. Druga Pieśń.

124. Clemens Papa, Romae, 30. Junii 1604. Theodoro principi Moscoviae.
Regi Persarum Clemens, Papa etc. 30. Junii 1604.

124 b. List do Xiążęcia Pruskiego od P. Kanclerza Litt. 30. Dec. 1604. Leo Sapieha.

125. Copia listu króla Perskiego do Zygmunta, króla Polskiego, oddany w Krakowie, Ao 1605, Novembr. 22.

126. Exemplar literarum D. Garsis Alabin, Cracoviae, 4. Oct. Ao 1595.

List od Władyk Ruskich z Rzimu.

„Oświecony Xiąże Wielebny, Panie móy Mściwy.“
13. Junii 1596.

127. Słowa Clemensa VIII., które imieniem jego uczynił
Silvius Antonamis ... do panów biskupów ruskich,
posłanych od Metropolita ruskiego, Michała Rohoży,
y jego biskupów, do Jo. Świątobliwości w sprawie
zjednoczenia ... 1595.

128 b. List Soboru Brześćkiego, (po rossyisku.)

130. List Sidora mitropolita, w którym uniią wspomina,
(po rossyjsku)

130 b. Krótce niektórych rzeczy celniejszych s prawidł
ojców s. po słowansku pisanych wyjęcie przez J a n a
B r z o s t o w s k., w Moskwie z wielkimi posłami będącego, Ao. 1600 kwoli unii s.

133. Pozew jednemu sekty Epikurów w r. 1591 dany (po
rossyjsku.)

133 b. Pieśń o Moskwie, Ao. 1609.

134. List niejakiego Galeckiego, Polaka w Moskwie będącego do B r z o s t o w s k i e g o na zamku Moskiewskim
tajemnie dany, Ao. 1610, za panowania w Moskwie
Hodunowa.

135—138. Anno 1601: Ceduły od B r z o s t o w s k i e g o do
Rzeziczan obległych na zamku od niego, y potym
wycinanych.

139. List od Carolusa Szweda do Jana Zamojskiego ...
1602.
Respons od Zamojskiego.

139 b. List od Jana z Nassau, Hetmana Szwedzkiego, do
Zamojskiego, Ao. 1602.

141. Joannes Carolus Chodkiewicz ... Joachimo Friderico
Mansfeldiae Comiti ... 8. Nov. 1605.

141 b. Chodkiewicz ... Mansfeldico. 20. Dec. 1605.

143. List Chodkiewicza do obywat. Połockich, 14. Oct. 1604.

143 b. Drugi list od niegoż, 7. Nov. 1605.

144. List od Senatorów Szwedzkich do pp. Senatorów
Polskich. Stockholmiae, 22. Aug. 1607.

146. O Pietrze Niedźwiadku, Moskaliu, Kazka. Anno 1607
in Januario, (po rossyjsku.)

147. Copia listu pisanego z Wiednia o przymierzu Cesarza
Chrzescian. z Turkiem, Anno 1606, 21. 9 bris.

148. Odpowiedź od Turka Cesarzowi.

148 b. Puncta z listów Cesarza Tureckiego przez dwu
Czauszow do króla JMci posłanych, Anno 1606 in
Novembri.

149. Anno 1605, Nowiny o Boczkaju Węgrzynie, który rebelliował cesarzowi.

149 b. Nowiny, 1605.

150. Nowiny z Węgier, Anno 1605.
Nowiny o Tatarach z Ostroga, 9. Octobra 1605.

150 b. Przyjazd do Pragi posłów od króla JMci po Arcyksiężnę rakuską Constantią, Ao. 1605.

151 b. Copia listu obywatelów Siewierskich do króla JM. Ao. 1605, 21. stycznia.
Poselstwo posła Moskiewskiego, kniazia Jwana Andrejewicza Tatiowa, Starodubskiego Wojewody y Czernikowskiego, ustne mówienie.

152. Copia listu P. Zaporskiego do P. Wojewody Sędomirskiego, nazajutrz po Ś. Troycy 1605.

153 b. Copia listu od Dimitra Carewicza Moskiewskiego do P. Mniszka, Wdy Sędomirsk., z Putiwla, Ao. 1605.

154. Dymitr do Mniszka, 25. Junii 1605.

154 b. Nowiny z Moskwy od Jana Wisłoucha do brata swego rodzonego pisane, do P. Jakóba Wisłoucha. 24. Julii 1605.

155. Copia listu od Wojewody Smoleńskiego do Pana Starosty Orszańskiego, (po rossyjsku).

155 b. List od Kniazia Moskiew. Dimitra do króla Polsk., 5. Sept. 1605.

156. Respons na ten list laciński Kniaziu Moskiewskiemu od KJM. po rusku dany.

157. Sprawy Kniazia Moskiew. Dimitra, (ślub z Maryną Mniszchówną).

158. Sposób wesela króla JMci Zygmunta III., Ao. 1605 w Krakowie.

159. Nowiny z Krakowa po weselu krol., 1605.
Conditiae Carewiczowi od króla JMci.

160 b. Stacia posłom Kniazia W. Mosk. Borisa Hodunowa, Ao. 1601.

161. Rozmowa jednego Polaka z Moskwą na zamku Mosk., Ao. 1601.

163. Copia z listu Wojewody Smoleńskiego do P. Starosty Orszan. o pomordowaniu naszych Polaków y Cara Dimitra w Moskwie zdradą, Ao. 1606, (po rossyjsku.)

163 b. Copia z listu drugiego tegoż etc.

164. Copia z listu panów Stadnickich z Moskwy pisane do P. Canclerza Lit. Lwa Sapiehi, 1606.

165. Respons JM. Panu Piotrowi Stabrowskiemu, kasztelanowi Pernaw., od Rycerstwa na petitią od R. P. dany 1606 Julii w Brześciu.

166. Memoriał ludzi co zaczniejszych w Moskwie przy
    zamordowaniu Kniazia Moskiewsk. Dimitra, Ao. 1606,
    Maja 27, Polaków pobitych.
166 b. Spisanie tych, którzy po zabiciu Kniazia Mosk. Di-
    mitra w Moskwie żywi zostali Polacy.
167. Copia z listu KJM. do Kniazia Moskiewsk. Dimitra,
    23. sierpnia 1605.
    Instructia od JKM. Panu Alex. Gąsiewskiemu . . .
    do Kniazia Dimitra . . . dana w Krakowie, 23. Aug.
    1605 . . . Tow tajemney audientiey ma mowić.
168. Copia z listu od P. Jazłowieckiego do P. Stadnickiego
    dyabła, 24. Junii 1606.
168 b. Universał Zygmunta III., 28. czerwca 1606.
169 b. Confederatia na rokosz, pod Sendomirzem, 13. sierp.
    1606.
170. Condicie na rokoszu.
171. Z rokoszu Sędomirskiego wieść.
171 b. Poczty Panów Rusk., s któremi kwarciany żołnierz
    przy królu JMci przeciw Rokoszanom.
172. Rokosz, który był pod Sędomirzem, Ao. 1606, 6 dnia
    Augusti. Definitio rokoszu y natura.
173. List od króla Jmci na rokosz pod Sędomirzem, dnia
    6. Augusti 1606.
    Postanowienie na sejmiku województwa krakowskiego.
173 b. Artykuły, które J. K. M. poprzysiądz ma.
177. Punkta Rokoszu.
180. Ao. 1605. Zjazd nowogrodzki panów senatorów Litt.
181. Instructia panom posłom do króla Jmci z Rokoszu.
183. Respons króla etc.
185 b. Exorbitantiae rzpltey, 30. Aug. 1606, czitano.
187. Artikuły na seymiku we Srzedzie Wielgopolan uczy-
    nione na rokosz pod Sędomirz.
    Exorbitantiae sive vulnera Rei Publicae.
187 b. Opisanie kniaziów wielkich moskiewskich.
188. List króla Jmci przez JMP. Koricińskiego, d. 24. Aug.
    posłany. Fol. — II. H. a. a. 13.

35.

Memoriale rerum gestarum in Polonia morte Sigismundi III
    inchoatum et continuatum, ab anno 1632—54. Levi calamo
    et raptim descriptum ab Alberto Stanislao Radziwiłł,
    Cancellario M. D. L. Tomus primus (— 1640 incl.) Ab-
    schrift aus dem Ende des 18. oder Anfange des 19. Jahrh.

315 Bll. In polnischer Uebersetzung herausgegeben vom Grafen Eduard Raczyński. Posen, Gebr. Scherk, 1839. 8°. 2 voll. Fol. — II. H. a. a. 14.

36.

Regestrum rationis generosi D. Severini Boner, Zupparii Cracoviensis etc. Percepta a die prima Novembris a. 1525 usque ad diem ultimam Octobris anni 1527.

Fol. 8. Laus Deo. Ao. domini 1525 die prima Novembris in crastino post novissime factam et coram Sacra Mte Regia die ultima Octobris conclusam rationem inceptum est per me Severinum Boner Zupparium, Burggrabium et Magnum Procuratorem Cracovien., Biecen. et Rapstin. Capitaneum etc., Regestrum hoc novae rationis, in quo continentur percepta pecuniarum ex Zuppis Cracovien., nec non aliunde, ut in Regestro patet, levatarum et rursus ad mandata et in necessitatem Sacrae Majestatis Regiae expositarum a die praefata ad diem ultimam Octobris Anni MDXXVII. distributa. 146 Bll. Abschrift u. Einbd. des 19. Jahrh. Fol. — II. H. a. a. 15.

37.

Literae annuae domus professae et collegii Varsaviensis Societatis Jesu, ex variis fragmentis collectae et continuatae, Anno Domini 1692.

Fol. 21. Annuae domus professae Varsaviensis . . . incipiunt ab ao. 1655, usque ad a. 1743, desideratur ann. domini 1678, 1681, 1685, 1687. Originalhandschr., 110 Bll. 4°. — II. H. a. a. 16.

38.

Różne rękopisma własnoręczne J. U. Niemcewicza. (137 kart.)
2—18. fol. Lettre d'un ami ou reflexions sur les véritables interêts de l'empire Russe, traduite du Russe. 28. X br. 1813.
26—62. Odezwa do Anglii. (Po francuzku). 24. April 1813. Ratisbonne?
65—92. O więzieniach publicznych. 27. List. 1816.
104—133. Odezwa do sprzymierzeńców i narodu Angielskiego o przywrócenie królestwa Polskiego, pismo wyszłe w Anglii w styczniu 1814, przełożone z angielskiego. 4°. — II. H. a. a. 17.

39.

Niemcewicz, J. U. Podeyrzliwy, komedya oryginalna, w 5ciu aktach, wierszem. 109 stron. „Podano do cenzury rządowey, dnia 2. lut. 1821. Osiński."

NB. Miejsca zakreślone ołówkiem, przez policyą uznane jako niemoralne i gorszące. Ciekawy dowód moralności policyi i autorów naszych.

Im alten Katalog: „Podejrzliwy, komedya J. U. Niemcewicza." Rękopis przepisany ręką obcą. 4°. — II. H. aa. 18.

40.

Eigenhändiges Manuscript Jul. Urs. Niemcewicz's, mit s. Bibliothekzeichen: „Dzieje Panowania Zygmunta III., Króla Polskiego, W. X. Litt. etc." I. 276 Bll., II. 289 Bll., III. 265 Bll. und 1 loser halber Bogen. 3 voll. Halbfranzbd. 4°. — II. H. a. a. 19—21.

41.

Eigenhändiges Manuscript Jul. Ursin. Niemcewicz's mit seinem Bibliothekzeichen. „Rękopisma własnoręczne, komedye etc." 365 Bll.

5 - 36. fol. Ułamek komedyi, akt III. y IV go część z przedmową. Osoby: Damon, Bulion, Wścibski, Leyba, Marta, Walenty, Delfina, Pettynetta, Bojomir, Dobrosław.

37—60. Jan Kochanowski, opera we dwóch aktach, 19 go września 1813 w Wilanowie.

69—98. Jan Kochanowski w Czarnym Lesie, opera we dwóch aktach, wierszem, przez J. U. Niemcewicza, muzyka . . . Kurpińskiego, pierwszy raz grana na teatrze warsz., 1. stycznia 1817. W Warszawie, w drukarni XX. Pijarów, 1817.

100—130. Modne życie pod schodami, krotofila we dwóch aktach, naśladowana z angielskiego, d. 29. grud. 1817.

131—194. Próżny, komedja. 18. maja 1819.

195—242. Podejrzliwy, komedya. 9. września 1819, w Wilanowie.

256—278. Opisanie Warszawy w r. 1643. 5. września 1816, we Wilanowie.

282. Powóz złamany, nr. II. Historya Moszka Leybowicza. 8. lipca 1816, w Skokach.

298. Passye przed sądem Jowisza, powieść. (Wierszem). 14. lipca 1816, w Skokach.

304—334. Powóz złamany, powieść nr. I. Dalszy ciąg Historya Moszka Leybowicza.

336—347. Pierścień włosów porwany, poema, 10. Nov. 1795, skończone dnia 10. Xbr. 1795, właśnie w rok zamknięcia mego w więzieniu moskiewskim.

348—365. Moszkopolis. Rok 3333, czyli sen niesłychany, d. 5. stycznia 1817. 4⁰. — II. H. a. a. 22.

42.

Eigenhändiges Manuscript J. U. Niemcewicz's. 225 Bll. Jan z Tęczyna, powieść historyczna. „Koniec 1. maja 1823.“ 4⁰. — II. H. a. a. 23.

43.

Rerum gestarum Prudentissimi atque Felicissimi Poloniae Regis Sigismundi Primi ex Commentariis Actionum Regiarum in gratiam Serenissimi Principis Domini Domini Stephani Dei Gratia Regis Poloniae Magni Ducis Litt. etc. a Reverendissimo Domino Stanislao Karnkowski Episcopo Kujaviensi collectarum Compendium. II + 306 Seiten. Saubere Handschrift aus dem 18. Jahrhundert. „Ex libris Mich. Comitis Vandalini Mniszech.“ — Handschriftliche Notiz Łukaszewicz's „To jest wyciąg z Tomicianów.“ 4⁰. — II. H. aa. 24.

44.

„Opisanie Polski z Historyi Literackiey.“ Im alten Katalog: „Biblioteka historyków Polskich Załuskiego.“ Bibliographie in Versen. 196 Stn. Abschr. d. 19. Jahrh. 4⁰. — II. H. aa. 25.

45.

Colloquium et disputatio fratrum cum Erasmo Glicz(ner). et Luth. Poznaniae. Anno Dni 1570, die 27. Januarii. In fine: Factum Anno Domini 1570, die 17. Febr. Posn. 48 Stn. Gleichzeitige saubere Handschrift.

Pag. 49. Contra ubiquitatem scriptum. Danieli Printz amico suo *ΕΥΠΡΑΤΤΕΙΝ*. 1569. 8 Bll. Gleichzeitige Handschrift.

10*

Pag. 65—166. Responsio brevis et syncera fratrum, quoi Valdenses vocant, ad naeuos ex Apologia ipsorum excerptos a Ministris confessioni Augustanae addictis in Polonia Anno 1567.

Dazu ein loses Blatt, enthaltend den Schluss dieser Schrift mit eigenhänd. Unterschrift des Verfassers, wie Daniel Ernst Jabłoński 1729 bezeugt. 4°. — II. H. aa. 26.

46.

Manuscript aus dem 16., 17. u. 18. Jahrhund.; verschiedene Schriften die böhmischen Brüdergemeinden betreffend. Wie die auf Blatt 34 befindliche Bemerkung: „Ad Archivum Unitatis XVII." zeigt, stammt dieses Manuscript, ebenso wie Nr. 45—50, 62—63, 70 (?) aus dem Archive der Brüdergemeinde in Lissa.

1. Acta Synodu Stawiszyńskiego, roku pańskiego 1586 dnia 12. maja.
3. Synod Poznański particularny, roku p. 1586 na św. Michał.
5. Epistolae et scripta in materia consensus cum Lutheranis, item de processu cum Paulo Gericio, ministro Lutherano Posnaniensi, et formula consensus doctrinae a Gericio conscripta et a Turnovio correcta.
   Odpis miast Pruskich na list nasz strony przyjęcia s nami Consensu. Dantisci, 22. Oct. 95.
7. Responsio nostra ad literas istas civitatum Prussiae. Varsaviae, 8. Maji 1596.
8. Dekret synodu Torunensis generalnego na X. Pawła Gericia. Torunii, 25. Aug. 1595.
9. Po Toruńskym generalnym synodzie proces z X. Pawłem Gericiusem, kaznodzieją niemieckim zboru poznańskiego, A. C. 1595.
17. Formuła zgody podana od X. Pawła Gericiusa.
18b. Formuła zgody skorrigowana od B. Symona Turnoviusa.
22. Chronikarskie zapiski z roku 1596 z dziejów gmin jednoty czeskiéj.
24. Sequuntur Acta descripta ex Exemplari in Archivo Coetus Cracov. asservato. Berl., 1713. (D. E. Jabłoński.)
    Acta et conclusiones synodi provinc. w Betrycach in districtu Lublinensi A. 1637 25 et seqq. Sept. (finit. 29. Sept.) X. Andrzej Węgierski, notarius p. t. synodi provinc.

28. O Rozmowie przyszłey Ministrów z Duchownymi Graeckimi ... (De colloquio Vilnensi cum Graecis).

34—44. Brevis historia synodi Thoruniensis, an. 1595, 21. Aug. habitae. Ad Archivum Unitatis, XVII.

35. Summariusz a krótkie opisanie synodu w Thoruniu, od Ministrów y Ichmci Panów Patronów roku 1595, 21. Augusti mianego. (Gleichzeit. Handschrift.)

45. Ein Brief des Kammacher-Gesellen Johann Michael Uifferle aus der Schweiz, an Jabłoński, aus dem Hausvogteigefängniss, 20. Jan. 1722.

46. Przemówienie do ministrów Brata Jerzego Jzraela w synodzie, który był w Poznaniu o Św. Michale roku 1579. (Gleichzeitige Handschrift, leider unvollständig.)

54. Proposita Min. in syn. Posn. 1579, d. 1. Oct.

55. Excerpta quaedam ex literis Excellentissimi Doctoris Joh. Jonstoni, (manu Joh. Bitneri senioris Unit.) „D. Jonstoni judicium et censura na script mój scandala expurgata tytułowany."

56—59. Ein Katalog von Schriften die Dissidenten betreffend.

60—61. Spis synodów Braci Czeskich w 16. i 17. wieku odbytych. (1727 in Febr.)

62. Prop. Ministrorum in Syn. Posn. 1580, d. 29. Junii.

64. Prop. Ministrorum in Syn. Posn. 1579, d. 1. Oct.

66. W roku 1638 zwołany był Synod w Lesznie, ad d. 14. Octobr.

74b. Convocatia ao 1639, ad d. 20. Martii w Lesznie.

79. Acta Convocationis Lesnen. ao 1645, dominica quasimodogeniti.

90. Script JMci P. Sędziego Wschowskiego, Utriusque Confessionis Ichmciom y Braciey podany. cf. p. 132.

96. Respons na script ten od JMci P. Sędziego utriusque Confessionis Braciey podany.

99. Quatuor Theses Braci Augustanae Confessionis nam podane.

100. Respons nasz ad 4tam Thesin frum Aug. Conf.

101. List y declaracya nasza Ichmciom y Braciey Aug. Conf. podana, 26. Apr. 1645.
(Harum literarum Originale adhunc diem in Archivo exstat C. G. Woide.)

108. Legatio seniorum unitatis sive ecclesiae fratrum ex Polonia ad theologos Vitebergenses, a. d. 1568, die 10. Februarii conscripta a Joanne Laurentio internuntio.

132. Responsum facultatis theologicae Witteb. ad Generos.
Dn. Joh. Schlichtink, Judicem Wschoviensem, 22. Maji
1645.

141. Respons Jmci Pana Sędziego Wschowskiego, na list
Akademii Witteberskiej, 2. Julii 1645.

148. Copia literarum ad Ampliss. facultatem theolog.
Wittebergensem a nobilitate Poloniae Augustanae
Confessioni addicta scriptarum.

152. Responsum theol. facult. Witeb. ad literas ecclesiarum A. C. in Majore Polonia, 22. Maji 1645.

156. Resp. Facult. Witteb. ad posteriores literas dni de
Schlichting, dat. 2. Julii 45.

166 –167. Literae generosi Schlichting nomine fratrum
Conf. Bohemicae ad facultatem theol. Witteberg de
ineunda concordia cum Aug. ante colloquium Toru-
niense.

168—173. Synod Andrychowski, Anni 1710, Daniel Ernestus Jabłoński D., Ecclesiarum Unit. FFrr. per Maj.
Poloniam Senior, mpria.

174. Acta synodi generalis praeliminaris celebratae Thorun.
Anno 1712, a die 2. Novembris, ad d. 4. Novembr.

176. Acta et conclusa conventus generalis praeliminaris
. . . Thorunii, 1712, d 2. et 3. Nov. celebrati.

178. Acta et conclusiones synodi provincialis Lesnae celebratae, 1717, 18—20. Aprilis.

186 –191. Acta et conclusiones Synodi provincialis celebratae Thorunii, Ao. 1712, a die 31. Octobr. ad diem
4. Novembris.
Praelectae et approbatae in synodo, Anni 1730, Dav.
Cassius, Sen. Unit. mpp.

192. Akta Synodu prowincialnego w Lesznie odprawionego,
Ao 1730, 19.—21. Junii.

198. List do synodu: plan na zakończenie differencyi
powstałych na synodzie.

200—202. Synodi particulares ecclesiarum unitarum Conf.
Boh. in Polonia majori ab initio seculi XVIII. origi-
nalia, 1707—1778.
4º. — II. H. aa. 27.

47.

(Turnovius, Sam. Ambros.), Oratio de admiranda spiritus sancti in apostolos dni nostri Jesu Christi effusione,
qua celebratur consecratio ecclesiae christianae. Habita
a me Samuele Ambrosio Turnovio, Idib. Junii Anno

extremae sanctorum patientiae 1596. Eigenh. Manuscript.
11 Bll. 4°. — II. H. aa. 28/1.

Katechism chrzesciański pospolity zborów ewangeliskich,
które są w Polscze y w Litwie y w Państwach ym należących, nowo wypolerowany. Anno 1605. Sehr sauberes
Manuscript, vielleicht sogar das Originalmanuscript. 4°.
— II. H. aa. 28/2, fol. 13—24.

Tractacik uczniów Christusowych, w którym się zamy-
kają nauki potrzebne wszystkim młodzieńcom Akolytom
a Lektorom, Diakonom a Katechistom y mlodym ministrom przy księżey a starszych braciey do usługi Pana
Christusowey y Cerkwie jego w Jednocie Braterskiey się
oddającym a czwiczącym. W Ostrorogu, 1602 d. 30. Aug.
Kalligraphisch ausgeführtes schönes Manuscript, vielleicht die Originalhandschrift. 4°. — II. H. aa. 28/3, fol.
25—76.

Księgi zborowe, w których naprzód powinności starszych
kosczelnych y też wszystkich wobec słuchaczów słowa Bożego: a zatym sprawy zgodnie od Braci we zborze Bere-
steckim namowione są wypisane . . . Anno Domini
1605. Gleichzeit. Handschrift. 4°. — II. H. aa. 28/4, fol.
77—102.

48.

ΕΦΗΜΕΡΙC rerum ab Joh. Ribinio in Eccl. Christi
gestarum ab eo tempore, quo factus est ecclesiarum in
Maj. Pol. Orth. Confess. Boh. Fratrum Senior et Superatt.,
ubi statim, quis et qualis ab ipsa juventute fuerit, lector
intelliges. Eigenhändiges Manuscript der in polnischer
Sprache verfassten Autobiographie. 4°. — II. H. aa. 29,
pag. 1—25.

Acta synodi Ao. 1633, 17. et ss. Apr. Ostrorogiae habitae
uide alibi. Na ktorym yżem za Seniora w Jednocie
obrany, non abs re me facturum arbitror, kiedy tu pono-
tuję, co się kiedy przez mię w tey Jednocie miley działo,
abym gdzie tego będzie potrzeba umiał dać rationes Ocii
mei et officii, y sam żebym się dobrym sumnieniem cieszył,
quod pro posse eam quam nactus sum spartam ornavi.
Eigenhändige Niederschrift des Senior Joh. Ribinius.

25. Pag. Copia Listów do różnych osób z synodu publico
nomine pisanych: Do Wojew. Bełzkiego Leszczyńskiego; do Synodu w Okszy; do Tomasza Węgierskiego; ad Dn. Andream Rej de Nagłowicz.

30—31. Modlitwa przi poswiącaniu zboru.

CLII Manuscripte.

33. Do zboru Parcickiego.
35. Do Pana Mielęckiego.
36. Do X. Jakuba Wolphagiusa.
38. Do Pana Schönaicha.
39. Dziennik własnoręczny Jana Ribiniusa.
42. Copia listu do X. Thomasza Węgierskiego.
44. Droga na convocatią Leszczyńską, Anno 1633, die 27. Junii.
46. Proponenda na convocatiey Leszcz. Acta . . . uide alibi.
   Listy z tey convocatiey pisały się: . . .
47—90. Dalszy ciąg dziennika i korrespondencyi.
93. Continuatio Actorum Senioratus nri 1638-1640 (inna ręka po śmierci Ribiniusza.)
100. Verzeichniss der Ref. Prediger in Lasswitz, wie sie aufeinander gefolget.
101—289. Folgen Aufzeichnungen über Todesfälle, Ordinationen, Versetzungen der Prediger der Brüdergemeinde etc. vom Jahre 1643—1737.
295—296. Sposób zgody seniorów ewangelickich, działo się w Krakowie na sejmie walnym koronnym d. 3. Martii, Ao. di. 1595, podpisani: Andrzej Leszczyński, Świętosław Orzelski z Orla, Sendziwoy Ostrorog, Erasmus Gliczner, Simeon Th. Turnowski, Daniel Mikołajewski, i Johannes Turnowski.
297. Nicolai Gertichij Lebenslauff kurtz u. disposition. 1663 d. 5. Febr., (eigenhändiges Manuscript), geb. 1624, 17. Dec., † 24. Maji 1671. Unit. Sen. et Superattendens Lignic.
329. Christinae Poniatoviae de Duchniki Hemerologium Revelationum, quas anno 1627 et 1628, partim in Bohemia, partim in Polonia habuit.
383—385. List oryginalny Stanisława Kochlewskiego do Marcina Orminiusza o śmierci żony swojéj y o pogrzebie jey, prosi o inspectora dla dzieci, i o pieniędzach zebranych różnych.
387. Mandatum Episcoporum Cracov., Cujav., Posnan. et Plocensis, quo securitatem promittunt Dissidentibus, 27. Apr. 1638.
388. Rationes oppositae scriptowi Macieja Dargockiego, yż domowi Radziwiłłowskiemu Tytuł książęcy należy.
395—398. Ostatni list oryginalny X. Thom. Węgierskiego do X. Ormin z Synodu pisany: o summie u Pana Drohojewskiego etc. Dat. Baranoviae, 7. Decembris 1643.

399. X. Enoch ma urząd sprawować w miłości z kollegą y w pokoju . . . bez niepotrzebnych inwektiw . . . sub poena excommunicationis.

401. O X. Pawle Giericiuszu i o X. Enochu.

403. Exkommunikacya Kristopha Serpentina 1601, die 20. czerwca, na synodzie Lubelskim.

404. Roku 1602, czerwca 12. dnia, excommunikacya na synodzie Lubelskim, Jana Radziszowskiego.

403. Własnoręczny życiorys Adama Samuela Hartmana.

411. List rekommendacyjny pisany przez Jana Rybinskiego dla Gabriela Turnowskiego. Cal. Jan. 1637, podpisał się także Jan Szlichting z Bukowca, Sędzia ziemski Wschowski, 28. Apr. 1637.

413. Excerpta . . . ex literis amici cujusdam statum ecclar. evglicar. in Polonia concernentia.
4°. — II. H. aa. 29.

49.

1—30. pag. Amica et fraterna adnotatio naeuorum et verborum minus recte positorum in Confessione fratrum, quos Valdenses uocant, proposita in Synodo, Poznaniae 28. Januarii caelebrata a ministris Confessionis Augustanae iisdem fratribus Valdensibus in duodecim partes distincta. Praefatio polonice scripta. 16. saec.

31—38. De Valdensium schismatae ex publico colloquio Thoroniae cum fratribus Bohemicis habito in praesentia duorum Palatinorum et aliquot Satraparum Polonicorum et fere ducentorum civium anno 1563 Octavo Septembris die, Benedictus Morgenstern. Finis deest. Originalmanuscript?

39—52. Memoriale in causa omnium ab ecclesia Romana in Polonia dissidentium (auctore Ariano quopiam, in horum maxime gratiam) anno . . . 1659.

53. Sarmata Simeonis Th. Turnovii servi Jesu de sacramento coenae domini contendentibus viris evangelicis consensum optat et ad eum viam demonstrat. Scriptus A. D. 1593. Ab auctore deinceps ao 1595 recognitus, in capita distinctus, rationibus firmis illustratus et auctus. Item de persona Christi et Majestate ejus, et deinceps ad Basiliensem censuram responsio et Epilogus et denique eadem perpetua sententia fratrum. Anno Domini 1593. (Pag. 137) Ostrorogi Nonis Martiis A. D. 1603.

141. Ad Silesia⌐as objectiones seu in Animadversiones
cujusdam viri docti responsio Sarmatae. 1594, Aug. 24.
4°. — II. H. a. a. 30.

50.

Acta fratrum Bohemorum cum ecclesiis minoris Poloniae
Ab anno domini 1555, quo anno primum sese mutuo con-
junxerunt in conventu Kosminecensi.
  4. fol. Brevis annotatio eorum, que Cosminecensem con-
     ventum autecessere.
  6. Acta conventus Kosminecensis, in quo ecclesiae minoris
     Poloniae fratribus sese conjunxerunt anno 1555 circa
     festum Bartholomaei.
 33. Peregrinatio Johannis Nigrani et Johannis Laurentii
     cum aliis in legatione fratrum ad Illustriss. Principem
     Ducem Prussiae, Dnum Albertum Seniorem, (conscripta
     a Johanne Lorentio.) Anno 1555.
 57. Censura Cracoviensium (D. Johannis A Lasco, aus-
     gestrichen) de confessione fratrum et responsio fra-
     trum ad censuram illam. Anno 1556. Adnotata in
     Confessionem F. Bohemorum latinam, Viteb. impres-
     sam ao 1538.
 59. Responsio brevis ad censuram confessionis fratrum.
 68. Acta legationis ad synodum Pinczoviensem A. D. 1556.
     Legati F. Mathias Czerwenka, Joh. Lorentius, Joh.
     Geletzky.   Acta synodi Pinczoviensis 1556, 5. Junii.
 79c. Tractatio Johannis Laurencij a. d. 1556.
 80. Acta legationis fratrum ad Polonos minores in Wla-
     dzislaw 1557. Legati: F. Wenceslaus Czechus, F. Joh.
     Lorentius.
112b. et alibi literae Johannis a Lasco. [Vide fol. 358.]
114. Acta circa conventum Goluchoviae a Polonis Minoribus
     indictum, ad quem fratres legatos suos miserunt, ipsi
     vero Poloni sese non praesentarunt, ao Di 1557. Item
     circa alterum in Chodecz similiter indictum et fru-
     stratum. (Haec posteriora acta in Chodecz v. fol. 142.)
133. Colloquium fratrum cum D. Francisco Lyzmanino
     Tomicz anno dni 1557.
142. Acta circa conventum in Chodecz a Polonis minoribus
     indictum, ad quem tamen ipsi iterum non venerunt,
     legatis fratrum comparentibus anno domini 1558,
     Februarii 8.
150. Censura sive judicium professorum et theologorum
     ecclesiarum Helueticarum de Confessione et Apologia

fratrum Vitebergae latine excusa anno 1538, scriptum
ad Doctorem Franciscum Lismaninum in Poloniam,
anno 1557.

161. Acta colloquii Lipnicensis in Morawia, anno dni 1558,
Oct. 27.

174. Acta legationis fratrum in synodo Książensi, quae
convocata fuit ao di 1560, 15. Sept. Internuntii Joh.
Laurentius, Johannes Rokytha.

196. Acta Bużinensis colloquii fratrum Bohemorum cum
Polonis minoribus, anno dni 1561, Junii die 16.
Internuntii Gallus Drzewinski i Zacharyasz z Brodu,
z Morawiy Jan Laurentius i Jan Rokytha, z W. Polsk.
Bylem znijmi nalewając ijm na ręce wody jak (żak?)
z Koźminskiey szkoly Symeon Th. Turnowski, na
wozie z P. Jakubem Ostrorogiem.

222. Acta fratrum cum Polonis minoribus circa editionem
confessionis, (229) inde colloquium Cracoviense cum
Catholicis et Tritheitis et disputatio F. Joh. Laurentii
cum Gregorio de trinitate, Ao. di. 1563.

250. Acta legationis ad minores Polonos per F. Georgium
Israelem sub finem anni 1556 et initium 1557. Te
Akta mają naprzód stać po pinczowskym synodzie
(pag. 79 d.)

255. Pamięć tych wszech rzeci, które się działy lata p. 1556
w mnieissi Polsce, gdy B. Jerzy Israel z B. Ja. Rybą
nawiedzali zbory ych.

270. Pamięć tych rzeczy, które były na pirwssim zjachaniu
w domu Pana Filippowskiego na dzien św. Mikolaja
w Krzciencicach. (cf. p. 232.)

298. Pamięcz tych rzeci, ktore się działy y onich rozma-
wiano belo na drugim zjachaniu w domu Pana Filippowskiego . . . w poniedż. po św. Lucii roku p. 1556.

354. Tu się pokłada osobliwa sprawa y porządek ministrów Krakowskych, ktori miedzi sobu vsadzili.

357. Epistola Stanislai Sarnicii ad Georgium Israel, 3. Dec.
1557. Original od. gleichzeit. Abschrift.

358. Epistola Johannis a Lasko ad Georgium Israel,
3. Dec. 1557.

359b. Felix Cruciger ad Geo. Israel, 3. Febr. 1557.
4°. — II. H. aa. 31.

51.

Manuscript in 4°. Aus dem 17. Jahrhundert.
Dar od JW. Eydziatowicza. (Vorher im Besitze des
Grafen Wandalin Mniszech.)

2. Porządek pogrzebu króla Sigmunta Augusta, zmarłego Ao. 1572, którego ciało pogrzebiono w kościele wielkim krakowskim na zamku . . . 1574, 10. Febr.

10. Spisek koni, które się zostali po śmierci Król. JMci Sigmunta Augusta w Kuyszynie.

12. Sumptus funebrium exequiarum et sepulturae Sermi . . . Stephani I. . . .

15. Percepta pecuniarum ex contributionibus publicis. Ao. 1588.

16. Distributa pecunia in exequiis funeris S. R. olim Mtis Stephani 1588.

58. Solutio Diariorum septimalium Curiae Grodnae ad custodiam funeris S. olim R. Mtis per Illmum Dn. Alb. Radziwił . . . assignata et ordinata.

65. Solutio Salariorum Curiae Grodnae ad Custodiam Corporis Sermi olim Stephani Regis relictae.

71. Porządek y ceremonie przy wyprowadzeniu z Grodna ciała KJMci Stephana . . . do Wielkiego Kościoła Zamku Krak.

84b. Szaty KJMci Stephana wydane pokojowym sługom . . . według testamentu.

89. Porządek prowadzenia Ciała JKMci na pogrzeb do Krakowa, die 3. 8 bris 1599, (żony Zygmunta III. Anny.)

91b. Transactia rozerwanego seymu walnego Warszawskiego, die 22. Maji Ao. Dni. 1681.

97. Opisanie prowadzenia ciał królestwa JchMci Sigmunta Trzeciego y królowey JM. Konstantij z Warszawy y potym pogrzebu w Krakowie.

110. Tu się poczyna Actus Coronationis.

112. Anno 1681. Projekt na JMci Pana Bidzińskiego, strażnika koronnego, pisany w Krakowie.
Drugi z Warszawy na tegoż. Wiersze.

114—116. Justifikacya JMci P. Strażnika. Wiersz.
4°. — II. H. aa. 32.

52.

Uebersetzung des Vitruvius in polnischer Sprache vom Grafen Ed. Raczyński. Witruwiusz w Brulionie księgi 1—5, II. 6—10. 4°. — II. H. aa. 33—34.

53.

Pamiętnik Historyczny Legionów Polskich posiłkowych przy armiach Rzeczypospolitey francuzkiey we Włoszech

i nad Renem. (Stron 79.) Na końcu: fait a Rudakow,
le 3. Juni 1804. Kalligraphisch bemerkenwerthes Manuscript. 4°. — II. H. aa. 35·

54.

Ein Convolut von fünf und zwanzig Blatt in Folio aus
dem vorig. Jahrh., mit der Ueberschrift: Polonica von
Dr. Lengnich aufgesetzt, welches folgende Schriften
enthält:

1. Von Ihrer Kgl. Majestät hohen Vorrechten. Bl. 1—3.
   Am Rande: „Jussu Regio scripsit et Comiti de Bruhl
   exhibuit Dr. D. Godefridus Lengnich. M. Oct. 1740.
   Tempore comitior. Varsav."

2. Von den Feldherren in Ansehung Ihrer Kgl. Majest.
   Bl. 4—5. Am Rande: „Jusso Regio scripsit et Comiti
   de Bruhl exhibuit Dr. D. Godefrid. Lengnich, Varsav.
   M. Oct. 1740, tempore Comitior."

3. De Silesia. Bl. 6—7. Unter dem Text: „D. 6. Jan.
   1741 . . . istas quaestiones (quatuor) et responsum p.
   secretarium suum Blech a Dom. Lengnich expetente
   Principe Czartoryiski, M. D. Lith. Pro-Cancellario."

4. In dem Titel vor der Dedication Pufendorfii Rerum
   gestarum Frider. Wilh. wird der Churfürst Friedrich
   genannt: in Silesia, Crosnae et Suibusiae Dux. Bl. 8.

5. Eine Abhandlung über die Rechte und Pflichten der
   Kronbeamten während des Interregnum in Polen.
   Bl. 9—10.

6. Dem H. Castell. Bagniewski hat die Stadt Elbing ...
   auf seine Anfrage: „Was es eigentlich mit dem Thesaurario provinc. vor eine Bewandnuss habe?" Folgendes zugesandt. Bl. 11—12.

7. Deductio jurium quorundam Prussiae thesaurario
   competentium. Blatt 16—21. Darunter die Notiz:
   „Haec omnia reperiuntur in actis publicis in Prussia
   et Historia Lengnichiana."

8. Konstytucye o dobrach stołowych . . . ex Volumine
   legum . . . wypisane. Bl. 13—15.

9. Actum coram judicio Regio Oeconomico in Castro
   Marienburgensi, d. 1. Oct. 1714. Bl. 22—23. [Betrifft
   die dem Gr. Bieliński aus diesem Fonds zugestandene
   Pension v. 2000 Spec. Thlrn.|

10. Responsum ad puncta instructionis Statuum et Ter-
    rarum Prussiae . . . d. d. Varsaviae, 1. Febr. 1735.
    Blatt 24—25. Fol. — II. H. b. 1.

55.

Cicerona, M. Tulliusa, Księgi o końcach dobrego i złego,
czyli o życiu dobrze i szczęśliwie, z łacińskiego na polski
język przełożone przez Żukowskiego. Fol. 77 Blatt.
[Uebersetzung aus uns. Jahrhund.] — II. H. b. 2/1.
— Pocieszenie. Fol. 40 Blatt. [Uebersetzung aus unserem
Jahrh.] — II. H. b. 2/2.

56.

Historia residentiae Walcensis Societatis Jesu, Anno Dmni
1618. Fol. 134 Blatt. [Zur Gesch. des Jesuitencollegiums
zu Deutsch-Crone vom Jahre 1618 bis zum J. 1773.] —
II. H. b. 3.

57.

Akta rozmaitey treści z końca XVIII. wieku, tyczące się
zakonu Bernardynów Prowincyi Wielkopolskiey. Fol.
133 Blatt. [Zur Gesch. des Bernhardiner-Ordens in Gross-
Polen, vom J. 1780—1815. — II. H. b. 4.

58.

Specimen codicis diplomatarii Ducatus Monsterbergensis
et territorii Francosteiniensis. Orig. Mscr. aus d. vorig.
Jahrh. Fol. 22 Bl. — II. H. b. 5.

59.

Joneman'a, Józefa, Dzieje ziemi Wschowskiey i stole-
cznego jey miasta Wschowy, z przystósowaniem do
historyi narodowey zebrane i spisane . . . Fol. 75 Blatt.
[Unvollständig, Schluss fehlt. Das Vorhandene geht bis
zum Jahre 1782.] — II. H. b. 6.

60.

Cricii poemata, (XVI.—XVII. s.) Fol. 42 Bll. Fol. 2:
Fragmenta poëmatum Andreae Kricii Archiepisc. Gnesn.
Vita Andreae Kricii Archiep. Gnesn. etc. Fol. 42 a.;
Conclusio: Si quis haec crediderit dicat gaudens Amen.
Fol. — II. H. b. 7.

61.

Cricii, Andreae, archiep. Gnesn., Poëmata. XVII. saec. 191 Bll. Fol. Am Schlusse beigebunden 2 Bll. „Do stołu królewicza JM. Ordinaria" . . . Auf dem zweiten Blatte: „Przemowa królewicza." [Cf. Z. Węclewski: O poezyjach Andrzeja Krzyckiego, — w Pamiętniku akademii umiejętności w Krakowie. Wydział filologiczny i historyczno-filozoficzny. Tom L Krak., 1874. 4°. (V. G. a. 28.)] — II. H. b. 7a.

62.

Schriften, Verschiedene, aus dem XVI. und XVII. Jahrhundert zur Geschichte der Dissidenten in Polen. Fol. 119 Bll. [Darunter eine Pergamenturkunde aus dem J. 1569, ausgestellt von Jan Ostrorog, in welcher derselbe erklärt, dass er, ebenso wie sein Vater und dessen Vorgänger, das Glaubensbekenntniss der Waldenser annehme und daran für immer halten werde. Blatt 72. Fol. — II. H. b. 8.

63.

Dyaryusz traktatowy, czyli kommissyi pełnomocney od dnia 4. Novembris 1797 do dnia 26. Februarii 1768. Fol. 120 Bll. [Verhandlungen der Delegirten des Ministeriums, des Senats und der Landbotenkammer mit dem russischen Gesandten, Fürsten Nicolaus Repnin, betreffend die allgemeine Lage der polnischen politischen und darunter auch der Dissidenten-Angelegenheiten. — Gleichz. Abschr.] — II. H. b. 9.

64.

Pisma, znalezione w kancellaryi Szymona Kossakowskiego, Hetmana Wielkiego Litewskiego. Fol. 31 Blatt. In französischer Sprache. Spätere Abschrift. Betrifft die Conföderation von Targowica und reicht b. z. 23. Januar 1794. — II. H. b. 10.

65.

Regestrum quattuor tem. Zuppe Wyeliciensis, administrationis C. Severini Boner de Balicze, Castel. Żarnow., Zuppa. Bur. ac Magni Proc. Craco., Byecensis, Rabstinensis, Oswyacimensis et Zathoriensis Capitanei, anni 1535. Fol. 81 Blatt. — II. H. b. 11.

66.

Bytność Nayiaśnieyszego Stanisława Augusta, Króla Polskiego, w Nieświeżu od dnia 16. do 22. Sept. w mieście
rezydencionalnym i stołecznym Ordynacyi Imienia Xiążąt
Radziwiłłów roku 1784. Fol. 20 Blatt. Abschrift aus
unserer Zeit. — II. H. b. 12.

67.

Artykuły woyskowe, które (ut fertur) maią bydź dane
woysku cudzoziemskiemu podczas panowania Nayaśniey-
szego Zygmunta Trzeciego, Polskiego y Szwedzkiego
Króla. Fol. Blatt 1—17. Abschr. aus dem vorig. Jahrh.
— II. H. b. 13/1.

Umieiętność kawalerska, albo artikuły woysku cudzoziemskiemu, opisane w uniwersale Najj. Władysława Czwartego, Polskiego y Szwedzkiego Krola. Fol. Blatt 18 – 35.
Abschr. aus dem vorig. Jahrh. — II. H. b. 13/2.

Ordynacya sądów woyskowych za panowania JMci Jana
Kazimirza postanowiona. Fol. Blatt 37—48. Abschrift
aus dem vorig. Jahrh. — II. H. b. 13/3.

Artykuły koronne wojenne hetmańskie, authoritate seymu
approbowane anno 1609. Fol. Blatt 49—53. Abschrift
aus dem vorig. Jahrh. — II. H. b. 13/4.

— późnieysze woyskowe, anno 1611 postanowione. Fol.
Blatt 54—57. Abschrift aus dem vorig. Jahrh. — II. H.
b. 13/5.

— należące do obozu, ciągnienia (sic) przeciw nieprzyiacie-
lowi y zwiedzienia (sic) bitwy. Fol. Blatt 58—63. Abschr.
aus dem vorig. Jahrh. — II. II. b. 13 6.

Dyspozycya przestrzegania bespieczeństwa w mieście Warszawie podczas interregnum. Fol. Blatt 64—66. Abschr.
aus dem vorig. Jahrh. — II. H. b. 13/7.

68.

Regestrum Magnifici Domini Andree de Koszczelecz, Regni
Polonie thesaurarii, Scepusiensis, Inowladislaviensis, Oss-
wianczimensis et Bidgostiensis Capitanei, Magnique Procuratoris Cracoviensis, inceptum a die decima mensis Junii
anni Domini 1510, super distributa pecuniarum ex utris-
que salinis Cracoviensibus perceptarum. Fol. 90 Blatt.
[Durch den Druck veröffentl. im „Pamiętnik Warszawski"
Jahrg. 1819 u. 1821.] — II. H. b. 14.

69.

Informacya o prawach świętey katolickiey w obrządku ruskim religii w pięciu uwagach nad pięciu propozycyami w memoryale JMci Xa Koniskiego, episkopa nieunita Białoruskiego, wyrażonemi, przez JW. JMci X. Antonina Młodowskiego, biskupa Brzeskiego, koadjutora Włodzimierskiego, przełożona roku Pańsk. 1766. Fol. 122 Bll. — II. H. b. 15.

70.

Listy, Mowy, Wiersze polityczne, i dyssydentów dotyczące pisma rozmaite z początku XVIII. w. Fol. 101 Blatt. — II. H. b. 16.

Kopia listu do Wielmożnego JMci Pana Starosty Babimoyskiego od Malkona w Sulechowie, predykanta Kalwińskiego. Fol. Blatt 42—44. Respons na list Pana Malkona, predykanta Kalwińskiego, dnia 5. kwietnia z Sulechowa R. P. 1717 pisany do JMci Pana Starosty Babimoyskiego, dnia 15. kwietnia 1717. Fol. Blatt 44—51. — II. H. b. 16.

Instrukcya Urodzonemu Franciszkowi Ponińskiemu, Staroście Kopanickiemu, od Jgo Krolewskiey Mści ... y Rzeczypospolitey do Jgo Carskiego Wieliczeństwa expedyowanemu, dana z kancellaryi koronney 1717. Fol. Blatt 55 – 57. Mowa ... JMci Pana Starosty Kopanickiego, ablegata polskiego do Cara JMci, w Paryżu miana. Fol. Blatt 57—58. — II. H. b. 16.

Kopia memoryału do Nayjaśnieyszego Carskiego Wieliczeństwa przez Franciszka Ponińskiego, Starostę Kopanickiego, ... podanego. Kopia responsu na podany w Moskwie memoryał Pana Franciszka Ponińskiego ... 20. Martii 1718 ... od ministrów status danego ... w Kronstacie 12. Julii 1718. Fol. Blatt. 58 – 62. [Betrifft die Zurückziehung der russischen Truppen aus Polen.] — II. H. b. 16.

71.

Listy oryginalne Zygmunta III. od r. 1587—1599, do Mikołaja i Krzyżtofa Radziwiłłów pisane. 191 Blatt. Fol. — II. H. b. 17.

72.

Listy oryginalne Zygmunta III. od r. 1600 do r. 1617 do Krzysztofa (i Janusza) Radziwiłła pisane. 201 Blatt. Fol. — II. H. b. 18.

73.

Zygmunta Augusta, Króla Polskiego, Listy oryginalne,
do księcia Mikołaja Radziwiłła od r. 1552 do r. 1571
pisane. 232 Blatt. Fol. — II. H. b. 19.

74.

Listy oryginalne
  1. Książąt Słuckich-Olelkowiczów,
  2. Książąt Ostrogskich,
  3. Książąt Zbarawskich,
  4. Książąt Wiśniowieckich i
  5. Hrabiów Tarnowskich
do książąt Radziwiłłów pisane. 350 Blatt. (Aus der
Fürstl. Radziwiłłschen Bibliothek zu Nieśwież.) Fol. —
II. H. b. 20.

Listy oryginalne Jerzego i Symeona Książąt Słuckich-Olelkowiczów do Książąt Radziwiłłów pisane. Blatt 3 – 37. Fol.
  — II. H. b. 20/1.
— oryginalne Konstantyna i Alexandra książąt Ostrogskich
  do książąt Radziwiłłów pisane. Blatt 39 — 94. Fol. —
  II. H. b. 20/2.
— oryginalne Janusza, księcia Ostrogskiego, kasztelana
  krakowskiego i list Alexandra Janusza, ostatniego księcia
  Ostrogskiego, do książąt Radziwiłłów pisane. Bl. 96 — 125.
  Fol. — II. H. b. 20/3.
— oryginalne Stefana, wojew. trockiego, Janusza, wojew.
  bracławskiego, i list Jerzego, książąt Zbaraskich. Blatt
  127 — 140. Fol. — II. H. b. 20/4.
— oryginalne Andrzeja, księcia Wiśniowieckiego, Eufemii,
  księżnéj Wiśniowieckiej, żony jego, i Jana, księcia Wiśniowieckiego, syna jego. Bl. 142 — 168. Fol. — II. H. b. 20/5.
— oryginalne Jeremiego, księcia Wiśniowieckiego, wojewody
  ruskiego, list Zofii, księżnéj Wiśniowieckiej, żony jego,
  list Konstantego Krzysztofa, księcia Wiśniowieckiego,
  list Dymitra, księcia Wiśniowieckiego, kasztelana krakowskiego, hetmana wielkiego koronnego. Blatt 170 — 208.
  Fol. — II. H. b. 20/6.
— oryginalne Jana, Hrabi na Tenczynie, wojewody i starosty
  lubelskiego. Blatt 211 — 221. Fol. — II. H. b. 20/7.
— oryginalne Jana Hrabi na Tenczynie (zięcia Mikołaja
  Krzysztofa księcia Radziwiłła) i list Andrzeja Hrabi na
  Tenczynie, kasztelana wiślickiego. Blatt 224 — 350. Fol.
  — II. H. b. 20/8.

75.

Materyały do historyi polskiey, w których się zawierają:
1. Akta publiczne, diplomata y listy królów polskich;
2. Listy znacznieyszych w Polsce urodzeniem y urzędami ludzi;
3. Memoryały posłów zagranicznych i repliki na nie;
4. Listy różnych monarchów europeyskich;
z kopii, pisanych tamtymi wiekami, po większey zaś części z samych oryginałów złożone. 322 Blatt. (Nach einer handschriftlichen Notiz wurden diese sämmtlichen Schriften für das Königl. Archiv in Warschau im J. 1785 durch Herrn Pluciński kopirt.) Fol. — II. H. b. 21.

76.

Listy oryginalne: 1. Tarnowskich, 2. Michała Działyńskiego, 3. Zborowskich, 4. Łaskich, 5. Barzych, 6. Potockich, 7. Stefana Czarnieckiego, wojewody ruskiego, 8. Lubomirskich, 9. Stanisława Jabłonowskiego, 10. Jana Wielopolskiego, kancl. kor., 11. Morsztyna, podskarbiego wielk. koron., 12. Grzymułtowskiego, wojewody poznańskiego, 13. Bohdana Chmielnickiego, hetm. zaporozkiego, 14. Hieronima Radziejowskiego, podkancl. koron., I5. Tarłów, 16. Rozmaitych panów koronnych. 358 Blatt. (Aus der Fürstl. Radziwiłłschen Bibliothek zu Nieśwież. Fol. — II. H. b. 22.

Listy oryginalne Jana Krzysztofa Tarnowskiego, kasztelana woynickiego i Zofii ze Sprowy Tarnowskiej. Blatt 3—19. Fol. — II. H. b. 22/1.

— oryginalne Michała Działyńskiego, podkomorz. chełmińskiego, później wojewody inowrocławskiego. Blatt 20—23. Fol. — II. H. b. 22/2.

— oryginalne Piotra, kasztel. woynick., Krzysztofa, starosty szydłowskiego, Mikołaja i Jana (?) Zborowskich. Blatt 25—64. Fol. — II. H. b. 22/3.

— oryginalne Mikołaja Łaskiego, krajcz. koronnego, starosty malborskiego, i innego Łaskiego (imieniem swem i tytułem nie podpisanego.) Blatt 66—97. Fol. — II. H. b. 22/4.

— oryginalne Stanisława Barzego, marszałka nadwornego koron., starosty i wojewody krakow., i Jędrzeja Barzego. Blatt 99—116. Fol. — II. H. b. 22/5.

— oryginalne: 1. Andrzeja Potockiego, kasztel. kamienieck., 2. Mikołaja Potockiego, kasztel. krakowsk., hetm. wielk.

koron., 3. Potockiego, podczaszego koron., 4. Potockiej.
Blatt 118—134. Fol. — II. H. b. 22/6.

Listy oryginalne Stefana Czarnieckiego, wojewody ruskiego.
Blatt 136—161. Fol. — II. H. b. 22/7.

— oryginalne Alexandra Lubomirskiego, Hieronima Lubomirskiego i Barbary Lubomirskiej z lat 1675—80. Fol.
Blatt 163—196. — II. H. b. 22/8.

— oryginalne Stanisława Jabłonowskiego, wojewody rusk., kasztelana krakowskiego i hetmana wielkiego koronnego, z lat 1670—1689. Fol. Blatt 198—207. — II. H. b. 22/9.

— oryginalne Morsztyna, podskarbiego wielk. koronnego, z lat 1668—1680. Fol. Blatt 209—220. — II. H. b. 22/10.

— oryginalne Grzymułtowskiego, wojewody poznańskiego, z lat 1668—1670. Fol. Bl. 222—231. — II. H. b. 22/11.

List oryginalny Bohdana Chmielnickiego, hetmana wojsk zaporozkich, z roku 1657. Fol. Bl. 232. — II. H. b. 22/12.

Listy oryginalne Hieronima Radziejowskiego, podkanclerzego koronnego, z lat 1651—1666. Fol. Blatt 237—242. — II. H. b. 22/13.

— oryginalne Jana Tarły, wojewody sandomirskiego, List z książąt Czartoryskich Tarłowéj, żony jego, i List Adama Tarły, z lat 1663—1680. Fol. Blatt 244—251. — II. H. b. 22/14.

— oryginalne różnych panów koronnych, Stanisł. Ligenzy, Trzebochowskiego, Jana z Tomic Tomickiego, kasztel. gnieźń., Stanisława Hrabi z Górki, Walent. Dembieńskiego z Dembian, kancl. koronnego, Zygm. Wolskiego, kaszt. czersk., starosty warszawsk., Jana z Krotoszyna Krotowskiego, wojew. inowrocławsk., Andrzeja Zborowskiego, Stanisł. Chlewickiego z Chlewisk, Łukasza Nagórskiego, ochmistrza królewny Anny Jagiellonki, Jordana Spytka z Zakliczyna, (1591), stolnika ziemi krakowskiej, Opalińskiego (1592), Alexandra Koniecpolskiego, Piotra Myszkowskiego, Jana Ossolińskiego, Pawła Orzechowskiego, podkom. chełmsk., Mik. Zebrzydowskiego, wojew. lubelsk., Katarzyny z Lissowa Kryskiej, Wojewodz. mazowieckiej, Mikołaja z Oleśnicy Oleśnickiego, Hieronima Gostomskiego, wojew. pozn., Katarzyny na Lisowie Ossolińskiej, wojewodz. podlask., Janusza ks. Ostrogskiego, wojew. wołyńskiego, Krzyszt. Wiesiołowskiego, Piotra Gorajskiego z Goraja, Mich. Jana Bykowskiego, Hieron. Swiatopełka Czetwertyńskiego, J(ana?) Gnińskiego, z lat 1510—1680. Fol. Bl. 244—358. — II. H. b. 22/15.

77.

Listy oryginalne Książąt Radziwiłłów do Chodkiewiczów od r. 1611 do r. 1626 pisane. Fol. Blatt 1—143. — II. H. b. 23/1.

— oryginalne Sapiehów do Chodkiewiczów od r. 1572 do r. 1620 pisane. Fol. Bl. 144—261. — II. H. b. 23/2.

78.

Listy oryginalne książąt Radziwiłłów: 1. Mikołaja Czarnego, 2. Albrechta, 3. Jerzego, kardynała i 4. Stanisława, starosty żmujdzkiego. Fol. 422 Bl. [Aus der Fürstl. Radziwiłłschen Bibliothek zu Nieśwież.] — II. H. b. 24/1—4.

Listy oryginalne Mikołaja Czarnego, Księcia Radziwiłła, Wdy wileńskiego, marszałka i kanclerza W. Ks. L. z lat 1549 —1564. Fol. Bl. 1—54. — II. H. b. 24/1.

— oryginalne księcia Albrechta Radziwiłła, marszał. Wielk. Ks. L. z lat 1578—1591. Fol. Blatt 56—113. — II. H. b. 24/2.

— oryginalne księcia Jerzego Radziwiłła, kardynała i bisk. krakowskiego, z lat 1567—1599. Fol. Blatt 115—330. — II. H. b. 24/3.

— oryginalne księcia Stanisł. Radziwiłła, starosty żmujdzkiego, syna Mikołaja Czarnego, z lat 1575—1599. Fol. Bl. 332—422. — II. H. b. 24/4.

79.

Listy oryginalne królów polskich:
1. Stefana Batorego do ks. Mikołaja Krzysztofa Radziwiłła, Sierotki, i
2. Zygmunta III. do Mikołaja Krzysztofa, Jerzego, kardynała, Jana Jerzego i Alexandra, książąt Radziwiłłów pisane. Fol. 188 Blatt. [Aus der Fürstl. Radziwiłłschen Biblioth. zu Nieśwież.]
— II. H. b. 25/1—2.

— oryginalne Stefana Batorego, króla polskiego, do Mikoł. Krzysztofa księcia Radziwiłła, Sierotki. Fol. Bl. 1—36. — II. H. b. 25/1.

— oryginalne Zygmunta III., króla polskiego, do książąt Mikołaja Krzysztofa i Jerzego, kardynała, Jana Jerzego ·i Alexandra Radziwiłłów pisane. Fol. Bl. 38—188. — II. H. b. 25/2.

80.

Listy oryginalne: Achacego i Fabiana Czemów, Mikołaja
Mieleckiego, Jana Zamojskiego, Stanisława Zamojskiego,
Katarzyny z książąt Ostrogskich, Tomaszowej Zamojskiej, Mikołaja, Jana i Jerzego Buczackich, Halszki i Katarzyny Buczackich. Fol. 376 Bl. — II. H. b. 26/1—4.

Listy oryginalne Achacego Czemy, wojewody pomorskiego
(Blatt 1—48) i Fabiana Czemy, syna jego, wojewody
malborskiego, (Blatt 49—52.) Fol. Blatt 1—52. — II. H.
b. 26/1.

— oryginalne Mikołaja Mieleckiego, wojewody podolskiego.
Fol. Blatt 54—209. — II. H. b. 26/2.

— oryginalne Jana Zamojskiego, kanclerza i hetmana wielk.
koronn., List Katarzyny, księżnej z Ostroga, Tomaszowej
Zamojskiej, kanclerzyny wielk. koronnej, i List Stanisława Zamojskiego, kasztelana Chełmskiego. Fol. Blatt
211—329. — II. H. b. 26/3.

— oryginalne: Mikołaja Buczackiego, podkomorzego kamie-
nieckiego; List Jana i Jerzego Buczackich, synów jego;
List Halszki i Katarzyny Buczackich, ich córek. Fol.
Blatt 331—376. — II. H. b. 26/4.

81.

Listy oryginalne Zygmunta Augusta, króla polskiego, od
r. 1547 do r. 1551 do książąt Radziwiłłów pisane. Fol.
176 Blatt. — II. H. b. 27.

82.

Stiftungsurkunde, Landesherrlich genehmigte, betreffend
das Damenstift zu Rietschütz, errichtet von der Frau
Gräfin Christiane Wilhelmine von Schwerin, geb. Freiin
von Schmettow, vom Jahre 1782. Fol. [Abschrift.] —
II. H. b. 28/1.

— des Gräflich von Campaninischen Schlesischen adligen
Fräuleinstifts zu Barschau. Fol. [Abschrift.] — II. H.
b. 28/2.

83.

Spis chronologiczny dyplomatów oryginalnych w metryce sekretnéj Głównego Archivum Królestwa Polskiego
znajdujących się. Tom I. Od 1215 do 1469 roku. Fol.
207 Blatt. [Abschrift aus dem Jahre 1840.] — II. H. b. 29.

84.

Testament de Stanislas, Roi de Pologne, Duc de Lorraine, copiié sur l'original, deposé aux archives de la Cour Royale de Nancy, ci-devant Cour souveraine de Lorraine. Fol. 33 Blatt. [Abschrift aus unserem Jahrh.] — II. H. b. 30.

85.

Zbior przywilejów miast wielkopolskich, odpis nowoczesny rękopisu z r. 1564. Fol. 336 Blatt. — II. H. b. 31.

86.

Briefe, Verschiedene, Original- und eigenhändige, der deutschen Kaiser, Erzherzöge, der brandenburgischen Kurfürsten u. Könige von Preussen, meist an die Fürsten Radziwill u. an die Wojewoden von Weyher geschrieben, aus dem XVI. und XVII. Jahrhundert. Fol. [Aus der Fürstlich Radziwill'schen Bibliothek in Nieśwież.] — II. H. bb. 1/1—126.

Serenissimo Principi, Domino Sigism. Augusto, Regi Poloniae, Magno Duci Lituaniae etc. Fratri et Consauguineo meo charissimo. Datum in civitate nostra imperiali Augusta Vindelicorum die XXVIII. mensis Decembris A. D. MDXLVII. . . . Unterzeichnet (eigenh.): Carol. 1 Bl. Originalbrief. Beantwortung eines Gratulationsschreibens Sigismund August's. Fol. — II. H. bb. 1/1.

Illustri ac magco nobis syncere dilecto Nicolao Radziwil, Duci in Olika, Nieswis, Dubinki et Birze, magni ducatus Lytuaniae Archimarescalco, Capitao generali. Ferdinandus, Dei gratia Archidux Austriae etc. . . . Pragae XX. Marcii ao. XLVIII. Unterzeichnet: Ferdinandus. Eigenhändiger Brief. (1548.) — II. H. bb. 1/2.

— Nicolao Radziuil, Duci in Olika et Nieszwiesch, Palatino Vilnen. . . . syncere nobis dilecto. Ferdinandus . . . Romanor., Hungariae, Bohemiae etc. Rex. . . . Dat.: Pragae die XII. mensis Januarii anno D. MDLII. Unterzeichnet: Ferdinandus. [Sendet: „Sigismundum, liberum baronem in Herberstain, Neyperg et Guettenhag" u. A. „ad tractandum de negotiis quibusdam" . . .] — II. H. bb. 1/3.

— Nicolao Radziwilo, in Olyka et Nieswietz Duci, Palatino Vilnen., Magni Ducatus Lithuaniae supremo Marschalco et Archicancellario Brzesten., Borissonien. et in Magna

Szawlia Capo generali, syncere nobis dilecto. Dat.: Vienna,
die octava mensis Junii MDLIV. Unterzeichnet (eigenh.):
Ferdinandus. — II. H. bb. 1/4.

Illustr. Nicolao Radziwil, Duci in Olyka, Nieswiz, Dubinki et
Bierze etc. . . . Maximilianus, . . . Archidux Austriae,
Dux Burgundiae etc. . . . Datum Augustae Vindelicor.
die XXIV. mensis Martij MDXLVIII. Unterz.: Maximi-
lianus. [Beantwortet den Brief Radziwills, der seinen
Besuch ansagt.] — II. H. bb. 1/5.

— Nicolao Christophoro Radziuil, Duci in Olica et Nieswisch
etc. . . . Datum Viennae, 22. Maij o. J. Unterz.: Maximilianus. [Eigenhänd. Brief. Sendet den „Wentzeslaus
Agrippa“ zur Besprechung mit d. Nic. Rad.] — II. H.
bb. 1/6.

— Nicolao Christophoro Radziwil, Duci in Olika et Nie-
szwiesz (etc.) . . . Datum Viennae in die Divini Jacobi
o. J. Unterzeichnet: Maximilianus. [Eigenhändiger Brief.
Beileidsschreiben in Folge des Ablebens des Königs von
Polen.] — II. H. bb. 1/7.

— . . . Nicolao Christophoro Radziwel, Duci in Olika et
Niekwiesz etc. . . . Datum Viennae, 18. Augusti o. J.
Unterzeichnet: Maximilianus. [Eigenh. Brief.] — II. H.
bb. 1/8.

— Nicolao Christophoro Radziuil, Duci in Olica et Nieswisch
etc. . . . Datum Pragae, 11. Septembris o. J. Unterz.:
Maximilianus. [Eigenh. Brief.] — II. H. bb. 1/9.

Illustr. ftri Principi Domino Nicolao Radiwil, Olicae et
Nieszwiczi Duci (etc.) . . . Datum Gracii, 21. Septembris
1558. Unterz.: Maximilianus. (Empfehlungsschreiben
für Lelius Socinus.) — II. H. bb. 1/10.

— Principi Domino Nicolao Radziwilo in Olyka et Niesswietz
Duci (etc.) . . . Datum in Nova Civitate prima die Januarii anno 1560. Unterzeichnet: Maximilianus. — II. H.
bb. 1/11.

— . . . Nicolao Christophoro Radziuil, Duci in Olica et
Nieswisch (etc.) . . . Datum in civitate nostra Vienna,
die quinta Februarii a. MDLXIX. Unterzeichnet: Maximilianus. („Misimus Vobis . . . duos equos“ . . .) — II.
H. bb. 1/12.

— . . . Nicolao Christophoro Radiuil (etc.) . . . Datum in
civitate nostra Vienna, die 7. Jan. 1575. Unterzeichnet:
Maximilianus. (Betrifft die Wahlfrage nach der Abreise
Henri's von Valois.) — II. H. bb. 1/13.

— Nicolao Christophoro Radziuil, Duci (etc.) . . . Datum:
Prage, 25. Aprilis 1575. Unterzeichnet: Maximilianus.

(Empfiehlt, „ut nostra ac filii nostri . . . Archiducis Ernesti causa . . . ad optatum . . . effectum deduci queat“ . . .) — II. H. bb. 1/14.

Illustr. Principi Domino Nicolao Christophoro Radziuili, Duci (etc.) . . . Data ex regia arce Pragensi, 28. Januarii 1587. Unterzeichnet: Maximilianus. (. . . in proximis comitiis, ubi de eligendo novo rege inlyti regni Poloniae tractandum erit, nostri amanter memorem futurum“ . . .) — II. H. bb. 1/15.

— Principi Domino Nicolao Christophoro Radziuil, Duci (etc.) . . . Data Viennae, 15. Junii (15)87. Unterzeichnet: Maximilianus. (Dankt für die Bemühungen des Nicol. Radziwill bei seiner Aufstellung als Kronkand. für Polen.) — II. H. bb. 1/16.

— Principi Domino Nicolao Christophoro Radziuil, Duci (etc.) . . . Data Viennae, 25. Junii 1587. Unterzeichnet: Maximilianus. (Empfehlungsschreiben für: „ . . . Christophorus liber baro a Teuffembach in Mayrhouen“ . . . „quem una cum reliquis inclytae domus Austriacae oratoribus ad futura electionis comitia ablegamus“ . . .) — II. H. bb. 1/17.

— Principi Dno Nicolao Christophero Radziuil, Sa. Rom. Imperii et in Olika Duci (etc.) . . . Datae Crasnostauii, 17. Augusti 1588. Unterzeichnet: Maximilianus. (Drückt die Hoffnung aus, dass er bald aus der Gefangenschaft entlassen sein werde, wozu Radziwill das Seinige beitragen möge.) Fol. — II. H. bb. 1/18.

— Nicolao Radziuil, Duci (etc.) . . . Datum in civitate Vienna, 10. Aprilis 1576. Unterzeichnet: Ernestus. (Bittet auch für die Zukunft um die Verwendung Radziwills in seiner Angelegenheit.) Fol. — II. H. bb. 1/19.

Reverendiss. Domino Georgio Radziuil, S. R. E. tituli Scti Sixti Presbytero Cardinali, Duci in Olika et Nieszwisz, episcopo Vilnensi (etc.) . . . Datum Pragae, 2. Maji 1587. (Bittet den Cardinal, ihn zu unterstützen bei seiner Bewerbung um den erledigten Thron in Polen.) Fol. — II. H. bb. 1/20.

— Dno Georgio Radziuil, S. R. E. tituli Sti Sixti presbytero Cardinali, Duci in Olika . . . episcopo Vilnensi (etc.) . . . Datum Pragae, 5. Maij 1587. Eigenhänd. Brief. Unterzeichnet: Ernestus. (Bittet um seine Verwendung, „caetera Albertus Poplavski, pocillator meus, referet, cui plenam fidem adhiberi cupio“ . . .) Fol. — II. H. bb. 1/21.

— et Illustr. Domino Georgio, S. R. E. tituli Sti Sixti Cardinali Radziuil (etc.) . . . Datum Viennae, 12. Julii 1587. Unterzeichnet: Ernestus. (Bittet um seine Verwendung

bei der bevorstehenden Königswahl in Polen.) Fol. —
II. H. bb. 1/22.

Reverend. et Illustr. Do. Georgio, S. R. E. tituli Sti Sixti
Cardinali Radziuil, etc. . . . Datum Viennae, 24. Octobris
1587. Unterzeichnet: Ernestus. (Beantwortet den ihm
durch Albert Popławski überbrachten Brief vom Cardin.
Radziwiłł.) Fol. — II. H. bb. 1/23.

— et Illustr. Domino Georgio S. R. E. tituli Sti Sixti Cardi-
nali Radziuil (etc.) . . . Datum Gratzii, 2. Maji 1591.
Unterzeichnet: Ernestus. (. . . „scripsimus in ipsius (sc.
Radzivilii) favorem et commendationem ad Beatissimum
Dominum nostrum, Pontificem Maximum, et Rm. Cardi-
nalem Sfondratum, sicuti Do Vestra ex eodem Malacrida
(welcher diesen Brief überbringt) fusius cognoscet" . . .)
Fol. — II. H. bb. 1/24.

Illustr. ac. Reverend. Georgio Radziuilio, S. R. E. tituli
Sti Sixti presbitero Cardinali (etc.) . . . Datae Gratii,
15. Maji 1591. Unterzeichnet: Ernestus. (Bittet um die
Verwendung des Card. Radz. in Betreff der Unterstützung
des Jesuitenseminars in den ehemal. Carthäuser-Klöstern
Seiz und Seyrach in Steyermark. Fol. — II. H. bb. 1/25.

Reverend. et Illustr. Dno Georgio, S. R. E. tituli Sti Sixti
Cardinali Radziuil (etc.) . . . Dat. . . . Viennae, 29. Junii
1591. Unterzeichnet: Ernestus. („Redditae nobis heri
Dilnis Vae literae, septima hujus Florentiae datae, in
quibus responsum super negotio a Dile Vestra, Gratzii
tractato, efflagitat" . . .) Fol. — II. H. bb. 1/26.

— et Illustrissimo Domino Georgio, S. R. E. tituli Santi
Sixti Cardinali Radziuil (etc.) . . . Datum Viennae,
24. Septembris 1591. Unterzeichnet: Ernestus. (Betrifft
die Angelegenheit des Jesuitenseminars.) Fol. — II. H.
bb. 1/27.

— et Illustr. Domino Georgio, S. R. E. tituli Sti Sixti Cardinali Radziuil (etc.) . . . Datum in arce regia Pragae,
25. Augusti 1592. Unterzeichnet: Ernestus. (Beantwortet
des Cardinals „. . . literae in favorem Horatii de Zucco
Forojuliensi ad nos scriptae"... welcher „ob homicidium
quoddam, in sua praesentia commissum, patria proscriptus
atque in exilium ablegatus" . . . ist, weshalb „desiderio
hac in parte satis facere non possumus" . . .) Fol. — II.
H. bb. 1/28.

Illustriss. Principi... Nicolao Christophoro Radziuil, Duci
(etc.)...Datum in arce nostra regia Pragae, 26. Januarii
1587. Unterzeichnet: Rudolphus. („ . . . Commisimus
praesentium exhibitori, . . . consiliario Danieli Printz,...

ut nostro nomine vobis nonnulla referat, quae ex ipso coram intelligetis" . . .) Fol. — II. H. bb. 1/29.

Illustr. . . . Nicolao Christophoro Radziuil, Duci (etc.) . . . Datum in arce nostra regia Pragae, 21. Junii 1587. Unterzeichnet: Rudolphus. Fol. [Sendet mit dem hier bezeichneten Schreiben, in Folge der mündlichen Abmachungen des Rathes Daniel Printz, den Bischof von Olmütz, Stanislaus (sc. Pawłowski), den Fürsten Carl von Münsterberg u. Oels u. A. mit Vollmacht u. geheimen, mündlich ihnen ertheilten Aufträgen.] — II. H. bb. 1/30.

— Nicolao Christophoro Radziuil, Duci (etc.) . . . Datum in arce nostra regia Pragae, 2. Apr. 1590. Unterzeichnet: Rudolphus. Fol. [Sendet den Gesandten Daniel Printzius a Buchaw mit geheimen mündlichen Aufträgen.] — II. H. bb. 1/31.

Reverend. . . . Domino Georgio, S. R. E. tituli Sti Sixti presbytero Cardinali Radivilio, episcopo Cracoviensi . . . Dat. ex regali nostra Praga, 23. Julii 1598. Unterzeichnet: Rudolphus. Fol. [„ . . . Intercedimus erga Sereniss. . . . Sigismundum III., . . . pro Judaeis, captivis Lublinii". . . — II. H. bb. 1/32.

Illustr. . . . Nicolao Christophero Radziuil, Duci (etc.) . . . Datae Lintzii, 20. Junii 1587. Unterzeichnet: Matthias. Fol. [„ . . . nos quoque fratres nostros . . . hujus Regni amplissimis ordinibus in prope futuris comitiis regiis commendare noluimus intermittere" . . .] — II. H. bb. 1/33.

— Sigismundo Carolo Radziuil, Duci in Nieswitz (etc.) . . . Dabantur die 6. Augusti 1618 in urbe nostra Viennensi. Unterzeichnet: Matthias. Fol. [„ . . . quae jam ad Ser. Poloniae Sueciaeque regem . . . perscribimus, tibi communicanda duximus," [über den Beginn des böhm. Aufstandes. Cfr. II. H. bb. 1/35.| — II. H. bb. 1/34.

Matthias, Dei gratia electus Romanorum Imperator . . . Serenisso. Principi, Dno Sigismundo III., Regi Poloniae ac Sueciae etc. . . . Dabantur die VI. Augusti 1618 in urbe nostra Viennensi. Fol. Gleichz. Abschr. [Nachricht über den böhm. Aufstand. Cfr. II. H. bb. 1/34.| — II. H. bb. 1/35.

Sereniss. Principi Domino Sigismundo tertio, Regi Poloniae et Sueciae (etc). . . . Ferdinandus secundus . . . Datum in arce nostra Coloniae Bohemorum die 16. Maji 1623. Unterzeichnet: Ferdinandus. Fol. [Dem Könige Sigismund theilt der Kaiser mit, dass er den Carl Sigismund Radziwiłł beauftragt habe, Werbungen für sein Heer in Polen vorzunehmen!] — II. H. bb. 1/37.

Illustrissimo Principi N. (nicht ausgeschrieben), Duci in
Olica et Niesuez (etc.) . . . Carolus ab Austria, S. R. Imp.
Marchio Burgoniae etc. Datae ex arce nostra Ambro-
siana anno 1600. Unterzeichnet: Carolus. Fol. [Wird
benachrichtigt, dass auf Anordnung des Kaisers unter
die anzufertigenden Bildnisse der berühmten Helden aus
dem Hause Oesterreich auch die Bildnisse des Christoph
und Nicolaus Christoph Radziwiłł aufgenommen werden
sollen. — Cfr. Khevenhüller, Annales Ferdinandei. II. M.
c. 9. Band II. der Bildnisse.] — II. H. bb. 1/36.

— Principi Sigismundo Carolo Radziwill, Duci in Olyka et
Nieswies (etc.) . . . Ferdinandus secundus etc. Viennae.
6. Junii 1623. Unterzeichnet: Ferdinandus. Fol. [Bittet
den Fürsten Radziwiłł, „. . . ut acceptis praesentibus
statim et e vestigio te itineri accingas", . . . quia . . .
„nonnulla gravioris momenti negotia . . . praesentiam
tuam apud nos quam maxime requirunt." — II. H. bb.
1/38.

Schreiben, Ein, im Auftrage des Kaisers an die „Herrn
Grafen Jacob Weihern und Balthasar Heinrichen von
Oberg, alsz Hanusz Ulrich Schafgotschen hinterlassenen
Kindern verordneten Vormunden" . . . O. Dat. Unterzeichnet: Ulrich Frantz von Kollowratt. Fol. [Es wird
angeordnet, welche Summen zur Unterhaltung der Hinterlassenen verwendet werden sollen.] — II. H. bb. 1/39.

„Ferdinand der Dritte, . . . Romischer Kaiser" etc. . . .
„. . . dem Jacoben Graffen Weyhern und Wilhelmb Hain-
richen von Oberg." etc. Wien, den 30. November 1637.
Unterzeichnet: Ferdinandus, ausserdem: Guilielmus Comes
Slauata, Reg. Boh. S. Cancellarius, Albrecht von Kolo-
wratt. Fol. [Wird: „ . . . denen Schafkutschischen,
nunmehr maistentheyls zur Heyl. Catholischen Religion
convertirten Kindern zu Ihrer Erzih- und erhaltung von
denen confiscirten güttern ein gewiszes deputat in Kayserl.
gnaden verwilliget . . ."] — II. H. bb. 1/40.

— „dem . . . Jacoben Graffen von Weyhern, des Königs in
Pohlen und Schweden M. Cammerern und bestelten
Obristen." „Regenspurg, d. 28. Augusti 1640." Unter-
zeichnet: Ferdinandus. — Guilielmus Comes Slauata,
Regis Bohem. S. Cancellarius. [„Gotthardt von Schaff-
kotsch" soll „bey den Patribus Societatis Jesu zu Olmutz
in Studiis educiret vnd aufferzogen werden . . ."] Fol.
— II. H. bb 1/41.

— „dem . . . Jacoben Grauen von Weyher" . . . „Prag, den
27. Martii 1648." Unterzeichnet: Ferdinand. Fol. [Be-

trifft die vom Grafen von Weyhern vorgenommenen
Werbungen in „Preussen.“] Fol. — II. H. bb. 1/42.

„Dem Hochgeborenen Fürsten, vnserm Obristen, Stall-
meister vnd besonders lieben Freündt, Herrn Sygmundt
Carll von Raziuill, Herzogen zu Olica und Nieszwiz etc.
. . . Leopold von Gottes Gnaden Erzherzog zu Oesterreich etc. . . . Regenspurg, den 24. Martii 1623.“ Fol.
[Ein Dankschreiben für die von Radziwiłł als „Praesent“
gesandten „Pferdte“.] — II. H. bb. 1/43.

„Leopold etc. . . . Ertzhertzog zu Oesterreich . . .“ Dem
Hochgebornen Fürsten, vnserm . . . besonders lieben
freündt, Herrn Sygmundt Carl von Raziuill etc. . . .
Datum Telft, den 12. Maji 1623.“ Unterzeichnet: Leopold, mit der eigenhändigen Zuschrift: „Charo Sigr.
Principe in caso che la leua (?) delli Cosaggi non andar-
elle cossi presto in anzi (?) haneria (?) ben caro et anco (?)
grande bisogna che lei“. . . (Der Rest vollends unleserlich.)
[Die verlangten Waffen und Pferde sollen bereit gemacht
und der Fürst auch mit Mannschaften aus den italienischen Werbungen bedacht werden, doch möchte er lieber
selbst zur Stelle sein.] Fol. — II. H. bb. 1/44.

— . . . Ertzherzog zu Oesterreich“ etc. . . . „Dem Hochgebornen Fürsten, unserm . . . besonders lieben Freündt,
Herrn Sygmundt Carl von Ratziuil etc. . . . Inszpruckh,
den 13. Junii 1623.“ Unterzeichnet: Leopoldt. Fol.
[Dankschreiben für die Nachricht, dass die in Aussicht
gestellten Pferde ankommen werden.] — II. H. bb. 1/45.

— Ertzhertzog zu Oesterreich“ . . . „Dem etc. . . . Herrn
Sigismundo Carolo von Ratziuill etc. . . . „Datum Crembs-
münster, den 22. Novembris 1623.“ Unterzeichnet: Leopoldt. Fol. [Betrifft einen in Insbruck unterhaltenen
Knaben Malavicini Fontana.] — II. H. bb. 1/46.

— . . . Dem . . . Herrn Sigismundt Carln von Ratziuil etc.
. . . Inspruckh, den 26. Decembris 1623.“ Unterzeichnet:
Leopoldt. Fol. [Beantwortung eines Schreibens des
Fürsten Radziwiłł vom 8. December, welches ebenfalls
den Knaben Malavicini Fontana betraf.] — II. H. bb. 1/47.

„Dem . . . Herrn Sigismundo Carolo Ratziuil,
Hertzogen zu Olica etc. . . . Leopold, Ertzhertzog zu
Oesterreich etc. . . . den 20. Augusti 1624.“ Unterzeichnet:
Leopoldt. Fol. [Wird der Empfang eines Schreibens
des Fürsten vom 1. Augusti unter Zustimmung in Betreff
seines Inhalts bescheinigt.] — II. H. bb. 1/48.

— . . . Herrn Sigismundo Carolo von Ratziuil, Hertzogen
zu Olica etc. . . . Leopold Ertzhertzog zu Oesterreich etc.

. . . Elsas Zabern, den 8. Octobris 1624. Unterzeichnet:
Leopoldt. Fol. [Es wird der vom Fürsten recomman-
dirten direct die Resolution ertheilt werden.] — II. H.
bb. 1/49.

„Dem . . . Herrn Sigismundo Carolo von Raziuil,
Hertzogen zu Olyca (etc.) . . . Leopold, Hertzog zu
Oesterreich (etc.) . . . den 13. Novembris 1624.“ Unterzeichnet: Leopoldt. (Betrifft einen Prinzen, der nur mit
dem Buchstaben C. bezeichnet wird.) Fol. — II. H. bb. 1/50.

— (etc.) . . . Leopoldus, archidux Austriae. Data Ensishemii
die 2. Decembris 1624.“ Unterzeichnet: Leopoldus. („Cum
. . . nobis renuntietur, . . . Mansfeldium, collectis undique
copiis, hisce provinciis nostris imminere“, . . . so bittet
er den Fürsten, „Cosaccorum signa propter egregiam
fortitudinem et militiae equestris experientiam“ . . . drei
oder vier Tausend Mann, bald zuzuführen.) Fol. — II.
H. bb. 1/51.

— Hertzogen (etc.) . . . Leopoldus . . . archidux Austriae.
Rubeaci, 22. Aprilis 1625.“ Unterzeichnet: Leopoldus.
(Betrifft die Anwerbung der polnischen Reiterei.) Fol.
— II. H. bb. 1/52.

— Hertzogen (etc.) . . . Leopoldus, Archidux Austriae. Data
Constantiae, die ult. Junii 1625. Unterzeichnet: Leopoldus.
(Betrifft die Feststellung des Soldes für die angeworbenen
polnischen Hilfstruppen.) Fol. — II. H. bb. 1/53.

Illustriss. Principi . . . Dno Sigismundo Carolo Raziuil,
Duci (etc.) . . . Leopoldus, . . . Archidux Austriae. Data
Gintzburgi, 27. Julii 1625. Unterzeichnet: Leopoldus.
(Da der Friedensabschluss in Aussicht ist, so seien die
Hilfstruppen nicht mehr nöthig.) Fol. — II. H. bb. 1/54.

„Dem . . . Herrn Sigismundo Carolo von Ratziuil,
Hertzogen (etc.) . . . Leopold . . . Ertzherzog zu Oesterreich . . . den letzten Februarii 1627.“ Unterzeichnet:
Leopoldt. (Ersucht um Antwort auf ein Schreiben vom
vorigen Jahre, 1626.) Fol. — II. H. bb. 1/55.

„Illustri . . . Sacri Imperii Principi . . . Michaeli Casimiro
Radziuil . . . Leopoldus, . . . Romanorum Imperator.
Datum in civitate nostra Vienna, 29. Martii 1669. Unterzeichnet: Leopoldus. („ . . . cum ipsum baronem Schaff-
gotsch, quam nunc cum solemni legationis titulo ad electoralia ea comitia mittimus, vel causam ipsam missionis
operose commendamus“ . . . Beglaubigungsschreiben.]
Fol. — II. H. bb. 1/56.

— . . . Principi . . . Michaeli Casimiro Radziuil etc. . . .
Leopoldus . . . Roman. Imperator. Datum . . . Viennae,

7. Aprilis 1671." Unterzeichnet: Leopoldus. [Gratulirt
zu der Vermählung der Tochter des oben Genannten, der
Fürstin Theophila Radziwiłł mit dem Fürsten Demetrius
Wiśniowiecki.] Fol. — II. H. bb. 1/57.

„Illustr.... Principi ... Michaeli Casimiro Radziuil etc....
Leopoldus ... Roman. Imperator. Viennae, 17. Septem-
bris 1671." Unterzeichnet: Leopoldus. [Sendet als seinen
Gesandten zum König von Polen den Freiherrn von Stom,
den er dem Fürsten Radziwiłł angelegentlichst empfiehlt.|
Fol. — II. H. bb. 1/58.

— ... Principi ... Michaeli Casimiro Radziuil etc. ...
Leopoldus ... Romanor. Imperator. Viennae, 24. Nov.
1673." Unterzeichnet: Leopoldus. [Drückt sein Beileid
aus über den am 10. d. M. erfolgten Tod des Königs
Michael Koribut Wiśniowiecki und zeigt an, dass er den
Grafen Wolffgang von Otting mit einem besonderen
Condolenzschreiben an die Königin Wittwe absendet
und denselben dem Fürsten empfiehlt.] Fol. — II. H.
bb. 1/59.

„Illustri ... Principi ... Michaeli Casimiro Radziuil (etc.)
... Leopoldus Roman. Imperator. Viennae, 24. Novembris 1678." Unterz.: Leopoldus. Fol. [Sendet den Grafen
Mich. Wencesl. Franz von Althan zum Grodnoer Reichs-
tag mit dem Befehle, dass derselbe den Zweck seiner
Sendung dem Fürsten Radziwiłł vertraulich mittheilen
soll.] — II. H. bb. 1/60.

„Dem Durchläuchtigsten ... Johann Georg, Fürsten
zu Anhalt ... Preszburg (Tagesdatum unleserlich) December 1687". Unterzeich.: Leopoldt. Fol. [Zeigt an,
dass der Erzherzog Joseph „zum König von Hungarn
würklich declarirt und inaugurirt" und als solcher gekrönt worden ist.] — II. H. bb. 1/61.

„Illustri ... Carolo Radzivil ... Leopoldus, Romanor.
Imperator. Viennae, die 9. Martii 1691." Unterzeichnet:
Leopoldus. Fol. [Bittet, seinen an den König von Polen
abgeschickten Gesandten, Grafen Franz Sigism. von Thun,
in seinen Unternehmungen unterstützen zu wollen.] — II.
H. bb. 1/62.

— Principi ... Dominico Nicolao Radzivil ... Leopoldus
Romanor. Imperator. Viennae, 17. Augusti 1695. Unterzeichnet: Leopoldus. Fol. [Carl Julius Sedlnitzky, Graf
von Choltiz, der als Gesandter an den König von Polen
geht, „... non modo de rebus sibi committendis Vobi-
scum sincere communicet, sed etiam statim ab adventu
suo vos verbis nostris salutet" ...] — II. H. bb. 1/63.

„Illustr. Principi ... Carolo Radzivil ... Leopoldus, Romanor.
Imperator. Viennae, 28. Augusti 1696." Unterzeichnet:
Leopoldus. Fol. [Der Gesandte Carl Julius Sedlnitzky,
Graf zu Choltiz, soll sich mit dem Fürsten in Verbindung
setzen und ihn zu Rathe ziehen.] — II. H. bb. 1/64.

— Principi ... Carolo Radzivil ... Leopoldus, Romanor.
Imperator. Viennae, 10. Aprilis 1697." Unterzeichnet:
Leopoldus. Fol. [Bittet, den Bischof von Passau, „...
quem in Poloniam ad electoralia regni comitia legatum
nostrum destinavimus, in iis, quae ad missionis suae et
nostrae, quam pluribus vobis deteget," ... zu fördern.]
— II. H. bb. 1/65.

— Principi ... Michaeli Radzivill ... Eleonora, Romanor.
Imperatrix. Viennae, 21. Novemb. 1673." Unterzeichn.:
Eleonora. Fol. [Beileidsschreiben u. allgem. Betracht.
über die Zukunft Polens nach dem Tode Ihres Schwieger-
sohnes, des Königs Michael Koribut Wiśniowiecki.] —
· II. H. bb. 1/66.

— Principi ... Michaeli Radzivil ... Eleonora, Romanor.
Imperatrix. Viennae, (der Rest des Datums abgerissen.)"
Unterzeichn.: Eleonora. Fol. [Gratulationsschreiben zur
Vermählung der Tochter des Fürsten Radziwiłł mit dem
Fürsten Wiśniowiecki.] — II. H. bb. 1/67.

— Principi ... Carolo Radzivil ... Carolus Sextus, Romanor. Imperator. Viennae, 28. Januarii 1710." Unterz.:
Carolus. Fol. [Der Fürst Radziwiłł wird ersucht, den
kaiserl. Gesandten, Franz Baron von Tiepold, zu unterstützen und zu fördern] — II. H. bb. 1/68.

Ohne Adresse.) Peter d. Gr. schreibt an den Canzler
von Lithauen, Fürsten Carl Radzivil (in russischer Spr.)
dass er den Herrn Narkuski zur Führung weiterer Correspondenz mit dem Fürsten bis auf Weiteres bei sich
behalte. Datirt aus Orsza, d. 9. März 1706. Unterzeichn.:
Petr. 4°. — II. H. bb. 1/69 u. 69 a.

„Mon Cousin Le Prince de Rasczuil, Grand Maréschal de
Lithuanie. Paris, 15. May 1648." Unterzeichnet: Louis.
Fol. [Zeigt dem Fürsten die Absendung eines ausser-
ordentlichen Gesandten nach Polen an.] — II. H. bb. 1/70.

„Illustrissimo ... Michaeli Casimiro Radzivil, Duci etc.
... Carolus ... Suecorum ... Rex ... Dabantur in
arce nostra Holmensi, die 31. Martii 1671." Unterzeichn.:
Nomine ... filii nostri ... Hedeuig Eleonora. Fol.
[Gratulationsschreiben zur Vermählung der Prinzessin
Theophila Radziwiłł mit dem Fürsten (Demetrius) Wiśnio-
wiecki.] — II. H. bb. 1/71.

„Dem . . . Herrn Jacob Weyherrn, Marienburgischen Wayhwohden . . . Christian IV., . . . zu Dennemarck . . . König . . . Glücksburg, den 20. Septembris 1642." Unterzeichnet: Christian. Fol. [Dankt dafür, dass Weyher seine „Muhme und Tochter, Fraw-Hedewiegh zu Braunschweig-Lüneburg" während des Einfalls der Kaiserlichen bei sich aufgenommen und beschützt habe.] — II. H. bb. 1/72.

— Maryenburgischen Woywoden, . . . Christian de Vierdte . . . zu Dennemarck . . . König . . . Copenhagen, den 5. Maji 1645." Unterzeichnet: Christian. Fol. [Der Oberst Andreas Spangen soll 1200 deutsche Knechte werben, der König bittet daher, auch im Marienburgischen die Werbung zu gestatten.] — II. H. bb. 1/73.

„Illustri. . . . Nicolao Radzywil de Moszniky, duci in Olyca etc. . . . Joannes Secundus . . . Rex Hungar. . . . Alba Julia, die 15. Septembris 1559." Unterzeichnet: Joannes Electus Rex orphanus. Fol. [Zeigt das Ableben seiner Mutter an.] — II. H. bb. 1/74.

Serenissimo et potentissimo Principi, Domino Joanni Tertio, . . . Regi Poloniae . . . Jacobus Secundus . . . Magnae Britanniae etc. Dab. in palatio nostro de Whitehall, die . . . (Zahl fehlt.) Mensis Junii 1685. Unterz.: Jacobus R. Fol. [König Jacob stattet seinen Dank ab für das durch den Fürsten Georg Radziwiłł ihm von Johann Sobieski überbrachte Gratulationsschreiben zu seiner Thronbesteigung.] — II. H. bb. 1/75.

„Illustr. Principi . . . Nicolao Christophoro Radziwil etc. . . . Joachimus Fridericus . . . Marchio Brandeburgensis . . . Dabantur Coloniae ad Spream, 9. Januarii 1601. Fol. [Die nach Polen abgeschickten Gesandten sollen sich an den Fürsten Radziwiłł wenden und ihm den Zweck und Inhalt ihrer Sendung mittheilen]. — II. H. bb. 1/76.

— Principi . . . Nicolao Radzivil etc. . . . Zwei Briefe des: „Guilhelmus, Archiepiscopus Rigensis, Marchio Brandenburgensis etc. . . . de dato: Kokenhausen, 19. Maji 1556, resp. 20. Maij 1556." [Wünscht vor Allem zu erfahren, . . . „si ordo Theutonicus sese nobis opponere et de facto aliquid attentare voluerit," . . . der Koenig von Polen möge daher nicht nur als Beschützer seiner Erzdioecese, sondern mehr noch als Verwandter sich seiner annehmen.] Fol. — II. H. bb. 1/77 u. 78.

— Principi . . . Nicolao Radzivil etc. . . . Albertus Fridericus, Marchio Brandenburgensis . . . Data Regismonti, 20. Maji 1571." Unterzeichnet: Albertus Fridericus. Fol.

[Der Fürst Radziwill möge sich auch beim König verwenden, dass dem Burggrafen Baron von Dona in der
Besitzergreifung der von seinem Bruder Heinrich in
Livland ihm hinterlassenen Güter keine Schwierigkeiten
gemacht werden.] — II. H. bb. 1/79.

Reverendo ac Illustri Domino Georgio Radzivil, episcopo
Vilnensi etc. . . . Georgius Fridericus, Marchio Branden-
burgensis . . . Datae Regiomonti, 24. Januarii 1583.“
Unterzeichnet: Georgius Fridericus, Dux Prussiae. Fol.
[Empfiehlt einen Baltazar Sangerhausen, Megalopolitanus,
der eine Zeit lang an seinem Hofe verweilte und jetzt
Lithauen besuchen will.] — II. H. bb. 1/80.

Reverendissimo et Illustri Domino, . . . Georgio Radziwil,
episcopo Vilnensi etc. . . . Georgius Fridericus. Datae
ex arce nostra Tilsensi, 28. Septembris 1583.“ Unterz.:
Georgius Fridericus, Dux Prussiae . . . [Der Bischof
Radziwill wird ersucht, sich dahin beim Könige zu verwenden, dass den Missbräuchen der Truppen in Kurland
begegnet und die Ruhe hergestellt werde.] Fol. — II.
H. bb. 1/81.

— et Illustrissimo Principi . . . Georgio Radziwil, Sedis
Romanae Cardinali, Episcopo Vilnensi etc. . . . Georgius
Fridericus, . . . Marchio Brandenburgensis . . . Ex arce
nostra Ortelsburgo, 10. Septembris 1584.“ Unterzeichnet:
Georgius Fridericus, Dux Prussiae . . . [Sendet mit
diesem Briefe den Christoph Caselius, der sich nach Riga
begeben soll, um einen Flüchtling, Christoph Garceus,
zu verfolgen, um dessen eventuelle Auslieferung er bittet.]
Fol. — II. H. bb. 1/82.

— et Illustriss. Principi . . . Georgio Radziwil etc., Sedis
Romanae Cardinali, episcopo Vilnensi etc. . . . Georgius
Fridericus, . . . Marchio Brandenburgensis . . . Datae ex
arce nostra Ortelspurgo, 10. Septembris 1584.“ Unterz.:
Georgius Fridericus, Dux Prussiae. [Betrifft denselben
Christoph Garcaeus, der eine Summe Geldes veruntreut
und sich nach Riga geflüchtet habe.] Fol. — II. H. bb. 1/83.

— et Illustr. Domino . . . Georgio, R. E. Sancti Sixti Car-
dinali Presbytero, Radzivil etc. . . . Georgius Fridericus,
Marchio Brandenburgensis . . . Datae ex aula nostra
Onoldina, 3. Novembris 1590.“ Unterzeichnet: Georgius
Fridericus. [Schickt Gesandte zum bevorstehenden Reichs-
tage.] Fol. — II. H. bb. 1/84.

Illustriss. Domino Jacobo Comiti a Weyher, Palatino
Mariaeburgensi . . . Fridericus Wilhelmus, . . . Marchio
Brandenburgensis . . . Datae Coloniae ad Spream,

12. Octobris 1646. Unterzeichnet: Fridericus Wilhelmus, Elector. |Sendet Johann von Huenerbek als Gesandten zu den Reichstagsverhandlungen in Polen und trägt demselben auf, mit dem Wojewoden Weyher „ut in iis rebus, quae nos et subditos nostros, nostrasque ditiones afficiunt, confidenter conferet" . . .| Fol. — II. H. bb. 1/85.

Illustr. Dno Jac. Comiti Weyher, Palatino Mariaeburgensi etc. . . . Fridericus Wilhelmus, Marchio Brandenburgensis . . . Coloniae ad Spream, 12. Augusti 1655." Unterz.: Fridericus Wilhelmus, Elector. [Sendet an Weyher seinen Abgesandten Balthasar von Goltz.] Fol. — II. H. bb. 1/86.

— Domino Jacobo Comiti a Weyher, Palatino Mariaeburgensi etc. . . . Fridericus Wilhelmus, . . . Marchio Brandenburgensis . . . Dabantur Cöslini, 5. Septembris 1655." Unterz.: Fridericus Wilhelmus, Elector. [Sendet an Weyher den Mathias von Krokow, „ . . . ut nonnulla statum praesentem rerum concernentia Illustr. Dominationi Vae exponat" . . .] Fol. — II. H. bb. 1/87.

„Sr. Hochwohlgeboren . . . Herrn Jacobus Weyher. des Heyl. Röm. Reichs Graffen etc. . . . (Eigenh. Schreiben.) Lawenburg, 10. September 1655." Unterzeichn.: Fridrich Wilhelm, Churfürst. [„Ich bedanke mich . . . günstiglich vor die mir durch den Major Golzen zukommene (sic) Nachricht und weil Ich morgen etwa um 8 oder 9 Uhr früh Neustadt erreichen werde, so stelle ich zu des Herrn Grafen belieben, ob er sich alssdan daselbst auch einfinden wolle" . . .] Fol. — II. H. bb. 1/88.

„Illustrissimo Domino Jacobo Comiti a Weyher, Palatino Mariaeburgensi etc. . . . Fridericus Wilhelmus, . . . Marchio Brandenburgensis . . . Dabantur Risenburgi, 2. Octobris 1655." Unterzeichnet: Fridericus Wilhelmus, Elector. [„Prout ea, quae nobis significanda Illmo Dominatio Vstra concredidit generoso Tuchołka . . . maximas agimus gratias" . . .| Fol. — II. H. bb. 1/89.

— Domino Jacobo Comiti a Weyher, Palatino Mariaeburgensi etc. . . . Fridericus Wilhelmus, . . . Marchio Brandenburgensis etc. . . . Dabantur Riesenburgi, 2. Octobris 1655." Unterzeichnet: Fridericus Wilhelmus, Elector. |„Dedimus in mandatis . . . Fabiano Comiti et Burggravio de Dohna, . . . ut nonnulla, quae praesentem rerum statum publicamque tranquillitatem concernunt, Illae Dominationi Vstrae exponant" . . .| Fol. — II. H. bb. 1/90.

— Domino Jacobo Comiti a Weiher, Palatino Mariaeburgensi etc. . . . Fridericus Wilhelmus, . . . Marchio Brandenburgensis etc. . . . Dabantur Holandini, die 9. Octobris 1655."

12*

Unterzeichnet: Fridericus Wilhelmus, Elector. [„Mittimus
Illustr. Dominat. Vae nova quaedam, heri nobis transmissa, amice rogantes, dignetur nos reddere certiores, an
Ill. Dom. Vra iis conformia habeat, nec non communicare,
quae in literis Dni Leszczyński, palatini Łęczyciensis,
ad Ill. Dominat. Vram ex Radom scriptis, scitu digna
continentur" . . . Fol. — II. H. bb. 1/91.

Illustr. Dno Joanni Kos, Palatino Culmensi etc. . . . Domino
Jacobo, Comiti a Weiher, Palatino Mariaeburgensi (etc.)
. . . et Domino Ludovico Comiti a Weiher, Palatino
Pomerelliae (etc.) . . . Fridericus Wilhelmus, . . . Marchio Brandenburgensis (etc.) . . . Dabantur Holandini,
10. Oct. 1655. Unterz.: Fridericus Wilhelmus, Elector.
Fol. [„Quae Illustr. Dominat. Vae ad nos deferenda Illustri Joanni Comiti de Potulice, una cum Generoso Nicolao
de Linda . . . concrediderunt, ab ipsis nobis coram sunt
exposita" . . .] — II. H. bb. 1.92.

— et Reverendissimo Domino Venceslao Comiti de Lesno
Leszczyński, Episcopo Varmiensi (etc.) . . . Fridericus
Wilhelmus, . . . Marchio Brandenburgensis (etc.) . . .
Dabantur Regiomonti, 14. Octobris 1655." Unterzeichn.:
Fridericus Wilhelmus, Elector. Fol. [„Quae ad nos Illa
et Reverenda Dominatio Va deferenda . . . Dno Sigis-
mundo a Stoessel, canonico et cantori Varmiensi, con-
credidit, ab ispso recte nobis coram exposita sunt" . . .]
— II. H. bb. 1/93.

„Denen Hochwohlgeb. . . . Herrn Jacoben . . . Reichs-
Graffen zu Weyher, Woywoden zu Marienburg (etc.) . . .
und Herrn Sigmunden Freyherrn von Gildenstern, Starosten zu Stum (etc.) . . . Riesenburg, den 29. November
1655. Unterzeichn.: Friedrich Wilhelm, Churfürst. Fol.
[Der Kurfürst wünscht, laut Verabredung, einen seiner
Obersten zum Commandanton nach Marienburg zu sckicken,
zu welchem Zweck er den Obersten Joachim Ernst von
Görtzke ausersehen hat" . . .] — II. H. bb. 1/94.

— Jacob Weyern, kgl. Poln. Woywoden zu Marienburg
(etc.) . . . Heylgenbeil, den 9. Decemb. 1655. Unterz.:
Friedrich Wilhelm, Churfürst. Fol. [Der Kurfürst sendet
mit geheimen Aufträgen den „Hoff- und Cammer-Raht,
. . . Vladislaum Freyherrn von Kurtzbock Zawacki" . . .]
— II. H. bb. 1/95.

„Illustrissimo Domino, Jacobo Comiti a Weyher, Palatino Mariaeburgensi (etc.) . . . Fridericus Wilhelmus, . . .
Marchio Brandenburgensis (etc.) . . . Dabantur Risen-
burgi, 6. Novembris 1655." Unterz.: Fridericus Wilhel-

mus, Elector. Fol. [„Ablegavimus . . . Ottonem Christophor. Lib. Baronem de Sparr, Nicol. Ernest. de Platen
et de Jena, ut nostro nomine ea expedirent, quae vi con-
ventionis inter Nos et Illustriss. Status praenominatos
ad huc expedienda restant" . . .] — II. H. bb. 1/96.

Illustr. Principi Dno Michaeli Radziwil, Duci in Olyka etc.
. . . Fridericus Wilhelmus, . . . Marchio Brandenb. (etc.) . . .
Coloniae ad Spr., 27. Febr 1661. (1?) Unterz.: Frid. Wilh.,
Elector. Fol. [Der Kurfürst theilt dem Fürsten mit,
dass sein Gesandter Johann von Hoverbeeke den Auftrag
habe, auch darüber mit dem Fürsten zu conferiren, quae
„pactorum Brombergensium implementum concernunt" . . .]
— II. H. bb. 1/97.

— Principi . . . Michaeli Radzivil, Duci (etc.) . . . Fridericus
Wilhelmus, . . . Marchio Brandenburg. . . . Dabantur
Cliviae, 6. Martii 1666." Unterz.: Fridericus Wilhelmus,
Elector. Fol. [Der Kurfürst beauftragt seinen zu den
Reichstagsverhandl. unter Sigismund III. reisenden Ge-
sandten Johann von Hoverbeeke, „ . . . in primis de
iis, quae in commissis habet," mit dem Fürsten zu con-
feriren.] — II. H. bb. 1/98.

— Principi, Dno Michaeli Radzivil (etc.) . . . Fridericus Wilhelmus, . . . Marchio Brandenburg. (etc.) . . . Coloniae
ad Spream, 28. Decembri 1669." Unterz.: Fridericus Wilhelmus, Elector. Fol. [Beileidsschreiben wegen des Ablebens des Fürsten Boguslav Radzivil.] — II. H. bb. 1/99.

— Principi, Domino Michaeli Radziwil (etc.) . . . Fridericus
Wilhelmus, . . . Marchio Brandenburg. (etc.) . . . Dabantur ex arce nostra Potsdam, die 20./10. Martii 1671."
Unterz.: Fridericus Wilhelmus, Elector. Fol. [Gratula-
tionsschreiben zur Vermählung der Tochter des Fürsten
mit dem Fürsten Korybut Wiśniowiecki, der beizuwohnen
der Kurfürst wegen der grossen Entfernung verhindert
sei.] —- II. H. bb. 1/100.

— Domino Jacobo Comiti a Weiher, Palatino Mariaeburgensi (etc.) . . . Fridericus Wilhelmus, . . . Marchio Brandenburg. (etc.) . . . Dabantur Olivae, 12. Sept. 1655."
Unterz.: Fridericus Wilhelmus, Elector. Fol. [Der Kurfürst dankt für die ihm mitgetheilten Nachrichten und
wünscht, dass die mitgetheilten Thatsachen zum Frieden
führen möchten.] — II. H. bb. 1/101.

„Dem Hochwohlgeb. . . . Herrn Jacoben . . . Reichs-
Grafen Weyer etc. . . . Holland, den 8. Octobris 1655.
Unterzeichn.: Fridrich Wilhelm, Churfürst. Fol. [Der
Kurfürst theilt dem Wojewoden mit, „dasz noch einige

Trouppen meiner Völcker aus Deutschland mir folgen
werden", und sendet den Obristen Wachtmeister Barfusz
behufs speciellerer Mittheilungen, ersucht schliesslich
Weyher, diese Truppen die Weichsel passiren zu lassen.|
— II. H. bb. 1/102.

„Illustrissimo Principi, Dno Michaeli Radzivil etc. . . .
Fridericus Wilhelmus, . . . Marchio Brandenburg. etc.
. . . Coloniae ad Spream, 10. Julii 1668." Unterzeichnet:
Frideric. Wilhelm., Elector. Fol. [Gratulationsschreiben
zur Ernennung des Fürsten zum Untercanzler von Lith.]
— II. H. bb. 1/103.

— Principi, Dno Michaeli Casimiro Radziwil, Duci etc. . . .
Fridericus Wilhelmus, . . . Marchio Brandenburg. etc.
. . . Dabantur Schwinfurti in Franconia, die 5/15. Febr.
1675." Unterzeichnet: Fridericus Wilhelmus, Elector.
Fol. [Die Schweden sind in die Besitzungen des Kurfürsten in Preussen eingefallen, haben dort Verwüstungen
begangen und Mannschaften ausgehoben, weshalb der
Kurfürst um den Beistand Polens bittet, um die Schweden
zu vertreiben, was auch im Interesse dieses Königreichs
liege.| — II. H. bb. 1/104.

„Ad D. Principem Carolum Radzivilium. Dussel-
dorpii, 18. Septembris 1696." Unterz.: Joannes Wilhelm.
Elector. Fol. |Beileidsschreiben wegen des Ablebens
Johann III. Sobieski, welches der Baron von Gise überbringt.] — II. H. bb. 1/105.

„Illustrissimo Principi, Dno Georgio, Duci etc. . .
Radzivil etc. . . . Fridericus III., . . . Marchio Brandenburgensis etc. . . . Coloniae ad Suevum, die 1/11. Maji
1688." Unterz.: Fridericus, Elector. [Meldet den am
29. April c. a. in Potsdam erfolgten Tod seines Vaters.]
— II. H. bb. 1/106.

„Sac. Reg. Majtatis Borussiae ad desideria Celsmi
Ducis Radzivill, Cancellarii Magni Ducatus Lithuaniae,
ad Eam delata, responsum" . . . Datum Carolinaeburgi,
die 28. Maji 1706. (Staatssiegel.) Ohne jede Unterschrift.
Fol. [1. Bedauert „vices et ruinam bonorum Celsinis
Sae." 2. „ . . . indulget, ut Celsinis Sae Conjux com-
morandi sedem in regno et ditionibus suis sortiri queat,
ubi omni cultu, honore, ac benevolentia et humanitatis
officiis mactanda erit." 3, „Quod capitaneatum Szlucho-
viensem attinet, Ra Sa Majtas omni cura sataget, quo
Celsnis Sae desideriis satisfiat" . . .] — II. H. bb. 1/107.

„A Mon Cousin, lo Prince de Radzivil etc. . . . Fait
à Schonhausen, ce 29. de May 1706." Unterz.: Frederic R.

Fol. [„ . . . J'ay fait douner au dit Narkuski une reponse, dont J'espère, que vous serés satisfait, et souhaite, que les bons offices, que Je passeray en Vostre faveur aupres du Roy de Suède, . . . passent tout l'effet, que vous en attendés" . . .] — II. H. bb. 1/108.

„Au Duc de Radziwil." „A Charlottenbourg, ce 25. de Sept. 1706." Untȩrz.: Frederic R. 4°. [Die von Narkuski vorgetragenen Wünsche des Fürsten kann der König nicht erfüllen.] — II. H. bb. 1/109.

„A la Duchesse de Radzivil." „A Berlin, ce 11. de Novembre 1706." Unterz.: Frederic R. 4°. [. . . „Je consens avec plaisir, que Vous prenées Vostre demeure dans le Chateau de Neu Stettin, comme Vous souhaités, et Je suis fasché seulment, que ce lieu Vous ne donnera pas toutes les commodités pour Vostre sejour, que Je voudrois" . . .] — II. H. bb. 1/110.

„Au Duc de Radzivil." „A Berlin, ce 8. de Fevr. 1707." Unterzeichnet: Frederic Rex. 4°. [Der König gratulirt dem Fürsten zur Geburt einer Tochter.] — II. H. bb. 1/111.

— „A Berlin ce 2. d'Avril 1707." Unterz.: Frederic R. Mit dem eigenhändigen P. S. „J'espère, que vous ne prenderoys pas mauvays, que je vous n'aye escriette de ma mains propre, les quantites des affayres m'en empesche." [Der König theilt dem Fürsten mit, dass er wieder gesund geworden sei.] 4°. — II. H. bb. 1/112.

„Au Prince de Radzivil." „A Charlottenb., ce 25. d'Avril 1707." Unterz.: Frederic R. [„ . . . J'ay veu avec beaucoup de deplaisir par vostre lettre du 17 courant, que vous avés esté obligé de quitter Vostre sejour de Neu-Stettin, et Je voudrois, que celuy, que vous venés de prendre à Belgard, vous fust pour le moins aussi commode, que le premier" . . .] 4°. — II. H. bb. 1/113.

— „A Wollup, ce 29. de Septembre 1707." Unterz.: Frederic R. [„ . . . et suis faché d'avoir manqué le plaisir, que vous m'avés voulu taire, de me venir trouver à Custrin, J'espere, que vous me le donnerés une autre fois" . . .] Fol. — II. H. bb. 1/114.

— „reponce à Sa gratulation, touchant la naissance du Prince d'Orange". „Berlin, ce 30. de Decemb. 1707." Unterz.: Frederic R. Fol. — II. H. bb. 1/115.

— „Berlin, ce 27. de Mars 1708." Unterz.: Frederic R. [„ . . . J'accepte avec plaisir la demande, que Vous me faites d'estre Parrin du Jeune Prince, que Dieu vient de Vous douner" . . .] Fol. — II. H. bb. 1/116.

„Au Duc de Radzivil." „A Berlin, ce 16. de Nov. 1708."
Unterz.: Frederic R. [Der König bedauert, die Pathen-
stelle nicht übernehmen zu können „ . . . mais Je ne
doute pas, que Vous n'aggreerés entierement la personne de Mon Cousin, le Duc de Holstein, lequel J'ay
substitué pour le faire en Ma place" . . .] 4°. — II. H.
bb. 1/117.

— „A Charlottenbourg, ce 7. Sept. 1709." Unterz.: Frederic
R. [Der König bedankt sich für das Gratulationsschreiben
des Fürsten zur Geburt einer Prinzessin, seiner Enkelin.]
4°. — II. H. bb. 1/118.

(Ohne Adresse.) Eigenhändiges Schreiben, datirt: „Sved,
ce 17. de Nov. 1707." Unterz.: „le plus fidell amy et
serviteur Philippe Guilliaume, Pr. de Pr." [Der Prinz
bedauert, dass der Fürst Radziwill ihn nicht besuchen
kann.] 4°. — II. H. bb. 1/119.

„Ad Cancellarium M. D. L. Principem Radzivil. Notificatio
de successione Regiae Suae Majestatis in Regnum Borussiae et reliquas paternas provincias. „Berolini, die
26. Februarii 1718." Unterz.: F. Guilaume R. Fol. —
II. H. bb. 1/120.

„A la Grande Chancelliere de Lituanie la Duchesse de Radziwil." „De Berlin, ce 2. d'Avril 1727."
Unterz.: F. Guilaume R. [Der König theilt der Fürstin
mit, dass er Befehl gegeben habe, dass in Folge ihrer
gerechten Beschwerden seine Truppen sie nicht mehr
belästigen werden.] Fol. — II. H. bb. 1/121.

„A ma Cousine, la Duchesse de Radzivil." „Berlin,
le 31. Mars 1727." Unterz.: Jeanne Charlotte P. D. Prusse."
[Beantwortung eines an die Prinzessin gerichteten Schreibens der Frau Fürstin Radziwill.] 4°. — II. H. bb. 1/122.

Abschrift, (Gleichzeitige), eines Briefes der nachherigen
Kaiserin Anna, datirt aus Mitau den 12. December 1727.
4°. (In russ. Sprache.) — II. H. bb. 1/123 u. 124.

„Illu. . . . Nicolao Christophoro Radzivilio, Duci in Olika
(etc.) . . . Rudolphus Secundus, . . . Romanor. Imperator.
Pragae, 4. Martii 1596. Unterz.: Rudolphus. [Sendet als
Gesandten zu den Reichstagsverhandlungen den Fürsten
Andreas, Bischof von Bresslau, und Adam Gallus Poppel
Baron v. Lobkowitz, welche mit dem Fürsten Radziwill
über ihre Aufträge conferiren sollen. Fol. — II. H. bb.
1/125.

Ein kurzer Brief in italienischer Sprache ohne Datum,
unterzeichnet: Maria. Das Siegel enthält ein verschlun-
genes Doppel-M. über dem zweiköpfigen russisch. Adler.

Von der Adresse ist nur zu entziffern gewesen: Vincislao,
alles Übrige wegen einer überaus unleserlichen Handschrift nicht zu entziffern. Wahrscheinlich ein Schreiben
der Marina Mniszchówna. Fol. — II. H. bb. 1/126.

87.

Copie listow do JKMści y do przednich niektórych Senatorow
o zaciągu wojennym y progressie expeditiey Inflantskiey
od Xcia JMści Pana Hetmana Polnego W. X. L. pisanych. Gleichzeitige Abschrift. 603 Blatt. [Abschriften
der an den König Sigismund III. gerichteten Briefe des
Fürsten Christoph Radziwiłł über den Krieg in Livland
gegen Gustav Adolph aus den Jahren 1622—1625. Unter
diesen Abschriften befindet sich (s. II. H. bb. 2., S. 616
bis 705) ein Original-Schreiben des Rigaschen Magistrats
vom 4. Februar 1622.] Fol. — II. H. bb. 2.

Original-Schreiben des Rigaschen Magistrats v. 4. Febr.
1622 an den Hetman Fürsten Christoph Radziwiłł, unterzeichnet: Proconsules Consulesque Civitatis Rigensis.
[Bericht über die Belagerung und Einnahme der Stadt
durch die Schweden.] Fol. — II. H. bb. 2. (Seite 616
—705.)

88.

Listy do Sapiehów od wojewodztw, powiatow y miast
pisane. [Diese Briefe beginnen mit dem Jahre 1502 und
gehen bis zum Jahre 1659.] 137 Blatt. Fol. — II. H.
bb. 3/1.

— od hetmanow y mających władze w woysku zaporozskim
pisane. [Briefe, 24 an der Zahl, aus den Jahren 1602
bis 1659, geschrieben von den Kosaken-Hetmanns: Bohdan
Chmielnicki (fünf), Jan Wyhowski (vier), die übrigen
von verschiedenen Obersten des Kosakenheeres.] 45 Blatt.
Fol. — II. H. bb. 3/2.

89.

Regestrum salinarum Bochnensium tenute Magnifici
Domini Severini Boner, Zupparii, Burgrabii et Magni
Procuratoris Cracoviensis etc. Ad annum 1525 per Jo-
annem de Buk conscriptum Perceptornm. 339 Blatt. Fol.
— II. H. bb. 4.

90.

Regestrum capitale salinarum Bochnensium per-
ceptorum et distributorum felicis tenute Magnifici Domini Andreae de Coscielecz, R. P. thesaurarii, sczepusien.
oswiaczien. innovladislaviens. bidgostien. sandczen. Capit.,
zupparii et magni procurator. Cracov. etc., qualis in Dei
nomine inceptum a 23. die mensis Aprilis anni Domini
1512, completi ad 23. diem ejusdem mensis anni Domini
1513 incompleti. quo die clausa est anni calculatio. Fol.
442 Blatt. — II. H. bb. 5.

91.

Diarius sejmu anno Domini millesimo quingentesimo nonagesimo tertio, sexto et septimo. 57 Blatt. [Aus d. Fürstl.
Radziwiłł'schen Bibliothek zu Nieśwież.] Fol. — II. H.
bb. 6/1.

Cronologia seymu 1597. 93 Blatt. [Reichstagsverhand-
lungen, des Senats und der Abgeordneten-Kammer, in
welchen sich die Abschriften zweier Briefe des Königs
Sigismund I. an die Päpste Leo X. und Paul III. Blatt
102—104 befinden, über die Polen von den Türken drohen-
den Gefahren.] (Aus der Fürstl. Radziwiłł'schen Bibl.
zu Nieśwież.) Fol. — II. H. bb. 6/2.

92.

Listy:
1. Anny Jagiellonki, królewney polskiey, żony Stefana
   Batorego, króla Polskiego.
2. Stefana Batorego.
3. Zygmunta III.
4. Anny, arcyksiężniczki Rakuskiey, żony jego.
5. Władysława IV.
6. Cecyliey Renaty, pierwszey żony jego.
7. Karola Ferdynanda, krolewicza polskiego.
   113 Blatt. [Abschriften aus dem Anf. des 18. Jahrh.
   — Aus der Fürstl. Radziwiłł'schen Bibl. zu Nieśwież.]
   Fol. — II. H. bb. 7.

93.

Listy:
1. Zygmunta Augusta do Łaskiego, wojew. sieradzkiego.
2. Tegoż do Xięcia arcyb. rygskiego et status Livoniae.

3. Tegoż do Mikołaja Xięcia Czarnego Radziwiłła, wojewody wileńsk., marszałka y kanclerza WXL.
4. Izabelli, krolowey węgierskiey.
5. Katarzyny, arcyksiężniczki rakuskiey, ostatniey żony Zygmunta Augusta.

146 Blatt. [Abschriften aus dem XVIII. Jahrhund. der in der Biblioth. zu Nieśwież befindl. Originale. — Aus der Fürstl. Radziwiłł'schen Bibl. zu Nieśwież.] Fol. — II. H. bb. 8.

94.

Manuscript in kleinrussischer Sprache aus dem XVII. Jahrhundert. 172 Blatt. Enthält:

1. Powiest' o witieziech, a zwłaszcza o sławnom rycery Tryszczanie, o Jeneałotie i o Bowie i o innych mnohich witeziach. S. 1—127.
2. Istoryja o kniażati Gwidonie. S. 129—171.
3. Istoryja o Atyli, koroli uhorskom. S. 173 - 234.
4. Letopisec wielikoho kniazstwa litowskoho i żomojtskoho. S. 235—291.
5. Kopja potwierdzenia przez Władysława IV. z roku 1635, dnia 8. marca, rejestru oprawy dworu królewicza Kazimirza. S. 293—301.
6. Uchwała Zygmunta I. i panów rad z roku 1528 na sejmie walnym z roku 1528, dnia 8. maja, o obronie ziemskiej W. X. Litt. S. 301—327.
7. Verschiedene Familien-Notizen eines Knichowski seit dem J. 1637 und einer anderen, nicht genannten Familie seit dem J. 1622. S. 328—344.

Fol. — II. H. bb. 9.

95.

Excerpta z xiąg i miscellanea publica polonica, naywięcey własney ręki Xięcia Karola Stanisława, kancl. W. Litt. za młodości jego. 151 Blatt. [Aus der Fürstlich Radziwiłł'schen Bibliothek zu Nieśwież.] Fol. — II. H. bb. 10/1—19.

Tablica chronologiczna cesarzów Konstantynopolitanskich, wyjęta z ośmiu tomów różnych historyków greckich, przetłumaczonych na francuzki język par Monsieur Cousin, Président de la Cour de Monnoies. 29 Blatt. Fol. — II. H. bb. 10/1.

Relatio itineris, adventus Regiomontem et totius actus. Blatt 30—38. [Beschreib. einer Reise des Fürsten Radziwiłł. XVIII. Jahrh.] Fol. — II. H. bb. 10/2.

Expedycya przedseymowa anni 1718. Uniwersał na seymiki. Datirt: W Białey, d. 18. Julii 1718. Blatt 38—46. Fol. — II. H. bb. 10/3.

List JKMści do Cara JMści. Dnia, 26. Oktobra 1618. Ohne Unterschrift (Abschrift.) Blatt 46. [Brief August II., Königs von Polen. Eine kategorische Aufforderung an den Caren (Peter d. Gr.) seine Truppen aus Polen zurückzuziehen.] Fol. — II. H. bb. 10/4.

Copia literarum Regis Prussiae. Berolini, die 8. Novembris 1718. Unterz.. Wilhelmus Rex. (Abschrift.) Fol. Bl. 47. [An König August II. Derselbe soll den umlaufenden Gerüchten keinen Glauben schenken, dass der Car beabsichtige, einen Theil von Polen sich gewaltsam anzueignen.] — II. H. bb. 10/5.

Kopia listu JKMci przed wyjazdem do Saxoniey do Ichmści PP. Senatorów. Dan w Warszawie. Ohne Datum und Unterschrift. (Abschrift.) Fol. Blatt 48. [Der König theilt den Senatoren mit, dass er unterem Anderen die Entscheidung über die unrechtmässigen Ansprüche des Caren auf Danzig und Kurland bis zum nächsten Landtag sich reservire.] — II. H. bb. 10/6.

Carolus Duodecimus, Rex Sueciae, per Anagr. Fol. Bl. 48. und 49. [Ein latein. Gedicht, an welches sich ein „Epitaphium" anschliesst, zum Lobe Karls XII.] — II. H. bb. 10/7.

Copia listu Jo. Carskiego Wieliczewstwa do Krola JMci. Dan w Sanct Petersburgu, d. 18. Januarii s. v. 1719. Unterz.: Piotr. Fol. Blatt 50—52. [Der Car verwahrt sich dagegen, als beabsichtigte er Danzig und Kurland von Polen loszureissen.] — II. II. bb. 10/8.

— hramoty (eines Schreibens) Cara JMści do Stanów Rzeczypospolitej pisaney. Dan w Sankt Petersburgu, dnia 18. styli veteris, Januarii 1719. Unterz.: Piotr. Fol. Bl. 52—55. [Der Car versichert, dass er nicht die Absicht habe, Kurland und andere Provinzen von Polen loszureissen.] — II. H. bb. 10/9.

Expositio ac enarratio eorum, quae a me, supremo M. D. Litt. praefecto stabuli et generali campi mareschalco copiarum Saxonicarum, Comite a Fleming . . . gesta sunt . . . Fol. Blatt 55—56. [Ein dem Könige vorgelegter Bericht über seine Thätigkeit.] — II. H. bb. 10/10.

Copia listu responsu JKMści do Cara Jmci, w Wschowie, dnia 16. Marca 1719. Fol. Blatt 57—58. [Eine scharfe Entgegnung auf einen, durch den Fürsten Dołgoruki dem Könige überbrachten Brief des Caren, der in Abschriften noch vor seiner Ueberreichung im ganzen Königreich Polen circulirte. Es wird in der Entgegnung ausgeführt, dass die geheimen Machinationen der russischen Regierung „einen gerechten Verdacht zu erregen geeignet wären." . . .] — II. H. bb. 10/11.

Responsum ad primas literas Regis Prussiae, d. 16. Martii 1719, Fraustadii datum. Fol. Blatt 59. |Betrifft die „Cogitata sive proposita Mtis Vae cum sua Caraca Mte ratione successionis in Ducatu Curlandiae et Semigalliae in casu decessus Ducis Ferdinandi sine prole mascula" . . .] — II. H. bb. 10/12.

Copia literarum Regis Stanislai ad Sacram Caesaream Regiamque Majestatem, diebus Martii anno 1719 scriptarum Fol. Bl. 60. [Ein Schreiben, welches den Tod Karls XII. von Schweden beklagt.] — II. H. bb. 10/13.

— listu Krola Stanisława do rezydenta swojego, w Wiedniu zostającego. Ohne Datum. Fol. Bl. 60, Rückseite und Bl. 61. [Der König Stanislaus trägt seinem Residenten auf, dahin zu wirken, dass er, (der König) unter dem Schutze des Kaisers vor den „Insulten" des Königs, August II., geschützt werde . . .] — II. H. bb. 10/14.

Denuntiatoria Krola JMści o ożenieniu syna swego. Darauf folgt: [Epigramma ad Serenissimam Regiam Principem Clementinam ad sponsum suum Regium se conferentem. Ohne Daten. Fol. Blatt 61, Rückseite u. Blatt 62.] — II. H. bb. 10/15.

Copia literarum S. C. Majestatis ad Regem Poloniae. Ohne Abschr. des Datums. [Betrifft die Beendigung des nordischen Kriegs.]

   Literae Regis Angliae ad eundem. Ohne Abschr. des Datums. [Betrifft denselb. Gegenstand.]

   Literae Reginae Sveciae ad eundem. |Betrifft denselben Gegenstand.|

   Responsoria Regis Poloniae ad Caesarem. Ohne Abschr. des Datums. |Betrifft denselb. Gegenstand.]

   Item ad Regem Angliae.

   Item ad Reginam Sveciae. [Betreffen denselb. Gegenst.] Fol. Blatt 63—65. — II. H. bb. 10/16.

Listy zapraszające na pogrzeb Jaśnie Oświeconego Xięcia Karola Stanisława Radziwiłła, Kanclerza Wielk. Xięst. Litew., do Biskupów, do Senatorów świeckich i urzęd-

nikow po województwach. Fol. Blatt 65—66. — II.
H. bb. 10/17.

Puncta tractatus praeliminaris inter Reginam Sueciae et
Regem Poloniae. Abschrift ohne Datum. Fol. Bl. 67—68.
— II. H. bb. 10/18.

Excerpta niektóre z dzieiow kościelnych przez opata du
Loc-Dieu (?) językiem francuzkim wydanych. Fol. Blatt
69—151. — II. H. bb. 10/19.

96.

Memoryał rzeczy znaczniejszych, które się w Polsce działy
od śmierci Zygmunta III. (1632) do r. 1653, spisany przez
Albrechta Stanisława Radziwiłła, kanclerza W. W. X.
Litewskiego, przetłomaczony z języka łacińskiego przez
Xięcia Hieronyma Radziwiłła, kancl. W. W. X. Litew-
skiego, w r. 1731. Fol. 440 Blatt. — II. H. bb. 11.

97.

Relacya traktatów z kommissarzami szwedzkimi na seymie
anni 1629, dnia 28. Listopada przez JMci Xiędza Jakóba
Zadzika, biskupa chełmskiego, kanclerza koronnego, uczyniona. Fol. 32 Blatt. [Abschrift aus unserer Zeit.] —
II. H. bb. 12/1.

Expeditia wołoska, przeprawa J. M. P. Hetmana Polnego
y Hetmana Koronn. do Wołoch. Unterzeichnet: Działo
się w Konstantinopolu, 14. Septembris 1620. Fol. 8 Bl.
Originale gleichzeitige Handschrift. — II. H. bb. 12/2.

98.

Diariusz campaniey Budziackiey in anno 1686 stante praesentia Principis odprawioney. 4°. Blatt 377—389. — II.
H. bb. 13/1.

— listow J. O. Xiężny Jey Mści, Ludowiki Karoliny Radzi-
wiłłowny, Margrabiny Brandeburskiey, de anno 1684.
Fol. [Eigenhändige Briefe, oder in ihrem Auftrage von
ihrem Secretair Fehr verfasste Briefe und verschiedene
Schriftstücke zur Geschichte der Familie Radziwiłł, datirt
aus Berlin, die meisten aber aus Königsberg.] — II. H.
bb. 13/2.

99.

Radziejowski, Kardynał. (1645–1705.) Listy kardynała Radziejowskiego, w różnych materyach pisane. Auf
Schreibpapier 122 Blatt. Abschrift. Gleichzeitige Handschrift. Schluss: . . . „na znak wiktoryi“ der Rest fehlt.
Fol. — II. H. bb. 14.

100.

Relatione del regno di Polonia, cóminciata l'anno
passato et per varie legittime occupationi non finita se
non questo di 20 di luglio del 1604 in Cracovia, fatta
dall' Immo Sig. Card. Valenti. Auf Schreibpapier. Handschrift aus derselben Zeit. 229 Blatt. Mit alphabetischem
Register. Blatt 227 unbeschrieben; die folgenden zwei,
anscheinend leeren Bl. ausgeschnitten. Anfang: „Il regno
di Polonia, cosi ditto da „Pole“, . . . Schluss: „ . . . et
curioso da sapere.“ Eine Geographie des damal. Polens.
Fol. — II. H. bb. 15.

101.

Mémoire sur Cecile, fille de Gustave I., roi de Suède,
et femme de Christophle, margrave de Bade. Auf Schreibpapier. 15 Blatt. Schrift aus dem Ende des vorigen,
oder Anfang dieses Jahrhund. Anfang: „Cecile, fille de
Gustave I., roi de Suède“, . . . Schluss: . . . „Holmiae,
1616, in fol. pag. 132.“ Kl. Fol. — II. H. bb. 16.

102.

Pisma tyczące się elekcyi Augusta II., po zgonie
Jana III., Sobieskiego. Auf Schreibpapier. 369 Blatt.
Schriftcharakter aus dem Anfang des vorig. Jahrhund.
Auf dem ersten Blatt oben das Autograph: „Julian Ursin
Niemcewicz.“ Enthält Abschriften von Briefen, Acten-
stücken und verschiedenen literarischen Producten, die
sich auf den Anfang der Regierung Augusts II., Königs
von Polen beziehen. Blatt 352 bis auf die drei ersten
Zeilen herausgeschnitten. Das erste und zweite Blatt
wurmstichig und sehr abgegriffen, das letzte durch
Feuchtigkeit stark beschädigt, weshalb der Schluss ganz
unleserlich. [Inhaltsangabe als Titel.] Fol. — II. H. bb. 17.

103.

Enthält:

1. **Poselstwo do króla Jego Mości Polskiego, Zygmunta Trzeciego, od Rad i wszech Stanów W. X. Litewskiego.** W Krakowie, w drukarni Mikołaja Szarffenbergiera, roku pańskiego 1588. 7 Blatt. Eine Abschrift des genannten Druckwerks, angefertigt im zweiten oder dritten Decennium unseres Jahrh.

2. **„Przedniejsze sprawy seymu Piotrkowskiego w r. 1537, wyjęte z 18. tomu aktów Tomickiego, a udzielone mi w originale przez W. Konstantego Swidzińskiego.“** 3 Blatt. Eine Abschrift aus dem dritten Decennium unseres Jahrh.

3. **Mowa druga Stanisława Sołtyka,** prezesa rady wojewodzkiey, na posiedzeniu teyże rady, dnia 2 go maja 1822 roku, miana w Radomiu. 7 Blatt. Abschrift aus unserer Zeit. [Eine (rhetorische) Auslassung darüber, welche Pflichten die Geistlichen unentgeldlich zu erfüllen hätten, zu welchem Zwecke dieselben vom Staate mit auskömmlichen Gehältern ausgestattet werden müssten.]

4. **Mowa pierwsza Stanisława Sołtyka,** prezesa rady wojewódzkiey, wojewodztwa Sandomirskiego, na otwarciu teyże rady, miana dnia 1. maja 1822 r., w Radomiu. Abschrift auf Schreibpapier. 3 Blatt. [Eine (rhetorische) Aufforderung, die Polen gegebene Verfassung und die katholische Religion zu wahren und zu pflegen.] 4°. — II. H. bb. 18.

104.

Relatione di Gio. Tiepolo, ambas. straord. alla Maestà di Polonia e Suetia, Wladislao IV., l'anno 1647. 78 Blatt auf Schreibpapier. Abschrift aus dem vorigen Jahrhund. Anfang: „Ritornato con la gratia del Sig. Iddio alla patria.“ . . . Schluss: . . . „Cosi presi licenda (?) dal Sermo Principino“ . . . der Rest fehlt. Blatt 58 auf der Rückseite nur mit einer Zeile beschrieben; das folgende Blatt beginnt mit den Worten: . . . piuo Sigismondo Casimiro... etc. [Berichte des venetianischen Gesandten, Giovanni Tiepolo, namentlich über „ . . . le conditioni del regno, le dispositioni del Rè, la venalità del governo, li costumi del popolo, la tirannide della nobilità et altre simili circonstanze“] . . . Fol. — II. H. bb. 19.

105.

Relatione del Clariss. Hirolamo Lippomani nel ritorno di Polonia, fatta all' Ecc. Senato Venetiano, l'anno 1575. Auf Schreibpapier. Abschrift aus diesem Jahrh. 79 Blatt. [Der Gesandte berichtet über die Grenzen, Provinzen und die wild-lebenden seltenen Thiere des Reiches, über die Religion und die Zustände des Landes, darunter über die: „ . . . contadini di Lituania, li più miseri et più sogetti che siano al mondo" . . . und giebt einige histor. Notizen.] 4⁰. — II. H. bb. 20.

106.

Relatione copiosissima del regno di Polonia, referita dall' abbate Ruggiero a Pio Quarto, ritornato nuntio dal Re Sigismondo Augusto nell anno del Sigre. 1568. (Anmerkung des Abschreibers: „J'ai copié ce manuscrit sans réformer son ancienne orthographe, ni ses abbreviations, solécismes etc.") Abschrift aus der neueren Zeit. 127 Blatt. [Ueber die geographische Lage Polens, Sprache, Charakter und Religion, Staatsverfassung der Polen, nebst einigen historischen Notizen seit Lech; über Grossrussland, die Tataren und die Walachen.] 4⁰. — II. H. bb. 21.

107.

Odezwa do sprzymierzeńców i narodu angielsk. o przywrócenie królestwa Polskiego, pismo wyszłe w Anglii, w styczniu 1814, przełożone z angielskiego. 72 Blatt. [Polnische Uebersetzung eines in englischer Sprache verfassten Aufrufs an die Alliirten und das englische Volk um Wiederaufrichtung des Königreichs Polen. Vgl. n. 15, fol. 318—344.] 4⁰. — II. H. bb. 22.

108.

Diariusz drogi mey w legaciey od powiatu Oszmiańskiego do JKM. z Wiel. Im. Panem Krzysztofem Kamińskim, sędzią ziemskim Oszmiańskim, od wyjazdu mego z Wilna, spisany ao. 1714. 16 Blatt. Original. [Zur Cultur- und Sittengeschichte Polens der damaligen Zeit.] 4⁰. — II. H. bb. 23/2.

Abschrift der obigen Schrift aus unserer Zeit. 43 Blatt. 4⁰. — II. H. bb. 23/1.

109.

Poselstwo moskiewskie przez Haraburdę sprawowane, dnia 29. grudnia, roku 1572. 12 Blatt. Abschrift
aus unserer Zeit. [Bericht des Haraburda über seine
Gesandschaft an Iwan IV. Wasilewicz, den Grausamen.]
4º. — II. H. bb. 24/1.

Woroniecki nie winien. 6 Blatt. Abschrift aus unserer
Zeit. [Eine anscheinend ironische Entschuldigung des
Fürsten (Michael?) Woroniecki, dass er die Hofcourtisane
Sigismunds Augusts, Barbara Giżanka, geheirathet hat.
4º. — II. H. bb. 24/2.

Choroba królewska, 1571. Abschrift aus unserer Zeit.
2 Blatt. [Kurzer Bericht über die Leiden: Steinkrankheit,
Podagra und Chiragra, an welchen König Sigismund
August bis zu seinem Tode, 1572, litt. 4º. — II. H. bb. 24/3.

Znaki pewne śmierci królowej Jey Mości y króla
Jmci. Abschrift aus unserer Zeit. 2 Blatt. [Der päpstliche Legat, Giovanni Francesco Commendoni, berichtet
durch seinen Secretair über den (in Deutschland) erfolgten
Tod der Gemahlin Sigismund Augusts, Katharina, Erz-
herzogin von Oesterreich.] 4º. — II. H. bb. 24/4.

Jan Kazimierz, z Bożéy łaski Król Polski, Wielki Xiążę
Litewski etc. . . . 4 Blatt. Abschrift aus unserer Zeit.
[Militärische Instruction des Königs an den Commandi-
renden in der Ukraine.] 4º. — II. H. bb. 24/5.

— z Bożéy łaski Król Polski, Wielki Xiążę Litewski etc.
. . . Abschrift aus unserer Zeit. 1 Blatt. [Anweisung
einer Geldsumme zur Auszahlung des Soldes.] Fol. —
II. H. bb. 24/6.

Przysięga Panów Rad Wołoskich. Abschrift aus
unserer Zeit. 2 Blatt. [Wortlaut des Eidschwures, mit
dem der Staatsrath und die Bojaren der Wallachei das
vom Hetman Georg Jazłowiecki mit der Wallachei abge-
schlossene Bündniss bekräftigten.] 4º. — II. H. bb. 24/7.

Skarga dworu króla JM. do panów rad i do posłów
ziemskich uczyniona. Abschrift aus unserer Zeit.
7 Blatt. [Beschwerde der Hofdienerschaft darüber, dass
der König (Sigismund August, dessen Name an keiner
Stelle genannt wird,) während seiner Krankheit schlecht
bewacht wurde, dass er „in toxico et incantionibus"
gestorben sei, dessen „evidentissima et certissima signa"
vorhanden gewesen sein sollen, sowie namentlich darüber,
dass sämmtliche Einkünfte des Hofes unterschlagen, die
Pretiosen und Mobilien etc. auseinandergeraubt worden
seien.] 4º. — II. H. bb. 24, 8.

Woroniecki winien. Abschrift aus unserer Zeit. 8 Blatt. [Wird ausgeführt, dass der Fürst Woroniecki sich gegen die Ehre seines Standes und die Moral vergangen habe, indem er die Barbara Giżanka, eine Bürgerliche und Courtisane Sigismund August's geheirathet habe. Cfr. II. H. bb. 24/2 und 24/11. 4°. — II. H. bb. 24/9.

Testament Oświeconego Pana, K. Pana Zygmunta Augusta, z łaski Bożey Króla Polskiego, który w Knyszynie dnia 7. Julii r. MDLXXII. Panu Bogu ducha oddał. Manuscr. Abschrift aus unserer Zeit. 28 Blatt. [Testament König Sigismund August's.] 4°. — II. H. bb. 24/10.

O Giżance nierządney. Manuscr. Abschrift aus unserer Zeit. 9 Blatt. [In dem Schriftstück wird berichtet, auf welche Weise die Barbara Giżanka für den Koenig Sigismund August gewonnen wurde. Es folgen zwei satyrische Gedichte auf dieselbe und diejenigen, welche ihre Gunst und Fürsprache durch Geschenke und Kriecherei gewannen, oder zu gewinnen suchten. — Cfr. II. H. bb. 24/2 u. 24/9.| 4°. — II. H. bb. 24/11.

110.

Moszczyńskiego, Adama, Rękopism, służący do historyi polskiey w ostatnich latach panowania Augusta III. i pierwszych Stanisława Augusta. Manuscr. Abschrift aus unserer Zeit. 153 Blatt. [Zur Geschichte der letzten Regierungsjahre August's III. und der ersten Stanislaus August's.] 4°. — II. H. bb. 25.

111.

Konstytucye albo Ustawy Panien Kanoniczek, pod tytułem Niepokalanego Poczęcia N. Panny Maryi w Mariewilu fundowanych, do obserwancyi podane roku pańskiego 1745. Manuscr. Abschrift aus unserer Zeit. 78 Blatt. [Statuten der Stiftsfräulein zur unbefleckten Empfängniss der Jungfrau Maria zu Marieville] 4°. — II. H. bb. 26.

112.

Archiwum sekretne watykańskie w stosunku do Polski, czyli spis dokumentów, dyplomatów, nadań, listów i urządzeń, tak politycznych, jako i duchownych,

13*

tyczących się dziejów Polski od X. do XVI. wieku, znajdujących się w Sekretnym Archiwum Watykańskiem,
zebrane przez właściwą Archiwum Sekretnego władzę
dla Edwarda Raczyńskiego w roku 1837 w Rzymie.
Manuscr. 29 Blätter. [Verzeichniss der Polen betreffend.
Actenstücke des Geheimen Vatican. Archivs.]   4°. — II.
H. bb. 27.

113.

Wybór osobliwych manuskryptów, w czasie seymowych
obrad tworzonych przez Polaków. 113 Blatt Text und
2 Bll. Register. 4°. — II. H. bb. 28.

Organy, czyli opisanie seymu czteroletniego warszawskiego
przez Krasickiego, B. W. S. 1—26. Paw w dobrach pana
Podstolego, przez Krasickiego, B. W. S. 49—64. S. Wybór osobliwych manuskryptów.

Zagadki w czasie czteroletniego seymu wyszłe. S. Wybór
osobliwych manuskryptów. S. 27—48. [Satirische Räthsel
mit Auflösungen (Hinzufügung des Namens) gegen die
einflussreichsten Personen jener Zeit.]

Krety przez Trębeckiego. (Von der Hand Julian Ursin
Niemcewicz hinzugefügt: przez Niemcewicza. Dieses
Manuscript stammt aus seiner Bibliothek.) S. 63—73.

Polak do swego narodu przez Juliana Niemcewicza. [Der
Autorname von einer anderen Hand durchstrichen.]
S. 74—117.

Do rycerstwa polskiego przez Niemcewicza. Seite 118
—130.

Młodzież do Polek. Seite 131—146. Do dam polskich.
Seite 147—152. Mąż obywatel do żony obywatelki
w dzień jey imienin. Seite 153—158. Xiężna Adamowa
Czartoryska w imieniu Polek do Małachowskiego, marsz.
konfederacyi koronn. S. 159—162.

Do Kościuszki, przez Alojzego Felińskiego. Seite 163
—177. Żal po wzięciu Kościuszki w niewolą. Seite
203—206. Żal nad zgubą Oyczyzny, przez Niemcewicza. Seite 207—218. Żal Sarmaty nad grobem Zygmunta Augusta, ostatniego Jagiellończyka, przez Kar-
pińskiego. (Abgedruckt in den Ausgaben seiner Werke.)
S. 219—225.

Woyska Moskiewskiego w Polszcze obrona przez Iwana
Wasilewicza, officera w tymże woysku. Mit Bleistift
unterzeichnet mit dem abbrevirten Namenszuge: J(uljan)

U(rsin) N(iemcewicz). (Dieses Manuscript, s. S. 63—73, stammt aus seiner Bibliothek.) S. 178—191.
Urzędy nic sławie cnotliwego nie przydają, przez Kajetana Węgierskiego. S. 192—202.

114.

Testament Stefana Króla. 1584. Manuscr. Abschrift aus späterer Zeit. 6 Blatt. [Testam. des Kön. Stephan Bathory.] 4°. — II. H. bb. 29/1.

O sztuce wojenney przez Jana Tarnowskiego. Abschrift aus späterer Zeit. 72 Blatt. 4°. — II. H. bb. 29/2.

Żolkiewskiego, Stanisława, Ostatni rok życia, i śmierć jego w r. 1620. Abschrift aus unserer Zeit. 9 Blatt u. 1 Seite. 4°. — II. H. bb. 29/3.

Relatia prawdziwa o weściu woyska polskiego do Wołoch y o potrzebie jego z pogaństwem w r. p. 1620 w wrześniu y październiku przez Theophila Szemberga, sekretarza króla JMci, który w potrzebie obecny był, . . . z druku przepisana. Abschr. eines Druckwerkes. 28 Bl. 4°. — II. H. bb. 29/4.

Szemberka List do Xdza Andrzeja Opalińskiego, biskupa poznańskiego, w którym opisuje porażkę woyska polskiego w Wołoszech przez Skander Baszę a d. 18. Septembra ad 6. Octobris anno 1620. Abschrift aus unserer Zeit. 13 Blatt. 4°. — II. H. bb. 29/5.

Złotopolskiego, Abrahama, List o śmierci nieboszczyka pana Żółkiewskiego, kanclerza y hetmana koronnego, de data z Trembowli, 24. Oktobra 1620. Abschrift aus unserer Zeit. 2 Blatt und 1 Seite. 4°. — II. H. bb. 29/6.

Fragmentum ex litteris Illustriss. D. Martini Szyszkowski, episcopi Cracoviensis, ad Illustriss. D. Andream de Bnin Opaliński, episcopum Posnaniensem, de excercitu polonico, in Valachio a barbaris obtrito anno 1620. Abschrift aus unserer Zeit. 4 Blatt und 1 Seite. 4°. — II. H. bb. 29/7.

Powieść pewnego Tatarzyna, którego pojmano w Radziwiłłowicach, 17. Oktobra 1620. Abschrift aus unserer Zeit. 5 Seiten. 4°. — II. H. bb. 29/8.

Niezabitowskiego list do p. Łowczego Halickiego, de dato 17. Octobris 1620. Abschrift aus unserer Zeit. 4°. 1½ Seiten. — II. H. bb. 29/9.

Żółkiewskiego, kanclerza y hetmana koronnego, list do
Gratiana, hospodara wołoskiego, de dato: w Żółkwi,
7. Junii 1619. Abschrift aus unserer Zeit. 9 Seiten. 4⁰.
— II. H. bb. 29/10.

— Kanclerza y hetmana koronnego, list do króla Jmci, de
dato: z Żółkwi, 12. junii 1619. Abschrift aus unserer
Zeit. 9 Seiten. 4⁰. — II. H. bb. 29/11.

Zamoyskiego, wojewody kijowskiego, list do Xdza Opalińskiego, biskupa poznańskiego, de dato z Zamościa,
13. Junii 1619. Abschrift aus unserer Zeit. 4⁰. — II. H.
bb. 29/12.

Cedula. Abschrift aus unserer Zeit. 1 Seite. [Notiz über
die Ankunft des aus Constantinopel nach Frankreich
zurückkehrenden franz. Gesandten in Kaschau.] 4⁰. —
II. H. bb. 29/13.

Gąsiewskiego, referendarza litewskiego, list do Xdza
sekretarza wielkiego koronnego, de dato z obozu u rzeczki
Polanówki na granicy Drohobuzkiey, 15. Junii 1619.
Abschrift aus unserer Zeit. 6 Seiten. [Ueber die beabsichtigten Betrügereien der Moskowiter bei Auslieferung
der Kriegsgefangenen und Feststellung der Grenzen.]
4⁰. — II. H. bb. 29/14.

Króla Jmci list do p. Krakowskiego, de dato w Warszawie,
17. junii 1619. Abschrift aus unserer Zeit. 2¹/₂ Seite.
[Die Moskowiter beschweren sich beim König über die
poln. Truppen, dass dieselben, den Friedensbedingungen
entgegen, ein Castell bei Putywl errichten.] 4⁰. — II. H.
bb. 29/15.

Ożgi, starosty Trembowelskiego, list do p. Żółkiewskiego,
hetmana koronnego, de dato 1. Junii 1619. Abschrift aus
unserer Zeit. 4 Seiten. [Bericht, dass der Sultan den
Frieden aufrechterhalten und gestatten wolle, die Kosaken
zu gewinnen.] 4⁰. — II. H. bb. 29/16.

Hetmana koronnego, Żółkiewskiego, list do króla Jmci, de
dato: z Żołkwi, 5. Junii 1619. Abschrift aus unserer Zeit.
4 Seiten. [Berichtet die Verhandlungen mit Skinder-
Pascha.] 4⁰. — II. H. bb. 29/17.

Gratiana, hospodara wołoskiego, list do p. hetm. koronnego
(Żółkiewskiego), de dato: w Jasiech, 11. Julii 1619. Abschr.
aus unserer Zeit. 3 Seiten. [Lateinisch. Berichtet über
das Resultat seiner Unterhandlungen mit dem Gross-Vezir.]
4⁰. — II. H. bb. 29/18.

Żółkiewskiego, kanclerza y hetmana koronnego, list do
króla Jmci, de dato z stanowiska u Czerleniowca, 19. Julii
1619. Abschrift aus unserer Zeit. 4 Seiten. [Berichtet,

dass Skinder-Pascha sich in Oczakow befinde, wo er mit
dem Caren und dem Sultan (Chan der Tataren?) zu conferiren beabsichtige.] 4⁰. — II. H. bb. 29/19.

Gratiana, hospodara wołoskiego, list do pana hetmana
koronnego, de dato z Jass, 5. Julii 1619. Abschrift aus
unserer Zeit. 3 Seiten. [Lateinisch. Berichtet, dass der
polnische Gesandte Ożga wegen der (angeblich) sehr
geschwächten Gesundheit des Gross - Vezirs die Unterhandlungen nicht vollenden und Constantinopel nicht
verlassen könne.] 4⁰. — II. H. bb. 29/20.

Dziennik Samuela Maszkiewicza z rękopisów Józefa Sierakowskiego. Abschrift aus unserer Zeit. 87 Blatt. [Zur
Gesch. des falschen Demetrius und der Marina Mniszech.]
4⁰. — II. H. bb. 29/21.

115.

Historya Władysława Łokietka, króla polskiego,
wskrzesiciela tegoż królestwa w wieku XIV., wytłomaczona z kompilacyi historyi polskiey Długosza. 106 Blatt.
4⁰. — II. H. bb. 30.

116.

Kroniki wieku XII., część wtora. 49 Blatt. [Uebersetzung
des Długosz, Histor. Polon., Buch IV. u. V.] 4⁰. — II.
H. bb. 31.

117.

Historya Książąt Wielkopolskich, wytłomaczona z księgi
VII. historyi Długosza. 38 Blatt. 4⁰. — II. H. bb. 32.

118.

Annales albo rokosz za Sigmunta III., króla polskiego
y szwedzkiego etc. Zjazdy Proszewskie, Stężyckie, Ka-
liskie, Kolskie, Lubelskie, Sendomirskie, Wyślickie etc.,
poselstwa rozmaite, uniwersały, edicty, mandaty, listy,
artykuły, convocacya krakowska y insze postępki rokoszowe, które się wszczęły za powodem Jmci P. Zebrzi-
dowskiego, wojewody y generała krakowskiego. (Ab
anno Domini 1605 ad annum 1609.) Manuscript aus dem
Anfang des XVII. Jahrh. 220 Blatt (u. 3 Blatt Register.)
Fol. — II. H. bb. 33.

119.

O małżeństwie i położeniu w tym względzie kościoła
katolickiego w Niemczech, przez E. Möy, doktora prawa,
prywatnego nauczyciela prawa przy uniwersytecie w
Munich. Z dodatkiem o stosunku kościoła do państwa,
przekładania H. L. Fol. Manuscr. 125 Blatt. — II. H.
bb. 34.

120.

Note des médailles de Pologne, conservée au Cabinet
des Médailles de la Bibliothèque Royale à Paris. 4°.
Manuscr. 18 Blatt. — II. H. bb. 36/1.
— des médailles des personnages polonais, con-
servées au Cabinet des Médailles de la Bibliothèque
Royale à Paris. 4°. Manuscr. 4 Blatt. Supplément:
Comte de Staremberg. 4°. 1 Blatt. — II. H. bb. 36/2.

121.

Lauda et conventus terrarum Prussiae ab anno 1506 ad
annum 1713. 4°. Manuscr. 58 Blatt. Schriftchar. aus
dem vorigen Jahrh. — II. H. bb. 37.

122.

Apographum notarum sanctitatis venerabilis viri ...
Poloni, beati Raphaelis de Proszevice ... Fol. Manuscr.
aus dem Ende des XVII. Jahrhunderts. 41 Bll. Fol. und
5 Bll. 4°. — II. H. bb. 39.

123.

Trzy podziały Polski. 4°. Manuscript aus dem dritten
oder vierten Decennium dieses Jahrh. 27 Blatt. — II. H.
bb. 40.

124.

Statut Biblioteki Raczyńskich w Poznaniu. 4°.
Manuscr. Drei Abschriften des Statuts, deren zwei Exem-
plare II. H. bb. 41 und 42 nicht mehr vorhanden sind.
Das Original befindet sich bei den Acten des Posener
Magistrats. — II. H. bb. 41—43.

125.

1. Dyplomata Wielkopolskie. 7 Bll. Facsimilien.
2. Dyplomata Kujawskie. 8 Bll. desgl.
3. Dyplomata Mazowieckie. 22 Bll. desgl.
4. Dyplomata Litewskie. 3 Bll. desgl.
5. Dyplomata starszych dzielnic Polski i królow polskich. 25 Blatt desgl.
6. Dyplomata Szląskie. 8 Bl., desgleichen. Zusammen: 73 Blatt. — II. H. bb. 44.

126.

Beantwortung des Schreibens eines Edelmanns aus der Provinz an einen Mitbürger über die von einigen Depu-tirten der dissidentischen Bürger-Gemeinden gegen die Adligen ihres Glaubens-Bekenntnisses angebrachten Klagen . . . Aus dem Französischen. Mscr. aus d. vorig. Jahrh. Fol. 17 Blatt. — II. H. bb. 45.

127.

Opis historyczny konwiktu XX. Piarów od jego zało-żenia do roku 1822. 4°. Manuscr. aus diesem Jahrh. 97 Bll. [Mit einem: „Spis młodzieży szlacheckiej z Korony i Litwy, która się edukowała w konwikcie od założenia tey szkoły aż do roku 1822, ułożony porządkiem abeca-dłowym" und mit einem Autograf von J(ózef) K(alasanty) Szaniawski.] — II. H. bb. 46.

128.

Recit de ce, que fit le roi Stanislaus (sic) après avoir quitté la Saxe en 1706 jusqu'au mariage de la reine de France sa fille. 4°. Manuscr. Schrift aus diesem Jahrh. 95 Bll. — II. H. bb. 47.

129.

Malczeski, Antoni, Marya, powieść ukraińska. 4°. Den 25. Juni 1825. Manuscr. Censurexemplar von dem Dichter selbst geschrieben, mit einer Widmung desselben an Julian Niemcewicz. 62 Seiten, enthalt. 1467 Zeilen und 8 Seiten Anmerkungen. — II. H. bb. 48.

130.

Michałowski, Franc., X., Inwentarz pałacu biskupów
krakowskich post fata śp. Kajetana Sołtyka, . . . mense
Septembri 1788 przezemnie spisany. Orig.-Mscr. Fol.
13 Blatt. — II. H. bb. 49.

131.

Inwentarz pałacu w Warszawie, do biskupstwa krakowskiego należącego, sede vacante po zeszłym Xięciu
biskupie Sołtyku, sporządzony przez deputowanych WW.
II. XX. Żórawskiego, kanonika katedralnego krakowskiego i dziekana warszawskiego, oraz Hołowczyca,
kanonika krakowskiego i warszawskiego, w miesiącu
wrześniu r. 1788. Fol. 16 Blatt. Original-Manuscript
mit eigenhändigen Unterschriften der beiden im Titel
genannten Deputirten und Beidrückung ihrer Siegel.
[Im alten Manuscripten-Kataloge steht bei dem Titel
dieses Manuscr., die nachträgl. Bemerkung, dass dasselbe
nicht vorhanden sei.] — II. H. bb. 50.

132.

Liber theologicalis, editus a beato Thoma de Aquino,
ordinis frater (sic) praedicatorum, . . . anno Domini
MCCCCXXVI, 9 kalendarum mensis septembris . . . Fol.
Zweispaltig. 438 Blatt. [Im „Handschriften-Katalog"
der Raczyńskischen Bibliothek unter dem Titel: „Biblia
lacińska" eingetragen.] — II. H. c. 1.

133.

Josephi (Flavii), ebreorum hystoriographi, antiquitatis
judaice (libri) XX. (Blatt 1—232)
— — Belli judaici (libri) VII. Blatt 233—378. Fol. Manuscript aus dem XV. Jahrhundert. Zweispaltig, mit gold-
und farbigen Ranken verziert. 278 Blatt. Am Schluss
drei Blätter ausgeschnitten. Das vorhandene (Lib. VII.)
schliesst mit den Worten: „Terroribus enim expave-
scebat et crebro videbat sibi instantes umbras eorum,
quos perimerat, et clamitabat. Eumque se tene." . . .
— II. H. c. 2.

134.

Annalium coenobii Byssociensis, seu Coronoviensis, sacri ordinis Cisterciensis, dioecesis Wladislaviensis, in terra Cujaviae in confinio dominatus Bydgostiensis et Majoris Poloniae situati, tomus primus ab anno Christi 1200 usque ad 1400, conquisitore et collectore P. F. Adam a Szadek, ejusdem monasterii professo, anno 1600 et sequentibus. Coronoviae. Fol. Manuscr. aus dem XVII. Jahrhundert. 439 Blatt [incl. des nicht nummer. Titelblattes.] — II. H. c. 3.

135.

[**Dlugossi, Joannis**, Manuscriptum historiae Polonicae ab anno 1464 usque ad annum 1480 (id est: ad finem.) Fol. Manuscript aus dem XVII. Jahrhundert. 151 Blatt. [Im alten Manuscripten-Katalog: „Rękopis łaciński, traktujący o wojnie pruskiéj za Kazimirza Jagiellończyka zapewne ułomek historyi Długosza."] — II. H. c. 4.

136.

Testamentum vetus. Fol. Manuscr. aus dem XV. Jahrhundert. Zweispaltig, mit farbig verzierten Initialen. 574 Blatt. — II. H. c. 5.

137.

Handschrift aus dem 18. Jahrhundert. 223 Bll. Im alten Catalog: „Akta tyczące się Bernardynów prowincyi Wielkopolskiéy. Rękopism z 18. wieku."

1. Fol. Epistola Fr. Mariani Gigniewski, ordinis minorum S. P. Francisci regularis observantiae . . . ministri provincialis, (sine dato).

3b. Epistola ejusdem: Varsaviae, 18. Augusti 1713.

4b. Decretum ordinis minorum observantiae S. Francisci. 1. Julii 1713, sign. G. Card. Carpineus.
   Literae Fr. Idelfonsi de Biezma, ministri generalis, 20. Martii 1713.

5b. Literae Fr. Bonaventurae de Rutiliano, secr. generalis, 5. Sept. 1713.

6. Epistola Fr. Mariani Gigniewski.

8. Epistola ejusdem.

8b. Decretum ordinis minorum observantium S. Francisci, 3. Febr. 1714. F. Card. de Abdua.

9. Decretum totius ordinis minorum S. Francisci, d. 9. Dec. 1713. G. Card. Carpineus.
12. Epistola Fr. Mariani Gigniewski, 19. Junii 1714.
15. Epistola ejusdem, d. 13. Aug. 1714, communicat literas Clementis Papae XI. d. 21. Martii 1714.
18. Epistola Mariani Gigniewski, 5. Aprilis 1715.
20b. Epistola ejusdem, 12. Julii 1715.
21b. Frater Basilius Kucias ord. min. regular. observ. S. P. N. Francisci . . . Commissarius Visitator Generalis . . . 1. Octob. 1715.
22b. Literae convocatoriae ejusdem . . . Fr. Commissarii pro futuro Capitulo Bidgostiensi celebrando 1716, 2. Maji, 8. Martii 1716.
24. Epistola Fr. Joannis Kamieński . . . ministri provincialis . . . 22. Maji 1716.
27. Epistola ejusdem, 20. Julii 1716.
28b. Epistola ejusdem, 21. Sept. 1716.
31. Epistola Fr. Joannis Kamieński . . . ministri provincialis . . . 11. Nov. 1716.
32. Epistola ejusdem, nunciat P. Ildefonsum de Biezma, . . . totius ord. Generalem decrevisse, 18. Decembr. 1716.
33b. Fr. Josephus de Garcia . . . Vicarius Generalis . . . 25. Sept. 1716.
36. Epistola ejusdem Fr. Jo. Kamieński, 15. Martii 1717.
37.   „   „   3. Junii 1717.
40.   „   26. Aug. 1717.
42.   „   15. Jan. 1718.
48.   „   „   Apr. 1718.
49b.   „   „   22. Junij 1718.
50b. Epistola Fr. Pacifici Murzyński . . . Commissarii Visitatoris . . . d. 31. Jan. 1719.
52. Epistola ejusdem, 2. Apr. 1719.
53. Epistola Fr. Nicolai Barankiewicz, ministri provincialis, 12. Junii 1719.
56. Epistola ejusdem, 19. Sept. 1719.
58. Epistola Fr. Nicolai Barankiewicz . . . ministri provincialis, 30. Apr. 1720.
60. Epistola ejusdem, 17. Julii 1720.
62b.   „   „   12. Febr. 1721.
64b.   „   „   9. Dec. 1721.
66b.   „   „   29. Oct. 1721.
68b. Fr. Carolus Strus, Commissarius Visitator Generalis . . . 25. Apr. 1722.
70. Epistola ejusdem, 26. Apr. 1722.

75. Epistola ejusdem Caroli Strus, 8. Jun. 1722.
76. Fr. Seraphinus Gamalski, minister provincialis . . .
14. Julii 1722.
81. Epistola ejusdem, 1. Oct 1722.
85. Epistola ejusdem, 27. Jan. 1723.
86 b. Epistola Jo. Capistr. Szyszecki, Commissarii . . .
15. Apr. 1723.
88. Epistola Fr. Seraphini Gamalski, 23. Julii 1723.
90. Epistola ejusdem, 1. Oct. 1721, [sic.]
91 b. Epistola Fr. Seraphini Gamalski, ministri provincialis, 25. Dec. 1723.
92. Epistola ejusdem, 28. Apr. 1724.
94. Epistola ejusdem, 30. Jan. 1725.
100. Epistola Fr. Mariani Paszkiewicz, commissarii visitatoris generalis, 28. Febr. 1725.
101. Epistola ejusdem, 21. Mart. 1726.
106. Epistola ejusdem, 19. Apr. 1725.
107. Epistola Fr. Jo. Capistr. Szyszecki, ministri provincialis, 29. Junii 1725.
110. Epistola ejusdem Szysiecki, 15. Aug. 1725.
111.   „   „   8. Nov. 1725.
111 b. „   „   15. Nov. 1725.
113.   „   „   5. Dec. 1725.
—   „   29. Nov. 1726.
114 b. „   „   21. Martii 1726.
115.   „   „   3. Apr. 1726.
116.   „   „   26. Apr. 1726.   ·
117.   „   „   14. Maji 1726.
119.   „   „   . . . 1726.
120.   „   „   28. 9 bris 1726.
121.   „   „   25. Febr. 1727.
123. Epistola Fr. Joannis Capistrani Szysiecki . . ., ministri provincialis, 30. Julii 1727.
125. Epistola ejusdem, 3. Jan. 1728.
126. Epistola ejusdem, 6. Sept. 1727.
126 b. Epistola Fr. Bonaventurae Krassowski, Commissarii
Visitatoris generalis, 3. Febr. 1728.
128. Epistola ejusdem, 1. Apr. 1728.
130. Epistola Fr. Raphaelis Zgorzelski, 15. Julii 1728.
133. Epistola ejusdem Raph. Zgorzelski, 14. Octobr. 1728.
136. · „   „   20. Jan. 1729.
137 b. „   „   . . . 1729.
138.   „   „   30. Martii 1729.
139.   „   „   24. Julii 1729.
140.   „   „   6. Aug. 1729.

141 b. Epistola ejusdem, 19. Sept. 1729.

145.   „   „   29. Nov. 1729.

146 b.   „   --   . . . —

148 b.   „   „   31. Martii 1730.

150.   „   „   20. Aug. 1730.

151. Epistola Fr. Raph. Zgorzelski, ministri provincialis, 17. Jan. 1731.

153. Literae Fr. Ignatii Orłowski, Commissarii Visitatoris Generalis, Dec. 1730.

155 b. Epistola ejusdem, 24. Apr. 1731.

158. Epistola Fr. Nicolai Barankiewicz, ministri provincialis, 12. Julii 1731.

161. Epistola ejusdem, 28. Aug. 1731.

163.   „   „   8. Jan. 1731.

165.   „   „   12. Febr. 1732.

166 b.   „   10. Julii 1732.

168.   „   Sept. 1732.

170.   „   „   10. Apr. 1733.

173 b.   „   „   31. Dec. 1733.

175. Epistola Fr. Jo. Cap. Szysiecki, Commissarii et visitatoris generalis apostolici, 25. Febr. 1738.

176. Epistola ejusdem, 13. Apr. 1734.

177.   „   „   2. Aug. 1734.

179 b.   „   „   30. Sept. 1734.

181. Epistola Fr. Joannis Capistrani Szysiecki, 25. Maji 1736.

184. Epistola ejusdem, 3. Aug. 1735.

186.   „   „   26. Martii 1736.

187.   „   1. Junii 1736.

—   „   „   2. Julii 1736.

188 b.   „   „   2. Oct. 1736.

191. Epistola Fr. Francisci Michałowski, Commissarii Visitatoris generalis, 5. Martii 1737.

192 b. Epistola ejusdem, 6. Jun. 1737.

194. Epistola Fr. Ladislai Golbacki, ministri provincialis, 16. Aug. 1737.

195 b. Epistola ejusdem, 4. Maji 1738.

196.   „   „   18. Julii 1738.

197.   „   1. Nov. 1738.

198.   „   1. Dec. 1738.

198 b.   „   „   29. Apr. 1739.

199 b.   „   „   21. Maji 1739.

201.   „   „   16. Julii 1739.

203.   „   „   5. Oct. 1739.

204. Epistola Fr. Ladislai Golbacki, 28. Martii 1740.

205. Epistola ejusdem, 27. Junii 1740.

207. Epistola Fr. Augustini Obrąpalski, Commissarii et Visitatoris generalis, 14. Sept. 1740.

206. Epistola ejusdem, 21. Nov. 1740.

208 b. Epistola Fr. Matthaei Rożnerski, ministri provincialis, 21. Jan. 1741.

209 b. Epistola ejusdem, 2. Aug. 1741.

210 b. Epistola ejusdem, 28. Oct. 1741.

214. Epistola Fr. Mth. Rożnerski, ministri provincialis, 7. Dec. 1741.

216. Epistola ejusdem, 25. Apr. 1742.

219. „ „ 30. Aug. 1742.

220. „ „ 6. Maji 1743.

221. Epistola Fr. Matth. Bańkowski, commissarii visitatoris generalis, 22. Junii 1743.

222 b. Epistola ejusdem, 8. Aug. 1743.

Fol. — II. H. c. 6.

<hr />

138.

Manuscript aus dem 17. Jahrhund. 187 Blatt. Im alten Katalog: „Diariusz różnych czynności z lat 1621, 1622 i 1623."

1. Fol. Diariusz różnych R. P. spraw i nowin in anno 1621, a 7ma Januarii.
Instructia JKMci na seymik średzki X. Kaspr. Kozielskiemu, d. 19. Grudnia 1620 dana.

4. Copia listu od Jmci X. Arcybisk. Gnieźn. do braci na seymik Srzedzki, w Łowiczu, 31. Dec. 1620.

5. Copia literarum M. Britanniae, Regis ad S. C. Mttem. Dat. e Palatio Albaniae, 5. Junii 1620.

7 b. Laudum Sredzkie, 9. Jan 1621.

10 b. List Pana Łukasza Kazim. Miąskowskiego z Białogrodu pisany.

12. Listy więźniow Polaków w niewoli Tureckiéj (Jana Żółkiewskiego) 1621.

14. Instrukcya Władysł. Przyjemskiemu . . . na seymik Średzki, 10. lipca 1621.

20. Sposób do Pospolitego ruszenia należący, od Senatu podany.

24. Copia listu X. Zbarawskiego do Króla Jmci, 24. Maji 1621.

26. Copia listu od Jmci P. Het. do KJMci, 2. Junii 1621. Karól Chotkiewicz, Hetm.

27. Relatia Hermana Beta Tatarzyna.

27 b. List Stanisława Lubomirskiego, 11. Junii 1621, do szwagra swego.

29. Diarius rerum in Walachia gestarum a 2. Sept. ad 27 m. ejusdem.

33. Pismo przymierne od Wezyra Wielkiego przy bytności Cesarza w Obozie pod Chocimem Commissarzom naszym dane.

34. Diarius Expeditionis Vladislai Primi . . . contra Turcas et Scythas ao di 1621.

37. Diariusz Polski.

42. Condicie pokoju.

45. Poselstwo pp. Mołojców do królewica Jmci także y do pana hetmana polnego.

46. Regestr na petita kozackie.

47 b. List Kristopha Radziwiłła do króla, 4. Octobr. 1621.

49. Particularia o poddaniu Rygi, do KJM. posłane.

51. Copia listu Jmci pana hetmana litewskiego, Kristopha Radziwiłła do senatu Rigi.

53. Responsum. Rigae, 20. 7 bris 1621.

54. Copia listu . . . od Jmci pana Jakuba Sobieskiego do X. Zbarawskiego . . . z pod Chocimia, 22. 7 bris 1621.

57. Stanislaus Łubiński, Abas Tynecensis, 7. Aug. 1621. Instructia W. X. Casprowi Kozielskiemu . . . na seymik srzedzki, na 2. grudzień (1621, Nov. 15.)

58 b. Uniwersał seymikowy średzki, 4. Dec. 1621.

59 b. Instructia posłom do KJM. z seymiku średzkiego, na 2. grudzień . . . złożonego, wysłanym ao di 1621.

60. Respons posłom dany od JKM., d. 23. grudnia 1621.

62. Copia listu od JMP. Hetmana W. X. L. do króla Jmci, 8. Dec.

62 b. Wypisana ceduła z listu Cara Moskiewskiego do KJM. pisanego, ao di 1621, 14. Oct.

63. Puncta niektóre w sprawie zawarciu pokoju z Turki do pierszych należące.

64. Instructia od żołnierstwa pp. posłom do JKM., dana we Lwowie, d. 8. Jan., panu Styjowskiemu etc.

65. Puncta do tyż Instruktii pp. posłom, ze Lwowa.

67. Podanie opiekunów albo naznaczenie pp. żołnierzów we Lwowie zconfederowanych, 1622.

69. Copia listu od p. Krakowskiepo do pp. Confederatów Lwowskich.

71. Puncta od wojska podane z Ich Mościami pany Commissarzami z Conuocatii Warszawski do Koła Generalnego Lwowskiego Wojska JKM. Koronnego expeditiey Turecki zesłanymi namówione.

73. Alexander Kowenicki, marszałek wojska W. K. JM., do króla, 16. Aprilis 1622.

74. Puncta od wojska podane z IchMościami pany commissarzami z conwokacyi warszawskiej etc.

78 b. Przemowa pana Wincentego Krukięnickiego od woyska do króla Jmci.

80 b. Respons JKMci panom żołnierzom.

83. Assecuracya od IchMości panów senatorów, panom żołnierzom dana.

93. Copia listu od pana Suliszewskiego do JMci secretarza W., 22. Maji, z Constantynopola.
Copia listu od pana Suliszewskiego do JMci pana podkanclerzego koronnego, z Constantynopola, 1622.

94. List Jakóba Zadziką do podkanclerzego koronnego.

95. Copia listu pana Suliszewskiego, z Constantinopola, die 15. Julii 1622.

96. Copia listu od JMci pana hetmana litewskiego do JMci pana podkanclerzego koronnego, (bez daty).

97 b. Copia listu panów Confederatów do króla JMci.

98 b. Copia listu hetmana lit. do króla, 11. Aug. 1622.

100. Puncta pewne zatrzymania inducii, z Gustawem Xięciem Sudermanskim, 31. Julii 1622.

100 b. Commissia do Inflant, de data 13. m. Augusti.

101. Conditiones vero hisce induciis tractandis hae erunt, 13. Aug. 1622.
Copia listu od pana Suliszewskiego, z Constantinopola, 20. Aug.

103. Copia listu pana Suliszewskiego, z Constantinopola, do X. JMci Zbarawskiego, 22. Sept. 1622.

104. Ceduła od JMci pana koniuszego koronnego, a na ten czas posła wielkiego do Turek, do JMci X. sekretarza.

104 b. Instructia Wielebn. X. Janowi Grzymułtowskiemu, opatowi lenckiemu, na seymik srzedzki, na dzień 13. grudnia, posłowi JKM., dana w Warszawie, 1622.

111. Copia instructij IchMościom panom posłom do wojska litewskiego na stronie cesarza JMci będącego, die 15. Dec., we Srzedzie, 1622.

112 b. Artykuły seymiku srzedzkiego ao. domini 1622, die 13. Dec., zgodnie spisane y IchMościom pp. posłom na seym walny warszawski podane.

118. Votum JKMci pana Krakowskiego na seymik Proszewicki.

121. Puncta albo terminata listu JMci pana koniuszego, z Constantynopolu, die 26. Dec. 1622.

126. Acta seymu warszawskiego, anni 1623.

127. Witanie króla . . . przez Jakuba Sobieskiego.
130. Consideratie przedniejsze, dla których na konferowanie biskupstwa warmińskiego królewicowi JMci Olbrachtowi niezda się pozwalać.
134. Replika pierwsza.
138. Mowa JMci pana marszałka poselskiego przy czytaniu exorbitanciey.
139. Exorbitancye od izby poselskiey KJmci podane.
140 b. Respons JKM. na podanie puncta od pp. posłów za zdaniem senatu dany: . . .
141. Do punctów tedy tych przystępując, taki sie respons na pierwszy dawa: . . .
152—183. Relacia poselstwa, a. 1623. (Poselstwo Tureckie.) Fol. — II. H. c. 7.

139.

Manuscript. 17. Jahrhund. 413 Bll. Im alten Katalog: „Miscellanea z sejmów rozmaitych, od r. 1605—1628."

1. Fol. Diarius seymu walnego koronnego warszawskiego, złożonego in ao. 1605, 20. Jan.
31. Legatio Brandeburgica.
35. Anno 1628. Commissia Lubelska.
63. Genealogia królów szwedzkich.
73. Faederum et pactorum literae vel compactata inter Sacr. Roman. Caes. et Reg., nec non Reg. Regni Poloniae Majest., et inter utriusque regnorum imperiorum, prouinciarum subditos, populos et nationes a priscis temporibus uti inita institutaque ita nunc de nouo confirmata, instaurata, renouata et declarata. Anno 1616.
81. Apologia pro libertate Reipublicae et legibus regni contra callidos novi juris repertores, to jest dowód jasny spraw y statutów koronnych, że najaśniejszemu królestwu polskiemu niegodzi się ani priuatim, ani publice w Koronie y W. W. Xięstwie Litewskim żadnego y żadnym sposobem dostawać dziedzictwa. „Nunquam inutilis opera ciuis boni."
129. Oblata do aktów grodzkich Warszawskich. Krzysztof Radziwiłł podaje Puncta Exorbitantiarum na conwocatiey trutinowane i spisane do grodu.
152. Racje pp. Gdanscianow, któremi pokazują, żeby zawarcie pokoju z Gustawem albo Induciae biennales więcey namby szkodziły, nisz Gustawowi.

153. Copiae listu do . . . kanclerza koronnego od JMci pana podczaszego koronnego.

159. Oblata do aktów grodzkich Lwowskich (Sabbatho ante dominicam Invocavit, 1622.) Wojsko koronne expedycyi tureckiej oddaje swoje skargi i zażalenia w ręce osób wybranych.

160. Puncta propositii seymowey, (bez daty).

164. Copia listu do cesarza tureckiego Muszafy y do wezyra jego, od KJM. Władysł. IV.

166. Oblata do aktów grodzkich Warszawskich constitucii seymowych, r. 1628. Odpis legalizowany.

175. Constitucie sejmu walnego koronnego Warszawskiego, r. 1627.

184. List cesarza tureckiego do króla polskiego po wojnie perskiéj.

185. Dyaryusz różnych R. P. spraw y nowin, in ao 1621, które dopiero doszły 13. Januarii (z roku 1620), podp. Łuk. Kazim. Miaskowsky.

186 b. Nowiny z Warszawy, 30. Jan. 1621.

193 b. List Gdańszczanów do KJM., 8. Martii 1628.

194. Copia listu od starosty Brzeskiego do X. bisk. Płockiego, 1628.

195. Jan Łowicki, starosta Brzeski, list do? Dan w Prabutach, 4. Martii 1628.

197. Copia listu od JMci pana Stanisława Brzeskiego, commissarza JKM., d. d. 9. Martii do JM. X. bisk. Płockiego, 1628.

198. Sententia albo Votum JMci X. Karnkowskiego, arcybiskupa Gnieźń., na seymie, r. 1591.
Instructia Wielebnemu X. Wacł. Lescińskiemu, sekr. y posł. JKMci na seymik srzedzki, 12. Dec. Warsz., 20. Nov. 1628.

210. Relatia JMP. wojewody sendomirskiego, hetmana polnego koronnego, o woynie przeszłego roku, w Warszawie, dnia 7. Februarii 1629, uczyniona.

218. Oblata do aktów grodzkich.
Litterae Compactatar. inter Regnum Poloniae et Ducat. Silesiae, X. Julii 1589.

226. Propositia na seymie, 1628, dnia 28. czerwca, przez JM. X. Jakuba Zadzika, bisk. Chełmińskiego y Pomezańskiego, podkanclerzego kor. uczyniona.

228 b. Copia listu tegoż Jakuba Zadzika, na ten czas sekretarza wielkiego, do JMci pana podkanclerzego kor., 16. Jan. 1618.

230. Instructia Jego KM.

258. 3. Octobris JM. X. Arcybisk. od JM. X. Referendarza
koronnego miał pisanie z tą nieodmienną wiadomością.
Nowiny, de data 12. Octobris, dto. 9. Oct. 1621.

258 b. Conditie przymierza między Królem Polskim a Cesarzem Tureckim, 9. Oct. 1621.

259 b. Copia listu od Wojewody Wilińskiego do Króla,
4. Aug. 1621.

260. Puncta do deliberowania koło Rzptey przeciwko Po-
gaństwu, IchMościom Senatorom do Koła Poselskiego
podane.

261. Copia listu Hieronima Kawieckiego, z Warszawy,
15. Oct. 1620, do Pana Sędziego Sieradzkiego.

261 b. Zygmunt III. wydaje bulletin zdrowia. Warsz.,
25. listop. 1620.

262. Porządek i sposób pospolitego ruszenia.

264 b. Propozycye względem wojska na wojnę turecką
wysełanego.

268. Pierwszy sposób podany wojowania Tatarów na tę zimę.

272. Hieronim Otwinowski pisze do Kanclerza i Hetmana
koronnego z Kuczule Medry, 6. Aprilis 1620.

273. Zygmunt III. 19. Paźdź. 1619, o sprawach wojewody
Siedmiogrodzkiego.

274. List do Wojewody Ruskiego od Alberta Baranowskiego, arcybisk. Gnieźń., z Krakowa, 23. Januarii
1610.

275. Copia listu z Wołoch. 5. Maji 1634.

275 b. Copia listu do JM. X. Secretarza Wiel. Koronnego
4. Aug. 1627.

276. List do Podkanclerzego Koronnego Stanisława Suliszewskiego z Konstantinopola 1622.

278. Przysięga Stephana Thomszy, Hospodara ziemi Moł-
dawskiéj; Zygmuntowi III. wierność przysięga.
Copia listu Podczaszego koronnego . . . do Szwagra
swego. 11. Jan. 1621. Stani. Lubo.

279 b. Copia listu Hetmana do Króla, 2. Junii 1621. Karól
Chotkiewicz.

281. Listu copia od Jm. P. Podkomorzego . . . z obozu
d. d. 6. Sept. 1621.

282. Copia listu Pana Halickiego do JM. Arcybiskupa.
(Bez daty.)

283. List do Miaskowskiego, od Marcina Gorlińskiego,
1. Febr. 1624.

285. List dat. z Łowicza, 30. Dec. 1620.

286. Instrukcya JKMci na seymik Średzki Kaspr. Kopiel-
skiemu, kanonikowi Gnieźń., 19. Grudn. 1620.

288. Relacya z obozu: 14. Maja przyszło wojska Tatarskiego 20000.

289. Ja Piotr Kunaszewicz, Starszy na ten czas, i my wszystko woysko JKM. . . . Zaporowskie, 17. Octobr. 1619.

290. Comput wojska Zaporowskiego.

291. Laudum Średzkie, 1621 feria post F. S. Trium Regum proxima. 9. Januarii 1621.

293. Dyaryusz wojny Tureckiey z Polakami w Wołoszech, pod Chocimem.

294. Wiadomość o porażce Turków przez Persów.

295. Instructia na sejmik Srzedzki, 8. Januarii 1621, N. Tuczyńskiemu, dworzaninowi Jego Królewskiey Mości.

297. Artykuły z Sejmiku Srzedzkiego, d. II. Januar. 1618, na sejm Warszawski posłane.

301b. Nowiny do P. Podczaszego Kaliskiego, 20. Julii z Lublina.

302. Nowiny z inszych miejsc.

303. Literae S. Caes. Mttis Matthiae, Pragae, 1. 9bris 1612, ad Sigismundum III.

304. Copia postanowienia z Kozakami, 8. 8bris 1619.

306. Vesir Bassa Regiae Mti. Constantinopoli.

307. Uniwersał, względem obrony krajowej dla naglej wojny z Cesarzem Tureckim, (bez daty).

312. Więźnie, którzy są u Tomszy, Hospodara, i Turków.

313. List do Wojewody Sędomiersk.

315. List do Króla JMci, 12. Nov. r. — ? Dat. z pod Skarcinem. „Po pierwszym pisaniu naszym do W. K. M. oczekowaliśmy na deklaracyą tych punctów, o któreśmy się cum delegatis Kurfirsta JMci umawiali. Dnia onegdayszego pozyechali z Panem Kreychem, który w Elblągu zajachał Gustawa, gotującego się na morze.“ . . .

316. Copia listu od Jednego z obozu, d. d. 19. 9bris w sprawie powyższej (Kurfirsta i Gustawa).

317. Copia listu od jednego Wielkiego Senatora, z Warszawy, d. d. 17. Febr. 1629.

317b. Copia listu Pana Sędziego Wschowskiego do Jmci X. biskupa Poznańskiego, 12. Nov. 1628. (Nowiny o bitwie pod Brodnicą.)

319. Instructie seymowe y Tureckie rzeczy dawnieysze za KJM. Zygmunta III. y pisma albo listy niektóre tako od Cesarza Matiasza. Jest y trzecie compendium kroniki.

320. Anni 1611, 12, 13. Moskiewskie y Inflantskie starsze rzeczy tu w tym fasciculo.

321. Propositia do JKMci na seymie walnym Warszawskim r. 1613.

329. List Karóla IX. do Zygmunta III. Dat. Orobrogiae, 25. Febr. Anni 1611.

330. Diarius Anno 1611, drogi s pod Smoleńska JKM.

331. Jan Karól Chodkiewicz do Króla, 19. Dec. 1609.

332. Drugi list z Obozu pod Smolińskiem, 22. Januarii 1610 (w sprawie Dymitra po ucieczce do Kaługi.)

333. Instructia do Warszawy do Jo. Kr. Mci, PP. Posłom Panu Janowi Wyzdzie i Panu Fabijanowi Dzikowi, dana od Jerzego Cieklińskiego, marszałka woyska stołecznego.

335. Comput zasłużon. woysku moskiewskiemn na stolicy przez IchMci Pany Commissarze we Lwowie porachowan. z regestrów woyskowych, 29. Julii 1613.

336. Podatki na seymie 1613 uchwalone na zapłatę żołnierzom moskiewskim.

339. Diariusz wyprawy pod Smoleńsk, od 9. Sept. do 5. Octobr. KJMci.

341. List Jana Sukolińskiego (?) z obozu pod Smolinskiem, 2. Aug. 1610 do Króla.
List do . . . H. Dzielickiego?

341b. Do kanclerza koronnego.

342. Relacya z obozu pod Smoleńskiem, 11. Sept. 1610.

344. List z Krakowa, 13. 7bris 1608.

345. Process seymu warszawskiego.

347. Pana Głoskowskiego, towarzysza Pana Strussia, rellacia taka (o bitwie pod Białym Grodem).

348b. Nowiny pewne, z Wilna 1. Maji 1611. Stanisław Zadorski.

349. Przybieżeli dway kozacy od Xcia Porickiego, do Xcia JMci Zbaraskiego, s pod Stolice z takim listem, jako Moskwa przysięgała JMci P. Hetmanowi, 27. Aug. 1610.

349b. Copia listu Henrica Xiążęcia Lotaryńskiego do KJM. pisanego, z francuskiego na polski przełożony, w Nancy, 28. Junii 1610. Henri de Lorraine. — Ten sam po francusku.

351. Nowiny z Moskwy, z łaski Bożij o krolewiczu.

352. List (Chodkiewicza?) cf. fol. 331--332, bez początku. „przyjachawszy do domu we czwartek, zastałem tam nowiny de data, 6. Maji, z Wilna od syna, ale bardzo straszliwe, bo i pan Przyjemski, który jachal w po-

selstwie do stolice a syn mój znim, są w wielkim
niebespieczeństwie."

352 b. Copia listu JMci Xiędza Arcybiskupa.

353. Respons KJMci confoederatis, 15. Junii, w Warszawie dany.

355. Diariusz expedycyi moskiewskiej KJmci, Anno 1611,
d. 23. Sept. — 7. Octobr.

357. Zaczęcie seymu y puncta propositii.

358. List od Cara Moskiewskiego, d. d. z stolicy . . .
oddany w Warszawie, 31. Dec. 1639.

359. Henrico Duci Lotharingiae responsum, datum ex
castris ad Smol., d. X. 7bris 1610. „Ten respons
niekaźdemu ukazować." (2 listy.)

361. Instructia na seymik do Srzody od rycerstwa stołecznego.

363. Od Jm. P. Hetmana do KJMci w obozie pod stolicą,
5. Aug. 1610.

364. Kopia listu Pana Podstolego Lwowsk., d. d. 5. Aug.

365. Relacya o szturmie na Smoleńsk, o złożeniu z państwa Szujskiego, o Wileńskim ogniu.

366. Z listu X. kanonika, d. d. pod Smoleńskiem, 22. Aug.
1610.

367—369. Copia listu do Pana Marszałka Confederackiego
od Pana Oyca jego.

369 b. Postanowienie seymiku Sredzkiego Województw
Wielkopolskich, Poznańsk. ı Kaliskiego. (Bez daty.)

371. Articuli wojew. pozn. y Kaliskiego na seymiku
Sredzkim, na dzień 30. m. Grudnia 1602.

374. Przepis listu JMci X. Gembickiego biskupa Kujawskiego . . . do Wojewody Leczynskiego?, 28. Junii
1611.

374 b. Z Wilna, 18. Junii hora 1. noctis o wzięciu Smoleńska.

375. Stanisław Żołkiewski do króla, 7. Maji 1617 z Baru.

376—377. Nowiny z obozu 17. Julii 1610 . . . drugi list
3. Julii.

378. Copia listu p. Tokarskiego, d. ze Smoleńska, 17 maja
1617.

379. Copia uniwersału od KJMci Zygmunta III. Warsz.,
8. Czerwca r. p. 1618.

380. Nowiny o kozakach w Sliąsku.

382. List Jana Wężyka, arcybisk. Gnieźń., z Łowicza,
23. Augusti 1627, do Wojewody Poznańskiego i Kaliskiego.

384. Stan. Koniecpolski z obozu nad Libiszowem (?) 25.
Aug. 1627 do Seymu.

385. Instructia na seym walny Warszawski, d. 12. Oct. 1627, do consultatiey powiatowych seymów, które 31. Aug. odprawowane być mają, przysłane.

387. Artykuły seymiku Średzkiego, anno 1627, 31 Aug.

391 b. Nowiny z Moskwy, d. d. 29. Aprili 1635.

393. Laudum średzkie, 4. Jan. 1628.
Instructia Jchm. PP. Posłom.

395. Diariusz seymu warszawskiego r. 1627.

399 b. Induciae inter utrumque regem et successores ac posteros regnumque Sueciae et Poloniae ad 30. annos.

400. Oblata do ksiąg grodzkich Kościańskich Uniwersału króla Zygmunta III., zwołującego ochotników na od-parcie nieprzyjaciela (Szweda), 11. Octobr. 1628.

402. Copia listu JMci P. Starosty Brzeskiego.

404. Instructia na seimik Srzedzki JKMci dana Panu Tuczyńskiemu. 8. Jan. anni —.

406. Puncta votów JchM. PP. Senatorow niektórych.

408. Uniwersał Seymiku Srzedzkiego, 7. Aug. 1628.

409. List do króla, 12. Nov. 1628.

409 b. List z obozu, 16. Novembr.

410. Laudum Śrzedzkie, 13. Sept. 1621.

411. Niegolewski, Sędzia Ziemski Pozn., puncta Institutij do krola JMci.

412. List Hetmana do króla, 16 Nov. z Płowca.

413. Ordo deputatorum judicum ad judicia . . . Petrico-viensia . . . 1619.
Fol. — II. H. c. 8.

140.

Papierhandschrift des 15. Jahrhunderts. „Ex libris Frum B. M. V. de Paradiso Ordinis Cisterciensium."

Alter Titel: „Discipuli Commentarii in epistolas Diui Pauli Apostoli." Fol. 1—39. Sermones dominicales.

1. fol. Registrum.

2 b. Dominica prima in adventu. Hora est jam nos ex somno surgere. Ad Romanos 13.

39 b. Et sic est finis.

Registrum sermonum discipuli super epistolas. Fol. 43. Explicit tabula super sermones discipuli. Nunc sequintur sermones . . . 43 b. Hora est jam nos de somno surgere . . . fol. 139. Expliciunt Sermones discipuli. (76 Predigten.)

Super epistolas dominicales per circulum anni collecti ex sermonibus Wilhelmi, lugdinensis episcopi, docto-

doctoris sacre theologie ordinis praedicatorum, et ex dictis sancti Thome de aquino et ex dictis Joh. Nyd. doc. sac. theo. ordinis predicatorum   Et si quid in praesentibus sermonibus minus bene posui, in hoc me correctioni sancte matris ecclesie et ejuss caritatiuo correctori subjicio et offero ad emendandum. Et sunt finiti per me Samuelem de olomutz sub an. incarnationis domini 1462 feria quinta in octava S. Martini.

139 b. Promtuarium exemplorum discipuli. Primum de gaudiis celi, p. 143.   De Vdone episcopo magdeburgen, p. 148. Et sic est finis hujus promtuarii . . .

148 b. Sermones de nouo sacerdote.

150 b. Alius sermo de nouo sacerdote.

151. Tertius sermo . . .

153. Quartus sermo . . .

154 b. Exemplum de nouo sacerdote.

156. Nota subsequentes vtiles quaestiunculas. Ad quarum solutionem quid in quolibet casu earundem sit faciendum expedite et breuissime respondetur. Quarum quaestionum prima talis est: . . .

194 b. Expliciunt bonae et utiles questiuncale cum solutionibus breuissime expeditis etc. (Registrum.)

196. Anno domini M. C. LXij Gratianus monachus de classa ciuitate natus tusthie (Tusciae) composuit decretum ut in cronicis romanorum de vita et gestibus Innocentij tercij etc.

280 b. Deo gratias amen etc.

281. Sermones de animabus cum exemplis. ´

286. De nouo sacerdote.

287. De dedicatione et indulgentiis.

Fol. — II. H. c. 9.

141.

Statuta provincialia (archidioeceseos Gnesnensis). Fol. Manuscript aus der Mitte des XV. Jahrh. Zweispaltig. 165 Bl. — II. H. c. 11.

142.

Magistri Egidii, qui hunc librum scripsit et suppleciones apposuit, Prologus . . . Am Schluss: Biblioteca (sic) Petri de Riga, metrifice contexta, que alio nomine intitulatur Aurora, continens verba nimis decora, scripta

per Martinum Bratek sabbato, die immediate sequente
post festum Jacobi, apostoli gloriosi, anno Domini 1452.
Original-Manuscr. Fol. 231 Bl. [Das alte und neue
Testament in Versen.] — II. H. c. 12.

143.

Regestrum pecuniarum, auri et monete, Serenissimi principis et domini, Sigismundi Augusti, Regis Polonie . . .
per me Stanislaum z Wlossek, tenutarium Zoslensem (?)
et thesauri curie Lithuanice administratorem, in anno
1551 perceptarum et in usus Sue R. Majestatis distribu-
tarum. Fol. Gleichzeitiges Original-Manuscript. 36 Bll.
[Auf der Vorderseite des Einbanddeckels das polnisch-
lithauische Reichswappen mit der Umschrift: Sigismundus Augustus, Rex Polonie, Mag. Dux Lituanie, und
der Jahreszahl 1551.] — II. H. c. 13.

144.

Jacobi Parkossii de Żorawice antiquissimus de ortho-
graphia Polonica libellus, jussu et sumptibus Illustrissimi
Comitis Eduardi Raczyński, opera et studio Georgii
Samuelis Bandtkie editus. Poznaniae. 4⁰. 40 Blatt.
[Abschrift der Grammatik selbst von der Hand des
früheren Bibliothekars der Raczyńskischen Bibliothek,
Joseph von Łukaszewicz, Vorrede und verschiedene
Zusätze von einer anderen Hand. (Geo. Sam. Bandtke's.)]
— II. H. c. 14.

145.

De vita religiosorum. Am Schluss: „Et sic est finis
hujus laudabilis materie. Scripta et finita Wratislavie
per me Johannem Volsenitcz de Legnitcz proxima feria
quarta ante festum Penthecostes, sub ao. di. MCCCCLXV."
Zweispaltig. Blatt 1—131.
Tractatus domini Humberti de eruditione principum libri
septem. Am Schluss: „Sic est finis per Johan. Lasko."
Originalmanuscript aus dem XV. Jahrh. Blatt 132—220.
Fol. — II. H. c. 15.

146.

1. Summa Innocentii decretalium. Bl. 1—119.
2. Canones penitencionales. Bl. 120—130. Am Schluss:
„Expliciunt canones penitenciales, quos quisque con-
fessor debet scire . . . Anno Domini MCCCCXLIV.‟
Originalmanuscript. Zweispaltig. Im alten Manuscriptenkataloge: „Sacramentales‟, rękopis z r. 1453.‟
130 Blatt. Fol. — II. H. c. 16.
1. De octo speciebus turpitudinis. Bl. 131 - 263.
2. Liber sacramentalis. Am Schluss: „Explicit sacramentalis, valde utilis. Anno Domini MCCCCLIII.‟
Blatt 264—338. [Im alten Manuscripten - Kataloge:
„Sacramentates‟ etc.] Original - Manuscript. Zweispaltig. Zusammen 208 Blatt. Fol. — II. H. c. 16.

147.

Expositio psalmorum. Am Schluss: „Explicit secunda
quinquagena libri psalmorum. Anno Domini millesimo
quadringentesimo sexagesimo finita est per fratrem Stephanum in vigilia Jacobi, apostoli gloriosi.‟ Zweispalt.
Mit verzierten Initialen. 356 Blatt. [Im alten Manuscripten-Kataloge: „Liber psalmorum z r. 1490.‟] Fol.
— II. H. c. 17.

148.

Summa proventuum annalium provisionis fratrum religiosorum conventus Vangrovecensis ab anno 1638 (usque ad
annum 1662. cf. pag. 81.) Sequuntur in folio 90: Rationes anni 1720, in folio 175 ultimo rationes anni 1728. In
folio 176 non compacto: Memoriał Thoruńskiey drogi,
19. Febr. 1724. Fr. Joannes Supprior et Fr. Bernardus
Cantor. Fol. — II. H. c. 18.

149.

(Miscellanband, angelegt von Adam Grodziecki.)
Manuscript von 219 Blattern. Aus dem 17. Jahrhundert,
sehr beschädigt durch Nässe und Menschenhand. Im
alten Kataloge: „Miscellanea obejmujące materyały ro-
zmaitéj treści do historyi panowania Władysława IV.
1. Fol. Extractum ex Actis Revisorum thesauri Regni
Dat. Varsaviae, 24. Sept. 1596. (Transsumptum anno

1597.) Pomiar Łanu przy wykupnie Woitostw y innych dóbr króla Jmci zachowany z Xiąg Reuisorskich skarbowych wypisany etc.

2. Passport albo Salua Guardia synowi memu do cudzy, ziemie od króla Jmci Władysława IV. 15. Maji 1644. Ludov. Sigism. Grodziecki filius Adami Gr., Castellani Miedzyrzecensis.

3. Poselstwo od króla JMci Szwedzkiego Wład. IV. do Senatu y koła rycersk. o koronę polską.

4b. Przy propositiey seymu walnego. Witanie ręki JKMci, Marszałka Poselskiego.

7b. Oddawanie pięczęci małéj 1638 r. na seymie sześćniedzielnym przez JM. Pana Marszałka koronnego, Jegomości P. Wojew. Sędomirskiemu Ossolińskiemu.

8b. Rationes pro Sermo. Rege Władislao in Electione 1632.

10. Binae Literae Andreae Rey de Nagłowice, Capitanei Libussiensis, legati ad Angliae et Daniae Reges, invitantis ad nuptias a Srmo Rege Poloniae cum Caecilia Austriaca Anno 1637, ad quendam amicuîn, quomodo tractatus fuerit, causa quia recessit Rex Sermus a sponsalibus cum Palatina Rheni. 5. Novemb. 1637. Londini. — II. Ostrorogi prid. Cal. Febr. 1638.

12. Rozsądek proposiciey de modo eligendi regis panom senatorom od JKM. in deliberatoriis podaney przed sejmem anni 1630.
Rozmowa pierwsza Senatora z szlachcicem.

21b. Votum JMci Pana Jerzego Ossolińskiego, kanclerza Wielkiego Koronnego, na Sejmie sześćniedzielnym, Anni 1643.

22. Respons od KJM. po przywitaniu JKM. Pana Marszałka poselskiego przez JMP. Canclerza coronnego dany.

22b. Mowa ... Pana Ossolińskiego, kanclerza koronnego, do X. Biskupa Krakowsk. po oddaniu pieczęci.

23b. Tegosz dziękowanie za pieczęć wielką.

24. Ad nuncium apostolicum ab ordinibus regni per Illmum D. Palat. Russ. dict. in conventu generali 1643, 21. Martii.

25. Mowa JMci P. Starosty Sądeckiego, marszałka poselskiego na seymie walnym koronnym, Ai. 1643.

26b. Dziękowanie za pieczęć mniejszą koronną JMci P. Trzebińskiego na sejmie Ai. 1643.

28. Dziękowanie za arcybiskupstwo JMci Xdza Jana Lipskiego.

28 b. Mowa do KJM. Xdza Lipskiego, arcybisk. Gnieźnieńskiego.

29. Epitaphium Caeciliae Renatae Reginae Poloniae.

29 b. In Ludovicum XIII. Francor. regem.
Puncta pactorum z Xiążęciem Neiburskim.

31. Poln. u. lat. Sprüchwörter, Sentenzen.

32. Sermo Illmi. Dni Lipski Romae apud Beat. Patrem,
Ao. 1645.

33. Ogłoszenie narodzenia szczęśliwego Najaśnieyszego
Zygmunta Kazimirza, królewica polskiego, w kościele
farskim Warszawskim . . . 1640, 1. Apr.

34. Processus divorcii Radziuiliani, Ao. di. 1642, 4. Julii
Luceoriae.   (Eugenia   Catharina   Tyszkiewiczowa,
Alexander Ludovicus Radziwiłł.)

45. Protestacia seymiku Sieradzkiego przeciwko Commissiey Warszawskiey.

46. Seymik Sieradzki o płaceniu długów na potrzeby
Rzpltéj przez KJM. zaciągnionych.

47. Witanie JMci Pana Starosty Sandeckiego, marszałka
poselskiego od Koła swego na seymie, 12. Febr.

48. Mowa JMci Pana Kanclerza W. Koronnego, Jerzego
Ossolińskiego, odbierając pieczęć wielką 1643 na
seymie walnym w Warszawie.

49. Mowa JMci Pana Jakóba Sobieskiego, Wojewody
Ruskiego, do nunciusza Papiezkiego na sejmie 1643
imieniem Rzpltey, aby z Polskiey wyjachał, 18. Febr.
dicta.

50. Epistola ad Urban. VIII. ab ordinibus regni contra
ejusdem in Polonia nunoium.

51. Respons JMP. Słupeckiego in causa religionis na list,
który pod tym responsem najdziesz; do pana kaszt.
chełmskiego Gorayskiego.   .

53. Z listu JMci pana Gorayskiego, kasztelana chełmsk.,
do Jmci pana Jerzego Słupeckiego, starosty pilznieńskiego, in causa mutandae religionis.

56. List króla Władysława IV., aby się Franciszkani nie
fundowali, w Poznaniu do JX. bisk. poznańsk. wtory,
a pierwszy jest infra post 5 folia.

56 b. List JMci Andrzeja Szołdrskiego, biskupa poznańskiego, do X. Rectora Jezuickiego, w Pszczewie, 1642,
d. Maji.

57. J. Xdza Słowickiego, archipresbytera krakowskiego,
w kościele Panny Mariey tamże, do Jmci Xdza Piotra
Gembickiego, gdy wjechał na biskupstwo krakowskie,
1643, in Majo.

83. Intrata albo prowenty KJMci, dzisiejszego Władysława IV.

84. Percepta pieniędzy na płacę woysku ukrainnemu ... 1638 r.

86. Płaca woysku koronnemu, 1638.

88 b. Instrukcya krótka z stroney rachunków skarbowych dla informatiey na seymiki należące. Summa długów Rzpltey fl. 2 088 158.

90 b. Sumpt na przyszłe wesele JKMci, 1645.

92. Copia ... literarum ex Turcico Baszly, Moldauiae Principis, ad Othomanicam Portam.

93. Victoria Cesarska ... 1643, 24. Novembr. (Karta jedna wydarta.)

95 b. Alexander Trzebieński, biskup przemysl., podkancl. koronny, do kasztelana Adama Grodzieckiego. Wilno, 22. Febr. 1644.

96. Victoria korony polskiey ze 40,000 Tatarów, przez ... Stan. Koniecpolskiego. 1644, Jan. 30.

97. Respons Władysława IV. do Rakocego, 1644, dnia 28. Marcii, o pokój z cesarzem niem.

97 b. Considerationes quare Sermus Pol. Rex. et velle et posse debeat subire pacificationem inter Caesarem et Rakocium.

99. Uniwersał króla JMci, gdy się woyska cesarskie y szwedzkie w Szlązku y Pomorstwie przy koronnych województwa poznańskiego granicach kupieły i już Cesarscy asz przez Polskę mimo Poznań, Pyzdry y Kalisz y Ostreszow z Śląska wtargnęli, 1643, feria II. p. f. S. Martini.

100. List z strony wtargnienia z Pomorskiey ziemie cesarskich ludzi regimentu Ernesta Krokowskiego, do korony polskiey y przes nie do Śląska, 1643, m. Nov. Respons Krokowskiego do wojewody poznańskiego.

101. Ad eundem Illm. Palatinum Posnan. literae Hans Chph. v. Königsmarck.

102. Ad eundem Illm. Palatinum a Krokouio, o zabycie kozaków jegomości, gdy się wracali od Königsmarka.

102 b. Uniwersał JP. Kr. Opalińskiego, gdy Cesarscy ludzie przez Wielkopolskę z Pomorskiey ziemie wchodzili.

103. List agenta francuskiego do JM. Pana Krakowskiego, o Krokowskiego zamysłach za Cesarzem przeciw Szwedom, gdy się do Pomorskiey ziemie brał z woyskiem.

104 b. List JM. Pana Kr. Opalińskiego, Wojew. Poznań. do Hetm. Szwedzkiego Torstensona.

skiey 1643 Anno uchwalony. Warszawa, 22. lipca 1643.

146. Protestacya o Commissię Warszawską Wojewodztwa krakowskiego.

147. Anno domini 1639 die 26. Aug. na seymiku Srzedzkim uchwalono: . . .

150 b. Uniwersał Srzedzkiego seymiku względem gratitudinis na KJMci długi.
Do JM. Xdza Arcybisk. ze Sredzkiego seymiku deputacya 1643, fragmentum Responsu (14. Sept. 1643, Alex. Opaliński, marszałek koła rycerskiego.)

151. Respons albo list od Tohtersona (sic), Hetmana Szwedzkiego, . . . do JM. pana Krisztofa Opalińskiego, Wojew. Poznańskiego, na polskie przetłomaczony . . . Rzplta Polska niema się obawiać niebezpieczeństwa jako Dyńczykowie od państwa Szwedzkiego 1644.

154. Oblata do aktów grodzkich poznańskich Uniwersału króla Zygmunta III. na pospolite ruszenie. 1626. Feria II. post f. S. Petri in Vinculis.

155 Sub eodem actu.
Uniwersał króla Zygmunta III. do burmistrzów rajców, wojtów, ławników y wszystkiego pospólstwa miasta Poznania, 1726, 26 lipca. Miasto ma słuchać generała Wielkopolskiego.
Sub eodem actu.
Uniwersał króla Zygmunta III. do Województwa Poznańskiego.

156 b. Oblata do aktów grodzkich pozn. protestu rycerstwa wojew. poznańskiego, żeby nadal pospolite ruszenie bez pozwolenia Rzpltey nie było nakazane.

158. Oblata do aktów grodzkich pozn. Uniwersału Adama Sędziwoja Czarnkowskiego, generała Wielkopolskiego, do Wojewodztw Wielkopolskich, w Czarnkowie, 11. Marcii 1627. Dla niebezpieczeńswa grożącego ze strony Szwedów.

159. Oblata Uniwersału tegoż generała wielkopolskiego do obywateli Wojew. Wielkopolskich, 17. Marcii 1627. (Zachęca do obrony kraju.)

160. Oblata Uniwersału obywateli i rycerstwa Poznańsk. y Kaliskiego, zgromadzonego na seymiku Srzedzkim, (względem niejakiego Wolskiego, który na komorach pogranicznych towary zatrzymywał i 20 sty grosz jako cło brał.)
Oblata listu króla Zygmunta III. danego Gasparowi Szmid, 28. Febr. 1629.

15*

161. Oblata Uniwersału Jana z Bnina Opaleńskiego, Wojewody Poznańskiego, do Wojew. Poznań-kiego, 10. Febr. 1630. (Każdy dom ma się przysposobić na odparcie nieprzyjaciół.)

162. Oblata Uniwersału króla Zygmunta III. Warsz., 20. marca 1631. (Zachęca do obrony.)

163. Oblata uniwersału Stanisława Przyjemskiego, generała Wielkopolsk., do Wojew. Poznańsk. (Karta jedna wydarta.) Zachęca do obrony.

164 b. Oblata uchwały Województwa Poznańskiego, 14. grudnia 1645. (Względem obrony krajowéj.)

166. List Krisztofa Ossolińskiego do panów Opalińskich, 1644 w sobotę przed Ś. Matthiasem.

168. List Wojew. Sędom. Ossolińskiego. Z Nowego Miasta 1644 przed S. Maciejem.

168 b. List Adama Kazanowskiego, marszałka nadwornego koronnego, do Wojewody Pozn. Z Warszawy, 25 Martii 1644.

170. List Andrzeja Chojeńskiego, w Lublinie, 11. Apr. 1644.

170 b. List Jerzego Ossolińskiego, kanclerza koronnego, do Krzisztofa Opalińskiego, Wojew. Poznańsk., w poniedziałek Wielkąnocny 1644.

171. Respons na ten list, 12. Maji 1744.

172 b. List Stanisława Lubomirskiego, Wojew. Krakowskiego, do Jerzego Ossolińskiego . . . o zabieżeniu trwogom od Szwedów następującym, 1645, 28. Nov.

173. Respons na ten list.

178 b. List Stan. Lubomirskiego . . . o expedycyą wojenną do Turek inscia republica, 25. Maji 1646 do króla.

176. Salutatio Reginae Ludovicae Mariae per Geo. de Tęczyn, Supr. Regni Pol. Cancell.

177. Epithaphium Caeciliae Renatae, Reginae Pol. Descriptio pompae funebris in funere ejusdem reginae 1644, 20. Junii.

179. Votum w priwatney radzie na Łobzowie z KJM., trzeciego dnia po pogrzebie królowey (1644), Xdza Piaseckiego, biskupa Chełmskiego.

181. Epistola legati Gallici Dni . . . ad Germaniae quendam principem in causa pacificationis generalis Saluii? 1644.

182. Epistola . . . Secretarii Suecici ad legatos Gallicos. de causa transitus exercitus ex Austria in Daniam.

183 b. Punkta instrukcyi na seymiku die 2 da Januarii 1645.

150.

Index librorum in archivo monasterii Vangrovecensis S(acri) O(rdinis) C(isterciensis) reperibilium sub suis respective titulis conscriptus. Fol. 118 Blatt. Manuscript aus dem vorigen Jahrhundert. — II. H. c. 20.

151.

Miscellanea do historyi Cystersów w ogólności, w szczególności zaś do historyi klasztoru wągrowieckiego tegoż zakonu. Fol. Original-Manuscript ans dem XVII. Jahrhundert. 106 Bl., der Rest, anscheinend wenigstens eine Lage von zwölf Blatt, und Blatt 45 in der Mitte, herausgerissen. — II. H. c. 21.

152.

Regestra rzeczy kościelnych y konwenckich konwentu Poznańskiego Panien Zakonnych Reguły S. O. Benedykta, przy odbieraniu onychże spis(yw)ane od roku Pańskiego 1761 aż do roku 1803. Fol. Oryginal-Manuscript. 66 Bl. — II. H. c. 22. Vergl. n. 20. II. H. a. 19.

153.

Jezierski, Józef, Franciszkanin, Krotki zbiór czynów X. Biskupa Sedlag. 1857. Gleichzeit. Manuscript. 38 S. 4°. — II. H. c. 23.

154.

Jezierski, Ksiądz Józef, Franciszkanin, Pamiętniki. 2 Bde. 87 und 84 Blatt. [Diese Memoiren umfassen die Zeit seit Anfang dieses Jahrhunderts bis zum J. 1857 und beziehen sich auf persönliche und die Verhältnisse der Provinz West-Preussen und Italien. Der Verf. weilte die letzte Zeit seines Lebens als Klostergeistlicher in Teano, Provinz Caserta, wo er diese seine Memoiren schrieb und dieselben von dort aus der Raczyński'schen Bibliothek als Geschenk ubersandte.] 8°. — II. H. c. 24—25.

155.

(Niemcewicz, Jul. Ursin), Zbigniew, drama muzyczne w trzech aktach. Autograph. 28 Blatt. Am Schluss: „D. 14. Maja 1815 skończono w Willanowie." 4°. — II. H. c. 26.

156.

Liber beate marie virginis. Handschrift auf Pergament
aus dem XIII. Jahrhundert. Blatt 1—120. [Beginnt mit
einem Liede zu Ehren der Jungfrau Maria, dessen erste
Zeilen, wie folgt, lauten: „Ave virgo, stella maris, salus
mundi singularis, salutaris gloria, Porta solis orientis,
portus orbis occidentis, singularis gloria" . . .] 4°. —
II. H. d. 1/1.

Versus urinarum secundum egidium. Am Schluss: „Ex-
pliciunt versus urinarum magistri egidii." Pergament-
Handschrift aus dem XIII. Jahrh. Blatt 121—123. 4°.
— II. H. d. 1/2.

Liber aforismorum Jo. Damasceni. Am Schluss: „Explicit liber aforismorum jo. damasceni." Manuscript auf
Pergament aus dem XIII. Jahrh. Blatt 123 (Rückseite)
bis 125 (Rückseite). 4°. — II. H. d. 1/3.

Albertus de Zachariis, doctorum minime physice facultatis, universis scolaribus in medicinali sciencia bononie
studentibus salutem. Am Schluss: „Expliciunt aforismi
per ordinem collecti a manibus Jo. Kemenize. Manuscript auf Pergament aus dem XIII. Jahrh. Blatt 125
(Rückseite) bis 132. 4°. — II. H. d. 1/4.

Abhandlung, Eine anatomisch - physiologische, über das
Herz. Am Schluss: „Expliciunt versus cordis ab egidio
de pulsibus." Manuscript auf Pergament aus dem XIII.
Jahrh. Blatt 133—137. 4°. — II. H. d. 1/5.

Bernardi, Beati, Tractatus de duodecim gradib. humilitatis.
Manuscript auf Pergament aus dem XIII. Jahrhundert.
Blatt 138—161. 4°. — II. H. d. 1/6.

— Epistola ad lugdunenses canonicos de conceptione marie
virginis gloriose. Manuscript auf Pergament aus dem
XIII. Jahrhundert. Blatt 161—162. 4°. — II. H. d. 1/7.

157.

Passionale seu vitae sanctorum. Manuscr. auf Pergament aus dem XIII. Jahrh. Zweispaltig. 201 Blatt.
[Die erste Blattlage fehlt. Auf der inneren Seite des
Deckels findet sich die Signatur: „Liber monasterii Szam-
britcz (?) sub anno incarnationis domini MCCCVI." Eine
noch viel frühere Hand hat notirt: Passionale dominorum
de zambric — der Rest dieser Notiz ganz verblichen.
[Szambritcz, = Zambricz (Zemsk, Zemsko, Ziemsk)
zwischen Schwerin a. W. und Meseritz, eine ehemalige
Cistercienser-Abtei, welche später nach Blesen, (Bledzew,

Bledzewo) verlegt wurde. S. Codex Maj. Pol. s. anno
1260 sqq. Pawiński, Wielkopol. I. 42. Łukaszewicz,
Kość. par. II. 371. Nach den Notizen des H. Edmund
Callier.] 4°. — II. H. d. 2.

<hr>

158.

Usus monasterii. Unter dem Index: „Anno di. MCCC.
decimo.“ Manuscr. auf Pergament aus dem XIV. Jahrh.
109 Blatt. [Mehrere Blätter zu Anfang herausgeschnitten.
Den Anf. des Vorhandenen bildet (Bl. 1—6) eine Chronik
der Cistercienser, worauf (Bl. 6 Rückseite) der Liber
usuum folgt. Auf der Rückseite des letzten (109) Blattes
befindet sich eine gleichzeitige Abschrift eines päpstlichen Privilegiums: „Bonefacius, episcopus, servus servorum dei, dilectis filiis . . . abbatibus, abbatissis et
conventibus ordinis cysterciensis, tam praesentibus, quam
futuris, salutem et apostolicam benedictionem“, durch
welches der Orden von der Leistung der Zehnten befreit
wird. Unterzeichnet: „Datum Lateranis, XV. Kal. Jan.
Pontificatus nostri anno. octavo.“ Eine spätere Hand
(aus dem XVI. Jahrh.) hat am Ende der Handschrift die
Bemerkung eingeschrieben: „Liber hic usuum scriptus
est in Welen a. d. 1310“ . . .] 4°. — II. H. d. 3.

<hr>

159.

Compendium moralium notabilium per Jeremiam, judicem
de montagnone, civem paduanum. Manuscript (Schreibpapier) aus dem XV. Jahrh. 180 Blatt. Am Schluss:
„Et sic est finis huius libri, de quo sit Christus cum
matre sua benedictus.“ „Vester devotus servulus mini-
mus, Rodolphi proles de Gonitzheim (?), nomine iohannes,
hoc opus explevit, perscribere non requievit.“ 4°. — II.
H. d. 4.

<hr>

160.

Regula Sancti Augustini, episcopi, De communi vita
clericorum. Manuscript auf Pergament aus dem XVI.
Jahrhundert. 10 Blatt. Die ersten Lagen fehlen. Das
Vorhandene beginnt mit den Worten: „se esse felices,
quia invenerunt victum et tegumentum, quale foris in-
venire non potuerunt.“ Schluss: „Explicit Regula Sancti
Augustini, episcopi, de communi vita clericorum.“ 4°. —
II. H. d. 5/1.

Capitulum de domine abbate. Manuscr. auf Pergament aus dem XVI. Jahrhund. 6 Seiten. Verhaltungsregeln offenbar für den Abt des Klosters in Trzemeszno, weil sich darin Bestimmungen in Bezug auf: „Ostrowithe, Nowi dwor alias Thrzemzal" . . . ferner über die: „Decimas quoque manipulares in Popyelewo et Zelen villis" befinden . . .] 4°. — II. H. d. 5/2.

De statutis antiquorum. 66 Blatt. Pergament-Manuscript aus dem XVI. Jahrhundert. Am Schluss: „Finis statutorum antiquorum. Laus deo, pax viris, requies eterna defunctis. Frater Albertus de Zucyna scripsit." 4°. — II. H. d. 5/3.

Constitutiones Domus et monasterii Tremesnensis per reverendum patrem dominum Andream, divina patientia abbatem quartum domus ejusdem, edite et anno 1517 . . . in presentia . . . domini Joannis de Lasco, . . . archiepiscopi gnesnensis, . . . promulgate. Pergament-Manuscript aus dem XVI. Jahrhundert. 25 Blatt. 4°. — II. H. d. 5/4.

161.

Predigten in lateinischer Sprache. Mscr. aus d. XV. Jahrhundert. 229 Blatt. Anfang und Schluss fehlen. 4°. — II. H. d. 6.

162.

Compendium confessionis. Pergament-Manuscript aus dem XV. Jahrhundert. Zweispaltig. Blatt 1—24. 4°. — II. H. d. 7/1.

Von czen geboten gotis. Pergament-Manuscript aus dem Anf. des XVI. Jahrhundert. Eine Spalte. Blatt 25. Anfang: „Nu merket di heiligin ten gebot di uns setzet der ewige got" . . . Schluss: „Dis sint dy tende gotis wort An den lith alle tog unde hert di Mit tu komm vn din gesinde lerin so kumis du czu ewigen herin ain." 4°. — II. H. d. 7/2. Vergl. Bd. II. S. 239. Schwarzer, Joseph, Zehn Gebote etc. Abdruck dieses Stucks.

Sermones aliquarum festivitatum. Manuscript aus dem XV. Jahrhundert. Zweispaltig. Blatt 26—59. 4°. — II. H. d. 7/3.

Sermones. Am Schluss: Ao Dni. MDIL . . . in die blasii circa horam misse hunc librum scribendo consumavi, feria VI. ante Exurge-dominicam. Bl. 60—80. 4°. — II. H. d. 7/4.

— magistri iohannis de villa abbate ab adventu usque in pasca et a penthecoste per estatem. Pergament-Manu-

script aus dem XV. Jahrh. Zweispaltig. Blatt 81—131a.
4°. — II. H. d. 7/5.

Sermones a LXX. usque ad estatem. Pergament-Manuscr.
a. d. XV. Jahrhundert. Zweispaltig. Blatt 132—202. 4°.
— II. H. d. 7/6.

163.

Garlandii, Joannis, Angli philozophi, De praeparatione
elixirum. Manuscr. a. d. XVII. Jahrh. Blatt 1—6. 4°. —
II. H. d. 8/1.

— Angli philozophi, De mineralibus liber. Manuscr. a. d.
XVII. Jahrhund. Blatt 7—25. [Alchemie.] 4°. — II.
H. d. 8/2.

Lacinii Collectanea, sive brevia excerpta ex libro lumi-
nis luminum. Manuscript aus dem XVII. Jahrhundert.
Blatt 26—52. 4°. — II. H. d. 8/3.

Quaestio curiosa de natura solis et lunae ex Michaele Scoto.
Manuscr. a. d. XVII. Jahrh. Blatt 52—60. [Alchemie.]
4°. — II. H. d. 8/4.

Diodori Euchiontis de polimichia (sic), id est de lapide
philosophorum. Manuscr. a. d. XVII. Jahrh. Bll. 67—85.
4°. — II. H. d. 8/5.

Mercurii coagulatio. Manuscr. aus dem XVII. Jahrh.
Blatt 86—89. [Alchemie.] 4°. — II. H. d. 8/6.

Garlandii, Joannis, Angli philosophi, Synonymorum in
arte alchimistica expositio. Manuscr. a. d. XVII. Jahrh.
Blatt 94—104. 4°. — II. H. d. 8/7.

Recepte, Verschiedene, zur Bereitung alchemischer Wasser.
Manuscr. aus dem XVII. Jahrh. Blatt 106—111. 4°. —
II. H. d. 8/8.

Diodori Euchiontis de polychymia liber secundus, qui
est de oleis. Manuscr. a. d. XVII. Jahrh. Bll. 112—119.
4°. — II. H. d. 8/9.

Raimundi Lulli Epistola sive epitome. Manuscript aus
dem XVII. Jahrh. Blatt 120—127. [Alchemie.] 4°. —
II. H. d. 8/10.

Artikuły seymiku srzedskiego, ad diem 11. Decembris przes
JKM. złożonego, Ichmściom PP. Posłom . . . na seym
przyszły Warszawski, pro die 22. Januarii złożony, podane anno 1619. Manuscr. aus dem XVII. Jahrhundert.
Blatt 128—131. 4°. — II. H. d. 8/11.

    1. O pomiarach. Manuscr. aus dem XVII. Jahrh.
       Blatt 132—135.

    2. O bobkowym drzewie, al. laurowym. Desgl. Bll. 136.

    3. O kasztanowym drzewie. Bll. 139.

4. Vires et usus medicamentorum, quae in scatula seu apotheca parva continentur. Desgl. Bl. 140—149. 4°. — II. H. d. 8/12.

Karmański, Simon, Rytmus hospitalis Illo Domino Venceslao a Leszno Lesczyński, palatinidi Brzestensi, . . . factus et oblatus a . . . Manuscr. aus dem XVII. Jahrh. Blatt 137—138. 4°. — II. H. d. 8/13.

Compendium, Breve, rerum gestarum Regni Poloniae, collectarum ex Cromero et Bielscio. Manuscr. aus dem XVII. Jahrh. Blatt 152—162. 4°. — II. H. d. 8/14.

Divisione della linea. Manuscr. aus dem XVII. Jahrh. Blatt 166—201. 4°. — II. H. d. 8/15.

Notizen, Kurze historische, über die europäischen Ereignisse der Monate September und October, ohne Jahresangabe. Manuscr. aus dem XVII. Jahrh. Blatt 202—209. 4°. — II. H. d. 8/16.

Revolutio XVIII. a. ad annum Christi 1639 ad punctum reditus solis annuum. 4°. Manuscr. aus dem XVII. Jahrhundert. Blatt 210—218. — II. H. d. 8/17.

Expensa na pogrzeb sławney pamięci wielmożnego Pana . . . Abrahama na Zbąszyniu Ciświckiego, kasztelana śremskiego, . . . die 6. Junii 1644. 4°. Manuscript aus dem XVII. Jahrhundert. Blatt 220—238. — II. H. d. 8/18.

Piotra Pawła Floriana z Maceraty, Dobywanie zamkowe. 4°. Manuscr. aus dem XVII. Jahrh. Bl. 240—298. — II. H. d. 8/19.

Supplement Theatri Principum Mikołaia Dogliona po historyi cesarza Andronika etc. 1183—1199. 4°. Manuscript aus dem XVII. Jahrhundert. Blatt 299—320. — II. H. d. 8/20.

I. De jugero Romano. II. De laneo theutonico. III. De laneo franconico. IV. De aliis minoribus laneis, ut de polonico et de manso (?). 4°. Manuscr. aus dem XVII. Jahrh. Bl. 321—326. — II. H. d. 8/21.

164.

Tractatus de virtutibus theologicis, de fide et de vitiis. 4°. Pergamentmanuscr. aus dem XIII. Jahrh. Zweispaltig. 88 Bl. — II. H. d. 9.

165.

Gregorii, Beati, Papae, Expositio super principium Ezechielis prophete, continens in se omelias duodecim. 4°.

Manuscript aus dem 15. Jahrhundert. Blatt 1—65. — II.
H. d. 10/1.

Gregorii, Beati, Pape, Omelie decem in extremam partem
Ezechielis prophete. 4⁰. Manuscr. aus dem XV. Jahrh.
Bl. 66—131. — II. H. d. 10/2.

Bernhardi, Beati, abbatis, Epistola ad monachos Carthusienses. 4⁰. Manuscr. aus dem XV. Jahrh. Bl. 130—152.
— II. H. d. 10/3.

Horologium sapiencie. 4⁰. Manuscr. aus dem XV. Jahrh.
Bl. 152—227. — II. H. d. 10/4.

Augustini, De correptione et gratia. 4⁰. Manuscript aus
dem XV. Jahrhundert. Blatt 229—243. — II. H. d. 10/5.

Bernhardi, Beati, Opusculum de gratia et libero arbitrio.
4⁰. Manuscr. aus dem XV. Jahrh. Bl. 243 — 255. — II.
H. d. 10/6.

Augustini, Sancti Aurelii, Enchiridion. 4⁰. Manuscr. aus
dem XV. Jahrh. Bl. 256—281. — II. H. d. 10/7.

Patricii, Sancti, Historia de purgatorio. 4⁰. Manuscr. aus
dem XV. Jahrh. Bl. 281—288. — II. H. d. 10/8.

166.

Philosophia recentior, suaque methodo facilior, capacitati
religiosae juventutis sacri ordinis Cisterciensis . . . accomodata, majori vero Dei gloria, ac Virginis sine labe
conceptae honori consecrata anno Domini 1815. 4⁰. 148
Seiten. — II. H. d. 11.

167.

Sobieskiego, Jakóba, wojewody ziem ruskich, Peregry-
naciey po różnych cudzoziemskich państwach, także drogi
do Baden z królem Władysławem IV. odprawioney
krótkie opisanie. 4⁰. 458 Seiten. Zum Druck bestimmte
Abschrift aus unserer Zeit, versehen mit folgendem:
„Imprimatur. Die Reisen des Wojewoden Jakob Sobieski,
73 Bogen Manuscript, von denen der 64, 65., 66., 68. und
69. Bogen und das Ende fehlen. Czwalina, Censor.
Posen, den 8. December 1832." — II. H. d. 12.

168.

Tractatus diversorum doctorum theologici. 4⁰. Manuscr.
aus dem XIV. Jahrh. 154 Bl. Auf der inneren Seite des
Deckels findet sich von gleichzeitiger Hand folgende

Widmung: „Dem erbarn wysen vnd klugin IIer Hrn
Nicolaus cappelan czur fryenstad DD." (Blatt 147 steht
das Datum.) — II. H. d. 13.

169.

Eine kurze Abhandlung über das Wesen der Theologie.
Beginnt mit den Worten: (T)„heoloya (sic) est sciencia"
... 4°. Manuscr. aus dem XV. Jahrh. 14 Bll., wovon
Blatt 1., 6-10. und 14. auf Pergament geschrieben. (Im
alten Manuscriptenkataloge: „Theologia, rękopis na pergaminie z XV. wieku.") — II. H. d. 14/1.

Liber de exemplis sacre scripture, compositus a fratre
nycolao de hanapis, ordinis praedicatorum, patriarcha
Jerosolomitano. 4°. Mscr. (auf Perg. u. Papier) aus dem
XV. Jahrh. Bl. 15-130. (Im alten Manuscriptenkataloge:
„Theologia, rękopis na pergaminie z XV. wieku." Blatt
20., 25-26., 36-37., 42-43., 48-49., 54., 59-60., 70-71.,
80-81., 86., 91-92., 97-98., 103-104., 110., 116-117.,
123-124. und 130. auf Pergament geschrieben.) — II.
H. d. 14/2.

Penitencia adami et eue. 4°. Manuscr. aus dem XV. Jahr-
hundert. Bl. 131—137. [Im alten Manuscriptenkatalog:
„Theologia, rękopis na pergaminie z XV. wieku." Einige
Blätter auf Pergament geschrieben.] — II. H. d. 14/3.

Liber methodii episcopi. 4°. Manuscr. aus dem XV. Jahrhundert. Blatt 138—143. [Im alten Manuscripten-Kataloge: „Theologia, rękopis na pergaminie z XV. wieku."
Einige Blätter auf Pergament geschrieben.] — II. H.
d. 14/4.

Vita beati materni. 4°. Manuscript aus dem XV. Jahrh.
Blatt 143—153. [Nicht vollendet.] — II. H. d. 14/5.

Epistola beati Eusebii ad sanctum Damasum, Portuensem
episcopum, et ad Theodorum, Romanorum senatorem,
De morte gloriosissimi confessoris Iheronimi et doctoris.
4°. Manuscr. aus dem XV. Jahrhundert. Blatt 157—184.
|Im alten Manuscripten-Katalog: „Theologia" etc.] — II.
H. d. 14/6.

- sancti Augustini, doctoris eximii, ad beatum cyrillum,
Hierosolimitanum episcopum, de magnificencia eximii
doctoris, beati Zosimi, presbyteri. 4°. Blatt 185—190.
[Im alten Manuscripten-Katalog: „Theologia" etc.] — II.
H. d. 14/7.

- Sancti Cyrilli, Jerosolimitani episcopi, ad beatum Augustinum, doctorem eximium, de miraculis beati Zosimi.

4°. Manuscr. aus dem XV. Jahrhundert. Bl. 190—216.
[Im alten Manuscripten-Katatoge: „Theologia" etc.] —
II. H. d. 14/8.

170.

Anonymi sermones. 4°. Pergament-Manuscript aus dem
XIV. Jahrhundert. Zweispaltig. 170 Bl. — II. H. d. 15.

171.

Ovidii, P. Nasonis, Metamorphoseon, libri XV.
— Epistolarum ex Ponto, libri IV.
— De pulice (carmen). Blatt 1—197 und 201—252.
— Remedium amoris, liber unus. Bl. 258—282.
4°. Manuscript aus dem XV. Jahrhundert. 282 Blatt.
Blatt 262 bis zum Schluss sind die Randglossen und
Bl. 282 ist auch der Text beschädigt.
Epitaphium zavise nigri. 4°. Manuscr. aus dem XV.
Jahrhundert. Blatt 197 (Rückseite) bis 199. [Zawisza
Czarny, dessen Epitaph. mitten zwischen Ovid Metamor-
phosen und Ex Ponto eingeschaltet ist, fiel 1428 an der
Donau in einer Schlacht gegen die Türken unter Kaiser
Sigismund.] — II. H. d. 16.

172.

Sermones dominicales fratris guidonis de ordine fratrum
praedicatorum, quos compilavit in monasterio ebroicensi.
4°. Pergamentmanuscr. aus dem XIV. Jahrhund. Zweispaltig. 377 Blatt. — II. H. d. 17.

173.

Aus der Lebens- und Leidens-Geschichte Christi, in latein.
Sprache. 4°. Pergament-Manuscript aus dem XIV. Jahrhundert. Blatt 1—41. Es fehlen mehrere Blätter zu An-
fang und in der Mitte. [Im alten Manuscripten-Katalog:
„Miscellanea varii argumenti."]
Liber miraculorum. 4°. Pergament-Manuscript aus dem
XIV. Jahrhundert. Blatt 42—79. Ein Blatt in der Mitte
fehlt. [Im alten Manuscripten-Katalog: „Miscellanea
varii argumenti."]
  1. Beschreibung des Monasterium Cluniacense, bei
     Gelegenheit eines Besuches desselben seitens des
     Bischofs Eberhard von Babenberg. Blatt 80—105.
Fol. 80—92, abgedr. in der Zeitschr. f. deutsche Philol.
Bd. XIII. S. 338—351. Visionslegende. (VI. C. d. 2.)

2. **Vita sancte mechthildis.** Blatt 105 (Rückseite) bis 111. 4°. Pergament-Manuscr. aus dem XIV. Jahrhundert. Der Rest fehlt. [Im alten Manuscripten-Katalog: „Miscellanea varii argumenti."] — II. H. d. 18.

174.

Anonymi sermones. 4°. Pergament-Manuscr. aus dem XIV. Jahrhundert. Zweispaltig. 210 Blatt und 2 Blatt vorne nicht nummerirt, A. und B., auf welchen sich ein „Sermo de matrimonio" befindet. — II. H. d. 19.

175.

Projêt pour faire par une armée russe en une seul campagne la conquête des États européens, dressé d'après les reflexions d'un militaire employé à l'ambassade russe, envoyé à la Porte Ottomane en 1793 et 1794, après la paix de Jassy. 4°. 194 Blatt. Abschrift aus unserem Jahrhundert. — II. H. d. 20.

176.

Wyciągi z akt XVI. wieku, rozmaite, tyczące się familii Pawłowskich. 4°. Manuscr. aus dem Ende des XVI. Jahrhunderts. 115 Blatt. — II. H. d. 21.

177.

Diariusz Peregrinaty, w niemieckiey, czeskiey i włoskiey ziemi, czynioney przezemnie, Theodora Billewicza, Stolnika, 13. Augusti 1677. 98 Blatt. Originalmanuscript aus dem XVII. Jahrhundert. 4°. — II. H. d. 24.

178.

Zielnik Syreniusza. Manuscript aus dem XVII. Jahrhundert. 420 Bl., (Bl. 223 doppelt gezählt) wovon fehlen: Bl. 1—7, 185—189, 261—265, 308—338, 342—343, 356—360 und 416. 4°. — II. H. d. 25.

179.

Claudii Claudiani de raptu proserpine. Am Schluss: „Per me albertum de crasznysztaw prima dominica post

festum sancti michaelis sub anno domini 1507. 26 Blatt.
[Im alten Manuscriptenkatalog: „Porwanie Prozerpiny
Klaudyana, rękop. łaciński, z r. 1407.“] 4º. — II. H. d. 26.

180.

Wyjątki z uchwał sejmików średzkich od roku 1601—1621.
1—43 Blatt.
  Wyjątki z uchwał sejmików średzkich od roku 1660 do
1699. Blatt 44—109.
  Wyjątki z uchwał sejmików średzkich od roku 1700 do
1730. Blatt 110—123.
  Abschrift aus unserer Zeit. 123 Bll. [Im alten Manuscriptenkataloge: „Wyjątki z uchwał sejmików średzkich
od roku 1598—1659“ (!)] 4º. — II. H. d. 26 a.

181.

Krotzsch, Simeon, P. F., Promptuarium catholicum, seu
apparatus sacer generalis materiarum naturali-historico-
ethico-theologicarum ex sacra scriptura, ss. patribus, aliisque probatis authoribus . . . confectus authore P. F. Simeone Krotzsch, ordinis Minor. Reformator. theologo
Provinciae Majoris Poloniae. 5 Bde. B. I. 591, II. 818,
III. 756, IV. 603, V. 811 Blatt. (Zusammen 3579 Blatt.)
Verfasst in den ersten Jahren des XVIII. Jahrhunderts.]
4º. — II. H. e. 1—5.

182.

[Morsztyn, Andrzej z Raciborska na Radzyminie.]
Psyche z Luciana Apulejusza Marina. 52 Blatt, enthält
296 achtzeilige Strophen. [Diese Nachdichtung der Psyche
des Apulejus ist zuerst gegen das Jahr 1689, ohne Druckdaten, eigentlich aber in Supraśl in der Druckerei des Basi-
lianer-Ordens und später mit der Ang. des Druckortes:
„Leipzig“ 1752 in 4º. erschienen.] 4º. — II. H. e. 6.

183.

Grammatik, Lateinische. Manuscript aus dem XIV. Jahr-
hundert. 176 Blatt. Vom Blatt 142 fehlte die Hälfte des
Papiers, weshalb nur die andere Hälfte vom Schreiber
beschrieben worden ist. Blatt 158 und 160 nur auf der
Vorder- resp. Rückseite, Bl. 159 gar nicht beschrieben
Anfang: „Saeneca cujus nomine per adscribitur (sic!)

In quarto topicorum epistolarum epistola secunda ad lucillum incipit". Schluss: „Explicit tezaurus gramtice (sic!) per manus finitus proxima feria sexta post festum sancti matey et cetera."

„Hoc ille scripsit, qui primo scribere discit.

O! maria pia, sis mecum semper in via".

4°. — II. H. e. 7.

184.

Breviarium. Pergament-Manuscript aus dem XIV. Jahrhundert. 248 Blatt. Das erste Blatt auf der Rückseite von einer fremden Hand zur Hälfte beschrieben, ebenso Blatt 247 Rückseite und Blatt 248. Anfang: „Deus, qui dedisti. De sancta Katerina". „Deus, qui dedisti legem moysi in summitate montis synai" . . . Schluss: „Karitate vulneratus, castitate dealbatus, verbo vite laureatus est bernardus, sublimatus in glorıam." F(inis) libri. 4°. — II. H. e. 8.

185.

Sermones fratris Conradi de Dulcis. Pergament-Manuscript aus dem XIV. Jahrhundert. Zweispaltig. 275. Blatt. Anfang Bl. 1 Rückseite: „Dominica prima. In adventu domini. Emitte manum tuam de alto etc." Schluss: „Expliciunt sermones fratris Conradi de Dulcis. Quod sequitur, specta". Hierauf folgt der Index. 4°. — II. H. e. 9.

186.

Compendium theologice veritatis. Pergament-Manuscript aus dem XIV. Jahrhundert. 151 Blatt. Zweispaltig. Die ersten Blätter bis zur Signatur XIV. (Index) fehlen. Zwischen Blatt 150 u. 151 ist ein Blatt herausgeschnitten. Nach dem Index, Bl. 2, „Incipit prologus in compendium theologice veritatis." „Veritatis theoloyce (sic!) sublimitas" etc. Schluss, Bl. 126: „Explicit compendium theologice veritatis". (†) Von einer anderen Hand mit schwärzerer Tusche hinzugefügt: „Beati Thome de Aquino Colloquium De ordine praedicatorum." Auf der Rückseite dieses Blattes von einer anderen Hand, bis zum Schluss in fortlaufenden Zeilen, folgt: „Expositio arboris consanguinitatis". „Quia intendimus tractare de consanguinitate et ejus gradibus et de arboris consanguinitatis expositione" . . . etc. Der Rest des Ganzen (Bl. 151) fehlt. 8°. — II. H. e. 10.

187.

Excerpte, Verschiedene, theologischen Inhalts, aus dem
16. Jahrhundert. Auf dem ersten Blatte: „1549 T. M.
L. de Sbrodzevo feria sexta in octava visitationis Marie
scripsit. 127 Blatt. 8⁰. — II. H. e. 11.

188.

Miscellanea varii argumenti theologica. 34 Blatt. Manuscript aus dem XV. Jahrhundert. Die ersten Blätter
fehlen. Das erste Blatt des Vorhandenen beginnt mit
den Worten: „ . . . cum domino. Sic scriptum est in
lege moysi(s)" . . . Schluss: „Veni sancte spiritus" . . .
8⁰. — II. H. e. 12/1.

Incipit vita beate barbare virginis. Blatt 11—42. Miscell.
varii argum theolog. 8⁰. — II. H. e. 12/2.

Tractatus de X. preceptis Domini secundum beatum Augustinum. Miscell. varii argum. theolog. Blatt 43—51. 8⁰·
— II. H. e. 12/3.

Adrianus Imperator. Epigoras propheta. Anfang: „In
antiqua lege legimus de homine quodam, qui erat propheta, qui vocabatur Epigoras" . . . Miscell. varii argum.
theolog. Blatt 52—64. 8⁰. — II. H. e. 12/4.

Incipit evangelium nicodemi etc. Anfang: „Factum est in
anno nono decimo tyberii cesaris imperatoris romanorum
et herodis filii imperatoris galilee" . . . Schluss: „Explicit evangelium nicodemi." Miscell. varii argum.theolog.
Blatt 65—87. 8⁰. — II. H. e. 12/5.

Incipit anzelmus de planctu beate virginis marie. Anfang:
„Quis dabit capiti meo aquam et oculis meis fontem lacri-
marum?" . . . Miscell. varii argum. theolog. Bl. 88—98.
8⁰. — II. H. e. 12/6.

„Sancti spiritus assit (sic) nobis gracia. Beatus vir, qui
non abiit. Istum psalmum fecit rex dauit" . . . Miscell.
varii argum. theolog. Blatt 99—110. 8⁰. — II. H. e.
12/7.

Incipit rubrica poznaniensis ecclesie per ordinem. Miscell.
varii argum. theolog. Blatt 111—340. 8⁰. — II. H. e.
12/8.

189.

Miscellanea in lateinischer, französischer und polnischer
Sprache aus dem vorigen Jahrhundert. 162 Blatt. 8⁰.—
II. H. e. 13.

190.

Breviarium. Pergament-Handschrift aus dem XIII. Jahrh. 303 Bll. Die ersten Blätter (Index) u. die letzten fehlen. 8⁰. — II. H. e. 14.

191.

Miscellanea. (In polnischer Sprache.) Manuscript aus dem XVIII. Jahrhundert. 222 Blatt. |Eine Sammlung verschiedener theolog. und naturwissenschaftl. Excerpte, in welcher ausserdem Hochzeits- und andere Reden und ein kleines Compendium der Rhetorik in latein. Sprache enthalten ist.| 8⁰. — II. H. e. 15.

192.

Notizen, Biographische, chronologisch geordnete, meist in polnischer Sprache verfasste, über die Pastoren der Böhmischen Brüder v. J. 1467—1739. 160 Bll. u. 1 Bl. Index. [Bl. 3—4, 6—9, 11—13, 15 u. 25, entsprechen den Jahren: 1469—73, 1475—83, 1485—91, 1493—94, 1509—10. Von Blatt 106 an (1581) von zweiter, von Blatt 149 (1654) von dritter, von Bl. 152 (1716) von vierter, und darauf gleich, Bl. 153 (1732) von fünfter Hand fortgesetzt.] 8⁰. — II. H. e. 16.

193.

Pisma rozmaite dyssydentów polskich. Eine Sammlung verschiedener Schriften der polnischen Dissidenten aus dem XVI. bis zum XVIII. Jahrh. 170 Blatt. 8⁰. — II. H. e. 17/1—13.

Excerptum ex convocatione w Pyzdrach 1579, d. 3. sept. Blatt 1—2. Pisma rozm. dyss. polskich. 8⁰. — II. H. e. 17/1.

In libro Historiae Colloquii Thorunensis charitativi D. Prüferi sunt sequentia. Am Schluss: „Więcey tam nic niemasz." Blatt 3—7. Pisma rozm. dyssyd polsk. 8⁰. — II. H. e. 17/2.

Proces albo suma synodu poznańskiego ano. dni. 1567, die 28. Januarii. Blatt 11—13. Pisma rozm. dyssyd. polsk. 8⁰. — II. H. e. 17/3.

Sinod Poznańsky kościoła Bożego Braćj, Ministrow wszech y Ichmść Patronow roku 1573 dnia 19. Novemb. w dzień S. Helzbietey sprawowany. Blatt 15—24. Pisma rozm. dyssyd. polsk. 8⁰. — II. H. e. 17/4.

Sinod Posnanski kosciola Bozego Braczy, Ministrow y Ich-
mosczi Panow Patronow Anno Domini 1573, 19. Novemb.
sprawowany. Blatt 30—41. Pisma rozm. dyssyd. polsk.
8°. — II. H. e. 17/5.

1. Provisia Cieninska r. p. 1625 od JMci Pana
   Ladislawa Przyjemskiego, podkomorzego kaliskiego,
   uczyniona. Blatt 42—44. Pisma rozm. dys. polsk.
2. Provisia plebaniey Lieszczeńskiey r. 1587 opisana.
3. Dochodi plebana lesczinskiego.
   8°. — II. H. e. 17/6.

List własnoręczny księcia Radziwiłła do księdza Rybińskiego. Überschr.: „Moy łaskawy Xże Rybiński." Unterzeichnet: „WM. życzliwy przyjaciel Radziwil mp." Dat.
z Wilna, d. 7. Maji 1636. 1 Blatt Pisma rozm. dyssyd.
polsk. Blatt 46. 8°. — II. H. e. 17/7.

Modlitwy (dyssydentów polskich.) Blatt 48—72, 114—117.
Pisma rozm. dyssyd. polsk. 8°. — II. H. e. 17/8.

1. Agenda Sliubna 1576.
2. Agenda przy slubie (Ohne Datum.) Blatt 73—79.
3. Agenda inakssym sposobem o stanie małżeńskim.
   (1585.) Blatt 73—96.
4. Agenda starszych, id est: Zborowych. Bll. 101—105.
   Pisma rozm. dyssyd. polsk.
   8°. — II. H. e. 17/9.

Poswiącanie kościoła w Brodkach w kaplicy 1616. Blatt
97—100. Pisma rozm. dyss. polsk. 8°. — II. H. e. 17/10.

Sermones in Synodo Fratrum A. D. 1592, die 24. m. sept.
Szamotulis. Blatt 118—127. Pisma rozm. dyssyd. polsk.
8°. — II. H. e. 17/11.

Bracziei a thowarzissom w prawdzie (pi)sma Bozego, miłem:
Panu Gerzemu Zelaznemu, kramarzowi, a Pawlowi orga-
nisczie, mieszczanom w Poznaniu do rąku wlasnich. —
Von einer späteren Hand hinzugefügt: „z Czeskiego
przełożony 1558. Enthält die: „Powinności, które zaleza
na vrzad sadziow a pomocnykow przi sborzech Jednoti
braterskiei Zakona kristowego, od Bracziei starssich
a oyczow milich nassich spisane i postanowione. (1558.)
Blatt 129—147. Pisma rozm. dyssyd. polsk. 8°. — II. H.
e. 17/12.

I. Panów Seniorów Swietskich, albo Sędziów zborowych
   Stanu Rycerskiego Powinnosci.
II. Seniorów, albo Sędziów zborowych stanu miestskiego Po-
    winnosci.
III. Powinności Seniorów swieckich zborowych, bądz miey-
     skiego, bądz slachetnego stanu.

IV. Seniorów Zborowych Politickich stanu miejskiego powinności.
8⁰. Blatt 149 — 170. Pisma rozm. dyssyd. polsk. — II.
H. e. 17/13.

194.

Prowizye kilku kościołów dyssydentskich wielkopolskich.
8⁰. 25 Bll. Rechnungsnotizen aus dem XVII. u. XVIII.
Jahrhundert über Einnahmen und Ausgaben der polnischen Dissidenten-Kirchen in Marszewo, Karmin, Samter
und Lutomierz. Am Schluss (Blatt 25.): „Catalogus
discentium in schola orzeszkowiensi anno 1681“, darunter
„Maximilianus Slichtynk, Alexander Slichtynk, nobil.
Poloni.“ — II. H. e. 18.

195.

Dyaryusz woyny szwedzkiey w Inflantach, z zupełną kor-
respondencyą podczas tey wojny, z traktatem, za panowania Najjaśnieyszego króla JMci, Zygmunta III.,
szczęśliwie panującego, pod którym kommenderującego
wojskiem Krzysztofa Radziwiłła, xięcia na Birżach, Du-
binkach etc., hetmana polnego W. X. Litewskiego, przeciwko Gustawowi Adolfowi, xiążęciu Sudermańskiemu,
a usurpativo titulo królowi Szwedzkiemu, począwszy od
r. 1621 aż do r. 1623. Fol. 2 Bde. 960 Bll. Abschr. aus
unserer Zeit. — II. K. a. 1—2.

196.

Kronika czasów Zygmunta Augusta, w Knyszynie r. 1572
zmarłego, obejmująca część testamentu tego króla, opis
jego choroby, śmierci i zdarzeń zaszłych podczas elekcyi
po jego zgonie. Fol. 226 Blatt. Abschrift aus unserer
Zeit. Im Original fehlten der Anfang, das Ende und in
der Mitte einige Blatt. — II. K. a. 3.

197.

Spis akt dawnych w Głównem Archiwum Królestwa Polskiego w Warszawie znajdujących się 1840 r.
Special-Titel:
Spis ksiąg obejmujących czynności i pisma dawnéj metryki koronnej, a w części i metryki litewskiéj, tudzież
wszelkich akt do dawnéj Polski ściągających się . . . od

roku 1800 stopniowo poprzyłączanych, . . . obecnie Główne Archiwum Krajowe składających, według protoku-
łów rewizyi przez Jana Winc. Bandtkie-Stężyńskiego
w r. 1835 i 1836 odbytéj. rozłożonych, z dodaniem przy-
bytków przez Felixa Bentkowskiego od r. 1838 do 1840
pozaciąganych uzupełniony. W Warszawie, w maju
1840, jako rękopis w 20 exemplarzach odbity. Fol. 213
Seiten. Lithographirt. — II. K. a. 4.

198.

Spis chronologiczny dyplomatów oryginalnych w metryce
sekretnéj Głównego Archiwum Królestwa w Warszawie
znajdujących się. Tom II, obejmujący dyplomata od roku
1470 do 1791, spisany w roku 1841. Fol. 536 Seiten. —
II. K. a. 5.

199.

Spis dyplomatów i przywilejów, nadań i innych dokumentów oryginalnych, znajdujących się w części akt metryki
koronnéj, sekretną dawniéj zwanéj, a mianowicie w kar-
tonie XX, sub titulo: Prussia nr. I. Fol. 59 Bl. — II.
K. a. 5a.

200.

Diplomata et rescripta in publicis negotiis, in Archivo
Generali Regni Poloniae, praesertim in libris Metrices
reperibilia. Fol. 112 Seiten. Abschrift aus unserer Zeit.
Angeheftet: Ein auf diese Abschriften sich beziehender
eigenhändiger Brief des H. F(elix) Bentkowski, d. d.
Warszawa, 10. lipca 1840. — II. K. a. 5b.

201.

Longini, Joannis, Vita Sancte Kunegundis. Fol. Manuscript aus dem 15. Jahrh. 100 Blatt. Von Blatt 65 an
von zweiter, von Blatt 77 an von dritter Hand fortgesetzt.
Unvollständig, schliesst mit folgenden Worten: „Due
ancille, una Dorothea, filia Nicolai de Janyna, altera
Barbara, filia Petrassy de Stadla, gravi infirmitate et
assidua sub diversis temporibus, diversisque generibus
egritudinis, una tamen et eadem." . . . (Der Rest fehlt.)
— II. K. a. 6.

202.

Dyaryusz seymu ordynaryinego warszawskiego, dnia 30. września roku 1748 agitującego się. Fol. Originalmanuscript aus dem vorigen Jahrh. 118 Bl. Blatt 112 bildet ein gedrucktes: „Regestr posłów na seym 1748.“ — II. K. a. 7.

203.

Inwentarz Starostwa Kościerzyńskiego, Jego Msci Panu Jakubowi Theodorowi Trembeckiemu, pisarzowi skarbowemu Ziem Pruskich, w trzyletnią arędę, od św. Jana anni 1686 do takiegoż święta anni 1689, inclusive rachując, podanego, porządnie spisany. Fol. Original-Manuscript aus der genannten Zeit. 119 Seiten. — II. K. a. 8.

204.

Inwentarz dóbr Hrabstwa Tarnowskiego Jaśnie Oświec. Xiążąt JchMściów Sanguszków dziedzicznych, a w trzechletnią arędowną possessyą W. J P. Skiwskiemu, woyskiemu podlaskiemu, od św. Jana anni 1743 puszczonych in fundo przy podaniu dóbr tych spisany diebus Julii 1743. Fol. 76 Blatt. Original-Manuscript aus der angegebenen Zeit, mit eigenhändiger Unterschrift und Siegel des Commissars: Andrzey Wiesiołowski. — II. K. a. 9.

205.

Sejm piąty W. X. Poznańskiego i udział w nim Hr. Edwarda Raczyńskiego roku 1841. Fol. u. 4°. 388 Blatt. Manuscript, Bl. 174—291, der auf diesem Landtage gehaltenen Reden des Grafen Eduard Raczyński, das Uebrige sind amtliche, für diesen Landtag angefertigte Druckschriften. — II. K. a. 10.

206.

Długossi, Joannis, Chronica Poloniae. Fol. 513 Blatt Original-Manuscript aus dem XV. Jahrh. Mit einer Vita (Bl. 1—14) des Verf. [Im alten Manuscriptenkataloge: „Długosz, rękopis z XVI. wieku.“] — II. K. a. 11.

207.

Abschriften bis jetzt nicht bekannter Documente aus den Kgl. Archiven zu Dresden, Kopenhagen und Stockholm

zur Geschichte des Nordischen Krieges der Jahre 1702 -
1704. Fol. 5 Bde. 862 Blatt. — II. K. a. 12—16.

208.

Dyaryusz sejmu wielkiego. Fol. Gleichzeitiges Manuscr.
359 Blatt. Unvollständig, beginnt mit der 10. Sitzung (v.
27. October) 1788 und schliesst mit der 107 Sitzung (vom
25. Mai) 1789. — II. K. a. 17.

209.

Biblia lat. manuscripta, Pap., Fol. 357 Bll. Blatt 358
unbeschr. 2 Col. XIV.—XV. Jahrh.

8 Blätter Indices auf die Capitel der einzelnen bibl.
Bücher.

Text mit den Einleitungen „Fratris Jeronimi".

Am Schlusse des AT's:

Explicit vetus testamentum, sequitur nouum in nomine
patris, filii et S. spiritus.

Zuletzt „Expositiones uerborum hebraicorum secundum
Alphabetum". 23 Bll.

Der Index bricht ab mit den Worten „Incipiunt expositiones nominum per Z literam inchoatorum."

Verschiedene Abschreiber: 1—115, 157—298, 298—309 b.,
309 b. bis Ende.

Gemalte Initialen zu jedem bibl. Buche.

Originalband, Holzdeckel mit Lederueberzug, messing.
Eckbeschlägen und Spuren der Ankettung. — II. K. a. 18.

210.

[Johann Casimir, 1648—67.]

A. Verificirte Abschriften von 38 eigenhändig unter-
schriebenen Briefen des Königs Johannes Casimir
von Pohlen. 1648—1667.

B.—D. N. 39—54. Abschriften verschiedener anderer
polnische Sachen betreffender Schriftstucke.

Dies Manuscript ist eine Copie der von Finn Ma-
gnussen 1830 beglaubigten Abschriften. Fol. — II.
K. a. 19.

211.

Listy Zygmunta III. do rozmaitych Xiążąt. Fol. 1—13,
43—88, 119—125. Fol.

Votum na propositią JKM. Xcia JM. Janusza Zbarawskiego
... na sejmie walnym Warszawskim w roku 1623. Fol.
89—94 a.

Fol. 127—129. Votum JM. Xcia Janusza, kasztelana
krakow., na sejmik Proszewiecki posłane.

Regestr Posłów z województw i powiatów na sejm blisko
przyszły in anno 1623 naznaczonych.

Dokumenta seymowe za Zygmunta III. Fol. 131—146.

Instrukcja IchMściom PP. Posłom do JMci Pana marszałka wielk. koronnego od JMściów dana, to jest JMci
X. Lanckorońskiemu, biskupowi kamien., JMości X. Małachowskiemu, Referendarzowi koronn. ... d. 29. Marcii
1672.

Copia listu do Cesarzyka Hord Kałmuckich od JKMci:
Michał z Bożéj Łaski Król, 29. 3. 1672. Respons powyż-
szym posłom od Pana marszałka dany, 18. Aprilis 1672.
Fol. 278.

Fol. 282 b. Copia listu P. Prusinowskiego, chorążego,
... do Hetmana w. koronnego, z pod Husiatyna, dnia
26. Jul. 1672.

dto. z Warszawy, 12. Aug. 1672.

dto. z pod Husiatyna, 4. Aug.

Fol. 283 b—288. Poseł Piastów na Elekcii Króla Polskiego.

Fol. 292. List Kapituły Pozn. do Króla, aby Czartoryskiego jako biskupa Pozn. wybrał.

(Miaskowski, Łukasz), Epitaphium w Gryżynie. Fol. 293.

Dogliona, Jana Mikolaja, Theatrum powszechnego
Xiążąt wszystkich świata historyi część pierwsza (fol.
147—277.)

Część VIII. rok 1549 i t. d. Flandria, Brabantia,
Hollandia, fol. 14—40.

Fol. 105—118. Historya świata wszystkiego. Część 8,
rok 1576. Cesarze, Boemia, Ungaria.

Fol. 94 b—104 b. Rejestra do Dogliona. Manuscript
aus d. Ende des 17. Jahrh. — II. K. a. 20.

212.

Manuscript (in Holzdeckeln mit gepresstem Schafleder-
Ueberzug.) Fol.

1. Juramentum Henrici Regis ante coronationem.

1b. Decretum electionis Henrici Regis.

3. Juramentum Nunciorum Regis Galliae.

3 b. Appendix ex parte dnorum saecularium haereticorum ad hoc ipsum juramentum porrecta.
Constitutiones.

8. Literae Caesaris Turcarum, 1573.

8 b. Capita libertatum ecclesiasticarum collapsarum.

12. Secundum gravamen: Religio catholica violata et
haereses innumerae in regnum invectae.
Wladislaus Jagello, Rex contra Haereticos et eorum
fautores in Wielun, Anno 1424.
Confaederatio . . . regni Poloniae contra regnicolas
inobedientes juri contumaces et haereticos eorumque
fautores 1438 . . . etc.

14 b. Tertium gravamen:! Ecclesiae plurimae in regno
per haereticos occupatae.

20. Literae regum principum l. s. data, IL 1419. III.
1510 . . . ult. Stephanus Rex, conditiones civitati
Gedanensi propositae.

59. W dni mięsopustne nicz a nicz się prawie nie z(e)-
brało acz się schodzieli PP. Ich Mscie alie rychło
zasię nicz nieuczyniw(szy roschodzieli się. W poniedziałek, 9. Februarii mówieli około wyssadzenia Deputatów na zniesienie Capturów. (Landtagsver-
handlungen.) Von p. 70 eine andere Hand, bis 74;
nicht fertig.

74 b.—94 b. unbeschrieben.

95—100 a. Acta tempore interregni et tempore electionis
duorum regum Poloniae ab anno 1563: Stephana
króla etc. Namowy i postanowienia zgodne Ich
Msczy Panow Senatorów y Rycerstwa Wojewodztwa
Crakowskiego y Sendomierskiego.

100 b. Confederatio Generalis Warszaw., 28. m. Febr. 1573.

102 b.—117 b. Acta y sprawy wszystkie seymu Warszawsk.
Roku Pan. 1585.

117 b. Witanie JM. Xiędza Arcybiskupa Karnkowskiego
w Gnieźnie . . . 1586.

118. List od trybunału Piotrkowskiego, na zjazd Radomski
przez X. Suffragana pisany 1594.

118 b. List do Zygmunta . . . Króla . . . 28. Grudnia 1594
Jan Łaczinski, burgrabia krakowski.

119 b. [Rzecz o sądach.]

139 b. 140—192. unbeschrieben.

Poemata Andreae Cricij, archiepiscopi Gnesnensis.
Gleichzeit. Hand., c. 1594. Pag. 192b.—386 b.

Obrona sławny korony polski przeciwko pismu y obtre-
ctationi w sprawie o Lidze Malaspiny przes Dobrogosta

z Plawna, slachcica polskiego napisana y wydana. Gleichzeit. Hand. Pag. 391— 400. Fol. — II. K. a. 21.

213.

Miscellanea rariora Lusatica. Fol. 1 + 562 Bll. Voran
geht ein: „Index generalis." Darauf folgen drei Druckschriften bis fol. 59. Von da ab verschiedene Actenstücke die Lausitzischen Städte betreffend, aus d. 17. und
18. Jahrh. von verschiedenen Händen geschrieben und
zusammengebunden, sodann durchfoliirt.

An Ihro Churfürstl. Durchl. zu Sachsen, wieder die Sechs-
Staedte: Budissin, Görlitz, Zittau, Lauban, Camentz und
Löbau, wegen derer privilegirten Saltz-Maerckte. Budissin,
9. Martii 1674. Landstände des Marg-Graffthums Ober-
Lausitz

Göbel, Mth., Bürgermstr. v. Budissin, Deductio brevis dass
der Evang. Theil der Kirche S. Petri allhier nicht dem
Capitulo, sondern dem Rathe und der Evangel. Bürger-
schafft eigenthümlich zuständig, festinante calamo entworffen von . . . Anno 1672, 16. October.

Lauber, Benj., Doct. und Cammer-Procurator in Budissin,
Bericht an den Herrn Land-Voigt, Freyherrn von Callen-
berg, wegen des im Marggraffthum Oberlausitz von
Prage ankommenden Erzbischoffs Matthiae, anno 1670
gethan. Pag. 79 ff.

Haberkorns, Petri Heinr., Herrn —, Syndici Gorlic.,
Schrifft an „Churf. Durchl. zu Sachsen, Hochbestalten
Rath, Cammerherrn und des Marggraffthums Ober-
Lausitz hochverordneten Ober-Amts-Verwalter. (Gegen
Ferdin. Brücknern, päbstlichen Decanus zu Budissin.)
Gorlitz, — Martii 1678. Pag. 82.

Supplic, Der Land-Stände vom Hoffe — de anno 1691,
wegen der immediaten Dependenz (an den Churfürsten).
Datum: Budissin bey gehaltenem Landtage, Oculi Anno
1691. Stände von Land und Städte des Marggraffthum
Ober-Lausitz. Acc. Beweisschriften. Pag. 86.

Johann George, Von Gottes Gnaden Hertzog zu Sachsen,
Jülich, Cleve, und Berg, Churfürst. (Wegen des Schuld-
. wesens der Stadt Görlitz.) Dat. Torgau, d. 5. Sept. 1631.
Pag. 100.

Annotationes contra monasteria in Lusatia. Varia Collectanea Lusatica. Fol. — P. 101 ff.

Churf. Sächs. gnädigste Confirmation derer Sechs-Städte in
Oberlausitz Anno 1562 erhaltenen Versorgs wegen ihrer
Raitungen, d. 18. Octob. 1688. Fol. — P. 120.

Praejudicia Lusatica. Fol. — P. 124.

Beschwerdeschrift der Landstände beyder Creysse im Mardgraffthumb Oberlausitz. Budissin, 19. Juli 1691. An den Churfürsten, wegen Veränderung des Steuerwesens bei den Sechs-Städten. Folgen Urkundl. Beil. 152—162. Fol. — 144—152.

Leuber's, Benj., D. seel. gewesenen Churfürstl. Sächs. Cammer. Procur. in Oberlausitz, bey Ihrer Churfürstl. Durchl. am 4./14. Jan. 1649 eingeschicktes Bedenken, ob die Lehngüter im Marggraffthumb Ober-Lausitz Feuda impropria et degenerantia seyn u. bey deren Succession die Agnaten bis zu dem 7. Grad zuzulassen sein, sie haben der Lehn und gesamten Hand gleich folge gethan oder nicht? Fol. — P. 163.

Hartranfft's, Hans Jacob, Churf. Sächs. Cammer. Procuratoris in Oberlausitz, Bedenken: Ob vermöge derjenigen vollkommenen Macht u. Gewalt, welche denen Vasallis in gegenwärttigen Privilegio wegen freyer Alienirung ihrer Lehn-Gütter ertheilet worden ist, ein Vasall bemächtiget sey, einen oder mehr seiner Unterthanen sambt deren Grund und Boden Dienst und Jurisdiction frey zu machen? Budissin, 28. Mart. 1683. Die Antwort des Churf. Joh. George vom 11./21. Mai 1683 aus Dresden. Fol. — P. 181.

Commentarius ad privilegium Maximiliani II. de simultanea investitura. Datum 9. Augusti 1575. Fol. — P. 191.

Deductio pro conservando juris consistorialis exercitio statuum Lusatiae ad Serenissimum. Fol. — P. 212.

Vernünfftige Staats-Consideration über diesen importanten Fund, ob der Schweden Einfall in die Chur- und fürstl. Sächs. Länder denen Reichs- und Creyss-Constitutionen u. Verfassungen, sonderlich dem Münster-Ossnabrüg. Friedens-Schlusse gemäss u. zu verantworten sey? Fol. — P. 227.

Marsmann, Georg., Dr., Reip. Budissin. Syndicus, Juridica duo consilia conscripta cum anno 1669. Pragensis hic per aliquot dies commoraretur Archiepiscopus. Fol. — P. 321.

— Budissinischen Stadt Syndici, Schrifft, so er den 11. Martii 1678 dem Churfürstl. Sächs. Ober Ambte übergeben, betreffend den statum religionis et ecclesiae im Marggraffthum Oberlausitz. Fol. — P. 340.

Ohnmassgebliche Beurtheilung der Frage: Ob und in wie Weit denen Sechs-Städten im Marggraffthum Ober-

Lausitz die Jurisdictio Ecclesiastica zugestanden werden könne? Fol. — P. 373.

Disquisitio juridica, an magistratui in civitate Hexapolitana competat Jurisdictio ecclesiastica, ubi incidenter ventilatur de intellectu assecutionis super libero Augustanae Confessionis exercitio, quam Imp. Matthias ordinibus hujus Marchionatus d. — Sept. 1611 dedit. Budiss. mens. Majo 1681. Hans Jacob Hartranfft. Fol. — P. 403.

Beschwerde der Sechs-Städte an den Churfürsten wegen Beschränkung der Ihnen zustehenden Geistlichen Rechte. Datum am Städt-Convent zu Löbau, d. 21. Dec. 1723. Die Bürgermeister und Rath-Männer der gesamten Sechs-Städte. Fol. — P. 413.

Salomon's, Christian, Land-Syndici im Marggraffthum Oberlausitz unpartheyisches Bedencken über Herrn M. Grossers, Rector zu Görlitz, Laussnitzische Merkwürdigkeiten. Fol. — P. 459.

Beschwerde der Stände von Ritterschaft und Städten. Dresd, d. 5. Martii 1718, in Betreff des Religionswesens. Fol. — P. 515.

Patent, welches des H. Anton Ulrichs zu Braunschweig-Wolffenbüttel Durchl. wegen angenommener Römisch-Cathol. Religion zur Versicherung Dero getreuen Landschaft weder in ecclesiasticis noch in politicis hirunter keine Neuerung zu machen, erlassen hat. Wolffenb., 27. Mart. 1710. Fol., p. 531. — II. K. a. 22.

214.

Kirchenrecht, Dissidentisches — in Polen und Litauen. Mscr. 144 Bll. 18. Jahrh. Fol. — II. K. a. 23.

215.

Hosterhausen. Historia della sagra religione Gerosolimitana di San Giouanni, composta dal comendatore Hosterhausen Li ... Zusatz mit Bleistift: 1636 sous le règne de G. Maître Lascaris. Auf d. ersten Blatte ein Wappen. Auf dem zweiten der Titel; dann folgt der paginirte Text, pag. 1—506, Indice 2 Bll. und 3 unbeschr. Bll. Darauf folgt der II. Thl. Auf dem ersten Blatte dasselbe Wappen wie in Thl. I. Auf dem 2. Blatte der Titel: Compendio degli statuti, ordinationi capitolari e consuetudini della sagra religione Gerosolimitana, composto dal fu Vendo Prior di Datia, Fra Christiano Hosterhausen. (Bleistift-

zusatz: 1636), 275 gez. Stn. Text. 1 Bll. Tabellen. Statistik des Ordens u. Index 3 Bll. Frzbd. „Au Commendatore W. Raczyński.“ Fol. — II. K. a. 24.

216.

J o u r n a l de la diète extraordinaire conféderée tenue à Grodno
en 1793, ouverte le 17. juin et terminée le . . ., novembre
de la même année. Das Mscr. bricht ab mit Séance du
6. Juillet 1793 auf Blatt 44. Blatt 45—48 unbeschrieben.
Auf Blatt 49 beginnt: Journal de la Diète conféderée
tenùe à Varsovie en 1788. Séance 1re du 6. 8bre bis
Séance 83 du 26. mars. Auf Blatt 216 (b) bricht das Mscr.
ab mit den Worten „En conséquence de cette déclaration
le secrétaire de la Diète fait lecture du projet en question
qui établit le 10 . . .“ Hlbfr. auf gebr. Bog. geschrieb.
Gleichzeit. sauberes Manuscr. Fol. — II. K. a. 25.

217.

J u r i s Culmensis liber primus. De quibusdam ad publica
jura spectantibus. Das Recht der Lande Preussen.
   Bemerkungen von späterer Hand: Hoc jus Culmense
sequi Scabinos Dantiscanos exinde constat, quod hoc alle-
gent (non vetus) in Ihrem Gerichts-Process, cap. 2 art. 9
in fine.
   Jus hoc Culmense fundiret sich auf das Sachsen-Recht
lib. 2, lit. 22, cap. 2.
   Juris Culmensis liber secundus. De processu judiciario
in causis civilibus.
   Juris Culmensis Liber tertius. De dominio Rerum,
ultimis voluntatibus et successionibus.
   Juris Culmensis Liber quartus. Von Contracten.
   Juris Culmensis Libri quinti, pars I., de processu cri-
minali. Vom Process in Peinlichen Sachen. Pars II. de
delictis et poenis eorum, von Misshandlungen vnd der-
selben straffe.
   Vonn Burgerding Ladunge. In fine: Geben Dantzigk,
den 29. tagk Aprilis Anno 1556. Folgen Eidformeln etc.
   Acc.: Ein Schreiben Königs Stephani belangende den
Religionsfrieden 30/9. 1581.
Fol. 210 Bll. geschr. nach d. Jahre 1600. — II. K. a. 26.

218.

Ein Convolut verschiedener Schriften aus dem XVI., XVII.
und XVIII. Jahrhund., polnische Dissidenten betreffend,
18 Blatt in Fol., folgenden Inhalts:

1. Major, Georg . . . Do. Joh. Laurentio, . . . docenti
evangelium Posnaniae. . . . Wittembergae, d. 6. Maji
1571. „Mitto . . . (Tibi) enarrationem Epistolae ad
Hebraeos, hoc tempore editam“ . . . Original. Bl. 1.

2. Administri verbi Dei in . . . Reg. Poloniae, evangelium
Christi juxta formulam confessionis Fratrum Bohe-
morum profitentes admod. reverend. Episcopis et
Presbyteris Ecclesiae Dei apud Fratres Bohemos . . .
Posnan. calend. Julii 1589. Original. Admonitions-
schreiben. Bl. 2—3.

3. Mattesius, Joan., Grodisciensis minister verbi Dei
puri, Do Simeoni Theophilo, superattendenti Ecclesiarum in Maj. Polonia confessionis Boemicae . . .
Text polnisch. Beklagt sich über den Mangel an
Aufsicht seitens der Senioren. Original. Bl. 4—5.

4. Inwitacya na synod w Ostrorogu, d. 13. kwiet. 1633
odbyć się mający. Dan w Toruniu, d. 22. Januar
1633. Unterz.: Daniel Mikołajewski, superattendent
zborów wielgopolskich. Original. Bl. 6—7.

5. Rybińskiego, Jana, senioris in U. Fr. Bohemor.
Testam. W Lesznie, III. adv. 1637. Origin. Bl. 8—11.

6. Laetus, Georg., List do seniora Ozminiasa w Kar-
minie. W Tychowlu(?), d. 7. Febr. 1642. Zeigt an,
dass H. Sieniuta den Böhm. Brüdern die Erlaubniss
gegeben habe, in Zduny sich eine Schule und ein
Gymn. zu erbauen. Original. Bl. 12.

7. Jana Kazimierza, Króla, Przywiley, zakazujący, przyjmować w Poznaniu dyssydentów do jakich bądź
urzędów. Datum pod Thoruniem, d. 20. listop. 1658.
Gleichzeit. Abschr. Bl. 13—14.

8. Święcicki, Stanisl. in Święcie, Episcop. Posnan. etc.
ordnet an, dass alle schwebenden u. künftigen Recht-
sachen zwischen Katholiken und Dissidenten den
weltlichen Gerichten entzogen und ihm selbst zur
Aburtheilung stets vorgelegt werden sollen. Varsaviae,
d. 9. Junii 1771. Abschr. aus dem vorig. Jahrhund.
„ex actis castrensib. Posnan.“ Bl. 16.

9. Manifest przez ICMość Panów Dyssydentów z Wiel-
kiéy y Małéy Polski y z Prus uczyniony. Abschr.
aus dem vorigen Jahrh. Blatt 17—18.

Fol. — II. K. a. 27.

219.

Ein Convolut von sieben Fascikeln, zusammen 26 Blatt
in Folio, enthält folgende Schriften:

1. . . . Georgio Israël, seniori Unitatis Ecclesiae Fratrum Waldensium, in inclyta urbe Posnaniae collectae,
reliquisque ejus symmystis ac collegis . . . Datae
Wittebergae . . . 1568. Unterzeichnet: Paulus Eberus,
decan. et eccles. Witteberg. pastor, Georgius Major,
senior., Paulus Crellius, Dr. Bl. 1—5.

2. Acta y conclusie synodu poznańskiego . . . Panów
y ministrów . . . confessij Augustanskiey y Braci
Czechów z dni 14., 15., 16. lutego 1582. Gleichzeit.
Abschr. von L. Andro (id est: Lucas Andronicus,"
qui hanc synodum quoque subscripsit." Vide infra.)
Bl. 6—10.

3. Akta Synodu Generalnego Włodzisławskiego, dnia
19. Junii 1583. Gleichzeit. Abschrift. Bl. 11—12.

4. Summaryusz a krótkie opisanie Synodu w Thoruniu,
od ministrow y panów Patronów, 21. Aug. 1595, mianego. Gleichzeit. Abschr. Bl. 13—18.

5. Synodus Lesnensis, d. 26. Aprilis 1645, ex occasione
instantis Colloquii Thorunensis invitat Lutheranos
ad concordiam secum. Original. Mit Siegel und
33 Unterschriften, darunter Johannes Schlichting de
Bukowiec. Gorzeński, Kąsinowski, Latalski, comes
de Labiszyn. Gertichius, Byttnerus, Joh. Comenius
u. A. Bl. 19—22.

6. Synodus Generalis Thorunensis, 1712. Ein Verzeichniss
der Acta und Conclusa, die sich in einem (nicht
genannten) Archiv befanden. Bl. 23.

7. Acta et conclusa Conventus Generalis praeliminaris,
a parte una Thorunii, die 2. et 3. Novembris 1712
celebrati, pro futura Synodo Generali ab utraque confessionis Augustanae parte celebranda. Original mit
zwei Siegeln und 17 Unterschriften. Bl. 24—26.
Fol. — II. K. a. 28.

220.

Ein Convolut von vier Fascikeln in Fol., zusammen 18 Bl.,
das folg. Schriften enthält:

1. Acta belli Turcici, 1590. Ein Verzeichniss von 158
Nummern von Schriften, welche sich auf diesen Krieg
beziehen. Bl. 1—8.

2. Towarzystwo Naukowe w Płocku do Jaśnie Wielm. Niemcewicza. Płock, 9. czerwca 1822. Unterzeichnet: Józef Brzozowski, K. Morykoni. Betrifft die Aufstellung sämmtl. Schr. des verstorb. Grafen Stanisław Kostka Potocki in der Wojewodschafts-Bibliothek zu Płock. Mit drei gedruckten Anlagen. Bl. 9—12.

3. Wypisy z mowy o pomniku Stanisława Kostki hrabi Potockiego, założonym w Bibliotece Publiczney województwa Płockiego, przez Towarzystwo Naukowe, w Płocku... dnia 19. marca 1822. Abschrift. Blatt 13—14.

4. Osiński, Alojzy, X., List do Juliana Ursina Niemcewicza. Kamieniec, dnia 18. grudnia 1816. Original. Blatt 15.

5. Ostrowski, Jozafat, List (prawdopodobnie do Niemcewicza pisany.) Lublin, d. 22. marca 1822. Original. Bl. 17—18.

Alexander I., Cesarz etc. Dan w Petersburgu, dnia 8/20. lipca 1820. Einberufung des polnischen Landtags auf den 1/13. September desselben Jahres. Placat. — II. K. a. 29.

221.

Zwei Urkunden aus d. J. 1662 u. 1760.

1. Actum in castro Posnaniensi feria V. post festum S. Luciae, Virginis et Martyris, proxima, a. 1694. Testamentum Magnifici D. Casimiri in Tuczno Tuczyński, d. d. Wielkie Jeziory d. 11. Martii 1662. Notariell beglaub. Abschr. aus d. XVII. Jahrh. Fol. Bl. 1—2.

2. Actum coram... officio Valcensi d. 18. Julii a. D., 1760.
Sokołek, Bürger von D. Krone, bescheinigt, zehn Thaler von dem Jesuiten-Collegium erhalten zu haben. Amtlich beglaub. Abschr. (aus d. vorig. Jahrh.) aus den Magistrats-Acten zu D. Krone. Fol. 1 Bl. — II. K. a. 30.

222.

Lessing, Nathan mędrzec, prawdę okazujący, sztuka dramatyczna w piąciu aktach, z niemieckiego oryginału Gottlieba (sic) Effraima Lessinga tłomaczona 1801 r. Fol. 112 Bl. — II. K. a. 31.

17

223.

Land recht, Glogauisches. Glogauischen Fürstentumbs Landrecht, den 16. November 1716 angefangen zu revidiren ... II. + 285 St. und 4 Bll. Reg. Gleichz. Mscr. Fol. — II. K. b. 1.

224.

Lauda in comitiolis Sredensibus Palatinatuum Posnaniensis et Calissiensis ab anno 1708 ad annum 1755 subsecuta, in Actis Castrensibus Posnaniensibus oblatuata. Fol. Gebunden in roth Maroquin, mit Goldschnitt, mit dem Wappen Ogończyk und den Buchstaben: A. C. in K. & D. D. P. C. [A. Comes in Kościelec et Działyn Działyński, Posnaniensis Capit.] 206 Bll. Das Übrige unbeschrieben. — II. K. b. 2.

225.

Dyariusz Seymu Ordinaryjnego Sześcioniedzielnego, w Warszawie w roku 1746 odprawionego. Gleichzeit. Handschrift. Fol. 54 Bll. — II. K. b. 3.

226.

Czynności rady nieustającéy w pułroczu drugim pod przezornym styrowaniem JW. Raczyńskiego, Marszałka rady n. odbyłe.
    Sessya czterdziesta piąta, d. 13. mca maja 1783.
    Sessya 96ta dnia 11. 9bra 1783. 1—179.
Acc. Regestra materyi. 180—219.
Własnoręczny rękopism Raczyńskiego (?). Fol. — II. K. b. 4.

227.

Słownik polski: od Bać się aż do Z. Wyrazy autorów 16 stúlecia. Fol. — II. K. b. 5.

228.

Alkoran. Vollständiges Türckisches Gesetz-Buch, oder des Ertz - Betriegers Mahomets Alkoran, welcher vorhin niemmer vollkommen herausz gegeben, noch im Druck

verfertiget, aber aus dem Arabischen Original in das
Fräntzösische gebracht und nach gehends in das Deutsche
übersetzt worden. Fol. 388 Bll. — II. K. b. 6.

229.

[Manuscript, Medicinisches, in poln. Sprache.]
1. Nauka poznawania po poczęciu niewiasty, jeśli synem
albo dziewką chodzi.
Infra: Poczyna się rozprawa o rodzeniu człowieczym.
35. Lekarstwa o rozmaitych niemocach dziecinnych,
w które rychło po porodzeniu wpadają.
47. O wódkach z ziół rozmaitych y o mocy ich, a osobliwie o tych, których naywięcey doktorowie używają.
75. Jako Oleyki sprawować ku leczęniu. (Sic.)
78. O różnych drzewach y ziołach.
187. Nauka przeciw morowemu powietrzu.
194. Ksiąg wtórych część trzecia o ptakach y o lekarstwie
z nich.
204. Kamienie.
211. O biegunkach.
Następują aż do str. 241 rozmaite choroby. (Bez za-
kończenia)
Fol. — II. K. b. 7.

230.

Skarga przeciw JW. Marcinowi Badeniemu, ministrowi
sprawiedliwości, wniesiona na sessyi izby poselskiey,
dnia 12/13. paźdź. 1820.
Skarga przeciw JWW. Stanisławowi hrabi Potockiemu,
ministrowi wyznań i oświecenia, i Xiędzu Staszicowi,
radcy stanu, wniesiona na sessyi izby poselskiey,
d. 12/13. paźdź. 1820 r. 14 Bll. Fol. — II. K. b. 8.

231.

Lauda Conventuum Sredensium.
I. Tom. ab anno 1598 ad annum 1659.
II. „ „ „ 1660 „ „ 1699.
III. „ „ „ 1700 „ „ 1730.
Exemplarz Andrzeja Stephana na Zbąszynie Garczyń-
skiego, Kasztelana Gnieźnieńskiego. Fol. — II. K. b.
9—11.

232.

Lauda Średzkie z r. 1782. 52 Bll. Abschrift aus dem 19. Jahrh. 4°. — II. K. b. 12.

233.

Manuscript. Verschiedene öffentliche Aktenstücke. Das erste vom J. 1587. Das letzte d. d. Warszawa, d. 16. m. listop. 1644. Na własne J. Kr. M. rozkazanie Jacobus Fredro Regens Cancellariae Majoris.

Alte Aufschrift aussen:

Akta konfederacyi Moskiewskiey, niektóre. Rewizya Arsenałów. Propozycye różne i Instruckcye na Seymiki i tym podobne Manuskrypta. Fol. — II. K. b. 13.

Proposicia na Conuokatij Warszewskii, 12. Februarii Anno 1587 od xiędza Arcibiskupa kołu tak Senatorskiemu jako i Poselskiemu ku namawianiu podana. Fol. 1—4.

Testament króla Stephana. Stephani Batorii R. P. agonisantis Memoriale. „Regnum uobis integrum et inuiolatum restituo et orphanos meos discretioni uestrae committo.“ Fol. 4.

Skarga dworzan na Conuokatiej po Smierczij K. Stephana. Fol. 9—12.

Petitia Ich Msci panów Zborowskich, którą J. M. Pan Jędrzi Zborowski, Marszałek nadwornij, w kole tak poselskim jako y senatorskim w Warszawie na konuocatij generalney 26. Februarii Anno Dni 1587 przełożył. Fol. 5—8.

Exorbitancje, które się działy przez Canclirza [Zamojskiego], naprzód na Hendrichowy Corronatij będącz ku szkodzie Rzeczy Pospolitej radził szkodliwie, że mu Henrik Kniszin dał etc. Fol. 13—14.

Vniuersał na Conuocatiej S. posthanowiony. My rady coronne, duchowne y świeckie, posłowie od Rycerstwa wszystkie stany na thi Generalnij Conuocatij . . . (1587.) Fol. 15.

Anna Dei Gratia Regina Poloniae. (Z Warszawy, 19. kwiethnia R. P. 1587. Kommunikuje list odebrany od króla Szwedzkiego Jana III. Dat. in Arce Vastenensi, 1. d. Marcii, A. D. 1587. Fol. 16—17.

Nowinij z Warsewy, które przyniesione 31. Augusti Anno Domini 1587 sub interregno. Szweda mianował X. Arcybiskup — Augusti o pierwszij godzijnie s południa etc. — Fol. 19, 20.

Stanisław Grabia z Gorki, Wojewoda Poznansky. (Z Warszawy, die 16. Martii Anno Domini 1587.) Ogłasza sejm konwokacyjny zwołany przez Arcybiskupa Primasa. — Fol. 20.

Zigmunth trzeczij z Bozij laski król Polskij, d. w Krakowie, 3. Octobr. 1590, zwołuje rycerstwo pod Raszów y Wijsniąm, dla niebezpieczeństwa od Turków grożącego. — Fol. 21.

Propositia seymowa . . . 7. die Martiį 1589. — Fol. 22—23.

Polonia. Variae annotationes de rebus gestis et moribus Polonorum.

    1. De fortitudine nationis Polonae, quam bello Turcico Anno 1621 exhibuerunt.

    77. Vladislaus princeps Poloniae, 30. Dec. Anno 1624 ... apud Urbanum VIII. P. M. solus admissus.

    — Fol. (24) 25—35.

Aliquot observationes generali seu duci exercitus observatu dignae. — Fol. 36—40.

Quaedam informationes ducibus Belli pertinentes, ex Germanico in latinum versae. — Fol. 41—53.

Instructia na Seymiki powiatowe uprzedzajęnce Seym Walny w Warszawie na dzień 20. stycznia w r. 1605 złożony. — Fol. 54—61.

Actum in castro Petricouiensi feria 4. p. F. S. Martini Pontificis proxima A. D. 1610 . . . Ad officium et acta praesentia Castren. Petricouien. personaliter veniens Nobilis Joannes Sięmięnski obtulit et exhibitas fecit literas Compactorum et foederum inter regnum Poloniae et Ducatum Silesiae, 10. d. m. Julii 1589. — Fol. 62—70.

List Carików do Choduna kniazia Moskiewskiego. Dymitr Iwanowicz z łaski Bożey etc. Borysowi Hoidunowi. — Fol. 71—73.

Summa Relationis Nuntii Illris Dni Adami Ducis Visniouiensis ad Sacram Regiam Mttem Poloniae in negotio Demetrii, filii Joannis Magni Principis Moschouiae, missi. — Fol. 74—75.

Instructio Sacrae Regiae Mtis ad Illm et Mgum Georgium Basta, Sac. Caesar. Mtis exercituum in Hungaria generalem capitaneum, Generoso Stanislao Wielopolski, Dapifero Cracoviensi, data Cracoviae, die 14. April. 1605. — Fol. 76.

  — Sacrae Regiae Mtis ad Mgum Stephanum Boczkay de Kismarya Generoso Alberto Gajewski, ejusdem S. Regiae Mtis Aulico, d., Cracoviae XV. April 1606. — Fol. 77.

Przyczyny, dla których Węgrowie z poddaństwa się Cessarskiego wybili, y dla czego Boczkaja Xiążęciem Węgierskim

y Siedmiogrodzkim zgodnie wszyscy obrali, y krótki respons
na legatią Króla JMści. Acc.: Wipisanie tumultu Węgierskiego, siaki occasiey rebellizował Boczkay Cessarzowi
y co za tą rebellią się dzieje. Fol. — Fol. 78—80.
**Acta niektóre Confederatiey Moskiewskiey. 1613.
Fol. — Fol. 81.**

1. JMci Pana Podkanclerzego Koronnego, Przemowa na
   sejmie walnym Warsz., 1613, die 1. . . . (Fol. 81—91.)
2. List JMci Xdza Arcibiskupa Gnizdzinskiego do Confederatów w seym walny Warszawski pisany r. 1613
   die . . . (91—94.)
3. Respons na List JM. Xdza Arcibiskupa Gniezninskiego
   od Koła confederackiego.
4. Instructia PP. Posłom Janowi Kropiwnickiemu, Woj-
   ciechowi Tanczinskiemu do Króla JM. od Woyska
   Smolenskiego, dana 26. 28. Octobris 1613, (fol. 95.)
5. Respons od KJM. rycerstwu Smolenskiemu, Warsz.,
   1. Nouembris Ao. Di. 1613, (fol. 96.)
6. Respons IchMosciów PP. Commisarzów od Króla
   JMci w pośrodek nas zesłanym na pewne puncta od
   Woyska stołecznego we Lwowie, die 13. Junii Anno
   Dni. 1613 dani, (fol. 97).
7. Instructio na seymik średzki IchMsciów PP. Posłów
   Stanisławowi Dobraczinskiemu, Deputat. od Woyska
   Smolenskiego, w Bydgoszczy dana 12. Novembr Ao.
   Dni 1613, (fol. 99).
8. Przemowa P. Marszałka Poselskiego do Króla JMci
   przy witaniu Posłów koronnych y W. X. Litewskiego.
   (fol. 100 b.)
9. Respons nomine Króla JMci przez JMci Pana canclerza dany.
10. Propositia JKM. na seymie Warszawskim odprawo-
    wana przez JMci Pana Kryskiego, Kanclerza Koron-
    nego, Ao Dni 1613, die 4. Decembris, fol. 101 b)
11. Instructia na Seym Walny Warszawski PP. Posłom
    od Woyska stołecznego do Króla JMci dana we
    Lwowie die 28. Novembris Anno 1613 PP. Wikto-
    rzinowi Sciborowi, Samuelowi Maskiewiczowi, Pio-
    trowi Białaczewskiemu, Wawrz. Pariszewskiemu,
    fol. 103.
12. Instructia na Sejm Walny Warszawski P. Posłom
    od Woyska Stołecznego do Izby Poselskiej dana we
    Lwowie, die 25. Novembris Anno 1613, Piotrowi
    Białaczewskiemu, Wiktorzynowi Sciborowi, Sam.
    Maskiewiczowi, Wawrzyńcowi Pariszewskiemu.

13. Instructia na Sejm Walny Warszawski IchMościom
PP. Posłom Andrzejowi Branieckiemu, pułkownikowi,
Stanisławowi Dobraczińskiemu, deputat. od Woyska
Smolenskiego, w Bidgoszczy dana, dnia 6. Decembris
Anno 1613, (fol. 109).

14. Przemowa do IchMościow Panow Posłów od Rycerstwa Smoleńskiego, (fol. 111 b.).

15. Instruktia na Seymik Srzedzki pro die XVI. Jan.
anno 1614.

16. Universał Seymikowy. Na własne Króla rozkazanie,
17. Jan. 1614.

17. Zażalenia do Króla, dan we Sredzie na seymiku przes
W. K. M. złożonem, 12. Jan. Ao. D. 1614.

18. Reprotestatie Rycerstwa od JKMci na expeditią
Moskiewską zaciągnionego przeciwko protestatiey
JW. JMci Pana Leona Sapiehy, Kanclerza Wielkiego
Xięstwa Litewskiego, na seymie uczynioney.

19. List do Króla, we Lwowie 16. Apr. 1614. Stanisł.
Żołkiewski, Mikołaj Danielowicz, Castelan Lwowski,
Jan Kohodowsky, ... Alexander Gąsiewski, Reffe-
rendarz W.X.Lit., Piotr Ossya, Starosta Trębolewsky,
Jerzy Kochanowski.

20. Assecuratio.
Joseph Cieklinski, Ceduła.
Sprawa Poznańska z tą wielką cięszkością od nas
pojednana jest bez wszelakiego skarbu W. K. M.,
(fol. 118 b.).

21. Assecuratia.
Joseph Cieklinski, marszałek y wszistko rycerstwo
woyska stołecznego, oznaymujemy komu to wiedzieć
należy etc. we Lwowie, 16. Aprilis 1614.

22. Instructia Jeo Królewskij Mości na Seymik, Anni
1615.

23. Sententia JMci Xiędza Arcybiskupa Gnieznieńskiego
na Seymik do Srzody na dzień 13. Jan. w r. 1615
złożony, posłana, (fol. 125).

24. List od JMści Pana Hetmana Koronnego, w Żułqui,
21. Dec. Ao. Di. 1614, Stanisław Zółkiewski, Wojew.
Kijowski.

25. Copia listu od Beglerbega Vromelskicgo do JMci
Pana Hetmana pisanego. Datum in Arce Beder.
(fol. 133).

26. Articuli IchMościom Panom Posłom na Seym Walny
Warszawski z Seymiku Srzedzkiego pro d. 13. Febr.
Ao. Di. 1615 podane. Acc. Petita.

27. Propositia JKMci na Seymie Walnym Warszawskim w r. 1617 przez JM. Pana Szczęsnego Kryskiego, Canclerza Coronnego, (fol. 139 b.).

28. Votum JM. X. Biskupa Helmińskiego na propositią JKM. Warszawie na seymie A. 1616, 26. Apr. uczynione, (fol. 146 b.).

29. Votum Magnifici Dni Palatini Sendomiriem., Ossolinski, Anno quo supra, (fol. 152 b.).

30. Mowa . . . Arcybiskupa Gnieźn. do Króla y Królewica JMci na rozjeznym jego z Warszawy, d. 5. Apr. Ao. Di. 1617, (fol. 159 b.).

31. Obliczenie żywności dla wojska, bez daty i napisu. (fol. 163).

Nowiny o Dimitrze, które udają bydź za pewne Czaru Moskiewskiemu. Ożył y wstał z martwych Dimitr Iwanowicz Czar Moskiewskij, w ten sposób przysłał . . . Dat. z Wystepska, 23. Jan. 1607? — Fol. 164.

Zygmunth III., z łaskiey Bożey król Polski etc. etc. W Krak., VI. Dec. 1607. (Do wojewody krakowskiego?) — Fol. 165.

List Piotra Tylickiego, biskupa krakowskiego, Alb. Baranowskiego, biskupa włocławskiego, do wojewody Krakowskiego. Z Krakowa, 4. grudnia 1607. — Fol. 165.

Copia listu do JM. X. Cardynała od JM. Pana Krakowskiego (Janusza Xięcia Ostrowskiego, w Ostrogu, die 4. Nov. 1607.)
Respons JM. X. Cardynała na ten list, w Krakowie 20/10.? Nov. 1607. Bernardus Maciejowski, S. R. E. Cardinalis. — Fol. 165 b.

Ad Martinum Mathematicum Clecensem. List bezimienny, poséła „Genesin swoję,“ rad by chciał wiedzieć „fata“ dodaje przytem mały upominek. — Fol. 167.

Podanie KJMci Posłom. (Odjazd KJMci do Swecii.)
Respons poselstwa na podanie KJM. (Odjazd JKMci.) 1593? — Fol. 168, 169.

Withanie króla JMci w Warszawie prez JMci Xiędza Arcibiskupa Gnieźnieńskiego etc. Ohne Daten. — Fol. 170, 171.

Od pana Koszuczkiego nowiny, 24. Julii, 25., 26. Rokosz Zebrzydowskiego, 1606? — Fol. 172.

Instructia na rokosz dana do żołnierzów Quarcianych pod Sędomirzem, 16. August 1606. — Fol. 174.

Mikołaj Zebrzydowski, Wojewoda y Generał Crakowsky, każdemu, komu to wiedzieć należy, oznajmuję... Działo się w obozie pod Janowczem, dnia 7. Octobra 1606. — Fol. 174—175.

S p i s s e k woyska JKM., co z Rusi przyszli. Summa Jazdy 7120, Piechothy 4010, oprócz sliachthy y inszych poczthów 400. 1606, Rokosz Zebrzydowskich. — Fol. 176—177.

R e s p o n s KJM. PP. Posłom do KJMci posłanym od obywatelów Coronnych y W. X. Lith. pod Sędomirz zgromadzonych, w Wiślicy, 15. 7 bris 1606. — Fol. 178.

K a p t u r Wiślicki albo Confederatia. Działo się pod Wiślicą, die 12. Septembris . . . 1606. — Fol. 180, 181.

A r t i c u ł y zjazdu Wiślickiego. Zygmunth III. z Bożey łaskiey król Polski, Wielkie (sic) Xiąże Litewskie Ruskie etc. etc. Działo się na Zjezdie Generalnym pod Wiślicą, dnia siódmego Września r. p. 1606. — Fol. 182—187.

A d o f f i c i u m et acta praesentia Capit. Cracov. personaliter Veniens Nobilis Camieński de Bistricza obtulit officio praesenti literas infrascriptas universales ad Incolas Equestris Ordinis Regni et M. Ducatus Lithuaniae. „My rady z Stanu Rycerskiego, którzyśmy się od zjazdu koła Rokoszowego dla kontinuowania spraw Rzpltéy, na tym Rokoszu mianowanych . . . Dan w Sędomirzu, 20. dnia m. Września r. p. 1606. Mikołaj Zebrzydowski, wojewoda y generał krakowski etc. — Fol. 188—189.

A c t u m in Castro Calissien. feria 2 da pest festum S. Michaelis Archangeli proxima An. Di. 1606. Generosus Stanislaus Zaremba de Kalinowo ad officium et Acta praesentia Castrensia Calissien. personaliter veniens in praesentia multorum nobilium coram officio praesenti existentium obtulit officio Calissiensi Castrensi ad actitandum literas infrascriptas hic Calissiae die hodierna conscriptas, quarum hic sequitur verbo ad verbum tenor. [Przystępują do uniwersałów Rokoszu Zebrzydowskiego pod Sandomirzem ogłoszonych.] Gleichzeit. Abschr., 1606. — Fol. 189.

I n s t r u c t i a IchMościom P. Posłym naszym na Gród Sędomirski dana 31. Julii 1606. Działo się pod Wiśnią u rzeki Zaba, dnia 31. Julii 1606. — Fol. 190.

2. J a n u a r i i odprawiono to poselstwo: Najaśnieyszy Młściwy Królu Ł., a Panie nasz miłościwy. Rycerstwo Województwa Lubelskiego, którzy się byli zjechali do Lublina ku czasowi sądzenia roków Ziemskich etc. — Fol. 191.

U n i v e r s a ł od Ichmościów Panów Senatorów i stanu Rycerskiego . . . po Coronie rozesłany z obozu pod Janowczem, 8. Octob. 1606. — Fol. 192—193.

Rozesłacz raczeł świeżo KJM. listy do Ichmść PP. Senatorów więtszych, oznajmującz im, że przes pewne PP. Senatorzi stara sią P. wojewoda Crakowski Zebrzydowski o łaskę, do który jakoby miał bydź przypuszczon, bywały o tym częste tajemne rady, kędy zawarto, żeby zatemi konditiami, które wypisuje w. m. przyjącz go raczeł KJMść w miłościwą łaskę swą. Gleichzeitige Abschrift. — Fol. 194.

Articuły od koła Rokoszowego KJMci podane do ujrzenia punctatim naterminowane. (1606?) — Fol. 195—197.

Acta Sejmiku Anni 1636.

1. Iustrukcia na Seimik Powiatowy Srzedzki y generalny polski posłowi JKM. dana w Wilnie, d. 20. Aug. 1626.

2. (Fol. 202): List do Królewica, d. d. Srzoda, 16. Dec. 1636.
   Senatorowie Dignitarze Urzędniey y Rycerstwo Województwa Poznańskiego y Kaliskiego.

3. Copia listu JMci X. Arcybiskupa Gnieźń. do PP. zgromadzonych, 21. 9 bris 1636.

4. Copia listu JMci Pana Krakowskiego, 18. Nov. 1636, Stan. Koniecpolski.

5. Na sejmie ... dwuletnim wniesiona była do izby poselskiéj instancja za Panem Costenem Gangulą, Hetmanem ziem Mołdawskich, który wiarę, cnotę y zyczliwość swą po wszystkie czasy JKM., Rzpltey y wszystkiemu Chrześciaństwu oświadczał ... (wniosek o indigenat.)

6. Artykuły, w liczbie 45.
   Petita. 16. Dec. 1636.
   Fol. 198—214.

Actum in Castro Posnaniensi, Sabbatho post festum Sancte Agnethis virginis proximo. Ao. Dni 1636.
   Ad officium et Acta praesentia Castrensia Posnanien. personaliter veniens nobilis Martinus Raciborski nomine Generosi Stanislai Sokołowski, Judicis Surrogati Castren. et Vicecapitan. Posn, Conventus Particularis Srzedens. proxime praeteriti Marschalci, obtulit ad actitandum in Acta Officii ejusdem literas laudi Conventus ejusdem manu ejusdem Generosi Mareschalci subscriptas etc. ... d. w Srzedzie, 25. Jan. 1636. Oblata laudi particularis Srzedens. Comitiorum. Fol. 215 — 226.

Instructia Wielebnemu X. Zigmuntowi Cieleckiemu, Proboszczowi Poznańskiemu, Gnieźnieńskiemu etc. Canonikowi, Sekretarzowi, y na Seymik Srzedzki Posłowi JK.

Mci dana w Warszawie, dnia 26. m. Czerwca r. pańskiego
1637. Fol. 217—218.

List podpisany Carol Ferdinand. Datt. Warszawie, 27. Apr.
1637. „X. Biskup Plocki . . . używa nas in partem solli-
citudinis, abyśmy mu in Vinea Domini pracować po-
mogli", prosi o suffragia na Sejm blisko przyszły.
Fol. 219.

Considerationes niektóre, utrum expediat Regno Poloniae
mieć classem, na sejmik podane. 1637? Fol. 220.

Zygmunt III. ogłasza Artykyły na które pozwala: [Pacta
conventa?] O. Daten. Fol. 221.

Epistola Christmi Galliarum Regis ad suum Oratorem
apud S. P. Paulum V. degentem scripta, pro concordia
inter suam Hm. et Remp. Venetam . . . Parisiis, 5. Maji
1606. Fol. 226—229.

Poselstwo Sendomierskie (do króla). (Rokosz Zebrzydowskiego)? Fol. 229.

Puncta Constitucii Sejmu dwuniedzielnego. Anno 1637. Fol.
232—233.

Copia literarum a Gedanensibus ad Conventum Sredensem.
Gedani, 27. Julii 1639.
    Responsum Gedanensibus per litteras Illmi Vicecancel-
larii Regni. Dat. Vilnae, 11. Febr. 1639.
    Ad Torunens. ex Conuentu Sredensi 1639, d. 25. Aug.
    Respons z Seymiku Srzedzkiego Gdańszczanom o cło
morskie. 1. Sept. 1639.
    Responsum Gedanensium ad literas Regiae Mtis in
Decembre missas. Gedani, 14. Januarii 1639. Fol.
231 b.—239.

List Woyciecha Suscki (?) do ojca swego opisuje podróż przez
Szlązk, Czechy, Niemcy, Francyą, Anglią, Hollandya etc.
Z Warszawy, 16. Junii 1606. Eigenhänd. Brief. 7 Bg.
Fol. 240—246. Der Name des Schreibers ist leider unleserl.

List do króla. (Od Chodkiewicza?) Dat. w Obozie pod
Felinem 3. Sept. 1605. Fol. 248.

Dziss tidzien temu jak pan Marszałek do Warszewii wjechał,
tegoż dnia y pan kanclyerz. Auf fol. 251 das Dat.
z Warszawy dominica oculi 90, [1590.] Fol. 249—252.

Z Moskwi tho Nowego: Dymitr Coronnowanij conjuratią
10,000 liudu potłumiel . . . schliesst: Turczi w 40,000
liudu Strygonium obliegli. Fol. 253.

Nowiny z listów rozmaitych. Z Wenecyi 9. Martii 1590.
Z Francyi. Z Constantinopola. Z Wenecyi. Z Turcyi.
Z Antwerpii. Z Paryża. Z Anglii. Z Colna (?) Z Am-
sterdam. Fol. 254—255.

CCLXVIII   Manuscripte.

Instructio Venerabili Andreae Gembicki, Suffraganeo Gnesnensi, Abbati Tremesnensi, Secretario, et ad conventum
Majoris Poloniae Sredensem pro die v. m. Junii celebrand.
nuncio nostro, data Varsaviae die 23. Aprilis ao. dni 1628.
Na własne króla JMści rozkazanie. Fol. 256—258

Instrukcja od wojska JKMci z koła Generalnego pod
Grudziądzem będącego Jchmciom PP. Posłom . . . dana
die 16. Maji 1628. Fol. 258 b.—259 b.

List, dat. z Łowicza die 1. Jun. 1628 do „Jaśnie Wielmożnych, Wielmożnych Młściwych Panów i Braci." Arcybiskupa Primasa? Fol. 259 b.—261.

Instructia IM. P. posłom na sejm Warszawski pro die
17. Junii Ai 1628 dana (z) Sejmiku Srzeckiego die 5.
Junii odprawionego. Acc. Petita. Fol. 261 b.—265.

Instructia Vrodzonemu Stanisławowi Pogorzelskiemu,
dworzaninowi y posłowi naszemu na sejmik Srzedzki,
dana Warszawie, dnia 24. m. Lipca r. p. 1628. Na własne
króla rozkazanie. Fol. 266—267.

My rady duchowne i świeckie dignitarze urzędnicy
y wszitko ricerstwo województw Poznańsk. i Kalisk. tu
do Środy na sejmik, pro die septima (?) Augusti auctoritate
sejmu przeszłego warszawskiego złożony, zgromadzeni
wszem wobec i każdemu z osobna komu to wiedzieć
należy obznajmujemy etc. Następuje list do Króla téj
saméj daty. (1628?) — Fol. 268.

Przyjąwszy z należytąm wdziecznoscziom opowiedziane
w liscie Wm. naszego Mszcziwego Pana chęnci y powin-
szowania salubritatis consiliorum na tym seymiku wza-
jemnie braterską naszę powolność oddawamy. Ze Srzody
die 16. Dec. 1636. — Fol. 270—271.

Poselstwo PP. Szlachty Wojew. Krakow. do KJMci die
V. (?) II. (?) Januarii Anno MDCVII. In fine 9. Jan.
1607. — Fol. 272.

    1. Panu Stanisławowi Golskiemu, Wojewodzie
    ziem Ruskich. Dat. z Jas., 3. Aug. 1612. Stephan
    Tomsza, z łaski Bożey hospodar y prawy dziedzic
    Państwa Mołdawskiego.

    2. List do Stanisława Golskiego od Machorogleya Ali-
    baszy Sardana woyska niezwyciężonego CJM. Turec-
    kiego.

    3. List do tegoż Stanisł. Golskiego podpisany przez
    Czernikowskiego, Pogorzelskiego, Łopateckiego, Ziel-
    skiego, Dąbrowskiego, Chanskiego młodego, Świecri-
    ckiego i t. d. (więźniów Tureckich.)

    4. Regestr tych którzy są u Hospodara w więzieniu.

5. List Stanisł. Żołkiewskiego do X. Arcybisk. Lwowskiego, donosi że Czar Tatarski z wielkiem wojskiem
wpadł do Polski, 16. Aug. 1612.

6. Stephan Tomsza Hospodar pisze do Wojewody Kijowskiego. Dat. z Jas, 27. Aug. 1612.

In solutionem stipendiorum Militibus pro defensione ab
hostibus Reip. in Liuoniam expeditis pro quartali primo:
. . . Militibus in Prussia: . . . etc. (Soldberechnung für
das Heer 1626, 1627.) — Fol. 276.

Percepta et ea w Toruniu z poborów na seymie Warszawskim w r. teraźń. uchwalonych. 1628. [Staatsbudget.]
— Fol. 277—281.

List M.(ikołaja) Ostroroga, Podkomorzego, d. 12. Martii
1640 do Pana „Srzemskiego“ o polityce Tureckiéj i o edukacyi syna pana Srzemskiego. Original - Brief. — Fol.
283.

Reverende in Duo Pater. Ex literis Romanis Ex Galliis
a Pre Nicolao Smogulecki. Original. — Fol. 285—286.

Rellatia liczby Imp. Podskarbiego Koronego na sejmie 1640,
która się zaczęła od sejmu 1638. — Fol. 288—293.

    1. Z rachunków przeszłych seymowych Summarijus,
wszystkich in genere Sztuk, t. j. Sztuk dział, miał
No. 171.

    2. Rachunek skarbowy na Commissiey Lwowskiey od-
prawioney strony płacy na Furmany y Puszkarze
przychodzącey.

    3. Summariusz Inventarza Ai. 1637, (Arsenał artilleryi.)

    4. Dto. 1639.

    5. Summarius Expensij na fabrykę Warszawską (Ceyk-
hauzu.)

    6. Rachunek . . . przez Pawła Grodzickiego, Artylleryi
Koronney przełożonego, in anno 1639 na seymie . . .
na różną armatę y fabriki Cekhausów.

    7. Regestrum Ludwissarskie Warszawsk.

    8. Elucidatia Rachunku z Skarbem (rachunek dla arty-
leryi.)

    9a. Comput służby furmanów ukrainnych w woysku
kwarcianym . . . 1638.

      b. Potym drugim w wojsku ukrainnym y na Kudaku
będącym. — Fol. 294—313.

Puncta pactarum z książęciem Neyberskim o królewne
JeyMść. In nomine Domini Nos Vladislaus Quartus Dei
Gratia Rex Poloniae . . . promittimus . . . Annae Catharinae Constantiae sorori nostrae dotis nomine . . . summam 243 000 taler. imperial. (1644?) — Fol. 314.

Marcin Szyszkowski, Biskup Krakowski, d. 18. Sept. 1619,
pisze do „pana Sędziego" o niebezpieczeństwie, które
z nagła nastąmpiło od granic Węgierskich. (Oryginał.)
— Fol. 316.

Summarius Expensy, co woysko pruskie brało ad rationem
z skarbu Reszty, po seimie przeszłym 1627 et 1628, pułki
Kozackie: na woyska cudzoziemskie. — Fol. 317—318.

Ex literis P. Stai Sokolouij, dat. ex Castris 30. Aug. ...
z Baru, darin eine Berechnung der Heereskräfte: Summa
23850 Mann. — Fol. 319.

Justificatia Tribunału y Collegów swych. O. Dat. —
Fol. 320—321.

Mowa do Króla, od posłów sejmowych. O. Dat. Kantimir
wird erwähnt. 1636? — Fol. 322—323.

Instructia Krakowska na seym 1636. (1635). — Fol.
324—325.

Relatio verissima insperatae excellentissimaeque Victoriae,
qualem Wimarienses et Hassiaci contra generalem Caesareum Lamboi tenuerunt. Ex Hamburgo, 19./29. Jan.
Ao. 1642. Weselia, die 18. Jan. — Fol. 326.

Instructia Wielebnemu Piotrowi Ciświckiemu,
Scholastikowi Poznańskiemu, Sekretarzowi y na Seymik
Powiatowy Srzedzki na dzień wtóry miesiąca Stycznia
y generalny w Kolo na dzień 23. m. Stycznia posłowi
JKM. dana w Warszawie dnia 16. mca List. r. p. 1644.
Fol. (327—330.) — Fol. II. K. b. 13.

234.

[Orzelski z Bożejowic, Świętosław.] Manuscript auf
Papier. „Interregni Polonorum liber IV.—VIII. Von spä-
terer Hand richtig vermerkt: „Pamiętniki Orzelskiego."
Auf dem Pergamenteinband von gleichzeit. Hand: 1575.
Annus Dni 1575. Vgl. die gedr. poln. Uebersetzung dieses
Werks von W. Spasowicz. Fol. — II. K. b. 14.

235.

Scheel, v., Tactik. 51 Blatt. [Abschrift aus dem vorigen
Jahrhundert.] Fol. — II. K. b. 15.

236.

Uffano, Diego, Archelia, To jest fundamentalna y dosko-
nała informatia o strzelbie y o rzeczach do niey należących
. . . po hiszpańsku naypirwey opisana y wydana przes

Diega Uffana . . . a teraz z niemieckiego na polski język
. . . przes Wieleb. X. Jana Gruneberka, kaznodzieję niemieckiego u Św. Anny w Grodzisku, przełożona. Anno
1635. [180 Seiten. Am Schluss: „Finivi ao. 1636, 9. Februarii."] Fol. — II. K. b. 16.

237.

1. Relatio de causis et negotiis expeditis in officio
   Consistorii Generalis Cracoviensis ab initio mensis
   Februarii ad diem ultimam ejusdem. Ohne Jahresangabe. Unterzeichnet: M. Siemieński. S. T. D.
   Blatt 1—4. cf. n. 7.
2. De exemptione praelatorum et cononicorum Eccles.
   Cathol. Cracoviensis a jurisdictione quorumcunque
   judicum dioecesanorum praeter authoritatem ordina-
   riam Joannis Groth, episcopi Cracoviensis. Abschr.
   einer Urkunde aus dem J. 1328. 4°. Blatt 5.
3. Bona olim episcopatus Cracoviensis, destinata pro
   augenda fundatione episcopatus Helmensis . . . Bl. 6.
4. O kościele św. Floriana. Blatt 7 u. 8.
5. Summaryusz liczby dusz dyecezyi Krakowskiey . . .
   Blatt 9.
6. Specyfikacya materyałów do reparacyi pałacu bisku-
   piego krakowskiego potrzebnych, spisana przez Xdza
   Kanonika Sierakowskiego, dnia 1go stycznia 1797.
   Blatt 10.
7. Relatio de causis et negotiis in officio consistorii
   generalis Cracoviensis a die 1 ad ultim. mensis Decembris 1792 expeditis. Blatt 11—14. Unterzeichnet:
   M. Siemieński.
8. Relatio causarum in judicio consistorii generalis Cracoviensis expeditarum, a die 15. Martii ad finem ejusdem. Ohne Jahresangabe, (1793?) Unterzeichnet:
   Martinus Siemieński. Blatt 15—17.
9. Relatio de causis et negotiis in officio consistorii
   general. Cracoviensis mense Januario a. 1793 expeditis. Unterzeichnet: Mart. Siemieński. S. T. D.
   Blatt 18—21.
10. Item ab initio m. Novembris ad ultimos ejusdem, anno
    1793, expeditis. Unterzeichnet: Martin Siemieński.
    Blatt 22—26.
11. Prośba, Pokorna, obywatelów miasta Koziegłów do
    JW. JMci X. Minockiego, kanonika katedralnego
    krakowskiego, kommissarza delegowanego, względem

doznanych od zwierzchności dworskiej pokrzywdzeń. Kraków, dnia 2. Decembris 1791. Blatt 27—35.

12. Żądania miasteczka Czeladź względem doznanych pokrzywdzeń . . . Blatt 36—37.

13. Rezolucya na punkta miasta Koziegłów, Siewierza i Czeladzi. Blatt 38.

14. Turski, Felix Paulus, Dei gratia (etc.) episcopus Cracoviensis, stellt ein Sitten- und Reiseattest aus für den Domherrn von Płock, Augustinus Lipiński, de dato: Cracoviae, die 9. Junii 1796. Gleichzeitige Abschrift. Blatt 39.

Manuscript aus dem vorigen Jahrhundert, welches zwölf Original-Schriftstücke und zwei Abschriften enthält. Fol. — II. K. b. 17.

238.

Manuscript in folio aus dem 18. Jahrhundert. 206 Blatt. Auf dem Vorsatzblatt steht folgender Generaltitel: Compendium różnych mów y manuskryptów, tomów dwa." Auf Blatt 1 „Regestr różnych Mów, Scriptów na seymie pod Konfederacyą w r. 1767 i 1768." Das Register führt 60 Stücke auf, von denen: 2—6, 12—16, 23—27, 32, 33, 52—55, 57—58, geschrieben sind, während das Uebrige Druckschriften sind, die im Band III. des Katalogs an ihren resp. Stellen verzeichnet sind Das Vorsatzblatt enthält noch folgende Notiz: „Ex libris Josephi Sołłohub Palatt. Wittebsen. Antoniemu Zawadzkiemu darowana od JWo Wodzińskiego, Biskupa Smoleńskiego." Fol. — II. K. b. 18.

Notabiliora quaedam confoederationis palatinatus Posnaniensis et Calisiensis annotata, (1767.) Blatt 6—13. Abschriften aus dem vorigen Jahrhundert. Fol. — II. K. b. 18/2.

Instrukcya I. PP. Szymonowi Kossakowskiemu, . . . Franciszkowi Gieydrociowi, . . . posłom od Konfederacyi Generalney prowincyi W. X. Litewskiego do Nayjaśn. Króla Stanisława Augusta, destynowanym, dnia 13. Junii 1767. Gleichzeitiges Manuscript. Blatt 33. Fol. — II. K. b. 18/8.

Sołtyka, Jo. Xięcia Biskupa Krakowskiego, Mowa. Gleichzeitig. Manuscr. Blatt 34—37. [Sołtyk's letzte Rede vor seiner Entführung durch die Russen.] Fol. — II. K. b. 18/9.

Sołtyka, Jo. Xięcia Biskupa Krakowskiegn, Mowa druga, miana dnia 12. Oct. 1767, na seymie extraordynaryjnym. Gleichzeit. Manuscr. Blatt 37—38. Fol. — II. K. b. 18/10.

Ponińskiego, Marszałka Konfederacyi Ziemi Wieluńskiey, posła od Konfederacyi Generalney, Mowa do Jego Królewskiey Mości na publiczney audyencyi w Warszawie, dnia 17. lipca 1767 miana. Gleichzeit. Manuscr. Fol. Blatt 39. — II. K. b. 18/11.

Copia artykułów przez Collegium Episcoporum disunitom ritus graeci y dyssydentom pozwolonych a w metryce koronney oblatowanych, z aktów wypisana. Manuscr. aus dem Ende des vorig. Jahrhunderts. Fol. Blatt 40—41. — II. K. b. 18/12.

Jurament Kommissyi Woyskowey, wykonany w Warszawie, dnia 1. Augusta 1767, podczas Konfederacyi. Gleichzeitiges Manuscript. Fol. Blatt 42. — II. K. b. 18/13.

Odpowiedź Jego Król. Mści, JW. Ponińskiemu, wojewodzie poznańsk., marszałkowi Konfederacyi Ziemi Wieluńskiey, y Marcinowi Żorawskiemu, marszałkowi Konfederacyi Województwa Płockiego, posłom od Konfederacyi delegowanym, na instrukcyą (ich dana) z Kancellaryi W. Koronney, d. 24. lipca 1764 w Warszawie. Gleichzeitige Abschr. Fol. Blatt 42, Rückseite. — II. K. b. 18/13a.

Kopia listu do Imperatorowey JMci, dnia 18. januara 1768 expedyowanego. Gleichzeitige Abschrift. Fol. Blatt 66. [Die Confoederirten, die Unterschriften fehlen, bedanken sich für die ihnen seitens der Kaiserin gewährte „Protection."

Kopia listu do Posłów. Gleichzeitige Abschrift von derselben Hand, wie die vorstehende Copie, eines seitens der Confoeder. (von Targowica) an die Landboten gerichteten Briefes. Fol. Bl. 66, Rückseite. — II. K. b. 18/23.

Konferencya delegatów Izby Seymowey z JO. Xięciem Repninem, posłem pełnomocnym rossyjskim, o modyfikacyią projektów aktu limity w plenipotencyi in plenis ordinibus. Gleichzeitige Abschr. Fol. Blatt 67—68. — II. K. b. 18/24.

Konfederacya Generalna W. X. Lit. w Wilnie uczyniona roku 1767. Gleichzeit. Abschr. Fol. Blatt 69—72. — II. K. b. 18/25.

Ogłoszenie przystąpienia biskupów do Konfederacyi Radomskiey: Antoniego Ostrowskiego, bisk. kujawskiego, Szeptyckiego, bisk. płockiego, Xięcia Krasickiego, bisk. warmińsk., Młodziejowskiego, bisk. przemysk., Załuskiego, bisk. kijowskiego, i Giedrojcia, bisk. inflantsk. Dan w Warszawie, d. 21. Aug. 1767. Gleichzeit. Abschr. Fol. Blatt 78. — II. K. b. 18/30.

18

Akcess do Konfederacyi Generalney JW. Poniatowskiego,
podkom. koron., Czartoryskiego, generała ziem Podolsk.
Branickiego, łowczego, Małachowskiego, referendarza,
Ponińskiego, kuchmistrza, Ogrodżkiego, pisarza w. koron.,
Czaplica, podkom. łuckiego, Ozarowskiego, gen. adjut.
woysk. koron., Sobolewskiego, łowczego warszawskiego,
y Stępkowskiego, kasztelanica żarnowsk. Gleichzeitige
Abschr. Fol. Blatt 78.

Punkta listu pewnego ratione seymików przedseymo-
wych r. 1767. Gleichzeit. Abschrift. Fol. Blatt 78—79.
— II. K. b. 18/31.

Kopia listu do JO. Hetmana W. Koron, od jednego z Konfederacyi marszałków, d. 12. lipca (ohne Jahresdatum)
z Rodomia pisanego. Gleichz. Abschrift. Fol. Bl. 80—81.
— II. K. b. 18/32.

Monitor. Co krótki czas utraci, wieki nie . nagrodzą.
Gleichzeit. Abschr. (1767). Fol. Bl. 116. [Gegen die
Dissidenten.]

Kopia artykułów Związku Podolskiego. Gleichzeitige Abschrift. 1767. Fol. Bl. 117. — II. K. b. 18/51.

Rozmowa JW. Rzewuskiego, hetmana poln. koronn., z synem swoim, (i) Starusią Dolińskim, obydwóch w niewoli
moskiewskiey będących. Mscr. aus dem vorig. Jahrh.,
nach dem 13. Octob. 1767. Ein satyr. Gedicht. Fol.
Bl. 118—120. — II. K. b. 18/52.

Na dzień urodzenia królewskiego, dnia 17. stycznia 1760 r.
Ein Gedicht. Manuscr. aus dem vorig. (1760) Jahrh. Fol.
Bl. 125. — II. K. b. 18/54.

Sołtyka Kajetana, Xięcia bisk. krakowsk., Manifest z d.
24. paźdź. 1767 r. Gleichzeit. Abschr. Fol. Blatt 127. —
II. K. b. 18/55.

— bisk. krakowski, Xiążę Siewierski, List pożegnalny pasterski, pisany z więzienia d. 13. października 1767.
Gleichzeitige Abschr. Fol. Bl. 129. — II. K. b. 18/56.

239.

Ogińskiego, Hetmana Wielk. W. X. Litewsk. w Chomsku
d. 7. września 1771 uczyniony. Gleichzeit. Abschr. Fol.
Bl. 11—12. — II. K. b. 19.

Wiadomość o akcyi d. 6. sierpnia r. 1771 zaszłey między
woyskiem W. X. Litewsk. a Moskwą . . . Gleichzeit.
Abschr. Fol. Bl. 13.

Kopia listu do JW. Ogińskiego, hetm. W. X. L., d. 24. sierpnia 1771 z Warszawy pisanego. Gleichzeit. Abschrift.
Fol. Bl. 14.

Relacya o akcyi Stwołowickiej z d. 22. września 1771 r. Gleichzeit. Abschr. Fol. Bl. 15—16.

Dyaryusz poruszenia z miasta Lublina do Litwy, od d. 12. września 1771 r. do 8. paźdź. t. r. Gleichzeit. Abschrift. Fol. Bl. 16—18.

Uniwersał Kossakowskiego do prowincyi W. X. Lit. animujący do konfederacyi. Bez daty.

Uniwersał Jacka Putkamera, marszałka konfederac. X. Żmudzkiego z d. 28. sierp. 1771.

Uniwersał Rad duchownych y świeckich z d. 17. stycznia 1771 r. Abschriften aus dem vorig. Jahrh. Fol. Bl. 19—21.

Uniwersał Rad duchownych y świeckich y całego stanu rycersk. Koronn. y W. X. Litewsk. z d. 2. stycznia 1771. Gleichzeit. Abschr. Fol. Bl. 24—25.

Uniwersał Rad duchownych y świeckich y całego stanu rycersk. Koronn. y W. X. Litewsk. z d. 4. paźdź. 1771. Gleichzeit. Abschr. Fol. Bl. 27.

Rozmowa króla Stanisława Augusta z xięciem Czartoryskim, kancl., y xięciem Poniatowskim, podkom. koronn. Abschrift aus dem vorig. Jahrh. Fol. Bl. 22—23.

Deklaracya Cesarza Rzymskiego. Wiedeń, d. 30. listop. 1771. Gleichzeit. Abschr. Fol. Bl. 26.

Kopia listu xięcia Kaunitza do JW. Paca z d. 30. listop. 1771. Gleichzeit. Abschr. Fol. Blatt. 26.

Kopia listu Salderna do Petersburga z Warszawy d. 15. czerwca 1771 pisanego. Fol. Bl. 29—30.

Odpis na list pasterski, (tyczący się zamachu na życie króla, ·d. 3. listopada 1771.) Gleichzeit. Abschrift. Fol. Blatt 31—33.

Suum cuique. [Geschichtl. Betrachtungen über den Verfall Polens seit Sigismund August. Abschr. aus der Zeit Stanisl. August.] Fol. Bl. 35—39.

Respons na skrypt pod tytułem: Suum cuique. [Abschrift aus derselb. Zeit.] Fol. Bl. 40—43.

Mowa delegatów Xięstwa Żmujdzkiego do króla, miana d. 29. lutego 1772. Abschr. aus derselb. Zeit. Fol. Blatt 44—44a.

Uniwersał Generalności o nieważności przywilejów przez króla po ogłoszenem przez Generalność interregnum podpisywanych z d. 4. grudnia 1771. Gleichzeit. Abschrift. Fol. Blatt 28.

Manifest Puławskiego, marszałka konfed. ziemi Łomżyńskiey, z d. 10. paźdź. 1771. Gleichzeit. Abschr. Fol. Blatt 34.

Uniwersał Generalności skonfederowaney Rzeczyposp. Koronn. i W. X. Litewsk., względem wypraw dziesiątego chłopa z ekonomii y królewszczyzn, z dnia 24. stycznia 1772 wydany. Abschrift aus derselben Zeit. Fol. Blatt 45.

Uniwersał Kazimierza Puławskiego, z d. 27. listop. 1771. Abschr. aus derselb. Zeit. Fol. Bl. 45—46.

Manifest Miączyńskiego, marszałka bełzkiego, z dnia 9. lutego 1772. Abschrift aus derselben Zeit. Fol. 46 Rückseite.

Monitor. O powinnościach obywatelów względem oyczyzny y króla. Abschrift aus derselben Zeit. (1767.) Fol. Blatt 47.

Excerpt z memoryału przez posła prusk. Ryxyna (?) podanego Sułtanowi, mocą którego pomiędzy Prussami a Portą Ottomańską stanął traktat zaczepno-odporny, z d. 2. kwietnia 1771. Abschrift aus derselben Zeit. Fol. Blatt 48.

List ministeryum tureckiego, do marszałków Krasińskiego y Potockiego, d. 7. grudnia (1771) pisany. Abschrift aus ders. Zeit. Fol. Bl. 59.

List Mehmeda paszy do Krasińskiego y Potockiego (bez daty) pisany (1771.) Abschr. aus derselb. Zeit. Fol. Blatt 59—60.

List tegoż paszy do samego Potockiego (bez daty) pisany (1771.) . . . Bl. 60.

List ministeryum Tureckiego do Rzeczyposp. Polsk. d. 7. grud. (1771) pisany. . . . Fol. Bl. 60.

List podobny do W. X. Lit. (d. 7 grud. 1771.) pisany. . . . Fol. Bl. 61.

Kopia cyrkularza przez Kanclerza Koronn. do Starostów grodowych diebus Julii 1772 pisanego. Abschr. aus derselben Zeit. Fol. Blatt 53.

   Respons na tenże cyrkularz. . . . Fol. Blatt 53.

Kopia listu Biskupa y Wojewody Chełmińskiego y Wojewodów, Malborskiego y Pomorskiego, do Króla Pruskiego, d. 17. września 1772 pisanego. Abschrift aus derselb. Zeit. Fol. Blatt 54.

Kopia ordynansu przez generała pruskiego Bellinga żołnierzom pruskim na exekucyą do prowincyi pruskiey w Województwie Pomorskim, d. 14. lutego 1772 danego. Abschriften aus derselben Zeit. Fol. Blatt 60 (Rückseite).

Juncta reformationis cleri religiosorum. Abschr. aus dem vorig. Jahrh. Ohne Datum. Fol. Blatt 72.

Duranc, posła francuzk., Mowa do Katarzyny II. (Ohne Datum. 1772?) Abschr. aus dem vorigen Jahrh. Fol. Blatt 76.

Tegoż Mowa do W. Księcia. . . . Fol. Blatt 76.

Propozycya Jego Król. Mośoi Radzie Senatu p. d. 6. paźdź. 1772 naznaczoney przedłożona. Abschr. a. derselb. Zeit. Fol. Blatt 67.

Literae Reg. Poloniae ad Reg. Galliae. Varsoviae, d. 27. octobr. 1772. Abschr. aus ders. Zeit. Fol. Blatt 75 und 80.

Literae ejusd. ad Imperator. Romanum Josephum II. de die 27. Octobris 1772. Abschr. aus derselb. Zeit. Fol. Blatt 77.

Literae ejusdem ad Imperatricem et Hungariae Bohemiaeque reginam de die 27. Octobris 1772. . . . Fol. Blatt 77.

Literae ejusdem ad Pontificem Maximum (Clementem XIV.) . . . Fol. Blatt 78.

Stanislai Augusti, Pol. Reg., Literae ad Lusitaniae regem, de die 27. Octobr. 1772. Abschr. aus ders. Zeit. Blatt 79.

Ejusdem Literae ad Hispaniae regem, de die 27. Octobr. 1722. . . . Fol. Blatt 79. Rückseite.

Kopia listu Stanisł. Augusta do Katarzyny II. z dnia 31. paźdź. 1772. . . . Fol. Blatt 81—82.

Uwagi nad deklaracyą Dworu Wiedeńskiego, Petersburgskiego y Berlińskiego względem podziału Polski r. 1773. Abschr. aus derselb. Zeit. Fol. Blatt 83—86.

Uwagi, dla czego nie może przyiść do podziału Polski, . . . przez obywatela Oyczyznie swey dobrze życzącego, r. 1772 zebrane. Fol. Blatt 88—99.

Reprezentacye . . . szlachcica polskiego, adressowane do Cesarzowey y Królowey węgierskiey, z języka francuskiego przetłumaczone. Abschr. aus dem vorig. Jahrh. Fol. Blatt 100—101.

Treść wiadomości . . . o Pomeranii, z francuzk. języka wytłumaczona. . . . Fol. Blatt 102—105.

Sprawozdanie Rady Senatu o stanie Polski z d. 19. paźdź. 1772. Abschr. aus derselben Zeit. Fol. Blatt 74.

Manifest Kazimierza Puławskiego (bez daty, 1771?) Abschr. aus derselben Zeit. Fol. Blatt 106—107.

Recess Walewskiego, marsz. Krakowsk., z d. 24. paźdz. 1772. [Gegen die seitens der Confoederirten von Bar erfolgte Proclamirung des Interregnums.] Abschrift aus derselb. Zeit. Fol. Blatt 108.

Plakat. [In diesem Plakat erklärt der Gouverneur von Weiss-
Russland, Gener. Graf Zacharias Czerniszew, dass die
Kais. Katharina II. die polnischen, auf dem rechten Ufer
der Düna gelegenen Länder ihrem Reiche incorporiren
werde, Petersburg 1772.] Abschr. aus derselb. Zeit. Fol.
Blatt 55—56.

Nos Maria Theresia. Datum: Die 11. Septembris 1772.
[Zeigt an, welche polnischen Landestheile sie ihrem Reiche
einverleiben wird.] Abschrift aus derselben Zeit. Fol.
Blatt 73.

Kochowski, Michał, Publikacya sekwestracyi dóbr
w krajach białoruskich. . . . Fol. Blatt 108—109.

Tenże. Publikacya o kursie monety w krajach Białoruskich. . . . Fol. Blatt 109. (Rückseite)

Czerniszewa, Generala, Dyspozycya po zabraniu Białorusi.
Petersburg 1772. Abschr. aus derselb. Zeit. Fol. Blatt
110—112.

Kopia listu generała Kochowskiego do p. Rychtera
pisanego (z annexami. Bez daty. 1772?) . . . Fol. Blatt
113—117.

Sołłohuba, Józefa, wojew. witebsk., Memoryał do gener.
Kochowskiego, gubern. prowinc. mohylow., przez Onufr.
Roszkowskiego 9. listopada 1772 roku podany. . . . Fol.
Bl. 118. Vgl. Nr. 238 die Bemerkung auf dem Vorsatzblatt.

Mowa posłów orszańskich do Katarzyny II. w Petersburga
miana. Bez daty. Abschr. aus d. vorigen Jahrh. Fol.
Blatt 119.

Mowa do Katarzyny II. (Ohne Datum und Angabe der
Namen der Redner.) . . . Fol. Blatt 120.

　　　Mowa do Generała Gubernatora. . . . Fol. Bl. 120.

Propozycye Jego Król. Mości Radzie Senatu z d. 8. lut.
1773 przedłożone. Original-Abschr. der Königl. Kanzlei
für den Wojewoden von Witebsk, Jos. Sołłohub. Fol.
Mit Insiegel. Blatt 121—122.

Oryginalne pismo Król. do wojew. witebsk., Józefa Sołłohuba, z d. 3. grud. 1772. Fol. M. d. eigenh. Unterschr.
des Königs und unter Beidruck. des gross. Staatssiegels.
Blatt 123—124.

Propozycye Jego Król. Mości Radzie Senatu z d. 25. maja
1767 przedłożone. Odpis wojewod. witebskiemu prze-
słany. Abschr. Fol. Blatt 191—192.

List oryginalny Stanisł. Augusta do Józ. Sołłohuba, woje-
wody witebsk., z d. 3. lipca 1767. Mit eigenhänd.
Unterschr. des Königs und unter Beidrück. des grossen
Staatssiegels. Fol. Blatt 193—194.

1. Surowskiego, marszałka nadwornego W. X. Lit., Mowa na senatus consilium z d. 6. paźdz. 1772 miana. Abschr. aus derselb. Zeit. Fol. Blatt 69.
2. Lipskiego, Tadeusza, Mowa na radzie senatu dnia 12. października 1772 w Warszawie miana. . . . Fol. Blatt 70.
3. Lipskiego, Tadeusza, Mowa na Radzie Senatu z dnia 8. lut. 1773 w Warszawie miana. . . . Fol. Blatt 125.
4. Prebendowskiego, kasztel. elblągsk., Mowa na radzie senatu d. 12. paźdz. 1722 miana. . . . Blatt 71. Fol. (Rückseite.)
5. Senatora pewnego, (w ukryciu zostaiącego) Mowa na senatus consilium d. 15. paźdz. 1772 miana. . . . Fol. Blatt 71.

Mowa biskupa wileńskiego na senatus consilium d. 8. lutego 1773 miana. Abschr. aus derselb. Zeit. Fol. Bl. 126.

Mowa Turskiego, biskupa łuck., na radzie senatu dnia 8. lut. 1773 miana. . . . Fol. Bl. 127—129.

Mowa Kasztelana wyszogrodzkiego na radzie senatu d. 8. lut. 1773 miana. . . . Fol. Bl. 130—133.

Mowa Sosnowskiego, wojew. smoleńsk., na radzie senatu d. 10. lut. 1773 miana. . . . Fol. Bl. 134—135.

Mowa Podhorodeńskiego, kasztel. czernieck., na radzie senatu d. 10. lut. 1773 miana. . . . Fol. Bl. 136—137.

Puławskiego, Kazimierza, Explikacya w sprawie obwinienia go o królobójstwo. Abschr. aus d. vorig. Jahrh. Fol. Bl. 138.

Klemensa XIV., papieża, List do biskupa krakowsk., za powrotem tegoż z niewoli pisany. Dat.: Romae 6. Martii 1773. Abschr. aus ders. Zeit. Fol. Bl. 139.

Na powrót senatorów, wiersz. Abschr. Fol. Bl. 148—149.

Doktor paryski, niezawodne defekta monarchów poznawający. Abschr. Fol. Bl. 149.

Kopia listu biskupa Kamienieckiego do biskupa Krakowsk. z Opola dnia 25. lutego 1773 pisanego. Abschrift. Fol. Bl. 150.

Reflexye biskupa Kamienieckiego, przysłane z Podola bisk. Krakowskiemu pod tytułem: Głos dobrego obywatela do współbraci swoich z reflexyami nad nadchodzącym seymem. Abschr. Fol. Blatt 152—155.

Manifest województwa kijowskiego przeciw sejmikom, 1773. Abschr. Fol. Bl. 157.

Rekwizycya kancl. koronn. względem ścigania złodzieja, który okradł Rzewuskiego, gen. moskiewsk. Abschrift. Fol. Bl. 158—159.

List biskupa krakowskiego do barona Stackelberga, ministra rossyjsk., z Kielc, d. 6. kwiet. 1773 pisanego. Tłomaczenie. Abschr. Fol. Bl. 160—161.

W imię cesarskie, asudarskie y króla pruskiego. Ein politisch-satyr. Vaterunser, dem ebensolche Zehn Gebote folgen. Abschr. Fol. Blatt 151.

Wiadomości partykularne z Warszawy, pro 1. Aprilis 1773. (Polit. Satyre.) Abschr. Fol. Bl. 162—163.

Konnotacye konstytucyi, których trybunały . . . słuchać nie chcą. Abschr. Fol. Blatt 164—165.

Projekt ujęcia niezmiernych expensów kadencyi trybunałów. Abschr. Fol. Bl. 166—167.

Manifest przez posłów Województwa nowogrodzkiego spisany. Unterz.: Tad. Reytan. Samuel Korsak. Abschr. Fol. Bl. 173.

Mowa Korsaka na sessyi seymu (przeciw konfederacyi) miana. Abschr. Fol. [Daten sind aus dieser Rede nicht ersichtlich.] Blatt 172—173.

Mowa biskupa smoleńskiego, na zaczęciu seymu dnia 24. kwiet. 1773 miana. Abschr. Fol. Bl. 175—176. — II. K. b. 19.

240.

1. Gesetze der Sułkowskischen Ordination. Abschr. Fol. Bl. 1—9.

2. Familien-Schluss wegen Ergänzung und Abänderung mehrerer Bestimmungen der Fürstlich Sułkowskischen Ordinations-Urkunde vom 16. Januar 1783. Abschr. Fol. Bl. 10—16.
   Angeheftet:

3. Ustawa ordynacyi Xiążąt Sułkowskich. Stiftungsurkunde der Fürstlich Sułkowskischen Ordination. O. Druckd. Fol. 26 Blatt. — II. K. b. 20.

241.

Liber magistralis privilegiorum, comitialium generalium et provincialium, diffinitorialium et secretorum conventuum antiquae regularis observantiae, anno Domini 1710. Fol. Original-Manuscr. 100 Blatt. [Bezieht sich zum grossen Theil auf das Kloster zu Bromberg.] — II. K. b. 21.

242.

Młodziejowskiego, X. kancl. w. koronn, Listy. Abschr. aus dem vorig. Jahrh. Fol. 540 Seiten. [Seite 113, 164

bis 218, 236—262, 271—276, 278—282, 308—326, 332—346, 349—352, 370—398, 406—424, 490 u. 521 unbeschr.] Enthält:
1. Listy do p. Żeleńskiego, kommissarza, pisane. Seite 1—112.
2. Listy do tegoż. Seite 114—163.
3. Listy do p. Przyłuskiego pisane 1769—1771. Seite 219—234.
4. Listy do tegoż pisane 1772. Seite 235.
5. Listy tegoż do Xięcia Xawerego Lubomirskiego 1772—1773 pisane. Seite 263—270.
6. List tegoż do Xięcia Józefa Lubomirskiego, 24. paźd. 1772 pisany. Seite 277.
7. Listy tegoż do p. Dziegciowskiego, 1769—1773 pisane. Seite 283—308.
8. Listy tegoż do Alexandrowicza 1770 pisane. Seite 327—331.
9. Listy tegoż do p. Juriewicza, pisane 1770. Seite 347—348.
10. Listy tegoż do Xiężney Lubomirskiej pisane 1770—71. Seite 353 - 268.
11. Listy tegoż do Xięcia Kaspra Lubomirskiego, 1768 do 1771 pisane. Seite 399—405.
12. Listy tegoż do różnych znakomitych osób pisane 1768—1773. Seite 425—540. — II. K. b. 22.

243.

Lauda sejmików średzkich z lat: 1581, 1587, 1588, 1598—1606, 1632—1701, 1715, 1716, 1717, 1720, 1733, 1735 i 1790. Abschriften aus dem J. 1830, angefert. durch den Grod-Archivar Bekanowski. Fol. 82 Blatt. — II. K. b. 23.

244.

Neugebaur, Beiträge zur Geschichte der Staedte im Grossherzogthum Posen. [Urkundenabschriften aus unserem Jahrh. Der Schluss fehlt. Enthält urkundl. Beiträge zur Gesch. der Städte im Reg.-Bez. Bromberg.] Fol. 209 Blatt. — II. K. b. 24.

245.

Abschriften verschiedener Schriften aus dem Stettiner Archiv (Polen betreffend, angefert. vor dem Jahre 1840.) Fol. 22 Blatt. Inhalt:
1. Commoditates, quae electionem princ. Sigismundi III. certo sequentur, respecta eorumque Moschus offert. (Dialog.) Bl. 1—3.

2. Omen faustum. Sereniss. . . . Sigismundo III. . . .
scriptum. Bl. 3—4.
3. Theocriti Strantandri . . . pro Sereniss. rege (Sigismundi III.) electo Elegia. Bl. 4 (Rücks.) bis 6.
4. Zeitung auf der Wilda 14—24. Juni 1611. Bl. 7—8.
5. Zeitung aus der Moskow. Bl. 10.
6. Aus Warschow in Polen. Bl. 11.
7. Aus Warschow in Polen. Bl. 12.
8. Ex castris Rokossanorum 16. Maii 1607. Bl. 13.
9. Ex Polonia. Vienna Austriae, d. 22. Aprilis 1607.
Bl. 13—15.
10. Neue Zeitung aus Cracaw, d. 9. Decemb. (15)87.
Aliud. — In Mogillam. — Ad eandem. Bl. 16—18.
11. Aus Cracow, den letzten Decembris (1587). Ex aliis
literis ejusdem datae (!) excerptum. Bl. 19—20.
12. Summarum expensarum expeditionis Moschoviticae,
anno 1609—11. Bl. 21—22.
13. In porta civitatis Varsaviensis . . . in honorem . . .
Sigismundi (III.) reducis inscripti leguntur versus
(etc. sequentes). Bl. 9. — II. K. b. 25.

246.

Listy i mowy rozmaite z lat 1763 do 1765, tyczące się spraw
polskich. Abschriften aus derselb. Zeit. Fol. Bl. 1—116.
[Vom H. Ant. Pstrokoński, welcher dies. Mscr. der
Raczyńskischen Biblioth. geschenkt hat, ist Folg. bemerkt
„Od pana Bogum(iła) L(indego)."] Unvollständig, der
Schluss und mehrere Blätter in der Mitte fehlen. — II.
K. b. 26.

247.

Odpisy rozmaitych druków i rękopisów, zawierających mowy,
listy etc., tyczących się Polski, od r. 1722—1738. Abschr.
aus derselb. Zeit. Fol. Blatt 189. [Unvollständ., die
ganze Lage der Hdschr., die Jahre 1722—37 umfassend,
ist herausgerissen. Vom H. Ant. Pstrokoński, welcher
diese Handschr. der Raczyńsk. Biblioth. geschenkt hat,
ist Folgendes bemerkt: „Od p. Bogum(iła) L(indego.")] —
II. K. b. 27.

248.

Materyały do panowania Stanisława Leszczyńskiego. Abschrift aus uns. Zeit. 4°. 12 Blatt. — II. K. b. 28.

249.

1. Zbiór różnych transakcyi, listów, mów, korrespondencyi monarchów, tak oryginalnych, jako i kopii, znajdujących się w archiwum Xięcia Maxymiliana Jabłonowskiego. [Dieses Verz. enth. 838 Nummern.] Blatt 1—33. — 4°.
2. Romans o Bonie królowey, drugiey żonie Zygmunta I., króla polskiego, 1588. Abschr. aus unserer Zeit. Blatt 34—65.
3. Deklaracya listowna cesarza tureckiego przedwiedeńska, przesłana Cesarzowi Chrześciańskiemu. Abschrift aus unserer Zeit. Bl. 66—67.
4. Supplika Prawdy do Królowey Jeymości. Abschr. aus uns. Zeit. 4°. Bl. 68—69. [Eine satyr.-polit. Schrift aus der Zeit des Königs Johann Sobieski.]
5. Uniwersał Króla Szwedzkiego (Karola XII.), powołujący do konfederacyey. Abschr. aus unserer Zeit. Blatt 70—71.
6. Respons P. Pipera, najwyższ. konsyl. szwedzk., do xięcia Kardynała z obozu pod Krakowem, z 27. list. 1702. Abschr. aus uns. Zeit. Bl. 72.
7. Uniwersał Króla Szwedzkiego, (Karola XII.) z Długiej Wsi, d. 2. maja 1702 r. wydany. Abschr. aus uns. Zeit. Bl. 74.
8. Pożegnanie Króla JMci Jana III., z zamku warszawskiego do Bielan przesłane dnia 12. kwietnia 1697. Abschr. aus uns. Zeit. 4°. Bl. 75.
9. Dyaryusz, co się działo po śmierci Króla JMci Jana III. 1696. Abschr. aus uns. Zeit. 4°. Blatt 76—81.
10. Pieniążka, wojew. sieradzk., Mowa przy determinacyey extraordynaryjney konfederacyey w Warszawie, 2. paźdz. 1696, miana. Abschr. aus unserer Zeit. 4°. Blatt 82—83.
11. Kopia listu Mazeppy, do magistratu we Lwowie pisanego. Abschr. aus uns. Zeit. 4°. Bl. 84.
12. Mowa Slizenia, referend. W. X. Lit., do Cara mosk. d. 20. Czerwca 1705 miana. Abschr. aus uns. Zeit. 4°. Bl. 85.
13. Respons Cara przez Gołowina, kancl. moskiewskiego. Abschr. aus uns. Zeit. 4°. Bl. 86.
14. Rokosz Gliniański, albo pospolite ruszenie 1379 (1380). Abschr. aus uns. Zeit. 4°. Bl. 87—91.
15. Oracya do Króla (Ludwika). Abschr. aus uns. Zeit. 4°. Bl. 91—92. — II. K. b. 29.

250.

Młodanowicza, syna zamordowanego rządzcy dóbr humańskich, Pijara, Opis rzezi humańskiej, ofiarowany Bibl. Raczyńskich, przez hr. A. Przezdzieckiego. Orig.-Mscr. aus dem vorigen Jahrhund. 20 Blatt. 4°. — II. K. b. 30.

251.

[Belidor.] Extrait de l'architecture hydraulique de Feu Mr. de Belidor professeur du corps royal d'Artillerie à l'école de la Ferre, par C. L. Chev. de Sirejean d'Obreuil. Cet Extrait a été fait en 1771, étant Lieutenant d'Artillerie au Service de S. A. S. le Duc de Wirtemberg. 2 + 269 Stn. u. 22 col. Handzeichnungen. 4°. — II. K. b. 31.

252.

Rościszewski, Adam, List do JW. Hr. Edwarda Raczyńskiego, bez daty. „Posyłam dary do założonego przez JW. P. Hrabiego księgozbioru w Poznaniu." [Diese Geschenke siehe: II. K. b. 32 u. 32a, ferner: II. K. b. 36 u. 37.] Vorliegendes Heft enthält:

1. Collationes Salomonis cum Marcolpho. Rozmowy Salomona z Marchołtem. Abhandl. Mit einem Facsimile. Bl. 3—4.
2. Angeheftet: Kwěty, narodnj zabawnik pro Čechy, Morawany a Slowáky. Drei versch. Nummern aus d. J. 1839 u. 1840. Blatt 6—20. Nowiny z oboru literatury, uměnj a věd. Acht verschied. Num. aus d. J. 1840 u. 1841, Bl. 21—36, welche Artikel über poln. Lit. enthalten und darunter eine Recension über: Gabinet medalów polsk. Edw. hr. Raczyńskiego. (Blatt 9.)
4°. — II. K. b. 31.

253.

Konwolut rękopisów, zawierający:

1. Rościszewskiego, Adama, list do bibliotekarza Biblioteki Raczyńskich, redakt. „Orędownika" (p. Józ. Łukaszewicza), z dnia 5. kwiet. 1841. Bl. 2—3.
2. Głowackiego, Jakóba, tłomaczenie krytyki Pism Xięcia Antiocha Dymitrjewicza Kantemira. Blatt 4—11.

3. „Rozmaitości" nr. 37 z roku 1840, pismo czasowe
lwowskie, na str. 307: O „Pamiętnikach Janczara
Polaka." Bl. 15. Zusammen 15 Blatt in 4°.
— II. K. b. 32.

254.

Rościszewskiego, Adama, Wyjątek z listu pisanego
do Wacława Hanki. Original. 10 Blatt. [Ueber versch.
poln. und böhm. literar. u. archäolog. Gegenstände.] 4°.
— II. K. b. 32 a.

255.

De la géographie. Suite. De l'Europe, seconde et dernière partie. Orig.-Mscr. 208 Bl. [Auf Blatt 2 befindet
sich das folg. Datum: „Rogalin, 1779" u. auf d. Deckel
diese Notiz: „Rendu à Thérèse Lubomirska par la grande
mère l'an 1809."] 4°. — II. K. b. 33.

256.

Prześladowania Akademii Wileńskiey przez rząd rossyjski
w latach 1823 i następujących. Orig.-Mscr. 22 Blatt.
Gedruckt: Lelewel, Nowosilcow w Wilnie. [Cf. Polska
dzięje i rzeczy jéj. Tom. VII.] 4°. — II. K. b. 34.

257.

Orzelski, Świętosław, O bezkrólewiu w Polsce ksiąg
VIII., napisanych 1576. Uebersetzung aus uns. Jahrh.,
die nur das erste Buch des Orzelskisch. Werkes enthält.
294 Blatt. Vgl. Nr. 235. 4°. — II. K. b. 35.

258.

O rękopisie znalezionym po wydrukowaniu kroniki Parkosza w r. 1825 z rękopisu generała Morawskiego. Orig.-
Mscr. aus uns. Jahrh. 28 Blatt. 4°. — II. K. b. 36.

259.

Rozbiór pierwszych trzech rozdziałów rękopisu wydruko-
wanego w roku 1825 z nazwiskiem „Kronika Parkosza."
Orig.-Mscr. aus uns. Jahrh. 30 Blatt. 4°. — II. K. b. 37.

260.

Consilium rationis bellicae. Die Vorrede in lateinischer, das Werk in polnischer Sprache verfasst. Abschr. aus uns. Zeit. 60 Blatt. Am Schluss: „Za rozkazaniem y nakładem Wielm. P. Jana Tarnowskiego, kasztel. krak., . . . Łazarz Andrysowicz drukował w Tarnowie 1558, d. 9. marca." [Dieses Mscr. ist die Abschrift des (wahrscheinlich einzigen) auf Pergament gedruckten Exemplars, welches sich in der Biblioth. des Fürsten Adam Czartoryski in Puławy befand.] 4°. — II. K. b. 38.

261.

Relatio, Epistolica, equitis Poloni ad amicum de proelio auspiciis Sereniss. . . . regis Vladislai IV., ductuque . . . Stanislai a Koniecpole Koniecpolski . . . contra Tartaros ad Achmetoviam, d. 30. Januarii 1644 feliciter commissi. Dantisci apud Andream Hünefeldium 1644. Abschrift. 30 Blatt. — II. K. b. 39.

262.

Relation, Ausführliche, von dem, was in der Hauptschlacht bei Chocim zwischen den Kgl. Polnisch. und Littauischen Armeen und den des Erbfeindes des christlichen Namens . . . vorgegangen . . . Im Jahr 1673. Abschrift aus uns. Zeit. 7 Blatt. 4°. — II. K. b. 40.

263.

Extract eines Schreibens aus Krakau, vom 4. Juny, das polnische Kriegswesen betreffend, auch wie die polnische Armee unlängst die Tartarn und Kosaken . . . in die Flucht geschlagen. Gedruckt im Jahre 1651. Abschrift. 4 Blatt. 4°. — II. K. b. 41.

264.

Relatio gloriosissimae victoriae . . . Joannis Casimiri . . . Regis . . . de Hano Crimensi rebellibusque Cosacis foederatis d. 30. Junii 1651 apud Beresteczko obtentae. Abschr. aus uns. Zeit. 19 Blatt. 4°. — II. K. b. 42.

265.

Bericht von dem Heereszuge, dem . . . Fortgange und dem . . . mit den Feinden getroffenen Frieden Johann Casimirs, Königs von Polen und Schweden etc. Abschr. aus uns. Zeit. 26 Blatt. 4º. — II. K. b. 43.

266.

Pacta matrimonialia Regis Angliae, Jacobi III., (praetendentis) cum principissa Maria Clementina (Sobieska), 1708. Abschr. aus uns. Zeit. 12 Blatt. 4º. — II. K. b. 44.

267.

Relation, Wahrhaftige, aus dem Kgl. Polnischen Feldlager, von der Victori gegen die Tartarn und Kosaken, d. 28., 29. u. 30. Juni 1651. Abschrift aus uns. Zeit. 12 Blatt. 4º. — II. K. b. 45.

268.

Beschreibung, Eigentliche, vom Aufzuge des Moskowitischen Gross-Fürsten kegenst die löbl. Crohn Pohlen anno 1654. Abschrift aus uns. Zeit. 4º. 6 Bl. — II. K. b. 46.

269.

1. Bericht von dem Zustande der Stadt Schmolensko zu itziger Zeit anno 1654.
2. Briefe aus der Ukrayne.
3. Extract aus einem anderen vertrauten Schreiben. Abschriften aus uns. Zeit. 4º. 3 Blatt. — II. K. b. 47.

270.

Testamentum Principis Polon. Jacobi Ludovici. 1735. Abschr. aus uns. Zeit. 4º. 18 Bll. — II. K. b. 47 a.

271.

Bericht, Gewisser, aus dem Königl. Polnischen Lager bei Berestecko . . . vom 28. Juni bis zum 3. Juli 1651. Abschrift aus uns. Zeit. 4º. 12 Bl. — II. K. b. 47 b.

272.

Puncta inter Ducem Moscoviae et nobilitatem Lithuaniae . . . d. 6. Decembr. 1655. Abschr. aus uns. Zeit. 4°. 6 Blatt. — II. K. b. 47 c.

273.

Steinhauser, Mémoire sur les husars pancernes, towarczyc (sic) etc. Schrift aus uns. Zeit. 4°. 10 Bl. — II. K. b. 47 d.

274.

Kowiński, Ignacy, Popraw się, komedia w 1. akcie oryginalnie napisana . . . Jaśnie Wielm. Hrabiemu Edwardowi Raczyńskiemu w hołdzie szacunku imienin poświęca Autor. Orig.-Mscr. 4°. 33 Blatt. — II. K. b. 48.

275.

Nachricht von der Stadt Meseritz. Mscr. 4°. 383 Blatt. Vgl. Nr. 282. — II. K. b. 49.

276.

Sarbiewsky, M. K., Lyrische Gedichte von —, metrisch ins Deutsche übersetzt von A. J. Rathsmann, Professor der schönen Wissenschaften in Breslau. Wohlau, 1816. 4°. [Mit Randleisten, Vignetten und dem Bildn. d. Verf. G. F. W. v. Finck inv. et del.]
Abschrift der Rathsmannschen Uebersetzung, bemerkenswerth durch die Kalligraphie und die zierlichen Randleisten und Vignetten, von künstlerischem Werthe, Halbmaroquinbd., mit Vergoldungen und Goldschnitt. (4°. 140 Stn.) — II. K. c. 1.

277.

„Wiersze do Marcinkowskiego."
1. Ordynackie. Ballada.
2. List do Jaxy z okoliczności uniknionego pojedynku.
3. Jaxa zniecierpliwiony.
4. Nieśmiały uczeń do Mistrza.
5. Skarga bździny na Kajetana J. M., że zawsze o samych tylko Zefirach pisze.
6. Marcinkowski do Godebskiego.
   Manuscript. 4°. 8 Bll. — II. K. c. 2.

278.

Nottes sur le masque de fer. Envoiëe de Paris au Roi de Pologne. (Verfasst nach 1778, cf. pag. 18.) 4°. 30 Stn. Abschrift von einer des Französischen unkundigen Hand mit vielen orthographischen und Schreibfehlern.) — II K. c. 3.

279.

Voragine, Jacobus de, Legenda sanctorum. Lombardica historia.

Die Handschrift beginnt mit: De sancto Germano, (in der gedruckten Ausg. Strasb. 1486. Nr. CII.)

De sancto Stephano papa. Gedr. CVI. fehlt im Mscr.

De sancto sixto. CIX. fehlt im Mscr.

De sanctis Felice presb. et Adaucto. CXXI fehlt im Manuscript.

De S. Mamertino. CXXIV. fehlt im Mscr.

Statt CXXXIX. De sancto Forseo: hat das Mscr. De scto. Wentzeslao.

Im Mscr. folgt auf S. Lucas evang., De Forseo sancto.

Auf den h. Martinus folgt im Mscr. Passio scti liuini (von fol. 156—168 b.) Dann folgt wie im Druck S. Briccius. — Nach der Erzählung: De scto Jacobo interciso. Mscr. fol. 198—200. Druck. Nr. CLXIX., folgt in der Handschr. De conversione regis Josaphat. Barlaam cuius hystoriam iohannes damascenus diligenti studio conpilauit.

Die alte Handschrift schloss mit der Dedicatio templi, wie im Druck auch die Legenda Lombardica explicit. Im Mscr. folgt eine Predigt uber Lucas cap. XI. v. 33 von anderer Hand. Mscr. des XIV. Jh. auf Pergam. „Liber monasterii Zambricz." Vgl. Nr. 157. 242 Bll. 4°. — II. K. c. 4.

280.

(Staszic, Stan.) Ród Ludzki, poema dydaktyczne Stanisława Stasicza w Warszawie, w drukarni Jego Cesarsko-Krolewskiey Mości Rządowey, 1820 roku. Tom. 1, 2, 3. Odpis. 4°. — II. K. c. 5—7.

281.

Instrukcya dla cmentarzowych kopaczy, mających dozorować nowo wystawiony Przysionek śmierci i złożone

w nim ciała zmarłych przed pogrzebaniem onych. (Jak
podana do magistratu.) 4°. 8 Bll. — II. K. c. 8/1.

Instruction für den Todtengräber und Leichenwärter, ingleichen über die Benutzung des neuen Leichenhauses,
wie sie dem Magistrat eingereicht worden ist. Eisenach,
d. 7. Junii 1830. Der Magistrat daselbst. 4°. 16 Bll. —
II. K. c. 8/2.

Verordnung Sr. Königl. Hoheit des Grossherzogs über die
Einrichtung des Kirchhofs in Eisenach vom 12. Januar
1830. Druck. 4°. — II. K. c. 8/3.

Begräbniss-Ordnung für die Stadt Eisenach, dat. Weimar, am 15. Juni 1830. Druck. 4°. — II. K. c. 8/4.

Leichenhaus zu Eisenach. Aufriss u. Grundriss, cop. von
C. Bach. 4°. — II. K. c. 8/5.

Schreiben des Stadtraths CWC. May. Eisenach, d. 15. Apr.
1843 an den Grafen Eduard von Raczyński betreff. das
Leichenhaus und die Instruction für Todtengräber und
Leichenwärter. (In Originali.) — II. K. c. 8/6.

282.

Zachert, Predigers zu Neutomischel, Nachrichten von der
Stadt Meseritz. 4°. 195 Bll., wovon am Ende 2 unbeschrieben sind. 4°. Vgl. Nr. 275. — II. K. c. 9.

283.

Nasredin Hodscha, ein Lustspiel in vier Aufzügen, in
türk. Sprache; dass. ins Deutsche übersetzt aus dem
Türkischen von Johann Lippa. Die Handlung geht vor zu
Konia, einer Stadt in Caramanien.
  Nasreddin Hogea, comédie en 4 actes, traduit du turc
par J. de Franc.
  L'Impiego di Nasreddin Hogea, comedia in 4 atti. Tra-
dotta dal Turco da Gio. de Franc. 4°. 108 Bll. 19 Jahrh.
— II. K. c. 10.

284.

Begebenheiten, Seltsame, Achmeds, eines Schusters, ein
türkisches Lustspiel in drei Aufzügen. 4°. [In türkischer
Sprache und beygefügten Uebersetzungen in die deutsche
und französische Sprache von Johann Lippa, und ins Italienische von Testa, (im Jahre 1809). 4°. 194 Bll. — II.
K. c. 10 a.

285.

Raczyńskiego, Generała Wielkopolskiego, Marszałka Rady, Mowy sejmowe, od 12. 9bris 1782 do 13. 8bra 1784. Manuskrypt (własnoręczny?) 4⁰. 118 Bll. — II. K. c. 11.

286.

Napoleona Ustawa Konstytucyjna dana Xięstwu Warszawskiemu w Dreźnie, 22. Lipca 1807 r. 4⁰. (Poln.-franz.) 27 Bll. — II. K. c. 12.

287.

Plinius. Trajan polski czyli Panegiryk Pliniusza W. Konsula Nerwie Trajanowi Cesarzowi Rzymskiemu z wyroku senatu poświęcony, a z okazyi Ustawy Rządowéy, na dniu 3. Maja 1791 roku zapadłey, tudzież i powszechney całego kraju polskiego radości, na język oyczysty przeniesiony przez Wincentego Borkowskiego w Warszawie, u P. Dufour. 4⁰. Handschriftl. Copie aus dem 19. Jahrhundert, mit vielfachen Correcturen. 210 Seiten. — II. K. c. 13.

288.

Enchiridion fidei, compendium veritatum libri primi Sententiarum metrice recollectum, veteris ac noue legis etc. 4⁰. 21 Bll. Schliesst: ffinis hujus Anno Doi 1510. — III. O. n. 14/2.

Declarationes nominum dictorum de deo secundum doctrinam doctoris illuminati. 4⁰. 8 Bll. — II. K. c. 14.

289.

Manuscript der Taktik. 192 paginirte Seiten und 130 Handzeichnungen. Ende des vorigen Jahrh. Wahrscheinlich von der Hand des „De Thiollaz." 4⁰. — II. K. c. 15.

290.

Instruction der Königlich Preussischen Nieder-Schlesischen Infanterie pro 1807. Manuscript. 4⁰. 2 Bll. Register und 239 Stn. Text. Am Ende: „Breslau, den 30. Maerz 1803. Friedrich Ludwig Fürst zu Hohenlohe." — II. K. c. 16.

291.

Aeneas Sylvius. Eine Handschrift aus dem 15. Jahrhundert, enthaltend Briefe und Abhandlungen des Aeneas
Sylvius auf 162 Blättern in 4°. — III. V. e. 6.

Aeneas Sylvius, Poeta, salutem plurimam dicit domino
Johanni de aich perspicaci et claro Juris consulto. Stultos
esse, qui regibus seruiunt. De curialium miseria. Fol.
25 a. Vale uir, nisi ex curialibus vnus esses, meo judicio
prudens. Ex protz prima kalendas decembris Anno domini Mo. CCCCo. XLIV°. pag. 1—25.

Aenae Sylvii epistolae. Julianus Cardinalis sancti
anguli, apostolice sedis legatus etc. doctissimo viro dno
Enee Siluio de Senis, amico carissimo, Serenissimi domini
Regis Romanorum secretario. Amantissime Enea gaudeo
te esse apud serenissimum dominum Regem in loco hono-
rabili et te digno . . . (Beginnt mit dem Briete 1. der
Nürnberger Ausgabe vom J. 1481; — die Briefe folgen
aber nicht der Ordnung jener Ausgabe; pag. 140 b. schliesst
die Sammlung mit dem Briefe 21. der Nürnberg. Ed. v.
J. 1481. pag. 25—141.

Aeneas Sylvius, Illustrissimo principi ex sanguine caesarum sato dno Sigismundo austrie duci Thirolisque Comiti
dno suo secundario. (Nürnberg. Ausg. v. J. 1481, Brief
105.) Schliesst p. 96 a. Vale iam tandem et me quantum
Cesar permittit tuum habeto. Ex Gretz nonis Decembris
Anno domini Mo. CCCCo. XLiijo.p. 84—96.

Aeneae Sylvii, Poete Senensis, de duobus Amantibus,
Eurialo et Lucretia, opusculum ad Marianum Sosinum
feliciter incipit. Pag.157 a. . . . nec amatorum bibere po-
culum studeant, quod longe plus aloes habet quam mellis.
Vale ex Wienna quinto nonas iulii Anno 1443. pag.
141—157.

Aeneae Sylvii Epistolae 77, 79, 80, 83 et 84, editionis
Norimbergensis anni 1481. pag. 157—162.

292.

(Friedrich II.) Königl. Preussische Maximes über die
Haubt-Puncten von denen grössern Manoeuvres des
Kriegs, wie solche von Sr. Maj. eigenhändig entworffen,
und in der Chatoulle eines Hochstdero in Gefangenschafft
gerathenen Generalen gefunden worden den 23. Juny 1760.
4°. 4 + 138 Stn. Sauberes Manuscript aus dem vorig.
Jahrh. — II. K. c. 18.

293.

Discours merveilleux de la vie, actions et deportemens de Catherine de Medicis Royene mere.

Auquel sont recitez les moyens quelle a tenu pour usurper le gouvernement du Royaume de France et ruiner l'estat d'iceluy. MDLXXV. 4°. 140 Bll., 138 beschr.

Schönes Manuscript. Mit dem Wappen der Sabische „HGVS" und dem Zeichen JS., in weiss. Pergambd. Abschrift des Drucks. Brunet. II. 750.

Fol. 116. Copie des lettres enuoyées à la Royne mere par un sien seruiteur après la mort du feu Roy Henry II. — II. K. c. 19.

294.

Wiadomości o Konfederacyi Barskiéj. Manuscr. aus dem Jahre 1837. 274 Blatt. 4°. — II. K. c. 19a.

295.

Historya o Bonie Królowéy Polskiey. Mscr. Aus d. 19 Jahrh. 4°. 26 Bll. Beginnt: Zygmunt pierwszy po śmierci żony swoiey przywiedzioney na seymie od stanów Rzeczypospolitey . . . schliesst: „bo dorozumiewała się prawdzie po akcyach jego, kiedy się już sekretów królowi zwierzać przestał." — II. K. c. 20.

296.

Sermo de corpore christi. Accipite et comedite hoc est corpus meum . . . In fine 1471. 4 Bll. 4°. — II. K. c. 21.
Matheus, Episc. in Heidelsberg, De confessione.

P. 1a. Qvoniam fondamentum et ianua uirtutumque omnium . . . principium est conscientiae puritas ac cordis munditia.

P. 22a. Expliciunt dicta bona de modo confitendi composita per Reuerendum Venerandum magistrum mattheum Episcopum in heydelsberg. Acc. Registrum confessionalis magistri Mathei.

In pag. 23a. Nota. 4°. — 23 Bll.

297.

Portrait de la cour de Pologne. 4°. 92 Bll. um 1750. Auf dem Deckel: „Personages de la cour d'Auguste II. Roi de la Pologne en Saxe." Msc. in 4°. 1 vol. — II. K. c. 22.

298.

Versuch zu einer Vorlesung über die Regeln des militärischen Styls. I. Abschnitt, welcher den niedern militärischen Styl oder die gewöhnlichen, in der Kompagnie u.
im Regimente vorkommenden Dienstschriften enthält. 4°.
146 Stn. — II. K. c. 23.

299.

Solikowski, Joan. Demetrii, poemata. De natali Jesu
Christi. De tribus magis. Jconica meditatio passionis
et resurrectionis Domiuicae. Craco., 1562. 4°. Abschrift.
19. Jahrh. 54 Bll. (5 unbeschrieben.) — II. K. c. 24.

300.

Orzechowski, Stan., List do Mikołaja Radziwiła od Stanisława Orzechowskiego Okszyca, przy Conclusiach przeciwko Heretykom wydanych. Z łacińskiego w Polski
język przełożony. Geschr. im 19. Jahrh. 4°. 16 Stn. —
II. K. c. 25.

301.

Pacta matrimonialia Regis Angl. Jacobi (praetendentis)
cum principessa Maria Clementina 1703. (1718) 4°. 6 Bll.
Abschrift aus d. 19. Jahrh. die 29. Maii anno praesenti (?)
z originału przekopiowane. — II. K. c. 26.

302.

(Friedrich II.) Les Matinées du Roy de Prusse. 4°.
40 Stn. u. 1 S. Reg. Vgl. Ebert nr. 7930. „Matinées
royales ou entretiens sur l'art de régner. o. O. 1767. 8°.
Ganz in Kupfer gestochen. Mit dieser Ausg. scheint es
eine besondere Bewandniss zu haben. Ein nach dem
gedr. Exempl. handschriftl. corrigirtes Exemplar in
Dresden." — II. K. c. 27.

303.

Erster Theil Bau-Practica der Ingenieurs im Felde
bey Schantzen u. Linien. Manuscr. Ende d. 18. Jahrh.
4°. 230 Stn. und 29 Tafeln, mit der Feder gezeichnet u.
colorirt. Aus der „De Thiollaz"schen Sammlung, von
ihm selbst geschr. u. gez. — II. K. c. 28.

304.

(Niemcewicz, J. U.), Listy Litewskie, List I. Warszawa, 29. czerwca 1812. List ostatni XXIV. 4º. 163 Bll. Estreicher podaje pod wyrazem Niemcewicz tytuł: Listy litewskie. Bez wyr. miejsca Warsz. 1812 w 8ce str. 191 pod wyrazem Listy zaś dodaje „Nrów XII.", w niniejszym odpisie jest listów 24. — II. K. c. 29.

305.

Regulativ zu einer Compagnieübergabe für sämmtliche 12 Infanterieregimenter d. d. Dresden, 16. August 1803. Manuscript. 4º. 2 + 126 Stn. + 16 unbeschr. Blätt. Saubere Handschr. — II. K. c. 30.

306.

Extract Eines Aufsatzes über die Königl. Preuss. Militair-Oeconomie . . . Mit beygef. Anmerkungen, Was in diesen Stücken nach der Chur-Fürstl. Sächs. Verfassung reguliret und eingeführet ist. Manuscript. 4º. 43 Bll. Um 1775. 4º. — II. K. c. 31.

307.

Dargodzki, Maciej, Odpis albo Replika przeciw Dialogowi Ewangelickiemu ·o rożności quasi w wierze y nauce teraznich Katolików od dawnego kosciola Rzymskiego, tudzież y znaków, po których sługi Boże znać. Applicatia ku Herztom y Ministrom Euangelickim. Et tu conuersus confirma fratres tuos. 1645 4º. 1 + 54 Bll. Gleichzeitiges Mscr. — II. K. c. 32.

308.

Actus oratorius politicus IV. Kal. Novembr. An. 1654. Wschovae exhibitus.

Geschrieben von Chph. Beccer, welcher in diesem Actus oratorius zweimal auftrat. Daran schliessen sich noch andere seiner Reden, lateinische und deutsche Gelegenheitsgedichte an, die er in Breslau auf der Schule verfasste. 4º. 95 Bll. -- II. K. c. 33.

309.

[Correspondentio.] Coronatorum, Principum, Infula-
torum aliorumque insignium tum in Republica Polona,
quam in extraneis regnis virorum in rebus politicis . . .
. . . inter se frequens Corrispondentio. (sic.) Mscr. Ab a.
1510, usque ad 1604. 4°. 511 Bll. Von 436 ab unbeschr.
II. K. c. 34.

310.

Epistolae variorum virorum illustrium, quarum prima
Erasmi Rotherodami ad Jostum Ludovicum ciuem Cracoviensem; 2da. ejusdem ad Severinum Bonerum etc.
Sequuntur epistolae Stanislai Hosii. — Apologia Gedanensium ad Sigismundum I. — De electione Pontificis etc.
Fol. 49—125. Disquisitio, ad quas causas referendi sint
omnes humanorum consiliorum et actionum euentus,
atque porro suscepta aliqua de re deliberatione, quem
ejus eventum ex quibus conjecturis nobis polliceri possimus, Petri Ximenii Viri prudentissimi. 125 Bll. 4°. Von
einer Hand gleichmässig geschrieben. Bl. I.: Fr. Andr.
Brencius ord. Praed. C. Cr. 1619.

  1. Erasmus Rotherodamus Josto Ludovico (Decio?) ciui
     Cracouiensi. Dat. Friburgi Brisgoie XI. Cal. Sept.
     — M. D. XXXIV.
  2. Erasmus Rotherodamus Seuerino Bonero Zuppano
     Cracouiensi. Dat. apud Friburgum Brisgoiae Cal.
     Sept. M. D. XXXI.
  3. Erasmus Rotherodamus (Anonymo) ibid. postrid. Cal.
     Sept. M. D. XXXII. Mscr. 4°. Fol. 1—8. Abschr.
     1619.
  1. Hosius, Stanislaus Petro Bembo Cardinali (sine
     datis.)
  2. Stanislaus Hosius Lasaro Bonamico. Crac. prid. Non.
     Febr. 1536.
  3. Oratio Stanislai Hosii ad Franciscum Gwicerdinum
     praefectum orbis Bononiensis.
  4. Stanislai Hosii Poloni coram Cardinali Campeio
     Legato Apostolico Bononiae dicta pro Lazaro Bona-
     mico, ut ad docendum Graecam a Patavio Bononiam
     vocaretur. Mscr. 4°. Fol. 9—24.

Apologiae Gedanensium. Ratio doctrinae Ministrorum Ecclesiae Dantiscane et purgatio de Criminibus objectis ad
Sigismundum Primum Regem Polonię. 4°. Mscr. Fol.
25—35.

Contra Petrum Differentianum haereticum in
Prussia. Cricius respondet sub alieno nomine. Iste
Petrus fuit Pultouiensis; — Jacob Lachowski Aulicus
Cricii erat, habens bona sua alia in Polonia, alia in
Prussia Ducali. 4°. Mscr. Fol. 36—38. [1528.]
— Lachowski, Jacobus, Cricii Aulicus, eximio noue religionis
Doctori et Apostolo Petro Differentiano. Dat. in Lachow
XXII. Apr. 1528. 4°. Mscr. Fol. 38—40.
De Electione Pontificis. Fol. 41—43. De Auditoribus
Rhothe. Fol. 44. 4°. Mscr. Fol. 41—44.
Epistola Rochi Zdzarowski Carmelitae. Dat. Crac. 2 Junii
1589 ad quendam Doctorem fautorem suum. „Parentique
meae uelim persuadeas ut Cracouiam quam citissime ad-
uolet et studium suum erga me filium re ipsa declaret,
habitu monastico ornet caeteraque negotia mea admi-
nistret." 4°. Mscr. Fol. 45—46.
Petri Walcensis epistolae duae ad quendam fautorem
Illmum ac Rdissimum (Episcopum), salubriorem carcerem
petit., secundâ epistolâ rogat, ut in numerum sacerdotum iterum recipiatur. 4°. Mscr. Fol. 46—47.
Rationes et commoda ad hortum pro seminario emendum.
4°. Mscr. Fol. 47—48.
Ximenii, Petri, Viri prudentissimi Disquisitio, ad quas
causas referendi sint omnes humanorum consiliorum et
actionum eventus, atque porro suscepta aliqua de re
deliberatione, quem ejus euentum ex quibus conjecturis
nobis polliceri possimus. 4°. Mscr. Fol. 49—125. — II.
K. c. 35.

311.

Miłostki Augusta II.] 4°. 117 Bll. In reichvergoldetem
Frzbd. mit dem Monogramm SAL (Stan. Aug. Lesz-
czyński), später im Besitz des Ant. Pstrokoński. Manuscr.
— II. K. c. 36.

312.

Quinktyliana, M. Fabiusza, Wybornieysze mowy sądowe,
z łacińskiego języka wytłomaczone przez X. B. M. Siru-
cia. Wilno, w Druk. J. K. M. i Rzpltey XX. Schol.
Piar., 1769 — 1771. Xiążka pierwsza i druga. Abschrift.
4°. 4 Bde. — II. K. c. 37—40.

313.

Smolika, Jana, Fraszek księgi pierwsze. Bl. 1—27.
Przydatek niektórych żartów do Fraszek. Bl. 27—33.
Horatii Flacci Ode (I.—VII.) interprete Joanne Smolik.
Scriptum Cracoviae 1613. Poln. Uebersetz. Bl. 34—43.
Miłość Tyzby z Pyramem. Marsias, albo Satyr dworski,
Żegnanie starosty warszaw. Jerzego Niemsty. O śmierci
Anny Niemściney. Epitaphium na (jej) grób. Bl. 43—51.
Pieśni. Bl. 52—59.
Pastorel kilka z włoskiego. Bl. 60—69.
Frasunek w więzieniu. Bl. 70—71.
Do Krzysztofa Kochanowskiego.
Cień, albo dusza Molenta, króla Baktryańskiego, prze-
kładania Jana Smolika z włoskiey trajedyi.
Ode Andreae Dzierzanowski in funere Jazłowecii . . .
Interpres hujus ode. — Konkluzya Fraszek. Blatt
72—82.
Fraszkorytmy, albo zabawy pokojowe . . . w Krakowie
w roku 1613 w lipcu pisane. Bl. 83—118. 4°. — II.
K. c. 41.

314.

Inscriptiones causarum civilium per judices scabinos civitatis Grodzisko. Orig.-Mscr. aus dem XVI. Jahrh. 4°.
209 Blatt. — II. K. c. 42.

315.

Herbarz polski. Original-Manuscript aus dem Jahre 1647.
370 Seiten. Am Schluss: Anno Domini MDCXLVII. sub
R. Patre Joanne Kołozwarski, Societatis Jesu. 4°. — II.
K. c. 43.

316.

[**Skott, Walter**]. Obraz rewolucji francuzkiéj poprzedza-
jący życie Napoleona Bonapartego, Cesarza Francuzów,
pierwotnie w angielskim języku wydany przez **Waltera**
Skotta, a teraz na polski język przełożony przez pułkownika Karóla Sarnowskiego. W trzech tomach, z sześciu
części złożonych. W Morungu, C. H. Harich, 1833. 8°.
Karta tytułowa i przedmowa tłomacza, 34 str., drukowane.
Potem następuje rękopism: „Obraz rewolucyi francuzkiej
etc." Tomu pierwszego część pierwsza. 110 stron. Mit
handschriftl. Widmung des Vf. an Gr. Ed. **Raczyński**,
d. d. 10. Febr. 1835. 4°. — II. K. c. 44.

317.

Ahmad ibn Alij bn Masûd, Grammatische Schrift (in pers. Sprache) mit Commentar am Rande und zwischen den Zeilen. Manuscr. von nicht sehr hohem Alter. 108 Bll. Mit handschriftl. Widmung des Dr. Joh. Ehrenfr. Thebesius an den Abbt Ludovicus in Ducali Coenob. Lub. etc. 1709 die Ludovici. 8°. — II. K. d. 1.

318.

„Al-Coranus sive Digestum Islamiticum Mohammedis Pseudonomothetae." Manuscr. aus dem Ende des 17. od. Anf. des 18. Jahrh. 296 Bll. Mit handschriftl. Widmung des Dr. Johann Ehrenfr. Thebesius an Ludovicus abbas Lubensis . . . 1708, d. 25. Augusti (die Ludovici.) 4°. — II. K. d. 2.

319.

Alkoran. Manuscript in arabischer Sprache. [306 Blatt, darunter 1 Bl. unbeschrieben, mit rothen Titelüberschriften, die beiden Titelblätter in breiter Goldeinfassung mit rothen Verzierungen, Text in rothe Linien eingefasst, 15 Zeilen pro Seite. Schrift aus neuerer Zeit, Abschreiber nicht genannt.] 8°. — II. K. d. 3.

320.

Ein türkisches Gedicht mit arabischen Ueberschriften und Angabe der Metra, aus dem XVIII. Jahrh. (ungef. aus den J. 1730 oder 1731.) 28 Blatt, von denen vier Blätter unbeschrieben sind. Im alten alphabet. Kataloge unter dem Titel: „Książeczka arabska. Liber arabicus." 8°. — II. K. d. 4.

321.

Tabella statystyczna departamentu Kaliskiego 1811. 137 Seiten. Pappbd. mit Vergold. u. Goldschnitt. 8°. — II. K. d. 5.

322.

Zbiór Krótki Historyi Polskiey, (aż do wyboru Stanisława Augusta.) Pismo wieku 18. Kart 81. 8°. — II. K. d. 6.

323.

Haesners, M. E., Kurze Geschichte von Polen. (— 1773.)
8⁰. — II. K. d. 7.

324.

Itinéraire de la Suisse. Avec la Carte de Keller. TILME.
[Emil T.] Je ne dis que ce je vois, je peux me tromper,
mais je ne trompe pas (17. aôut 1817, 2. octobre 1817.)
28 Bll. blau liniirt. Halbfrzbd. mit Goldschn. 8⁰. — II.
K. d. 8.

325.

Patent Edwarda Szumskiego na oficera Gwardyi polskiey, podpisany przez Cesarza Alexandra 1825. Na pergaminie.

Edw. Szumski, urod. w Berlinie 1804, szkoły odwiedzał
w Poznaniu, wstąpił do Gwardyi pol. 1819, ranny śmier-
telnie w bitwie pod Grochowem, skończył 4. marca 1831.
Fol. — II. K. d. 9.

326.

Wyciąg z kroniki kościelnéy miasta Wielenia (Filehne.)
28 Bll von verschiedenen Händen geschrieben. 8⁰. — II
K. d. 10.

327.

[S. Stanislaus.] Vita D. Praesulis Cracoviensis Stanislai
per Dn. Benedictum Posnaniensem, 1520.

Das Manuscr. von der Hand des schlesischen Pastors
Ezechiel und mit dessen Bibliothekzeichen versehen, zählt
84 Bll. wovon vorn 4 unbeschrieben sind und hinten 11.
Von einer andern Hand ist bemerkt: „Vita haecce S.
Stanislai ab Ezechielo Past. descripta ut puto ex codice
Tschammeriano nunc in Archiuo Praemonstratens. mo-
naster. S. Vincent qui IV. Vitas in se complectitur: S. Stanislai, S. Adalberti, Petri ex Dacia et Petri Wlast, auctore
Benedicto de Posnania, praeposit. ad Spirit. S. Wratisl.
in fol. min. circa 1530—50 scripto, collata est cum hoc
codice tota et uarietas lectionis ejusdem ad marginem
notata. Vratisl., 1778, d. 15. Aug. 8⁰. — II. K. d. 11.

328.

(Drużbacka. Załuski, Stan.) Baranek na polskich polach urodzony y wychowany, Jaśnie Oświecony Xiążę JMć Stanisław Kostka Załuski, biskup krakowski, wszystkiemi przyozdobiony cnotami, przez M. JMć. Panię Drużbacką, wierszem polskim opisany, w Rzemieniu, d. 12. Maji 1751. Das Ende von Vers 937 (excl.) ab fehlt. 18 Bll. 8⁰. — II. K. d. 12.

329.

Plagoszak, Gaspar, Szamothulinus. De ecclesiis aedificandis. Ex ultima Authoris enchiridion hujus recognitione alii loci communes. Am Schluss: Gaspar Plagoszak, Szamothulinus, hoc reliquos communes locos Joannis Eckii et utrosque articulos manu sua adscripsit Cracoviae MDLV. [Der Schrift: Joannis Eckii Enchiridion locorum communium adversus Marthinum Lutherum . . . Coloniae apud Heronem Alopecium 1532, angeheftet und mit fortlaufenden Nummern 97—144 foliirt.]. 8⁰. — IV. I. i. 2/2.

330.

Exercitia spiritualia. Mscr. auf Papier, lat., XVII. saec. Lederband, mit dem eingepressten Bibliothekzeichen Michael Crus (Christophorus) Raczyński subjudex veteris Posnaniae.

Fol. 1. „Exercitium pro recuperanda innocentia baptismali." In fine: „Soli Deo Gloria." Von späterer Hand dazugeschrieben: „Oratio ad S. Annam." 8⁰. — II. K. d. 14.

331.

Petzen, Jo.] Declaratio regulae fratrum minorum edita a fratre Joanne Petzen, olim Archiepiscopo Cantuariensi, pastore Anglorum etc. 24 Bll. In fine: Explicit declaracio Regule fratrum minorum: in modum dialogi edita per egregium sacre theologie Doctorem ordinis praefati fratrem Johannem Petzen, olim archiepiscopum Cantuariensem, pastorem Anglorum . . . 1506. 8⁰. — II. K. d. 15.

332.

Breviarium. Auf Pergament. XV. Jahrh. Mit zierlichen eckigen Buchstaben, zahlreichen grösseren und kleineren bunt gemalten und vergoldeten Initialen, roth und schwarz geschrieben. Von einer Hand geschrieben und von einer Hand von Anfang bis zu Ende mit Initialen geschmückt. Die Handschrift besteht heute aus Lagen von: 12, 9, 10, 10, 7, 9, 9, 10, 10, 9, 10, 10, 9, 10, 10, 10, 10, 10, 10, 9, 10, 10, 8, 10, 10, 10, 9, 10, 3. zusammen 273 Blättern. Voran geht auf 12 Blättern das Kalendarium. Darauf folgt der Text heut 261 Bllätter. Die Handschr. schliesst mit den Worten „Super aspidem et basiliscum ambulabis." Auf Blatt 196. „Gottfried Nitsch, ao. 1751. Die Handschrift war früher im Besitz des Klosters Obra. „In Bibliotheca Monasterii Obrensis S. O. Cisterc. 12°. — II. K. d. 16.

333.

Rozmowy umarłych Polaków, w których y to sekretnieysze za żywota ich dzieje y okoliczności etc. są zebrane.

1. Rozmowa króla Jana III. z Jeremiaszem ks. Wiśniowieckim. Seite 1—55.
2. Rozmowa Wydżgi z prymasem Radziejowskim, kardynałem. Seite 56—76.

Manuscript aus dem XVII. Jahrh. 76 Seiten. 8°. — II. K. d. 17. Cf. III. p. 75. Rozmowy etc.

334.

Propositiones breves ad sermones. Orig.-Mscr. aus dem XVI. Jahrhund. 127 Blatt. Auf dem ersten Blatt findet sich die Notiz des Verf.: „1549 T. M. L. de Zbrodzevo feria sexta in octava visitationis Marie scripsit." 8°. — II. K. d. 18.

335.

1. Szumski, Thomas von, Wohlgemeinter und freimüthiger Vorschlag zu einigen wichtigen Verbesserungen der jetzigen Einrichtung des Königl. Gymnasiums von Posen. Unterz.: Posen, d. 20. Novemb. 1827, Thomas von Szumski. Fol. 8 Blatt.
2. Ders. Szczerożyczliwy i wolnomyślny projekt do niektórych ważnych polepszeń teraźniejszego urządzenia gimnazyum poznańskiego. Poznań, dnia 20. listopada 1827. Fol. 6 Blatt.
3. Ders. Eingabe an den H. Cultusminister, das vorgenannte Project betreffend. Berlin, d. 1. Mai 1828. Unterzeichnet: Th. v. Szumski. Fol. 4 Blatt. — II. K. d. 19.

336.

Ein Convolut von verschiedenartigen Schriften Concepten
in Versen und Prosa und Bruchstücken zur polnischen
Gesch. und Literatur. 50 Blatt in 4⁰. Darunter:

1. Zygmunt August, Król Polski etc., Dan z Wilna,
   d. 17. grudnia 1557. Betrifft den Bau des Krakauer
   Schlosses. Moderne Abschr. Bl. 1.
2. Wielądko, W., List (do Hr. Edw. Raczyńskiego?)
   Bez daty. Original. Uebersendet einen Pränum.-
   Schein auf ein Werk: „O sławnych nauką Polakach.“
   Blatt 2—2 b.
3. Niemcuwicz, Julian Ursin, Versch. eigenh. Concepte,
   in Versen und Prosa etc. Bl. 3—37. Darunter:
4. Lettre d'un étranger résident en Pologne. — Podróż
   do Krakowa w marcu 1831. — Zagajenie publicznego
   posiedzenia T. K. P. N. Kraków. Bl. 3—35.
5. Gliński, J., List do J. Ursina Niemcewicza z dnia
   16. lipca 1822 r., wraz z· konceptem odpowiedzi.
   Bl. 36—37.
6. Notices et extraits de manuscr. de la Biblioth. du
   Roi. Tom. V., p. 85. Bl. 38—43.
7. Compendiosa relatione di quanto è seguito nella
   campagna di Polonia l'anno 1685, descritta con lettera
   di ragguaglio da un Gentiluomo di quella corte ad
   un amico in Italia. Bologna, Giacomo Monti, 1686.
   4⁰. Abschr. aus dem XVII. Jahrh. Unvollständig.
   Bl. 44—45.
8. Tchórz i lis, bajka. Schrift aus uns. Jahrhundert.
   4⁰. Bl. 46—49. .
9. Runy polskie (?). Facsimilia rytych na kamieniu
   napisów, wykopanym w Rozhorzu nad Stryjem,
   przesłane Bibliot. Raczyńsk. we wrześniu 1838 roku
   przez księcia Jerzego Lubomirskiego. 8⁰. 1 Blatt. —
   II. K. d. 22.

337.

Materyały do historyi Wielkopolski z akt grodzkich. Ein
Heft in 4⁰. 20 Blatt (der grösste Theil des Heftes fehlt).
Abschr. aus uns. Zeit, enthält:

1. Lauda sejmiku średzkiego z r. 1514. Bl. 1—12.
2. Lauda sejmiku średzkiego z r. 1572. Bl. 13—18.
3. Czedula a zapysz w rzeczy . . . myedzy szlachetnym
   Mykolayem Turskem, a Mykolayem Smolykowskem
   . . Bl. 19—20. — II. K. d. 23.

338.

Decreta ecclesiastica in Prussia pro advenis Bohemis conscripta d. 19. Martii 1549. Orig.-Mscr. 4°. Mit dem Insiegel und der eigenh. Unterschrift: Paulus Speratus a Rutilis, Episcopus Pomezaniensis. — II. K. d. 24.

339.

Lasicii, Joh., Poloni, De origine et institutis Fratrum Christianorum, qui sunt in Prussia, Polonia, Bohemia et Moravia, commentarius. 1580. 4°. 8 Blatt. Der Rest fehlt. — II. K. d. 25.

340.

Katarzyna (Leszczyńska), Królowa, List pisany d. 19. lipca bez podania roku. Original. 4°. 2 Blatt. — II. K. d. 26.

341.

Thomas, Christian Siegmund, Pastor Lesn. et Sen. Gen. Pol, Lesna erudita Lutherana, oder zuverlässige Nachricht von belehrten Lissnern, welche von evangelisch-lutherischen Eltern zu Lissa in Gross-Polen geboren und so wol daselbst, als an andern Orten der Kirche und dem gemeinen Wesen mit ihren Studiis gedienet haben. Anno 1741. 4°. und ein Heft verschiedener Notizen über die Böhmischen Brüder. Orig.-Mscr. in 4°. zusammen 35 Bll. — II. K. d. 27.

342.

Ein Convolut von Schriften aus dem XVI. u. XVII. Jahrh 4°. 39 Blatt, die Folgendes enthalten:

1. Copia literarum (Adalberti Tholibowski), Episc. Posn., ad nobilem evangelicum D. Zawadzki, ex Polonico idiomate translatarum, d. d. Posnaniae, 2. Jan. 1659. Bl. 1—2.
2. Copia liter. ejusdem ad eundem d. d. Krobia, dnia 20. Jan. 1660. Bl. 2—4.
3. Responsum ad liter. Episcopi. Bl. 4.
4. Gleichzeit. Reinschriften ad 2 u. 3. Blatt 5.
5. Kopia listu ad 1 pisanego. Bl. 7—8.
6. Rachfał z Leszna (Leszczyński), Wyposażenie plebanii Braci czeskich w Głuchowie z r. 1581. Blatt 9—10.

7. Acta visitaciey Orzeszkowskiey 1646. Bl. 11—12.
8. Acta visitationis przy zborze Świercinkowskim 1646. Bl. 13—16.
9. Historya visitaciey zboru Orzeszkowskiego 1648. Bl. 17—20.
10. Relacya o kościele Orzeszkowskim. Bl. 21—22.
11. Status causae ecclesiae evangelico-reformatae in pago Orzeszkowo. Bl. 23.
12. Visitatio zboru Ostrorockiego, przez X. Marcina Gertichiusa odprawiona 1653. Bl. 24—25.
13. Nota tego, co się sprawiło w Ostrorogu 1647 przez X. Marcina Gertichiusa y X. Daw. Prüfera, gdy X. Jan Chodowiecki do Prus się wybierał.
Item Regestrzyk apparatów zboru Ostrorockiego. Bl. 26—27.
14. Nota tego, co sprawił X. Marcin Gertichius y X. Daw. Prüfer w Ostrorogu y Orzeszkowie 1647. Bl. 28—31.
15. Seniorów, albo sędziów zborowych stanu mieyskiego y świeckich stanu rycerskiego, powinności. Blatt 32—34.
16. Forma poświęcania kościoła. Bl. 35—38.
17. List X. Plortha z Orzeszkowa do X. Marcina Gertichiusa, faciens mentionem templi aedificandi w Orzeszkowie . . . 1644. Bl. 39.
4°. — II K. d. 28.

343.

Ein Convolut von fünfundvierzig einzelnen Blättern in 4°., welche Folgendes enthalten:
1. Gratian, Marcin, X., Kontrakt z rybakiem Rurą w Ostrorogu. 1626. Bl. 1.
2. Mielęcki, A., List do seniora Kalwińskiego, (bez nazwiska adressata) z 13. marca 1692. Bl. 2.
3. Figulus, Piotr, List tyczący się budowy kościoła w Skokach, z 12. wrześ. 1651. Bl. 3.
4. Wiara, którąśmy wyznali, jest ona prawdziwie zbawienna . . . (Glaubensbekenntniss). Bl. 4
5. Prowizya kościoła ewangel. Marszewskiego (bez daty.) Bl. 5.
6. Dekret synodowy przeciwko X. Pawłowi Giericiusowi, kaznodz. zboru niemieck. poznańsk. 1591. Bl. 6.

7. Zaremba, Andrzey, podwyższa X. Andrzeyowi, ministrowi kościoła Kamieńskiego, prowizyą . . . 1590. Bl. 7.

8. Rafał, Hrabia na Lesznie, starosta Schowski, Przywilej dla kościoła w Zaborowie. Leszno, d. 18. Decembr. 1670. Abschrift aus dem Jahre 1709. Bl. 8.

9. Wzięte y spalone kościoły (ewangielickie). 1633—1677. Bl. 9.

10. Nachricht von der Zerstörung der evangel.-lutherischen Kirche in Sieniutowo, 1672. Bl. 10—11.

11. Ordinatia Starszych Zborowych. Bl. 12—14.

12. Rey, Wład. z Nagłowic, wojew. lubelski, Przywilej mieszczanom Skockim na wolne odprawianie nabożeństwa dissidentium (nadany). 1677. Bl. 15.

13. Opatrzenie ministra w Chodźczu, 'nadane przez Wojc. Marszewskiego. Bez daty. Abschr. Bl. 16.

14. Opatrzenie ministra w Gromadnie przez panią Jadwigę z Cerkwicy Grodzieńską. 1593. Bl. 17—18.

15. Prowizya ministrowi w Gromadnie (przyznana). 1588. Bl 19.

16. Kochlewski, (Piotr), Kopia listu do X. Superintendenta (bez nazwiska). Warszawa, 7. marca 1637. Bl. 20.

17. Oznaczenie niektórych rzeczy potrzebnych w plebanii Barcińskiey. 1596. Bl. 21—22.

18. Drojowskiego deklaracya względem pożyczoney przez niego sumy pieniędzy, (bez jej oznaczenia i daty.) Bl. 23.

19. Copia cyrografu na sumę 100 złot., należącą się kościołowi Łyskowskiemu od pana Żelechnińskiego. 1582. Bl. 24.

20. Kochlewski, Piotr, Copia (listu) do X. Rybińskiego. Warszawa, 24. wrześ. 1637. Bl. 25.

21. —, Sędzia ziemski Brzeski, Copia (listu) do tegoż. Bez miejsca, d. 16. maja 1638. Bl. 26.

22. Kopia obligu P. Chryzost. Górzeńskiego, wystawionego na ręce P. Mikołaja Twardowskiego, na 13,000 złotych dla spraw kościelnych ewangelickich. Actum w Woley Pleszewskiey a. 1678. Bl. 27.

23. Copia citationis contra Cassium, pseudoministrum sectae Calvinisticae, ad fanum in villa Żychlin. 1721. Zwei Abschr. aus derselben Zeit. Bl. 28—30.

24. Przyczyny, dla których xiądz senior Zugehör znowu do Żychlina (z Leszna) powrócił. (1694?) Blatt 31—32.

25. Żychlińscy, Alexander i Maryanna, Kopia rewersu, X. Ignac. Sieńkiewiczowi, prob. w Ostrowie, na 1000 złot. wystawionego. Górzyce, d. 20. czerwca 1714. Bl. 33.

26. Prowizya Żychlińskiego zboru pasterzowi postąpiona, d. 22. marca 1650. Bl. 34—35.

27. Ego ... me obligo ... quod ... sacramenta necessitatis et voluntatis ... non administrabo, exceptis hominibus meae confessionis ... Gnesnae, d. 10. Febr. 1721. Zwei eigenh. Unterschriften: Alex. Żychliński. Paulus Cassius. B. 36.

28. Kurnatowskiego, Dobrogosta, List do parafianów Kwileckich ratione wybudowania kościoła Orzeszkowskiego. 1643. Bl. 37.

29. Excerpt ex archivo Orzeszkoviensi (dokumentów z lat 1644—1719). Abschr. Bl. 38.

30. Kurnatowskiego, Dobrogosta, List (w sprawie kościoła Żychlińskiego i pastora Cassiusza, bez podania adressata.) Z Góry, 18. Januarii 1722. Bl. 39—40.

31. Kurnatowskiego, Dobrogosta, List (w sprawie własnej i conseniora Cassiusza.) Z Góry, 10. Febr. 1722. Bl. 41—42.

32. Regestr poprawy albo budinku około kościoła w Świerczynku za xiędza Grzegorza Sitkoviusa w roku 1647. Unterzeichnet: Lesnae, 23. Octobris (o. Jahres-Zahl.) Sitkovius mp. Bl. 43—44.

33. Opatrzenie ministra Wieruszowskiego. Działo się na grodzie Ostrzeszowskim ... d. 22. Novembris 1588. Bl. 45. 4°. — II. K. d. 29.

344.

Mappa topograficzna woyskowa i statystyczna części Wielkopolski, która dziś departament Poznański układa, wydana przez Edwarda Raczyńskiego, posła Poznańskiego, i jego kosztem nowo układana w roku 1807—1812. Skala na milę niemiecką, 20.000 stóp ryńskich w sobie zawierającą, rysował Ernest Gaul. 9 Blatt. Handzeichnung colorirt. Dazu noch 2 kleine Blätter, die mit dem ersten Blatte, worauf der Titel steht, correspondiren. Fol. Grosse Mappe.

345.

Mappa prowincyi polskich przez Rossyą zabranych, z rossyjskich kart przerobiona przez E. Raczyńskiego w r. 1810. 7 Bll. (Unvollendet.) Fol. Gr. Mappe.

346.

Plan dzikiego ogrodu w Rogalinie należący JWney JMci Pani Raczyńskiey Generałowey, dnia 7. Czerwca r. 1788 zrobiony. 1 Bl. in grösstem Folioformat, color. Handzeichnung.

347.

Plan eines Parks. Handzeichnung. Ohne alle Schrift. Rogalin? Fol. Grosse Mappe.

348.

Wybicki, Józef, Pasterka zabłąkana, czyli obraz woyny holenderskiey. Opera oryginalna w trzech aktach przez Wo. JM. Pana ... 1787. 4°. 19 Bll. — II. D. L 1/14.

349.

Feudum Prussiae. Lenno pruskie. Scriptum hoc apologeticum est auctori oppositum, qui suasit Polonis, ut feudum Prussiae, mortuo Alberto Friderico 1618, coronae. innecterent. Insuper habito jure simultaneae investiturae Electoribus Brandeburgicis an. 1548 a regni ordinibus concesso. 4°. Lat.-poln. Gleichzeit. Mscr. — II. J. g. 16

350.

Morawska z Xiążąt Radziwiłłów. Mscr. 1 Bl. Fol. Respons Xiężniczki Radziwiłłównéj, córki hetmana litewskiego, o którą starał się wprzód Pan Pac, lecz ona upodobawszy sobie będącego ua usługach Jey poszła za Pazia Pana Morawskiego. O ten postępek mocno rozgniewany Xiąże Karól Radziwiłł, Wojew. Wileński, brat Jej, pisał do niey w ostrych wyrazach list, na który ona Mu wierszami odpowiada: „Czas Oyciec, Mać Natura, Swat Miłość Xiężniczkę Za szlachcica wydały, o cosz czynią sprzyczkę etc. — III. L. b. 28/1.

351.

Remonstracya naturalna prawdy: wystawiona na przeciwko pruskiey tak nazwaney gruntowney y przekonywającey relacyi o sprawach dworów Wiedeńskiego y Drezninskiego, w Warszawie 1757, z niemieckiego na polski język wyłożona. 4°. 23 Bll. (Unvollständig.) — III. L. c. 28/11.

352.

(Joannes de Sacrobusto.) Prohemium et pronunciatura rapturaque circa inicium Algorithmi prosaici antiqui Joannis de Sacro Busto, Cracoviae scriptum cum figuris et exemplis diuersis 1529. 4°. 6 Bll. So stark beschnitten, dass der Text verletzt ist. — III. N. n. 1/2.

353.

Uniwersał. Michał Jan Hrabia na Rożance Dowspudzie Pac, Ziołowski etc. Starosta, Generalny Konfederacyi Wielkiego Xięstwa Litewskiego Marszałek, razem nieprzytomność JW. JMC. Pana Hrabi Krasińskiego, Podkomorzego Rożańskiego, Marszałka Generalnego Koron., ad mentem zawartey między Narodami Unii, zastępujący. Datum w Białley r. 1769 m. novembra dziewiątego dnia. Copie. Manuscript. 2 Bll. Fol. — IV. G. e. 13/40.

Stanisław August. Mowa J. Kr. Mci miana za króloboycami w izbie senatorskiej, dnia 7. sierpnia. Mscr. 1 Seite. Fol. — IV. G. e. 13/41.

Branicki. Mowa JW. Hetmana Branickiego na Głos JW. Pana Jerzmanowskiego, posła Łęczyckiego na seymie, d. 16. paźdź. r. 1786. Fol. 2 Bll. Manuscript. — IV. G. e. 13/42.

Kościuszko. Mowa Tadeusza Kościuszki miana przed wyjściem na Moskalów d. 26. Września 1794. Fol. 1 Bl. Manuscr. — IV. G. e. 13/43.

(Dąbrowski, Jan). Uniwersał Jana Dąbrowskiego, G. Majora Siły Z. Kraj. Narodo. WW. Wielkopol. Komendanta, dan w Obozie pod Gnieznem, d. 17. Septembris 1794 r. Manuscr. Fol. 1 Bl. — IV. G. e. 13/44.

354.

Modus confitendi compositus per eximium episcopum Andiam Hispanum. Manuscript 1498. 2 Bll. 4°. — IV. G. m. 16/3.

355.

Doctrina. Circa arborem consanguineitatis et affinitatis traditur certa doctrina. 17 Bll. 4°. — IV. H. l. 13/2. _

356.

Ordo ad sacrificium peragendum in missa. 5 Bll. In fol. 6.
„Pater noster“ mit Musiknoten. Fol. 7 unbeschrieben.
4°. — IV. H. l. 13/3.

357.

(Streicher, Augustin), Ein gutter bericht vom Harn, ex
quodam manuscripto libello Doctoris Augustin Streichers.
8°. 32 Bll. — IV. O. e. 8/2.

358.

(Constance Potocka?) 4 Bll. Mscr. 4°. — IV. W. d. 20/1.
  1. Cannevas d'un Roman Explicatoire des Os fossiles
     de Dalmatie. 2 Bll.
  2. Remarque sur la note 39. (?) 2 Bll.

359.

Ein Folioband mit der Aufschrift: „Spis darowanych
bibliotece książek,“ in Futteral, von (468 Seiten) 234 Bll.
starken weissen Büttenpapiers, gebunden in roth Saftian
mit reicher Vergoldung, Schnitt gleichfalls vergoldet.
Wie die Ueberschrift auf Seite 3: „Darowane Bibliotece
Książki“ besagt, war der Band bestimmt die Titel der
der Bibliothek geschenkten Bücher und ihrer Geber aufzunehmen. Es ist jedoch nur Seite 3—11 beschrieben.
Die Namen der ersten Wohlthäter der Bibliothek sind:
Gr. Heinr. Łubiński, Gr. Bernh. Potocki, Dr. Karl Marcinkowski, Reg.-Rath Gumpert, Prof. Muczkowski, Herr
Jarosz, Herr Eibich, Herr Sobeski, Herr App.-Ger.-Rath
Laube, Frau Beyer, Herr Major Turski, Herr Anielewski,
Herr Brzezański.
  1. Lose eingelegt ist ein Bogen, worauf von Łukasze-
     wicz eine Schenkung des Herrn Twardowski ver-
     zeichnet ist.
  2. Ein Brief unterz. Sachs, Wundarzt, und Rusz-
     czyński ... Lehrer, welche der Bibl. eine Schen-
     kung des Prof. v. Szumski: 20 Bücher u. 1 (Officiers)
     Patent, übermitteln. Vgl. n. 325.
  3. Ein Brief des Minister Altenstein an den Grafen Ra-
     czyński, welchem eine Schenkung von 5 werthvollen
     Werken beifolgte.

4. 1 Bogen, mit folgenden Autographen:
„Frédéric Guillaume, Prince Royal. Ce 23.
May 1830 j'ai vu le magnifique établissement
en regrettant sincèrement de ne pouvoir
le faire avec son généreux fondateur.
Louise de Prusse, Pcesse Radziwiłł.
Antoine Radziwiłł.
Elisa Radziwiłł.
Wanda Radziwiłłówna.
Alexandre Humboldt.
Generalmajor von . . . . . .
Oberst Grf. v. Gröben.
Hauptmann Graf Carl Schlieffen."

Uebersicht.

Polnische Geschichte.

Długosz, Chronica Poloniae, (XV. Jahrh.) N. 206.
    „   Hist. Pol. 1464—1480. (XVII. Jahrh.) N. 135.
    „   Geschichte der grosspoln. Fürsten. N. 117.
    „   Chronik des XII. Jahrh. N. 116.
    „   Geschichte des Wład. Łokietek. N. 115.
Orzelski, Interregnum 1575, lib. 4—8. N. 234.
    „   O bezkrólewiu w Polsce, Ks. 1. N. 257.
Niemcewicz, Hist. Zygmunta III. 3 tomy. N. 40.
Poln. Geschichte bis auf Sobieski's Tod, (lat.) N. 6.
Historya Polska aż do Stanisł. Augusta. N. 322.
Haesner, Geschichte von Polen bis 1773, N. 323.

Oeffentliche Aktenstücke zur poln. Geschichte; copirt 1785.
    N. 75.
Zur poln. Geschichte, 1379—1709. N. 249.
Landtagsbeschlüsse der Lande Preussen, 1506—1713. N. 121.
Auszüge aus den Tomicianis zur Geschichte Sigismunds I.
    N. 43.
Correspondenz von Fürsten und Magnaten etc. 1510—1604.
    N. 309.
Zur poln. Geschichte 1537—1822. N. 103.
    „   „   „   1547—1625. N. 27.
              „   1557—1838. N. 336.
              „   1558—1767. N. 12.
    „   „   „   1563—1594. N. 212.
    „   „   „   1566—1815. N. 15.
Ruggiero's, des päpstl. Gesandten, Berichte aus Polen, 1568.
    N. 106.
Ausgang Sigismund Augusts, 1571—1572. N. 109.
Barb. Giżanka und Fürst Woroniecki. N. 109.
Tod Sigism. Augusts 1572 und Königswahl. N. 196.
Historia o Bonie, królowéj polskiéj. N. 295.
Zur Regierung Sigism. III. 1572—1631. N. 16.
Zur poln. Geschichte 1572—1681. N. 51.
Lippomani's, des venetian. Gesandten, Berichte aus Polen, 1575.
    N. 105.

Zur Geschichte Sigismund III. und Wladislaus IV. — 1655. Nr. 8.

Briefe Sigism. III. an verschiedene Fürsten. N. 211.

Zur poln. Geschichte von 1584—1620, (Demetrius u. Maryna). N. 114.

Copien aus dem Stettiner Archiv, zur poln. Geschichte, 1587 bis 1611. N. 245.

Zur poln. Geschichte, 1587—1644. N. 233

„ „ „ 1587—1688. N. 5.

„ „ „ 1589—1628. N. 136.

Acta belli Turcici, 1590. N. 220.

Zur poln. Geschichte 1591—1614. N. 34.

Reichstage Polens, 1593—1597. N. 91.

Zur poln. Geschichte 1596—1819. N. 11.

Sammelband Adam Grodziecki's zur poln. Geschichte, 1597 bis 1646. N. 149.

Zur poln. Geschichte des 17. und 18. Jahrh. N. 13.

„ „ „ 1605—1608. N. 18.

„ 1605—1609. N. 118.

„ 1606 --1611. N. 33.

„ 1606—1669. N. 7.

„ 1609—1641. N. 25.

„ 1609—1813. N. 9.

„ 1616—1634. N. 32.

„ 1619—1623. N. 2.

„ 1620—1623. N. 138.

„ 1620 —1629. N. 97.

„ 1620—1167. N. 24.

„ 1621—1623. Lifländ. Krieg. N. 195.

„ 1621—1655. N. 31.

„ 1623—1672. N. 211.

„ 1624—1635. N. 17.

„ 1632 —1652. N. 3.

„ „ „ 1632—1652. N. 35. (Original zu N. 3.)

„ „ „ 1632—1709. N. 30.

Victoria Stanislai a Koniecpole, 30. 1. 1644. N. 261.

Tiepolo's, des venetian. Gesandten, Berichte aus Polen 1647. N. 104.

Briefe Joh. Casimirs, 1648—67. Copien. N. 210.

Heereszug und Frieden Johann Casimirs. N. 265.

Sieg über Tartaren und Kosaken 28—30. 6. 1651. Nr. 267.

„ bei Beresteczko 30. 6. 1651. N. 264.

„ „ „ 28. 6. bis 3. 7. 1651. N. 271.

„ „ „ N. 263.

Moskow. Zug gegen Polen 1654. N. 268.

Smoleńsk, 1654. — Briefe aus der Ukraine. N. 269.

Puncta inter ducem Moscoviae et nobilit. Lith. 6. XII. 1655. N. 272.

Schlacht von Chocim, 1673. N. 262.

Zur poln. Geschichte, 1686. N. 98.

Zur Wahl Augusts II. N. 102.

Miłostki Augusta II. N. 311.

Stan. Leszczyński. N. 248.

„   „   1706, ff. N. 128.

Testament desselben. Copie. N. 84.

Gesandschaft des Oszmian'er Kreises, (Chph. Kamiński) an den König, 1714. N. 108.

Zur poln. Geschichte, 1722—1738. N. 247.

Landtag 1746. N. 225.

„   1748. N. 202.

Portrait de la cour de Pologne. N. 297.

Remonstracya na pruską relacią 1757. N. 351.

Moszczyński, Adam: Aug. III. i Stan. Aug. N. 110.

Zur poln. Geschichte, 1763—1765. N. 246.

Confoederation von Bar. N. 294.

Compendium różnych mów i manuskryptów, 1767 — 1768. N. 238.

Mładanowicz, rzeź Humańska (1768). N. 250.

Uniwersał Mich. Paca, 1769. N. 353.

Zur poln. Geschichte, 1771—73. N. 239.

Mowa Stanisł. Augusta za królobojcami. N. 353.

Landtagsreden Raczyński's, Generals von Grosspolen, 1782— 1784. N. 285.

Stan. August in Nieśwież, 1784. N. 66.

Rede Branicki's, 1786. N. 353.

Landtag 1788. Sitz. 1—83. N. 216.

„   1788—89. Sitz. 10—107. N. 208.

Sessya 45—96 rady nieustającéj. N. 226.

Landtag in Grodno 1793. N. 216.

Zur Geschichte des J. 1794. N. 22.

Rede Kościuszko's, 1794. N. 353.

Targowica, 1794, N. 64.

Uniwersał Dąbrowskiego. N. 353.

Trzy podziały Polski. N. 123.

Poln. Legionen in Italien, geschr. 1804. N. 53.

Geschichte des Herzogthums Warschau von Neugebauer, 1806—1813. N. 19.

Napoleons Constitution für das Herzogthum Warschau 1807. N. 286.

Tabella statyst. departamentu Kaliskiego, 1811. N. 321.

Zur poln. Geschichte 1813—1816. N. 38.

An das englische Volk u. d. Verbündeten um Wiederaufr. Polens 1814. N. 107.

Anklage gegen Badeni, Stan. Potocki und Staszic, 1820. N. 230.

Lelewel, Prześladowania akad. Wileńskiéj. (Nowosilcow w Wilnie). 1823. N. 256.

Salzrechnungen, 1510. N. 68.

    „   (Bochnia), 1512—1513. N. 90.

    „   „   1525. N. 89.

Königl. Poln. Haushalt, 1527—27. N. 36.

Salzrechnungen (Wieliczka), 1535. N. 65.

Königl. Poln. Haushalt, 1551. N. 143.

    Desgl.   1558. N. 28.

Feudum Prussiae, Lenno pruskie, 1618. N. 349.

10 Schriften Gfr. Lengnichs zum poln. Staatsrechte. N. 54.

Jus Culmense (nach 1600). N. 217.

Zur poln. Heeresverfassung und Militärgerichtsbarkeit im 17., 18. Jahrh N. 67.

Steinhauser, Mémoire sur les husars pancernes, towarzysze. N. 273.

Zur Culturgeschichte, Verse, Briefe. Amtsschriften. Nr. 23.

Radzivilliana.

Originalbriefe des Nicolaus, Albrecht, Georg, Stanislaus Radziwiłł, 1549—1599. N. 78.

Originalbriefe Sigismund Augusts an Nic. Radziwiłł, 1552—1571. N. 73.

Originalbriefe Sigismund Augusts, 1547—51, an die Fürsten Radziwiłł. N. 81.

Copien von Briefen Sigismund Augusts an Łaski, au den Erzbischof von Riga, an Nicol. Radziwiłł, der Isabella, Königin von Ungarn, an Katharina, Frau des Sig. Aug. N. 93.

Orzechowski, Stan., List do Mik. Radziwiłła, przy konkluzyach przeciwko heretykom wydanych. N. 300.

Originalbriefe von deutschen Kaisern und Churfürsten von Brandenburg an die Radziwiłłs und Weihers, 1517—1727. N. 86.

Copien dieser Sammlung. N. 26.

Originalbriefe der Tarnowski, Działyński, Zborowski, Łaski
Barzy, Potocki, Czarniecki, Lubomirski, Jabłonowski,
Wielopolski, Morsztyn, Grzymułtowski, Chmielnicki,
Radziejowski, Tarło etc. an die Fürsten Radziwiłł (16. und
17. Jahrh.) N. 76.
Originalbriefe der Radziwiłł's an die Chodkiewicz's, 1611—1626.
Desgl. der Sapieha's an die Chodkiewicz's, 1572—1620. N. 77.
Originalbriefe des Stephan Batory an Nicol. Radziwiłł Sie-
rotka und Sigismund III. an Nic., Georg, Jo. Georg und
Alex Radziwiłł. N. 79.
Originalbriefe Sigismund III. an Chph. und Janusz Radziwiłł,
1600—1617. N. 72.
Copien von Briefen des Chph. Radziwiłł an Sigismund III.,
1622—25. Krieg in Liefland. N. 87.
Originalbriefe Sigismund III. an Nic. und Chph. Radziwiłł,
1587—1599. N. 71.
Correspondenz der Markgräfin Louise Karoline, geb. Fürstin
v. Radziwiłł (Orig.) N. 98.
Mémoiren des Albr. Stan. Radziwiłł, Text u. poln. Uebs. von
Hier. Radziwiłł. N. 96, N. 3 u. N. 35.
Originalbriefe der Fürsten Olelkowicz, Ostrog, Zbaraski,
Wiśniowiecki, Grafen Tarnowski, an die Fürsten Radzi-
wiłł. N. 74.
Originalbriefe der Czema, Mielecki, J. Zamojski, St. Zamojski,
Ostrog, Buczacki etc. N. 80.
Miscellanea und Excerpte von der Hand des Fürsten Karl
Stanisl. Radziwiłł. N. 74. Histor. Aktenstücke zur poln.
Gesch. 1717—1719. N. 95.
Morawska z ks. Radziwiłłów, do brata swego Karóla (wiersz.)
N. 350.
Autographen der Prinzessin Louise von Preussen, Fürstin
Radziwiłł, Fürst Ant. Radz., Elisa, Wanda, Prinzessinen
Radziwiłł. N. 359.

Briefe an die Sapiehas, 1502—1659, von Kosakenhetmans und
Obersten. N. 88.
Copien von Briefen der Königin Anna, Stephan Batory's,
Sigismunds III., dessen Frau Anna, Wladislaus IV., der
Caecilia Renata, seiner Frau, des poln. Prinzen Karl
Ferdinand. N. 92.
Epistolae Erasmi, Hosii, Cricii etc. 1619. N. 310.
Copien von Briefen des Kard. Radziejowski, 1645—1705. N. 99.
List Kat. Leszczyńskiéj, królowéj. N. 340.
Correspondenz des Kanzlers Młodziejowski, 1768—73. N. 242.

Posnaniensia.

Lauda Sredzkie 1514—1572. N. 337.
„ „ 1581—1790. N. 243.
„ 1598—1730. N. 231.
„ 1601—1730. N. 180.
„ 1619. N. 163.
„ „ 1708—85. N. 224.
„ „ 1782. N. 232.
Sejm V. Poznański i udział Edw. Raczyńskiego. N. 205.

Statuta provincialia archidioec. Gnesn. (XV. Jh.) N. 141.
Acten der Bernhardiner in Grosspolen, 1713—1743. N. 137.
„ „ „ „ „ 1780—1815. N. 57.
Urkunden des Klosters in Bromberg, 1710. N. 241.
Regula S. Augustini et Scripta concernentia conventum in Trzemeszno, 1517. N. 160.
Zur Gesch. der Cistercienser im Allgem. u. speciell der Cistercienser in Wangrowiec. 17 Jh. N. 151.
Rechnungsbuch des Klosters in Wangrowiec. N. 148.
Katalog der Klosterbibliothek in Wangrowiec. N. 150.
Annales coenobii Byssoviensis seu Coronoviensis, 1200—1400. coll. Adam a Szadek, 1600. N. 134.
Chronik der Benedictinerinnen in Posen. 1601—1780. N. 20.
„ „ „ „ „ 1761—1803. N. 152.

Sammlung von Privilegien der Städte Grosspolens, 1564. Copie. N. 85.
Neugebaur, Beitr. zur Gesch. der Städte im Grossh. Posen. N. 244.
Inscriptiones causarum civilium civitatis Grodzisk. (16 Jh.) N. 314.
Criminalakten, Hexenprocesse, in Grätz 1675—81. N. 21.
Wyciąg z kroniki kościelnéj miasta Wielenia (Filehne.) N. 326.
Geschichte der Stadt u. des Kreises Fraustadt bis 1782. N. 59.
Actus oratorius polit. Fraustadt 1654. N. 308.
Zachert, Nachricht v. d. Stadt Meseritz. 275. 282.
Szumski, Vorschlag zur Verbesserung des Posener Gymn. 1827. N. 335.
Statuten des Sułkowski'schen Majorats. N. 240.
Statuten der Raczyńskischen Bibl. in Posen. N. 124.
Katalog der Manuscr. der Racz. Bibl. N. 1.
Katalog der Schenkungen der Racz. Bibl. N. 359.
Pläne von Parkanlagen zu Rogalin. N. 346, 347.
Autogr. der Gräfin Raczyńska, geb. Potocka. N. 358.

Böhm. Brüder und Dissidenten.

Zur Geschichte der Dissidenten in Polen. N. 126.

Zur Geschichte der böhmischen Brüder-Gemeinde, 1467—1739. N. 192.

Paulus Speratus: Decreta eccles. in Prussia pro advenis Bohemis 1549. Orig.-Mscr. N. 338.

Zur Geschichte der böhm. Bruder-Gemeinde, 1555—63. N. 50.

Desgl. 1563—1659. N. 49.

Desgl. 1568—1712. N. 219.

Desgl. 1567—1570. N. 45.

Desgl. 1586—1778. N. 46.

Łasicki, Jo., De origine et instit. fratrum Bohemorum, 1580. N. 339.

Zur Gesch. der böhm. Brüder-Gemeinde. 1596—1605. N. 47.

Desgl. im 16. u. 17. Jahrh. N. 342.

Desgl. im 16. u. 17. Jahrh., mit einer Pergament-Urkunde des Jan Ostrorog v. J. 1569. N. 62.

Desgl. im 16., 17. u. 18. Jahrh. N. 343.

Desgl. im 16., 17. u. 18. Jahrh. N. 193.

Desgl. im 16., 17. u. 18. Jahrh. N. 218.

Desgl. 1601—1737. N. 48.

Desgl. im 17. u. 18. Jahrh. N. 194.

Kirchengesch. der Dissidenten in Polen 1717—18. N. 70.

„   „   „   „   „   1767—68. N. 63.

Rechte der griech. unirten Kirche 1766. N. 69.

Dissident. Kirchenrecht. 18. Jahrh. N. 214.

Thomas, Lesna erudita Lutherana. 1741. N. 341.

————

Historik und Diplomatik.

Załuski, Bibliographie der polnischen Historiker in Versen. N. 41.

73 facsimilirte poln. Urkunden. N. 125.

Verzeichniss der auf Polen bezügl. Schriftstucke im geh. Archiv des Vatican vom X.—XVI. Jh. N. 112.

Register des Staatsarchivs in Krakau, 1730. N. 10.

Register des poln. Staatsarchivs, 1215—1469. Abschrift vom J. 1840. N. 83.

Spis archiwum Król. Polskiego w Warsz., litogr. N. 197.

„   „   „   „   Tom II. 1470—1791. N. 198.

„   „   „   (Tom III.) Prussia. N. 199.

„   „   „   (Tom IV.) Libri Metrices. N. 200.

O rękopisie znalezionym po wydrukowaniu kroniki Parkosza ... N. 258.

Rozbiór kroniki Parkosza. N. 259.

Heraldik, Genealogie und Biographie.
Herbarz polski, 1647. 4°. N. 315.
Biographie Thomas Zamojski's. N. 29.
Testamentum Casimiri Tuczyński. Abschr. 1662. N. 221.
Epitaphium Zavissae Nigri. N. 171.
Zur Gesch. der Familie Pawlowski. XVI. Jahrh. N. 176.
Pacta matrimonialia Jacobi III. et Mariae Clementinae So-
biesciae. 266, 301.
Testamentum principis Jacobi Ludovici 1735. N. 270.
Turski, Mik., c/a Smolikowski, Mik. N. 337.
Eduard Szumski, Offizierspatent. N. 325.
Inwentarz dóbr hrabstwa Tarnowskiego. N. 204.
Inwentarz starostwa Kościerzyńskiego 1686. N. 203.
Sobieskiego, Jakuba, Peregrynacya. N. 167.
Theodora Billewicza, Peregrynacya 1677. N. 177.
Sokolek in Deutsch-Crone, 1760. N. 221.
Memoiren des Franciskaners Jos. Jezierski, 1800–1857. N. 154.

Numismatik.
Albertrandy, poln. Medaillen, von 1527—56. N. 4.
Medaillen Stanislaus Augusts. — Medaillen von Sigismund I.
bis Stan. Aug. N. 14.
Polnische Medaillen in der Bibliothèque royale zu Paris.
N. 120.

Geographie Polens.
Valenti, Cardinal, Geogr. Beschr. Polens, 1604 (ital.) N. 100.
Mappa prowincyi polskich zaboru ross., staraniem Raczyń-
skiego, nieskończona. N. 345.
Mappa departamentu Poznańskiego, staraniem Raczyńskiego.
N. 344.

Ausserpoln. Geschichte.
Doglioni, theatrum powszechne I—VIII. N. 211.
Discours . . . de la vie de Cath. de Medicis. N. 293.
Notes sur le masque de fer (nach 1778). N. 278.
Copien aus den Archiven in Dresden, Kopenhagen u. Stock-
holm, bezüglich auf d. nord. Krieg, 1702—1704. N. 207.
Mémoire sur Cécile fille de Gustave I. roi de Suède et femme
du Chph. marggr. de Bade. N. 104.
Projekt Europa durch Russland zu unterjochen, 1793—94.
N. 175.
Walter Scott, Obraz rewolucyi francuz., von K. Sarnowski.
N. 316.
Glogauisch Landrecht 1716. N. 223.

Specimen codicis diplom. ducat. Monsterberg. et terrae Franco-
    steinensis. N. 58.
Miscellanea rariora Lusatica, 17.—18. Jahrh. N. 213.
Geographie, 1769. N. 255.
Itinéraire de la Suisse, 1817. N. 324.
Statuten des Fräuleinstifts zu Marieville, 1745. N. 111.
    „   „ Damenstifts zu Rietschütz. N. 82.
    „   „ Campaninischen Fräuleinstifts zu Barschau. N. 82.
Friedr. II. Matinées. Abschr. des 18. Jahrh. N. 302.
Autograph Friedr. Wilh. IV. N. 359.
Autograph Alex. Humboldts. N. 359.

Poln. Literatur.

Zur poln. Literatur und Gesch. von 1557—1838. (Niemcewicz.)
    N. 336.
Miscellanea lat., franz., polon., 18. Jahrh. N. 189.
Miscellanea polon. (Theol., Naturw., Reden, Rhetorik.) N. 191.
Parkossius de orthographia. N. 144.
Słownik polskich wyrazów wieku 16go. N. 227.
Jana Smolika poezye 1613. N. 313.
Morsztyn, Psyche. N. 182.
Rozmowy umarłych Polaków: Sobieski i Wiśniowiecki;
    Wydżga i Radziejowski. N. 333.
Drużbacka: Stanisł. Kostka Załuski, 1751 (wiersz). N. 328.
Józ. Wybicki, Pasterka zabłąkana, opera. N. 348.
Politische Dichtungen des Krasicki, Trembecki, Niemcewicz,
    Feliński, Węgierski. N. 113.
Lessing, Nathan. (poln.) 1801. N. 222.
Niemcewicz, Listy Litewskie. N. 304.
    „   Podeyrzliwy, komedya. N. 39.
    „   Zbigniew, muzykalne drama. N. 155.
    „   Komedye i Satyry. N. 41.
    „   Jan z Tęczyna, romans histor. N. 42.
Staszic, Ród ludzki. N. 280.
Wiersze do Jaxy Marcinkowskiego. N. 277.
Malczeski, Marya, Oryginałmscr. N. 129.
Rościszewski, Literar. Briefe an Raczyński, Łukaszewicz,
    Hanka. N. 252—254.
Kowiński, Popraw się, komedya. N. 274.
Kleinruss. Manuscript, enth. Uebersetzungen mittelalterlicher
    Sagen, wie Tristan etc.
    2. Histor. Stücke bezüglich auf Lithauen, 16, 17. Jahrh.
    3. Familiennotizen der Knichowski. N. 94.

Oriental-Literatur.

Alkoran arab. N. 318, 319.

„ deutsch. N. 228.

Ahmed ibn Alii bn Masûd, Grammat. Schrift in pers. Sprache mit Commentar. N. 317.

Ein türk. Gedicht mit arabischen Ueberschriften, 18. Jahrh. N. 320.

Nasredin Hodscha, türk. Lustspiel, türk., dtsch., franz., ital. N. 283.

Achmeds seltsame Begebenheiten, türk. Lustsp., türk., franz., dtsch., ital. N. 284.

Griechische und röm. Lit. Neulateiner.

Flavii Josephi Antiqu. Jud. liber VII. et XX. (15. Jahrh.) N. 133.

Cicero, 2 kl. philos. Schriften, übs. von Żukowski. N. 55.

Quinctilian, Mowy sądowe, tłom. Siruć, 1769—71. N. 312.

Claudian, de raptu Proserpinae, 1507. N. 179.

Plinius Panegyricus auf Trajan, übs. ins Poln. von W. Borkowski. 19. Jahrh. N. 287.

Vitruv; ins Poln. übs. von Ed. Raczyński. N. 52.

Ovid's Metamorphosen, Episteln aus d. Pontus, De publice. Remedium amoris (XV. Jahrh.). 171.

Aeneas Sylvius, Briefe u. Schriften, 15. Jahrh. N. 291.

Poemata Cricii. N. 212, 60, 61.

Sarbiewski, lat. deutsch. 276.

Solikowski, Jo. Demetr., poemata. N. 299.

Lat. Grammatik aus d. 14. Jahrh. N. 183.

Kriegswissenschaft.

Consilium rationis bellicae (Abschr. eines Pergamentdrucks). N. 260.

Uffano Diego Archelia, poln. Uebers. des J. Gruneberk. Grätz 1635. N. 236.

Friedrich II. Maximen über Kriegsmanoeuvres. Copie N. 292.

Taktik, geschr. von Thiollaz. N. 289.

v. Scheel, Taktik. (18. Jahrh.) N. 235.

Ueber Königl Preuss. Militärökonomie, 1775. N. 306.

Regulativ zu einer Compagnieübergabe. (Sachsen 1803.) N. 305.

Regeln des militär. Styls in Dienstschriften. N. 298.

Instruction für die Niederschles. Inf. 1807. N. 290.

Baupraktik für Ingenieure im Felde, geschr. von Thiollaz. N. 303.

Baukunst.

Plagoszak, Casp., Szamothulinus, De ecclesiis aedificandis
    1555. N. 329.
Belidor, Architecture hydraulique 1771. N. 251.

Mathem. Naturw. Medicin.

Syrenii Kräuterbuch, 17. Jahrh. N. 178.
Alchimistische Schriften, 17. Jahrh. N. 163.
Medicinische Schriften, 13. Jahrh. N. 156.
Poln. med. Mscr., 17. Jahr. N. 229.
Ueber das Leichenhaus in Eisenach. N. 281.
Streicher, Bericht vom Harn. N. 357.
Joannes de Sacrobusto Algorithmus, 1529. N. 352·

Theologia biblica.

Testamentum vetus. Mscr. des XV. Jahrh. N. 163.
Biblia lat. XIV., XV. Jahrh. N. 209.
Expositio psalmorum, 1460. N. 147.
Commentar zu den Briefen Pauli, Predigten und andere theo-
    logische Schriften. Aus dem Kloster Paradis. N. 140.
Das A. u. N. T. in Versen, 1452. N. 142.

Theologie encycl., dogm., moral., polem.

Simeon Krotzsch, theol. encykl. Werk in 5 Bdn. Anfang d.
    XVIII. Jahrh. N. 181.
Theologici tractatus diversorum doctorum. XIV. Jahrh.
    N. 168.
Miscellanea theol. varii argumenti. XV. Jahrh. N. 188.
Versch. theol. Excerpte, 1549. N. 187.
Tractatus de theologia.
    Liber de exemplis s. scripturae, Nicolai de Hanapis.
    Penitencia Adami et Evae.
    Liber Methodii episcopi.
    Vita beati Materni.
    Epistola b. Eusebii de morte Hieronimi.
    Epistola s. Augustini de magnificentia b. Zosimi.
    S. Cyrilli epistola de miraculis b. Zosimi. XV. Jahrh.
    N. 169.
Enchiridion fidei . . . 1510. N. 288.
Tractatus de virtutibus theologicis, XIII. Jahrh. N. 164.

Compendium theol. veritatis. XIV. Jahrh. Acc.: Thomae de Aquino de ordine praedicator. Expositio arboris consanguinitatis. N. 186.

Liber theologicalis editus a b. Thoma de Aquino, 1456. N. 132.

Ueber Mariae Empfängniss. XIII. Jahrh. N. 156.

Liber b. Mariae Virginis. XIII. Jahrh. N. 156.

Compendium moralium notabilium per Jeremiam . . . XV. Jahrh. N. 159.

E. Möy, Prof. in München, Ueber die Ehe, und die Stellung der kath. Kirche in Deutschland zu derselben. N. 119.

Innocentii Decretales.

Canones penitenciales.

De 8 speciebus turpitudinis.

Liber sacramentalis. N. 146.

Arbor consanguineitatis. N. 355.

Thl. I. Ehe und Scheidung. Religion, Staat, Ehe, Mann, Frau, Kinder und Eltern. Herrschaft und Diener. Staat. Hofleute. N. 32.

Joh. Eckii, Euchiridion locorum com. adv. M. Luth. 1532. N. 329.

Dargodzki, Maciej, Replika przeciw dialogowi ewangielickiemu, 1645. N. 307.

Theol. practica.

Ordo . . . missae. N. 356.

Modus confitendi. N. 354.

Compendium confessionis. XV. Jahrh.

Von den 10 Geboten Gottes.

Sermones aliquarum festivitatum.

Sermones. 1502. N. 162.

Theol. homiletica.

Gregorii, omeliae super Ezechielem.

Bernhardi, episc., ad Carthusienses de gratia et libero arbitrio.

Augustinus, de correptione et gratia et enchiridion.

Petricius, de purgatorio. N. 165.

Sermones fr. Conradi de Dulcis, Perg. XIV. Jahrh. N. 185.

Lat. Predigten. XIV. Jahrh. N. 174.

Guidonis Sermones. XIV. Jahrh. N. 172.

Lat. Predigten. XIV. Jahrh. N. 170.

    ,,   ,,   XV. Jahrh. N. 161.

Sermo de corpore christi, 1471. Mathei, episcop. in Heidelsberg, de confessione. N. 296.
Propositiones breves ad sermones, 1549. N. 334.

Theol. ascetica.

Breviarium. Perg. XIII. Jahrh. N. 190.
    „   XIV. Jahrh. Perg. N. 184.
    „   Perg. XV. Jahrh. (Kloster Obra.) N. 332.
Exercitia spiritualia. XVII. Jahrh. N. 330.

Vitae sanctorum.

Aus der Lebens- und Leidensgeschichte J. Christi, (lat.)
    Liber miraculorum.
    Beschreibung des Klosters Cluniacense.
    Vita S. Mechthildis. XIV. Jahrh. N. 173.
Passionale seu vitae sanctorum.
    Perg.-Handschr. aus dem XIII. Jahrh., aus dem Kloster Sambritz, später Blesen. N. 157.
Voragine Jac. de. XIV. Jahrh.
    Legenda sanctorum. Ebendaher. N. 279.
    Raphael de Proszevice.
    Apographum notarum sanctitatis. N. 122.
Longinus (Długosz) Vita S. Kunegundis. XV. Jahrhundert. N. 201.
Vita S. Stanislai, praesulis Cracoviensis, per Benedictum Posnaniensem, 1520. —(1778). N. 327.

Monasteria.

De vita religiosorum. — Scr. Jo. Volsenitz 1465.
    Humberti tractatus de eruditione principum, scrips. Joannes Lasko. XV. Jahrh. N. 145.
Usus monasterii 1310. Voran geht eine kurze Chronik der Cistercienser. Am Schluss eine päpstliche Bulle von Papst Bonifacius, 15. kal. Jan. pontificatus VIII. anno. N. 158.
Jo. Petzen, declaratio regulae frr. minor. 1506. N. 331.
Geschichte des Piaren-Convicts bis 1822. N. 127.
Warschauer Jesuiten-Kloster-Gesch. 1655—1743. N. 37.
Deutsch-Crone (Wałcz) Jesuiten-Colleg. 1618—1773. N. 56.
Hosterhausen, Historia ... di San Giovanni (Johanniterorden) 1636. N. 215.

Philosophia recentior ... juventuti s. o. Cist. accommodata ...
1815.   N. 166.

Hist. ecclesiastica.

Zur Geschichte der krak. Dioecese, 1792—1797.   N. 237.

Inventarium des Palais des krak. Bischofs Kajetan Sołtyk,
nach dessen Tode 1788.   Orig.-Mscr.   N. 130.

Inventarium des Palais des krak. Bischofs in Warschau nach
Sołtyks Tode 1788.   Orig.-Manuscript.   N. 131.

Geschichte des Bischofs Sedlag, v. Jos. Jezierski.   N. 153.

URKUNDEN.

Uebersicht.

Auf Kloster Paradies bezügliche Urkunden.

3, A. 1. 4, A. 3. 5, D. 21. 6, D. 17. 7, A. 2. 8, A. 4.
9, A. 6. 10, A. 7. 11, A. 5. 13, A. 9. 14, A. 10. 15, A. 11,
19, A. 13. 100, F. 14/6. 20, A. 14. 21, E. 24. 100, F. 14/4.
22, A. 15. 23, A. 16. 25, A. 18. 26, B. 1. 27, B. 5. 28, B. 2.
29, B. 4. 30, B. 3. 31, B. 6. 32, B. 7. 34, B. 10. 36, B. 11.
37, B. 12. 43, B. 17. 44, B. 19. 46, B. 22. 51, B. 27. 53, C. 2.
56, C. 5. 57, C. 6. 59, C. 8. 60, C. 9. 61, C. 10. 62, C. 11.
63, C. 13. 64, C. 12. 65, C. 15. 66, C. 14. 67, C. 16. 68, C. 17.
69, C. 18. 72, D. 20. 81, D. 10. 82, D. 9. 83, D. 8. 86, D. 4.
88, D. 3. 93, E. 3. 94, E. 38. 95, E. 4. 100, F. 14/5. 97, E. 8.
99, E. 7. 103, E. 12. 104, E. 13. 105, E. 11. 106, E. 14.
111, E. 21. 113, E. 23. 100, F. 14/2—3. 115. E. 26. 116, E. 29.
117, E. 27. 120, E. 33. 121, E. 32. 122, E. 35. 123, E. 34.
125, E. 37. 129, E. 43. 130, F. 4. 131, F. 1. 132, F. 2.
133, F. 5. 134. F. 3. 135, F. 6. 136, F. 7. 137, F. 13. 138,
F. 12. 139, F. 8. 140, F. 10. 142, F. 11. 143, F. 15. 144,
F. 16. 154, F. 25. 158, G. 2. 159, G. 3. 161, G. 4. 163, E. 9.
164, G. 8. 165, G. 9. 167, G. 11. 169, G. 12. 172, G. 13.
174, G. 15. 175, G. 16. 176, G. 17. 177, G. 18. 178, G. 19.
179, G. 20. 180, G. 21. 181, H. 1. 183, H. 3. 184, G. 23.
185, H. 14. 187, H. 6. (Vgl. auch 186, H. 4.) 188, H. 5. 190,
H. 11. 191, H. 10. 192, H. 8. 193, H. 12. 194, H. 13, 195,
H. 9. 196, H. 7. 197, G. 22. 199, J. 1. 200, J. 2. 202, J. 3.
203, J. 6. 205, J. 4. 206, J. 7. 207, J. 8. 208, K. 3. 209, J . 9.
210, J. 10. 214, J. 12. 215, J. 15. 216, J. 14. 217, J. 13. 218,
J. 17. 219, K. 6. 220, K. 5. 221, K. 1. 222, K. 2. 223, K. 4.
224, L. 1. 227, L. 5. 228, L. 4. 230, L. 7.

Auf Kloster Lubin bezügliche Urkunden.

12, A. 8. 16, B. 28. 17, A. 12. 18, E. 39. 33, B. 8.
35, B. 9. 38, B. 13. 40, B. 15. 41, B. 16. 45, B. 20. 47
B. 24. 48. B. 23. 49, B. 25. 52, C. 1. 55, C. 4. 70, D. 22.
71, D. 28. 74, D. 19. 75, D. 16. 76, D. 15. 77, D. 14. 78.
D. 13. 79, D. 12. 80, D. 11. 89, D. 2. 90, D. 1. 92, E. 2.

96, E. 6. 98, E. 5. 101, E. 20. 102, E. 10. 112, E. 18. 124,
E. 36. 128, E. 41. 141, F. 9. 146, F. 18. 147. F. 19. 212,
J. 11. 229, L. 6.

Auf Kloster Obra bezügliche Urkunden.

24, A. 17. 39, B. 14. 73, D. 18. 155, E. 28. 156, G. 1.
182, H. 2.

Auf Kloster Wągrowiec bezügliche Urkunden.

114, E. 25. 127, E. 40. 155, E. 28.

Urkunden die sich auf einzelne Personen, Orte und dergl. beziehen.

~~~~~~~~~~

Uebersicht nach der Signatur.

1.

1088, Febr. 1. — Secechus, Palatinus Cracoviensis et exercitus dux. 1088 in vigilia festi purificationis Beatae
Mariae Virginis, Cracoviae. Divisio bonorum fratrum:
Joachimi, Jaczki et Preczlai, filiorum Adriani de Lubomir,
de armis Srzeniawa, vexilliferri terrae Cracoviensis. —
Testes: Joannes de Wielopole dapifer Cracov. Spitko
de Zalaczyn, Simon de Gay, Andreas de Żydow, Eustachius et Rudolphus notarii. Abschrift des 19. Jahrh.:
Ex Archi. Regni. Mit der Notiz von der Hand Łukaszewicz's: „Najdawniejszy autentyk z akt koronnych."
— E. 19 a.

2.

1173, Aug. 31. — Mesico, dux Polonie, 1173, Aug. 31. in
Gnezna, donat hereditatem Wrąbczynek, monasterio de
Ląd. — Pap. Abschrift des 19. Jahrh., aus dem in der
Czartoryskischen Bibl. befindlichen Original. Abgedr. im
Cod. dipl. Maj. Pol. 1877 sub nr. 20. — E. 19 b.

3 u. 4.

1230, Jan. 29. — Paulus, episc. Posnaniensis, 1230, Jan. 29.
s. l.; confert monasterio novae fundationis dicto Paradyż,
omnem decimam villae Gostecove. — Zwei gleichlautende
Perg.-Urk. mit Quereinschnitten für je 2 Siegelanhänge.
Das Kapitelsiegel abgebildet sub VIII. im Cod. dipl., beide
Siegel abgebildet in Racz. Cod. dipl. Abgedruckt in Racz.
Cod. dipl. nr. 3 u. 5. Cod. dipl. nr. 129. — A. 1 u. 3.

5.

1230, Jan. 29. 1354, Dec. 5. — Henricus, episcopus Lubucensis, 1354, Dec. 5. Vrankenvord; literas, quas dederat
monasterio Paradyż Paulus, episcopus Poznaniensis, 1230,
Jan. 29. s. l., transsumi jubet. — Testes: Theodoricus
archidiaconus Lubucensis ecclesie, Michael ejusd. ecclesie
perpetuus vicarius, Johannes, plebanus in Sommervelt,
Michael de Czornzendorp, Bernardus de Storkow, clerici
Misnensis et Lubucensis dioecesis, Bernardus Braxator

clericus Trajectensis, dioecesis, publ. imperiali auctoritate notarius scripsit. Perg.-Orig. Mit dem Handzeichen des Not. publ. und Löchern für 1 Siegelanhang, vorhanden ein Bruchstück des Siegels. Abgedr. in Racz. Cod. dipl. nr. 6. Cod. dipl. nr. 1326. — D. 21.

6.

1230, Jan. 29. 1363, Aug. 6. — Johannes, episcopus Poznaniensis, 1363, Aug. 6. Poznanie, ratum habet privilegium quod Paulus, episcopus Posnaniensis, monasterio Paradyż dederat, 1230, Jan. 29. s. l. contentamque in eodem donationem decimae de villa Gościchowo in favorem monasterii praedicti confirmat. — Testes: Trojanus prepositus. Cziborius decanus, Nicolaus scolasticus, Andreas archidiaconus. Joannes cantor Gnezdnensis, Henricus cantor, Joannes custos, Nicolaus Szremensis, Dytko Cyrnensis, Jacobus Pczoviensis, Damianus cancellariu, Misczigneus prepositus Sancti Spiritus, Pribigneus, Nicolaus, Andreas et alius Nicolaus, Palatini, canonici: Victor et Nicolaus, altaristae Poznanienses et alii. Perg.-Urkunde, mit runden Löchern zu 2 Siegelanhängen, beide Siegel vorhanden, abgebildet in Racz. Cod. dipl. und eins im Cod. dipl. Bd. IV., nr. LV. Abgedruckt in Racz. Cod. dipl. nr. 101. Cod. dipl. n. 1497. — D. 17.

7.

1230, Jan. 29. — Comes Bronissius, 1230, Jan. 29, s. l.: confert coenobio Paradyż, sive Gostichowo, omnia bona sua et uxoris suae mobilia et immobilia, nec non et hereditates. — Testes fuerunt: Wlodeslaus junior, dux Polonie, Episc. Paulus, Posn., Sandivojus, frater com. Bronissii, Wissota filius Hugonis, Albertus pater Herkenboldi, Tseslaus de Brodenits, Ambrosius capellanus de Gnise, Gotardus notarius comitis Bronissii. Perg.-Urk., mit 2 Löchern für den Siegelanhang, Siegel vorhanden. Abbildung des Siegels im Cod. dipl. sub. IX. Abgedruckt in Racz. Cod. dipl. 4. Codex dipl. n. 128. — A. 2.

8.

1235. — Wolodizlaus, dux Polonie, 1235, s. d. in summa eccl. Gnezn., recipit monasterium Paradyż in suam tutelam. — Testes: Henricus abbas de Lenin, Balduwinus, deca-

nus Gnezenensis, Cristianus custos, Chartunchus, Thomas
Mutina, Theodericus, Andreas, Stephanus cancellarius,
Martinus, canonici Gnezenenses, Boleslaus, Zemomuzle,
filii Wolodizlai ducis. Perg.-Urk. mit Löchern für einen
Siegelanhang; das Siegel vorhanden, abgebildet im Cod.
dipl. sub VII. desgl. in Racz. Cod. dipl. Abgedruckt
in Racz. Cod. dipl. 8. Cod, dipl. nr. 183. — A. 4.

9.

1236. — Wlodeslaus, dux Pol., 1236 s. d. in Posn.; protestatur, comitem Bronissium contulisse claustro Paradyż
omnia bona sua et uxoris suae mobilia et immobilia;
ipse vero claustrum praefatum sub suam suscipit protectionem et ab omni jure Polonico absolvit. Perg.-Urk.
mit 2 Löchern für 1 Siegelanhang. Siegel n. vorhanden.
Abgedruckt in Racz. Cod. dipl. 12. Cod. dipl. nr. 194.
— A. 6.

10.

1236, Jan. 23. — Com. Pribigneus, 1236, Jan. 23. in
claustro Paradyso; confert una cum matre et uxore sua
hereditatem Rusinow fratribus de Paradyż. — Testes
fuerunt: comes Jerota, comes Sator, Nicolaus sacerdos
de Stans, Willelmus de Bucowe, capellanus Pribignei,
Jacobus alter ejusdem capellanus. Perg.-Urk. mit Quereinschnitten für 1 Siegelanhang. Siegel vorhanden, abgebildet im Cod. dipl. sub nr. X. Abgedruckt in Racz.
cod. dipl. 14. Cod. dipl. nr. 190. — A. 7.

11.

1236, Juni 25. — Com. Pribigneus, 1236, Jun. 25. s. l.,
dat coenobio Paradyż aquam in villa sua Gostin ad con-
struendum molendinum. — Testes: Nicolaus sacerdos de
Stanss, Willelmus sacerdos de Bucowe, procurator Pribignei Sedelis, capellanus ejusdem Jacobus. Perg.-Urk.
mit Quereinschnitten für einen Siegelanhang. Das Siegel
vorhanden, abgebildet sub n. X. im Cod. dipl. Abgedr.
in Racz. Cod. dipl. 13. Cod. dipl. nr. 191. — A. 5.

12.

1237. — Vlodislaus dux Polonie 1237 s. d. in Poznan, confirmat donationem insule in confinio oppidi Krzywin sitae,

quam comes Vison monasterio de Lubin contulerat, simul
et possessionem hereditatis Cichowo, eidem monasterio
a comite Josepho datae. — Testes fuerunt: Paulus episcopus, comes Bronisius palatinus, Ceceradus castellanus
Gneznensis, comes Petrus filius Dethlebi. Perg.-Urk.
mit Löchern für 1 Siegelanhang. Siegel vorhanden, abgebildet sub XI. im Cod. dipl. desgl. in Racz. cod. dipl.
Abgedruckt in Racz. Cod. dipl. 16. Cod. dipl. nr. 205.
— A. 8.

13.

1240, Nov. 3. — Comes Bronisius fundator coenobii in
Paradyso, 1240, Nov. 3. s. l. confert omnes haereditates
suas coenobio dicto. — Testes fuerunt: magister Bugu-
phalus, canonicus Posnaniensis et scolasticus . . . giciensis, Ambrosius de . . . plebanus. Perg.-Urk., schadhaft
auf Papier aufgezogen, stark beschnitten, ohne Spur eines
Siegelanhangs. Siegel fehlt. Abgedr. im Cod. dipl. nr. 225.
— A. 9.

14 u. 15.

1241. — Comes Janusius filius comitis Sezeme 1241 s. d.
et l. confert monasterio Paradyż villam Lubnicko. —
Testes ad A. 10: Henricus dux Zlezie et Polonie, comes
Stephanus palatinus, comes Bronisius, comes Wissota,
comes Wissemirus, comes Janussius, comes Servatius. —
Testes ad A. 11. Albertus frater comitis Janusii, comes
Bronysius, commes Wissota, comes Janusius, comes
Miron, comes Jarostius, comes Wissemirus, comes Jarota,
comes Santor . . . 2 bis auf die Testes gleichlaut. Perg.-
Urk. mit Löchern für je 1 Siegelanhang. Das Siegel
von A. 10 fehlt, von A. 11 vorhanden, abgebildet im Cod.
dipl. sub XII. Abgedruckt in Racz. Cod. dipl. Facsim.
von A. 10. — Cod. dipl. nr. 230. — A. 10 u. 11.

16.

1242. 1294. — Premisl secundus, dux Polonie, 1294 s. d.
Poznanie, confirmat literas a patre suo Premislone datas
1242 Poznaniae, domui sancte Marie in Lubin fratrum
ord. s. Benedicti, quibus villae ad conventum in Lubin
pertinentes ab omnibus exactionibus juris polonici liberantur. — Testes: Comes Benjamyn palatinus Poznaniensis, comes Thomislaus judex et castellanus Gnesnensis, comes Dirsicrajus castellanus de Usce, comes Bozata

castellanus de Linda, comes Chemca castellanus de Radim,
Jasco notarius Ducis. Copie aus dem XV. oder XVI.
Jahrh. auf Perg. Das Original im Kgl. Staatsarchiv zu
Posen: Lubin 5. Abgedruckt in Racz. Cod. dipl. nr. 18,
im Cod. dipl. 719 und 236. — B. 28.

17.

1242, Sept. 9. — Premisl, dux Polonie, 1242, Sept. 9., in
Lubyn; concedit universis mercatoribus Lubin visitanti-
bus libertatem omnia vendendi et emendi, non obstante
quocunque jure. — Testes: Bogumilus palatinus Pozn.,
Demaratus judex, Scedricus castellanus de Crivin, Mathias
scriptor Premisli. Perg.-Urk. mit Quereinschnitten für
2 Siegelanhänge. Siegel fehlen. Abgedruckt in Racz.
Cod. dipl. 19. Cod. dipl. nr. 235. — A. 12.

18.

1243, Oct. 12. 1443, Aug. 1. — Bogufalus, Poznan. ecclesie
episcop. 1243, Oct. 12 s. l., decimas villarum Malpin, Gro-
dnica, Międzychód, Dalewo, Rogożewo, Smolice et Cichowo,
quas monasteriam de Lubin minus juste tennisse con-
fitetur, eidem monasterio donat. — Testes: Petrus
prepositus, Vitozlavius decanus, Petrus archidiaconus,
Michael, Vincencius, Johannes, Helvicus, Albertus, Nicolaus, Gerardus, Ysajas, Theophilus, Zophon, Venceslaus,
Jacobus, Eusebius, Marcus, Bogumilus canonici Poznanienses. — Andreas, episc. Posnaniens. 1443, Aug. 1.,
Posnanie privilegium prolatum ab abbate Lubinensi Sta-
nislao innovavit, ratificavit, approbavit et confirmavit.
Testes: Wyschota prepositus, Mathias Drya Decanus,
Petrus Cantor, Nicolaus Custos, Slawnik Cancellarius,
Jacobus Praszmowsky, Sremensis, Johannes de Drzewitza
Warchouiensis, archidiaconi, Nicolaus Czoczani Vicarius
in Spiritualibus et Officialis, Johannes Decanus Gnezn.,
Nicolaus lanthmann, Hector, Nicolaus de Dobieschewo,
Jacobus de Wigonowo, Jacobus de Grandt, Jaroslaus de
Cankolewo, Johannes luthconis de Brzesze, Johannes de
Twardowo, Andreas lascarys, Johannes Rakwitz, Thomas
de Cosczol, Miroslaus de Bithin, Stephanus de Jardanowo,
Sbiluthus de Urbanowo Nicolaus de Obyeszerze et Wladis-
laus de Sarnowo. „Transivit per manus Sławnik, Can-
cellarii Ecclesie Posnaniensis.“ Perg.-Urk. mit runden
Löchern für 2 Siegelanhänge. Ein Siegel vorhanden. Abge-

druckt im Cod. dipl. nr. 241, aber nur das Privileg vom
Jahre 1243. — E. 39.

19.

1245. — B o l e z l a u s dux Pol. 1245 s. d. in Posznan, recipit monasterium Paradyż in suam tutelam et defensionem et amplissimis libertatibus munit. — Testes: Bogumilus palatinus, Thomas castellanus de Posznan, Johannes castellanus de Srem, Borezlaus castellanus de Zsanthoch,
Predpolcus castellanus de Tsbansym, Jarostyus castellanus de Benyn, Adalbertus castellanus de Premunt,
Nicholaus castellanus de Meserecz, Tolezlaus procurator
Boleslai ducis, Nicholaus et Jacobus notarii ejusdem.
Perg.-Urk. mit Löchern für 1 Siegelanhang, Siegel fehlt
Abgedruckt in Racz. Cod. dipl. nr. 22, im Cod. dipl. nr.
248. — A. 13.

ad 100.

1245. — L u d o v i c u s, Rex Ungarie, Polonie etc. confirmat
literas monasterio Paradisiensi datas a Boleslao et Prze-
mislao Ducibus Polonie, quarum testes fuerunt Bogumilus palat., Thomas Castell. de Posnania, Johannes castellanus de Szrem, Boleslaus Castellanus de Czantoch,
Przedpelcus Castellanus de Sbanssin, Janussius castellanus
de Benyn, Adalbertus Castellanus de Przemunt, Nicolaus.
Castellanus de Medzirzicz, Coleslaus procurator . . . Nicolaus et Jacobus Notarii Posnaniae 1245. Abschrift auf
Pergament aus dem XV. Jahrh. — F. 14/6.

20.

1246, Juli 1. — P r e m i s l, dux Polonie, 1246, Jul. 1. in Poznan
roborat donationem hereditatis Lubrze, factam monasterio
Paradyż per Bozatam filium quondam comitis Janussii
de Widzim. — Testes: Comes Bogumilus palatinus, Do-
maradus judex curie ducalis, Pretpolcus castellanus
Poznaniensis, Herkenboldus castellanus Calisiensis, Boguphalus filius Archiepiscopi, Bedigostius, Michael notarius
curiae ducalis. Pergament-Urkunde, mit Löchern für
einen Siegelanhang, Siegel fehlt. Abgedr. in Racz. Cod.
dipl. 23. Cod. dipl. nr. 252. — A. 14.

21.

1247. 1426, Jul. 3. — Premisl, dux Polonie 1247, s. d., in Gnesdna; recipit fratres monasterii Goscichow sub suam protectionem et quibusdam libertatibus munit. Testes: Dirsicus palatinus Poloniae, Prezlaus pincerna, Bogussa, subcamerarius, Bozata etiam subcamerarius, Mars sub-dapifer, Ysajas Mutina canonicus, Johannes et Michael capellani curiae. — Vladislaus rex Polonie etc. 1426, Jul. 3, in Paradiso literas hasce confirmat. Testes: Stanislaus episc. Plocensis, Sandivogius de Ostrorog, Palatinus, Thomas de Pakoszcz, Castellanus, Petrus Corzbok sub-camerarius, Rachphael de Obuchow subdapifer Poznan., Nicolaus Chranstowski gladifer Cracoviensis et Petrus Schaffranecz incisor Regis; per manus: Johannis Schaff-ranecz decani Cracoviensis et Stanislai Czolek custodis Gneznensis. Ad relationem Stanislai Czolek vicecanc. regni Poloniae.

Perg.-Urk., mit runden Löchern für 1 Siegel - Anhang. Siegel vorhanden. Abgedr. in Racz. Cod.-dipl. nr. 25 u. 117. im Cod. dipl. nr. 261, aber nur das Privileg vom Jahre 1247. — E. 24.

22.

1247, Juli 1. — Premiszl dux Polonie 1247, Jul. 1, in Poznania: donat villam Pakolisse monasterio Paradyż. — Testes; Artungus abbas de Lukna, Petrus abbas de Obra, magister Boguphalus de Chirnelin, Predpolcus castellanus de Gne-zna, Trebezlavus castellanus de Zhibansim, Johannes castellanus de Srem, Henricus procurator ducis. Perg.-Urkunde. Mit Löchern für 1 Siegelanhang. Abbildg. des vorhandenen Siegels im Cod. diplom. sub nr. XIII Abgedruckt in: Racz. Cod. diplom. 26. Cod. diplom. 262. — A. 15.

ad 100.

1426, Juli 3. 1247. — Wladislaus, Rex Polonie, in Paradiso in crastino visitationis B. V. Marie 1426, confirmat privi-legium Przemislii Ducis Polonie datum monasterio in Gostczechow 1247. Abschrift des 15. Jahrh. auf Pergament. — F. 14/4.

23.

1247, Octobr. 23. — Innocentius Pp. IV. 1247, Octobr. 23. Lugduni, monasterium Paradyż sub B. Petri suamque protectionem suscipit. — Testes: Petrus ecclesie S. Marcelli presbyter cardinalis, Johannes S. Laurentii in Lucin presb. card., Hugo S. Sabine presb. card., Otto Portuensis ecclesie s. Ruffini episcopus, Petrus Albanensis episcopus, Johannes s. Nicolai in carcere Tullian. diacon. cardin., scripsit: Magister Marinus s. Romanae ecclesie vicecancellarius. Perg.-Urk. mit Löchern für einen Siegelanhang. Siegel vorhanden. Abgedruckt in Racz. Cod. dipl. 28. Cod. dipl. n. 265. — A. 16.

24.

1248. — Bolezlaus et Henricus, duces Zlezie et Pol., 1248, s. d. in Veschov; conferunt monasterio in Obra thabernam suam in Glogow. — Testes: Miron castellanus de Glogov, Ychon et Michael filii ipsius, Sulizlaus camerarius de Glogov, Fredericus dapifer magnus, Bertoldus castellanus de Reschen, Henricus de Baruht, Nicolaus plebanus de Jawor, Conradus plebanus de Lesnic et canonicus de Lubus. Perg.-Urk. mit Löchern für einen Siegelanhang. Siegel fehlt. Abgedr. im Cod. dipl. n. 275. — A. 17.

25.

1252. — Premisl, dux Polonie 1252 s. d. in Santoch; confirmat donationem villae Karmin, per Hermannum balistarium monasterio Paradyż factam. — Testes: Gerlacus et Jeroslaus frater suus, Martinus praepositus de Santoch, Petrus et Alexius capellani curie. Conradus notarius ducis scripsit. Pergam.-Urk. mit Löchern für 1 Siegelanhang. Siegel fehlt. Abgedruckt in Racz. Cod. dipl. n. 32. Cod. dipl. nr. 306. — A. 18.

26.

1253. — Wernerus de Foresto, et prepositus Gobinensis, 1253 s. d. in Gobin; testatur, se controversiam inter abbatem de Paradyż et Wilhelmum molendinarium, causa molendini in Paradyż exortam, sopivisse. — Testes: H. prepositus de Gobin, Borchardus advocatus in Gobin, Hogerus de Merica, Ramboldus Bindewin, Hermannus frater suus, Conradus de Lowene, Guntherus de Dilowe, Thymo de Lucene, Herbordus de Somervelt, Johannes Dordenbusch, Nicolaus monetarius, Otto de Belchowe, Bertoldus de Halis. Perg.-Urkunde mit Quereinschnitten

für 3 Siegelanhänge, die Siegel vorhanden. Abgedr. in
Racz. Cod. dipl. 33. Cod. dipl. 323. — B. 1.

27.

1256. — Premisl, dux Polonie, 1256, s. d. in Poznan;
confert monasterio Paradyż multiplices libertates. —
Testes: Comes Dirsycrayus judex Ducis, Johannes Cancellarius Ducis, Comes Eustachius castellanus de Zantoch,
Conradus scriptor Ducis scripsit. Perg.-Urk., Löcher für
1 Siegelanhang. Siegel vorhanden, abgebildet im Cod.
dipl. sub XV. Abgedruckt in Racz. Cod. dipl. 38. Cod.
dipl. nr. 336. — B. 5.

28.

1256. — Premisl, dux Polonie, 1256, s. d., in Poznan;
protestatur, militem suum Sulislaum, filium Andreae,
haereditatem Wyszanowo monasterio Paradyż vendidisse.
— Testes: Johannes cancellarius, Janus filius Boznonis,
Andreas filius Viti, Miron filius Janussii, Symon tribunus
de Santok et frater suus Nycolaus. Perg.-Urkunde mit
Löchern für 1 Siegelanhang. Siegel vorhanden, Abbildung
des Sieg. im Cod. dipl. sub nr. XV. Abgedr. in Racz. Cod
dipl. 37. Cod. dipl. 338. — B. 2.

29.

1256. — Premisl dux Polonie 1256 s. d. in Poznan;
ratam habet collationem silvae Suhcino, quam miles
Swentek, filius quondam Milvii, monasterio Paradyż fecerat. — Testes: Predpelcus palatinus, Dirsicrajus judex,
Bogufalus castellanus Poznaniensis, Andreas filius quondam Viti, Symon tribunus de Santok cum fratre suo Nycho-
lao. Perg.-Urk. beschnitten, so dass die Einschnitte für
den Siegelanhang verloren sind, das Siegel fehlt. Abgedruckt in Racz. Cod. dipl. 35. Cod. dipl. nr. 337. — B. 4.

30.

1256, März 18. — Premisl, dux Polonie, 1256, Mart. 18. in
Poznan; ratam habet commutationem haereditatis comitis
Dyrseci filii Dyrskonis, dictae Lubienicko, pro haereditate
monasterii de Gostichow, dicta Góra. — Testes: Comes
Dyraicray palatinus, Johannes cancellarius curie, Bogu-

phalus castellanus Poznaniensis, Johannes scolasticus,
Henricus cantor sancte Poznaniensis ecclesie, Janus filius
Bozenonis. Michael notarius ducis scripsit. Perg.-Urk.
mit Löchern für einen Siegelanhang. Abbild. des vor-
handenen Siegels im Cod. dipl. sub XV. Abgedruckt in
Racz. Cod. dipl. 36. Cod. dipl. 335. — B. 3.

31.

1256, Jun. 29. — Jarostius filius Phalonis 1256, Jun. 29,
in Poznan., protestatur, se post multas altercationes
a monasterio Paradyż modo compositionis villas Sroczewo, Zakrzewo et Zaborowo recepisse, pro eis vero
monasterio praedicto villas Kotowo et Pamiątkowo dedisse.
— Testes: Petricus prepositus, Gerardus decanus, Johannes scholasticus, Henricus cantor ecclesie Poznaniensis,
et Boruth canonicus ejusd. eccl., Prethpelk palatinus, Dirsi-
cragius palatinus et judex, Scedricus castellanus de
Criwin, Thomislaus pincerna, Andreas filius Viti, Bozeta
filius Stephani de Wrese. Perg.-Urk. Mit den Rändern
auch die Einschnitte für d. Siegelanhang weggeschnitten.
Siegel fehlen. Abgedr. in Racz. Cod. dipl. 39. Cod. dipl.
342. — B. 6.

32.

Nach 1256. — Jarostius, filius Phalonis, judex Gneznens.
et Kalisiens. s. a. d. et l. protestatur, se anno 1256 super
villis, quas patruus suus b. m. comes Bronissius monasterio Paradyż contulerat, medium pacis fecisse, cujus
facti expositionem nunc appensione sigilli ducis Poloniae
Boleslai, compluribus testibus praesentibus, confirmari
curans, delimitationem villarum ad rem spectantium in-
terserit. — Testes: Teuley castellanus de Ghedez, Prets-
laus castellanus de Uste, Bozeta, Janus tribunus Gniznensis, Desiderius venator Gniznensis, Pancracius, Ratibor
Petrus, Misca. Vitus filius Viti, Thomizlaus canonicus
Poznaniensis, Thomizlav filius Bogumili, Nicolaus filius
Bogufali, Woycich Oltarik. Perg.-Urk. mit Quereinschnitten für 3 Siegelanhänge. 2 Siegel vorhanden. Abbildung des Siegels Herzogs Boleslaus sub XVI. im Cod.
dipl. Abgedruckt in Racz. Cod. dipl. n. 39. Cod. dipl.
362. — B. 7.

33.

1257. — Premisl, dux Polonie, 1257 s. d. in Poznan.; munit
villam monasterii de Lubin dictam Krzywin compluribus

libertatibus, et facultatem locandi ibidem Theutonicos monasterio praedicto concedit. Perg.-Urk. mit Löchern für 1 Siegelanhang. Siegel fehlt. Abgedr. in Racz. cod. dipl. 41. Cod. dipl. 353. — B. 8.

34.

1257. — Premisl, dux Polonie, 1257 s. d., in Moder, declarat, se monasterium Paradyż, quod amplissimis munit privilegiis, ob commutationem haereditatis Pamiątkowo (cf. 31; B. 6.) detensurum. — Testes: Comes Jarostius filius Falonis cum fratre suo Sandivoyo, Johannes archidiac. Pozn. et cancellarius Ducis, Mistignewus filius Mathie, Vincentius filius Nemere, Jacobus clericus filius Alberti. Perg.-Urk. mit Löchern für 1 Siegelanhang. Abbildung des vorhandenen Sieg. im Cod. dipl. sub. XV. Abgedruckt in Racz. Cod. dipl. 42. Cod. dipl. 350. — B. 10.

35.

1257, März 24. — Capitulum ecclesie Gnezn., 1257 Mart. 24. in Gnezdna, protestatur, se decimas suas de villa Wyszakow dedisse monasterio de Lubin pro decimis ejus de villa Opatowko. Perg.-Urk. mit Löchern für 2 Siegelanhänge. Siegel fehlen. Abgedr. im Cod. dipl. 349. Facs. in Racz. Cod. dipl. ad p. 50/51. — B. 9.

36.

1260. — Boleslaus, dux Polonie Majoris, 1260, s. d., in Gnesna; confirmat collationem haereditatis Młodawsko a comite Mlodola, et silvae cum duobus lacubus, Linia dictis, a milite Petro de Konin monasterio Paradyż porrectarum. — Testes: Predpelcus palatinus, Bogufalus castellanus Poznaniensis, Johannes cancellarius Ducis, Sandivogius filius Falonis, Benjamin castellanus de Premunt, Nasan filius Bogute. Perg.-Urk. mit Löchern für 1 Siegelanhang. Abbild. des vorhandenen Sieg. im Cod. dipl. sub XVI. Abgedruckt in Racz. cod. dipl. 48. Cod dipl. 383. — B. 11.

37.

1261, Jun. 30. — Boleslaus, dux Polonie Majoris 1261, Jun. 30, in Poznan., confirmat donationem hereditatis Sroczewo a comite Jarostio filio quondam Falonis, monasterio Paradyż certa conditione collatae. — Testes: Predpelcus palatinus, Harkemboldus palatinus, Martinus castellanus de Mazirecs, Venceslaus filius Laurentii. Perg.-Urk. mit Löchern für 1 Siegelanhang. Abbild. des vorhandenen Siegels sub. XVI. im Cod. dipl. Abgedruckt in Racz. Cod. dipl. 49. Cod. dipl. 391. — B. 12.

38.

1262. — Boleslavus, dux tocius Polonie, 1262 s. d., in Gnezna, confirmat libertates, villae monasterii de Lubin, dictae Krzywin, concessas. Perg.-Urk. mit Löchern für 1 Siegelanhang. Siegel fehlt. Abgedr. in Racz. Cod. dipl. 51. Cod. dipl. 399. — B. 13.

39.

1262. — Boleslaus, dux Polonie, 1262 s. d., in Gnezna, confirmat venditionem hereditatis Zodyn, quam miles Mistigneus, filius quondam Mistignevi, monasterio de Obra resignaverat. Perg.-Urk. mit Löchern für 1 Siegelanh. Abbildung des vorhandenen Siegels im Cod. dipl. XVI. Abgedruckt in Racz. Cod. dipl. 50. Cod. dipl. 397. — B. 14.

40.

1266. — Boleslaus, dux Polonie, 1266 s. d., in Dlusco, confirmat conventui de Lubin adjudicationem hereditatis Popowo polskie, contra petitionem Thomae quondam filii Dyrsicragii de Waliszewo decretam. — Testes: Comes Janco castellanus de Kalis, comes Boguphalus, castellanus Poznaniensis, comes Jaracius, castellanus de Srem, Petrus cancellarius. Perg.-Urk. Mit d. Rändern auch die Einschnitte des Siegelanhangs weggeschnitten. Siegel fehlt. Abgedruckt in Racz. Cod. dipl. 53. Cod. dipl. 420. — B. 15.

41.

1270, Apr. 28. — Boleslaus, dux Polonie, 1270, Apr. 28, in Szrem; liberat a solutione thelonei ad civitatem monasterii Lubinensis dictam Krzywin causa fori annualis pergentes, civibus vero ipsius amplas libertates confert. Perg.-Urk. mit Löchern fur 1 Siegelanhang. Siegel fehlt. Abgedr. in Racz. Cod. dipl. 55. Cod. dipl. nr. 441. – B. 16.

42.

1276, Sept. 6. — Albertus, comes de Lubenow, castellanus in Bencin, 1276, Sept. 6., s. l., protestatur, se Ulrico praefecto de Lubrze, causa novae locationis hujus civitatis, scultetiam ibidem contulisse. — Testes: Jesco miles de Piser, miles Hizeman dictus, Ulricus Magnus cives ibidem, Johannes dictus Vernern, Tilo dictus Pozstamp. Perg.-Urk. mit Quereinschnitten für 1 Siegelanhang. Abbild. des vorhandenen Sieg. im Cod. dipl. XX. Abgedr. im Cod. dipl. nr. 461. — B. 18.

43.

1276, Oct. 25. — Nicolaus, episcopus Poznaniensis, 1276, Oct. 25., in Pcew, protestatur, Wrotslaum capellanum de Mędzyrzecz partem hereditatis suae Wyszanow monasterio Paradyż contulisse. — Testes: Johannes cantor Pozn., Rado, canon. Pozn., mag. Florianus capellanus de Wilcovia. Perg.-Urk. mit Quereinschnitten für 3 Siegelanhänge, 3 Siegel vorhanden. Abgedr. in Racz. Cod. dipl. 56. Cod. dipl. nr. 462. — B. 17.

44.

1277. — Premizl, dux Polonie, 1277 s. d., in Poznan, confert monasterio Paradyż villam suam Grodzisk, eamque ab omnibus solutionibus eximit. — Testes: Comes Nicolaus judex Pozn., comes Gnevomir castellanus de Sbansin, comes Boguslaus subcamerarius Pozn. et Thilo scriptor curie. Perg.-Urk. mit Löchern für 1 Siegelanh. Siegel fehlt. Abgedr. in Racz. Cod. dipl. 57. Cod. dipl. 470. — B. 19.

45.

1277, Aug. 16. — Secundus Premisl, dux Polonie, 1277, Aug. 16, in Poznan, omnes villas monasterii de Lubin, in suo ducatu constitutas, ab omnibus viciniis exemptas esse jubet. — Testes: Comes Scedricus castellanus de Crivin, comes Cevlegius castellanus de Srem, comes Bozanta castellanus de Prement. Abschrift auf Papier, a. d. 16. Jahrh. Abgedr. in Racz. Cod. dipl. 58. Cod. dipl. 469. — B. 20.

46.

1280, Jan. 6. — Secundus Premizl, dux Polonie, 1280, Jan. 6., in Poznan, confirmat donationem hereditatis

Grodzisk, a militibus Pelca, Boguphalo, Zemiclao, Gne-
vomiro, Stephano, et duobus filiis Phalislai, dictis Marcus
et Samson, monasterio Paradyż factam; comitem vero
Nicolaum, militibus praedictis pro hujus donationis re-
compensatione hereditatem Chwalkowo dedisse protestatur. — Testes: Comes Benjaminus palat. Pozn., Vincencius cancellarius Pozn., Comes Nicolaus Judex Pozn.,
Bogumilus praepositus de Santoch, Thilo notarius ducis
scripsit. Perg.-Urk. mit Löchern für 1 Siegelanhang.
Siegel fehlt. Abgedr. in Racz. Cod. dipl. nr. 61. Cod.
dipl. 491. — B. 22.

47.

1282. — Secundus Premizl, dux Polonie 1282, s. d., in
Grabonog, protestatur, comitem Stephanum, castellanum
de Krobia, hereditatem suam Maryszewo, cum villa monasterii de Lubin dicta Irka commutasse. — Testes: Comes
Boguslaus castellanus de Usce, comes Borislaus castellanus de Zun, comes Sandivoguis subcamerarius Poznaniensis, scripsit Thilo notarius Ducis. Perg.-Urk. mit
Löchern für 2 Siegelanhänge. Siegel fehlen. Abgedr. in
Racz. Cod. dipl. 62. Cod. dipl. 514. — B. 24.

48.

1282, Juli 28. — Secundus Premizl, dux Polonie, 1282,
Jul. 28., in Lubin, protestatur, Nicolaum filium quondam
Voynonis sortem hereditatis Wirszkowo monasterio de
Lubin vendidisse. — Testes: Comes Boguslaus castellanus
de Usce, comes Jacobus castellanus de Rogozna, comes
Sandivoyus subcamerarius Poznan., scripsit Thilo nata-
rius curie ducalis. Perg.-Urk. mit Löchern für 1 Siegel-
anhang. Siegel fehlt. Abgedr. im Cod. dipl. nr. 512.
— B. 23.

49.

1286, Jan. 7.—12. — Secundus Premizl, dux Polonie,
1286, Jan. 7—12., in Rogozna, hereditates Charbielin et
Dłużyn, olim a comite Bogussa collatas, monasterio Lubinensi contra petitionem filiorum praedicti Bogussae adjudicat et libertatibus caeterarum villarum ejusdem monasterii munit. — Testes: Comes Bervoldus venator Len-
densis, comes Sendyvoyus castellanus de Drosin, Gabriel

cantor Gnesnensis. Perg.-Urk. mit Löchern für 1 Siegelanhang. Siegel fehlt. Abgedr. in Racz. Cod. dipl. 68.
Cod. dipl. 561. — B. 25.

50.

1293, Nov. 30. — Com. Voych de Lubolov, 1293, Nov. 30,
s. l., confert famulo suo Theodrico 14. mansos liberos in
villa Kręsko et 2. in villa Sczaniec. — Testes: Henricus
dictus Prussus, Nicolaus scultetus de Lublov, Bertramus
scultetus de Scanzec. Perg.-Urk. mit Quereinschnitten
für 1 Siegelanhang. Siegel fehlt. Abgedr. in Racz. Cod.
dipl. 77. Cod. dipl. 710. — B. 26.

51.

1296, Juni 6. — Wladislaus, regni Polonie etc. dux, 1296,
Jun. 6., ante Cosczan, confirmat venditionem sortis Grodzisk, monasterio Paradyż a comite Petro de Gliñsk resignatae. — Testes: Abbas de Lubin, Johannes cancellarius Cuyaviensis (per cujus manum presens priuilegium
est porrectum), comes Petrco castellanus Pozn., comes
Gnevomirus jud. Posn. Perg.-Urk. mit Löchern für
1 Siegelanhang. Siegel fehlt. Abgedr. in Cod. dipl. 748.
B. 27.

52.

1302, Jan. 1. — Wlastek et Radon, fratres uterini, heredes in Weshcovo, 1302, Jan. 1., Gostine, protestantur, se
partem suam in Wieszkowo monasterio Lubinensi primo
in certa pecunia obligasse, tum cum consensu filioli sui
Vitoslai perpetuo resignasse. Nicolaus vero palatinus
Kalisiensis, ordinationem praedictam sub suo sigillo con-
scribi mandat. — Testes: Comes Miroslaus, frater
Wlastkonis et Radonis, castellanus de Bnyn, comes
Albertus Krczonuvicz, Wyslaus de Illowo et Leonardus
de Belewo comites, Swentoslaus et Godtvinus castellani
de Gostina. Perg.-Urk. mit Quereinschnitten für 1 Siegelanhang. Das Siegel fehlt. Abgedruckt in Racz. Cod.
dipl. 82. Cod. dipl. 847. — C. 1.

53.

1302, Mart. 11. — Bogus de Wesenburch, 1302, Mart. 11.
in Paradiso, protestatur, se villam Lubinisko a mona-

sterio Paradyż ad tempus vitae suae in feudum recepisse
— Testes: Comes Gnivmerus de Swebosin, Hinricus de
Clebs, Hinricus de Mirica. Perg.-Urk. mit Quereinschnitten für 1 Siegelanhang. Das Siegel fehlt. Abgedruckt im Cod. dipl. 849. Facsimilirt in Racz. Cod. dipl.
ad p. 92. — C. 2.

54.

1302, Dec. 18. 1303, Sept. 28. — A b b a t e s Ordinis Cisterciensis complures: Hermanus de Veteri monte, H. de
Ameluncsburne, Jacobus de Paradyso, Nycolaus de Velen,
Wykardus de Buchovia, Rutgerus de Olyva, Petrus de
Erivada, Gunnerus de Loco Dei, Nycolaus de Rure regio.
1303, Sept. 28., s. l. protestantur se tempore Capituli
generalis in Cystercio vidisse privilegium, quod dederat
ordini ipsorum: Bonifacius Pp. VIII., 1302, Dec. 18.,
Laterani, idemquo transsumi faciunt. Perg.-Urk. mit den
Rändern auch die Einschnitte für die 9 Siegelanhänge
fortgeschnitten. 8 Siegel vorhanden. Abgedr. im Cod.
dipl. 861 u. 874. — C. 3.

55.

1303. Mai 14. N y c h o l a u s , palatinus Kaliziensis, 1303, Mai 14.,
in Gostina, protestatur, Briccium, heredem de Lagowo,
partem ipsius in hereditate praedicta monasterio de Lubin
obligasse. Scrips. Paulus clericus curie palatini. Perg.-
Urkunde mit Quereinschnitten für 1 Siegelanhang, das
Siegel fehlt. Abgedr. im Cod. dipl. nr. 866. — C. 4.

56.

1304, Mart. 11. — A n d r e a s , episcopus Poznaniensis, 1304,
Mart. 11., in Welichow, protestatnr, se vidisse privilegia
super collatione villarum Stibencz et Słocin, a comite
Petrcone quondam palatino Poznaniensi, monasterio Paradyż data, nec non litteras venditionis villae Sworzyce,
a comite Prandota, filio praedicti palatini, eidem monasterio resignatae. Perg.-Urkunde mit Löchern für 1
Siegelanhang, das Siegel fehlt. Abgedr. im Cod. dipl. n.
882. — C. 5.

57.

1304, Dec. 10. — H e i n r i c u s dux Slezie et dominus Glogovie,
1304, Dec. 10., ante Wytin, confirmat collationom villae

Lubinicko, a monasterio Paradyż Bogusio de Wyzenbruch ad tempus vitae ejus factam. (Cf. 53, C. 2.) — Testes: Ulricus de Pak, Gunczcelinus et Theodericus fratres de Silicz, Petrus de Warta, Guntherus de Bissofswerde . . ., milites. Scrips. Fridericus protonotarius ducis. Perg.-Urk. mit Löchern für 1 Siegelanhang, vom Siegel Bruchstücke vorhanden. Abgedruckt im Cod. dipl. nr. 888. — C. 6.

58.

1305, Juni 17. — Bartholomeus, Gerlachus et Vislaus, fratres, 1305, Jun. 17., in Wisenzê; villam Parvum Pieski Petro tradunt subdito suo ad locandum. — Testes: Theodericus scultetus de Wisenze, Cunradus scultetus de Kursco, et Ratslaus de parvo Pisko. Perg.-Urk. mit Quereinschnitten für den Anhang des Siegels des Gerlach und Bartholom. 2 Siegel vorhanden. Abbild. des Siegels im Cod. dipl. XXXVII. Abgedr. in Racz. Cod. dipl. 83. Cod. dipl. 892. — C. 7.

59.

1311, Oct. 27. — Gerhardus de Prendekow et sui heredes 1311, Oct. 27. s. l., recipiunt a monasterio Paradyż villam Staropol certis conditionibus in feudum. — Testes: Beteko et Herbordus de Jagow, Conradus de Clebzk et Albertus frater ejus. Perg.-Urk. Die Ränder mit den Quereinschnitten für 2 Siegelanhänge weggeschnitten. Die Siegel vorhanden, eins mit dem Wappen Doliwa, das andere unkenntlich. Abgedr. im Cod. dipl. nr. 947. — C. 8.

60.

1319, Dec. 17. — Johannes de Uchtenhayn et fratres, 1319, Dec. 17., in Sunnenberch; concedunt Henningo et Henrico, fratribus de Benstede, ut villam Wyszanowo monasterio Paradyż vendant. — Testes: Henricus de Werbyn, Arnoldus de Jagow, Johannes de Ztorbindorf, Johannes Dannenberch. Perg.-Urk. mit Quereinschnitten für 1 Siegelanhang. Das Siegel zeigt das Wappen der Wedell. Abgedr. im Cod. dipl. nr. 1017. — C. 9.

61.

1320, Apr. 2. — Hinricus, Schultetus in Schebewz, 1320, Apr. 2., in Lubnowe; exponit scultetiam suam in Schebewys pignoraticia cautione monasterio Paradyż. — Testes:

Breseko plebanus in Lubnow, Nicolaus Scultetus, Rey-
noldus pistor, Mathias sutor, Johannes Knoche, Paulus
pistor, consules civitatis ejusdem.   Perg.-Urk. Ränder u.
Einschnitte für den Siegelanhang weggeschnitten. Das
Siegel vorhanden: „S. Civitatis Lubelow“. Abgedruckt im
Cod. dipl. n. 1019. — C. 10.

62.

1322, Juli 29. — Johannes, dux Slezie et dominus Sthy-
navie, 1322, Jul. 29., in Drosna, protestatur monasterium
Paradyż villas Hermanshof et Langsow, cum castello et
civitate Lubcza, Pezkoni de Lossow pertinentibus, commutasse, certa tamen conditione adjecta. — Testes: Conradus
de Clepzk, Nicolaus de Eversbach, Thyzko de Reederen,
Johannes de Sunnewalde, magister Grinbertus notarius
Ducis. Perg.-Urk., Ränder mit den Einschnitten für den
Siegelanhang weggeschnitten. Das Siegel vorhanden. Abgedr. im Cod. dipl. n. 1030. — C. 11.

63.

1329, Febr. 19. — Magister Petrus, decanus ecclesie Poznaniensis, et cancellar. Polonie etc. 1329, Febr. 19., in Mezericz, protestatur, Miscitz et Missantam resignasse villam
Minorem Wyszanów monasterio Paradyż modo amicabilis
compositionis. — Testes: Petrus plebanus in Gnezena
ad S. Agnetem, Hermanus Slavcanus, Segeneus Brevis,
Jacobus Herendorp, Jesco Zyla, Jacobus Broda. Perg.-
Urk. mit Quereinschnitten für 1 Siegelanhang. D. Siegel
vorhanden. Abgedruckt in Racz. cod. dipl. 90. Cod. dipl.
n. 1096. — C. 13.

64.

1329, Apr. 25. — Wladislaus, rex Polonie etc., 1329, Apr. 25.
Poznanie, confirmat venditionem hereditatis Wyszanów,
a nobilibus Miscicz, Miscanta et caeteris fratribus in rem
monasterii Paradyż factam. — Testes: Johannes episc.
Poznan., Petrus Castellanus, Woyslaus judex Poznan.,
Cesances (?) Wlodarius Pozn., Nicolaus castellanus de
Psechow. Scripsit Mag. Petrus doctor decretor., decanus
Pozn., et cancellarius regni Polonie. Perg.-Urkunde, mit
Löchern für 1 Siegelanhang. Abbildung des vorhandenen
Siegels im Cod. dipl. XLIV. Abgedruckt in Racz. Cod.
dipl. 89. Cod. dipl. 1098. — C. 12.

65.

1329, Juni 18. — Willislaus, Samborius, Watta, dicti de Nanden, 1329, Jun. 18., in Nanden, protestantur, monasterium Paradyż pecuniam filiis Usanti hac conditione promissam, ut ab impetitione in villa Wyszanów cessarent, persolvisse. — Testes: Symeon plebanus in Sbansin, Jacobus plebanus in Brandatendorp. Perg.-Urk., mit Quereinschnitten für 1 Siegelanhang. Das vorhandene Siegel des Willislaus ist abgebildet im Cod. dipl. XLV. Abgedruckt im Cod. dipl. n. 1101. — C. 15.

66.

1329, Jun. 18. — Consules et scabini civitatis Zbansin 1329, Jun. 18., in Zbansin, protestantur, monasterium Paradyż pecuniam filiis Usanti, ut ab impetitione in villa Wyszanów cessarent, promissas perfecte persolvisse. — Testes: Jacobus plebanus in Brandatendorp, Hinricus Teutunicus et Wenzenslaus, capitanei in Zbansin, Martinus praefectus ibidem,..etc. Perg.-Urk., mit Quereinschnitten für 2 Siegelanhänge, Siegel fehlen. Abgedr. im Cod. dipl. n. 1100 — C. 14.

67.

1330, Febr. 10. — Heinricus, dux Slesie et dominus Sagani, 1330, Febr. 10., in Sprote, confert civitatem et castrum Lubrza (Lubnow) monasterio Paradyż. Perg.-Urk., mit Quereinschnitten für 1 Siegelanhang, Siegel vorhanden. Abgedr. im Cod. dipl. n. 1106. — C. 16.

68.

1335, Apr. 16. — Maczko Borkovicz, 1335, Apr. 16., in Bencyn, protestatur, controversiam inter monasterium Paradyż et filios Uszcentae occasione hereditatis Wyszanów ortam, esse sopitam. — Testes: Hinricus Theutunicus, Sambbor de Nandne, Vattha. Perg.-Urk. mit Quereinschnitten für 1 Siegelanhang, das Siegel fehlt. Facsimilirt in Racz. Cod. dipl. ad p. 94. Abgedruckt im Cod. dipl. n. 1145. — C. 17.

69.

1338, Sept. 9. — Fr. Hermanus abbas in Obra, Myloscey capitaneus in Bencyn, Myscys de Grotz, Francko scriptor domini Maczkonis Borkovicz, Nycolaus, Gotfin, Cuno sutor,

consules et jurati civitatis Bencyn 1338, Sept. 9., in
Bencyn protestantur, Vattham de Nądnia promisisse, se
nunquam monasterium Paradyż in bonis Zakrzew impe-
diturum esse. Perg.-Urkunde mit Quereinschnitten für
2 Siegelanhänge, vorhanden ist nur das Siegel des Abbt
Hermann. Abgedruckt im Cod. dipl. n. 1185. — C. 18.

70.

1351, Mai 19. — Johannes et Petrus, fratres uterini, ad-
vocati de Crivin, 1351, Mai 19., Gostine, obligant medi-
etatem advocatiae oppidi Krzywin monasterio Lubinensi.
— Testes: Paczco magister civium de Gostina, Cunadus
Rogencicz, Hanco dictus Gremmar, et Welislaus, cives
de Gostina, Woyslaus magister civium de Crivin, Nicolaus
Sartor, Stanco, et Janussius dictus Milobrath, cives de
Crivin. Perg.-Urk. mit Quereinschnitten für 2 Siegel,
welche fehlen. Abgedr. im Cod. dipl. n. 1305. — D. 22.

71.

1355, Jan. 7. — Nicolaus, heres de Blozevo, nec non judex
Poznaniensis, 1355, Jan. 7., Poznanie, adjudicat monasterio
de Lubin molendinum et mediam piscinam in villa Rado-
micko contra petitionem Dobeslai de Zieleniec de Zeloni
damb. Perg.-Urk., die Einschnitte für den Siegelanhang
weggeschnitten. Siegel fehlen. Abgedr. im Cod. dipl.
n. 1327. — D. 23.

72.

1359, Dec. 11. — Thomislaus, proconsul et consules in
Mesericz, 1359, Dec. 11 (?) in Mesericz; protestantur,
Wenczkonem scultetum de Karnin et monasterium Para-
dyż certis sub conditionibus concordiam inivisse. Perg.-
Urk. mit Quereinschn. für 1 Siegelanh. Das Siegel fehlt.
Abgedr. im Cod. dipl. n. 1411. — D. 20.

73.

1361, Apr. 8. — Kazimirus rex Polonie etc., 1361, Apr. 8.,
Poznanie; hereditatem Stare Kramsko monasterio de
Obra contra petitionem Gerwarthi heredis de Słomowo adju-
dicat. — Testes: Predslaus palatinus Kalisiensis, Janussius
Starogrodensis, Johannes Kalisiensis, Dobeslaus Wisli-

ciensis, castellani; Florianus cancellarius Lanciciensis et alii. Perg.-Urk. auf Papier gezogen, stark beschädigt und stellenweis unleserlich, ohne Spuren eines Siegelanhangs. Siegel fehlt. Abgedr. im Cod. dipl. n. 1450. — D. 18.

74.

1362, Mai 24. — Nicolaus judex Poznaniensis, 1362, Mai 24., in Poznania; monasterio de Lubin hereditatem Wieszkowo contra petitionem Adae de Belęcin adjudicat. Perg.-Urk. mit Quereinschn. für 1 Siegelanh. Siegel fehlt. Abgedr. im Cod. dipl. n. 1476. — D. 19.

75.

1366, Juli 7. — Przeczlaus, judex Poznaniensis, 1366, Jul. 7., in Szrem, una cum ceteris judicibus partem hereditatis Motholewo monasterio Lubinensi contra petitionem Jaszkonis de Dambicze adjudicat. Perg.-Urk., mit Einschnitten für 1 Siegelanhang. Siegel fehlt. Abgedr. in Racz. Cod. dipl. 102. Cod. dipl. n. 1566. — D. 16.

76.

1368, Apr. 20. — Fr. Neplach, abbas Opathowycensis, 1368, Apr. 20., in Opathowicz, nomine sui conventus Ordinis S. Benedicti, fraternitatem cum conventu de Lubin renovat. Perg.-Urk., mit Löchern für 2 Siegelanhänge. 1 Siegel vorhanden. Abgedr. im Cod. dipl. nr. 1595. — D. 15.

77.

1371, Dec. 7. — Otto de Pilcz, Polonie capitaneus general., 1371, Dec. 7., Posnanie, protestatur, Hoczvinum heredem de Rakówko, una cum matre ipsius Eufrosina, hereditatem praedictam monasterio de Lubin resignasse. — Testes: Jo. episc. Posn., Vincencius Posn. et Prziczlaus Calisiensis, palatini; Zanczivogius subcamerarius Posnaniens., Prziczlaus judex Posnaniensis, Thomislaus judex Calisiensis. Perg.-Urk., mit Quereinschn. für 1 Siegelanhang. Siegel fehlt. Cod. dipl. nr. 1654. — D. 14.

78.

1372, Dec. 17. — Przeczslaus, judex Poznaniensis, 1372, Dec. 17., Poznanie, monasterio de Lubin hereditatem

23

Rakówka contra petitionem Eufrosinae et filii ipsius adjudicat, Jaszkoni vero de Dambycze 40 marcas ab eodem monasterio recipiendas addicit. Perg.-Urk., mit Quereinschnitten für 1 Siegelanhang, das Siegel fehlt. Abgedruckt im Cod. dipl. nr. 1677. — D. 13.

79.

1374, Jan. 23. — Przeczslaus, judex Poznaniensis, 1374. Jan. 23., Poznanie, monasterio de Lubin possessionem mediae advocatiae oppidi Krzywin contra petitionem Petri civis de Srem et fratrum ejus adjudicat. Perg.-Urk. stark beschn. m. 1 Querschnitt am Rande für 1 Siegelanhang, das Siegel fehlt. Abgedr. im Cod. dipl. nr. 1694. — D. 12.

80.

1374, Jan. 24. — Przeczslaus, judex Poznaniensis, 1374, Jan. 24., Poznanie, monasterio de Lubin possessionem hereditatis Rakówko contra petitionem Godzwini et matris ejus adjudicat. Perg.-Urk. Die Spuren des Siegelanh. mit dem Rande fortgeschnitten. Das Siegel fehlt. Abgedruckt im Cod. dipl. n. 1695. — D. 11.

81.

1382. — Dirske, Uschczant, Peczko, Jachnik u. Sanzywoy, Gebrudir, Smolkin genannt, mit ihren Vettern Heydan und Niczen, 1382 o. T. u. O. bekennen, dass sie mit ihren Vettern dem Kloster Paradyż gegenüber allen Ansprüchen auf das Gut Wyszanów entsagt hätten. Perg.-Urkunde. Die Ränder mit den Einschnitten für 4 Siegelanhänge beschnitten. 3 Siegel vorhanden. Abgedr. im Cod. dipl. nr. 1806. — D. 10.

82.

1384, Nov. 14. — Unoldus et Peregrinus, fratres uterini, de Treplin dicti, 1384, Nov. 14., in civitate Gora, conferunt bona sua Schoenborn monasterio Paradyż. — Testes: Johannes Groedis, Johannes Rabe in Gleynik, Martinus in Zandeval, plebani; Johannes et Arnoldus de Bancz fratres et Kunczko advoc. conciv. et jud. civitates Gore et alii. Perg.-Urk. mit Quereinschnitten zu 4 Siegelanhängen, 1 Siegel ist vorhanden. Abgedr. im Cod. dip. n. 1823. — D. 9.

83.

1386, Nov. 5. — Fr. Andreas abbas monasterii Paradysi 1386, Nov. 5., in monasterio Paradyso; protestatur monasterium suum a fr. Johanne de Landsberg, 10. marcas, grossorum recepisse, pro quibus dicto Johanni ad tempus vitae ejus annuatim unam marcam se daturum promittit. Perg.-Urkunde, die Ränder beschnitten, sammt den Einschnitten für den Siegelanhang, das vorhand. Siegel abgebildet sub LXIV. im Cod. dipl. Abgedr. ebendas. 1587. — D. 8.

84.

1391 Jan. 21. — Heinrich, Herzog in Schl., zu Sagan u. Crossen, zu Swebesin, in der Hofestobin, 1391 an sinte Agnethin Tage bestätigt, dass Friderich von Waldinrode sein Erbteil an Hannoss, Ottin, Heinrichen, Gebr. von Waldinrode verkauft hat. — Zeugen: Erich von Lesnaw, Heidan von Wischenaw, Bernhart von Kochewicz, Henrich Mogelin, Nickel von Rothinburg, Reyneke vom Buchwalde, Joh. von Seyr (des Herzogs) Schribir. — Perg.-Urk. beschnitten, die Spuren des Siegelanhangs fortgeschnitten, das Siegel fehlt. — D. 6.

85.

1391, Febr. 11. — Syfrid bischoffwerdir, here zu Opilwitz, Guntir bischoffwerdirs seines brudirs eliche Kinder, vnd Niczcze Vnru, voit czu Czolchow . . . in Czolchow 1391 (Sonnabend nach S. Dorotheen) geben Gericht und scholtissie zu Opilwitz an Niclos Gamerot gegen eine jährl. Leistung von 2 Pfund Pfeffer. — Do by sin gewest: Jonethin Zelaw, Nekosch Tivmer', Hanus Rosmolner, Henczil Rudeger. Nicolaus Schulemeister zu Czolchow desin Brif hatt geschrebin. Perg.-Urk. mit Einschnitten für 3 Siegelanhänge. 2 gleiche Siegel vorhanden. — D. 5.

86.

1393, Jan. 14. — Wladislaus, rex Polonie, etc., 1393, Jan. 14., in Inowlodz; ratam habet commutationem villae Godziszewo, quam monasterium Paradisiense contulerat Peregrino Karpicki cum villis Karpicko et Tłoki, eodem monasterio Paradyż ab eodem obligatis. — Testes: Sandzi-

23*

wogius Kalisiensis, Johannes Liganza Lanciciensis,
palatini; Domarathus Poznaniensis, Wincencius Noklensis,
Johannes Lanciciensis, castellani; Jacussius dictus Kuss
Golaneczsky: scrips. Zaclicze cancellarius et Clemens
vicecancellarius aule Wladislai. Perg.-Urk., mit Einschnitten für einen Siegelanhang, das Siegel vorhanden.
Abgedruckt in Cod. dipl. nr. 1930. — D. 4.

87.

1397, Jan. 10. — Cuncze von Bonnsdurff, 1397, Jan 10.,
s. l., bekennt, dass er das Dorf Godziszewo an die Gebr.
Grzymko und Niclas von Komorowo verkauft habe. —
Zeugen: Czaslaw vom Penczke, Goczsche Schoff czu
Senftinberg, u a. Perg.-Urk., mit Quereinschnitten für
einen Siegelanhang, Siegel fehlt. Abgedruckt im Cod. dipl.
n. 1974. — D. 7.

88.

1397, Febr. 2. — Grzimke und Niclos, Gebrüder von
Komeraw, 1397, Febr. 2., vff dem Hûze zu Medzericz,
bekennen, dass sie ihr Gut Godzisze wo um die Güter des
Klosters Paradyż, gen. Karpicko und Tłoki getauscht
haben. — Zeugen: Her Domerath Poznenzki, (Castell.
Posn.), Niclos Kelwechin, Niclos Budesin, u. a. Perg.-
Urk., die Spuren des Siegelanhangs fortgeschnitten, Siegel
fehlt. Abgedruckt im Cod. dipl. n. 1975. — D. 3.

89.

1398, Sept. 30. — Thomco, subpincerna Cracoviens. et capitaneus general. Major. Polonie, 1398, Sept. 30., in monasterio Lubinensi, ratam habet resignationem partis here-
didatis Łagówko, quam Peregrinus ejusdem heres in rem
monasterii de Lubin fecerat. — Testes: Petrus de Morca,
Guntherus Pradel de Splawe, Petrus de Gyrka, Czema
de Gyrka, Nicolaus de Lubatowo et Keblon de Drzecz-
cowo, heredes. Perg.-Urk. mit Quereinschnitten für
einen Siegelanhang. Siegel fehlt. Abgedr. im Cod. dipl.
n. 1994. — D. 2.

90.

1399. — Proconsul et jurati civitatis Osseczne, 1399 s. d.,
in Cankolewo, protestantur, quosdam compositores monasterium de Lubin cum Barthone, kmethone de Lubin,

concordavisse. Perg.-Urk. mit Quereinschnitten für einen
Siegelanhang. Siegel fehlt. Abgedr. in Racz. Cod. dipl.
n. 108. Cod. dipl. n. 2019. — D. 1.

91.

1400, Juni 25. — Johannes dux Mazouie, 1400, in crastino
natiuitatis b. Johannis Bapt., Warsovie, confirmat Lau-
rencio de Mori venditionem cujusdam portionis agrorum
et pratorum in Rasince, hereditate in districtu Warsouiensi,
Cristino heredi de Ksanskij. Perg.-Urk. mit Einschnitten
für einen Siegelanhang. Siegel fehlt. Facs. in Racz
Cod. dipl. ad p. 146. — E. 1.

92.

1400, Juni 25. — Laurentius Abbas, Andreas Prior, Nicolaus Custos, et Nicolaus Clauiger, Jarossius Praepositus
Novae curiae, Hanco, caeterique fratres conventuales
monasterii Lubinensis 1400 feria 6. in crastino Joannis
Bapt. in Moscieszycze, vendunt scultetiam villae Moście-
szycze Joanni et Nicolao, fratribus uterinis, scultetis de
Bencowo; et dictae villae Jus Novi Fori conferunt. —
Testes: Petrus et Nicolaus de Morka, Pasco de Charzu-
stowo, heredes, Johannes Capellanus, Doberco „noster
familiaris" et Peregrinus judex. Abschrift auf Pergament
aus dem 16. Jahrh. — E. 2.

93.

1401, Jan. 17. — Burgermeyster vnd Rathmanne der stat
Crossin, 1401, an dem tage Anthonii, Crossin, bezeugen
dem Abte Johannes des Closters zum Paradyso, wie die
Grenzen der güter Nywindorfchin, Wilkin vnd Mostchin
zu Zeiten des Abts Andreas bestimmt worden. Perg.-
Urk. mit Quereinschnitten für einen Siegelanhang. Siegel
vorhanden. — E. 3.

94.

1401, Jan. 17. — Burgermeister und Ratmanne der stadt
Crossin: 1401, am tage Anthonii, zu Crossin, bekennen:
dem Abte Johannes des Klosters zum Paradyse, dass
zur Zeit des Abts Andreas ihr Mitbürger Thylke
abgesandt worden sei zur Grenzberichtigung zwischen

dem Kloster und Herrn Hannos von Oynitz (auf Geheiss des Herzog Heinrich v. Sagan). Thylke giebt die Grenze an. Perg.-Urk. Die Spuren des Siegelanhangs sind fortgeschnitten. Siegel fehlt. — E. 38.

95.

1403, Sept. 5. — Thomco, subpincerna Cracoviensis et capitaneus generalis Majoris Polonie, feria II. ante nativ. B. Marie 1403 Poznanie, testatur Hinczkam dictum Szkapam, heredem in Gujazd, recepisse a monasterio Paradisiensi Sdzanovetz, Solancin et Sworzice in Costanensi et Bollelice in Poznaniensi districtu sitas, pro hereditatibus Lutole mocre et scultetia in Choczeszewo, quas monasterio resignavit. — Testes: Sandivogius de Ostrorok, vexilifer Pozn., Andreas et Przibislaus de Grizina, Sandivogius de Jarocino, Theodricus de Gywno et Petrussius de Nagrodonice, heredes. Perg.-Urk. mit Löchern für einen Siegelanhang; das vorhandene Siegel abgebildet in Racz. Cod. dipl. woselbst sub n. 109 die Urkunde abgedruckt ist. — E. 4.

96.

1403, Sept. 8.–15. — Petrus Burgrabius in Ponecz, Lysek in Dzanczina (Dzięczyna p. Poniec), Johannes in Gosczeyewicze heredes, Mathias proconsul, Stephanus consul in ponecz, Clich in gosczeyewicze et Clich in Yanissewo kmethones arbitri negotii 1403 (unleserlich, ausgeriebene Stelle), infra octavas nativitatis Marie in Ponecz, protestantur, Nicolaum abbatem mon. in Lubin cum Mathia Dzethrzich kmethone in Gorka districtus Wschovensis concordiam inivisse de agro in Gorka . . . Perg.-Urk. mit Quereinschnitten für Siegelanhänge. Die Siegel fehlen. — E. 6.

Ad 100.

1406, Juni 24. — Wladislaus, Rex Polonie, 1406, ipso die Nativitatis B. Johannis Baptiste, in Costan, Johannes Abbas monasterii Paradisiensis proposuit querulose, quod Capitaneus et tenutarius castri Medzirzicz kmethones et incolas villarum monasterii laboribus nimiis opprimit. Rex commissarios nominat: Albertum episc. Posn., Nicolaum praepositum S. Floriani extra muros civitatis Cracoviensis, Regni . . . vicecancellarium, et Sandivogium de Ostrorog, protunc Capitaneum Medzirzeczensem, qui la-

bores kmethonum limitent. Rex confirmat commissariorum limitationes. Transsumtum ab Matthia Alberti
de Glogovia majori . . . Imperiali auctoritate notario publico. — Testes: Bartholomaeus plebanus in Calewo, Nicolaus Pressil, conciuis Swebussinensis, Laurentius Fran-
conis de freinstad, organista, Laurencius Schewneman
conciuis Jordanus. Abschrift auf Pergament aus dem
15. Jahrh. — F. 14/5.

97.

1408. — Dobrogustius Miles heres in Prussi filius Stanislao
Colynsky (s. loco, anno et die.), commutat villam suam
Rogacz in districtu Costanensi cum abbate Henrico et
conventu in Paradiso pro villis: Mnych, Gralowo, Zawlo-
stowo, alias Camonca, Suchcino et Pszeradz. Perg.-Urkunde,
beschnitten, ohne Spuren der erwähnten beiden Siegelanhänge. Ein Siegel vorhanden. Auf der Rückseite ist
von späterer Hand das Datum 1408 angegeben. — E. 8.

98.

1408, Febr. 2. — Mathias Abbas mon. Lubinensis, 1408,
die purificationis Marie in Lubin, tradit molendinum
ventile Stanislao, Sculteti de Zelazno filio, certis sub
conditionibus. — Testes: Philippus de Drzeczkowo, Andr.
Vicarius de Lubin, et Czechoslaus clericus. Perg.-Urk.
mit Quereinschnitten für 2 Siegelanhänge, Siegel fehlen.
— E. 5.

99.

1408, Nov. 1. — Jacub von Pawlicowitz, Szamolak
Stincza, Pakos adir Petir von Wola, Petir van Galanssek,
Mikolay von Ostrowy, 1408 an dem ssonnobind vor dem
suntag alz man in der Kirchin ois bea., vf dem Slosse
zu Mesericz; bekennen dem Abte und dem ganzen Convent des Klosters zum Paradise: „das wir um die sachen
und die gewalt, die wir ihnen gethan hattin, vnd sie uns
gefangin hattin, nimmer gedenken wollen, und dass Alles
ehrlichin tot ist." Perg.-Urk. mit Quereinschnitten zu
4 Siegelanhängen, 2 Siegel vorhanden. — E. 7.

100.

1411, Juni 29. — Johannes, Papa, 1411, 3. kal. Jul., Romae,
apud Sanctum Petrum, literae ad episcopos Misnensem,

Wratislaviensem ac Lubucensem. Malis et calamitatibus
ecclesiarum ciuitatis et dioec. Posnaniensis commotus,
admonet episcopos dictos, ut poenis ecclesiasticis affi-
ciant eos, qui ecclesias vexant. Gleichzeitige Abschrift
auf Pergament. Im Kgl. Staatsarchiv zu Posen befindet
sich ein Transsumpt von Seiten des Bischof Wenceslaus
von Breslau, de dato Ottmachau, 1412, Oct. 1. Auf demselben Pergamentbogen befinden sich noch die Abschriften
von 5 anderen Urkunden vom J. 1245, 1247, 1406 Juni 24.
und 1426, Juli 3. — E. 14/1.

101.

1411, Oct. 21. — Sczodrzyk Bonarsky, Johannes Do-
howsky heres in Szarb, Hinczszka Grobliczszky in Doma-
slawky, 1411, undecim Mill. virg., in Lubin, resignant,
abbati Matthiae et monasterio Lubinensi hereditatem
Guka nomine filiarum relictarum Petrussii (?) Guczszkij
sc. Margarethae, et Elizabethae. — Testes: Nicolaus Lu-
batowsky, dapif. Poznan., Czewlegius Zelewssky, Quiz-
linus Gostkoszky, Baranus Wiszkotha, Mathias Grika proconsul et Paulus Vynan, Srzemenses. Perg.-Urk. Mit
Quereinschn. für 3 Siegelanhänge, Siegel fehlen. — E. 20.

102.

1412, Juli 3. — Sandziwogius de Ostrorog, palatinus
Poznae. et capit. Majoris Polonie generalis 1412 in crastino visitationis beate Mariae Virginis, in Lubin, testatur, Matthiam abbatem de Lubin resignavisse villam
Starygrod Nicolao de Lubrethowo. Perg.-Urk. Mit Quer-
schnitten für 1 Siegelanhang. Abgedr. in Racz. Cod.
dipl. 110.] — E. 10.

103.

1414, Dec. 18. — Bürgermeister und Ratherren der Stad
czu Mezericz, 1414 am nestin Dynstag vor Wynachtin,
zu Mesericz, bekennen, dass sie zwischen dem Abte
Andreas zum Paradiss und der Familie des von den
Klosterknechten ertränkten Kreczmirs einen Vergleich
gestiftet haben. Perg.-Urk. mit Quereinschnitten für einen
Siegelanhang, Siegel vorhanden. — E. 12.

104.

1415, Sept. 1. — Dyterich Coranzze, Herre zum Birchow, Dobrogost erbherr zum Prusin, Bryel von Jorgk, 1415, am s. Egidii Tage, zu Mezericz, bekennen, dass sie zwischen dem Abte Andreas zum Paradiss und den Verwandten des von des Klosterdienern getödteten Bryl einen Vergleich gestiftet haben wobei Bürgermeister und Ratmannen der Stadt Mezeritz Zeugen sind. Perg.-Urk. mit Einschnitten für 3 Siegelanhänge, 2 Siegel vorhanden. — E. 13.

105.

1417, März 3. — Andreas, Apt czum Paradiss, im Closter czum Paradiss, 1417, Mittwoch nach Invocavit, bekennt, dass Hannes Schult, Richter zu Mertinstorf von Hannes Pusch, Schult zu Grodis einen jährl. Zins auf dem Kruge zu Grodis und dem Garten gekauft hat, mit Vorbehalt des Wiederkaufrechts. Pergament-Urkunde. Mit Quereinschnitten für einen Siegelanhang, Siegel vorhanden. — E. 11.

106.

1418, Dec. 28. — Peczke Smolke mit seinen Söhnen Jurge und Frantzke, 1418, Mittw. noch in den Wynacht heyligen tagin zu Paradis, bekennen dass sie durch Vermittelung des Herrn Szandziwog des Woywoden, und Herrn Petir Cordebog, Herrn zu Babimost, und Herrn Nicolaus Baborofsky, wegen der Güter Weschenow mit dem Abte Andreas zum Paradiss sich verglichen haben. Perg.-Urk. mit Quereinschnitten für 3 Siegelanhänge. Siegel fehlen. — E. 14.

107.

1419, Oct. 1. — Johannes Senior, Dux Mazouie etc., 1419 ipso die Remigii et sociorum in Czirsko, confirmat resignationem bonorum in Czirnicowo, propinquitatis cognationis Swanthowskonis domino Henrico heredi de Nova Czirkow [d. i. Neukirch] subcamerario Warschouiensi. — Testes: Slawecz heres de Baglenice Castellanus Czirnciensis, Nicolaus alias Gemza subcamerarius Czirnciensis, Stiborius de Sanchoczino, Marischalcus, Albertus Magister dapif. curie Ducis. Scriptum per manus Pauli G. de Borzewo Plocen. et Warschouien. Ecclesiar. Canon. Cancellar.

Ducis. Perg.-Urkunde. Mit Löchern für 1 Siegelanhang, Siegel vorhanden. — E. 15.

108.

1419, Dec. 21. — Johannes Senior, Dux Mazouie etc. 1419, die s. Thome apost. in Czirsko, confirmat venditionem factam per Elenam relictam Johannis alias Slauka de Czirnekowo et Margaretham et Annam hereditatum suarum Czirnekowo, Tarnowo, Milosynio et Kanthi, in Warschouiensi et Czernensi districtibus jacentium, Dno Hynczi alias Czedlicz heredi de Nova ecclesia [Neukirch.] — Testes: Petrus Piliconitz palatinus, Slawecz de Baglenicze Castellanus, Matthias Judex, Vigandus Vexillifer, Nicolaus Subcamerarius et Stephanus Subjudex Czirnenses. Scripsit Paulus Plećensis et Warschouiensis ecclesiar. canonicus Cancellar Curie Ducis. Perg.-Urk. mit Löchern für 1 Siegelanhang, Siegel vorhanden. — E. 16.

109.

1420, Mai 15. — Johannes Senior, Dux Mazouie, 1420, in vigilia ascensionis Dni J. Ch., in Czirsko, eximit Hinczam de Czedlitz heredem de Czirnekowo, Subcamer. Warschouiens. et pueros eius ab omnibus poenis judicialibus. — Testes: Slawecz Castellanus, Vigandus Vexillifer, Nicolaus Subcamerarius, Czirnenses, Stiborius Subcamer. Zacroc. et Marsalcus curie Ducis, scripsit Paulus, Custos Warschauiensis et Canon. Ploc. Cancellarius curie Ducis. Perg.-Urk. mit Löchern für 1 Siegelanhang. Siegel vorhanden. — E. 17.

110.

1423, März 11. — Pasek Gogolewsky, Index Generalis Pozn., 1423 feria V. prox. ante dominicam Laetare in Rosdrasewo, transsumit epistolam papiream inscriptam. Pasconi in Gogolewo, Mroczeoni in Clesczewo heredibus judici subjudici Poznaniensibus, qua judices Costenses referunt de judicio lato ad feriam V. post festum Epiphanie Jan. 7. 1423. Nicolaus Watha de Cossiczino accusavit Manliin Lest et Janusium fratrem ejus heredes de Cozmin, quod cum 12. nobilibus in Cossiczino ipsum violenter captivaverunt. Judex generalis confirmat judicium latum. Perg.-Urk. Die Spuren des Siegelanhangs weggeschnitten, das Siegel fehlt. — E. 22.

111.

1423, Juni 4. — Vyncencius, Gardian im Kloster S. Francisci zu Frankfurt a./O., mit den ältesten Brüdern seines Klosters, 1423, am ersten Freitage nach des heyl. Lienames Tacs uns. lyben Hern, zu Frankf. a. O., bekennt, dass zwischen dem Abt Andreas zum Paradyse einerseits, und Jacob und Hans Tytteriche andererseits der Streit um den Tod ihres Vaters Tytterich beigelegt sei. Zeugen des Vergleichs waren die Herren des Rathes: Frederich Belko, Hans Gruneberg, Petir Dene, Hans Zetheler. Perg.-Urk., mit Einschnitten für 1 Siegelanhang. Siegel vorhanden. — E. 21.

112.

1424, Mai 28. — Czema, Nicolaus Trllanczka, heredes in Lubyathowo, 1424, dominica vocem Jocunditatis, in Dolsko, recognoscunt fidejussoria praestita abbati Lubinensi Alberto ab Petro alias Lagowsky. — Testes: Czewlegius de Bijelewo, Marcarius de Brzessnicza, Derslaus Wsczele, Adam et Johannes . . . Haweczkonis, . . . Perg.-Urk., mit Quereinschnitten für 1 Siegelanhang, Siegel fehlt. — E. 18.

113.

1425, Aug. 24. — Dobrogost Colynsky, Erbherr zu Prussin, 1425, am tage S. Bartholomei des Apostels, zu Paradis, bekennt, dass Jacobus Abt zum Paradise ihm als Leibgedinge gegeben hat die Hälfte des Genusses der 3 Güter Gralow, Milostow und Przerost, wofür er den Schutz des Closters und seiner Güter u. noch andere Verpflichtungen übernimmt. Zeugen: Dobrogost von der Keme, Nicolaus Watte von Koschatin, Frantzke Stencz vom Stencz, Petrus Oganek von Rogoszin, Petrus Watte von Nandin, Nicolaus Struter vom Stentz. Perg.-Urk., mit Spuren von Einschnitten für 5 Siegelanhänge. 7 Siegel vorhanden. — E. 23.

Ad 100.

1426, Juli 3. — Wladislaus, Rex Polonie, etc., 1426, in crastino visitationis virginis Marie, in Paradiso, liberat monasterium Paradisiense ab oneribus: convencionum,

stacionum, judiciorum etc. Accedit Transsumptum hujus
privilegii factum 1458. Abschrift auf Pergament aus dem
15. Jahrh. — F. 14/2—3.

114.

1432, Nov. 18. — Sandiwogius de Ostrorog, palat. pozn.
et capitan generalis Majoris Polonie una cum Andrea de
Domaborzs palat., Dobrog. de Schamo., Succamerar. Kali-
siensi, 1432 dominica ante festum S. Elizabethae in Wangrowyecz, ex mandato Regis limitant silvam, quae incipit
circa Schadi Kyerzs et transit inter villas Rudnikij . . .
et Babrawniki, scopulis alias copcze. „Et eam limitationem
monasterium Wangrowyeczense debet tenere nullo impediente." Perg.-Urk. Sehr beschnitten. Mit Spuren von
Einschnitten für 2 Siegelanhänge, Siegel fehlt. — E. 25.

115.

1435, März 9. — Andreas Czolek de Zelechowo, succam.
Sandomirien. et Capit. generalis Majoris Polonie, 1435,
feria 3. proxima post Invocavit. Poznaniae, testatur:
Dobrogostium Kolynski, Castellanum Camenen., medie-
tatem villarum suarum: Mylosthowo et Gralewo cessisse
monasterio Paradisiensi. — Testes: Wyrzbyantha de
Smogulecz, Thomas de Quilcza, Petrus Slap, Wyschacus
de Gunschino, Johannes de Czeslye et Johannes Slapa-
nowsky. Perg.-Urk., mit Löchern für 1 Siegelanhang,
Siegel fehlt. — E. 26.

116.

1435, März 27. — Petrus Kubasky, cum uxore Helena,
1435, dominica Letare in Paradyso, assignant nomine
testamenti centum et viginti marcas Joanni abbati et
monasterio in Paradyso pro quibus abbas et monasterium
haereditatem Nassenleuthil (Luthole) conjugibus Kubasky
ad tempora vitae resignant. — Testes: Nicolaus Crzy-
dlewsky, Stanislaus de Wydowo, Notarius, Heynricus
Powsch de Grodschisko. Perg.-Urkunde, mit Spuren von
3 Siegelanhängen. 2 Siegel vorhanden. Dazu eine Copie
auf Papier aus dem 16. Jahrhundert. — E. 29.

117.

1435, Juni 4. — Andreas Czolek de Zelechow, Succamerarius Sandomir. et Capit. generalis Majoris Polonie,

1435, sabbato in vigilia Pentecostes, in Paradiso, testatur Petrum Kubaczinsky cum Helena consorte sua hereditatem Mokreliutholie donavisse Johanni Abbati Paradisiensi et toti conventui. — Testes: Petrus Corczbog Succamerar. Pozn., Johannes Polyczsky, Andreas Ceczand de Falkowo, Johannes de Podmaklie Cunradus Domasulowsky et Nicolaus de Scoraczewo heredes. Perg.-Urk., mit Löchern für einen Siegelanhang, Siegel vorhanden. — E. 27.

118.

1437, Apr. 15. — Matis Fiszbach, Richter, Frentzil Hunger, Burgermeister, und die Geschwornen Ratmanne und Schepphin der Stadt Lobnaw 1437 am Montage nach dem Sonntag misericordias domini, bekennen, dass Lorentz meissener Burger zu Myseritz u. Margarethe s. Frau ihren Antheil, den sie im Gerichte zu Lobnaw gehabt, verkaufen an Frau Anna Prompnitzin (Mutter der Frau Margarethe). Perg.-Urk., mit Einschnitten für 1 Siegel-anhang, Siegel vorhanden. — E. 30.

119.

1438, Juni 19. — Raphael de Goluchowo, Succamerarius Calissiensis et Capit. general. Majoris Polonie 1438 feria V. infra octav. Corporis Christi, in Pruschim, testatur: Johannem olim de Coszmyn cessisse fratri suo Alberto de Coszmyn mediam villam Coszmyn. — Testes: Dobro-gostius Colensky, castellanus Caminecensis, Abrah. de Dzbanschin Judex, Lucas de Gorka Subpincerna pozn. Johannes de Czarnkow, Albertus Gorsky, Petrus Wata de Coschiczyno, heredes. Perg.-Urk., mit Löchern für 1 Siegelanhang, Siegel vorhanden. Abgedruckt in Racz. Cod. dipl. nr. 121, mit Abbildung des Siegels. — E. 31.

120.

1439, Nov. 17. — Stanislaus de Ostrorog, Subdapifer Kaliss. et Capitaneus gen. Maj. Pol., 1439 feria III. prox. ante festum sancte Elizabeth, in Babimost, testatur: Dobro-gostium Colensky Camenecen. castell. resignavisse villam Mocrelutole Johanni abbati et conventui Paradisi. — Testes: Wincentius Szamotulski miedzirzeczensis et capit. terre Russie Generalis, Abraham de Dzbąschin, Judex pozn., Andreas Hintzka de Borzislaw, Wincentius Car-

gowski, Johannes et Jeorgius Jarogniewski. Perg.-Urk.
mit Löchern für 1 Siegelanhang, Siegel fehlt. — E. 33.

121.

1439, Nov. 17. — Stanislaus de Ostrorog, subdapifer
Kalissiensis et Capit. generalis Majoris Poloniae, 1439,
feria 3. prox. ante festum s. Elizabeth, in Babimost, testatur Sandivogium de Ostrorog hereditatem suam Cosmin
pro aliis bonis Mnichi et Milostowo cum abbate Paradisiensi commutavisse. — Testes: Wincentius de Schamotuli Miedrzyrzeczensis et capitaneus terre Russie
generalis, Dobrogostius Kolenski Camen. castell., Andreas
Hintczka de Borzislaw, Wincentius Cargowski, Johannes
et Jurga de Jarognewice. Perg.-Urk. mit Spuren von
Siegelanhang, Siegel vorhanden, abgebildet in Racz. Cod.
dipl. nr. 122, woselbst auch die Urkunde abgedruckt ist.
— E. 32.

122.

1440, Jan. 29. — Stanislaus de Ostrorog Subdapifer
Kaliss. et Capit. generalis Majoris Polonie, 1440, feria VI.
prox. post fest. convers. sancti Pauli, in Miedzirzecze,
testatur Sandivogium de Ostrorog, poznan. palatinum,
resignavisse suam hereditatem Coszmin in manus Johannis
Abbatis et totius conventus Paradisiensis. Perg.-Urk.,
mit Quereinschnitten für 1 Siegelanhang, Siegel fehlt. —
E. 35.

123.

1440, Jan. 29. — Stanislaus de Ostrorog, Subdapifer
Calissiensis, 1440, feria VI. prox. post festum conversionis S. Pauli, in Myedzirzecz, testatur Sandivogium de
Ostrorog, Palatinum Poznaniesem patrem suum hereditatem Coszmin in districtu Costensi sitam Joanni
abbati et conventui Paradisiensi abrogare alias wywaro-
wacz etc.. Perg.-Urk. mit Quereinschnitt für Siegelanhang, Siegel vorhanden. — E. 34.

124.

1440, März 13. — Wladislaus, Rex Polonie, 1440, Dominica Judica, Cracoviae, confirmat abbati et monasterio in
Lubin priora privelegia. Relatione magnifici Petri Woda

de Sczekoczim, regni pol. vicecancell. Perg.-Urk. mit
Quereinschnitten für Siegelanhang. Siegel fehlt. — E. 36.

125.

1440, März 21. — **Matthias Phiszbach**, Richter, Hanczko
popaw Burgemeister, und die Geschwornen Ratmane und
Schepphin der Stadt Lobnaw, 1440 am s. Benedicti des
h. Abtes Tage bekennen, dass der Abt Johannes und
das Kloster zum Paradise gekauft hat das Gerichte in
der Stadt Lobnaw mit allem Zubehör von Anna Erwen
der Promnitzinne mit ihren Töchtern Barbara und deren
Kinde und Agnethe, Vormund der Frau Anna und Jungfrau Agnes war Balthasar Sczenitcz Herre zum Starpil,
Vormund der Frau Barbara und ihrer Kinder Hans
Schonechin ihr Gemahl und Nickil Schonechin zu Topphir.
Perg.-Urk. mit einem Quereinschnitt zu 1 Siegelanhang,
Siegel fehlt. Dazu eine lat. Uebersetzung auf Papier im
18. Jahrh. geschrieben. — E. 37.

126.

1446, März 5. — **Boleslaus**, Dux Mazowie, 1446, Sabbatho
Carnis privii, Warschowie, dijudicat litem de limitibus
villarum: Syedlecz et Cieznyechowo inter capitulum eccle-
sie collegiatae S. Johannis Bapt. Warsch. ab una et
Hinczam heredem in Cieznyechowo ab altera parte (cf.
CVII. CVIII.) — Testes: Andreas de Przeradowo Castel-
lanus Zacrocimiensis, Johannes de Boglewicze Cirnen . . .
et Borutha de Phalantha Warschouien., vexiliferi, Stani-
slaus de Mnyschewo Succamer. Zacroczimien. Scripsit
Stephanus Nicolaus de Mnyschewo . . . cancellarius
Ducis. Perg.-Urk. mit Löchern für einen Siegelanhang,
Siegel fehlt. — E. 42.

127.

1446, Oct. 1. — **Nicolaus de Sobotha**, Custos vicariusque
in spiritualibus et officialis generalis . . . Andreae Episcopi Posnaniensis, 1446, die . . . mercurii primo m.
Octobr. Poznanie, confirmat sententiam arbitrariam supra
decimam in villa Camyenicza inter dominum Dobeslaum
heredem et rectorem ecclesie parochialis in Zyn, dioecesis
Gnesnensis ex una, et abbatem Conradum et conventum
Wangrowiecz ex altera parte, quae decima abbati et con-

ventui adjudicata erat per judices arbitrarios: Stanislaum
Albertum Gerlyn de Poznania licenciatum in decretis
altaristam poznaniensem, Johannem Janeczkam rectorem
ecclesie parochialis in Wangrowyecz. Subscripsit Paulus
Matthie de Lancicia, clericus Gneznensis publicus notarius Imperiali auctoritate. Perg.-Urk. mit Quereinschnitten
für einen Siegelanhang, Siegel fehlt. — E. 40.

128.

1446, Dec. 8. — Petrus de Gay judex Poznaniensis, 1446,
feria V. ipso die conceptionis Marie, Poznanię, confirmat
judicium latum in terminis particularibus in Srzem celebratis 1446, feria III. infra octavas 6. Martini (Nov. 15.)
de aggeris elevacione et obstructione transitus aque ante
Krzywin in favorem accusatorum: abbatis Stephani et
conventus Lubinensis contra accusantem Petrum Myas-
kowski. — Testes: Mathias Jablonowsky et Martinus
de Withkouicze heredes. Perg.-Urk. mit Quereinschnitten
für 2 Siegelanhänge, Siegel fehlen. — E. 41.

129.

1447, Dec. 26. — Stanislaus de Ostrorog, castellanus et
tenutar. Miedzirzecensis, 1447, feria III. ipso die S. Stephani protomartyris, in Miedrzirzecz, testatur compositionem factam esse inter Mathiam Barstram et Nicolaum
abbatem et conventum monasterii Paradisiensis, de caede
patris dicti Mathiae. Fidejussores fuerunt: Fabianus de
Buccowetz, Derslaus Cursky ... Nikel Solcz ciuis de
Medzirzecz, Jakob Bartossch et Nicz Barthosch kmethones
de borschina. Perg.-Urk. mit Quereinschnitten für einen
Siegelanhang, Siegel fehlt. — E. 43.

130.

1450, Jan. 22. — Stanislaus de Ostrorog, castellanus
Gnezn. et Capit. generalis Majoris Polonie, 1450, feria V.
proxima post fest. S. Agnetis, Sczinczinae, testatur Sen-
divogium Watha olim Sznyądnya dedisse totam suam
sortem, quam tenuit in Minori Szakrzewko, Nicolao
abbati et conventui Paradisiensi. — Testes: Lucas de
Górka, palatinus, Petrus de Gay Judex, Dobrogostius de
Colno Subjudex, Johannes de Czarnkow Succamerar.
Pozn., Nyemyerza de Lubosz Tenutarius Myedzyrzecensis

et Johannes de Pnyewy. Perg.-Urk. mit Löchern für 1 Siegelanhang, Siegel fehlt. — F. 4.

131.

1450, Sept. 26. — Petrus de Gay, judex Posnaniensis, 1450 sabbato proximo ante festum s. Michaelis, in Oborniki una cum Vincente Sborowsky et Nicolao de Czeratz heredibus confirmat judicium latum Posnaniae, feria III. prox. post festum S. Adalberti, inter abbatem et conventum Paradisiensem ex una, et Nicolaum Doląnga heredem de Majore Pyeski ex altera parte, de limitibus Majoris et Minoris Pyeski. Perg.-Urk., mit Quereinschnitten für einen Siegelanhang. Siegel fehlt. — F. 1.

132.

1450, Sept. 26. — Perg.-Urk. gleichlautend mit F. 1, 131, mit dem Unterschiede, dass statt des Namens Nicolaus Doląnga Hermannus Bakaw de Majore Pyeski gesetzt ist; wonach dieser Mit - Besitzer des Gutes war. Mit Quereinschnitten für 1 Siegelanhang, Siegel vorhanden. — F. 2.

133.

1450, Sept. 26. — Pergam.-Urk., gleichlautend mit F. 1 u. 2, mit dem Unterschiede, dass statt des Namens Nicolaus Doląnga gesetzt ist: Caspar, Henricus et Georgius fratres germani et Isa mater ipsorum de Majore Pyeski; welche Mitbesitzer des Gutes waren. Mit Quereinschnitten für einen Siegelanhang, das Siegel fehlt. — F. 5.

134.

1450, Oct. 28. — Richter und Schöpfen ym Stadtdunge zu Swebussen, 1450, die nächste Mittwoche vor aller Heyligen Tage, sprechen Recht in Sachen des Klosters Paradis, vertreten durch P. Anton Kaberleyn gegen Hansz Stremen von Czolchow und Pitern von Starpul, wegen der Grenzen von Gosger und Mortzig. Perg.-Urk., die Spuren des Siegelanhangs sind weggeschnitten, das Siegel vorhanden. Dazu eine lat. Uebersetzung auf Papier aus dem 18. Jahrhundert. — F. 3.

135.

1454, Jan. 13. — Woczesch Watta, heres in Bobowicz, 1454, in octava Epiph. domini, Paradisi, recognoscit Nicolaum abbatem et conventum Paradisiensem ipsi satisfecisse pro melioratione, quam fecit in praefectura Zakrzew. Perg.-Urk., Spuren des Siegelanhangs weggeschnitten, das Siegel vorhanden. — F. 6.

136.

1454, Jan. 29. — Caspar Luckener, Erbeling zuë Kotschul, 1454. Dinstag nehist vor uns. l. Frauen Lichteweye vel Purificacionis, o. O., bekennt, dass er mit Genehmigung seines Lehnherrn Nickel Tyrbach, Meister S. Johan Ordins in der Marke, 2 Mark Zins, die das Kloster Paradis auf Kotschul hat, ferner zahlen wolle, behält sich jedoch vor diesen Zins abzulösen mit einer Zahlung von 20 Mark, nach böhmischer Groschen Währung. Perg.-Urk., mit Quereinschnitten für Siegelanhang, das Siegel vorhanden. — F. 7.

137.

1454, März 14. — Hannus Posch, Richter, Vecentz, Steffan, Mertin, Matczko, Hannus, Mertin und Symon ... Scheppin in ... 1454, am nehestin Dornstage vor S. Gregirs tage des heyl. Bobisten; o. O., sprechen Recht wegen des Gerichtes und der Schultissey zu Wysschenaw zwischen Heinrich Bischoffwerdir, dem Besitzer, und Abt Nicolaus und Convent des Klosters Paradis andererseits. Perg.-Urk., mit Quereinschnitten für Siegelanhang, Siegel vorhanden. — F. 13.

138.

1460, Juli 11. — Johannes Thome de Pylczicza, Clericus Gnesnensis dioec., Apostolica auctoritate Notarius Publicus, 1460, 11. Julii, Poznanie. Protocollum compositionis factae inter monasterium Paradisiense et Nyemyerzam de Lubosch Tenutarium Myedzyrzeczensem, de laboribus et oneribus praestandis ad arcem Miedzyrzecz ab incolis et hominibus villarum ad monasterium spectantium. Perg.-Urk., mit dem Handzeichen des Notars. — F. 12.

139.

1460, Juli 18. — Kazimirus, Rex Polonie, 1460, feria VI., ante festum beate Margarethe, Poznanie, componit litem inter monasterium Paradisiense et Nyemyerzam de Lubosch tenutarium Myedzirzeczensem, de laboribus et oneribus ab incolis et hominibus villarum ad monasterium spectantium praestandis ad castrum Miedzyrzecz. — Testes: Johannes Wladislauiensis episc. et cancell. regni Polonie, Andreas episcopus Pozn., Lucas de Gorka palat. Posnaniensis, Stanislaus de Ostrorog palat. Calischiensis, Petrus Scora de Gay Calischiensis, Johannes de Czarnkow Gneznensis, Andreas de Krethkow Brestensis, Jacobus Dambyenssky Malogostensis et pincerna Regie Majestatis, Petrus de Bnin Landensis, Johannes de Pothulicz Rogoziensis, Castellani. Stiborius de Ponyecz Poznaniensis et capitaneus Majoris Polonie generalis, Sandiwogius de Lanzenycze Sandomiriensis Succamerarius, Petrus Dunyn de Prawkowycze marschalkus curie, per manus: Johannis Episcopi Wladisl. et Regni Polonie Cancellarii, Johannis Luthek de Brzezye J. U. D. archid. Gnezn. et Regni Pol. Vicecancell. Perg.-Urk., mit Löchern für 1 Siegelanhang. Siegel vorhanden. Abgedruckt in Racz. Cod. dipl. 131. — F. 8.

140.

1461, Jan. 3. — Petrus de Schamotuli, Castell. Pozn. et Capit. Majoris Polonie generalis, 1461, die Sabbatho ante Epiphan. domini, in Wangrowecz, testatur Stanislaum Sbąsski commutavisse lacum Choschincza jacentem inferius oppidum Zbąschin inter villam Strzeszewo et Mocreluthole, . . . quatuor extractiones sagene alias thonye habentem, cum Johanne Abbate et toto conventu monasterii Paradisiensis pro villa Zacrzewko, jacente prope Bilanczim et cum additione 200 florenorum Hungaricalium. — Testes: Lucas de Górka palat. Pozn., Johannes de Czarnkow castellanus Gnezn., Nicolaus de Brudzewo succamerar. Calissien., Prethslaus de Pothulicze Castellanus Rogossiensis, Laurentius Brodzki et Andreas Czecerad. Perg.-Urk., mit Löchern für 1 Siegelanhang, Siegel vorhanden. — F. 10.

141.

1461, Sept. 23. — Nicolaus de Sobotha, Custos vicariusque in spiritualibus . . . Andreae, episcopi Posn., et offi-

cialis ejusdem generalis, 1461, d. 23. m. Sept., hora vespe-
rorum vel quasi, in sala domus habitationis penes ecclesiam Posn. cathedralem site, Poznanie. Testatur: Miclas-
sium de Malczewo donare 200 marcas monasterio Lubinensi pro institutione anniversarii et missarum 5 absol-
vendarum singulis 4 anni temporibus in perpetuum. —
Testes: Johannes de Twardowo, Canonicus eccl. Pozn.,
Paulus de Lancicia et Albertus Janotha de Smyeczyska,
Notarii publ. Consistorii Gnesn. et Posn., Simon Swan-
thoslaus de Jeszora Clericus pozn. Notarius Apostolica et
Imperiali auctoritate subscripsit et subsignavit hoc instru-
m'entum. Perg.-Urk. mit 5 Löchern für Siegelanhänge.
Siegel fehlen. — F. 9.

142.

1462, Juli 22. — Stanislaus Heres in Szbąnschin, 1462
ipso die S. Mariae Magd., in Szbąnschijn, recognoscit, se
concordiam fecisse inter Johannem abbatem in Paradiso
et ipsius Conventum ex una et nobiles Nicolaum Dobro-
gostium Sandivogium et Johannem heredes in Cossyczino
et altera parte, de molendino in hereditate Coszmijn.
Perg.-Urkunde mit Quereinschnitten für 1 Siegelanhang.
Siegel fehlt. — F. 11.

143.

1468, Oct. 5. — Kazimirus, Rex Polonie, 1468, feria IV.
in crastino S. Francisci, in convencione Colen. particulari,
confirmat Johanni abbati et conventui Paradisiensi possessionem lacus Wyschanow, contra Petrum de Schamothuli, castellanum Poznan. Majoris Polonie Capit. et Tenutarium Miedzyrzeczensem. Relacione . . . Alberti de
Zychlin R. P. vicecancellarii. Perg.-Urk. mit Quereinschnitten für Siegelanhang, Siegel fehlt. — F. 15.

144.

1468, Dec. 29. — Johannes, Abt des Closters Paradisi,
1468, am Tage Thomae, Mart. episc. Cautuariensis, ge-
nehmigt dem Jacob Kreuchel zu Lobenaw, den Verkauf
eines jährlichen Zinses von einer Mark (im Namen eines
rechten frien Wedir-Kowffs) auf seinem Hofe und Erbe
an Johannes Polen itzund Johannes zu Mertinsdorff.
Perg.-Urkunde, Spuren des Siegelanhangs weggeschnitten,
Siegel vorhanden. — F. 16.

145.

1469, Apr. 8. — Conradus, Dux Mazovie, 1469, sabbato infra Octauas solemnis Pasce, in Warschovia, testatur Barbaram, matrem suam, tenere 60 Sexagenas grossorum in mediis grossis . . . Nicolao de Raschyncze decretorum doctori super festum Pentecostes proxime venturum . . . solvere, quod nisi fiet, dominus Nicolaus villam Wyaszowo possidebit usque ad plenariam solutionem 60 Sexagenarum. Perg.-Urk. mit Quereinschnitt für 1 Siegelanhang, Siegel vorhanden. Facsimilirt in Racz. Codex dipl. ad p. 148. — F. 17.

146.

1475, Jan. 8. — Matthias de Bnijn, incisor regni et capitaneus generalis Majoris Polonie 1475, die dominico proximo infra octavas Epiph. dom. in Costen, in hospitio suo solito in judicio sedens cum Alberto Gorsky, castell. Landensi et capitaneo Wschouiensi, Johanne Szapyensky tribuno Poznan., Johanne Myelszynsky, Burggr. Gnezn., et Nicolao Pynszunsky, assessoribus, testatur: Thomae Abbati et conventui Lubinensi adjudicatas esse 8. marcas in bonis Nicolai Borek Osszyecki de Osszyeczna et de Lunyewo. Perg.-Urk. mit Quereinschnitt für 1 Siegelanhang, Siegel fehlt. — F. 18.

147.

1476, Jan. 29. — Nicolaus (de Sobotha), Custos Vicariusque in Spiritualibus et Officialis Pozn. generalis, 1476, d. 29. m. Januar. — Testatur: Margaretham et Katharinam, virgines, filias Casp. Balczeri de Costen, quitavisse et absolvisse Thomam abbatem et conventum in Lubyn de 28. marcis latorum grossorum a parentibus suis anno 1425 conventui Lubinensi commodatis. — Testes: Nicolaus de Scudla decretorum doct. archidiac. Przemensis, Albertus Heyda cives in Poznania, Johannes Luthosky, Petrus Kluczewsky, Notarii Consistorii Pozn. Subscripsit et signavit Ambrosius Andreae, Clericus Poznaniensis, auctoritate Imperiali Not. publ. Pergament-Urkunde mit Quereinschnitt für 1 Siegelanhang, Siegel vorhanden. — F. 19.

148.

1479, März 1. — Hans Bruntzill, Hoferichter, und die
Geschworenen Schöppen im Stadtdinge zum Sagan 1479,
am Montage nechst nach Invocavit, bekennen, dass Mer-
tenn Koppersmidt und seine Frau Agnethe sich gegen-
seitig ihr Vermögen aufgegeben haben, mit Ausschluss
von 6 Mark, die er der Kirche vermacht. Perg.-Urkunde
mit Quereinschnitten für einen Siegelanhang, das Siegel
vorhanden. — B. 21.

149.

1480, Apr. 27. (Mai 25?) — Boleslaus, Dux Mazovie etc., 1480,
feria V. post s. Marci in Majo, in Zacroczym, donat Michaeli
Warschouiensi et Petro Okunye, Curie Ducis Subpincernis
heredibus de Conothopa, Ripam fluvii dicti Czyanczywa,
bonis eorum kalyen adjacentem, insuper unum juger
terre fodiende pro constitutione et reparatione aggeris.
Testes: Nicolaus Wanschs de Dobrzankowo Palatinus
Mazovie, Jacobus de Myensko Czyrnensis, Jacobus de
Golhnyno Czechonouiensis, Castellani, Zawissius de Cun-
raczecz Plocensis, Nicolaus Druszbycz de Zawsthowo
Warschouiensis Vexillifer, Johannes de Pzwyen Capi-
taneus et Judex Warschouiensis, per manus: Petri de
Chotkow med. Dr. etc. cancellarii Ducis. Perg.-Urkunde
mit Löchern für einen Siegelanhang. Siegel fehlt. —
F. 20.

150.

1482, April 30. — Martinus de Bandlewo Judex Poznaniensis et Nicolaus de Prusszym Subjudex Poznan. una
cum Johanne Baranowsky, et Sandivogio Bandlewsky,
1482, feria III. proxima in vigilia apostolorum Philippi et
Jacobi, in Czeplewo, confirmant judicium latum in Simonem
heredem in Bogunyewo, accusatum a Jacobo Gorzewski
quod nobiles quatuor et 50 currus cum quovis curru 2 homines et 3 equos misit in hereditatem Nyenawyscz Jacobi
Gorzewski, indeque ligna et arbores ad curiam et domum
in Bogunyewo abstulit. Perg.-Urk. mit Quereinschnitten
für 2 Siegelanhänge, Siegel fehlen. — F. 21.

151.

1482, Apr. 30. — Martinus de Bandlewo Judex Pozn.,
generalis, Nicolaus de Pruszym Subjudex Poznan. generalis

una cum Jacobo Conarzewsky, Johanne Baranowsky,
Crzywinensi, et aliis, 1482, feria III. in vigilia apostolorum
sanctorum Philippi Jacobi, in Czeplewa in lapidea in
circulo sita, confirmat judicium latum in Simonem heredem in Bogunyewo accusatum a Jacobo Gorzewski, quod
hominem ipsius Mathiam cum pecudibus et aliis omnibus
bonis profugientem de Zalaszewo receperit in Bogunyewo.
Perg.-Urk. mit Quereinschnitten für 2 Siegelanh., beide
Siegel vorhanden. — F. 22.

152.

1488, Juni 9. — Cunradus dux Mazoviae etc. 1488, feria II.
infra octavas corporis Christi, in Czirsko, testatur. nob.
Lazarum de Myanczino uxori: Smichnae, filiae Andreae
de Mylanowo Castellani Warschouiensis 150 Sexagenas
grossorum in mediis grossis in medietate bonorum suorum
nomine dotis et dotalicii assignavisse. Perg.-Urk. mit
Quereinschnitt für Siegelanhang. Siegel vorhanden. —
F. 23.

153.

1491, Juni 27. — Nicolaus de Cuthno, Palatinus Lanciciensis et capitaneus generalis Majoris Polonie 1491,
feria II. infra octavas Joh. Baptiste, Poznanie, testatur:
Nicolaum Kyszewski assignavisse uxori suae Margarethae
400 marcas mediorum latorum grossorum monete et nu-
meri polonicalium (marca per 48 grossos), nomine dotis et
dotalicii in bonis suis oppido Ryczywol et villis Crassolii
et utraque Kyschewo majore et minore etc. — Testes:
Petrus Ilowyeczki vexillifer Calischiensis, Andreas de
Lodzia Subjudex Pozn., Petrus Proszyeczkij, Martinus
Sczavynsky, Dobeslaus de Coczugy burggrab. Poznan.
et Albertus Malsky. Perg.-Urk. mit Quereinschnitten
für 1 Siegelanhang. Siegel vorhanden. — F. 24.

154.

1493, Juni 2. — Johannes Albertus, Rex Polonie, 1493,
die dominico festi ss. trinitatis, Poznanie, confirmat
privilegia priora Johanni Abbati et conventui Paradisiensi.
— Testes: Petrus Wladislauiensis episc., Uriel Poznaniensis episc., Nicolaus de Cuthno palatinus Lanciciensis
et capit. Majoris polonie generalis, Johannes Szwidra de
Schamothuli Calischiensis, Joh. de Oppotow Bresthensis,

Mathias de Sluszewo, Juniwladislaviensis, Palatini, Sandivogius de Czarnkow, Gneznensis, Andreas de Szamothuli
Calischiensis, Ambrosius Pampowsky Rosperiensis, Joh.
de Oleszko, Malogosthensis Castellani, per manus Gregorii de Ludbrancz. Poznan. Szkarmiriensis et S. Floriani
extra muros Crac. prepositi, vicecancellarii regni. Perg.-
Urk. mit 2 Löchern für 1 Siegelanhang, Siegel vorhanden.
— F. 25.

155.

1495, Jan. 17. — Petrus Abbas in Obra, 1495, ipso die
s. Anthonii confessoris in Obra, assignat fratribus ecclesiam ad s. Helizabeth cum omnibus proventibus. Sequitur
approbatio Johannis Abbatis monast. Wangrowecz. dyoec.
Gnesn., Visitatoris immediati etc. Perg.-Urk., die Spuren
der Siegelanhänge sind fortgeschnitten. Siegel fehlt. —
E. 28.

156.

1502, März 7. 1535, März 8. — Johannes de Splawye
Judex et Matthias de Krzyżanowo Subjudex terrestris
Poznan. general., una cnm Petro Osszowsky Burggrabio
terrestri Costensi et Nicolao Lanczski notario terrestri
palatinatùs Poznaniensis assessoribus, attestantur fidem
transsumpti ex Actis terrestribus terminorum particularium
Costensium 1502 feria II. post dominicam Laetare: „Petrus
Gylowijeczski, heres in Wolstyn, admittit Petro Abbati
et conventui monasterii in Obra omnem terram et locum
terre, quae ex antiquo fuit et spectabat ad molendinum:
Nyaleczski Mlyn, ad dictum monasterium pertinens, ut
molendinatores poterint aedificare, quaecunque aedificia
voluerint. Abbas et conventus mittunt liberum Petrum
Gylowyeczski de omnibus violenciis et commissione regiae
majestatis etc.“ Costen, 1535 feria II. post dominicam
quadragesimalem Laetare proxima. (Zur Vermeidung
der Verjährung genau am Verfalltage nach 33 Jahren
erneuert.) Perg.-Urk. mit Quereinschnitten für 2 Siegelanhänge, Siegel vorhanden. — G. 1.

157.

1506, Mai 28. 1511, Jan. 12. — Stanislaus et Johannes,
Duces Mazovie etc. 1511 dominica Epiphaniar. Warschovie,
confirmant transsumptum ex Regestro thezauri judiciorum
curie ducalis: Actum Warsch. de anno 1506, feria V. ante

festum Penthecostes. Processus inter Nicolaum Mila-
nowsky et Johannem Vinwirth de bonis Czernychowo,
Czyarnowo, Myloszyno, cum Navigio in Czyarnowo, cf. 160
G. 5. Perg.-Urk. mit Quereinschnitten für 1 Siegelanhang,
Siegel vorhanden. — G. 6.

158.

1506, Juni 9. — Sigmund, in Slesien zu Gloge, Troppe
Herzog, in Slesien, Lausitz, königl. Stadthalter, 1506,
Dienstag nach Trinitatis, in Glogau, gewährt dem Abte
Petrus zu Paradiss Erleichterung für die auf den Kloster-
gütern: Reynersdorff, Gradis, Mertzendorff, Laubenitz
sitzenden Leute von den Leistungen zum Schlosse Swe-
bessinn. Zeugen: Mykelasch Pysthigk von Bielow,
Hauptmann zw Glogow, Hansz von Rechenberg vff der
Slawe, Ernst Tschammer zu Osten und Hanss von Kokricz
herzogl. Rath, deme diesser Briff bevolhen. Perg.-Urk.
Spuren des Siegelanhangs fortgeschnitten, das Siegel vorhanden. Auf der Rückseite: „Hactenus a D. Knobels-
dorffio Capitaneo Suibusiensi annis 15 retentum et tandem ipso defuncto per D. Löben tutorem heredum ac
pupillorum ipsius Monasterio extraditum anno Dni 1640
die 10. Julii sub regim: R. D. Pauli Gostowski ex Conventu in Abb. assumpti. — G. 2.

159.

1506, Oct. 28. — Petrus Abt des Klosters zum Paradisse,
1506, am tage Simonis und Judae bekundet, dass Nickel
Pusch Scholz in Gradiss und seine Frau Anna einen
jährlichen Zins von einem Märkischen Firdung im Namen
eines freien Widerkauffs an das Kloster um 2 Schock
märkischer Groschen verkaufft haben. Perg.-Urk. Mit
Quereinschnitten für 1 Siegelanhang, das Siegel fehlt. —
G. 3.

160.

1507, Juli 22. — Stanislaus de Schimsko, Judex Czyechano-
viensis, una cum Johanne Byelynysky subjudice ... cum
Anna Duce Mazovie Rusie et cum dominis consiliariis
ejus judicantes causas, 1507 feria V. ipso die S. Mar.
Magd. in Czyechanowo, adjudicant Nicolao Mylanowszky
de Czyernychovo bona hereditaria Czyernychovo, Czyarnowo, Miloschino et Navigium in Czyarnevo, et abjudicant

ea Johanni Vinwirth de Magna Logysch. cf. 157, G. 6.
Perg.-Urk. Mit Quereinschnitten für 2 Siegelanhänge,
beide Siegel vorhanden. — G. 5.

161.

1510. — Gregorius, Abt vom Kloster Paradiss, 1510, ohne
Tagesdatum, bekundet, dass Stentzel Petczolt, Armen-
Majer des Klosters im Dorfe Grewdis, und seine Frau, dem
Kloster in Paradis einen jährlichen Zins von 1 Mark um
10 Mark meyssnisch, mit Vorbehalt des Widerkaufrechts
verkauft haben. Perg.-Urk. mit Quereinschnitten für
Siegelanhang, Siegel vorhanden. — G. 4.

162.

1511, Febr. 8. — Sigismundus, Rex Polonie, etc. 1511,
Sabbatho ante festum S. Scolastice virginis proximo, in
conventione generali Pyetrkowiensi, concedit Joanni de
Lassko, archiep. Gnezn., ut domum in Wielun, a Jacobo
Schalscha emat. — Testes: Johannes Gnezn. archiep. et
Primas, Bernardinus Leopoliens. archiep., Joannes Craco-
vien., Wincencius Wladislav., Joannes Poznan., Erasmus
Plocensis, Lucas Warmiensis, Matthias Premisliensis
Episc. et Regni Vicecancellarius. Spithco de Jaroslaw
Castellanus Cracov., Andreas de Schamotuli Posn., Joan-
nes de Tarnow Sandomirien., Nicolaus Gardzina de Lud-
brancz Callissien., Jaroslaus de Lasko Lancicien., Nicolaus
de Crethcow Juniwladislaviensis, Stanislaus Knutha de
Wischnicze Russie, Nicolaus Ffirley de Dambrowicza
Lublinensis, Joannes Odrowąż de Sprowa Belzencis, Thomas de Barthniki Plocensis, Prandotha de Zelijazna
Rawen., Palatini et multi alii. Perg.-Urk. mit Löchern
für 1 Siegelanhang, das Siegel vorhanden. — G. 7.

163.

1511, Sept. 6. — Gregorius Abbas, Martinus Prior
Georgius Subprior, totusque conventus monasterii in Paradiso, 1511, Sabbato ante festum nativ. S. Virginis Marie
in Paradiso ... Jodoco Abbati ceterisque patribus ac
patribus canonicorum regularium in Sagano confraterni-
tatem offerunt. Perg.-Urk. mit Einschnitten für 2 Siegelanhänge, beide Siegel vorhanden. — E. 9.

164.

1513, Jan. 19. — Sigismundus Rex Polonie, 1513, feria IV. proxima post festum S. Priscae virginis, Poznanię, confirmat Privilegia et libertates monasterii Paradisiensis. — Testes: Joannes episc. Posn., Mathyas Premisliensis episc. et Cancellarius R. Pol., Joannes Jarandi de Brudzow palat. Lanciciensis, Lucas de Górka Castell. Posn. et Capit. Majoris Polonie generalis, Christophorus de Schidlowiecz Sandomiriensis et Regni Pol. Vicecancellarius, Andreas de Thanczin Biecensis, Stanislaus de Ostrorog Calissiensis, Castellani. Andreas de Cosczieliecz Thesaurarius regni, Joannes Lathalski Cracouiensis et Lanciciensis ecclesiar. praepositus, Petrus Thomiczki decretor. doctor archidiaconus, Joannes Czarnkowski Canonicus, Stanislaus Goreczki prepositus Calissiensis, Stanislaus Jaroczki Marsalcus, Nicolaus Ocziesski magister agasonum curie regiae. Perg.-Urk. mit Löchern für einen Siegelanhang, Siegel vorhanden. Racz. Cod. dipl. nr. 139. Abdruck und Facsimile nebst Siegelabbild. — G. 8.

165.

1520. — Michael, Abt des Klosters Paradis, 1520, ohne Tagesdatum, bekundet, dass Domas Opycz zu Grodyss dem Kloster einen jährlichen Zins von ½ Mark pölichinn mit vorbehalt des Widerkaufrechts, für 6 Mark pölichinn, verkauft hat. Perg.-Urk. mit Quereinschnitten für 1 Siegelanhang, Siegel vorhanden. — G. 9.

166.

1521, Apr. 27. — Simon Tawcheritz vnd Martinus in Vormundschaft Johannes und Jheronim Taucheritz, Gebruder, 1521, am Sonnabend nach Marci Evangelista, geben dem Pawll Jhanisch zum Lughe das Schulzen-Ampt und Gericht zum Lehn mit verschiedenen Gerechtsamen für 7 Schilling böhm. Groschen und Unterhalt eines Lehnpferdes. Perg.-Urk. mit Quereinschnitten für Siegelanhang, 2 Siegel vorhanden. — G. 10.

167.

1522, Febr. 26. — Michael Abt des Klosters Paradis, 1522, Mittwoch nach Mathie, zu Paradis, verleiht dem Hans Pusch, Schulz zu Gradis und seiner Frau das Schul-

zenamt mit dem Kruge und allen Gerechtsamen zu
einem Leibgedinge. — Zeugen: Merten Paistkaw, Prior,
Mathes Kellner, Laurentius Strygner Küster und Hanus
Schlichtingk der Zeit Voytt. Perg.-Urk. mit Quereinschnitten für 2 Siegelanhänge, Siegel fehlen. — G. 11.

168.

1527, März 20. 1559, Jan. 18. — Sigismundus Augustus
Rex Polonie, 1559, Jan. 18., Cracoviae in conv. generali,
confirmat Privilegium parentis sui Sigismundi, adscribens
districtum Sthriensem juris dictioni castri et capitanei
Przemisliensis, dat. Cracoviae in conv. generali feria IV.
post dominicam Reminiscere Ao. di. 1527. Perg.-Urk.
mit an Pergamentstreifen hängendem Siegel des Königs
und Unterschrift des Cancler's Joannes Ocieski (de Ocies-
sino). — M. 2.

169.

1528, Jan. 16. — Sigismundus, Polonie Rex, 1528, feria V.
prox. ante festum S. Prisce, Piotrcovie in conentione
generali:
1. confirmat decretum Mariemburgi et Gedani latum de
   cerevisia libere coquenda et vendenda ab tabernato-
   ribus villarum monasterii Calawa et Wissoka.
2. confirmat privilegium Casimiri Regis, quo labores et
   soluciones villarum monasterii descripta sunt.

Pro Michaele Abbate Paradisiensi contra Stanislaum
Miskowki capit. Miedzirzeczensem. Subscripsit Petrus
Thomyczski, episcop. Cracouiensis et Regni Pol. Vice-
·canc. Perg.-Urk. mit Quereinschnitten für 1 Siegelanhang,
Siegel vorhanden. — G. 12.

170.

1529, Aug. 23. — Lucas de Gorca, castell. Posnan. et
capit. generalis Majoris Polonię, 1529, feria II. in vigilia
S. Bartholomei Apostoli, Posnaniae, una cum Matthia
Krzissanowski judice Posn., Jacobo Splawsky subjudice
Posn., et Vincencio Chyelmiczski assessoribus, adjudicant
Anne Jablowska consorti Nicolai Glouiczski possessionem
ville majoris Jabłowo contra Nicolaum Slupski, nobilis
olim Mathiae Posługowski filium, filium itemque Annae
Jabłowska. Perg.-Urk. mit Quereinschnitten für 1 Siegel-
anhang, das Siegel fehlt. — M. 3.

171.

1529, Apr. 23? Joannes de Lasco ... legatus natus 1529
in capitulo ... generali pro f ... Adalberti celebrato,
Gnesnae, de custodia Uniejoviensi (Nomen Venceslai
Czyrka commemoratur). — Testes: Johannes Handa De-
canus, Matthias Slywniczki Archidiac. et cancellarius,
Stanislaus ... et decretor. doct., Anselmus Lukowsky
Felix Narzymski, Andreas Grodzeczki ... Gylewski et
Albertus Zaluski, Simon Cyabyelski, Martinus Lopanitzki
... Nicolaus Grzymultowski et Joannes ... Perg.-Urk.
mit Unterschrift: Transiuit per manus Joannis Handa
Decani Gneznensis. Mit 2 Siegeln an grünrothen seidenen
Schnüren, wovon das bischöfliche, rothe, noch ziemlich
erhalten ist, unten mit dem Wappen „Korab". Das andere
ist ganz abgesprungen. Die Urkunde ist sehr unleserlich
und defect. — M. 1.

172.

1531, Juni 30. — Ferdinand, Römischer König, 1531,
Juni 30., zu Prag, bestätigt die dem Kloster zu Paradis
von den Fürsten zu Glogau ertheilten Privilegien über
die Güter des Klosters im Fürstenthum Glogau. Perg.-·
Urk. Mit eigenhänd. Unterschrift des Kaisers und Quereinschnitt f. 1 Siegelanhang. Siegel vorhanden. — G. 13.

173.

1532, Aug. 3. — Karl, Herzog zu Monsterbergk ... Oels ...
Oberster Hauptmann in Ober- und Niderschlesien und des
Fürstenthums Grossen-Glogau. Geschehen zu Schwe-
bussen und geben zu Glogaw, Sonnabends nach Vincula
Petri, 1532, bestätigt den Verkauf des Gutes Oppelwitz
im Schwibischen Weichbilde gelegen an Caspar Schlichting
zum Jeser durch Frantz Nostwitz zue Wilkau. Zeugen:
Ernst Nibelschitz zue Ritschitz, Hanns Stenthsch von
Ogersitz, Caspar Stenthsch zum Stenthsch und Caspar
Sagk zu Mostichen. Perg.-Urk., mit Quereinschnitt für
Siegelanhang, Siegel vorhanden. — G. 14.

174.

1534, Nov. 21. — Christoph Schweinitz von Seivers-
dorff, Hauptmann von Grossenglogau, 1534. Sonnabends
am Tage Praesentationis Marie, geschehen zu Schwe-

bussen und gegeben zu Glogau, bekundet dass: Caspar
Schlichtingk zum Jesher sein Gut Oppelwitz an den Abbt
Michael u. das Kloster zu Paradis verkauft hat. Zeugen:
Baltzar Thawer zue Smytzen, Georg Stentz vom Stentz,
Baltzer Lugkener zue Kutschel und Fridrich Kothwitz
zu Nydewitz. Perg.-Urkunde mit Quereinschnitten für
1 Siegelanhang, Siegel vorhanden. — G. 15.

175.

1537, Juni 25. — Valentinus, Abbas Monasterii Lhennyn,
Commissarius generalis 1537, die Lune 25. m. Junii, Paradisi, visitat cum Carolo abbate monasterii de Obra „di-
lectam filiam" Paradisum. Abbas Michael Paradisiensis
morbo incurabili pressus resignat, novus abbas eligitur
Matthaeus. Perg.-Urk., mit Quereinschnitten für drei
Siegelanhänge, 3 Siegel vorhanden. — G. 16.

176.

1538, Juli 21. — Sigismundus, Rex Polonie, 1538, die dominico ante festum S. Mar. Magd. Cracoviae, ratificat
electionem Mathei abbatis Paradisiensis. Subscripsit
Paulus de Volia vicecancellarius Regni. Perg.-Urk.,
mit Quereinschnitt für einen Siegelanhang, Siegel vorhanden. — G. 17.

177.

1540, Jan. 19. — Matheus, Abt des Klosters Paradis und
der ganze Convent 1540. Montags nach Anthonii, zum
Paradis, verleihen dem Cristoff Giringk und seiner Frau
Anna das halbe Gericht im Dorfe zum Altenhoffe, wofür
sie mit einem Pferde dreier Mark behmisch dem Kloster
dienen oder dafür jährlich eine Mark Zins zahlen sollen.
Perg.-Urk., mit Quereinschnitt für 1 Siegelanhang. Siegel
vorhanden. — G. 18.

178.

1544, Jan. 24. — Ferdinand, Römischer König, 1544, Jan. 24.,
zu Prag, bekundet, dass Caspar von Stentz zu Ogersitz
dem Kaiser 1000 Goldgulden vorgestreckt hat; dafür
verpfändet ihm der Kaiser die Dörfer Mertzdorf und
Gredis zum Stift Paradis gehörig auf fünf Jahr, dann

soll die Pfandschaft eingelöst werden. Perg.-Urk., eigenhändig unterschrieben vom Kaiser. Desgl. von Georg
von Gerstorff, Wolff von Wrzesowitz. Henricus Burg-
gravius Misnen. S. R. Bohemie Cancellarius. Mit Quer-
schnitten für den Siegelanhang, Siegel vorhanden. — G. 19.

179.

1546, Febr. 5. — Sigismundus, Rex Polonie, 1546, feria VI.,
post festum purificationis Marie proxima, Cracoviae, confirmat privilegium a Premislao et Boleslao datum villis
monasterii Paradisii, quo liberantur a poduodis et aliis
oneribus. Perg.-Urk., mit Quereinschnitt für 1 Siegelanhang, Siegel vorhanden. Unterz. von Samuel Episcopus
Plocensis Cancell. Regni. — G. 20.

180.

1549, Junii 22. — Andreas Episcopus Laodicensis, ordinis
Cisterciensis Visitator . . . 1549, 22. Junii, Paradysch,
praescribit regulas, quas fratres monasterii sequi debent.
Perg.-Urk., beschnitten, daher ohne Spuren eines Siegelanhangs, Siegel vorhanden. — G. 21.

181.

1550, Mai 15., (die Octave 22.) — Sigismundus Augustus,
Rex Polonie, 1550 feria V. ipso die festo ascensionis domini proxima, Piotrcoviae, in conventione generali, confirmat monasterio Paradisiensi privilegia Premislai et
Boleslai Ducum circa libertatem incolarum villarum monasterii a poduodis etc. Subscr. Samuel Macziejowski Episc.
Crac. et R. Pol. Cancell. Perg.-Urk. mit Quereinschnitt
f. Siegelanhang. Siegel vorhanden. — H. 1.

182.

1554, Jan. 8. — Janussius a Koszcielecz, Palatinus Siera-
diensis et Capitaneus generalis Majoris Poloniae, 1554,
feria II. post festum Epiphaniarum do. proxima, Posnaniae, confirmat judicium latum per Joannem Krzesinsky,
vexilliferum Bydgostiensem nec non Surrogatum seu
administratorem officii Capitaneatus castrensis Posnaniensis, inter: Joannem Crothoski, castellanum Juni-
wlad., et Joannem Bilanczki Abbatem Obrensem, de molen-

dino aquatico: Nialeczki Mlyn, cujus possessio abbati ad-
judicatur. Perg.-Urk. mit Quereinschnitten f. 1 Siegelanhang. Siegel fehlt. — H. 2.

183.

1558, Apr. 23./24. — Ferdinand, deutscher Kaiser, 1558,
auf S. Georgentag, o. O., leiht vom Kloster Paradies
3000 Thaler auf 4 Jahr zu 5%. Perg.-Urk. mit eigenh.
Unterschrift des Kaisers, und Quereinschnitten f. 1 Siegelanhang. Siegel fehlt. — H. 3.

184.

1558, Dec. 12. — Andreas Czarnkowski, Episc. Posn.,
1558, Dec. 12., in Cziąssim, confirmat electionem abbatis
Stanislai Wierzbinski in Abbatem factam post resignationem abbatis Matthaei. — Testes: Alb. Czarnkowski Castell.
Srzemensis Capit. Costen., Alb. Rudniczki, Joannes Po-
wodowski Posnanienses, Mettellus Venturellus Visliciensis
canonicus, Stanislaus Czarnkowski, Jo. et Matthias Za-
dorskie, Christophorus Piglowski, Sebastianus Malinski,
Jacobus Kubaczki et Andreas Starziński, Jacobus Lo-
wenczski scripsit. Perg.-Urk. mit 1 Quereinschnitt für
Siegelanhang. Siegel vorhanden. Facs. in Racz. Cod.
dipl. ad p. 196. — G. 23.

185.

1559, Dec. 21. — Stanislaus Wirsbinsky, Abt zu Paradis und der ganze Convent, 1559, am tage Tome apostoli, Paradis, verleihen dem Peter Giring das halbe
Gericht im Dorfe Altenhoff wofür er Dienste leisten soll
mit einem Pferde im Werthe von 3 Mark behm. oder
jährl. vor solchen Dienst 1 Mark meissner Zinse und eine
„Ehrung" zu Weihnachten geben; ausserdem holl er Aus-
richtungen zu Dinge-Zeiten thun, Zinsen, Renten und
alle andere Rechtspflege bringen und bestellen. Perg.-
Urk. mit Quereinschnitten für 2 Siegelanhänge. Siegel
fehlen. — H. 14.

186.

1560, Mai 6. — Caspar Loebenn von Nickerun zuëm
Luëge vnd Mertzdorff Erbsesse, 1560, Montags nach Jubi-
late, in Lugaw, verleiht dem Hans Luebigk zum Lugaw

das Schulzenamt und Gericht — für ein Lehenpferd und Jahreszins von 7 Schillingen böhmischer Groschenzahl und Währung. Perg.-Urk. mit Quereinschnitt für einen Siegelanhang, Siegel vorhanden. — H. 4.

187.

1563, Mai 30. — Stanislaus Wirzbinsky, Abbt von Paradis mit dem ganzen Convent 1563 am h. Pfingsttag, Paradis, verleihen dem Hans Luebigk Gerichtshalter zum Lugaw ... das Scholzenamt und Gerichte daselbst, dafür soll er mit einem Lehen-Pferd Dienste leisten und 7 Schilling jährl. Zins zahlen. Perg.-Urk. mit Quereinschnitten für einen Siegelanhang, Siegel vorhanden. — H. b.

188.

1563, Mai 30. — Stanislaus Wirsbinsky, Abt von Paradis mit dem ganzen Convent, 1563 am Pfingsttag, Paradis, verkaufen der Bauerschaft des Dorfes Altenhoff umb 200 (?) die Kubppen, Kram, Gerste, Wiesen u. Winckell ahn der Altenhöffer stossende für 2 mark meissner jährl. Zinses. Zeugen: Hans von Popelwitzky, Joachim von Schonaich czu Racko und Valdten von Vnruhe Czum Nassenleuttel. Perg.-Urk. mit Quereinschnitt f. 1 Siegelanhang, Siegel vorhanden. — H. 5.

189.

1590, Apr. 13. — Sigismundus III., Rex Polonie etc. 1590, Apr. 13., in conventu generali Warsaviae, nobilitat Valentinum Rimer. Perg.-Urkunde, mit eigenhänd. Unterschrift des Königs u. des Pe. Tylicki, Secr. Das fehlende Siegel hing an carmoisinrothen und goldenen Schnüren. Das Diplom ist mit farbigem Ornament umgeben und das Wappen 2 Mal ausgeführt: 1) auf dem Pergament der Urkunde und 2) auf Papier, aufgeklebt auf das erste, von dem es in Kleinigkeiten abweicht. Die Schrift ist sehr verblasst und zum Theil unleserlich. — M. 5.

190.

1593, Jan. 12. — Peregrinus Kurski, Abt zu Paradis u. der ganze Convent, 1593, d. 12. Januar, geben dem Hans Seifert Krüger in Steinersdorff, die Berechtigung

Bier zu brauen und frei zu schenken, wofür er jährlich
einen Zins von 1 Schock meissn. geben soll. Perg.-Urk.
mit Quereinschnitten für 2 Siegelanhänge und den eigenhänd. Unterschriften des Abts Peregrinus Kurski und
Johannes Prior „suo et totius conventus nomine." Siegel
vorhanden. — H. 11.

191.

1593, März 24. — Peregrinus Kursky, Abt zu Paradis,
und der ganze Convent, 1593, 24. März, Paradies, verleihen dem George Hensel und seiner Frau Hedwig das
halbe Gericht in dem Dorfe Cotzschkaw — wofür sie
mit 1 Pferde von 3 Mark poln. dienen oder jährl. vor
solchen Dienst 1 Mark Meissner Zinse — und zu Wei-
nachten eine Verehrung geben sollen, wie vor Alters
gewest . . . Perg.-Urk. Beschnitten, so dass die Spuren
des Siegelanhangs fehlen, Siegel vorhanden. — H. 10.

192.

1596, Jan. 25. — Peregrinus Kursky, Abt zu Paradis
und der ganze Convent 1596, am Tage conversionis Pauli,
Paradis, verkaufen dem George von Pusch ein Stück
Acker und Neuland zu Neudorff? für 300 Thlr. Perg.-
Urk. mit Quereinschnitten für 2 Siegelanhänge, Siegel
fehlen, eigenhändig vom Abt unterschrieben. — H. 8.

193.

1597, März 3. -- Peregrinus Kurski, Abt zu Paradis
und der ganze Convent 1597, d. 3. Marcii, Paradis, verkaufen dem Hans Seyfert, ihrem Ackervogte und Krüger
in Steinersdorff, ein Stück Neuland vor 12 Achtel gutes
Bier und 1 Mastochsen, die er ans Stift geliefert, und für
eine Abgabe von 2 Hühnern jährlich. Perg.-Urkünde.
Mit Quereinschnitten für 2 Siegelanhänge, beide Siegel
vorhanden. Unterschrieben vom Abt u. d. Prior Johannes.
— H. 12.

194.

1597, Mai 26. — Peregrinus Kursky, Abt zu Paradis
und der ganze Convent 1597, Montags, in den h. Pfingst-
feiertagen, zu Paradis, verkaufen ihrem Diener u. Küchen-
meister Simon Schmitnern auf Vorbitte: Herrn Jacobi

Brzieziensky, Suffraganei Posnaniensis, Abts und Herrn
des Stifts Prement, und des Herrn Matthis Borziewsky,
Commissarii Ordinis, Abte und Herrn zu Lendin, und ...
des Herrn Maximilian von Knobelsdorff auf Rückersdorff,
Kaiserl. Hauptmann zu Schwiebussen, ein Haus samt
Garten, zwei Morgen Acker, und ein Stück Acker,
mehrere Wiesen und ein Stück Neuland für 500 poln.
Fl. zu 30 gr. gerechnet — und 3 Fülle-Hühner jährlich
auf S. Michaelis Tag. Perg.-Urk. mit Quereinschnitten
für 2 Siegelanhänge, Siegel fehlen. — H. 13.

195.

1599, Juli 24. — Peregrinus Kursky, Abt zu Paradis u. der
ganze Convent, 1599, Sonnab. nach Margarethae, Paradis,
verkaufen dem Secretario des Klosters Conrado Pauli
und seiner Frau Hedwig ein Stück Neuland für 40 Thaler
und befreien ihn und seine Frau lebenslänglich von allen
und jeden Robotten und Hofearbeit etc. für das Gütlein,
so sie von Simon Klingesporn erkauft haben. Perg.-Urk.
Mit Quereinschnitten für 2 Siegelanhänge, Siegel fehlen,
vom Abt eigenhändig unterschrieben. — H. 9.

196.

1601, Febr. 21. — Rudolf, Römischer Kaiser 1601, 21. Febr.
zu Prag, bestätigt den Stanislaus Romizowsky als Abt
von Paradis, gewählt nach dem Tode Peregrinus Kurczky's,
sowie alle Privilegien und Freiheiten für die Güter im
Fürstenthum Glogau. Perg.-Urkunde. Mit Löchern für
Siegelanhang, Siegel fehlt. Unterschrift des Kaisers und
des Sdenco . . . Poppel de Lobcouitz S. R. Bohemiae
Cancellarius. — H. 7.

197.

1603, Mai 13. — Stanislaus Romiessowsky, Abt des
Klosters Paradis und der ganze Convent 1603 am Dins-
tage nach Exaudi, Paradis, ertheilen dem Christoph
Wilhelm, Kretzschmar vorm Kloster, die Bestätigung des
dem Paul Hoffmann und seiner Frau Agnes vom Closter
durch den Abbt Petrus 1505 ertheilten Privilegs zum
Bierausschenken vor dem Closter. Perg.-Urk. Beschnitten,
so dass keine Spur eines Siegelanhangs, da ist Siegel
vorhanden. Auf d. Rückseite: „NB. Servetur nec facile
extradatur." — G. 22.

198.

1604, Juni 22. — Andrzej Krotoski, Wojewodzic Ino-
wrocławski, 1604, Junii 22. w Łobżenicy, potwierdza opatrzenie plebana Łobżeńskiego (ewangielickiego), ustano-
wione 1592, w dzień Ś. Grzegorza i 1603, Juli 7. Papier-
Urkunde, mit eigenhänd. Unterschrift und aufgedruckten
Siegel des Austellers. — M. 7.

199.

1604, Sept. 29. — Stanislaus Romissowsky, Abt zu
Paradis und der ganze Convent, 1604 am T. S. Michaelis
Archangeli, Paradis, verkaufen dem George von Pusch,
ein Stück Neuland 6 Morgen haltend, in d. Neudorffischen
Bergen für 102 Thaler, (zu 30 weissen Groschen) u. einen
Jahreszins von 6 Ortsgulden. Perg.-Urk. mit eigenhänd.
Unterschrift des Abts und Quereinschnitten für 2 Siegel-
anhänge, Siegel fehlen. — J. 1.

200.

1605, Apr. 24. — Stanislaus Romissowski, Abt zu
Paradis und der ganze Convent 1605 am T. S. Georgii,
Paradis, verleihen den Andreas Lode und seiner Frau
Hedwig, das halbe Gericht im Dorfe Gutzkow wofür er
mit 1 Pferde für 3 pol. Mark, dem Kloster dienen oder
1 Mark meissn. jährl. Zins und eine Verehrung zu
Weihnachten geben soll. Perg.-Urkunde vom Abt und
17 Brüdern unterschrieben. Mit Quereinschnitten für
2 Siegelanhänge, Siegel vorhanden. — J. 2.

201.

1607, Jan. 17. — Stanislaus Fridericus de Andreouia,
parochus in Zlotniki, Officialis Curelovien. etc. et Martinus Klyszius, Actorum Consistorii Curelou. Notarius, veri-
ficant 1607, Junii 9., pro Jacobo Chrostkovio, praeposito
et decano rurali Malogostensi, transsumptum ex Actis
Consistorii Cureloviensis Decreti pro ecclesia Malogostensi
insuper decimas praedialis villae Cieśle, per Commissarios ab ... Bernardo Maciejowski Archiepiscopo Gnesnensi deputatos, 1607, Junii 9., ingrossatum, 17. Jan. 1607
vero factum. Commissarii fuerunt: Mauritius Fridericus,
J. V. B. Zlotnicen., M. Jo. Czechouicius ph. Dr. Piekos-
souiensis, plebani. Mit rothem Siegel in Blechkapsel an

Pergamentstreifen, auf Perg. Aeussere Aufschrift: Productum in Actu Visitationis generalis d. 6. Oct. 1761 Constantinus Jankowski Can. Kijoviens. . . . Visitator. — M. 4.

202.

1607, April 30. — Stanislaus Romissowsky, Abt zu Paradis und der ganze Convent, 1607, am Abend S. Philippi und Jacobi Apostolorum, Paradis, verkaufen ihrem Baumgärtner Joachim Bötticher für treue 18jährige Dienste 2 Stücke Acker, dazu noch 1 Stücklein Acker ein Gewände lang u. 17 Beete breit, mit einem Wiesechen auf dem Bruchvorwerk für 22 Thlr., wofür er 1 Paar guter Zugochsen entrichtet; für seine und seiner Frau Lebenszeit ist ihm alle Hofearbeit erlassen, danach aber hat das Land 3 Kalupner (chałupa) und Hausleute auf die Hofearbeit schicken. Gleichzeitige Abschrift auf Papier. — J. 3.

203.

1611. — Daniel Domaratzky, Abbas Paradisiensis et totus Conventus, 1611, Paradisi, confirmant Stanislao Hirt privilegia a praedecessoribus suis data, pro bonis ejus Chociessoviae sitis, enumerantque ejus officia oneraque monasterio praestanda. Perg.-Urk. mit eigenh. Unterschrift des Abbts und der Brüder, 11 an der Zahl, und Quereinschnitten für 2 Siegelanhänge, 1 Siegel vorhanden. — J. 6.

204.

1611, Juni 11. — Max Johannes Pezolt, Bürgermeister, Val. Klieman, Johann Richter, Mathes Schöne, Balthasar Jugolt, Johan Wehl, Paul Fuchsberg, Lucas Bartholehe, Fabian Schwalm u. Paul Dirre Rathmanne, 1611, 11. Juni, Glogau, bekunden, dass Casp. Gottwaldt dem Franz Gephart sein Haus und Hof auf d. h. Leichnamsgassen zwischen Michael Tschechnitzes und Caspar Cunrades Häusern verkauft hat. Perg.-Urkunde mit Quereinschnitten für 1 Siegelanhang, Siegel vorhanden. — J. 5.

205.

1611, Sept. 24. — Daniel Domaratzky, Abt zu Paradis und der ganze Convent, 1611, 24. Sept., Paradis, verleihen

dem Andreas Lode das halbe Gericht im Dorfe Gutzkow,
wofür er mit 1 Pferde (3 Mark Poln.) Dienste leisten
oder 1 Mark Meissnisch jährl. Zins u. eine Verehrung zu
Weihnachten geben soll. Perg.-Urk. mit des Abts und
der Brüder, (13 an der Zahl) eigenhänd. Unterschrift u.
Quereinschnitten für 2 Siegelanhänge, Siegel fehlen.
— J. 4.

206.

1616, Oct. 24. — Marcus Lentowsky, Abt zu Paradis u.
der ganze Convent, 24. Oct. 1616, Paradis, bestätigen dem
George Kutzer, Hans Kutzers, Schulzen zu Gutzkow,
Sohn, den Kauf des Krugs zum Altenhoffe von den
Erben Andreae Schulzens; er hat dem Kloster jährl.
2 Mark Zins, so wie 2 Kapphähne und 1 gut Kalb
auf Ostern zu leisten. Perg.-Urk. mit Quereinschnitten
für 3 Siegelanhänge, 3 Siegel vorhanden. — J. 7.

207.

1617, Nov. 9. — Marcus Lentowsky, Abt zu Paradis u.
der ganze Convent, 1617, Nov. 9., Paradis, verleihen dem
Hans Hoffmann das halbe Gerichte in dem Dorfe
Wischen, wofür er mit einem Pferde von 6 ungar. Gulden
dem Kloster Dienste leisten oder jährl. ½ Mark böhm.
Zins und 1 Verehrung zu Weihnachtung geben soll, sollte
Hans Hoffmann sterben ohne männliche Erben, so bleibt
die Wittwe so lange im Besitz des Guts bis ihr das
Kloster 200 Gulden zu 24 Groschen herausgezahlt hat.
Orig.-Urk. mit des Abts und 17. Brüder eigenhänd. Unter-
schrift und Quereinschnitten für 2 Siegelanhänge, Siegel
fehlen. — J. 8.

208.

1617, Nov. 26. — Marcus Lentowski, Abt zu Paradis u.
der ganze Convent, 26. Nov. 1617, Paradis, verleihen dem
Andreas Lode die Hälfte des Gerichts im Dorfe Gutzkow,
wofür er mit 1 Pferde von 3 poln. Marken dienen oder
jährl. 1 Mark meissn. Zins, nebst einer Verehrung zu
Weihnachten geben soll. Perg.-Urkunde mit eigenhänd.
Unterschrift des Abts und Quereinschnitten für 2 Siegelanhänge, Siegel fehlen. — K. 3.

209.

1619, Jan. 28. — Joannes Garsia S. R. E. Presbiter Cardinalis et Jo. Laurentius Berardinellus Curiae Causarum Cardinalis supra dicti notarius. Testantur: 1619, Jan. 28. in Agro Romano in loco dicto St. Vincenzo et Anastasio ... Nicolao filio D. Andreae de Roxicze Ruszkowski, Ensiferi Palatinatus Caliss., eum secundum licentiam a Paulo P. P. acceptam extrahendi reliquias ex ecclesiis quibusdam a Papa designatis, reliquias de fragmentis sancti Zenonis tribuni militum ... recepisse et secum tulisse pro ecclesia a patre ejus in Złaczewo condita. — Testes: Bernardinus Coronati de Mondauio Urbinatensis, ac Horatius Mancini de Montefiore Ariminensis dioec. Perg.-Urk. mit Löchern für 1 Siegelanhang, u. eigenhändigen Unterschriften der 2 Aussteller. Siegel fehlt. — J. 9.

210.

1620, Juni 24. — Marcus Lentowsky, Abt zu Paradis u. der ganze Convent, 1620, am Tage S. Joh. Bapt., Paradis, verkaufen dem Christoph Pohlandt, Krüger, einen Fleck Sumpf, 9 Morgen gross, für 162 poln. Gulden, und jährl. 2 Hühner und 1 Gans zur Conventsküche. Perg.-Urk. mit Unterschriften des Abts und 9 Brüder und Quereinschnitten für 2 Siegelanhänge, Siegel fehlen. — J. 10.

211.

1620, Aug. 27. — Sigismundus III., Rex Poloniae, 1620, Aug. 27., Varsaviae, concernit jus advitalitium villae Krempa in districtu Stezycensi Joanni a Lezenice Gostomski Palatino Brestensi Capitaneo Valcensi. Papier-Urk. unterzeichnet vom König und von Jac. Zadzik, Secr., mit aufgedrücktem Siegel. — M. 6.

212.

1638, Oct. 26. — Collegium Prothonotariorum Smi D. N. Papae et Sae sedis apostolicae de numero participantium. Romae in cancellaria apostolica 1638, 26. Oct., notum faciunt: Stephanum Piasecki, Canonicum eccl. Culmensis, J. U. D. Prothonotarium Apostolicum Honorarium ab Urbano P. P. VIII. creatum Romae ap. S. Petrum, 4. Dec. 1627. Signav. Jo. Steph. Proto ... Africanus Ghirard, J. V. A. Collegii Secr. Orig.-Urk.

mit Löchern für einen Siegelanhang, Siegel fehlt. Die
Einfassung, sowie die drei ersten Zeilen, Initiale und
der Name des Papstes, des Empfängers, und Jesu Christi
in Gold, das übrige schwarz geschrieben. Auf der Rückseite: Monimenta Rndmi Dni Stephani Piasecki Abbatis
Lubinensis . . . — J. 11.

213.

1646, Apr. 28. — Leonardus de Leonardis, Ciuis Romanus, Curie Causar. Emi et Revi Almae Urbis Cardinalis Sermi D. N. P. P. Vicarii Generalis, Notarius Publicus 1646, 28. Apr., Romae. Testatur Martium Cardi-
nalem Ginettum Papae Vicarium Generalem donavisse
Baldassari Bellono soc. Jesu corpora Sanctorum: Amantii
Felicis et Maximi Martyrum, cum facultate illa penes se
retinendi, aliis personis donandi ac in ecclesiis expo-
nendi etc. Baldassarem Bellonum vero corpus S. martyris
Amantii donavisse Gregorio Cislate societatis Jesu. —
Testes: Antonius Gerardus Clericus Romanus et Thomas
Candidus Venetus Romae, in Domo Professa s. J. Perg.-
Urk. mit Unterschrift des Cardinals Ginettus u. d. Notars
Leonardus. — J. 16.

214.

1646, Nov. 10. — Alexius Chisostomus, Curie Causarum
Camerae Apostolicae Notarius. 1646, 10. Nov. Romae,
notum facit: Paulum Goslawski resignationem suam tanquam metu extortam et factam coram persona non habente
legitimam facultatem admittendi resignationes revoca-
nisse causamque appellationis . . . suprascripto notario
commisisse. Praeter Alexium Chisostomum subscripsit
Christophorus Vidman Prothns. apostolicus. Perg.-Urk.
— J. 12.

215.

1647, Apr. 15. — Innocentii P. P. X. Romae apud S. Mariam Majorem 1617, 15. Apr., Literae indulgentiarum
pro iis, qui ecclesiam Paradisiensem in sanctorum Martini et Roberti festis diebus a primis vesperis usque ad
occasum solis visitaverint, item pro iis, qui dictam eccl.
diebus festis ss. Benedicti et Bernardi visitaverint. Perg.-
Urk. unterzeichnet: M. A. Maraldus. — J. 15.

216.

1647, Aug. 27. — Innocentii P. P. X. Romae ap. S. Mariam
Majorem 1647, Aug. 27. Literae indulgentiarum, pro iis,
qui in eccl. monasterii Paradisiensis litaniis B. Mariae V.
singulis sabbatis interfuerint. Perg.-Urk. unterzeichnet:
M. A. Maraldus. — J. 14.

217.

1649, Nov. 24. — Angelus Celsus, J. U. D., Papae Capellanus et Palacii Apostolici Causarum Auditor Causaeque
et Causarum harum Judex Commissarius ab Papa electus.
1649, Nov. 24., Romae, apud S. Petrum Palatio Causarum
Apostolico jubet abbati Paradisiensi Paulo Goslawski
villam Wysoka ad usus ejus tradere, donec causa ejus
definitive dijudicata erit. Perg.-Urk. mit aufgedrücktem
Siegel und Unterschrift des „Quirinus Farina ejusdem
Sac. Pal. Apostolici causarum connotarius publicus" . . .
— J. 13.

218.

1650, Juni 30. — Petrus Otthobonus, J. U. D. et Smi
D. N. P. P. Capellanus et ipsius Sacri Palacii Apostolici
Causarum Auditor et Judex . . . 1650, Juni 30. Romae
vetat, quoad causa Pauli Goslawski et Nicolai Roskowski
abbatum Paradisiensium Romae dijudicata erit, aliquid
in favorem unius alteriusve facere. Perg.-Urk. unterz.
von Archangelus Baronus S. Palatii Apostolici Causarum
Notarius. — J. 17.

219.

1651, Sept. 29. — Joannes Casimirus Rex Pol. „Venerabili Abbati Paradisien., Nostro deuote nobis dilecto." 1651,
Sept. 29. in Brzeziny, Król prosi aby się Opactwo przy-
czyniły do wyprawy przeciwko Szwedom. Brief in poln.
Sprache auf Papier mit aufgedr. Aussensiegel u. eigenh.
Unterschrift des Königs. (Der Name des Abts ist nicht
genannt.) — K. 6.

220.

1662, Oct. 17. — Nicolaus a Majore Chrząstowo Wierz-
bowski, Abbas Paradis. S. R. Mtis Secretarius et totus
Conventus, 1662, Oct. 17., in Paradiso S. Mariae locant

Joanni Hentschke, Cmetoni in villa Laymic, partem agri
novelli pro octo taleris per 3 flor. pol. numerando; et
4 gallinis pro festo S. Michaelis Archang. monasterio
quotannis afferendis. Perg.-Urkunde mit Löchern für
2 Siegelanhänge, und Unterschriften des Abts und der
Brüder. Siegel fehlen. — K. 5.

221.

1663, Apr. 25. — Collegium Prothonotariorum Smi D. N.
Papae et Sae Sedis Apostolicae de numero participantium
Romanae Curię, 1663, Apr. 25. Romae in cancellaria
apostolica, significat: Nicolaum de Magno Chrząstowo
Wierbowski, abbatem Paradisiensem et Secretarium Re-
gium, nuncupatum esse S. Papae et Sedis Apostolicae No-
tarium et Prothonotarium honorarium. Perg.-Urk., mit
Unterschrift des Ludov. Antonius Marfuorius Decanus
Collegii und Joannes Bernardinus Urbanus Frisonus J. U.
D. Collegii secretarius. — K. 1.

222.

1670, Jan. 29. — Leopold, Röm. Kaiser, 1670, Jan. 29.,
Wien, bestätigt den nach dem Tode Nicolai Wirzbowski's
neugewählten Abt Casimirus Scuka. Perg.-Urk., mit des
Kaisers Unterschrift und Löchern für 1 Siegelanhang,
Siegel fehlt. — K. 2.

223.

1682, Oct. 15. — Bernardus coenobii Grissoviensis Abbas,
Matthaeus Alt Prior, totusque Conventus Grissoviensis
1682, Oct. 15., Grissoviae, foedus et societatem cum monasterio Paradisiensi ineunt. Perg.-Urk., mit Unterschrift
des Abts und 55 Unterschriften von Ordensbrüdern. —
K. 4.

224.

1701, Mai 23. — Leopold, Römischer Kayser, 23. May 1701,
Laxemburg, bestätigt die Wahl des Paulus Bernardus
Sapieha zum Abt des Klosters Paradies nach dem Ableben
des Abts Casimir Sczuka. Perg.-Urk., mit Löchern für
einen Siegelanhang und eigenhänd. Unterschr. des Kaisers
und des Kanzlers Joannes Franc-Comes de Werbna.
Siegel fehlt. — L. 1.

225.

1710, Jan. 26. — Stanislaus Primus Leszczyński, Rex Poloniae, 1710, Jan. 26, Stralzundae, praesentat Nicolaum Lochacz ad ecclesiam S. Spiritus in Smigel. Papier-Urkunde, mit eigenhändiger Unterschrift, aufgedrücktem königl. Siegel u. Gegenzeichnung von Casimirus Wlostoski Capitaneus Suleoviensis. — L. 2.

226.

1715, Apr. 5. — Albrecht Friederich Printz in Preussen, Johanniter - Ordens - Meister, 1715, Apr. 5., Sonnenburg, verleiht das Schulzen - Amt und Gericht im Ordensdorfe Burschen dem Martin Vollmann. Perg.-Urk., mit Quereinschnitten für 1 Siegelanhang. — L. 3.

227.

1719, Aug. 6. — Petrus, Comes de Czekarzowice Tarło, episcopus Claudiopolitanus, nominatus Livoniae et Piltinensis suffraganeus ... abbas commendatarius Paradisiensis. 1719, Aug. 6., Paradisi. ·Privilegium datum communitati Kalaviensi quod attinet prata, greges, brassicales hortos, labores aulicos, vectigalia (Pachti) et census ... Perg.-Urk., mit eigenhändiger Unterschrift des Abts, Spuren des Siegelanhangs, Siegel fehlt. — L. 5.

228.

1718, Aug. 11. — Petrus de Czekarzewice Tarło, Episc. Claudiopolitanus . . . ad Abbatiam Paradisiensem ex specialis Sanctae Sedis Apostolicae gratiae dono promotus . . . 1718, Aug. 11. legitimos plenipotentes suos nominat Aloysium Dunski praepos. Bukoviensem, Casimirum Brodowski Decanum et praepos. Zbąszynensem. Gleichzeit. Abschrift auf Papier: „Ex Prothocollo Actorum Officii Consistorialis Posnaniensis sub sigillo Suffraganei etc. Joannis Orzechowski." — L. 4.

229.

1736, Apr. 20. — Augustus III., Polonie Rex, 1736, Apr. 20., Warsaviae, „Approbatio confirmationis literarum Sigismundi Regis continen. in se oppignorationem villarum

tam ad abbatiam quam et conventum Lubinen. spectan.
tum reemptionem dictarum villarum Woniesiecz et Gnie-
wowo per praedictum conventum Lubin. factam. Auf
Pergament, in Buchform, 4 Bll., wovon das letzte unbeschrieben ist, mit schön gemalten Initialen. Kalligraphisch
bemerkenswerth.   Unterzeichnet von „Augustus Rex"
und „Casimirus Młocki . . . Sigilli Majoris Rni Scrius."
Siegel vorhanden — L. 6.

230.

1741, März 28. — Michael Poraj Konarzewski, Prior
et totus conventus Paradis. Paradisi, 28. Martii 1741,
vendunt molam aquosam Schyndelmule Joanni Liemann
ejusque successoribus usque ad III. incl. generationem
pro summa Imperialium 200 unum Imp. 30. Lig. compu-
tando.   Perg.-Urk., mit Einschnitten für 1 Siegelanhang
und den Unterschriften des Priors, wie der Ordensbrüder.
Siegel fehlt. — L. 7.

INKUNABELN.

1.

Aeneas Siluius in Europam. Pagina versa: Reuerendissimo
in cristo patri et domino domino Ottoni dei gratia Episcopo Constantiensi ex Comitibus in Sunnenberg, Michael
Cristan de Constan. presbyter capellanus in Bernrain
sese commendat . . . Albertus Kunnen de Duderstat,
librorum impressor Memmingensis ad me detulit emendandum . . . a. 2: Reuerendissimi patris dni Enee de
picolhominibus cardinalis S. Sabine de hiis que sub cesare Friderico tertio per Germaniam gesta sunt, cum locorum descriptione. In fine: hyspa-nicarum quoque rerum
moderator et arbiter esse videtur etc. Goth., ohne Druckdaten, vor 1491, o. Z. o. C. m. Sign. 33 Zeil. Vorhanden
sind von 85 Bll. 77. Hain 258. 4º. — II. N. l. 26.

2.

Aeneae Sylvii Epistolae. In fine: Pii II. pontificis maximi cui ante . . . Eneas siluius nomen erat familiares
epistole ad diuersos in quadruplici vite ejus statu trans-
misse: impensis Antonii Koburger Nuremberge impresse
finiunt XVI. Kls. octobris, anno salutis christiane etc. 1481.
Goth. o. Z. o. S. o. C. 52 Zeil. 245 Bll. Hain 151. Fol.
— II. U. D. 13.

3.

— dasselbe. Die ersten 3 Bll. fehlen. Fol. — IV. F. d. 3.

4.

[Albertus, Magnus], Compendium theologice veritatis.
Venetiis, jussu et impensis Octaviani Scoti, 1490. Hain,
443. 4º. — IV. G. b. 9.

5.

Alberti Magni Sermones notabiles de tempore et de sanctis.
Ohne Druckdaten. Hain, 469. Fol. — IV. G. b. 16.

6.

Albertus magnus de arte intelligendi docendi et predicandi
res spirituales et inuisibiles per res corporales et visibiles
et e conuerso pulcra et vtilissima. In fine: Deo Gratias.
Goth. 18 Bll. Joh. Zainer, Ulm, Hain 491. Fol. — II.
F. b. 18/2.

7.

Alexander de Nevo, Consilia contra Judaeos foenerantes.
Primum consilium dni Alexandri de Neuo Uincentini, juris
utriusque doctoris, contra judeos fenerantes. In fine Datum
Rome, 15. nouembris MCCCCXII. Venetiis, per Franc.
Renner de Hailbrunn, 1482, Hain, 2165. 8°. — II. K. b. 25/2.

8.

S. Ambrosii opera. In fine: Explicitum est opus sermonum beati Ambrosii episcopi Mediolanensis: Basileę per
magistrum Johannem de Amerbach: Anno salutiferi virginalis partus nonagesimo secundo supra millesimum
quaterque centesimum. Bas., Jo. Amerbach, 1492. 3 voll.
Cf. Hain 896. — IV. K. e. 8—10.

9.

Antoninus, archiep. Florent. Tertia pars summe . . . que
pars de statibus nuncupatur. Norimb., Ant. Coburger,
1478. Mit gemalten und vergoldeten Initialen. Hain 1242.
Fol. — IV. P. a. 5.

10.

Fol. A. 2. Appianus. P. Candidi in libros Appiani
sophistę Alexandrini ad Nicolaum quintum summum pontificem Prefatio incipit felicissime.

Fol. A. 3. Appiani sophistę Alexandrini Romanę
historię prooemium foeliciter incipit. In fine: Impressum
est hoc opus Venetiis, per Bernardum pictorem et Erhar-
dum ratdolt de Augusta una cum Petro Loslein de Lan-
gencen correctore ac socio. Laus Deo MCCCCLXXVII.
Vened., Bernhard Pictor, 1477. Hain, 1307. Fol. — IV.
F. f. 9.

11.

Aristoteles. Textus librorum de phisico auditu Aristotelis summi philosophorum principis. Am Schlusse das Buchdruckerzeichen. Ohne Druckdaten. Fol. 90 Bll., goth., die Zeilen weit auseinander gerückt. 24 Z. m. Sign. o. Cust. u. Z., schönes Papier. — IV. F. f. 14.

12.

Aristoteles.'| Questiones magistri|| Johannis versoris|| super libros de ge|neratione et corrup||tione cum textu Aresto. In fine: Et sic terminantur questiones versoris super duos libros de generatione et corruptione Arestotelis secundum processum et mentem ejusdem versoris diligentissime correcte. Anno incarnationis dominice MCCCCLXXXIX. penultimo die Maij. Sequitur Tabula. Fol. Goth. 1 ungez. (Titel)-Blatt und 36 gez. Bll., 2 Col. mit Sig. (Coloniae, Henricus Quentel,) 1489. — II. F. b. 9/1.

13.

Aristoteles.'| Questiones super par|ua naturalia cum tex|tu Arestotelis. 1 ungez. (Titel)-Blatt. 32 gez. Bll. u. 1 Bl. Tabula. Fol. Goth. 2 Col. mit Sign., wie der vorangehende Druck vom J. 1489, gedr. zu Cöln bei Henr. Quentel.) — III. F. b. 9/2.

14.

Aristoteles.|| Questiones magistri Jo|hannis versoris super|| libros de celo et mundo| cum textu Arestotelis. Schliesst Et hec de quaestionibus magistri Johannis versoris super libros de celo et mundo aresto. dicta sufficiant. Isti sunt tituli questionum super libros de celo et mundo pro leuiori earum inquisitione etc. Fol. Goth. 2 Coll. 1 ungez. Titelblatt, dann 52 gez. Bll. und 1 Bl. Tabula. (Coloniae, Henricus Quentel.) — III. F. b. 11/1.

15.

Aristoteles. Primus secundus, tercius, quartus metheororum liber. In fine: „constituta: velut hominem plantam et|| alia talia.|| Explicit quartus liber metheororum. Fol. Goth. 2 Col. 46 gez. Bll. Titelblatt war nicht vorhanden, da

26

die Signatur dieses Druckes, welche mit ii 1 beginnt sich
an die Signatur des vorangehenden Druckes hh anschliesst.
(Coloniae, Henricus Quentel.) — III. F. b. 11/2.

16.

Aristoteles.| Aristotelis de natura animalium libri nonem.
De partibus animalium libri quattuor. De generatione
animalium libri quinque Interprete Theodoro Gaza. Fol. 2:
Tabula. Schliesst: Impraessum Venetiis mandato et
expensis nobilis uiri Domini Octauiani Scoti ciuis
Modoetiensis. Die IX. Augusti 1498 per Barthola-
maeum (sic) de Zanis de Portesio. Fol. Lat. 6 Bll. Vorstücke u. 89 gez. Bll. mit Sign. Hain, nr. 1703. — III.
F. b. 12.

17.

Aristoteles. Questiones magistri Johannis versoris super
libros ethicorum Arestotelis et , textus ejusdem, cum sin-
gulari diligentia correcte. In fine: Impresse p. Henricum
Quentel. Ciuem alme Ciuitatis coloniensis. An no domini
Millesimo CCCCXCI. etc. Sequitur Tabula. Fol. Goth.
Titelblatt und gez. Bll. 122, wovon eins unbedruckt und
3 ungez. Bll. 2 Columnen, mit Sign. o. Custoden. Cöln,
Heinr. Quentel, 1491. — III. F. b. 13/1.

18.

Aristoteles.' Libri politicorum Arestotelis cum commento
multum vtili et compendioso magistri Johannis versoris,
tractantes de ciuitatum et rerum illarum necessitatem
respicientium salutifera gubernatione pro ciuium conuictu
pacifico. In fine: ... impresse in alma ciuitate Coloniensi
per Henricum Quentell Anno incarnationis dominice
MCCCCXCII. octauo ydus Martii feliciter finem habent.
Fol. Goth. 2 Col. 1 ungez. Titelblatt, 123 gez Bll. und
2 ungez. Bll. am Schluss, wovon eins unbedruckt ist:
Köln, Heinr. Quentel, 1492. Hain, 1769. — III. F. b. 13/2.

19.

Aristoteles.'| Liber yconomicorum Arestotelis tractans de
gubernatione rerum domesticarum cum commento magistri Johannis versoris legentium aspectibus multum ame-
nus. Fol. 6 Bll. 2 Col. Goth. (Coloniae, Henr. Quentell
1492.) Hain, 1773. — III. F. b. 13/3.

20.

Auctores octo opusculorum cum commenta|riis diligentissime emendati videlicet|| Cathonis|| Theodoli|| Faceti|| Cartule: alias de contemptu mundi|| Thobiadis|| Parabolarum alani|| Fabularum Esopi|| Floreti. Buchdruckerzeichen. In fine: „Impressi Lugduni per Magistrum Mathi|am hufz (hufen) alemanum Anno dni 1494 die nona mensis Junii. 4°. Brunet liest den Buchdrucker husz, doch ist Mathiam hufen zu lesen, wofür auch das Buchdruckerzeichen, eine Nachbildung der Hufform, spricht. Goth. o. Z. m. Sign., o. Cust., 214 Blätter. — III. A. d. 36.

21.

Augustini, Divi (Aurelii), Expositio in omnes Pauli epistolas. Parrhisiis, Udalricus Gering et Bertholdus Rembolt, 1499. Fol. Darauf folgt auf Blatt 227: Joannes Chrisostomus de laudibus beati Pauli. Hain, 1983. — IV. G. b. 12.

22.

Augustinus, Soliloquium de archa animae. Aug. Vind., G. Zainer, 1473. Fol. 7 Bll. Hain, 2021. — IV. F. f. 4/2.

23.

Augustini, ipponensis episcopi, De civitate Dei. Basel, Mihahelis (sic!) Wenssler, 1479. Fol. Hain, 2058. — IV. F. c. 8.

24.

Augustinus de Ciuitate dei cum commento. Auf der Rückseite ein Holzschn. u. Gedicht. In fine: Hoc opus exactum diuina arte Joannis Amerbacensis: lector vbique legas Inuenis in textu glosis seu margine mirum: Quo merito gaudet vrbs Basilea decus. Anno . . . octogessimo nono supra millesimum quaterque centesimum Idibus Februariis. Bas., Jo. Amerbach, 1489. Fol. Hain, 2064. — IV. K. e. 3/1.

25.

Augustinus de Trinitate. In fine: Aurelii Augustini de trinitate liber explicitus est. Ao. di. MCCCCLXXXIX. In fine indicis: Numine sancte tuo pater o tueare Jo-

26*

annem de amerbach: presens qui tibi pressit opus. Bas.,
Jo. Amerbach, 1489. Hain, 2037. Fol. — IV. K. e. 3/2.

26.

(Augustis, Quiricus de), Incipit Libellus intitulatus Lumen
apothecariorum: editus a ... medicine doctore dno magro
Quirico de Augustis de terdona. In fine: Uale igitur diu
felix: et Quirici fratris memento. Uercellis, die 15. nouembris 1491 ... Hain, 2116. Titelbl. fehlt. Goth. 4°. — IV.
P. c. 30.

27.

(Ausmo, Auxmo, Nicolaus de, Supplementum Summae.)
In nomine domini nostri Jhesu christi Amen. Incipit
liber qui dicitur Supplementum. (Q)Voniam summa que
magistrutia seu pisanella vulgariter nuncupatur ... In fine
operis: Et hic zelus me fratrem Nicolaum de ausmo ordinis minorum ... ad huius supplementi compilationem
MCCCCXLIIIIo. Nou. 28. die ... in fine Registri: Impressum est hoc opus Venetiis per Franciscum de Hailbrun
et Nicolaum de Frankfordia socios. MCCCCLXXIIII. Laus
Deo. Hain, 2152. 4°. — II. F. b. 17.

28.

(Ausmo, Nicolaus de, Supplementum Summae.) In nomine
domini nostri Jesu christi Amen. Incipit liber qui dicitur
supplementum. In fine: Impressum est hoc opusculum
Venetiis per Franc. renner de Hailbrun. MCCCCLXXXII.
Laus deo. 8°. Goth. Hain, 2164. — IV. K. b. 25/1.

29.

Balbus, Johannes, de Janua, Ord. Praedicat., Summa,
quae vocatur Catholicon. — Incipit summa que vocatur
catholicon edita a fratre iohanne de ianua ordis fratr.
pdicator. Argent., Joh. Mentelin. Fol. Goth. 2 Col.,
67 z. o. S. o. C. o. Z. Nach d. Blatte 32 ist eine Anzahl
Bll. herausgerissen. Hain, 2251. — II. Q. a. 15.

30.

Bartholomaeus de Chaimis, Interrogatorium sive confessionale. Norimb., Frid. Creussner, 1477. Fol. Hain,
2482. — IV. F. f. 4/1.

31.

(Bartholom. de Chaimis), Incipit interrogatorium siue confessionale per venerabilem fratrem Bartholomeum de chaimis de mediolano ... compositum ... Impressum ... sub Anno domini Milles. quadringent. octuages., die vero tricesimoprimo mensis May. Venetiis (?) 1480, die 31. Maji. Hain, 2485. 4º. — II. K. c. 21.

32.

(Bartholomaeus de Chaimis), Incipit interrogatorium siue confessionale per venerabilem fratrem Bartholomeum de chaimis de mediolano ordinis minorum ... Impressum-que sub anno dni MCCCCLXXXII. die vero tredecimo mensis Junij. Hain, 2486. 4º. — IV. G. m, 16/2.

33.

Biblia latina. Norimb., Andreas Frisner et Jo. Sensen-schmidt, 1475. Fol. Mit gemalten u. vergoldeten Initialen. Von der Vorrede des S. Hieron. vor der Genesis fehlt der Anfang. Auf Bl. G. g. handschriftl.: Frater paulus de posnania professus in paradiṣo: Nec hodie, nec cras, mulieri credas, Dum mulier flet, cordo vero ridet, Uxor formosa et vinum sunt dulcia sed venena. — Hain, 3057 — IV. P. a. 1.

34.

Biblia lat. Anno a natiuitate dni Milles. quadringent. octuages. quarto kalendas februarii ... Finitum est hoc insigne noui ac veteris Testamentorum opus per Johannem Zainer Vlmensis oppidi incolam. Ulm, Joh. Zainer, 1480. Fol. Hain, 3079. Blatt 1 fehlt. — IV. K. c. 2.

35.

(Blondus.) Fol. a. deest. Fol. a2. Decadis primae liber primus Blondi Flauii Forliuiensis historiarum ab incli-natione Romanorum imperii liber primus. In fine: Finis historiarum Blondi quas morte praeuentus non compleuit ... Impressarum Venetiis p. Octauianum Scotum Modoe-tiensem Anno salutis 1483. 17. kalendas augusti ... Fol. Lat. 42 Z. o. Z. o. C. m. Sign. 371 Bll. Hain, 3248. — II. O. b. 20.

36.

Bocacii, Johannis De Certalidis, historiographi, prologus in libros de casibus virorum illustrium incipit. In
fine: Finit liber Nonus et ultimus Johannis Boccacii de
certaldo de casibus virorum illustrium. Sequitur Index,
3 foll. Argentor., Georg Husner, c. 1470. Fol. Goth.
o. Z. o. C. u. o. Sign. 155 Bll. 35 Zeil. Hain, 3338. —
II. U. f. 9/1.

37.

Dasselbe. Fol. — II. N. a. 19/1.

38.

Bocacii, Johannis de Certaldis, de mulieribus claris.
1. Pag. P Ridie, mulier egregia, paululum ab inerti
vulgo semotus et a ceteris fere solutus curis in exi-
miam muliebris sexus laudem ac amicorum solatium
pocius quam in magnum reipublice commodum libellum
scripsi.
2. Pag. Johannis boccacii de Certaldo de mulieribus
claris ad Andream de Acciarolis de florentia Alteville
comitissimam liber incipit feliciter. In fine: Explicit
compendium Johannis Boccacii de Certaldo quod de
preclaris mulieribus ad famam perpetuam edidit feliciter. Argentor., Georg Husner, c/a 1470. Fol. Goth.
O. Druckd., o. Z. S. u. C. 35 Zeil. 84 Bll., das erste
unbedr. Hain, 3327. — II. N. a. 19/2.

39.

(Boetius.) Incipit Tabula sup. libris Boety de consolatione
philosophie secundum ordinem alphabeti. Anity Manly
Torquati Seuerini Boety Ordinary Patrity uiri exconsulis
de consolatione philosophie liber primis incipit . . . In
fine: Hic liber Boecij de consolatione philosophie in textu
latina alemannicaque lingua refertus ac translatus vna
cum apparatu et expositione beati Thome de aquino ordinis praedicatorum finit feliciter. Ao. di. MCCCCLXXiij.
XXIIII. mensis July. Condidit hoc Ciuis alumnus Nurem-
bergensis Opus arte sua Antonius Koburger. Fol. Goth.
In lateinischer und deutscher Sprache. Hain, 3398. —
III. G. c. 3.

40.

(Boetius.) Incipit tabula sup. libris Boetii de consolatione philosophie secundum ordinem alphabeti. Nach der Tabula: Eximii preclarique doctoris thome sup. libris Boetii de consolatu philosophico commentum feliciter incipit. In fine: . . . Anthonii Kobergers ciuis inclyte Nurembergensium urbis industria fabrefactus: finit feliciter Anno . . . 1486 in vigilia S. Joh. Bapt. Fol. Goth. Hain, 3378. — — III. G. a. 17.

41.

Boetius de consolatione philosophie cum commento angelici doctoris Thome de Aquino. In fine: Anthonii Kobergers ciuis inclite Nurnbergensium vrbis industria fabrefactus: finit feliciter. Anno a natiuitate xpi MCCCCXCV. die VIII. mensis Junii. 4°. Goth. Hain, 3388. — III. G. o. 2.

42.

Bonaventura, Biblia pauperum, omnibus predicatoribus perutilis. O. Druckdaten. 4°. [Mit goth. Schr., 35 Zeil. auf der Seite, foliirt I.—XXXXVI., ohne Custod., mit der Signatur A1. bis H1.] Anfang: „Incipit preclarum opus, quod biblia pauperum appelatur, editum a domino Bonaventura, ordinis minorum, perutile omnibus predicatoribus. De Astinentia, uxori manue, concepture filium, populi liberatorem etc." Schluss: „Explitiunt 'exempla sacre scripture, ordinata secundum alphabetum, ut possint, que sunt necessaria, in materiis sermonum et predicationum fatilius (sic!) a predicatoribus inveniri." Auf der folgenden Seite: „Incipit registrum", fünf Seiten zweispaltig. — IV. G. n. 16.

43.

Bonaventura. Prologus sancti Bonauenture in suum breuiloquium. Incipit breuiloquium sancti bonauenture de ordine minorum. (F)lecto genua mea . . . in fine: Anno dni MCCCCLXXXIV. 1484. Goth. 2 Col. 40 Zeilen u. Ueberschrift mit Sign., o. Z. u. C. Fol. 58 Bll. — IV. F. f. 7/1.

44.

Bonaventura. Incipit paruum bonum vel regimen consciencie sancti Bonaventure quod vocatur fons vite 1484.
Fol. 8 Bll. Goth. 2 Col. 39 Zeilen und Ueberschrift,
m. S. o. Z. u. C. — IV. F. f. 7/2.

45.

Bonaventura. Incipit soliloquium sancti Bonauenture de
quatuor exercitiis Prologus. (F)lecto genua mea . . .
1484. Fol. 28 Bll. Goth. 2 Col. 38 Zeilen und Ueberschrift m. S. o. C. u. Z. [Hat mit der vorangehenden
Schrift gemeinsame durchgehende Signaturen.] — IV. F.
f. 7/3.

46.

Bonaventura. Incipit tractatus sancti Bonauenture qui
vocatur lignum vite. 1484. Fol. 10 Bll. 2 Col. 39 Z.
m. Sign. o. Z. u. C. Goth. [Mit der vorigen Schrift
durchgehende Signaturen.] — IV. F. f. 7/4.

47.

Bonaventura. Incipit Centiloquium sancti Bonauenture.
Auf dem Blatt 58 b.: Et sic est finis Centiloquii . . .
Finitique anno dni MCCCCLXXXIIII. Dennoch folgt eine
„Quarta pars". Sequuntur vtilissima quaedam Exempla
Auf Seite 73 b. schliesst dieser Anhang. 1484. Fol. Goth
2 Col. 38 Zeil. m. Sign. o. Z. u. C. [Mit der voran-
gehenden Schrift durchlaufende Signaturen.] — IV. F.
f. 7/5.

48.

Bonaventura. Incipit prologus Bonauenture in itinerarium
mentis in deum. 1484. Fol. 13 Bll. Goth. 2 Col.
39 Zeilen mit Sign. o. Cust. u. Z. [Mit der vorigen
Schrift durchlaufende Signaturen.| — IV. F. f. 7/6.

49.

Bonaventura. Tractatus de profectu religiosorum a beato
Bonaventura compositus. Druckerzeichen. Parisiis, Dionysius Roce. Opus quod de profectu religiosorum intitu
latur nouissime parisius impressum feliciter finit. (O. Jahr)

c/a 1499. 8°. Goth. 4 ungez. Bll. und 120 gez. Bll. mit Sign., o. Cust. 31 Zeilen. Es scheint dieser Band im Besitze M. Luthers gewesen zu sein, von seiner Hand die rothgeschrieb. Randbemerkungen. Auf der letzten Seite des ersten Tractats:

> je lenger ich lerne,
> je mehr ich zu lernen
> finde,
> nosti regulam capnionis,

Auf dem Titelblatt des 4. Werkchens:

> ich meine das heist die Römischen gelobet hinter sich, quid si haec in papam?

— II. K. d. 15/1.

50.

Bonifacius VIII. Incipit liber sextus decretalium domini Bonifacii pape VIII. In fine: Presens hujus sexti decretalium Bonifacii pape octaui preclarum opus: vna cum apparatu domini Johannis Andree impensis Anthonii Koburger industrie Nurenberge est consummatum. Anno domini millesimo quadringentes. octuagesimo secundo quarto ydus Marcii. Fol. Goth. Hain, 3603. — III. K. b. 2/3.

51.

Bonifacius VIII. Sextus liber decretalium. Liber sextus decretalium vna cum apparatu dni Joannis andree accuratissime castigatus feliciter explicit Uenetiis impressus opera atque impensa Bartholomei de Alexandria Andreeque de Asula Sociorum. Anno salutis christiane MCCCCLXXXV. decimo calendas apriles. 1485. Hain, 3610. 4°. — IV. G. g. 8/1.

52.

Breydenbach, Bernardus de, Opusculum sanctarum peregrinationum ad sepulcrum Christi . . . Impressum in civitate Moguntina, 1486. [Mit Holzschn.] Hain, 3956. Fol. — IV. R. c. 13.   .

53.

Brunonis, Beati, episcopi herbipolensis, Psalterium. Antonius Koberger, 1494. Hain, 4012. 4°. — IV. F. g. 6.

54.

Calderinus, Johannes, Biblie auctoritatum et sentenciarum quae in decretorum et decretalium compilationibus
solent induci tabula per Johannem Caldrini juris canonici doctorem famatissimum compilata et per Thomam
Dorniberg de memmingen ejusdem facultatis doctorem
eximium correcta et Petrum Drach Spirensem Impres-
sorem impressa exactissime anno dni MCCCCLXXXI.
explicit feliciter. Speier, Petrus Drach, 1481. Hain, 4247.
Fol. — IV. E. c. 5/2.

55.

Cassiodorus, M. Aurel., In hoc corpore continentur tripertite historie ex Socrate Sozomeno et Theodorico in
vnum collecte et nuper de greco in latinum translate
libri numero duodecim . . . ab Epyphanio scolastico domino preàtante translati. In fine: Historie tripertite libri
numero duodecim iam domino prestante finiunt feliciter.
Non quidem cirographati; sed ipsa que a summo demissa
est arte; per Johannem Schüssler regie urbis Augustensis
ciuem quam diligenter impressi. Anno salutifere incarnationis Christi Hiesu Millesimo quadringentesimo
septuagesimo secundo; circiter nonas februarias Laus
almipotenti. Amen. Goth. o. Z. o. C. o. S. 192 Blätter.
35 Zeilen nicht 33, wie Hain angiebt. Augsb., Johann
Schussler, 1472. Hain, 4573. Fol. — II. P. a. 5.

56.

Cauliac, Guido de, Cyrurgia Guidonis de cauliaco. De
balneis prorectanis Cyrurgia Bruni Theodorici Rolandi
Rogerii Lanfranci Bertapalie Jesu Hali de oculis Canamusali de baldac de oculis . . . In fine: Uenetiis Impressus (impensis domini Andree Torresani de Asula)
per Simonem de Luere, 23. mensis Decembris 1499, Feliciter. Hain, 4812. Fol. — IV. M. c. 11.

57.

Cicero, Francisci Maturantii Perusini viri eruditissimi enarrationes in M. T. Ciceronis Philippicas. Iu fine: Impressum uicentiae per henricum de sancto ursio, 1488, die
9. mens. Junii. Hain, 5138. Fol. — III. F. a. 11/1.

58.

Cicero, In hoc uolumine infrascripta M. Tullii Ciceronis
opera continentur una cum commentariis suis uidelicet.
Orator. De fato. Topica et de uniuersitate auf der
Rückseite: Victor Pisanus . . . Antonio Piciamano s. p. d.
In fine: . . . per Bonetum Locatellum Venetiis impressus
est XVII. Kal. augusti 1492. Hain, 5111. (Lat. Typ.)
Fol. — III. G. a. 15.

59.

Cicero, Commentarii questionum Tusculanarum editi a Philippo Beroaldo. Parisiis, Jehan Petit, 1500, 9. m. Jan.
(Lat. Typ.) 263 gez. Bll. und 35 ungez. Bll. Indices m.
Sign. o. Custoden. Bl. 1 u. 35 des Index mit Holzschn.
4°. — III. G. b. 6.

60.

Clemens V. Papa, Constitutiones. Moguntiae, Petrus
Schoyffer de Gernsshem, 1476. IV. Idus Sept. Hain,
5421. Fol. — IV. J. c. 15/1.

61.

[Clemens V.] — A. I. fehlt. — A. II. Incipiunt constitutiones clementis papo quinti vna cum apparatu domini
iohannis andree, in fine: Clementinarum opus perutile
enucleatius castigatum elimatumque impensa atque industria singulari Antonii Koburger, Nurenberge, impressum feliciter explicit Olimpiadibus dom. MCCCCLXXXII,
XV. Januarii. Gothisch. Nurnberg, Ant. Koburger, 1482.
Fol. Hain, 5427. — III. K. b. 2/1.

62.

(Clemens V.) Incipiunt constitutiones clementis, papo quinti
vna cum apparatu dni ioannis andree In fine: Opus
clementinarum impensa atque industria Bartholomei de
alexandria: Andreeque de asula: Uenetiis impressum
feliciter finit: vna cum apparatu Joannis Andree anno
salutis dominice MCCCCLXXXV, calendas apriles, Laus
deo: Acc.: Incipiunt decretales extrauagantes que ema-

narunt post sextum etc. Venetiis, Bartholomaeus de Alexandria et Andreas de Asula, 1485. 4⁰. — Hain, 5434
— IV. G. g. 8/2.

63.

Columellae, Lucii Juni Moderati, De cultu hortorum
Liber XI. Quem pub. Virgilius M. in Georgicis posteris
edendum dimisit. Ad eiusdem carmen praefatio. — Fol.
aij.: Julii Pomponii Fortunati interpretatio in carminibus
Columelle. — In fine: Marcus Antonius Alterius Ad Ro-
mulum Quirinum (carmen in laudem Columellae). Typen
und Papier, wie bei dem vorangebundenen Druck der
Philippicae Ciceronis, Impr. „uicentiae per henricum de
sancto ursio, 1488.“ Fol. Hain, 5500. — III. F. a. 11/3.

64.

Comestor, Petrus, Scolastica historia Magistri Petri comestoris sacre scripture seriem breuem nimis et expositam
exponentis. Explicit Scolastica historia magistri Petri
comestoris Impressa Argentine Anno domini 1485. Finita
post festum sancti Mathie apostoli. Hain, 5533. Fol. —
IV. K. a. 4.

65.

Conradus de allemania, Concordantiȩ. Handschriftl.
vom Miniator: Concordancie maiores illuminate anno d.
MCCCCLXXX, XXVI. die mensis aprilis. Hain, 5629
giebt als Druckdaten an: Argentor., Joh. Mentelin, ca.
1475. Fol. — IV. P. a. 6.

66.

Crescentiis, Petrus de, In fine: Petri de crescencijs
ciuis bonon. ruralium commodorum libri duodecim finiunt
feliciter per iohannem Schüszler ciuem augustensem impressi circiter XIIII. kalendas marcias Anno vero a partu
virginis salutifero Millesimo quadringentesimo et septuagesimo primo etc. Augsb., Joh. Schüssler, 1471. Fol.
Goth. o. S. Z. o. Cust. o. Sign. Hain, 5828. „209 Bll.“
In dem vorlieg. Exemplare fehlen vorn 3 Bll. 206 sind
übrig. — III. V. c. 14.

67.

Crescentiis, Petrus de. Petrus de crescentiis zu teutsch
mit figuren. In fine: Hye endet sich Petrus de crescentiis zu deutsche. Gedrückt vnd vollendet noch der Geburt
Cristi MCCCCXCVI. Des dinstags noch sant Michels
tag. Sequitur folium non impressum et Indices. [Mit eingedruckten Holzschn.] Hain, 5834. Fol. — IV. O. a. 2.

68.

Decisiones Rotae. In fine: Anno domini MCCCCLXXVII
pridie nonis Januariis. Graui labore maximisque impensis
Romanam post impressionem opus iterum emendatum:
antiquarum nouarumque decisionum suis cum additionibus
dominorum de Rota: In ciuitate Maguntina impressorie
artis inuentrice elimatriceque prima Petrus Schoyffer de
Gernssheym suis consignando scutis arte magistra: feliciter finiuit. Mainz, Petr. Schoeffer, 1477. Hain, 6047.
Fol. — IV. K. a. 9.

69.

Dionysii Halicarnasei originum sive antiquitatum Romanarum liber primus. (—XI.) — In fine: Dionysii Ali-
carnasei Romanarum antiquitatum Explicit Impressum
Regii per me Franciscum de Mazalis. Anno Domini 1498,
die 12. Nouembris. Fol. Hain, 6240. — II. E. a. 8/2.

70.

(Duranti, Guilh.) Guilhelmi minacensis ecclesie episcopi,
Rationale divinorum officiorum. Ohne Druckdaten. Hain,
6469. Fol. — IV. H. b. 10.

71.

Duranti, Guilhelmus, Rationale divinorum officiorum
Nurembergae, Antonius Koburger, 1481. Fol. Hain, 6485.
— IV. G. b. 13.

72.

Duranti, Wilh., Rationale divinorum officior. Impressum
Argentine ao. di. M. dj. finitum tertia feria post diem

sancte Lucie. Fol. Goth. 2 Col. m. Sign. u. Z. 47 Zeil.
Strasburg, 1501. Fol. Panzer, VI. p. 27. n. 9. — IV.
H. b. 3.

73.

Elegantie terminor. — In fol. II.: De elegantiis terminorum
ex Laurentio valla et quorundam aliorum secundum ordinem alphabeti breuiter collectis. In fine: Dauentrie per
me Jacobum de Breda. Anno domini MCCCCXCV. Hain,
hat die Ausg. 1490, 1497, 1499. 4°. — IV. G. n. 25/2.

74.

Elegantiarum viginti precepta. Zwollis, Petrus Os de
Breda, o. J. 4°. [Mit goth. Schr., ohne Custod. und
Seitenzahl., mit der Signat. a. (I.—) III. bis b. I.(—IV.),
10 Blatt, 41 Zeilen auf d. S. M. 1 Holzschn.] Anfang:
Blatt Ia. „Elegantiarum viginti precepta." Blatt IIa.
„Elegantiarum viginti precepta incipiunt. (A)D confi-
ciendas eleganter epistolas pauca scitu dignissima" etc.
Schluss: „Elegantiarum viginti precepta finiunt. Im-
pressum Zwollis Per me Petrum os de Breda." Diese
Ausgabe fehlt bei Hain. — IV. G. n. 25/3.

75.

(Ephrem Syrus). Libri Sancti Effrem de compunctione
cordis judicio dei et resurre(ctione) etc. beatitudine anime
penitentia, luctamine spiritali, die judicii. Bas., Joh. de
Amerbach. Fol. Hain, 6597. — IV. K. g. 19/1.

76.

Eusebius. Epistola beati Eusebii de morte gloriosi Hirro-
nimi (sic). Reuerendissimo patri Damaso portuensi episcopo
et christianissimo theodonio romano senatori Eusebius
olim sanctissimi hieronimi discipulus. Sequitur: Incipit
epistola sancti Augustini de miraculis sancti Hieronimi.
Dagegen lautet die Seitenüberschrift Epistola beati Cyrilli de miraculis gloriosi Hieronimi. Explicit epistola
beati Cyrilli secundi Jerosolimitani episcopi ad eximium
doctorem Augustinum Yponensis episcopum de miraculis
gloriosissimi Jeronimi Per. C. Stabel et Benedicti socio-
rium Patauie Impressum Olimpiad. dom. MCCCCLXXXII.
septimo kal. Augustas. Hain, 6721. 4°. — IV. G. m. 16/1.

77.

Eusebius de enangelica praeparatione a Georgio Trapezuntie e graeco in latinum traductus . . . ed. p. Hieron. Bononium. In fine: Venetiis impressum . . . MCCCCC. die X. m. Nollembris. Fol. Lat. Hain, 6707. — IV. J. f. 12/3.

78.

(Eusebius et Beda). Ecclesiastica Historia diui Eusebii et Ecclesiastica historia gentis anglorum venerabilis Bede: cum vtrarumque historiarum per singulos libros recollecta capitulorum annotatione. Argentinę, 1500, 14. d. Marcii. FoL Hain, 6714. — IV. K. g. 15/2.

79.

(Francisci, S., Regula). (E)xiui de paradiso dixi rigabo ortum plantationum: ait ille celestis agrico la: qui vere fons sapientie verbum dei a patre in patre manens genitum, ab eterno etc. Gehört zu der vorgebundenen Ausgabe der Clementinen. Nürnb., 1482. — III. K. b. 2/2.

80.

Galieni liber de elementis incipit. Ohne Druckdaten, zweispaltig zu 73 Zeilen mit goth. Schr. u. der Signatur a., ohne Custod. und Seitenzahl. Fol. Enthält: ausser De elementis, noch: De complexionibus. De virtute simplicis medicinae, vel De simplici medicina. De virtute farmacorum. De alimentis. De interioribus. De accidenti et morbo. De regimine sanitatis. De ingenio sanitatis. De differentiis febrium, u. De febribus ad Glauconem. Anf.: „Quoniam, quum sit elementum minorum pars eius, cuius est elementum." . . . Schluss: „.. . . et frigida pedes suos perfundere etiam, si frigidum fuerit tempus. Explicit liber Galieni ad Glauconem." — IV. F. c. 4.

81.

Galenus, Opera lat. studio Diom. Bonardi. Fol. 1. Tabula librorum galieni . . . Fol. aa/ii. Galieni Pergamensis Medicorum omnium Principis Opera Foeliciter inchoant. In fine: Que in primo volumine continentur Galieni opera feliciter expliciunt: venetiis per Philippum

CDXVI Inkunabeln.

Pintium de cancro impressa, Anno MCCCCLXXXX. die
vero XXVL augusti etc. Hain, 7427. Fol. — IV. O. a. 1.

82.

Gelius, Aulus, Impressum Venetiis a Philippo Picio Mantuano, Anno domini 1500 die 15. m. Julii etc.
1. fol. AVLVS GELIVS.
2. TABVLA. AVLI GELII NOCTIVM ATTICARVM
COMMENTARII.
10 Blatt Vorstücke, auf dem gezählten Blatt 1.: AVLI
GELII NOCTIVM ATTICARVM COMMENTARII. LIBER
PRIMVS. 118 gez. Blätter. In fine: Impressum Venetijs
a Philippo Picio Mantuano. Anno domini MCCCCC. die
XV. mensis Julii Augustino Barbadico Serenissimo Vene-
tiarum Duce. Fol. Lat. Typ. m. Sign. u. Custoden u.
B.-Zahlen. Hain, 7527. — III. F. b. 5.

83.

Gerson, Johannes, Tractatus de examinatione doctrinarum.
11a. fol. Laus Deo; (sic.)
11b. Sequitur Tractatulus . . . de Duplici Statu in dei
ecclesia.
13b. Expliciunt quędam conclusiones factę pro vnione
ecclesię p. dominum Cancellarium Parisiensem.
14a. Incipit dubium quoddam Joannis de Gersona . . .
de delectatione in seruitio dei.
14b. Deo Gratias; (sic.)
15a. Status curatorum vix pt a parochianis sine peccato
sic ctemni qz eor. licentia . . .
16a. Explicit Tractatulus de duplici Statu Curatorum
et Priuilegiatorum Magistri Joannis Gerson Cancellarii Parisiensis.
16b. Admonitio breuis et necessaria quo modo caute
legendi sunt quorundam libri propter errores occultos . . .
17b. Sequitur tractatulus ejusdem de appellatione cuiusdam peccatoris a diuina iustitia ad diuinam misericordiam . . .
20a. Explicit tractatulus . . . de appellatione cuiusdam
peccatoris . . .
20b. Opus domini Cancellarii Parisiensis vnionis ecclesie
circa annum dni MCCCC. compositum.

23. Incipit Tractatus de Simonia Magistri Joannis Gerson. (Hain, 7709.)

30 b. Deo gratias Amen. .

31 a. Incipit tractatus in trigilogio Astrologię theologizatę Joannis de Gersona doctoris eximii ad Delphinum. (Hain, 7711.)

42 a. Trigilogium astrologię theologisatę Joannis de Gersona ... explicit fęliciter ... Hain, 7627, 7709 u. 7711. Norimbergae, Joh. Sensenschmid. Bei Hain in anderer Ordnung aufgezählt. Fol. — IV. F. f. 4/4.

84.

Gerson. De passionibus anime. Incipit tractatus notabilis de passionibus anime venerabilis viri Magistri Johannis gerson. — Explicit tractatus notabilis de passionibus anime, Editus a magistro Johanne Gerson cancellario parisiensi, nec non professore sacre theologie eximio. Ohne Druckdaten. 8°. Goth. mit Sign. o. C. und Z. 32 Zeil. — II. K. d. 15/5.

85.

Gerson, Joh., Collectorium super Magnificat. In fine: Et sic terminatur hec compilacio deuota ... iohannis gerson sacre pagine doctor. eximii cancellarii parisiensis. Anno dni MCCCCLXXIII. Esslingae, Conr. Fyner, 1473. Fol. Hain, 7717. — IV. H. b. 17/2.

86.

Gesta Romanorum cum applicationibus moralisatis ac misticis. Ohne Druckdaten. 1464. 4°. Verfas. nach Brunet, B. II. Seite 1571.: Elimandus. Hain, 7748. — IV. F. g. 6.

87.

Gratiani Decretum. — Concordia discordantium canonum facta et compilata per venerandum fratrem magistrum Gratianum ... Basil., Joh. Froben, 1493 idibus Junij. Hain, nr. 7912. 4°. — IV. G. m. 19.

88.

Gregorius, Beatus, Papa, Librum beati Job petente sancto Leandro spalense episcopo exponit. Nuremberge,

Joh. Sensenschmid u. Joh. Kefer, anno Domini 1471. Fol.
Hain, 7928. — IV. F. c. 5.

89.

[Guarinus Veronensis.] Breuiloquus voca-|bularius cum
arte diph|thongandi accentu-|andi et punctandi. In fine:
Impressus Colonie.| Anno dni MCCCCLXXXVII.| Laus
deo . . . 1487. Fol. Goth. 2 Coll. 53 Zeil. m. Sign. o.
Cust. u. o. Zahl. Als Einhängeblätter sind die Theile
einer Pergamenturkunde vom J. 1467, m. Nov., benützt
worden. — IV. G. f. 15.

90.

[Guarinus Veronensis.] Vocabularius breuiloquus cum
arte |diphthongandi punctandi et accentuandi. In fine:
Im pressus Argentine. Anno dni MCCCC,LXXXIX.,
Finitus in die sancti Leonardi. Fol. Goth. 2 Coll. 53 Zeilen,
m. Sig., o. C. u. Z. — IV. G. f. 14.

91.

[Guide de monte Rochen s. Rotherii.] Manipulus curatorum officia sacerdotum secundum ordinem septem sacramentorum per breuiter complectens. Fol. a 4a. Incipit
feliciter . . . Guidonis de monte Rotherii liber, qui Manipulus curatorum vulgariter appellatur . . . In fine: Hec
insuper exarata sunt in famosa ciuitate Argen. Anno
dni MCCCCXCIII. etc. Hain, 8205. 4°. — IV. H. k. 30/3.

92.

[Hemmerlin, Felix.] Clariss. viri Juriumque doctoris Felicis hemmerlin cantoris quondam Thuricen. varie oblectationis opuscula et tractatus. Ex Basilea Idibus Augusti
MCCCCXCVII. — Basileae, Nic. Kessler, 1497. Hain, 8424
Fol. — IV. E. c. 16.

93.

[Henricus, Bruno, alias de Pyro.] Henricus de Pyro
super Institutis. Fol. 2. (I)nnuente mihi omnium legis-
latorum inuictissimo principe dno nostro Jesu christo etc.
4°. Goth. 2 Col. o. Cust. m. Sign. o. Z. und o. Druckdaten. Hain, 4014. — II. F. a. 27.

94.

[Herolt, Joh.] Liber discipuli de eruditione christifidelium Incipit. In fine: Tractatulus de septem donis spiritus sancti explicit. Et per consequens totus liber discipuli de eruditione christifidelium. Argentor., G. Husner. Fol. Goth. O. Druckdaten. Hain, nr. 8517. — IV. J. b. 1.

95.

Herpf, Henricus, Sermones de tempore, de sanctis etc. Ohne Druckdaten. (Spirae, Petrus Drach, 1484.) Fol. Hain, 8527. Fol. — IV. G. b. 15.

96.

Hieronymus. Introductorium in Epistolare beati hieronimi impressionis maguntine facte per virum famatum in hac arte Petrum schoiffer de gernssheym. In fine: Anno domini MCCCCLXX. Die septima mensis septembris . . . Mainz, Petr. Schoeffer, 1470. Fol. Hain, 8554. — IV. W. a 1.

97.

Homiliarius. Fol. 1b. Incipit prologus Karoli magni in omeliarium per totum annum. In fine: Omeliarum opus egregium: ... factore Petro drach juniore in inclita Spiren-sium urbe impressum, Anno . . . Mill. quadring. octag. secundo . . . Spirae, Petr. Drach, 1482. Hain, 8790. — IV. F. f. 8.

98.

Honorii Augustodunensis, libri tres de imagine mundi Nürnb., Ant. Koberger, 1472. Fol. Vgl. Panzers Buch-druckergesch. Nürnbergs, p. 169 nr. 309. Goth. 30 Zeil. Das Ganze hatte 46 Bll. wovon 45 übrig sind. O. S., C. u. Z. — III. J. b. 6/4.

99.

[Horatius.] Q. Horacij Flacci Uenusini Poete vaferrimi Ser-monum siue Satyrarum opus spectatissimum et vitiorum feditatem acerrime damnans. In fine: Liptzk, ex offi-cina Jacobi Tannersz. 8°. Goth. 66 ungez. Bll., wovon das Letzte unbedruckt ist, m. Sign. u. ohne Cust. 17 Z.

Die Bogenlage zu 6 Bll. Vorangeht: Horatii vita per
magistrum Joannem Cubitensem. Ebert, 10,137. — III.
G. f. 26/1.

100.

(H)Ortulus rosarum liber deuotus . . . (Zeichen des Denis
Roce.) Pag. 2. Incipit Ortulus Rosarum de valle la-
chrymarum. — Explicit ortulus rosarum Nouiter impressus, pro Dyonisio Rosse commorante in vico sancti
iacobi ad intersignium sancti Martini.' Paris, Denis
Roce (c/a 1499.) 8°. Goth., m. Sign., o. Cust. u. Seitenz.
31 Zeil. — II. K. d. 15/6.

101.

Houppellande, Guillermi, libellus perutilis de anime
hominis immortalitate. Auf d. Titelblatte: De immortalitate anime. Buchdruckerz. des Denis Roce. In fine:
. . . Parisius exaratus . . . pro Dyonisio roce Anno dni
Milles. quadringentes. nonages. nono die vero quarta
mensis septembris. Hain, 8969. 8°. — II. K. d. 15/2.

102.

(Jacobus Philippus Bergomensis.) Vorangeht mit
Sig. 2—12. Tabula generalis Supplementi chronicarum . . .
Bl. 1. Opus preclarum Supplementum chronicarum vulgo
appellatum In omnimoda¦ historia nouissime congesta
Fratris Jacobi Philippi Bergomensis: reli gionis heremi-
tarum diui Augustini decoris quam faustissime inchoat.
In fine: Perfectum autem est et denuo castigatum atque
auctum per me opus fuit Jdibus octobris anno a Natali
christiano MCCCCLXXXVI. in ciuitate nostra Bergomi.
Finis. Uenetiis . . . per Bernardum Rizum de Nouaria,
anno a nativitate domini . . . 1490 regnante inclito duce
Augustino Barbadico. Goth. Fol. M. Z. u. S. o. Cust.
12 Bll. Vorstücke und 261 gez. Bll., 60 Zeil., m. zahlr.
bemerkenswerthen Holzschnitten. Hain, 2808. Fol. —
II. U. f. 7.

103.

[Johannes Gallensis, Summa collationum. Ad omne
hominum genus.] Incipit liber Summa collationum dictus.
. . . ln fine: Summa collationum ad omne genus hominum Explicit feliciter. Goth. o. Z. o. S. o. C., 27 Zeil.
262 Bll. 8°. Hain, 7440. — II. U. d. 12.

104.

Johannis Gallensis: Summa collationum ... siue communiloquium vocitata ... artificialiter effigiata legis gratia
anno 1281 (pro 1481) finit feliciter. Nach· Panzer IV.,
p. 26 nr. 183. Ulm, Jo. Zainer, 1481. Fol. 2 Exempl.
— IV. E. c. 3. u. 5/1.

105.

Johannes Gallensis, Communiloquium sive summa collationum. Argentine, 1489. Fol. Hain, 7444. — IV. F. f. 20.

106.

Johannes de Tambaco (Dambach im Elsass) 1288 + 1372.
Explicit liber de consolatione theologie per fratrem Jo.
de Tambaco ordinis praedicatorum prouincie theuthonie
sacre Theologie professorem consummatus. Anno dni.
MCCC. LXVI. In die Ambrosii. — Eustadij, Typis
Mch. Reyserianis. Fol. Hain, 15236. Ebert, 10822. Panzer,
T. I. 387. — IV. E. c. 18.

107.

Johannis Viterbiensis tractatus de futuris christianorum
triumphis in Saracenos. O. Druckdaten. 4°. [O. Custod.
u. Seitenzahl, mit der Signat. a. bis f. IV. Mit goth. Schr.,
32 Zeilen auf der Seite. 47 Bl. —. Blatt II. u. III. Conclusiones. Am Schluss der Conclusio decima: Expliciunt
capitula huius editionis magistri Johannis Viterbiensis,
ordinis praedicatorum De futuris christianorum triumphis
contra Turchos et Maumethanos omnes. Impressa Nuremberge (1480?) Darauf folgt Blatt IV.: Ad beatissimum
papam Sixtum et reges, ac senatus christianos de futuris
christianorum triumphis in Saracenos Epistola Magistri
Johannis viterbiensis . . . Am Schluss des Tractatus:
Ex Genua 1480, die 31. Marcii in sabbato sancto com-
pletum. Explicit opus magistri Johannis Annis de futuris
christianorum triumphis in Turchos et Saracenos ad beatissimum pontificem maximum Sixtum IV. et reges, principes ac senatus christianos.] — IV. F. h. 13.

108.

Josephi, Judei, Prologus in libros antiquitatum viginti,
de graeco in latinum traductos per Ruffinum Aquileien-

sem. Josephi De bello iudaico in libros septem prologus,
per Ruffinum Aquileiensem traductos. Venetiis per Joannem Vercelensem, 1486. Fol. Hain, 9454. — IV.
G. b. 14.

109.

Josephus de Antiquitatibus ac de bello Judaico. De graeco
in lat. traduct. per venerab. presb. Ruffinum Aquilejensem.
Explicit Josephus Antiquitatum et de Bello Judaico. Impressum Venetiis per diligentissimum uirum Albertinum
Vercellensem. Expensis Domini Octauiani scoti et fratris
eius. Anno Domini MCCCCXCIX. die XXIII. Octobris.
Fol. Lat. Typ. Hain, 9455. — III. J. b. 21.

110.

Jsidorus Hispalensis Episc. Liber ethymologiarum Jsidori Hyspalensis episcopi. In fine: Liber etymologiarum
Jsidori hispalensis episcopi exactissima diligentia impressus Basilee Anno ... MCCCCLXXXIX. Sexto ydus
Augusti Finit foeliciter. Hain, 9274. — IV. M. c. 9.

111.

Justinianus Imperator, Codex, Libb. IX., cum apparatu.
Moguntiae, Petrus Schoyffer de Gernssheym, 1475, ad VII.
Kal. Febr. 324 Bll. Vollständ. Exempl. m. gem. Initialen
auf Bl. 1 u. 3, 39, 99. Hain, 9598. Fol. — IV. W. a. 9.

112.

Justinianus Imperator, Institutiones. Moguntiae, Petrus
Schoiffer de Gernsheim, 1476, X. Kal. Juniis. Hain, 9498.
Fol. — IV. J. c. 15/2.

113.

Juvenalis. Anto. Manci. Domicius Geor. Val. Argumenta
Satyrarum Juvenalis per Antonium Mancinellum. Nurn-
berge impressum est hoc Juvenalis opus cum tribus com-
mentis per Antonium Koberger MCCCCXCVII. die vero
VI. Decembris. CXC. gez. Bll. u. 8 Bll. Vorstücke. Lat.
Typen. Hain, 9711. Fol. — III. B. a. 25.

114.

[Leo Magnus Papa.] (i) Ncipit liber Beati Leonis pape Sermonum Et Sermo primus de ordinatione sua sequitur. In fine: Jhesus Cristus Maria. O. Druckdaten, o. Z. C. u. S. 37 Zeil. 137 Bll. Gothisch, mit einigen lat. Typen Ant. Sorg oder Conr. Fyner. Nach Blatt 20 sind 6 Bll. herausgerissen. Im Ganzen sind übrig 129 Bll. Hain, 10,015. Fol. — IV. J. f. 14.

115.

[Locher, Jac., Philomusus Ehnigens.] Libri philomusi. Panegyrici ad Regem Tragediam de Thurcis et Suldano Dyalogum de heresiarchis. In fine: Actum Argentine per Magistrum Johannem Grüninger. Anno christo (sic.) salutifero, 1497. Hain, 10,153. 4°. — IV. G. n. 25/1.

116.

[Lotharius Diaconus.] Liber de miseria humane condicionis. Lotarii diaconi ... qui postea Innocentius tercius appellatus est, anno dni MCCCCXLVIII. . . . . In fine: Explicit liber de miseria conditionis humane. Hain, 10,209. Ebert. Brunet. Goth. 36 Bll. 29 Zeil. O. Z. o. S. u. Cust. O. Druckdaten. Nach Schoepflin ein Gutenbergscher Druck. Fol. — II. F. b. 18/1.

117.

[Lothariusdiaconus]. Liber de vilitate conditionis humane. Buchdruckerzeichen des Denis Roce. In fine: Explicit liber de vilitate conditionis humane parisius impressus par (sic) Gaspardum philippi in vi̦co sancti Jacobi ad signum trium columbarum habi̦tantis. Anno a natali christiano millesimoquingen̦tesimo secundo decima quarta Maii. Goth., o. Z. u. C., m. Sign. 33 Zeilen. 33 Bll. 8°. — II. K. 15/3.

118.

Lotharius Diaconus, De proprietatibus romanorum. Ante omnia sapientes sunt romani ut faciant malum: bene autem facere nesciunt ... 3 Bll. O. Druckdaten. Goth. 33 Zeil. wahrscheinl. Paris, bei Denis Roce, 1492. Gehört

als Appendix zum vorangehenden Druck.   Handschrifil.
Bemerkung (von Luther's Hand?) Ich meine das heist
die Römischen gelobet hinter sich. Quid si hec in Papam?
8°. — II. K. d. 15.

119.

[Lumen animae seu liber moralitatam] Liber morali-
  tatum elegantissimus magnarum rerum naturalium lumen
  anime dictus, cum septem apparitoribus nec non sanctorum
  doctorum orthodoxe fidei professorum poetarum etiam
  ac oratorum auctoritatibus per modum pharatre secundum
  ordinem alphabeti collectis feliciter incipit. In fine: Liber
  lumen anime dictus feliciter explicit . . . Anno . . .
  Milles. quadringentes. octuagesimo secundo sexta feria
  post Letare summa cum diligentia completus. O. Druckdaten. Hain, 10,333 Fol. — IV. K. d. 4.

120.

Lyra, Nicolaus de, Ordinis fratrum minorum, Postilla.
  Cum additionibus Pauli, Burgensis episcopi. Anfang:
  Quatuor facies uni: ezech. primo. Secundumque scribit
  beatus Gregorius sup. ezech. prima parte omelia III.
  Schluss: Que quidem sapiencia nos dignet. suaviter
  disponere nunc per gratiam et in futuro per gloriam.
  Amen. Enthält die Postillen über die vier Evangelisten
  und die übrigen Schriften des Neuen Testaments und
  schliesst mit der „Additio": Circa sectam Sarracenorum et
  ejus sacrilegum auctorem. Inkunabel ohne Druckdaten,
  (1473?) [Zweispaltig zu 62 Zeilen, m. goth. Lettern, ohne
  Sign., Custod. u. Seitenzahl.] Fol. — IV. F. c. 1.

121.

Mamotrectus. Am Schluss: Actum hoc opus Uenetijs
  anno dni 1479 nonas kalendas octubris (sic) per inclytum
  uirum Nicolaum Jenson, gallicum. [Expositio in sing.
  libros bibliorum per sing. capita. 4°. [M. goth. Schr.
  Verfasser Joannes Marchesinus. Hain, 10,559.]—IV.L.l. 2 b.

122.

Manuale parochialium sacerdotum multum perutile.   Ohne
  Druckdaten. 4°. Hain, 10,729. — IV. G. n. 9.

123.

Matheolus. Tractatus clarissimi philosophi et medici Matheoli perusini de memoria inaugenda per regulas et medicinas. In fine: Explicit tractatus de memoria editus in Italia a dno Matheolo medicine doctore famosissimo mortuo Anno dni milesimo quadringentesimo septuagesimo. 4°. 5 Bll. goth. 30 Z. m. Sign. O. Druckdaten. — IV. H. k. 15/3.

124.

[Matheus de Crac. (Naymannus). Ars moriendi.] Fol. a ija. Das sint vele minschen dede gantz gerne mit den hilghen des almechtigen godes dat lon in dem ewigen leuen habben wolden ... ... Hirvmme is desse korte lere de hir na volghet gethogen vth dem boke dat de meyster hefft gemaket, von der kunst wol to steruende etc. 4°. Goth. 29 Zeilen m. Sign., o. C. u. Z. 14 Bll. das 15. fehlt. — IV. H. l. 27/3.

125.

Maximilianus. Coronatio illustrissimi et serenissimi regis maximiliani archiducis austrie etc. in regem romanorum celebrata per principes electores romani imperii in aquisgrano. Fol. 2. Anno domini Millesimo CCCCLXXXVI. XXVIII. die Marcij ... ohne Druckdaten. Schluss fehlt. 1486. Hain, 10,926. 4°. — IV. H. k. 15/2.

126.

Melber, Joh. Fol. a. 2. Incipit Vocabularius variloquus ... compilatus per venerab. M. Johannem melber de Geroltzhoffen ex sermonibus auditus et per eundem conscriptis sub venerando viro M. Jodoco eychmin de Kalw ... in Heidelberga. [Lat. Vocab. mit deutscher Uebersetzung und lat. Erklärung.] Am Ende: Finit Vocabularius breuiloquus etc. O. Druckdaten. 4°. Hain, 11,035. — IV. F. i. 28.

127.

Modus perveniendi ad summam sapientiam. Aug. Vindel. Günth. Zainer, um 1473 wie der vorgebundene Druck. Fol. Hain, 11,490. — IV. F. f. 4/3.

128.

[Mutius, Macarius, Eques Camers]. Macarius Mutius,
Eques Camers (Carmen) de triumpho Christi. Acc.: Ele-
giacum penthametrum Magistri Pauli Crosnen Rutheni
ad virginem Mariam pro seuissma peste abigenda. Ende
fehlt. 4°. 6 Bll. Hain, 11,655. Venetiis, 1499. — IV.
G. i. 40/1.

129.

[Niavis, [(Schneevogel), Paulus,] Elegantie latinitatis
Magistri Pauli Niavis una cum modo epistolari. 4°. Goth.
m. Sign., o. Cust. u. o. Z. 38 Bll. O. Buchdruckerdaten.
Lipsiae, Conr. Kacheloven. Hain, 11,721. — II. K. c. 17/1.

130.

[Niavis, (Schneevogel), Paulus,] Latina ydeomata Magistri Pauli Niauis. Pagina versa: Paulus niauis honorando viro Erasmo presbitero etc. Pag. Aij. Praefacio
Mgri Pauli Niauis in latinum ydeoma quod pronouellis
edidit studentibus Incipit feliciter. Pag. 22 a. „Sequitur
thesaurus eloquentie. Pag. 52 b. Thelos. Pag. 53 a.
Paulus niauis honorando viro erasmo presbitero In optimis artibus baccalario vitam agenti in Kempnicz dno et
fautori suo plurimum colendo S. p. d. Pag. 88 a. Finit: ·
Es. e. profecto. Al. iam letus sum vale. Es. tuque pariter
vale. Dialogus litterarum studiosi cum beano imperito.
4°. Goth. 88 Bll. Fehlt bei Hain. wahrsch. Lpz., bei
Conr. Kachelofen. — II. K. c. 17/2.

131.

[Nicolaus de Błonie.] Tractatus sacerdotalis de sacramentis deque diuinis officiis et eorum administrationibus. — Fol. a, 2 a. Prologus, (m) Edice cura te ipsum.
Luc. IIII. ca. Sicut ait Gregorius prima parte sui pastoralis capitulo secundo etc. In fine: Finit tractatus perutilis de administratione sacramentorum, de expositione
officii misse, de dicendis horis canonicis, deque censuris
ecclesiasticis canonice obseruandis. Impressus Argentine
per Martinum Flach, Anno domini MCCCCXCII. Sequitur
Tabula. Hain, s. v. Blony, nr. 3255. 4°. — IV. H. k. 30/2.

132.

[Nicolaus de Błonie, capellanus episcopi Posnaniensis.]
Tractatus sacerdotalis de sacramentis, deque divinis offi-
ciis et eorum administrationibus. Argentine, per Martinum
Flach, 1496. 4°. Hain, s. 3258. Panzer, Bd. I., S. 56.
Nr. 298. Adam Jocher, Obraz, 4309 d. — IV. G. n. 9.

133.

[Nicolaus de Błonie.] Tractatus sacerdotalis de sacramentis deque diuinis officiis et eorum administrationibus.
Impressus Argentine, per Martinum Flach, anno domini
1499. 4°. Goth. Hain, 3259. — IV. K. b. 24/1.

134.

Ockam, Guilielmus, Quodlibeta septem una cum tractatu
de sacramento altaris . . . Argentine, anno domini 1491.
Finitus post festum Epiphanie dni. Fol. Hain, 11941. —
IV. E. c. 25.

135.

[Ovid, Venedig 1486.]
Fol. 1b. Bonus Accursius Pisanus salutem dicit plurimam Magnifico equiti aurato et sapientissimo ac
primo ducali secretario Ciccho Simonetae.
9a. P. Ovidii Nasonis Metamorphoseos liber primvs.
145. Finis. Impressum uenetiis, per Bernardinum de
Nouaria, 1486, die XIII. Januarii.
Fol. 146, 147 unbedruckt.
148. P. Ovi. Nasonis . . . Heroidum alias epistolarum liber
unicus incipit. — P. Oui. Nasonis . . . heroidum alias
EpistolaRum Liber unus explicit. (Sequuntur aliorum
carmina.)
189. P. Ouidii Nasonis Elegiarum sine amorum Liber I.
212. Publii Ovidi Nasonis Sulmonensis amorum libri feliciter expliciunt.
213. unbedruckt.
214. Pv. Ovidii Nasonis Sulmonensis de arte amandi liber
primus incipit.
236. Publii Ovidii Nasonis de remedio amoris liber primus
incipit.
244. Publii Oui. Nasonis in Ibin liber unicus.
251. P. Ovidii Nasonis fastorum liber primus incipit.

298. P. Ouidii Nasonis de Tristibus, liber primus.

333. P. Oui. Nasonis de Ponto, liber primus.

348. Ad coniugem.

365. P. Ouidii Nasonis de pulice — de philomena — de
medicamine Faciei — de nuce — consolatio ad Liuiam
augustam de morte Drusi Neronis filii eius.

373 b. Impressum Veneciis, per Bernardinum de Nouaria
die XXVII. nouembris MCCCCLXXXVI. Feliciter.

374. Registum (sic).
Fol. Lat. Typ. o. Cust. m. Sign. o. Z. Hain, 12143.
— II. F. a. 19.

136.

Paraldus, Guilielmus, epicopus Lugdunensis. Incipiunt
capitula summe seu tractatus de viciis quibus competenter patent materie in eo contente. Ohne Druckdaten
Hain, 12385. Fol. — IV. F. f. 6.

137.

Paulus Florentinus, Quadragesimale de reditu peccatoris ad Deum. Mediolani, impress. per Uldericum Scinczenceller et Leonardum Pachel, 1479. Fol. Panzer.
Bd. II. Nr. 150. — IV. G. b. 17.

138.

[Petrarca, Franc.] Librorum Francisci Petrarchae Basileae Impressorum Annotatio etc. Basileae, M. Jo. de
Amerbach, 1496. Fol. Hain, 12749. — IV. F. f. 5.

139.

[Petrus de Ailliaco.] In hoc volumine continentur Tractatus et sermones compilati a reuerendissimo domino domino Petro de aylliaco sacre theologie doctore . . . In
Folio 249: Explicit sermo de beato Francisco, factus in
vniuersitate parisiensi per magistrum petrum de aillyaco
An no domini 1382. Goth. Fol. 2 Col. Titelblatt und
249 ungez. Bll. o. C. m. Sign. 39 Zeilen. O. Druckdaten.
— II. F. b. 16.

140.

Petrus Lombardus. Prologus in libros Sententiarum,
Incipit Sententiarum liber primus de misterio trinitatis.

Celeberrimus ac famosissimus theologicarum sententiarum
liber magistri Petri lombardi sacre theologie doctoris
eximii anno domini Milles. quadring. octuagesimo primo.
Impensis. Antonii Koburger Nurnberge impressus. decima
die may finit feliciter etc. Goth. Fol. Hain, 10188. —
III. L. c. 11.

141.

(Petrus Lombardus.) Textus sententiarum. O. Druckdaten. Fol. [Mit goth. Schr., zweispaltig zu 47 Zeilen,
ohne Custod. und Seitenzahlen, mit der Signat. A. I. bis
GG. V. Der Schluss des Werkes fehlt. — IV. G. b. 14.

142.

Francisci Philelphi . . . Epistolarum familiarium libri
XXXVII. Venetiis, Ex aedibus Joannis et Gregorii de
Gregoriis. 1502, 8. Cal. Octob. 12 Bll. Vorstücke. Text
266 gez. Bll., Titel goth., das Uebrige lat. Cf. Brunet.
Fol. — IV. F. d. 5.

143.

(Platina.) Excellentissimi historici Platine in vitas summorum pontificum ad Sixtum IV. pontificem maximum preclarum opus feliciter explicit: accurate castigatum ac impensa Antonii Koburger Nurenberge impressum III. idus
augusti consummatum. Ao. sal. christ. MCCCCLXXXI·
Laus Deo. Fol. Goth., 2 Coll., 128 Bll. o. Z. S. u. C.
Hain, 13047. — II. M. c. 15.

144.

[Plato.] Alcinoi disciplinarum platonis epitoma. id est. breui-
arium incipit. Episcopi Tropiensis ad Nicolaum Cusen-
sem Cardinalem conuersio. Epitome Alcinoi in disciplinarum Platonis desinit. Anno salutis MCCCCLXXII. die
uero XXIV. mensis Nouembris. Fol. Goth. 22 Blatt.
Norimbergae, Ant. Koburger, 1472. Hain, 620. — III. J.
b. 6/6.

145.

(Plinius Secundus, Caius, Naturalis historiae libri 87.)
C. Plinii Secundi de naturali hist. libri XXXVII. Ex
castigationibus Hermolai Barbati diligentissime recogniti.

Impressi Venetiis per Joannem Aluisium de Varisio Mediola-
nemsem (sic) anno a Natali Christiano MCCCCLXXXXIX.
die XVIII. Maii. Cum gratia et priuilegio ut in eo. Fol.
Lat. Typen, 268 Bll., o. S. Z. o. C. m. Sign. In dem
vorliegenden Exemplare fehlen die Blätter a—aii. Ebert
17267 führt diese Ausgabe an und zählt 268 Bll. In dem
vorliegenden Exemplare sind 268 Blatt, trotzdem vorn
2 Blatt fehlen. Hain, 13104. — III. G. a. 5.

146.

Poggius, Joh., Facetiae. In fine: Poggy florentini ac secre-
tary apostolici facetiarum liber expletus est feliciter.
Norimb., Ant. Koberger, 1472. Fol. Goth., 33 Zl. ohne
S. C. u. Z. Hain, 13183. Panzer, Buchdr.-Gesch. Nürnbergs p. 168 nr. 308. — III. J. b. 6/5.

147.

Raymundus de Sabunde, Theologia naturalis sive liber
creaturarum. Argentine, per Martinum Flach, 1496. Fol.
Hain, 14069. — IV. G. b. 18.

148.

(Reisch, Gregorius), Margarita philosophica (Philosophia
triceps: naturalis, rationalis, moralis humanarum rerum.)
O. Druckd. 4°. [Auf der Rückseite des Titelblattes
ein lateinisches Gedicht: „Suo Gregorio Reisch ... Adam
Vernherus, Temarensis, S. D." unterzeichnet, u. darunter:
„Ex Heydelberga III. Kal. Jan., 1496." Wahrscheinlich
in demselben Jahre gedruckt. Mit latein. Schr. und mit
Holzschnitten. Hain, 13852. — IV. F. c. 5.

149.

(Salis, Bapt. de). Fol.-1b. (E)nimuero cum grandes ma-
terias ingenia parua non ferant ...
  Fol. sequ. I. Incipit Summa casuum vtilissima per
venerandum patrem fratrem Baptistam de Salis ordinis
minorum de obseruantia. Prouincie Janue. nouiter compilata, quae Baptistiniana nuncupatur.
  Fol. CCLXVII. ... expletum est in Nuremberg ...
per Anthonium Koberger inibi conciuem Anno currente

MCCCCLXXXVIII. Sit laus deo. Goth., 2 Col., 267 Bll.
und Titelbl. m. Sig. o. Cust. Hain, 14181. Fol. — II.
F. b. 14.

150.

Dasselbe. Fol. — IV. P. a. 8.

151.

Salustii, C. Crispi, Liber de Bello Jugurtino. In fine:
C. Crispi Salustii de bello Jugurtino Finis. (Scuta typo-
graphi.) Goth. char., fol., 40 n. gez. Bll., mit Sign. 24 L.,
breitgedr. Das ganze Exemplar mit handschriftl. Noten
versehen von Henricus Bebelius. Hain beschreibt 14,240
eine sehr ähnliche Ausgabe desselben Druckers, die sich
durch die Orthographie des Wortes Jugurtha von der
vorliegenden unterscheidet und 41 Bll. hat, während diese
nur 40 hat. Fol. — III. A. c. 17.

152.

[Schedel, Hartmann, Med. Norimb.] Registrum hujus
operis libri cronicarum cum figuris et ymaginibus ab
inicio mundi. In fine: A Best (sic!) nunc studiose lector finis
libri Cronicarum . . . Ad intuitum autem et preces pro-
uidorum ciuium Sebaldi Schreyer et Sebastiani Kamer-
maister hunc librum dominus Anthonius Koberger Nuremberge impressit. Adhibitis tamen viris mathematicis pin-
gendique arti peritissimis, Michaele Wolgemut et Wil-
helmo Pleydenwurff... Consummatum autem duodecima
mensis Julii Anno salutis nre 1493. Acc.: 2 folia De
S. Stanislao . . . De Cracouia urbe regia Sarmacie. Ad
deum . . . pro justissimo et excelso Maximiliano rege
romanorum. Hain 14508. Goth. mit Z. o. S. u. Cust.
Mit Holzschn. 20 Bll. Vorstücke, 299 gez. und 3 ungez.
Bll., nicht ganz vollständig. Es fehlt Bl. 4, 43, 44, 98 u.
99, 140, 159, 229, 233, 234, 260. Fol. — II. U. e. 7.

153.

Scriptores Historiae Augustae. Fol. ult. In hoc codice
continentur vitae imperatorum romanorum a diuo Julio
Caesare usque ad Numerianum a diuersis auctoribus ele-
gantissime compositae . . . Quae omnia accuratissime
Venetiis impressa sunt per Joannem Rubeum de vercellis

anno a natali christiano, 1490, die 15. Julii. Finis. Lat.
Typ., 172 Bll. o. S. Z. m. Sign. Hain, 14563. Fol. — III.
B. a. 16.

154.

Sermones X. de praeceptis dialogi. In fine: Impres-
sum Liptzk per Conradum Kachelouen Anno domini.
MCCCC. Nonogesimo (sic) quarto. Goth. 40 Zeil. o. C. o.
Z. m. S. Bogen A. fehlt. 4°. — II. N. l. 26/3.

155.

Sixtus IV. Papa, antea Franciscus cardinalis de Rouere,
Tractatus de sanguine Christi et de potentia Dei.
In fine: Explicit tractatus de sanguine Christi Impressus Nuremberge per Fridericum Creussner. Anno
domini Milles. quadringent. septuag. quarto. Laus deo
clementissimo. Nürnberg, Frid. Creussner, 1474. Fol.
Hain, 14798. — IV. H. b. 17/1.

156.

Speculum christianorum multa bona continens etc. Auf
der Rückseite ein Holzschnitt¦ aij. Incipit liber qui vo-
catur¦ Speculum christianorum. HJeronimus. In principio
cuiuslibet operis praemitte dominicam orationem et signum
crucis in fronte etc. In fine: . . . vitam aeternam. Ad
quam nos perducat˙ deus. Amen.¦ [Parisiis, Denis Roce,
c/a. 1499.] Goth., mit Sign. o. Cust. u. Z., 32 Zeilen. 8°.
II. K. d. 15/7.

157.

Statuta prouincialia toti prouincie Gneznensi Poznan. Wra-
tislauien. Cracouien. ceteris et singulis episcopatibus sub
archiepiscopatu contentis valencia . . . Jocher, 7483 und
die Anmerk. dazu, woselbst der Schlusssatz von Et ego
Johannes Alberti de wyetlathou . . . bis „omnium premissorum" abgedruckt ist. Format stimmt, dagegen nicht
die Blattzahl. J. giebt 53 an, das vorl. Exemplar hat 63,
u. ai fehlt, (= 64.) A 2 a [I] Nnomine sancte et indiuidue
trinitatis amen. Ad perpetuam rei memoriam . . . A 3a
Tenor vero litterarum apostolicaru de quibus fit mentio.
Et primo domini Johannis pape depositi sequitur et est
talis. A 4 b Martinus episcopus seruus seruorum dei
Uenerabili fratri Nicolao archiepiscopo Gneznensi salutem
etc. In fine: Et ego Johannes Alberti de wyetlathou

clericus Gneznen. dioec. publicus imperiali auctoritate no-
tariusque... consignaui in fidem et testimonium omnium
premissorum. 32 Zeilen, goth., mit Sign. o. Cust. u. Z.
4°. — IV. H. k. 30/1.

158.

Strabo de situ orbis. In fine: Strabonis Amasini scriptoris
illustris geographiae opus finit: quod Joannes Vercellensis
propria impensa uiuentibus posterisque exactissima diligentia imprimi curauit. Anno sal 1494, die 24. aprilis.
Praem. Epistola dedicatoria Antonii Mancinelli. Venet.,
5. nonas majas 1494. Hain, 15090. Fol. — III. F. a. 11/2.

159.

Suetonius Tranquillus cum Philippi Beroaldi et Marci
Antonii Sabellici Commentariis. In fine: Commentaria
Philippi Beroaldi nec non Marci Antonii Sabellici in Sue-
tonium Tranquillum Foeliciter Venetiis exacta, Per Bartholomeum de zanis de Portesio. Anno domini 1500, die
28. Julii. Hain, 15130. Lat. Typ., m. Sign. o. C. u. Z.,
nach Ebert 352 Bll., was mit dem vorl. Exemplar über-
einstimmt. Fol. — III. F. a. 3.

160.

[Sybilla, Bartholom., aus Monopoli.] Speculum‖peregri-
narvm qvestionum. Holzschnitt. In fine: Speculum peregrinarum questionum Bartho‖lomei Sybille Monopolitani
... opera et expensis ... Joannis Gruninger ciuis Argentin ... finit. Anno ... Mill. quadring. nonag. nono
14. Kal. Septembres. R. ch. 10 ungez. u. 254 gez. Bll.,
m. Sign. o. Cust. 32 Zeilen. Strasb., Jo. Grüninger, 1499.
Den Bibliographen unbekannt. Spätere Ausgabe von
Raphael Maffeus, Vened., 1609. Cf. Joecher. 4°. — IV.
F. i. 20.

161.

Terentius, m. Comt. des Aelius Donatus. In fine: P. T.
Afri liber explicitur. Impressus Venetiis per Bernardinum
de coris Cremonensem Anno Domini 1488, die 12. Aug.
Hain, 15,397, ohne Beschreibung. Fol. Lat. Typ. gez.
Bll. CXXXX. m. Sign. o. Custod. Von den Vorstücken
fehlt wahrscheinlich Blatt 1. u. 2., auch sonst fehlt Blatt
138. — III. F. b. 1.

162.

[Theobaldus Episcopus.] Phisiologus Theobaldi Episcopi de naturis duodecim animalium.‖ Finit phisiologus Theobaldi de naturis duodecim animalium. O. Druckdaten. Goth. Ungez. 17 Bll. mit Sign. 4°. Hain, 15,470. — III. F. m. 15/5.

163.

In fine: Beati Thomae Aquinatis quodlibeta duodecim expliciunt feliciter per Joannem sensenschmid vrbis Nurmbergę civem . . . et Andream frisner de Bunsidel imprimendorum librorum correctorem Anno a natiuitate domini 1474 decimo septimo Calendas Maji. Fol. Goth. 135 n. gez. Bll. 2 Colum., o. S., C. und Z. Hain, 1402. — II. F. a. 18.

164.

[Thomas de Aquino.] Tractatus sancti Tho|me de ente et essentia seu‖de quidditatibus rerum‖intitulatus. In fine: Commentatio venerabilis viri artium magistri nec non sacre theologiae professoris eximii magistri Gerhardi de Monte compilata circa compendium de quidditati, bus rerum, quod edidit sanctus Tho. de Aquino insignis peripathetice veritatis interpres hic feliciter terminatur cum textu.‖ Sequuntur tituli quaestionum etc. Fol. Goth. 1 ungez. Blatt (Titel). gez. Bll. 36 u. 1 Blatt Tabula. Aus derselben Officin, wie die vorangebundenen Drucke vom Jahr 1489. (Coloniae, Henricus Quentel.) — III. F. b. 9/3.

165.

[Thomas de Aquino.] Prima pars summe sancti Thome de aquino doctoris Angelici de ordine prediaatorum. Aij: Incipit prima pars summe theologie edita a sancto Thoma de aquino angelico doctore ordinis predicatorum. In fine: Expliciunt capitula prime partis summe fratris Thome de aquino ordinis predicatorum. Nürnberg, A. Koberger, 1496. Hain, 1436. Fol. — IV. J. f. 7.

166.

[Thomas de Aquino.] Prima pars summe sancti Thome de aquino doctoris Angelici de ordine predicatorum. Prima secunde partis summe theologie eximii doctoris thome de aquino. Nürnberg, Ant. Koberger, 1496. Fol. Hain, nr. 1436. 2 Thle in 1 Bde. — IV. F. d. 11.

167.

[Thomas de Aquino,] Summae theologicae partis secundae prima pars: Incipit prima pars secunde, edita a fratre . . . Mainz, Peter Schoiffer de Gernsheim, 1471. Fol. Hain, 1447. Brunet s. Thomas. Ebert s. Aquino. Nr. 886. — IV. F. c. 9.

168.

[Thomas de Aquino.] Prima pars secunde partis summe theologie eximii doctoris sancti Thome de Aquino ordinis praedicatorum. Explicit prima pars secunde partis etc. Impressa Venetiis p. Franciscum de Hailbrun et Petrum de Bartua. Anno domini MCCCCLXXVIII. Hain, 1448. Fol. — IV. K. a. 11.

169.

[Thomas de Aquino.] Summae theologicae secundae partis pars secunda.

Fol. 1a. Post communem considerationem de virtutibus et vitiis et aliis, ad materiam moralem pertinentibus etc.

238b. . . . . ad quam nos perducat ipse, qui promisit Jesus Christus, dominus noster, qui est super omnia deus benedictus in secula. Amen.

244a. Explicit ordo et signacio questionum secundi libri secunde partis beati Thome de Aquino benedictus deus. Amen. Char. goth. 2 col., 59 lin. sine s. c. n., absque notis typogr. Hain, 1454. Argent, Joh. Mentelin, 1466. Editio princeps. Fol. — IV. F. c. 16

170.

Thomas de Aquino. Secunda secunde partis summe theologie Angelici doctoris Thomae Aquinatis de ordine predicatorum. Hain, 1437. Tertia pars summe theologie angelici doctoris Thome de Aquino de predicatorum ordine. In fine: Tertia pars . . . per Anthonium Koberger in . . . Nurnberg . . . impressa . . . Anno . . . MCCCCXCVI. die XV. m. Januarii . . . Fol. Hain hat

die Pars III. nicht, durch welche die Druckdaten für die
Secunda secunda partis ersichtlich werden. 2 Thle. in
1 Bde. — IV. F. f. 18.

171.

Thomas de Kempis, De imitatione Christi et de contemptu omnium vanitatum mundi. O. Druckdaten. 4°.
4 Blatt erster Titel, welcher lautet: Tractatus de imitatione Christi cum tractaculo de meditatione cordis. Blatt
I.—LXXVI. Darauf folgt: Incipit tractatus de meditatione cordis magistri Johannis Gerson. Blatt LXXVII.
bis LXXXI. Argentine, impressus per Martinum Flach,
1487. Hain, 9092. — IV. F. h. 13.

172.

Tractatus resolvens dubia per modum dyalogi circa septem
sacramenta occurrentia. Impressus in insigni ciuitate
Argentin. . . : Anno . . . MCCCCXCVI. nona die Febr.
4°. Goth. Hain, 15591, giebt als Drucker Mart. Flach
an. — IV. K. b. 24/2.

173.

Turrecremata, Johannes de,] Johannis de turre cremata.,
Cardinalis sancti Sixti vulgati et nuncupati explanatio
in psalterium finit. Cracis impressa. Fol. Goth., der
Anfang Blatt I. fehlt. [Cf. Estreicher, Günther, Zainer
i Świętopełk Fiol. Warsz., 1867. 8°.] Cracoviae, 1475.
— IV. J. f. 11.

174.

(Turrecremata, Johannes de), Tractatus nobilis de
potestate Pape et concilii generalis. Tractatus perquam
vtilis: luculenter clareque domini pape et concilii aucto-
ritatem: quodque eorum alteri preminet describens diserte
editus a reuerendissimo patre et domino Johanne de turre
cremata quondam ti. sancti Sixti sacrosancte romane
ecclesie presbitero cardinali. Jamque in lucem per me
Henricum Quentel Colon. incolam hac imprimendi pe-
ricia ductus summaque diligentia correctus: in Christi
sancteque romane sedis laudem quinto ydus septembrias

Anno 1480 completur. Fol., goth., m. Sign. o. Cust. u. Z. 45 Bll. Es fehlt Blatt 1. 40 Zeil. Hain, 15729. — II. U. f. 9/2.

175.

Valerius Maximus, Ven. 1487, 8. März. Jo. et Greg. Forliviensis. Opus Valerii Maximi cum noua ac preclara Oliueri Arzignanensi, uiri prestantissimi examinata interpretatione: Impressum Venetiis arte et impensis Joannis Forliuiensi Gregoriique fratrum. Ao. sal., MCCCCLXXXVII. die VIII. Marcii Foeliciter finit. (Mit prächt. Initialen.) Blatt 1a.: Ad Reuerendissimum in christo patrem et dominum Dominum Petrum de brutis benignitate diuina episc. Catharensem: Oliuerius Arzignanensis. Blatt 2a. Petrus Brutus Episcopus Catharen. Oliuerio suo oratori clarissimo S. P. D. Blatt 3. Sign. a. Valerii Maximi actorum ac dic torum memorabilium: liber ad Tiberium Caesarem. Prologus. Lat. Typen. 243 gez. Bll. Vorstücke 3 Bll. u. Registrum Cartharum" 1 Bl. Ein unbedr. Blatt am Anfang. Fol. — III. A. c. 9.

176.

Vincentius Bellovacensis: Speculum morale. Schliesst: Bl.? Col. II. Zeile 14: secula benedictus deus. Speculum morale finit. Acc. 1 Bl. De Virginitate. Nach Ebert u. Brunet: Arg., Jo. Mentelin, 1473—76. Fol. Goth. 2. Col. 62 Zeil. Die Blattzahl ist nicht festzustellen da vorn u. mitten Bll. fehlen. — II. Q. a. 14.

177.

Vincentius Bellovacensis Speculum morale. Nürnberg, Anth. Koberger, 1485. VIII. ydus febr. Fol. Goth. 2 Coll., 79 Zeil., o. Z. S. et C., 269 Bll. Die Initiale von Blatt 1 ist herausgeschnitten.|

Bl. 1. (S)Equitur tabula breuis alphabetica demonstrans quoto Libro quota Parte quotaque Distinctione queque in hoc volumine principaliter tractata inueni ri debeant.

Bl. 3. Incipit primus liber Speculi moralis Vincentii.

Bl. 269a. Anno . . . Milles. quadring. octogesimo quinto VIII. ydus februarii . . . in imperiali ciuita te Nurembergk . . . impensis Anthonii Koberger| . . . hoc fine terminatum etc.

Bl. 269 b. De Virginitate. In fine: Custodire debemus
ne perdamus. — IV. W. a. 7.

178.

(Vincentius beluacensis.) Incipit speculum naturale Vincentii beluacensis fratris ordinis praedicatorum. Et primo
prologus de causa suscepti operis et ejus materia. Primum
(q) Voniam multitudo li‖ brorum: Et temporis; breuitas ...
Bd. I. lib. I.—XVIII. Nach der Vorrede u. d. Index auf
Bl. 21. De diuersis mundi acceptionibus etc. Blatt 367(b.)
schliesst: Illic pro temporis et lo-‖ci congruentia fetificant:
et teneros fetus nutriunt :‖ quo pacto simul omnes eo quo
venerunt agmine‖ redeunt. O. Druckdaten. Fol. Goth.,
2 Col., 66 Zeil., o. O. S. u. Z. 367 Bll. Nach Brunet
sollen die Vorstücke 21 Bll. und der ganze Thl. 318 Bll.
betragen, während hier die Vorstücke 20 und der ganze
Theil 367 Bll. zählt. Sonst stimmt die Beschreibung mit
dem vorl. Exemplar. Strasb., Jo. Mentelin, 1473—76. Fol.
— II. Q. a. 13.

179.

(Vincentius Bellovacensis Speculum historiale.) Brunet V.
p. 1254. Incunabel o. Druckd. Ebert 23612. Strassb.,
Mentelin. vol. I. 144 Bll. Vom Index fehlen einige Bll.
(Nach Ebert soll I. vol. 155 Bll. haben.) Vol. II. auch
unvolständig, 175 Bll., es sollen 176 sein. Undatirte
67 zeilige Ausgabe 1473—76. — IV. W. a. 8.

180.

[Vincentius Belluacensis.] In fine: Speculum historiale per-
lustrati fratris vincencii ordinis praedicato"rum professoris
per Antonium Koburger nuremberge incolam impreṣ sum:
finit feliciter etc. 1483 in vigilia sancti Jacobi. Fol. Goth.
2 Col., 78 Zeil., o. S. C. u. Z. cf. Brunet. Bl. 1. Generalis
tabula. Bl. 20. Epilogus de vnitate diuine substantie.
— II. Q. a. 16.

181.

Vincentius Bellovacensis. Speculum doctrinale. Strassb.,
J. Mentclin, 1473—76. Vgl. Brunet u. Ebert s. v. Vinc. der
zweite Druck mit der letzten Zeile: „et altus in quo et
elephas natet." Vollst. Exemplar. Originalband. — IV.
W. a. 16.

182.

Vincentii, S. ordinis praedicatorum, De fine mundi sermo. Impressus per Conradum Zeninger civem Nurembergensem. 4°. Goth. 32 Zeil. o. Cust. u. Z. m. Sign. a II. bis b IIII. 14 Bll. das letzte unbedr. — IV. F. h. 13.

183.

[Virgil.] Publii Virgilii Maronis opera, cum Seruii Mauri Honorati grammatici, Aelii Donati, Christophori Landini, atque Domitii Calderini Commentariis, Nurnberge impressa impensis Anthonii Koberger, Anno Christi 1492. Laus omnipotenti deo. (Ebert, 23662. Die erste Ausg. Venedig, 1489.) Fol. Lat. Typ. gez. Bll. 345 und 8 Bll. Vorstücke, wovon das erste unbedruckt, mit Sign. und Custoden. Fol. — III. F. a. 7.

184.

Vitae philosophorum et poetarum. In fine: Explicit vita philosophorum. Cf. Panzer, Buchdruckergeschichte Nürnbergs, pag. 9 und 168 nr. 307. Anfang fehlt. Den Typen nach, wie der nachfolgende Druck von Poggius, Facetiae: Norimb. Ant. Koberger, ca. 1472. Fol. Goth. 31 Zeil. o. S. u. Z. — III. J. b. 6/3.

185.

Incipit vocabularius iuris vtriusque. (Q)voniam iuri operam daturum pri-||us nosse oportet vnde nomen|| iuris descendat. In pag. ult. ||in ignem proicientur. A qua eradicatione nos custodiat qui sine fine viuit et|| regnat. Amen. Ohne Druckdaten. Gothisch. 203 Bll. ungez. o. Sign. o. Cust. 42 Zl. Fol. — II. F. b. 15.

186.

Vocabularius utriusque iuris. In fine: Explicit vocabularius iuris Impressus Nurenberge, per Anthonium Koberger ... Anno domini 1496. Finitus in vigilia visitationis Marie. Gothisch. 152 Bll. o. Z. o. C. m. Sign. 2 Col. 47 Zeil. 4°. — II. N. d. 26.

187.

Voragine, Jacobus de, ord. praed. episc. Jaunensis. Lombardica historia que a plerisque Aurea legenda sanctorum appellatur. Expliciunt quorundam sanctorum legende adiuncte post Lombardicam historiam. Impresse Argentine, Anno domini MCCCCLXXXVI. Finite tertia feria ante festum sancti Thome apostoli. (Sequitur in pag. ult. Carmen „De sancto Sebaldo".) Fol. Gothisch. 264 Bll. o. Z. o. C. m. Sign. 2 Col. 47 Zeil. Strasburg, 1486. — IV. K. e, 7.

188.

Voragine, Jacobus de, Lombardica Hystoria. In fine: Expliciunt quorundam sanctorum legende adiuncte post Lombarticam hy storiam, impresse in Ulm, per Conradum Dinckmut.| Anno MCCCCLXXXVIII. 4°. 2 Coll. 37 Zeil. mit Sign. o. C. o. Z. — IV. H. g. 12.

189.

[Wilhelm de Conchis, aus Conches in der Normandie. + c. 1150.] Philosophia major de naturis creaturarum superiorum et inferiorum. In 33 Büchern, die 1474 in zwey grossen Folianten ans Licht getreten sind. Cf. Joecher. Davon hier: Band II. lib. 19—33. Fol. Goth., 2 Col. 327 gez. Bll. Enthält eine Naturgeschichte der Thiere. Im Anschlusse ein medicin. Werk über den Menschen. Im 33. Buche eine kurze Geographie und Geschichte bis z. J. 1250.

1. fol. XXXIX. Continentia libri deciminoni.
8a. Columne 1.: Continentia tricesimi tercii libri.
8b. De innovatione mundi et luminarium celi. CVI.
9a. 1. De opere sexte diei. Et primo de animalibus. Guillerinus de Conchis.

In fine: fol. 327b. col. 1. „Hec que jam dicta sunt de antichristo et aduentu judicis: dieque judicii de bonorum remuneratione: malorumque damnatione breuiori hic stilo perstricta sunt. Sed latiore in fine speculi hystorialis ppatescunt. Amen. Fol. — IV. P. a. 9.

190.

[Wilhelmus Parisiensis † 1248.] Wilhelmi Episcopi Lugdunensis . . . de fide et legibus. Inkunabel ohne

Druckdaten. Anfang: Incipit plogus libri Reuerendi In xpo patris et dni dni Wilhelmi Epi lugdunensis eximii qz sacre pagine doctoris parisiensis de fide et legib'. Schluss: hec omnia patent diligenter inspicienti registrum presens quod perfectum est. Deo gracias. Fol. — IV. E. c. 4.

191.

Wilhelmus, Guillermus, episc. Paris., Rhetorica Diuina de Oratione domini Guilermi Parisiensis. Basileae, Joh. Amerbach. Hain, 8903. Fol. — IV. K. g. 19/2.

Theologie. — Rechtswissenschaft.
Philosophie. — Paedagogik.
Mathematik. — Naturwissenschaften.
Landwirthschaft. — Gewerbe. — Handel.
Kunst. — Kriegswissenschaft.
Medicin.

Theologie.

Vgl. hierzu Bd. III. S. 399—461. 208—212. 232—262.

Bibliographie und Encyklopädie.

Encyclopédie méthodique. Théologie par M. l'abbé Bergier. A Paris, Panckoucke, à Liege, Plomteux, 1788—90. 4°. 3 voll. — IV. Q. 3.

Holtzmann, H., und R. Zöpfel, Lexikon für Theologie und Kirchenwesen. Leipzig, Bibliographisches Institut, 1882. 8°. [Meyer's Populäre Fachlexika.] — VI. D. h. 8.

Ersch, Joh. Sam., Lit. der Theol. seit der Mitte des 18. Jahrh., systematisch bearbeitet. Amsterd. u. Leipz., Kunst- und Industrie-Comptoir, 1812. 8°. — III. S. d. 11.

Staeudlin, Carl Friedr., Geschichte der theologischen Wissenschaften seit der Verbreitung der alten Litteratur. Göttg., 1810—1811. Bd. VI. (10. 11.) von Eichhorn's, Jo. Gfr., Geschichte der Literatur von ihrem Anfang bis auf die neuesten Zeiten. Göttg., Vandenhoek u. Ruprecht, 1805—1811. 6 Thle. in 11 Bdn. 8°. — III. O. e. 1—11.

Masch, Andr. Gottl., Bibliotheca sacra post ... Jacobi Le Long et C. F. Boerneri iteratas curas ordine disposita, emendata, suppleta, continuata. Pars I. De editionibus textus originalis. Pars II. De versionibus librorum sacr., vol 1. de versionibus orientalibus, vol. 2. de versionibus graecis, vol. 3. de versionibus latinis. Halae, J. J. Gebauer, 1778—83. 4°. 4 voll. — IV. E. c. 22—24.

Index librorum prohibitorum, cum regulis confectis per patres a Tridentina synodo delectos, auctoritate Sanctiss. D. N. Pij IV. Pont. Max. comprobatus. Coloniae, Mat. Cholinus, 1564. 8°. — IV. G. k. 58/2. — V. B. m. 45.

— librorum prohibitorum, cum regulis confectis per patres a Tridentina synodo delectos, auctoritate Pii IV. primum editus, postea vero a Syxto V. auctus et nunc demum S. D. N. Clementis Papae VIII. jussu recognitus et publicatus, instructione adjecta, de exequendae prohibitionis, deque sincere emendandi et imprimendi libros ratione. Coloniae, Gosuinus Cholinus, 1597. 16°. — IV. G. k. 57.

— librorum prohibitorum et expurgandorum novissimus ... Madriti, Didacus Diaz, 1667. Fol. — III. S. c. 21.

L   1

Einleitende Schriften.

Nanus, Dominicus, Mirabellius, ciuis Albensis, Polyanthea, opus suauissimis floribus exornatum. Basileae, in off. Adae Petri de Langendorff, 1512. Fol. — IV. F. d. 15/2.

Maffsi, Giuseppe, Il vero ecclesiastico studioso di conoscere e di corrispondere alla sua vocazione. In Venetia, G. Storti, 1693. 12º. — IV. J. k. 31.

Folietae, Uberti, Opuscula nonnulla varii argumenti: De vitae et studiorum ratione hominis sacris initiati. Vide Graevii, thes. antiquitt. et hist. Ital. Tom. I, 2. L. B., 1704. Fol. — II. T. e. 1.

Semleri, Jo. Sal., D., Institutio brevior ad liberalem eruditionem theologicam, liber I. et II. Halae Magd, J. G. Trampe, 1765—66. 8º. 2 voll. — IV. G. h. 18.

Wurzer, Balduin, Prodromus isagogicus ... in theologiam regularem ecclecticam, cui subjuncta sunt corollaria theologica. Ratisponae, J. L. Montag, 1773. 4º. — IV. G. m. 11.

Hemmerlein, Felix, Varie oblectationis opuscula et tractatus. Basil. Nic. Kessler, 1497 Fol. — IV. E. c. 16.

Herolt, Joh., Liber discipuli de eruditione christifidelium. Argentor., G. Husner. (Inkunabel) Fol. — IV. J. b. 1.

Johannes de Tambaco, De consolatione theologie. Eystadii, Mich. Reyser. (Inkunabel.) Fol. — IV. E. c. 18.

Osorii, Hier., episc. Sylvensis, in Gualterum Haddonum, Anglum, de religione libri tres. Ejusd. Epistola ad Elisabetham Angliae Reginam. Acc. recens Chph. Longolii ... non dissimilis argumenti oratio. Dilingae, S. Mayer, 1576. 12º. [Cum indice msc.] — IV. J. n. 16.

[Hermes Trismegistus.] — Pymander Mercurii Trismegisti, cum commento fratris Hannibalis Rosseli, Calabri. Liber V. de elementis et descriptione totius orbis. Asclepius Mercurii Trismegisti, cum commento fratris Hannibalis Rosseli, Calabri ... Liber VI. de immortalitate animae, qui est primus Asclepii. Cracoviae, in off. typogr. Lazari, 1586—90. Fol. 2 voll. — III. T. a. 1/1, 2.

Grotius, Hugo, De veritate religionis christianae ... Amstelaed., H. Wetstenius, 1684. 8º. — IV. G. i. 17.

Abbadie, (Jacob), Traité de la verité de la religion chrétienne. Rotterdam, Reinier Leers, 1689. 12º. I. Theil. — IV. J. i. 16.

Pascal, Pensées de M. — sur la religion ... Acc.: Discours sur les pensées de Mr. Pascal, composé par Mr.

du Bois de la Cour. Amsterd., H. Wetstein, 1699. 8°.
— IV. G. i. 15.

Bagatta, Jo. Bonif., Admiranda orbis christiani. Augustae
Vindelicorum, Jo. Casp. Bencard, 1741. Fol. 2 voll. —
IV. J. a. 8—9.

Jacobi, Joh. Friedr., Betrachtungen über die weisen Ab-
sichten Gottes bey den Dingen, die wir in der menschlichen Gesellschaft und der Offenbarung antreffen.
2. Aufl. Hannover, Förster, 1753. 8°. 3 Bde. — IV. K.
i. 8—10.

Pensées philosophiques d'un citoyen de Montmartre. —
Utimur exemplis. Juv. Sat. VIII. Préface: Puisqu'on
attaque la religion, il doit étre permis de la défendre.
A la Haye, 1756. 8°. — II. N. i. 11/2.

Reimarus, Herm. Sam., Die vornehmsten Wahrheiten der
natürlichen Religion. Vierte verbesserte und vermehrte
Auflage. Hamburg, Johann Carl Bohn, 1772. 8°. — IV.
J. i. 22.

Lessing, G. E., Fragmente des Wolfenbüttel'schen Unge-
nannten, ein Anhang zu dem Fragment, vom Zweck
Jesu und seiner Jünger. Berlin, Arnold Wever, 1788.
8°. — IV. J. i. 12.

Bourdaloue,. Ludw., Gedanken über verschied. Gegenstände der Relig. u. Sittenlehre, aus dem Französischen.
Augsburg, Gebrüder Veith, 1773. 8°. 2 Bände. — IV. G.
h. 3—4.

Hesse, Jo. Gust. Wil., De religione christiana, philosophiae stoicae nec aemula nec patrona, commentatio, quam
magisterii ... philosophici causa ad disputandum proponit. Trajecti ad Viadrum, 1775. — III. J. e. 35.

De la religion par un homme du monde, où l'on examine
les diff. systèmes des sages de notre siècle, et l'on de-
montre la liaison des principes du christianisme avec
les maximes fondamentales de la tranquillité des états.
Paris, Moutard, 1778—79. 8°. 4 voll. — IV. G. k.
12—15.

Trembley, Abrah., Instructions d'un père à ses enfans,
sur la nature et sur la religion. Neuchatel, Sam. Fauche,
1779. 8°. 2 voll. — IV. G. h. 1—2.

Sillery, Marquise de, ci-devant Mad. la Comt. de Genlis,
La religion considérée comme l'unique base du bonheur
et de la véritable philosophie. Orléans, Couret de Villeneuve, 1787. 8°. — IV. K. h. 17.

Necker, De l'importance des opinions religieuses. Liège,
C. Plomteux, 1788. 8°. — IV. K. i. 19. IV. H. i. 3.

Fréret, Oeuvres de —. [A. Nicolas Fréret, victime du des-
potisme dès son debut litteraire, dont tous les ouvrages
tendent à détruire des préjugés, qui engendrent la super-
stition et le fanatisme etc.| A Paris, Jean Serviere, 1792.
8º. 4 voll. — III. N. n. 16—19.

De la Luzerne, Cés. Guill, Instruction pastorale de
Monseigneur l'evêque —, duc de Langres, sur l'excellence
de la religion. Nouv. édition, av. notes. Breslau, Jos.
Kreuzer, 1798. 8º. — IV. K. n. 21. IV. K. i. 22.

Chateaubriand, Franç. Aug., Génie du christianisme,
ou beautés de la réligion chrétienne. V. éd. A Lyon,
Ballanche, 1809. 8º. 5 voll. — III. O. e. 12—16.

Frayssinous, D., Défense du christianisme ou conférences
sur la religion. Seconde édition. Paris, de l'impr.
d'Ad. Le Clerc et Comp., 1825. 8º. 4 voll. — IV. K. i.
11—14.

George, Emil, Die Gefahren und Nachtheile irriger und
und unhaltbarer Vorstellungen in Sachen der Religion.
Ein Wort für unsere Zeit etc. Bromb., L. Levit, 1847.
8º. — II. S. i. 118.

Blum, E., Beweise aus dem alten Testament für die Wahrheit des Christenthums. Posen, W. Decker et Comp., 1852.
8º. — II. S. i. 129.

Einleitung in die Kirchengeschichte.

Bellarminus, Rob., Card., e. S. J., De scriptoribus ecclesiasticis liber unus. Cum adjunctis indicibus undecim et
brevi chronologia ab o. c. usque ad a. 1613. Colon., J.
Chn. Wohlfart, 1684. 4º. — II. M. n. 15/1.

— Insignis libri de scriptoribus ecclesiasticis eminentissimi
cardinalis Bellarmini continuatio ab a. 1500, in quo desinit,
ad a. 1600, quo incipit sequentis saeculi exordium, auctore
Andrea du Saussay, Parisino episcopo etc. Coloniae,
J. Chn. Wohlfart, 1684. 4º. — II. M. n. 15/2.

Blanc, P. S., Cours d'histoire ecclesiastique. I. partie : Introduction à l'étude de l'histoire ecclésiastique, formant
le complément de toutes les histoires de l'église. Paris,
Gaume frères, Sept. 1841. 8º. — IV. J. e. 75.

(Martene et Durand.] Voyage littéraire de deux religieux Benedictins de la congregation de Saint Maur . . .
A Paris, Flor. Delaulne, 1714—1724. 4º. 2 voll. [Avec
figg.] — III. V. d. 24.

Diuisiones decem nationum totius christianitatis. Romae,
Eucharius Silber, alias Franck, 1509. 8º. 4 foll. — II.
G. b. 39/8.

Mythologie u. Religionsgeschichte.

Cérémonies et coutumes réligieuses de tous les peuples du monde, réprésentées par des figures dessinées de la main de Bernard Picart. Avec une explication historique et quelques dissertations curieuses (par Bruzen de la Martinière et autres, rédigées par J. F. Bernard.) Amsterdam, J. F. Bernard.

1. tom. Juifs et Catholiques, 1739.
2. Catholiques, 1739.
3. Grecs et Protestans, 1733.
4. Anglicans, Quakers, Anabaptistes, 1736.
5. Mahometans, 1736.
6. Tome prem., prem., partie: Indes occ. Tome prem., seconde partie: Indiens orient., 1723.
7. Tome second, première p., Banians, 1728 sec. p., Chine et Japon, trois. p., Perses, Gaures etc.
8. Tome septième seconde partie — [première p. fehlt überhaupt, cf. Ebert] Dissertations de Mess. les Abbés Banier et Le Mascrier . . . 1743.
9. (Tome huitième) un parallèle historique des cérémonies religieuses de tous les peuples etc. 1744.
10—11. Superstitions anciennes et modernes: préjugés vulgaires, qui ont induit les peuples à des usages et à des pratiques contraires à la religion. Amsterdam, 1733—1736. Fol. 10 voll., cf. Ebert, 3919. — IV. N. a. 1—10.

Delacroix, Dictionnaire historique des cultes religieux etablis dans le monde depuis son origine jusqu'à présent. Paris, Méricot l'aîné, Couturier Fils, 1779. 8°. 3 voll. [Av. 8 figg.] — IV. J. h. 1—3.

Depuis, Origine de tous les cultes, ou religion universelle. A Paris, H. Agasse, l'an III. (1795.) 4°. 3 voll. — II. C. c. 1—3.

Müller, Max, Essays. Leipz., Wilh. Engelmann, 1872—1881. 8°. 4 Bde. B. I.- II. in 2. Aufl. — VI. D. d. 13—16.

Dulaure, J. A., Des cultes, qui ont précédé et amené l'idololatrie ou l'adoration des figures humaines . . . (. . . du culte des morts, cause immédiate de l'adoration des figures humaines, des fables mythologiques et de mysteres.) Paris, Fournier frères, 1805. 8°. — II. P. e. 9.

Goetzius, Frid. Lebrecht, M., praes., Blumberg, Paul Glieb., resp., Diss. hist. philologica de *IXΘYOΛATPEIAI* Lips., A. Barthelius, 1723, Oct. 30. 4°. Pagg. VIII. usque ad finem desunt. — 990.

Antiquitäten.

Arndius, Josua. Lexicon antiquitatum ecclesiasticarum. Griphiswaldiae, Joach. Wild, 1669. 4⁰. [C. eff. auctoris.] — IV. H. h. 5.

Philonis, Judaei, Alexandrini, Libri antiquitatum. Quaestionum et solutionum in Genesin. De Essaeis. De nominibus Hebraicis. De mundo. (Ed. Jo. Sichardus.) Bas., Adamus Petrus, 1527, m. Augusto. (Latine.) Fol. — IV. K. a. 16.

Arias Montanus, Bened., Hispalens., Antiquitatum Judaicarum libri IX., in quis praeter Judaeae, Hieroso- lymorum et templi Salomonis accuratam delineationem praecipui sacri ac profani gentis ritus describuntur. Lugduni Batavorum, Plantin., 1593. 4⁰. [Cum figg.] — II. T. b. 10.

Medici, Paulus, Ritus ac mores Hebraeorum italico idio- mate refutati, nunc additis quibusdam latine redditi no- tisque hebraicis illustrati a r. p. Nicolao Rosty . . Tyrnaviae, typis acad. Soc. Jesu, 1758. 4⁰. — II G. a. 9.

Allioli, Joseph Franz, Politische, hausliche u. religiöse Alterthümer der Hebraeer. Landshut, von Vogel, 1844. 8⁰. — V. A. d. 7.

Hartmann, A. Th., Die Hebraeerin am Putztische und als Braut . . . Amsterdam, Kunst- und Industrie-Comptoir, 1809—10. 8⁰. 3 Bde. — II. E. k. 21—23.

Braunius, Joh., Palatinus, De vestitu sacerdotum Hebrae- orum. Amstelodami, 1680. 4⁰. [C. figg.] — IV. K. h. 23.

Franzius, Wolfg., Ss. Th. D., Animalium historia sacra. Ed. V. Amstelod., Jo. Janssonius, 1643. 12⁰. — II. G. b. 28.

Bocharti, Sam., Opera omnia, hoc est Phaleg, Canaan, et Hierozoicon, quibus accessere variae dissertationes . . . Praemittitur vita cl. autoris, ab (Stephano) Morino litteris mandata etc. Editio III. Lugd. Bat., C. Boutesteyn, etc. 1692. Fol. 3 voll. — III. Q. c. 10—12.

Zornii, Petri, Historia fisci Judaici sub imperio veterum Romanorum: qua periodi designantur sceptri Judaeorum ablati. Inseritur commentarius in nummum thesauri regii prussici, de calumnia fisci Judaici per Nervam Coc- cejum, imperatorem Romanum, sublata. Praeter supple- menta notarum ad Hecataei Abderitae eclogas passim ad- spersa, subsequitur dissertatio de patriarcharum Judai- corum auro coronario sive canone anniversario in utroque codice, cum indice difficiliorum s. scripturae locorum, qui illustrantur. Altonaviae et Flensburgi, apud Korte fratres, 1734. 8°. — II. M. d. 12/1.

Relandi, Hadriani, De spoliis templi Hierosolymitani in arcu Titiano Romae conspicuis liber singularis . . . Editio nova. Prolusionem de variis Judaeorum erroribus in descriptione hujus templi praemisit notasque adjecit Ern. Aug. Schulze. Traj. ad Rh., J. van Schoonhoven, 1775. 8°. [C. figg.] — IV. R. i. 13.

Walchii, Christ. Guil. Franc., Historia patriarcharum Judaeorum, quorum in libris juris Romani fit mentio. Jenae, Guth, 1752. 8°. — II. M. d. 12/2.

Aringhus, Paulus, Roma subterranea novissima, in qua . . . antiqua Christianorum et praecipue martyrum coemeteria . . . sex libris distincta illustrantur. Lutetiae, Parisior., Fred. Leonard, 1659. Fol. 2 voll. [Cum figg.] — IV. H. c. 3.

Scherer, Teodor Hr., Pogaństwo i chrześciaństwo uważane w jego pomnikach starego i nowego Rzymu, przełożył ks. M. O(suchowski?) Leszno, Ernest Günther, 1856. 8°. — V. A. m. 38.

Du Pin, Lud. Ellies, De antiqua ecclesiae disciplina dissertationes historicae, excerptae ex conciliis oecumenicis et sanctorum patrum ac auctorum ecclesiasticorum scriptis. Coloniae Agr., sumptibus Huguetanor., 1691, 4°. — IV. J. g. 15/1.

Cave, William, Erstes Christenthum, oder Gottesdienst der alten Christen in den ersten Zeiten des Evangelii, aus dem Englischen übersetzt. Leipzig, J. Thomas Fritsch, 1694. 8°. — IV. J. h. 7.

Martini, Geo. Henr., De thuris in vet. Christ. sacris usu. Lips., Stopffel, 1752, Sept. 23. 4°. — 890.

Heilmann, .Jo. Dav., Commentatio historico-critica de scholis priscorum Christianorum theologicis . . . Rintelii, J. G. Enax, 1754, April 27. 4°. — 898.

Ferrarii, Franc. Bern., Ambrosiani Collegii Doct., De antiquo ecclesiasticarum epistolarum genere libri tres. Mediolani, P. M. Locarn. et Jo. Bapt. Bidellus, 1613. 8° — IV. H. i. 20.

Jacutii, Matth., Benedictini, Syntagma, quo adparentis magno Constantino crucis historia complexa est universa, ac suis ita ab omnibus non priscis modo, quam nuperrimis osoribus vindicata . . . Romae, Venantius Monaldinus, 1755. 4°. — III. F. d. 24.

Allatii, Leonis, De solea veteris ecclesiae. De liturgia S. Jacobi. De communione sub specie una. De lignis

s. crucis. V. Allatii, L. *CYMMIKTA* sive opuscula.
Venet., 1733. Fol. — II. T. c. 6/4.

Lipsii, Justi, De cruce libri tres. Editio IV. Antv., ex
off. Plantiniana, ap. Jo. Moretum, 1599. 4º. [Cum figg.]
— IV. H. g. 24.

— idem opus. Antverpiae, ex off. Plantiniana, ap. Jo. Moretum, 1606. 4º. — III. F. e. 24.

Schurzfleisch, Conr. Sam., Tmemata, quibus primi
Christianorum imperatoris antiquitates illustrantur. Lps.,
N. Scipio, 1698. 4º. — III. C. c. 21/66.

Inchoferi, Melchioris, De eunuchismo dissertatio, ad
clarissimum virum Leonem Allatium. V. Allatii, Leonis,
CYMMIKTA s. opuscula. Venet., 1733. Fol. — II. T. c. 6 4.

Allgemeine Kirchengeschichte.

Die kirchengeschichtlichen Werke der Kirchenväter s. unter
diesen. Siehe auch Bd. III. S. 404.

Autores historiae ecclesiasticae recogn. ... per Beatum
Rhenanum. Basileae, Froben, 1535. Fol. — IV. H. b. 12.

— id. op. Basileae, Froben, 1564. Fol. — IV. G. a. 6.

Pantaleon, Henr., Chronographia ecclesiae christiane ...
Basileae, Nicol. Brylinger, 1551. Fol. — IV. H. a. 4.

— id. op. ibid. 1561. Fol. — III. J. a. 9/1.

Eysengreinei, Guilielmi, de Nemeto, Spirensis,
Centenarii XVI., continentes descriptionem rerum memorabilium in orthodoxa et apostolica Christi ecclesia gestarum, ... adversus novam historiam ecclesiasticam,
quam Matthias Flacius Illyricus et ejus collegae Magde-
burgici ... aediderunt. Centenarius I. et II. Ingolstadii,
A. et S. Weissenhorn, 1566—1568. Fol. 2 voll. — III.
K. d. 1.

Authores, De illustribus ecclesiae scriptoribus — praecipui
veteres. partim antea excusi, partim nunc demum in lucem
editi ... opera Suffridi Petri Leouardiensis Frisii, V. J. L.
1. Gennadii, Massiliensis presbyteri, opus de viris illustribus.
2. D. Hieronymi, Stridonensis presbyteri, opus de viris
illustribus.
3. B. Isidori, Hispalensis Episcopi, de viris illustribus.
4. D. Honorii, Augustodunensis presb., De luminaribus
ecclesiae sive de scriptoribus ecclesiasticis ... liber.
5. Sigeberti, monachi Gemblacensis, Liber de viris illustribus.
6. Henricus de Gandauo, De viris illustribus.
Coloniae, M. Cholinus, 1580. 8º. — IV. G. i. 24.

Baronius, Caesar, Annales ecclesiastici . . . Coloniae
Agrippinae, Jo. Gymnicus et Anton. Hieratus, 1609—1613.
Fol. 12 voll. — IV. G. d. 3—8.
— Annales ecclesiastici.
Tom. I. Col. Agr., Ant. Hieratus, 1624.
Tom. II.—XII. ibid., J. W. Friesse, 1685.
Tom. XIII.—XX. Odorici Raynaldi continuatio anna-
lium Caesaris Baronii.
Col. Agr., J. W. Friesse, 1691—93. Fol. 20 voll. —
IV. G. e. 1—11.

S. **Sulpicii Severi, Aquitani, Bituric. archiep.,**
Historiae sacrae . . . libri duo. Acc. ejusd. auctoris reliqua, quotquot extant, opera. Coloniae, Ant. Hierat, 1610.
12°. — IV. J. n. 20/1.

D. **Haymonis,** Halberstattensis, Historiae sacrae epitome,
sine de Christianarum rerum memoria libri decem. Adjunctae Petri Galesini notationes . . . Coloniae, A. Hierat,
1610. 12°. — IV. J. n. 20 2.

Scoglii, Joannis Horatii, Cathacensis, A primordio
ecclesiae historia, cum chronologia ab o. c. ad a. dn.
1640. Romae, Manelphus Manelphii, symptibus Hermanni
Scheus, 1642. 4°. — IV. G. m. 13. II. M. n. 26.

Hornii, Georgii, Historia ecclesiastica et politica. Editio
nova. Lugd. Bat. et Roterod., ex officina Hackiana, 1666.
12°. — IV. K. b. 21.

Basnage, Histoire de l'église depuis Jésus-Christ jusqu'à
présent, divisée en quatre parties. Rotterdam, Reinier
Leers 1699. Fol. 2 voll. — II. U. f. 3—4.

Jaegerus, Jo. Wolfg., Historia ecclesiastica cum paral-
lelismo profanae, in qua conclavia pontificum Romanorum
fideliter aperiuntur, et sectae omnes recensentur . . . ab
anno 1600 usque ad annum 1710. Hamburgi, typis Ch. A.
Pfeifferi, 1709. Fol. 2 voll. [Cum effigie auctoris.] — II.
T. f. 14.

Fleury, Abbé, Histoire ecclésiastique. Vol. 1—20. (1411),
continuée par le P. Fabre. Vol. 21—36 (1595).
1—20. vol. Paris, Emery, Saugrain, P. Martin, 1719
—1725.
21—30. ibid. H. L. Guerin, 1726 31.
31—34. ibid. Emery, Saugrain, P. Martin, 1733—34.
35—36. P. A. Martin, 1737 43.
37. Table générale des matières. Paris, Desaint et Saillant etc., 1758. 4°. 37 voll. — II. T. g. 1—27, h. 1—10.

Le Sueur, Histoire de l'église et de l'empire depuis la
naissance de Jésus-Christ jusqu'à la fin du X. siècle.

Tome III.—VII. (IV.—IX. siècle.) Amsterdam, Pierre Mortier, 1730. 4°. 5 voll. — IV. K. g. 9—11.

Pictet, Bened., Histoire de l'église et du monde, pour servir de continuation à l'histoire de l'église et de l'empire de Mr. Le Sueur. Amsterdam, P. Mortier, 1730—32. 4°. 3 voll. — IV. G. g. 5—6. IV. K. g. 7—8.

Thomasius, Chn., Historia sapientiae et stultitiae. Halae Magd., Chph. Salfeld. 8°. Tom. I. (II. et III. desunt.) — IV. J. i. 21.

Berti, Jo. Laur., Ecclesiasticae historiae breviarium. Editio post secundam Venetam . . . prima in Germania. Wirceburgi, J. J. Stahel, 1762. 8°. 2 voll. — IV. J. m. 14.
— Ecclesiasticae historiae breviarium. Bassano, Remondini, 1767. 8°. — IV. H. h. 6.

Mosheim's, Joh. Lor. von, Vollständige Kirchengeschichte des neuen Testaments, aus dessen gesamten lateinischen Werken frey übersetzt . . . u. hrsg. von Joh. Aug. Chph von Einem. Leipz., Weygand, 1769—78. 8°. 9 Bde. — II. F. f. 31—38.

Fleury, Claude, Discorsi sopra la storia ecclesiastica di monsignor --, tradotti dal francese. In Venezia, Ant. Zatta, 1772. 12°. 2 voll. — IV. H. i. 14.

Epitome historiae ecclesiasticae novi testamenti. Vratislaviae, typis universitatis, 1793. 8°. — IV. G. h. 26.

Stolberg, Friedr. Leop. Graf zu, Geschichte der Religion Jesu Christi. II. Ausg. Wien, C. Gerold, 1818. 8°. 15 Bde. Fortgesetzt von F. v. Kerz. Wien, J. B. Wallishausser, 1825—33. 8°. 11 Bde. (in 9 geb.) Acc. 2 Bde. Universal-, Real-, Personal- u. geogr.-Register zu Band 1—15 von Joseph Moritz. Wien, 1825. 26 Bde. — IV. K. k. 1—26.

Rohrbacher, Abbé, Universalgeschichte der katholischen Kirche. Münster, Theissing, 1860—79. 8°. Band I.—X., XV.—XVI., XXIV. — V. I. k. 1—24.

Alzog, Joh., Handbuch der Universalkirchengeschichte. Achte verm. u. umgearb. Aufl. [Mit 2 chronolog. Tabellen und 2 kirchlich-geograph. Karten.] Mainz, Florian Kupferberg, 1866—67. 8°. 2 Bde. — V. D. i. 4—5.

Hase, Karl Aug., Kirchengeschichte, Lehrbuch zunächst für akademische Vorlesungen. Zweite, verbess. Auflage. Leipzig, Breitkopf und Hartel, 1877. 8°. XXII., 774. — V. G. i. 39.

Hergenröther, J.. Handbuch der allgemeinen Kirchengeschichte. Freiburg im Br., Herder, 1879—80. 3 Bde. 8°. — VI E. b. 6—8.

Miracus, Aubertus, Notitia episcopatuum orbis christiaui, in qua christianae religionis amplitudo elucet. Antv., ex off. Plantiniaua apud viduam et filios Jo. Moreti, 1613. 8°. — IV. J. k. 4.

— Politiae ecclesiasticae sive status religionis christianae per Europam, Asiam. Africam et Orbem Novum, libri IV. Lugd., A. Pillehotte, 1620. 12°. — IV. K. m. 25.

Carolus, Andreas, Abbas San-Georgianus in Ducatu Wirtembergico, Memorabilia ecclesiastica seculi a nato Christo XVII. juxta annorum seriem notata et convenienti ordine digesta. Tom. I. 1600—1649. Tom. II., 2. 1670—89. (Tom., II., 1. deest.) Tubg., J. G. Cotta, 1699. 4°. 2 voll. — IV. H. k. 1.

Duellii, Raimundi, Miscellaneorum, quae ex codicibus mss. collegit, liber I. et II. Aug. Vind. et Graecii, Ph., M. et J. Veith, 1723—24. 4°. 2 voll. — III. M. c. 7.

Quellenschriften.

Monumenta spectantia ad unionem ecclesiarum graecae et romanae, majorem partem e sanctioribus Vaticani tabulariis edita ab Augustino Theiner et Francisco Miklosich. [Cum tabula.] Vindobonae, Guilelmus Braumuller, 1872. 8°. — V. K. e. 14.

Frontonis, Jo., Epistolae et dissertationes ecclesiasticae, calendarium romanum nongentis annis antiquius, et Ivonis Carnotensis vita, cum praefatione Joan. Alberti Fabricii. Hamburgi, Christian Liebezeit, 1720. 8°. [M. d. Bildn. d. Verf. in Kpfr.] — IV. J. i. 19.

Additamentum ad Mariani Scotti chronicon. [V. Mon. Germ. hist. Script. tom. XIII., p. 72.] — V. K. c. 10.

Orderici Vitalis Historia ecclesiastica (excerpta). [Vide Monum. Germ. hist. Script. tom. XX., p. 50.] — V. K. c. 1.

Series episcoporum et abbatum Germaniae. [V. Monum. Germ. hist. Script. tom. XIII., p. 281—392.] — V. K. c. 10.

Chronica minora saeculi XII. et XIII. [V. Monum. Germ. hist. Script. tom. XXIV., p. 88—288.] — V. K. c. 8

Scriptores rerum Francogallicarum (excerpta) saec. XII. et XIII. [V. Monum. Germ. hist. Script. tom. XXVI.] — V. K. c. 11.

Chronicon rhythmicum Austriacum (saec. XIII) [Vide Monum. Germ. hist. Script. tom. XXV., p. 349—368.] — V. K. c. 9.

Trudperti, S., Annales, — a. 1246. [V. Monum. Germ. hist. Script. tom. XVII., p. 285.] — V. J. c. 17.

Gotifredi Viterbiensis Opera cum continuationib. et additament. [V. Monum. Germ. hist. Script. tom. XXII,
p. 1—376.] — V. K. c. 5.

Balduini Ninoviensis chronicon (saec. XIII.) [V. Monum.
Germ. hist. Script. tom. XXV., p. 515—556.] — V. K. c. 9.

Johannis de Thilrode, Chronicon et Notae Gandavenses.
(Saec. XIII.) V. Monum. Germ. hist. Script. tom. XXV.,
p. 557—586.] — V. K. c. 9.

Sifridi, presbyteri de Balnhusin, Historia universalis et
compendium historiarum. [V. Monum. Germ. hist. Script.
tom. XXV., p. 679—718.] — V. K. c. 9.

Georgii in Nigra Silva, S., Annales, 613—1308. [Vide
Monum. Germ. hist. Script. tom. XVII., p. 295.] — V.
J. c. 17.

Einzelne Theile der Kirchengeschichte.

Plehwe, Ueber die Christenverfolgungen in den drei ersten
Jahrhunderten. Posen, L. Merzbach, 1866. 4°. — V.
D. f. 2/13.

Remond, Florimundus de, u. Aegidius Albertinus,
Historia von Ursprung, Auff- und Abnehmen der Ketze-
reyen. Gross-Glogau, Erasmus Rösner 1676. Fol. 2 Bde.
[M. Kpfrn.] — IV. J. a. 11.

Baumgarten, Siegm. Jac., Abriss einer Geschichte der
Religionsparteien, oder gottesdienstlichen Gesellschaften
und derselben Streitigkeiten sowohl, als Spaltungen
ausser und in der Christenheit. Halle, J. J. Gebauer,
1755. 8°. — IV. K. i. 18.

Vadiani, Joach., v. nob., Sanct-Gallensis consulis, De
primitivae ecclesiae statu seu Christianismi aetatibus
liber imperfectus. V. Goldasti, M. H., Alamannicarum
rerum scriptt. tomus III. Francof., 1606. Fol. — II.
N. a. 17.

Beausobre, M. de, Histoire critique de Manichée et du
manichéisme. Amsterd., J. F. Bernard, 1734—1739. 4°.
2 voll. — II. C. c. 4—5.

Usserius, Jac., Britannicarum ecclesiarum antiquitates,
quibus inserta est pestiferae adversus dei gratiam a Pe-
lagio Britanno in ecclesiam inductae haereseos historia.
Accedit gravissimae quaestionis de christianarum ecclesiarum successione et statu historica explicatio. Londini,
Bonj. Tooke, 1678. Fol. — II. C a. 15.

Maimbourg, Louis, Histoire du schisme des Grecs. Paris,
S. Mabre-Cramoisy, 1686. 4°. — IV. K. g. 14.

Maimbourg, Louis, Histoire de l'hérésie des iconoclastes et de la translation de l'empire aux François. 4 édition. Paris, Sebastian Mabre-Cramoisy, 1683. 8°. 2 voll. — IV. G. i. 1—2.

Majoli, Simonis, Astensis, episcopi Vulturariensis, Historiarum totius orbis omniumque temporum pro defensione sacrarum imaginum adversus Iconomachos libri seu centuriae sexdecim. Romae, in aedibus populi Romani, 1585. 4°. — II. O. m. 8.

Orthodoxorum invectica adversus Iconomachos. Ex ms. cod. Vide Historiae Byzantinae scriptores post Theophanem. Parisiis, in Typogr. Regia, 1685. Fol. — II. T. c. 4/4.

Joannis, Hierosolymitani Narratio de Iconomachis. Ex ms. cod. V. Historiae Byz. scriptt. post Theophanem. Parisiis in Typogr. Regia, 1685. Fol. — II. T. c. 4/5.

Boileau, l'Abbé, Histoire des flagellans, où l'on fait voir le bon et le mauvais usage des flagellations parmi les chrétiens . . . Amsterd., Franç. van der Plaats, 1701. — IV. G. i. 7.

Histoire des Camisards . . . Londres, Moise Chastel, 1744. 8°. 2 voll. — III. K. k. 7.

Chapeaville, Jo., Tractatus historicus de prima et vera origine festivitatis sacratissimi corporis et sanguinis Domini, ejus progressu et gratiis, priuilegiisque, quibus postmodum summi pontifices eam decorarunt, ex authenticis historiis et documentis collectus . . . V. Chapeaville, Jo., Gesta pontificum Tungrensium, Trajectensium et Leodiensium, Leodii, 1612. 4°. Tom. II. — II. O. m. 1/12.

Limborch, Philippi a, ss. theol. inter remonstrantes professoris, Historia inquisitionis, cui subjungitur liber sententiarum inquisitionis Tholosanae ab anno 1307 ad annum 1323. Amstelod., apud Henr. Wetstenium, 1692. Fol. — [Cum figg.] — II. N. a. 16.

Relation de l'inquisition de Goa. Paris, Daniel Horthemels, 1688. 12°. — III. K. k. 17.

Cramer, Hr. Mth. Aug., Briefe über Inquisitionsgerichte und Ketzerverfolgung in der römischen Kirche, 1792—1793. 8°. 2 Bde. — II. F. e. 13 –14.

Lavallée, Joseph, Histoire des inquisitions religieuses d'Italie, d'Espagne et de Portugal depuis leur origine jusqu'à la conquête de l'Espagne. Paris, Capelle et Renard, 1809. 8°. 2 voll. [Av. figg.] — III. K. e. 17 -18.

Hoffmann, Fridolin, Geschichte der Inquisition, Einrichtung und Thätigkeit derselben in Spanien, Portugal,

Italien, den Niederlanden, Frankreich, Deutschland, Süd-
Amerika, Indien und China, nach den besten Quellen
allgemein fasslich dargestellt. Bonn, P. Neusser, 1878.
8°. 2 Bde. — V. J. h. 43—44.

Rigaut, Histoire de l'estat présent de l'église grecque et de
l'église armenienne, trad. de l'anglais par M. de Rose-
mond. Middelbourg, G. Horthemels, 1692. 12°. — IV.
G. i. 12/1.

Simon, Richard, Histoire critique des dogmes, des con-
troverses, des coutumes et des cérémonies des chrétiens
orientaux. A Trevoux, Louis Ganeau, 1711. 8°. — II.
M. k. 22.

Le Quien, Mich., Oriens Christianus, in quatuor patriarchatus digestus; quo exhibentur ecclesiae, patriarchae,
caeterique praesules totius orientis. Opus posthumum.
Parisiis, ex Typographia Regia, 1740. Fol. — II. T.
d. 18—20.

Le Gobien, Charles, de la comp. de Jes, Histoire de
l'édit de l'empereur de la Chine en faveur de la réligion
chrestienne, avec un eclaircissement sur les honneurs,
que les Chinois rendent à Confucius et aux morts. Paris,
J. Anisson, 1698. 8°. — III. M. h. 13.

(Versteganus, Richardus,) Theatrum crudelitatum haereticorum nostri temporis. Antverpiae, apud Adrianum
Huberti, anno 1592. 4°. [C. figg.] — IV. G. g. 13.

Beda Venerabilis, Ecclesiastica historia Anglorum. Vide
Eusebii Eccles. historia. Argent., 1500. Fol. — IV. K.
g. 15/2.

Adami Bremensis, Historia ecclesiastica. Lindenbrogii,
Erp., Scriptt. septentrionales. Hamb., 1706. Fol. — II.
C. b. 12.

— Historiae ecclesiasticae libri I., capita XXXII. notis Ottonis Sperlingii illustrata. Westphalen, E. J. de, Monum.
ined. rer. Germ. Tom. II. Lips., 1740. Fol. — II. U. g. 2/3.

— Historia ecclesiastica, religionis propagatae gesta, ex
Hammaburgensi potissimum atque Bremensi ecclesiis per
vicina septentrionis regna libris IV. repraesentans, cum
aliis antiquis monumentis, partim nunc primum edidit
Joach. Joh. Maderus. Helmaestadii, H. Müller, 1670. 4°.
— II. P. d. 5/3.

Feustkingii, Chn. Frid., Observationes ad M. Adami
historiam ecclesiasticam, ex editione Joach. Jo. Maderi,
Helmstadii, 1670. V. Westphalen, E. J. de, Monum.
ined. rer. Germ. Tom. III. Lips., 1743. Fol. — II.
U. g. 3/10.

Remedius, Curiensis episcopus, Alamanicae ecclesiae veteris canones ex pontificum epistolis excerpti — jussu Karoli Magni, Regis Francorum et Alamannorum. V. Goldasti, M. H., Alamannicarum rerum scriptt. tomus II. Francof., 1606. Fol. — II. N. a. 17.

Caussinus, Nicol., soc. Jesu sacerd. Aula Herodis impia Theodosii junioris pia et Caroli Magni castra impietatis victricia, gallice conscripta nunc primum in latinum idioma versa per P. Henricum Lamormain, Soc. Jes. Coloniae Agrippinae, ap. Jo. Kinchium, 1643. 8°. — III. O. o. 2.

Carafa, Caroli, episcopi Aversani, Commentaria de Germania sacra restaurata sub summis P. P. Gregorio XV. et S. D. N. Urbano VIII., regnante . . . Ferdinando Secundo. Tom. II. Decreta diplomata privilegia aliqua ex multis, quae in favorem religionis catholicae et catholicorum in Germania emanarunt ab anno 1620 usque ad annum 1629 ex cancellaria aulica imperii nec non ex cancellariis . . . provinciarum, quae sunt haereditariae domus Austriacae et ex cancellaria camerae aulicae. — Colon. Agr., Corn. ab Egmond, 1639. 8°. -- III. O. o. 8.

Rudelbach, A. G., Hieronymus Savonarola und seine Zeit, aus den Quellen dargestellt. Hamburg, Friedr. Perthes, 1835. 8°. — V. G. d. 17.

Villari, Pasquale, Geschichte Girolamo Savonarola's und seiner Zeit, nach den Quellen dargestellt, unter Mitwirkung des Verfassers aus dem Italienischen übersetzt von Moritz Berduscheck. Leipzig, F. A. Brockhaus, 1868. 8°. 2 Bde. — V. K. f. 19.

Collectio brevium atque instructionum sanctae sedis apostolicae de calamitatibus ecclesiae Gallicanae. 1797. 8°. 2 voll. — IV. G. k. 44—45.

De la Luserne, Mandatum pastorale . . . de schismate Gallico. Ed. Petitjean, jussu primatis et archiepisc. Poniatowski. Varsaviae, P. Dufour, 1794. 4°. Lat.-frç. — IV. G. h. 19.

Correspondance authentique de la cour de Rome avec la France depuis l'invasion de l'état romain jusqu'à l'enlèvement du souverain pontife, suivie des pièces officielles, touchant l'invasion de Rome par les Français et les lettres de N. S. le Pape Pie VII. au cardinal Maury et à M. Evrard. Paris, Saintmichel, 1814. 8°. — II. C. h. 8.

Pradt, M. de, Les quatre concordats, suivis de considérations sur le gouvernement de l'église en général et sur

l'église de France en particulier depuis 1515. A Paris,
F. Béchet, 1818. 8º. 3 voll. — II. D. f. 13—15.

La Mennais, M. F. de, Affaires de Rome. Bruxelles,
Hauman et Cie., 1837. 12º. — II. M. l. 35.

Die auf die christkathol. Bewegung bezüglichen Schriften,
s. Bd. III., 209 ff.

Mejer, Otto, [Justinus] Febronius. Weihbischof Joh. Nie.
von Hontheim und sein Widerruf. Mit Benutzung hand-
schriftlicher Quellen dargestellt. Tübingen, H. Laupp.
1880. 8º. — VI. E. c. 17.

Rolfus, Herm., Kirchengeschichtliches in chronologischer
Reihenfolge von der Zeit des letzten vaticanischen Concils bis auf unsere Tage, mit besonderer Berücksichtigung der kirchenpolitischen Wirren. Mainz, Florian
Kupferberg, 1877 — 1879. 8º. Bd. I.—III. — V. I. i.
36—38.

Hahn, Ludw., Geschichte des „Kulturkampfes" in Preussen,
in Aktenstücken dargestellt. Berlin, Wilh. Hertz. 1881.
8º. — VI. E. c. 18.

Geschichte der ev. Kirche.

Merle d'Aubigné, J. H., Histoire de la réformation du
seizième siècle ... 4. édition. Bruxelles, A. Wahlen
et Cie., 1843. 8º. — IV. K. e. 18.

Maimbourg, Histoire du Calvinisme. Paris, S. Mabre
Gramoisy, 1682. 12º. — IV. G. i. 27.

Wesenbecii, Petri, JC., Oratio de Waldensibus et Albi-
gensibus Christianis ao. 1585 habita in acad. Jenensi ...
Servestae, J. Schleer, 1603. 4º. — IV. C. i. 17·5.

Seckendorf, le baron de, Abrégé de l'histoire des églises Esclavonnes et Vaudoises. A Basle, 1785. 8º. — II.
P. i. 22.

Tillet, Jehan du, Sommaire de l'histoire de la guerre
faicte contre les heretiques Albigeois, extraicte du Trésor
des Chartres du Roy par fey —. Paris, R. Nivelle.
1590. 8º. — II. N. g. 15/1.

Histoire des Vaudois ou des habitans des vallées occidentales du Piémont, qui ont conservé le christianisme
dans toute sa pureté et à travers plus de trente persé-
cutions. A Paris, Leclerc, 1796. 8º. 2 voll. — II.
P. g. 13.

Lechler, Gotthard, Johann von Wiclif und die Vorge-
schichte der Reformation. Leipzig, Fr. Fleischer, 1873.
8º. 2 Bde. — V. K. f. 24—25.

Conaeus, Georgius, De duplici statu religionis apud Scotos libri duo. Romae, typis Vaticanis, 1628. 4°. — IV. G. n. 4.

Stuarts, Gilbert, Geschichte der Reformation in Schottland, aus dem Englischen. Altenburg, Richter, 1786. 8°. — III. J. h. 14.

Poli, Reginaldi, cardinalis, De concilio liber. Romae, apud Paulum Manutium Aldi F., 1562. 4°. Pag. 59—64. Ejusd. De baptismo Constantini Magni, imperatoris, quaestio. — IV. G. k. 3/1.

— Reformatio Angliae, ex decretis —, sedis apostolicae legati, anno MDLVI. Romae, apud Paulum Manutium Aldi F., 1562. 4°. (Unvollständig.) — IV. G. k. 3/2.

Narratio eorum, quae in proximo anglicano conventu, Londini habito, inter reges, cardinalem Polum, proceres populumque de religione pristina restituenda acta sunt ... V. Schard, Sim., Historic. opus. T. II., p. 1891. Fol. — III. Q. b. 29.

Unger, C. R., Thomas Saga Erkibyskups, fortaelling om Thomas Becket, erkebiskop af Canterbury, to bearbeidelser samt fragmenter af en tredie, efter gamle haandskrifter udgiven. Christiania, B. M. Bentzen, 1869. 8°. [Mit 2 Facsimilientafeln.] — V. D. c. 19.

Cochlaeus, Jo., Canonicus Vratislavicensis, Historiae Hussitarum libri duodecim, quibus adjuncti sunt duo de septem sacramentis et de caeremoniis ecclesiae tractatus duorum Bohemorum, Jo. Rokyzanae et Jo. Przibram, cum philippica septima Jo. Cochlaei, de publica Caroli V. ordinatione, quae vulgo Interim dicitur. Apud S. Victorem prope Moguntiam ex offic. Francisci Behem, 1549. Fol. — IV.' H. a. 4.

Loserth, J., Beiträge zur Geschichte der husitischen Bewegung. Wien, in Commiss. bei Karl Gerold's Sohn, 1877—78. 8°. 2 Thle. [I. Thl.: Der Codex Epistolaris des Erzbischofs von Prag, Joh. von Jenzenstein. II. Thl.: Der Mag. Adalbertus Ranconis de Ericinio.] — V. I. i. 18.

Bezold, Friedrich von, Zur Geschichte des Husitentums, culturhistorische Studien. München, Theodor Ackermann, 1874. 8°. — V. J. e. 26.

— König Sigmund und die Reichskriege gegen die Hussiten bis zum Ausgang des dritten Kreuzzuges. II. Abth. 1423—28. München, Th. Ackermann, 1872—75. 8°. — V. G. h. 35.

Palacky, Franz, Urkundliche Beiträge zur Geschichte des Hussitenkrieges in den Jahren 1419—1436. Prag, Fr. Tempsky, 1873. 8°. 2 Bde. — VI. D. d. 1—2.

L   2

Gindely, Anton, Geschichte der böhmischen Brüder, Prag, Carl Bellmann, 1857, Band II. bei Friedr. Tempsky, 1868. 8°. 2 Bde. — V. G. h. 20—21.

Hausen, Histoire des protestans en Allemagne. Tome I. Avec les pièces justificatives et les documens. A Halle, J. J. Curt, 1767. 8°. — II. N. e. 18.

Seckendorf, le Baron de, Histoire de la réformation de l'église chrétienne en Allemagne, abrégée par M. M. Junius et Roos, et traduite en françois par J. J. P., suivie d'un abrégé de l'histoire des anciennes églises Esclavones et Vaudoises. A Basle, 1784—85. 8°. 5 voll. — — II. P. i. 18—22.

Marheineke, Phil., Geschichte der teutschen Reformation. Zweite verbesserte u. vermehrte Aufl. Berlin, Duncker u. Humblot, 1831—34. 8°. — V. G. k. 20—23.

Chytraeus, David, Historia Augustanae confessionis . . . Francof. ad M., Paulus Reffeler, imp. Sigism. Feierabend, 1578. 4°. — IV. G. g. 11.

Löscher, Valentin Ernst, S. Th. D., Ausführliche Historia motuum zwischen den Evangelisch-Lutherischen und Reformirten. Nebst einer friedfertigen Anrede an die reformirten Gemeinden in Teutschland. Franckfurt u. Leipz., Joh. Grossens sel. Erben, 1723—24. 4°. 4 Thle. in 1 Bde. — II. P. b. 17/1.

— Gründl. u. ausführl. Bedencken, die intendirende Vereinigung der evangelisch-lutherischen mit der reformirten Religion betreffend . . . Von Einem Liebhaber der Göttlichen Wahrheit und des Gottgefälligen Friedens, Politischen Ordens. Leipz., Joh. Grossens sel. Erben, 1725. 4°. — II. P. b. 17/2.

Acta formulae concordiae in Bergensi coenobio prope Magdeburgum . . . anno 1577 mensibus Martio et Majo revisae, ex D. Leonh. Hutteri concordia concorde, rev. D. Seb. Goebelii programmate ad jubilaeum rite celebrandum, Gothofredi Arnoldi sic dicta haereticorum historia, et D. Saccii concione funebri, rev. abbati Petro Ulnero habita; quibus est annexa oratio de ortu, incrementis ac fatis variis antiquissimi clarissimique coenobii Bergensis. Francof. ad M., Chn. Gensch, 1707. Fol. — III. J. c. 8/11.

Krohn, Barthold Nicol., Geschichte der fanat. u. enthusiast. Wiedertäufer, vornehmlich in Niederdeutschland. Melchior Hofmann u. die Secte d. Hoffmannianer. Nebst einem Schreiben . . . Dr. Jac. Wilh. Feuerleins an den Vf. Leipz., B. Ch. Breitkopf, 1758. 8°. [Mit. d. Bildn. M. Hofmanns.] — IV. G. h. 25.

Keller, Ludwig, Geschichte der Wiedertäufer und ihres Reichs zu Münster, nebst ungedruckten Urkunden. Münster, Coppenrath, 1880. 8°. — V. K. b. 23.

Corvinus, Antonius, De miserabili Monasteriensium anabaptistarum obsidione, excidio, . . . regis Knipperdollingi ac Krechtingi confessione et exitu libellus. V. Schard, Sim., Historic. opus. T. II., p. 1332. Fol. — III. Q. b. 29.

— De miserabili Monasteriensium anabaptistarum obsidione, excidio, memorabilibus rebus tempore obsidionis in urbe gestis, regis Knipperdollingi ac Krechtingi confessione et exitu libellus, ad Georgium Spalatinum scriptus. V. Opus historiarum. Basileae, 1541. 8°. 234 - 262. — II. F. m. 2/6.

— idem opus. Schardius redivivus, 1673. II., p. 314. Fol. — II. M. a. 2/43.

Hortensius Lambertus, Montfortius, Tumultuum anabaptistarum liber I. V. Schard, Sim., Historic. opus. T. II., p. 1305. Fol. — III. Q. b. 29.

— idem opus. Schardius redivivus, 1673. II., p. 298. Fol. — II. M. a. 2/42.

Kerssenbroch, Hermanni a, Narratio de obsidione Monasteriensi seu de bello anabaptistico ... V. Mencken, J. B., Scriptt. rer. germ. Lips., 1728. Fol. Tom. III., p. 1504. — II. P. c. 19/23.

Concordata principum nationis Germanicae, cum argumentis siue summariis jam jam additis. — Exhortatio patris ad filium sacerdotem, ut beneficiis ad status sui honestatem sufficientibus contentus sit. Anno M. D. XIII. [Holzschnitteinfassung.] Excussum Argentinę per Renatum Beck, Ciuem Argentinensem, Anno 1513. 4°. — III. N. c. 19/2.

[Legatio.] In hoc libello pontificii oratoris continetur legatio, in conuentu Norembergensi, anno M. D. XXII. inchoato, sequenti uero finito, exposita, una cum instructione ab eodem legato consignata: nec non responsione caesareae majestatis ac reliquorum principum et procerum nomine reddita. Insunt et grauamina Germanice nationis iniqnissima centum, huic, nullo pacto ulterius a Romano pontifice et spiritualibus, ut uocant, toleranda, a laicis, principibus et imperii primatibus literis mandata ac summo pontifici transmissa. Demum, quum in responsione prefata sępius annatarum mentio fiat, opera precium fuit, addere, quam ingens et uix credenda pecunia non solum a Germanis archiepiscopis, episcopis et praelatis, sed omni christiano orbe Romae persoluatur, ut inde

2*

intelligi possit, quam praestet, tantam auri uim in Germania retinere ac in communae (sic) utilitatis commodum
vertere, quam ita perdere et ad malos et indecentes usus
Romam mittere ... Anno 1524. Impressum per me P.
Quentell. 4⁰. — III. N. c. 1901.

Georgii, (Joris), Davidis, Hollandi haeresiarchae, vita
et doctrina, quandiu Basileae fuit, tum quid post ejus
mortem ... actum sit, per rectorem et academiam Basiliensem ... conscripta. V. Schard, Sim., Historic. opus.
T. III., p. 1975. Fol. — III. Q. b. 30.

Pineton de Chambrun, Jacques, Les larmes de, qui
contiennent les persecutions arrivées aux églises de la
principauté d'Orange depuis l'an 1660 ... A La Haye
Henry van Bulderen, 1688. 12⁰. — III. K. k. 17/1.

Ruchat, Abrah., Histoire de la réformation de la Suisse.
1516—1556. Genève, M. M. Bousquet et Comp., 1727—28.
8⁰. 6 voll. — III. L. h. 1—5, 1, 2.

Eclaircissemens historiques sur les causes de la révo-
cation de l'édit de Nantes et sur l'état de protestants en
France, depuis le commencement du règne de Louis XIV.
jusqu'à nos jours, tirés des différentes archives du gouvernement ... 1788. 8⁰. 2 voll. — II. T. f. 8—9.

Leland, John, Abriss der vornehmsten deistischen Schriften,
a. d. Engl. übers. von Heinr. Glieb. Schmid. Hannover,
Joh. Wilh. Schmid, 1755. 8⁰. 2 Bde. — IV. K. i. 6—7.

Kirchen- und Ketzeralmanach auf das Jahr 1786 oder
Musterliste über das theologische Freycorps, aus dem
Kirchen- und Ketzeralmanach aufs Jahr 1781, heraus-
gegeben vom Hauppastor **** in H. Orthodoxiopel. im
Verlag d. theologischen Militairschule. 8⁰. — II. N. h. 10 2.

Hausrath, A., — David Strauss und die Theologie seiner
Zeit. Heidelberg, Fr. Bassermann, 1876—78. 8⁰. 2 Bde.
— V. K. f. 32—33.

Vergl. hierzu die Gesch. der ev. Kirche in Polen, Bd. III. S.
244—262 u. 212.

Desgl. Bd. II. 670–671. (Schles. K.-Gesch.), II. 707. (Boehm.
K.-Gesch. II 778.–81. (Niderl.), II. 827–829. (Frkr.)
II. 848–849. (Engl.) II. 910 (Span)

Missionsgeschichte.

Johannis Viterbiensis Tractatus de futuris Christianorum
triumphis in Saracenos. Nuremb., 1480. 4⁰. — IV. F. h. 13.

(Acosta, Emmanuel,) Rerum a Societate Jesu in oriente
gestarum volumen primum (Ed. Jo. Petr.. Maffejus.)
Neapoli, Decius Lachaeus, 1573. 4⁰. — IV. H. l. 4.

(**Leibnitius**, G. G.,) Novissima Sinica, historiam nostri temporis illustratura, in quibus de christianismo publica nunc primum autoritate propagato missa in Europam relatio exhibetur . . . Edente G. G. L. II. editio. Anno 1699. 8°. Pars II: Icon regia monarchae Sinarum regnantis, ex gallico versa. Anno 1699. 8°. 2 voll. in 1 tomo. — IV. K. b. 18/1—2.

Matherus, Crescentius, De successu evangelii apud Indos occidentales in Nova Anglia epistola ad . . . D. Johannem Leusdenum. Ultrajecti, W. Broedeleth, 1699. 8°. Acc.: De successu euangelii apud Indos orientales epistolae aliae, conscriptae tum a D. Hermanno Specht, . . . tum etiam a D. Adriano de Mey et a . . . D. Franc. Valentino ad eundem Johannem Leusden. 8°. — IV. K. b. 18/3.

Niecampii, B. **Joan. Lucae,** Historia missionis evangelicae in India orientali, . . . in linguam latinam translata . . . a Joanne Henrico Grischovio . . . Halae, prostat in Orphanotropheo, 1747. 4°. — V. B. d. 44.

Cranz, David, Fortsetzung der Historie von Grönland, insonderheit der Missionsgesch. der evangelischen Brüder zu Neu-Herrnhut und Lichtenfels von 1763—1768 . . . Barby, Heinr. Detlef Ebers, u. Leipzig, in Commiss. bei Weidmanns Erben u. Reich, 1770. 8°. — III. J. i. 13.

Gützlaff, C., Dr., Die Mission in China, Vorträge in Berlin gehalten, Abschiedsworte . . . gesprochen . . . am 9. Oct. 1850. Berlin, W. Schultze, 1850. III. Vortr. . . . den 3. Juni 1850, IV. Vortr. . . . den 29. Sept. 1850, VI. Vortr. . . . den 30. Sept. 1850. 8°. — II. S. i. 101.

Missions-Berichte der Gesellschaft zur Beförderung der evangelischen Missionen unter den Heiden zu Berlin, für das Jahr 1859—60. Berlin, Wilhelm Schultze, 1859—1860. 2 Bde. — V. B. m. 11—12.

Josenhans, Joseph, Fünfzigster Jahresbericht der evangelischen Missionsgesellschaft zu Basel auf d. 1. Juli 1865. Basel, Druck von Felix Schneider, 1865. 8°. — V. B. m. 18.

Ziegler, C., Kurze Geschichte der Berliner Missionsgesellschaft, nebst den ihr zugehörenden Stationen in Südafrika. Eckartsberga, Verlag der Buchdruckerei des Eckartshauses, 1856. 8°. — V. B. m. 17.

Berichte der rheinischen Missions-Gesellschaft. Januar bis December, 1860. 12 Hefte. 8°. — V. B. m. 13.

Missions-Blatt aus der Brudergemeinde vom Jahre 1860. Vierundzwanzigster Jahrgang. Redacteur J. R. Römer in Herrnhut. Gedruckt bei C. M. Monse in Bautzen, 1860. 8°. — V. B. m. 14.

Verhandlungen, Die, des ersten Kongresses für die innere Mission der deutschen evangelischen Kirche, zu Wittenberg im September 1849. Berlin, Wilhelm Hertz, 1849. 8°. — V. B. m. 15.

Bericht, Siebenter, des Central-Ausschusses für die innere Mission der deutschen evangelischen Kirche in Berlin und Hamburg über das Jahr 1864. Hamburg, Agentur des Rauhen Hauses, 1865. 8°. — V. B. m. 15.

Leben Jesu und der Apostel.
Vgl. hierzu Bd. III. S. 405—406.

Sculteti, Abrahami, Delitiae evangelicae Pragenses, h. e. observationes grammaticae, historicae, theologicae, in historiam Jesu Christi, nati, educati, baptizati, tentati. Ejusdem Sculteti oratio de conjungenda philologia cum theologia, delitiis praemissa. Hanoviae, typis Wechelianis, 1620. 8°. — III. V. h. 24/2.

Evangelium infantiae vel liber apocryphus de infantia salvatoris, ex manuscripto edidit ac latina versione et notis illustravit Henricus Sike. Traj, ad Rh., Franc. Halma, 1697. 8°. — IV. G. i. 10.

[Henschenius.] Chronotaxis Henscheniana de annis aetateque D. N. Jesu Christi, nati, baptizati, mortui. Tyrnaviae, typ. Soc. Jesu, 1754. 8°. — IV. J. m. 20.

Holbach, Le baron d', (pseudon. f. Mirabaud.) Histoire critique de Jésus-Christ, ou analyse raisonnée des évangiles. Ecce homo. „Pudet me humani generis, cujus mentes et autores talia ferre potuerunt." S. Augustin. O. Druckd. 8°. — II. L. b. 6.

[Mosneron, Jean,] Vie du législateur des Chrétiens sans lacunes et sans miracles, par J. M. Paris, Dabin, XI., 1803. 8°. — II. L. b. 4.

Strauss, Dav. Friedr., Das Leben Jesu, für das deutsche Volk bearbeitet. Dritte Aufl. Leipz., F. A. Brockhaus, 1874. 8°. — V. II. h. 34a.

Bauer, Bruno, Christus und die Caesaren, der Ursprung des Christenthums aus dem römischen Griechenthum. Zweite Aufl. Berlin, Eugen Grosser, 1879. 8°. — VL F. e. 8.

Renan, Ernest, Das Leben Jesu. Vierte, verb. u. verm. Aufl. nach der sechzehnten Aufl. des Originals. Leipz., F. A. Brockhaus, 1880. 8°. — V. I. k. 36.

Wedelii, Geo. Wolfg., De corona Christi spinea Jenae, Nisius, 1696, Aug. 26. Acc. Vita doctorandi Friderici Liefmann. 4°. — 891.

Perionius, Joach., De rebus gestis et vitis apostolorum liber. V. Abdiae Hist. apostol. Coloniae, M. Cholinus, 1569. 12⁰. — IV. J. n. 12.

Sandini, Antonii, Historia apostolica ex antiquis monumentis collecta. Tyrnaviae, typis Soc. Jesu, 1749. 8⁰. — IV. J. m. 16.

Abeliae, Babyloniae primi episcopi ab apostolis constituti, De historia certaminis apostolici libri decem, Julio Africano interprete, item Joachimi Perionii de rebus gestis et vitis apostolorum liber, quibus adjunximus . . . vitas B. B. Matthiae apostoli atque Marci euangelistae . . . Coloniae, M. Cholinus, 1569. 12⁰. — IV. J. n. 12.

[Hess, Joh. Jac.,] Geschichte und Schriften der Apostel Jesu. Tübingen, Chr. Gottl. Frank u. Wilh. Heinr. Schramm, 1781. 8⁰. 2 Bde. — IV. J. h. 4—5.

Renan, Ernest, Die Apostel. Leipzig, F. A. Brockhaus, 1866. 8⁰. — V. I. k. 37.

— L'église chrétienne. Deuxième édition. Paris, Calman Lévy, 1879. 8⁰. — V. J. i. 7.

— Der Antichrist. Leipzig, F. A. Brockhaus, 1873. 8⁰. — V. I. k. 35.

Agricola, Franc., Tractatus de primatu S. Petri apostoli et successorum ejus Romanorum pontificum . . . Coloniae, Herm. Hoberg, 1599. 8⁰. [Tit. aeri inc.] — IV. H. i. 33.

Geschichte, Die wahre und wichtige, Petri, des Apostels, entgegengesetzet den fabelhaften und ungegründeten Nachrichten von Petri Lehre, Leben, Reisen, Wundern, Veranstaltungen, Ende und Nachfolgern, und sonderlich der daraus fälschlich hergeleiteten pabstlichen Herrschaft über die ganze Christenheit und des Pabstes Unfehlbarkeit, . . . als ein Beitrag zu Cyprians Belehrung vom Pabsthum, dargethan von S. C. G. Hof, Joh. Gottlieb Vierling, 1770. 8⁰. — IV. K. i. 15.

Frohschammer, J., Der Primat Petri und des Papstes, zur Beleuchtung des Fundamentes der römischen Papstherrschaft. Separat-Abdruck aus der Kölnischen Zeitung. Koln, Druck von M. Du-Mont-Schauberg. 4⁰. — V. G. b. 3.

— dass. Elberfeld, Eduard Loll, 1875. 8⁰. — V. G. h. 29.

Pearsonii, Johannis, v. cl. — s. t. p., Cestriensis nuper episcopi, Opera posthuma chronologica etc. viz. De serie et successione primorum Romae episcoporum dissertationes duae: quibus praefiguntur annales Paulini et Le-

ctiones in Acta Apostolorum, singula praelo tradidit . . .
H. Dodwellus, a. m. Dublinensis, cujus etiam accessit
de eadem successione usque ad annales Cl. Cestriensis
Cyprianicos dissertatio singularis. Londini, S. Roycroft,
1688. 4°. — III. J. e. 10/1.

Lyttleton's, Geo., Anmerkungen über die Bekehrung und
das Apostelamt Pauli, aus d. Engl. übers. v. F. Ch. Hahn,
nebst einer Vorrede des Herrn Cons.-R. Goettens. Hannover, N. Förster's Erben, 1751. 8°. — IV. W. i. 23/2.

Renan, Ern , Paulus. [Mit einer Karte.| Leipzig, F. A.
Brockhaus, 1869. 8°. — V. I. k. 38.

Stringa, Giov., Vita d. S. Marco evangelista . . . In Venetia, Fr. Rampazetto, 1610. 8°. — IV. K. m. 26/1.

Memorie intorno a i corpi o reliquie de' santi apostoli Si-
mone e Giuda Taddeo, che si venerano nella chiesa di
S. Gio. Batista in Valle di Verona. Verona, dalla tipo-
grafia Ramanzini, 1816. 8°. — IV. K. i. 16.

Geschichte der Päpste.
Vgl. hierzu Band III. S. 407.

Jaffé, Phil., Regesta pontificum Romanorum ab condita
ecclesia ad a. p. Ch. n. 1598. Berolini, Veit et Socius
1851. 4°. — V. E. a. 2.

Potthast, Aug., Regesta pontificum Romanorum inde ab
a. p. Ch. n. 1198 ad. a. 1304. Berolini, Rud. de Decker,
1874—75. 4°. 2 voll. — V. F. b. 7—7a.

Bernoldi Chronicon. Catalogus Romanorum pontificum,
1—1099. [V. Monum. Germ. hist. Script. tom. V., p. 395
—400.] — V. J. c. 7.

Brosch, Moritz, Geschichte des Kirchenstaates. Band I.
Das 16. u. 17. Jahrhundert. Gotha, Friedr. Andr. Perthes,
1880. 8°: — VI. F. d. 6.

Sugenheim, Sam., Geschichte der Entstehung und Aus-
bildung des Kirchenstaates. Leipzig, F. A. Brockhaus,
1854. 8°. — VI. E. c. 29.

Alexandri, Hieronymi, junioris, J. C., Refutatio conjecturae anonymi scriptoris de suburbicariis regionibus
et dioecesi episcopi Romani. Lutetiae Parisiorum, ex
off. Nivelliana, sumt. Seb. Cramoisy, 1619. 4°. — II.
P. d. 17.

Tableau de la cour de Rome . . . par le Sr. J. A., préla
domestique du pape Innocent XI. A la Haye, Ch. Delo,
1707. 8°. — III. K. g. 22.

Cyprian, Ernst Sal., Ueberzeugende Belehrung vom Ursprung und Wachsthum des Papstthums, nebst einer

Schutzschrift vor die Reformation. 6. verb. Aufl. Hof, J. G. Vierling, 1769. 8º. |M. Bildn. des Verf.] -- IV. K. i. 15.

Histoire des conclaves depuis Clement V. jusqu'à présent . . . 3. éd. A Cologne, 1703. 8º. 2 voll. |Av. figg.] — IV. G. i. 3—4.

Petrucelli de la Gattina, F., Histoire diplomatique des conclaves. Paris, A. Lacroix, Verboeckhoven et Comp, 1864—1866. 8º. 4 voll. — V. J. e. 1—4.

Gregorovius, Ferd., Die Grabdenkmäler der Päpste, Marksteine der Geschichte des Papstthums. Zweite neu umgearb. Aufl. Leipzig, F. A. Brockhaus, 1881. 8º. — V. I. h. 39.

Ranke, Leop. von, Die römischen Päpste in den letzten vier Jahrhunderten. Leipzig, Duncker u. Humblot, 1874. 8º. 3 Bde. [S. Sämmtl. Werke. Bd. 37—39.] — V. H. i. 32-34.

Gengell, Georg., Censura prophetiarum de Romanis pontificibus (a Coelestino II. usque ad finem mundi). Leopoli, typ. Collegii Soc. Jesu. 1724. 4º. — IV. G. n. 26.

Döllinger, Joh. Jos. Ign. von, Die Papstfabeln des Mittelalters, ein Beitrag zur Kirchengeschichte. Zweite unveränd. Auflage. München, J. G. Cotta, 1863. 8º. — V. K. e. 26.

Allatii, Leonis, Confutatio fabulae de papissa. V. Allatii L.. CYMMIKTA s. opuscula. Venetiis, 1733. Fol. — II. T. c. 6 4.

Anastasii, s. R. e. bibliothecarii, Historia de vitis Romanorum pontificum a b. Petro apost. ad Nicolaum I., nunquam hactenus typis excusa; deinde vita Hadriani II. et Stephani VI. auctore Guillelmo, bibliothecario, ex bibl. Marci Velseri, Augustanae reip. II.-viri. Acc. variae lectiones . . . opera Car. Annib. Fabroti, J. C. Paris., e Typogr. Regia, 1649. Fol. — II. T. c. 12/2.

Catalogus pontificum Romanorum et imperatorum saeculi XI. [V. Monum. Germ. hist. Script. tom. XXIV., p. 81.] — V K. c. 8.

Catalogus pontificum Romanorum, imperatorum et regum Francorum, auctore monacho S. Gregorii. [Vide Monum. Germaniae hist. Scriptorum tom. XXIV., pag. 85.] — V. K. c. 8.

Martini Oppaviensis Chronicon pontificum et imperatorum et continuatio pontificum Romana, 30 — 1265. [Vide Monum. Germ. hist. Script. tom. XXII., p. 377—482.] — V. K. c. 5.

Thomae Tusci gesta imperatorum et pontificum. (Dioclet.
— 1278.) [Vide Monum. Germ. hist. Script. tom. XXII.,
p. 483.] — V. K. c. 5.

Platina, Bartholom., In vitas summorum pontificum
. . . praeclarum opus. Nuremberge, Ant. Koburger, 1481.
Fol. — II. M. c. 15.

— De vitis ac gestis summorum pontificum ad sua usque
tempora liber unus. Huic additae sunt vitae ac res gestae
eorum, qui interim fuere, pontificum, a Paulo videlicet
II. ad Paulum hujus nom. III. Ejusdem Platinae: De
falso et vero bono dialogi tres. Contra amores I. De
vera nobilitate, I. De optimo ciue. II. Panegyricus in
Bessarionem doctiss. patriarcham Constantinopolitanum.
Oratio ad Paulum II. (pont.) maximum, de bello Turcis
inferendo. Colon., Eucharius Cervicornus, 1540. Fol. —
III. J. a. 11/1.

— Historia — de vitis pontificum romanorum a d. n. Jesu
Christo usque ad Paulum II., Venetum, papam . . . Colon.
Agr., ex off. Gosuini Cholini, sumpt. Petri Cholini, 1611.
4°. — III. L. b. 10.

— Le vite de pontefici di —, dal salvator nostro fino al Be-
nedetto XIV. . . . Aggiuntavi . . . la vita del Platina,
scritta . . . dal sig Nicol' Angelo Caferri Romano. In
Venezia, a spese della Compagnia, 1744. 4°. — II. O. m. 3.

Tempesta, Dominicus. Romanus, Vitae summorum
pontificum a Christo Jesu ad Clementem VIII, latino
italicoque sermone breuiter conscriptae. Effigies eorundem ex nummis et picturis excerptae . . . Romae, Hieron.
Franzinus, 1600. 8°. — II. M. o. 8.

Petrejus, Theod., Chronologica tam Romanorum pontificum, quam imperatorum historia, . . . ad . . . Urbanum
VIII. et ad Ferdinandum II. Colon. Agr., Petr. a Brachel.
1626. 4°. — II. P. d. 22.

A S. Carolo, Ludov. Jacobus, Cabilonens. Burgundus,
Ord. Carmel., Bibliotheca pontificia duobus libris distincta;
in primo agitur ex professo de omnibus Romanis pontificibus a S. Petro usque ad s. d. n. Urbanum VIII. ac
de pseudopontificibus, qui scriptis claruerunt, in secundo
vero de omnibus auctoribus qui, cum in generali, tum in
particulari, eorum vitas et laudes nec non praecellentiam
auctoritatemve posteritati consecrarunt, cui adjungitur
catalogus haereticorum, qui adversus Romanos pontifices
aliquid ediderunt. . . Acc. fragmentum libelli S. Marcelli, Roman. martyris, b. Petri Apostoli discipuli, e per-
vetusto breviario ms. Flaviniacensi desumptum et hac-

tenus ineditum, de disputatione b. Petri et Simonis Magi.
Lugd., haered. Gabr. Boissat et Laur. Anisson, 1643. 4°.
— II. N. d. 19.

Bauinck, Herm. Metelensis, Pabst vnde Kaiser . . .
Catalogus, Register vnd Inhalt aller römischen Pabsten
von Sanct Petro dem ersten an bis zum jetz regirenden
Vrbano dem achten. Datum des Privilegiums: Romae
. . . 5. Apr. 1641. 8°. [Mit lat. Typen.] — IV. X. l. 24,2•

(Ciaconius, Alph.) Vitae et res gestae pontificum Romanorum et s. R. e. cardinalium ab initio nascentis ecclesiae usque ad Clementem IX., p. o. m., Alphonsi Cia-
conii, ord. praedicator., et aliorum opera descriptae, cum
uberrimis notis, ab Augustino Oldoino S. J. recognitae
et ad quatuor tomos ingenti ubique rerum accessione
productae, additis pontificum recentiorum imaginibus et
cardinalium insignibus plurimisque aeneis figuris cum indicibus locupletissimis. Tomus I. an. 1—1191. Tom. II.
an. 1198—1464. Tom. III. an. 1471—1566. Tom. IV.
(1572—1667.) Romae, Phil. et Ant. de Rubeis, 1677. Fol.
4 voll. Exemplar incompl. — III. F. c. 16—19.

Baldini, Vittorio, Cronologia ecclesiastica, la quale con-
tiene le vite de' pontefici da San Pietro sino al regnante
Innocenzo XIII. Bologna, per il Longhi, 1723. 8°. —
II. N. m. 4.

Histoire des papes, depuis St. Pierre jusqu'a Benoit XIII.
inclusivement. A la Haye, II. Scheurleer, 1732—1734. 4°.
5 voll. — IV. H. g. 1—5.

Sandini, Ant., J. U. D., Vitae pontificum Romanorum ex
antiquis monumentis collectae. Tyrnaviae, typis Acad.
Soc. Jesu., 1756. 8°. 2 voll. — II. M. o. 23.

Vitae pontificum maximorum a Petro, apostolo, ad Benedictum XIV., breviter descriptae, 1743. 8°. — II. B. l. 33.

Walch's, Chn. Wilh. Frz., Entwurf einer vollständigen
Historie der römischen Päpste. II. Ausgabe. Gottg.,
E. Luzac. d. J., 1758. 8°. — II. B. f. 14.

Histoire, Unpartheiische — des Papstthums von der ersten
Gründung des Stuhls zu Rom bis aufs Tridentinische
Concilium. entworfen von einer Gesellschaft gelehrter
Manner in England. I. Theil. Herausg. von Friedrich
Eberh. Rambach. Magdeb. et Leipz., Scheidhauer, 1766—
1769. 4°. 2 Bde. — II. E. c 13—14.

Wattenbach, Wilh., Geschichte des römischen Papstthums. Berlin, Wilhelm Hertz, 1876. 8°. — V. J. e. 23.

Chronologia summorum Romanorum pontificum, in qua
habentur verae eorum effigies ex antiquis numismatibus

et picturis delineatae ac nomina et anni creationis pontificatus et obitus. Editio altera, Dresdae, apud Guil. Streit,
1880. Fol. — VI. B. a. 8a.

Rade, Martin, Damasus, Bischof von Rom, ein Beitrag
zur Geschichte der Anfänge des römischen Primats.
Freiburg i. Br. und Tübingen, J. C. B. Mohr, 1882. 8°.
— VI. C. d. 26.

Leonis IX., Vita S. —, papae, Leucorum antea episcopi,
Wiberto, archidiacono, coaetaneo, auctore. Lutetiae Pari-
sior, ex off. Nivelliana, sumpt. Seb. Cramoisy, 1615. 8°.
— II. N. 1. 30/4. II. O. n. 2/3.

Voigt, Joh., Hildebrand, als Papst Gregorius der Siebente,
und sein Zeitalter, aus den Quellen dargestellt. Zweite,
vielf. veränd. Aufl. Weimar, Landes-Industrie-Comptoir,
1846. 8°. [M. Portr. Gregor's VII.] — V. J f. 14.

Wido, episcopus Ferrariensis, de schismate Hildebrandi,
— 1090. [V. Monum. Germ. hist. Script. tom. XII., p. 148.]
— V. J. c. 14.

Donizonis Vita Mathildis, — 1115. [V. Monum. Germ. hist.
Script. tom. XII., p. 348.] — V. J. c. 14.

[Gelasius II.] Sanctiss. dn. n. Gelasii papae II., sacri
Montis Casini monachi, ex Cajetanis, urbis Cajetae ducibus, Campaniae principibus, vita, a Pandulpho Pisano,
ejus familiari, conscripta etc. Romae, ex off. typogr.
Caballina, 1638. 4°. — II. L. a. 3.

Arnulfi, archidiaconi, in Girardum Engolismensem inve-
ctiva, seu tractatus de schismate orto post Honorii II.
papae decessum [inter Innocent. II. et Anacletum.] 1101—
1130. [V. Monum. Germ. hist. Script. tom. XII., p. 707.]
— V. J. c. 14.

Historia pontificalis, 1148—1152. [V. Monum. Germ. hist.
Script tom. XX., p. 515—545.] — V. K. c. 1.

Hurter, Friedr., Geschichte Papst Innocenz III. und seiner
Zeitgenossen. Hamburg, Friedr. Perthes, 1841--44. 8°.
4 Bde. — V. G. b. 27—30.

Drumann, W., Geschichte Bonifacius VIII. Königsberg,
Gebr Borntrager, 1852. 8°. 2 Thle. in 1 Bde. — V.
J. f. 3.

Acta inter Bonifacium VIII., Benedictum XI., Clementem V.
p. p. p. et Philippum Pulc., regem christian., auctiora
et emendatiora; historia eorumdem ex variis scriptoribus;
tractatus sive quaestio de potestate p. p., Scripta circa
a. M. ccc. 1614. 8°. — II. N. 1. 30/1.

Bosqueti, Franc., Narbonensis JC., Pontificum Romanorum, qui e Gallia oriundi in ea sederunt, historiae, ab a.

Ch. 1305 ad a. 1394, ex mss. codicibus nunc primum
editae et notis illustratae. Parisiis, Seb. Cramoisy, 1632.
8°. — II. N. l. 9.

Wenck, Carl, Clemens V. und Heinrich VII., die Anfänge
des französischen Papstthums. Halle, Max Niemeyer,
1882. 8°. - - VI. C. d. 25.

Nihem, [Niem], Theod. de, Historia de vita Joan. XXIII.,
pontificis Romani, qui liber quasi continuatio est operis ejusdem auctoris de schismate inter pontifices Romanos sui
temporis, nunc primum luci data. Francof. ad M., sumpt.
Ruliandorum, 1620. 4°. — II. P. b. 34/7.

— idem opus. V. Meibom, H., Rer. germ. Tomi III. I.,
p. 1—52. — II. M. a. 1/1.

Amedeus Pacificus, seu de Eugenii IV. et Amedei
Sabaudiae Ducis, in sua obedientia Felicis Papae V. nuncupati, controversiis commentarius, jussu serenissimi
ducis ab ejus historiographo digestus. Parisiis, Seb.
Cramoisy, 1626. 8°. — II. N. l. 27.

[Canensius, Michael,] Pauli II., Veneti, pont. max., vita,
ex codice Angelicae bibliothecae desumpta, praemissis
ipsius sanctissimi pontificis vindiciis adversus Platinam
aliosque obtrectatores. Romae, typis Antonii de Rubeis,
1740. 4°. Acc. appendix, qua comprobatur Pauli II. pontificatus felicitati deberi optimorum scriptorum editiones,
quae Romae primum prodierunt post divinum typogra-
phiae inventum a Germanis opificibus in eam urbem
advectum etc. — II. N. b. 25.

Gordon, Alex., La vie du pape Alexandre VI. et de son
fils César Borgia, contenant les guerres de Charles VIII.
et Louis XII., rois de France, et les principales negocia-
tions et revolutions arrivées en Italie depuis l'année
1492 jusqu'en 1506. Amsterd., P. Mortier, 1732. 8°.
2 voll. [Av. le portr. d'Alex. VI.] — II. P. i. 11—12.

Roscoe, William, Vie et pontificat de Léon X., ouvrage
traduit de l'anglais par P. F. Henry, et orné du portr.
de Léon X., et de médailles. Paris, Le Normant, 1808.
8°. 4 voll. — II. E. f. 16—19.

Caraccioli, Ant., De vita Pauli IV., pont. max., collectanea
historica. Item: Cajetani Thiennaei, Bonifacii a Colle,
Pauli Consiliarii, qui una cum Paulo IV., tunc Theatino
episcopo, ordinem clericorum regularium fundaverunt,
vitae, ab eodem auctore descriptae. Coloniae Ubiorum,
Jo. Kinckius, 1612. 4°. — II. M. n. 17/1.

Fuenmayor, Ant. de, Vida y hechos de Pio V., pontifice
Romano, diuidida en seis libros, con algunos notables suc-

cessos de la christiandad del tiempo de su pontificado.
Madrid, Luis Sanchez, 1595. 4⁰. — II. P. b. 32.

Leti, Gregorio, Vita di Sisto V., pontefice Romano, nuo-
vamente scritta, parte I. Amsterodami, Giov. et Egi
dio Janssonio a Waesberge, 1693. 8⁰. [C. fig.] — II.
M. o. 24.

— L'histoire de la vie du Pape Sixte V., traduit de l'italien.
Anvers, Vve de B. Foppens, 1704. 8⁰. 2 voll. [Avec le
portr.] — II. P. i 12.

Acta audientiae publicę a ss. d. n. Paulo Papa V. pro regis
Voxii Japonici legatis: Romae, die III. Novembris in
palatio apostolico apud S. Petrum 1615. Ex exemplari
Romae impresso Cracoviae, apud Jacobum Maschardum.
4⁰. (Reliqua folia a B. 4. inclusive desunt. — IV. H.
l. 27/1.

Mémoires historiques et philosophiques sur Pie VI. et son
pontificat, jusqu'à sa retraite en Toscane ... A Paris,
F. Buisson, an. VII. (1799). 8⁰. 2 voll. [Avec une carte
géogr.] — II. B. g. 17—18.

Acta a sanctiss. patre et domino nostro Pio, div. providentia
papa VI., causa itineris sui Vindobonensis anno 1782.
Romae, ex. typogr. Rev. Cam. Apost., 1782. Fol. |Cum
figg.] — II. F. a, 7.

Clemens XIII., pontif. maxim., ante Carolus Rezzonicus,
Venetus, annorum LXV., — electus concordibus suffragiis
6. Julii 1758. 8⁰. [4 pagg. Extractum ex opere: Mario
Guarnacci, Vitae et res gestae pontif. roman. et cardinalium. Romae, 1751. Fol. 2 voll. — IV. J. a. 16.

Reumont, Alfred v., Ganganelli, — Papst Clemens XIV.,
— seine Briefe und seine Zeit. Vom Verfasser der römischen Briefe. Berlin, Alexander Duncker, 1847. 8⁰. — V.
J. f. 2.

Lettere interessanti del pontefice Clemente XIV., Ganganelli. Tomo secondo. 1776. 8⁰. — II. S. i. 66.

Theiner, Augustin, Geschichte des Pontificats Clemens
XIV., nach unedirten Staatsschriften aus dem geheimen
Archive des Vaticans. [Mit dem Bildniss Clemens' XIV.]
Leipzig und Paris, Gebr. Firmin Didot, 1853. 8⁰. 2 Bde.
— V. K. e. 17—18.

Beauchamp, Alphonse de, Histoire des malheurs et de
la captivité de Pie VII. sous le règne de Napoléon
Buonaparte. Paris, F. Le Prieur, 1814. 8⁰. — II, M.
k. 11.

Geschichte der Heiligen. — Sammlungen.
Vgl. hierzu: Band III., S. 415 ff.

Voragine, Jacobus de, Lombardica historia, quae a ple-
risque aurea legenda sanctorum appellatur. Argent.,
1486. Fol. Acc. in pag. ult. Carmen de sancto Sebaldo.
— IV. K. e. 7.
— Lombardica hystoria. Ulm., Conr. Dinckmut, 1488. 4°.
— IV. H. g. 12.

Acta Sanctorum . . . collegit . . . Joannes Bollandus, S. J.
Theol., operam et studium contulit Godefr. Henschenius,
ejusd.ˈ S. theol. Antv., Jo. Meursius, 1643–1780. Fol.
50 voll. |Cum figg.| A m. Aug. tom. III. Venetiis, J.
B. Albrizzi et Seb. Coleti, 1752. A m. Sept. tom. III.
Antv., 1750. A m. Oct. IV. Bruxellis, typis regiis, 1780.
Desunt tomi tres, tom. VIII. m. Maii et tom. V. et VI.
m. Oct. Cf. Ebert. — IV. E. a. 1—11, b. 1–14. F. a.
1—13, b. 1–12.

(Hieronymus.) Vitae sanctorum patrum veteris catholicae
atque apostolicae ecclesiae, . . . authore D. Hieronymo
partim, partimque aliis atque aliis . . . libri V., edidit
Theodoricus Loher a Stratis, Carthus. Aulae Maria in
Buxia Prior. Coloniae, Gasp. Gennepaeus, 1548. Fol.
— IV. K. g. 22.

Martyrologium, Vetustius occidentalis ecclesiae, D. Hieronymo, a Cassiodoro, Beda, Walfrido, Notkeio aliisque
scriptoribus tributum, quod nuncupandum esse Romanum,
a Magno Gregorio descriptum, ab Adone laudatum, . . .
non leuiora argumenta suadent, Franc. Maria Florentinius,
nob. Lucensis, ex suo praesertim, ac patriae majoris ecclesiae, pluribusque aliis probatae fidei codicibus . . .
integre vulgavit. Lucae, Hiacynthus Pacius, 1668. Fol.
— IV. J. f. 6.

Ferrarius, Phil., Nova topographia in martyrologium
Romanum. Venetiis, apud Bern. Juntam etc., 1609. 4°.
— IV. K. m. 5.

Natalibus, Petr. de, Catalogus sanctorum ex diuersis ac
doctis voluminibus congestus. . . . — 1521. Fol. — IV.
H. b. 19.

Paschasius, abbas, Liber exhortationum sanctorum
patrum . . . V. Hieronymus, Vitae sanctorum patrum . . .
Colon., 1548. Fol. — IV. K. g. 22.

Vie, La, des Saints pour. tous les jours de l'année. Lyon,
Anisson et Posuel, 1696. 8°. Tom. I. (Janv., Févr.,
Mars) — IV. G. n. 31.

Vastovius, Jo., **Gothus**, Vitis aquilonia seu vitae sanctorum, qui Scandinaviam, magnam Arctoi orbis peninsulam, ac praesertim regna Gothorum, Sueonumque olim rebus gestis illustrarunt. Col. Agr., Ant. Hieratus, 1623. Fol. — III. J. b. 12.

Lanovius, Franc., De sanctis Franciae cancellariis syntagma historicum. Paris.. Seb. Cramoisy, 1634. 4°. — II. Q. e. 39.

Ex translatione sanguinis Domini, miraculis S. Marci, vita S. Wiboradae et miraculis S. Verenae. [V. Monum. Germ. hist. Script. tom. IV., p. 445—460.] — V. J. c. 6.

Scriptores rerum Francogallicarum, (excerpta), saec. XII. et XIII. [V. Monum. Germ. hist. Script. tom. XXVI.] — V. K. c. 11.

Miraeus, Aubertus, De ss. virginibus Coloniensibus disquisitio. Parisiis, ex off. Nivelliana, apud Seb. Cramoisy, 1609. 8°. — II. O. n. 2/4.

Schwarzer, Joseph, Vitae und Miracula aus Kloster Ebrach, mitgetheilt von . . . 8°. [Ausschn. aus: „Neues Archiv der Gesellsch. f. ältere deutsche Geschichtskunde. Hannover, Hahn, 1881. Band VI.] — VI. F. e. 38.

— **Visionslegende.** 8°. [Ausschnitt aus der Zeitschrift für deutsche Philologie. Band XIII., 1882.] — VI. C. d. 2/1.

Einzelne Heiligengeschichten.

Adalberonis, episcopi Wirziburgensis, Vita (et miracula) 1091. [V. Monum. Germ. hist. Script. tom. XII., p. 127—147.] — V. J. c. 14.

Constantini, abbatis, Vita Adalberonis II., Mettensis episcopi, et Cuonradi epitaph. Adalberonis. [V. Monum. Germ. hist. Script. tom. IV., p. 658—673.] — V. J. c. 6.

Odilonis Epitaphium Adelheidae, imperatricis, (et Epitaphium Ottonis Magni et Liber miraculorum S. Adalheidae). [V. Monum. Germ. hist. Script. tom. IV., p. 633—649.] — V. J. c. 6.

Albergati, Nicolai, Vita b. mem.-Carthusiani, episcopi Bononiensis, s. R. e. tit. S. Crucis cardinalis, et summi poenitentiarii, conscripta olim a tribus celeber. viris, Jacobo Zeno, Poggio Florentino et Carolo Sigonio, nunc autem additis septendecim celebrium scriptorum, qui ejusdem cum sanctitatis laude meminerunt, testimoniis, in lucem edita per P. Georgium Garnefelt, Carthusianum Coloniensem, accessit etiam testimonii loco historia de imagine b. M. Virginis a S. Luca depicta et in monte

Guardiae prope Bononiam miraculis coruscante auctore Ascanio Persio. Coloniae Agrippinae, Jo. Kinchius, 1618. 4°. — II. M. n. 17/2.

Alberti, episcopi Leodiensis, Vita, (saec. XIII.) [Vide Monum. Germ. hist. Script. tom. XXV., p. 135—168.] — V. K. c. 9.

Translatio S. Alexandri, auctoribus Ruodolfo et Meginharto, 847—855. [V. Monum. Germ. hist. Script. tom. II., p. 673.] — V. J. c. 2.

Altmanni, episcopi Pataviensis, vita, — 1156 (obiit 1091). [V. Monum. Germ. hist. Script. tom. XII., p. 226.] — V. J. c. 14.

Annonis, archiepiscopi Coloniensis, Vita, 1046—1075. [Vide Monum. Germ. hist. Script. tom. XI., p. 462.] — V. J. c. 13.

Bardonis, Vita Anselmi, episcopi Lucensis,—1087. [Vide Monum. Germ. hist. Script. tom. XII., p. 1—35.] — V. J. c. 14.

Anselmi, episcopi Lucensis, vitae primariae fragmenta, 1087. [V. Monum. Germ. hist. Script. tom. XX., p. 692.] — V. K. c. 1.

Vita S. Anskarii. [V. Monum. Germ. hist. Script. tom. II., p. 683.] — V. J. c. 2.

Lancilottus, Corn., S. Aurelii Augustini, Hipponensis episcopi et S. R. E. doctoris, vita. Acc.: Appendix de provinciis et conventibus Augustinianis. Antv., ex off. Plantiniana, 1616. 8°. — IV. K. n. 20. IV. H. i. 5.

Balderici, episcopi Leodiensis, vita. [V. Monum. Germ. hist. Script. tom. IV., p. 724.] — V. J. c. 6.

Bardonis, archiepiscopi Moguntini, vita duplex, 981 — 1051. [V. Monum. Germ. hist. Script. tom XI., p. 317—342.] — V. J. c. 13.

Joannis Damasceni Historia de vitis et rebus gestis sanctorum Barlaam, eremitae, et Josaphat, regis Indorum, Georgio Trapezuntio interprete . . . Antv., apud Jo. Bellerum, (sine ao.) 12°. — IV. J. n. 7.

— Sanctorum Barlaam, eremitae, et Josaphat, regis Indiarum, vita et gesta mira, e graeco in latinum versa. V. Hieronymus, Vitae sanctorum patrum. Colon., 1548. Fol. — IV. K. g. 22.

Benedicti, abbatis Clusensis, vita, 1091. [Vide Monum. Germ. hist. Script. tom. XII., p. 196.] — V. J. c. 14.

De S. Bennone, episcopo Misnensi in Saxonia et Slavorum apostolo, Monachii in Bavaria deposito, scripta varia, imprimis Hier. Emseri vita S. Bennonis cum notis Gode-

fridi Henschenii et Dan. Papebrochii, descripta ex actis
Sanctorum, m. Junii tomo III. V. Mencken, J. B.,
Scriptt. rer. Germ. Lips., 1728. Fol. Tom. II., p. 1824.
[Cum effig.] — II. P. c. 18—25.

Norberti, abbatis Iburgensis, Vita Bennonis II., episcopi
Osnabrugensis, — 1088. [V. Monum. Germ. hist. Script.
tom. XII., p. 58.] — V. J. c. 14.

Thangmarus, Vita (et miracula). S. Bernwardi, episcopi Hildesheimensis. [V. Monum. Germ. hist. Script.
tom. IV., p. 754—786.] — V. J. c. 6.

Vita S. Bonifacii, archiepiscopi, 680 — 755. [V. Monum.
Germaniae hist. Scriptorum tom. II., p. 331—359.] — V.
J. c. 2.

Legenda patroni Germaniae Sancti Bonifacii libris II.,
quorum postremo sigillatim Thuringica continentur, accessit legenda Bonifacii vernacula, ab illa subinde diversa
et solam fere Thuringiam concernens, e msto vetusto
Joh. Wilh. Neumeyeri a Ramsla. V. Mencken, J. B.,
Scriptt. rer. Germ. Lips., 1728. Fol. Tom. I., p. 834. —
II. P. c. 17/12 a.

Vita Brunonis, archiepiscopi Coloniensis, 925 — 965. [V.
Monum. Germ. hist. Script. tom. IV., p. 252—279.] — V.
J. c. 6.

Burchardi, episcopi Wormatiensis, vita. [V. Monum. Germ.
hist. Script. tom. IV., p. 829.] — V. J. c. 6.

Rossi, Jo. Bapt., S. J., Camillus de Lellis, sacri ordinis clericorum regularium ministrantium infirmis fundator.
Romae, (?) 1644. Fol. — IV. J. a 4.

Caroli Comitis Flandriae, S. Martyris, Vita — ab
auctore coaetaneo Fr. Gualtero, Tarvanensis ecclesiae
canonico, ante annos prope quingentos scripta, ex bibliotheca Sanctae Mariae Iguiacensis. Lutetiae Parisiorum,
ex off. Nivelliana sumptibus Seb. Cramoisy, 1615. 8°. —
II. O. n. 2/2.

Passio S. Cholomanni. [V. Monum. Germ. hist. Script.
tom. IV., p. 674—677] -- V. J. c. 6.

Johannis, abbatis Gorziensis, Vita Chrodegangi, episcopi Mettensis. [V. Monum. Germ. hist. Script. tom. X.,
p. 552.] — V. J. c. 12.

Chounradi, episcopi Constantiensis, Vita. [Vide Monum.
Germaniae hist. Scriptorum tom. IV., p. 429—445.] — V.
J. c. 6.

Littara, Vinc., Vita S. Conradi eremitae. V. Graevii,
thes. antiquit. et hist. Siciliae. Vol. 12. Lugd. Bat., 1723.
Fol. — II. T. f. 4/7 b.

Sigebertus, Gemblacensis, Vita Deoderici, episcopi Mettensis. [V. Monum. Germ. hist. Script. tom. IV., p. 461—483.] — V. J. c. 6.

Translatio, S. Dionysii Areopagitae. [V. Monum. Germ. hist. Script. tom. XI., p. 343.] — V. J. c. 13.

Uodescalcus De Eginone et Herimanno, — 1120. [Vide Monum Germ. hist. Script. tom. XII., p. 429—448.] — V. J. c. 14.

(Elisabeth, S.) Variae lectiones et supplementa ad Theo- dorici de Thuringia seu de Apoldia vitam S. Elisa- bethae, quae extat in Canisii lect. antiq. t. IV. edit. Basnag., p. 116 sqq., ex duobus codicibus membran. antiquis bibl. Paulinae Lips., olim monasteiii Vetero - Cellensis. V. Mencken, J. B., Scriptt. rer. germ. Lips., 1728. Fol. Tom. II., p. 1987. — II. P. c. 18/26.

Libellus de dictis quattuor ancillarum S. Elisabethae, sive examen miraculorum ejus, ex vetusta membrana bibliothecae Paulinae Lips., olim monasterii Vetero-Cel- lensis. V. Mencken, J. B., Scriptt. rer. Germ. Lips., 1728. Fol. Tom. II., p. 2008. — II. P. c. 18/27.

Auctor rhythmicus de vita S. Elisabethae, Landgraviae Thuringiae, e codice bibl. ducalis Saxo-Vinariensis. Vide Mencken, J. B., Scriptt. rerum germ. Lips.. 1728. Fol. Tom. II., p. 2034. — II. P. c. 18/28.

Conradi, Marpurgici, S. Elisabeth, vidua, Thuringiae lantgravia. V. Allatii, Leonis, CYMMIKTA s. opuscula. Venet., 1733. Fol. — II. T. c. 6/4.

Translatio S. Epiphanii, 964—965. [V. Monum. Germ. hist. Script. tom. IV., p. 248.] — V. J. c. 6.

Erminoldi, abbatis Pruveningensis, Vita, — 1121. [Vide Monum. Germ. hist. Script. tom. XII., p. 480.] — V. J. c. 14.

De translatione S. Euergisti, episcopi Coloniensis, et S. Patrocli, 953, 959. [Vide Monum. Germ. hist. Script. tom. IV., p. 279—281.] — V. J. c. 6.

Eulogii, martyris, opera, ejusdemque vita etc., omnia cum scholiis Ambrosii Moralis. V. Schotti, A., Hispaniae illu- stratae tomus IV. Francof., 1608. Fol., p. 213. — II. E. a. 16/5.

Anonymi scriptoris historia de vita S. Findani, con- fessoris. V. Goldasti, M. H., Alamannicar. rer. scriptores. Francof., 1606. Tomus I. Fol. — II. N. a. 17.

Friderici, episcopi Leodiensis, vita, — 1121. [Vide Monu- menta Germaniae hist. Script. tom. XII., pag. 501.] — V. J. c. 14.

S. Fridolini, confessoris, historia, anonymo scriptore. Fol.
— II. N. a. 17.

Vita S. Galli. [V. Monum. Germ. hist. Script. tom. II.,
p. 1—34.] — V. J. c. 2.

Widrici Vita S. Gerardi, episcopi Tullensis. [Vide Monumenta Germ. hist. Script. tom. IV., p. 485—520.] —
— V. J. c. 6.

Johannes Gorziensis de miraculis SS. Glodesindis et
Gorgonii, 917—951. [V. Monum. Germ. hist. Script.
tom. IV., p. 235—247.] — V. J. c. 6.

Godehardi, episcopi Hildesheimensis, translatio, — 1131.
Appendix, — 1428. [V. Monum. Germ. hist. Script. tom.
XII., p. 639—652.] — V. J. c. 14.

Gorgonius, v. Glodesindis.

Guntheri, eremitae, vita. [V. Monum. Germ. hist. Script.
tom. XI., p. 276.] — V. J. c. 13.

Agii Vita et obitus Hathumodae, 840—874. [Vide Monumenta Germ. hist. Script. tom. IV., p. 165—189.] —
V. J. c. 6.

Haimeradi, Sancti, Vita. [V. Monum. Germ. hist. Script.
tom. X., p. 595—612.] — V. J. c. 12.

Heinrici et Cunegundae, imperatorum, Vitae. [Vide
Monum. Germ. hist. Script. tom. IV., p. 787—828.] — V.
J. c. 6.

Lantberti, Vita Heriberti, archiepiscopi Coloniensis.
[V. Monum. Germ. hist. Script. tom. IV., p. 739.] — V.
J. c. 6.

Herimannus, v. Egino.

Ex Uffingi Werthinensis vita S. Idae. [V. Monum. Germ.
hist. Script. tom. II., p. 569.] — V. J. c. 2.

Josaphat, v. Barlaam.

Serarius, Nic., soc. Jes., Sancti Kiliani, Franciae orientalis, quae et Franconia dicitur, apostoli, gesta, variis
cum notationibus historicis dogmaticis. V. Ludewig, J. P.,
Geschichtschreiber von dem Bischoffthumb Würtzburg.
Frankf., 1713. Fol. — II. N. a. 14.

Kunegunda, v. Heinricus.

Lamberti, S., martyris, XXIX. episcopi Leodiensis, Gesta,
scripserunt: Godeschalcus, diac. et canonic. Leod., Stephanus, 39. episc. Leod., Nicolaus, canonic. Leod., Renerus,
ad S. Laurentium prope Leodium monachus. V. Chapeaville, Jo., Gesta pontificum Tungr., Traject. et Leodiensium. Leodii, 1612. 4°. — II. O. m. 1/3.

— De triumpho S. Lamberti, martyris, in Steppes obtento.
V. Chapeaville, Jo., Gesta pontificum Tungrens., Trajectens.

et Leodiensium. Leodii, 1612. 4⁰. Tom. II: — II. O. m. 1/11.

(Nicolaus, Canonicus Leodiensis.) Triumphus S. Lamberti martyris de castro Bullonio anno di. 1141. Vide Chapeaville, Jo., Gesta pontificum Tungrens., Trajectens. et Leodiensium. Leodii, 1612. 4⁰. Tom. III. — II. O. m. 1/10.

Lambertus S., v. Odilia.

Hucbaldi, Elnonensis, ex vita S. Lebuini. [V. Monum. Germ. hist. Script. tom. II., p. 360.] — V. J. c. 2.

Ex vita S. Liutbirgae, 870. [V. Monum. Germ. hist. Script. tom. IV., p. 158.] — V. J. c. 6.

Altfridi Vita S. Liudgeri, episcopi Mimigardefordensis. [V. Monum. Germ. hist. Script. tom. II., p. 403—425.] — V. J. c. 2.

S. Theodori, eremitae, De vita S. Magni, confessoris, sodalis sui, liber I. II., ab Ermenrico, Elewangensi monacho, emendatus et distinctus. V. Goldasti, M. H., Alamannicarum rerum scriptores. Francof., 1606. Tom. I. Fol. — II. N. a. 17.

Ex vitis Majoli et Willelmi, abbatum, 950—994, resp. 961—1026. [V. Monum. Germ. hist. Script. tom. IV., p. 649—658.] — V. J. c. 6.

(Maria.) — Anonymi Consilium, in quo cujusdam dissertationis vanitas adversus Virginalis Epistolae ad Messanenses scriptae immemorabilem traditionem evidenter ostenditur. (De epistola S. Virginis.) V. Graevii, thes. ant. et hist. Siciliae etc., vol. 9. Lugd. Bat., 1723. Fol. — II. T. f. 3/3 a.

Gumppenberg, Guilielmus, Atlas Marianus, quo sanctae dei genitricis, Mariae, imaginum miraculosarum origines ... explicantur, Monachii, Joannes Jaecklin, 1672. Fol. — IV. J. a. 15.

Maria Laudunensis. Ex Herimanni de miraculis S. Mariae Laudunensis libro III., — 1129. [V. Monum. Germ. hist. Script. tom. XII., p. 653.] — V. J. c. 14.

Miracula S. Mariae Argentinensis, 1280. [V. Monumenta Germ. hist. Script. tom. XVII., p. 114.] — V. J. c. 17.

(Mariae), Virginis Matris, apud Lauretum cultae, liturgia, adjecta concione per Desid. Erasmum, Roterodamum, vna cum figuris apte appositis. Venetiis, per Nicol. Zopinum, 1526. 8⁰. — IV. G. k. 51/1.

Lucidi, Antonio, Notizie della santa casa di Maria Vergine venerata in Loreto, raccolti dal sig. D. — Loreto, F. Sartori, 1777. 8⁰. [Cum figg. ligno inc.] — IV. G. k. 52.

Ecclesia beate Marie de Loreto fuit camera domus beate uirginis Marie, matris domini nostri Jesu Christi, que domus fuit in . . . Nazareth . . . Romae, Eucharius Silber alias Franck, 1509. 8°. 3 foll. — II. G. b. 39,7.

Tursellini, Horatii, Romani, e soc. Jesu, Lauretanae historiae, libri V. Moguntiae, Balth. Lippius, 1599. 8°. — IV. J. n. 1.

Lipsii, Justi, (Maria), Diva Sichemiensis sive Aspricollis, noua ejus beneficia et admiranda. [Siegheim, Siechheim, in Brabantia.] Antv., ex off. Plantiniana, apud Jo. Moretum, 1605. 4°. — III. G. a. 2/4.

— id. opus. Antv., ex off. Plantiniana, apud Jo. Moretum 1606. 4°. — III. F. b. 3.

(Ponte, Ludovicus de), Vitae venerabilis virginis Marinae de Escobar pars prima. (Lat. vert. Melchior Hanel. Pragae, G. Czernoch, 1669. 4°. — IV. G. g. 7.

Methodius (Olympiade et postea Tyri civitatum episcopus, sub Diocleciano imperatore.), De revelatione facta ab angelo beato Methodio, in carcere detento. Basilee, per Michaelem Furter, opera et vigilantia Sebastiani Brant, 1504. 4°. [C. figg. ligno inc.] Cfr. Panzer, t. VI., p. 178, Nr. 29. — IV. G. n. 27.

Modoaldi, S., translatio et miracula, — 1120. [V. Monum. Germaniae hist. Scriptorum tom. XII., pag. 284—323.] — V. J. c. 14.

Norberti, archiepiscopi Magdeburgensis, vita, — 1134. [V. Monum. Germ. hist. Script. tom. XII, p. 663 – 706. — II. J. c. 14.

Ekkehardi, Minimi, decani S. Galli, Liber de vita B. Notkeri Balbuli. V. Goldasti, M. H., Alamannicar. rer. scriptores. Tom. I. Fol. — II. N. a. 17.

Vitae Odiliae, liber III., de triumpho S. Lamberti in Steppes, saec. XIII. [V. Monum. Germ. hist. Scriptorum tom. XXV., p. 169—191.] — V. K. c. 9.

Ex Othloni operibus. Ex libro visionum et ex libro de tentatione cujusdam monachi. [V. Monum. Germ. hist. Script. tom. XI., p. 376—393.] — V. J. c. 13.

Walafridi Strabi, abbatis Augiensis, Liber de vita Scti. Othmari, abbatis. V. Goldasti, M. H., Alamanicarum rerum scriptores. Francof. Tom. I., 1606. Fol. — II. N. a. 17.

Isonis, magistri, coenobitae S. Galli, De miraculis S. Othmari, liber I. et II. V. Goldasti, M. H., Alamannicar. rerum scriptores. Francof., 1606. Tom. I. Fol. — II. N. a. 17.

Vita S. Otmari, abbatis Sangallensis. [V. Monum. Germ. hist. Script. tom. II., p. 40.] — V. J. c. 2.

Ottonis, episcopi Bambergensis, vitae et miracula, — 1139. — 1189. [V. Monum. Germ. hist. Script. tom. XII, pag. 721—919.| — V. J. c. 14.

Ebonis, Vita Ottonis, episcopi Bambergensis, edidit Philippus Jaffé. Berolini, apud Weidmannos, 1869. 8°. — V. D. i, 10.

Herbordi Dialogus de vita Ottonis, episcopi Bambergensis. [V. Monum. Germ. hist. Script. tom. XX., pag. 697.] — V. K. c. 1.

Herbordi Dialogus de Ottone, episcopo Bambergensi, edidit Philippus Jaffé. Berolini, apud Weidmannos, 1869. 8°. — V. D. i. 9.

Jaschii, Valerii, Vita Ottonis S., cum diplomatibus. [V. Ludewig, J. P., Nov. volumen scriptorum rer. Germ.] Francof. et Lips., 1718. Fol. — II. T. u. 9/3.

Patroclus, v. Euergistus.

Everhelmi, Vita Popponis, abbatis Stabulensis, 978—1048. [V. Monum. Germ. hist. Script. tom. XI., p. 291.] — V. J. c. 13.

Triumphus S. Remacli de Malmundariensi coenobio, 1062 — 1071. [V. Monum. Germ. hist. Script. tom. XI., p. 433.] — V. J. c. 13.

Anonymus, religionis ord. S. Bened. monasterii Stabulensis, Triumphus Sancti Remagii de Malmundariensi coenobio. V. Chapeaville, Jo., Gesta pontificum Tungrensium, Trajectensium et Leodiensium . . . Leodii, 1612. 4°. Tom. II. — II. O. m. 1/9.

Vita S. Rimberti, archiepiscopi Hammaburgensis. |Vide Monumenta Germ. hist. Script. tom. II., p. 764.| — V. J. c. 2.

Petri Damiani Ex vita S. Romualdi. [V. Monum. Germ. hist. Script. tom. IV., p. 846.| — V. J. c. 6.

Jocundi Translatio S. Servatii, — 1088. |Vide Monumenta Germ. hist. Script. tom. XII., pag. 85.] — V. J. c. 14.

Eigilis Vita S. Sturmi, abbatis Fuldensis, 736—779. [Vide Monum. Germ. hist. Script. tom. II., p. 365.|— V. J. c. 2.

Theodorici, abbatis Andaginensis, vita, — 1087. [Vide Monumenta Germ. hist. Script. tom. XII., p. 36.] — V. J. c. 14.

Theogeri, abbatis S. Georgii et episcopi Mettensis, vita, — 1120. [Vide Monum. Germ. hist. Script. tom. XII., p. 449.] — V. J. c. 14.

Rohaczewski, Petrus Antonius, D. Thomas Aquinas, angelicus et ecclesiae doctor. Posnaniae, typ. Academicis, (1718?) Fol. — IV. J. a. 6.

Udalricus, Ex vita S. Udalrici, prioris Cellensis, — 1093. [V. Monum. Germ. hist. Script. tom. XII., p. 249—267.] V. J. c. 14.

Gumpoldi, Mantuani episcopi, vita Vencezlavi, ducis Bohemiae (et martyris,) 935. [V. Monum. Germ. hist. Script. tom. IV., p. 211.] — V. J c. 6.

Salvatori, Filip Maria, Żywot Św. Weroniki, opatki kapucynek, z włosk. przeł. Pozn., J. K. Żupański. 1856. 8°. — V. B. f. 53.

Ansart, X., Duch Świętego Wincentego, z francuzkiego dzieła przełożone. Leszno, Ernst Günther, 1851. 12°. — V. B. c. 44.

Vincentius a Paulo. Żywot sługi Bożego Wincentego a Paulo ... X. Dominika Akamiego, z tego, co o nim Ludwik Abelly ... językiem franc. napisał. Kraków, F. Cezary, 1688. 4°· — IV. H. l. 11.

Richardi, abbatis S. Vitoni Wirdunensis, vita. [Vide Monumenta Germ. hist. Script. tom. XI., p. 280.] — V. J. c. 13.

Historia translationis S. Viti. [V. Monum. Germ. hist. Script. tom. II., p. 576.] — V. J. c. 2.

Wernheri, episcopi Merseburgensis, vita, — 1093. [V. Mon. Germ. hist. Script. tom. IV., p. 244] — V. J. c. 14.

Hepidanni, coenobitae S. Galli, De vita S. Wiboradae. virginis et martyris Christi, liber I. II. V. Goldasti, M. H., Alamannicar. rerum scriptores. Tom. I. Fol. — II. N. a. 17.

Sigebertus et Godescalcus, Gemblacenses, Vita Wicberti et gesta abbatum Gemblacensium. [V. Monum. Germ. hist. Script. tom. VIII., p. 504-564.] — V. J. c. 10.

Wilhelmus, abbas, v. Majolus.

Anskarii Vita S. Willehadi, episcopi Bremensis. [Vide Monum. Germ. hist. Script. tom. II., p. 378.] — V. J. c. 2.

Haimonis Vita Willihelmi, abbatis Hirsaugiensis, (obiit a. 1091) 1107. [V. Monum. Germ. hist. Script. tom. XII. p. 209.] — V. J. c. 14.

Othloni Vita S. Wolfkangi, episcopi. [V. Monum. Germ. hist. Script. tom. IV., p. 521.] — V. J. c. 6.

Conradus, Ex vita Wolfhelmi, abbatis Brunwilarensis, — 1091. [V. Mon. Germ. hist. Script. tom. XII., p. 180.] — V. J. c. 14.

Bullen.

Bullarium, Magnum, Romanum, a beato Leone Magno usque ad s. d. n. Benedictum XIII., opus absolutissimum Laertii Cherubini, . . . a D. Angelo Maria Cherubino, . . . deinde a . . . Angelo a Latusca et Joanne Paulo a Roma . . . illustratum et auctum. Editio novissima. Juxta exemplar Romae . . . 1638. Tom. I.—VIII. Luxemburgi. Andr. Chevalier, 1727. Fol. 8 voll. in 5 tomis. — IV. J. c. 1—5.

— Magnum, Romanum, seu ejusdem continuatio, quae supplementi loco sit, tum huicce, tum aliis, quae praecesserunt editionibus Romanae et Lugdunensi. Tomus IX.—XIX. Luxemburgi, A. Chevalier, 1730—1758. Fol. 11 voll. in 6 tomis. — IV. J. c. 6—11.

Bullae pontificum. [V. Monum. Germ. hist. Leg. tom. II. — — V. J. c. 4.

Castellanus, Jacob., Compendium constitutionum summorum pontificum, quae extant a Gregorio VII. usque ad Paulum V. p. m. Venetiis, apud Franc. Bolzettam, 1605. 4°. — IV. G. m. 8.

Gregorii XIII., pontificis romani, Bulla, juxta exemplaria mandato episcopi et electoris Trevirensis proximo anno publice edita. 1586. 4°. [Excommunicatio haereticorum, schismaticorum etc. etc.] — V. B. m. 31/2.

(Hund, Sam.) — Sedulius, Numa, Innocentii X., hodie pontificis Romani, bulla adversus Cornelii Jansenii, episcopi quondam Iprensis, propositiones quinque de gratia, ejusque sectatores, una cum defensione Belgarum contra peregrina judicia et bullae istius receptionem. In Civitate Libera 1653. 4°. — IV. H. h. 17.

Clemens, papa, XIII., universis Christi fidelibus, praesentes litteras inspecturis, salutem et apostol. benedictionem. D. D. 11. Sept. 1758. Fol. — IV. J. a. 16.

— Extensio indulgentiae plenariae ad universas ecclesias . . . catholici orbis. Datum Romae die 23. Julii 1765. Romae, ex typographia Rev. Camerae Apostolicae, 1765. Fol. — IV. J. a. 16.

— XIV., Papa, Epistola encyclica. Romae, ex typographia Reverend. Camerae Apostolicae, 1769. Fol. — IV. J. a. 16.

Geschichte, Pragmatische — der so berufenen Bulle In Coena Domini und ihren fürchterlichen Folgen für den Staat und die Kirche. 1769—70. 4°. 4 Thle. in 2 Bdn. — IV. G. h. 8—9.

Du Bois, Renat. Jos., S. J. presb., Collectio nova actorum publicorum constitutionis Clementinae Unigenitus . . . Lugduni, P. Pralard, 1725. 4°. — IV. J. g. 16.

Syllabus des Papstes Pius IX. vom 20. November 1846, in lateinischer Sprache mit gegenüberstehender deutscher Uebersetzung. Czcionkami drukarni Tygodnika Katolickiego, A. Schmaedicke, w Grodzisku. 1846. 4°. — IV. F. c. 14 a.

Frohschammer, J., Beleuchtung der päpstl. Encyclica vom 8. Dec. 1864 und des Verzeichnisses der modernen Irrthümer, nebst einem Anhang: Kritik der Broschüre des Bischofs von Orleans. 2. mit einem neuen Vorw. verm. Aufl. Leipzig, F. A. Brockhaus, 1870. 8°. — VL C. d. 8.

Schulte, Joh. Friedr. Ritter v., Die Stellung der Concilien, Päpste und Bischöfe, vom historischen und canonistischen Standpunkte, und die päpstliche Constitution vom 18. Juli 1870. Mit den Quellenbelegen. Prag, F. Tempsky, 1871. — V. J. e. 20.

— Denkschrift über das Verhältniss des Staates zu den Sätzen der päpstlichen Constitution vom 18. Juli 1870, gewidmet den Regierungen Deutschlands und Oesterreichs. Prag, Friedrich Tempsky, 1871. 8°. — V. K. e. 19.

Concilien.

Surius, Laur., Concilia omnia, tum generalia, tum provincialia, atque particularia, quae jam inde ab apostolis usque in praesens habita, Col. Agr., ap. Gerv. Calenium et haer. Joh. Quentelii, 1567. Fol. 4 voll. — IV. G. a. 2—5.

Battaglini, Marco, vescovo di Nocera, Istoria universale de tutti i concilii generali e particolari celebrati nella chiesa, di monsignor —. In Venezia, presso Andr. Poletti, 1696. Fol. 2 voll. — II. S. a. 20—21.

Hefele, Carl Jos. von, Conciliengeschichte, nach den Quellen bearbeitet. Zweite verbesserte Auflage. Freiburg im Breisgau, Herder, 1873—1879. 8°. 4 Bde. — V. I. i. 9—12.

Histoire des conciles generaux commençant par le premier concile de Nicée, avec des notes etc. Paris, D. Hortemels, 1692. 4°. [Enthält nur das Concil von Nicaea.] — IV. G. h. 20.

Mamachi, Th. M., Ad Joh. D. Mansium de ratione temporum Athanasianorum, deque aliquot synodis IV. seculo

celebratis epistolae IV. Romae, Zempellius, 1748. 8°. —
II. N. l. 11.

[Torres] Torrensis, Franc., De actis veris sextae synodi,
[quae Constantinopoli in Trulo habita est,] deque canonibus,
qui ejusdem sextae synodi falso esse feruntur, et de septima
synodo, [quae Niceae habita est,] atque multiplici octava
[Constantinop.] Florentiae, apud Laurentium Torrentinum,
1551. 4°. — IV. G. n. 2.

Gerberti, archiepiscopi, Acta concilii Remensis. [Vide
Monum. Germ. hist. Script. tom. III., p. 658.] — V.
J. c. 5.

— Acta concilii Causejensis. 995. [V. Monum. Germ. hist.
Script. tom. III., p. 691.] — V. J. c. 5.

— Acta concilii Mosomensis. 995. [V. Monum. Germ. hist.
Script. tom. III, p. 690.] — V. J. c. 5.

Leonis, abbatis et legati, ad Hugonem et Rotbertum, reges,
epistola. [De concilio Mosomensi.] [V. Monum. Germ. hist.
Script. tom. III., p. 686.] — V. J. c. 5.

Gregorii V., papae, Litterae de synodo Papiensi. 997. [V.
Monum. Germ. hist. Script. tom. III., p. 694.] — V.
J. c. 5.

Hessonis, scholastici, Relatio de concilio Remensi. — 1119.
[V. Monum. Germ. hist. Script. tom. XII., p. 422.] — V.
J. c. 14.

Costnitzer Concilium, so gehalten worden im Jar 1413,
jetzt auffs new zugerichtet. Franckf. a. M., S. Feyer-
abendt, 1575. Fol. [M. Hschn.] — II. E. b. 7.

Hardt, Herm. v. d., Magnum oecumenicum Constantiense
concilium ... 1415—18. Francof. et Lips., Ch. Gensch,
Helmestadii, typis S. Schnorrii, 1700. Tom. II., 1697.
Tom. III., IV., 1698. Tom. V., VI., 1699. Tom. VII. ...
Index generalis rerum et nominum in omnes VI. tomos
Geo. Chni. Bohnstedt. Berolini, Ch. F. Henning, 1742.
4°. 7 voll. [Cum. figg.] — IV. G. f. 1—3. II. T.
a. 3—5.

Bourgeois du Chastenet, Nouvelle histoire du concile
de Constance, où l'on fait voir, combien la France a con-
tribué à l'extinction du schisme. Paris, Le Mercier, 1718.
4°. — II. N. b. 17.

Lenfant, Jaques, Histoire du concile de Constance. Nouv.
éd. Amsterdam, P. Humbert, 1727. 4°. 2 voll. [Avec
figg.] — IV. G. g. 3—4.

Acta et decreta sacrosanctae Tridentinae synodi, a. 1546 et
1547. Mediol., apud Innocentium Ciconiariam, 1548. 8°.
— IV. H. i. 32/2.

Concilium Tridentinum, Universum sacrosanctum —
oecumenicum ac generale, legitime tum indictum, tum con-
gregatum . . . Coloniae, M. Cholinus, 1564. 8º. — IV.
G. k. 58/1.

Canones et decreta, Sacrosancti et oecumenici concilii
Tridentini sub Paulo III., Julio III. et Pio IV., pont.
max., celebrati. Acc. . . . D. Joannis Sothealli, theol.,
et Horatii Lutii, JCti, utiliss. ad marginem annotationes.
Lugd., G. Rovillius, 1595. 8º. — II. N. p. 28. IV. J. i. 24.
— Sacrosancti et oecumenici concilii Tridentini sub Paulo III.,
Julio III. et Pio, IV. pp. mm., celebrati — (ed. Philippus
Chiffletius.) Colon. Agr., Balth. ab Egmond et Soc., 1688.
12º. — IV. J. n. 15.

[Massarellus, Angelus,] Acta genuina ss. oecumenici
concilii Tridentini, sub Paulo III., Julio III. et Pio IV.,
pp. mm., ab Angelo Massarello, episcopo Thelesino,
ejusdem concilii secretario, conscripta, nunc primum integra edita ab Augustino Theiner. Accedunt acta ejusdem
concilii sub Pio IV. a cardinale Gabriele Paleotto digesta,
secundis curis expolitiora. Zagrabiae, sumptib. Societatis
Bibliophilae, Lipsiae, in aedib. Breitkopfii et Haertelii,
1874. 4º. 2 voll. — V. F. a. 2—3.

Döllinger, J. v, Ungedruckte Berichte und Tagebücher
zur Geschichte des Concils von Trient. Nördlingen,
Becksche Buchh., 1876. 8º. 2 Thle. — V. G. h. 13.

Canonen und Decrete, Des heiligen ökumenischen Concils
von Trient, in neuer deutscher Übersetzung, nebst den
gleichfalls in's Deutsche übertragenen einschlägigen Con-
stitutionen des älteren Rechtes und vielen Declarationen
der S. Congregatio interpretum Concilii Tridentini, sammt
historischen Einleitungen zu den einzelnen Sitzungen,
mit gegenüberstehendem Grundtexte nach der römischen
Ausgabe vom Jahre 1862 und vollständigem Inhalts-
register, mit einem Anhang: Die dogmatischen Con-
stitutionen des Vaticanischen Concils und die neueren
päpstlichen Entscheidungen, herausgegeben von Franz
Ser. Petz. Passau, Jos. Bucher, 1877. 8º. — V. F. e. 12.

Sarpi, Paolo. Histoire du concile de Trente, écrite en
italien par Fra —, et traduite . . . par Pierre-François
Le Courayer . . . A Basle, J. Brandmüller et Fils, 1738.
4º. 2 voll. — II. B. c. 19—20.

Pallavicini, Sfortia, S. J., Vera concilii Tridentini historia
contra falsam Petri Suavis Polani narrationem scripta et
asserta a P. —, . . . latine reddita a P. Joh. Bapt.
Giattino. Antv., 1673. Fol. 3 voll. — IV. H. e. 9.´

Pallavicino, Sforza, S. J., Istoria del concilio di Trento. In Roma et in Milano, Domenico Bellagatta, 1717. 4⁰. [Mit 2 Bildnissen in Kupferstich.] 3 voll. — IV. J. g. 21—23.

Jurieu, Pierre, Abrégé de l'histoire du concile de Trente. Genève, J. Hermann Widerhold, 1682. 12⁰. 2 voll. — IV. J. h. 13.

Paul III., Maximes politiques du pape — . . . au sujet du concile de Trente: tirées des lettres anecdotes de Dom Hurtado de Mendoza etc. publiées . . . par Mr. Aymon . . . avec un parallèle entre le même pape et Clement XI. . . . par Mr. de Gueudeville. A la Haye, H. Scheurleer, 1716. 8⁰. — IV. C. l. 24.

Majorani, Ludovici, Gravinatis, Oratio . . . ad patres in concilio Tridentino. [De utilitate . . . conciliorum, — de lapsa morum disciplina, — de modo, quo evangelicae doctrinae . . . controversiae dirimendae atque sedandae sint.] Dilingae, Seb. Mayer, 1563. 4⁰. — IV. H. l. 14/2.

Oratio habita ab oratore illustrissimi D. Alberti, ducis Bavariae, in generali congregatione sacri concilii Tridentini, sub s. d. n. Pio pp. III. die 27. Junii 1562. Una cum responsione sanctae synodi. His accesserunt petitiones oratorum caesarae majestatis ad idem concilium Tridentinum. Anno 1563. 4⁰. — IV. H. l. 14/3. IV. G. m. 7/5.

(Beaucaire de Peguillon, Franç.) — Belcarii, Francisci, Peguilionis, episcopi Meten., Oratio de victoria, qua Carolus IX., Galliarum rex, Francisci Lotharingi Guisae ducis, nec non et Annae Monmorencis equitum magistri, auspiciis, rebelles causam religionis praetexentes ingenti clade superavit, habita est Tridenti in publico patrum, qui ad concilium oecumenicum convenerunt, consessu, quarto idus Januarii, 1563. Dilingae, Seb. Mayer, 1563. 4⁰. — IV. H. l. 14/4.

Spifamii, Theophili, et Scalae, Joannis, legatorum principis Condei, oratio ad S. R. J. principes electores Francofurti habita, die sexta Novembris MDLXII. a Spifamio pronuntiata, ex qua . . . praesentem Galliae statum et ejus a religione motuum causas cognoscere licet. 1563. 4⁰. — IV. H. l. 14/5.

Lotharingia, Caroli a, cardinalis, illustriss. principis et domini dni —, Oratio habita in sacro oecumenico concilio Tridentino im Novembri 1562. Tridentum adpulit cum IX. episcopis et II. abbatibus, mense Novembri anno

1562, nomine ecclesiarum Galliae. Parisiis, 1563. 4°. —
IV. H. l. 14/6. IV. G. m. 7/4.

Articuli sive postulata episcoporum ac legatorum Galliae
et regis christianissimi, patribus concilii Tridentini
ecclesiis reformandis exhibita die 3. Jan. 1563. 4°. — IV.
H. l. 14/7. IV. G. m. 7/6.

Fontidonii, Petri, Segovrensis, Dr. Th., Oratio habita
ad patres in s. concilio Tridentino, nomine illmi viri D.
Claudii Fernandez Quignonii Comitis Lunensis, regis catholici oratoris die 21. Maji, 1563. Brixiae, ad instantiam
Jo. Bapt. Bozolae, 1563. 4°. — III. G. m. 7/7.

Zannelli, Vincentii, Thausignani archipresbyteri, De
concilio Tridentino et omnibus patribus in eo congre-
gatis, ad . . . cardinalem Ludovicum Madrutium, Sylva.
(Lat. carm.) Ripae Tridentinii, apud Jacobum Marcariae,
1563. 4°. — IV. G. m. 7/8.

Constitutiones diversorum summorum pontificum, Tridentini concilii decreta et episopalia edicta . . . (Pisauri,
apud Hieronymum Concordiam, 1613. 4°. Anhang zu:
Lapius, Thomas, Constitutiones . . .) — V. B. m. 27/3.

Concilium Romanum in sacro-sancta basilica Lateranensi
celebratum anno universalis jubilaei 1725 a . . . Benedicto papa XIII. Juxta exemplar Romanum Augustae
Vind. et Graecii, sumptibus Ph. et M. Veith, 1726. 4°.
— IV. J. m. 6.

Friedberg, Emil, Sammlung der Actenstücke zum ersten
vaticanischen Concil mit einem Grundriss der Geschichte
desselben. Tubingen, H. Laupp, 1872. 8°. — V. F. i. 4.

Friedrich, Joh., Documenta ad illustrandum concilium
Vaticanum anni 1870. Nördlingen, Beck, 1871. 8°. 2 voll.
— V. G. h. 17.

— Tagebuch, während des vaticanischen Concils geführt.
2. vermehrte Auflage. Nördlingen, Beck, 1873. 8°. — V.
G. h. 40.

— Geschichte des vatikanischen Konzils. Bonn, P. Neusser,
1877—1883. 8°. 2 Bde. — V. J. e. 19.

Pressensé, Edmund von, Das vaticanische Concil, seine
Geschichte und seine politischen und religiösen Folgen.
Autorisirte deutsche Ausg. von Eduard Labarius. Nörd-
lingen, Beck, 1872. 8°. — V. G. h. 41.

Schulte, Joh. Friedr. Ritter von, Das Unfehlbarkeits-
Decret vom 18. Juli 1870, auf seine kirchliche Verbindlich-
keit geprüft. Prag, Verlag von F. Tempsky, 1871. 8°.
— V. G. m. 28.

Synoden.

Vgl. hierzu Band III., Seite 237 ff.

Bentivolus, Guido, Constitutiones primae synodi dioece-
sanae, celebratae in cathedrali ecclesia (Bertinoriensi)
die 4. junii 1663. Forolivii, typis Pauli Saporeti, 1664.
4°. — V. B. m. 27/1.

Lapius, Thomas, Constitutiones et decreta synodalia,
promulgata in cathedrali ecclesia Fanensi ... Pisauri,
apud Hyeronimum Concordiam, 1613. 4°. — V. B. m. 27/2.

Constitutiones et decreta sex provincialium synodorum
Mediolanensium, quas illustriss. et reuer. D. D. Carolus Borrhomaeus, ... presbyter cardinalis, ... archiepiscopus Mediolani habuit ab ao. di. 1565 usque ad annum
1572 etc. ... per rev. presbyterum Dominicum Zucchi-
nettum a Suna ... (Acc.: De cura pestilentiae.) Brixiae,
apud Soc. Brixiensem, 1603. 4°. — II. L. a. 30.

— et decreta condita in provinciali synodo Mediolanensi
sub ... D. Carolo Borrhomaeo, s. R. e. tit. S. Praxedis
presbytero cardinali, et sanctae sedis apostolicae per
universam Italiam legato de latere, archiep. Mediolani.
Patavii, P. A. Alciatus, 1566. 8°. — II. N. m. 14.

Statuta synodalia ecclesiae Nitriensis anni 1494. Viennae
Austriae, in aedibus coll. Caes. Societatis Jesu, 1560. 4°.
- II. N. l. 3/1.

Fasseau, Arsenii Theodori, Collectio synodorum et
statutorum almae dioecesis Olomucenae in IV. partes
distributa. Rezii, Ch. J. Hueth, 1766. Fol. (Pars IV.
deest.) — II. P. a. 1/3.

Statuta synodalia ecclesiae Olomucensis sub Stanislao
Pawlowsky episcopo 1591. 4°. (Titulus deest.) — II. N.
l. 3/2.

(Cosmi, s. R. e. card. d. Torres, Perusiae episcop.),
Decreta synodalia eminentissimi et reverendissimi domini
—, in synodo dioecesana promulgata anno 1632. Perusiae,
apud Angelum Bartolum, 1632. 4°. — II. L. a. 16.

Justiniani, Francisci, episcopi Tarvisini, Constitutiones in synodo dioecesana promulgatae. Tarvisii, apud
Angelum Righettinum, 1620. 4°. — II. L. a. 32.

Orden.

Vgl. hierzu Band III., S. 408 ff.

Galeni, Matth., Vestcappelii, theologi Lovaniensis.
Origines monasticae seu de prima ac vera christianae

monastices origine commentarius. Dilingae, S. Mayer, 1563. 4⁰. — IV. J. m. 4.

Stellartius, Prosp., Annales monastici sive chronologia libris XVII. totidemque seculis distincta, complectens omnium ordinum monasticorum et militarium origines, progressus, icones, insignia variis typis expressa etc. ad annum 1627. Duaci, apud Gerhardum Pinchon, 1627. 4⁰. (Enthält nur lib. I.—VI.) — II. N. l. 2.

Histori, Kurtze und gründliche, vom Ursprung der geistlichen Orden, aus dem Frantzös. in das Teutsche übersetzet, samt beygefügten eigentlichen Vorstellungen ihrer Ordens-Kleider. Augspurg, Lorentz Kroniger etc., 1695. 8⁰. [Mit Kk.] — II. M. o. 15/1.

— Kurtze und gründliche, von dem Anfang und Ursprung der Gott geweyhten Orden aller Closter-Jungfrauen, aus dem Frantzösischen in das Teutsche übersetzet, samt beygefügter eigentlicher Vorstellung deren gewöhnlichen Kleidung oder Ordens-Habit. Augspurg, Lorentz Kroniger, 1693. 8⁰. [Mit Kk.] — II. M. o. 15/2,

Entwurff, Kurtzer, der geist- u. weltlichen Ritter-Orden Leipz., Th. Fritsch, 1697. 8⁰. [Mit Titk.] — II. M. o. 15/3.

Histoire des ordres monastiques, religieux et militaires et des congregations seculières de l'un et de l'autre sexe, qui ont été établies jusqu'à présent. Paris, J. B. Coignard, 1721. 4⁰. 8 voll. [Av. figg.] — IV. H. g. 13—20.

Miraeus, Aubertus, Bruxellensis, Canonicorum regularium orbinis S. Augustini origines ac progressus per Italiam, Hispaniam, Galliam, Germaniam, Belgium aliasque orbis Christiani provincias. Coloniae Agr., Bern. Gualtherus, 1614. 8⁰. — IV. H. i. 27.

Crusenius, Nicol., Monasticon Augustiniarum, in quo omnium ordinum sub regula S. Augustini militantium . . . origines atque incrementa tribus partibus explicantur. Monachii, Jo. Hertsroy, 1623. Fol. [Cum 2 figg. aen.] — IV. K. e. 15.

Maigretius, Geo., Bullionaeus, Martyrographia Augustiniana. Antverpiae, H. Verdussius, 1625. 8⁰. — IV. J. k. 20/1.

Constitutiones ordinis eremitarum S. Augustini, cum additionibus et notis. Coloniae Agr., Ant. Boëtzeri haer., 1627. 8⁰. — IV. J. k. 32.

Caraccioli, Ant., Synopsis veterum religiosorum rituum atque legum, notis ad constitutiones clericorum regularium comprehensa. II. ed. Parisiis, Nicol. Buon, 1628. 4⁰. — IV. J. b. 5.

Pennottus, Gabr., Generalis totius s. ordinis clericorum canonicorum [S. Augustini] historia tripartita. Coloniae, apud Gerhardum Grevenbruch, 1630. Fol. — IV. . H. a. 10.

Raritates . . . ordinis Benedictini in . . . corona regni Bohemiae. V. Memoriae, Sacrae. 4°. — IV. G. n. 17.

Jongelinus de Lambertinis, Gasp., Purpura divi Benedicti repraesentans elogia et insignia gentilitia pontificum, tum cardinalium, nec non archiepiscoporum, et episcoporum, qui ex eodem ordine assumpti in sacra Romana ecclesia floruerunt. [Dedicatum Duci Alberto Stanislao Radziviłł.] Sine loco, an. et typogr. Fol. — IV. J. b. 5.

Miraei, Auberti, Origines coenobiorum Benedictinorum in Belgio. Antv., H. Verdussius, 1606. 8°. — IV. J. m. 17.

— Origines Benedictinae siue illustrium coenobiorum ord. S. Benedicti nigrorum monachorum, per Italiam, Hispaniam, Galliam, Germaniam, Poloniam, Belgium, Britanniam aliasque provincias exordia ac progressus. Coloniae Agr., B. Gualther., 1614. 8°. — II. N. m. 9.

Stengel, Carol., Monasteriologia, in qua insignium aliquot monasteriorum familiae S. Benedicti in Germ. origines, fundatores clarique viri ex eis oriundi describuntur, eorundemque idaeae aeri incisae oculis subjiciuntur. Augustae Vindelicorum, 1619. Fol. [Cum figuris aeneis.] — III. J. b. 3.

Reynerus, Clem., Apostolatus Benedictinorum in Anglia sive disceptatio historica de antiquitate ordinis congregationisque monachorum nigrorum S. Benedicti in regno Angliae etc. (p. II. Appendix.) Duaci, Laurentius Kellam, 1626. Fol. 2 voll. — IV. H. a. 9.

Blosii, Ludovici, Venerabilis domini ac patris —, abbatis Laetiensis ordinis S. Benedicti, vita, ejusdemque speculum monachorum. Antv., Franc. Canisius, 1650. 4°. [Cum figg.] — II. C. d. 35.

Bucelinus, Gabriel, Annales Benedictini, quibus potiora monachorum ejusdem ordinis merita ad compendium referuntur. Aug. Vindel., typis Jo. Praetorii, 1656. Fol. 2 voll. — II. S. a. 8.

Idea sacrae congregationis Helveto-Benedictinae, anno illius jubilaeo saeculari expressa et orbi exposita, in qua omnium ejusdem congregationis monasteriorum ortus et progressus, elogia et ectypa brevi compendio exhibentur a musis Sanct-Gallensibus jubilaeo ibidem solemniter

celebrato accinentibus. S. Galli, typis Monasterii, 1702.
Fol. [Cum figg.] — III. J. a. 12/1.

. Maurus, Abbt v. Einsidlen, Moralischer Uhrzeiger, der
nur 1. zeiget, oder einfältige Predigt von dem gebene-
deyten Eins der Helvetisch-Benedictinischen Congregation, auff Ihr angestelltes Jubel-Jahrs-Fest, Anno
1702, den 14. Sonntag nach Pfingsten, ... in dem Hoch-
fürstl. Gottshauss St. Gallen. St. Gallen, Jac. Müller,
1702. Fol. — III. J. a. 12/2.

Hanthaler, Chrysostom., Quinquagena symbolorum
heroica in praecipua capita et dogmata s. regulae
sanctiss. monachorum patris et legislatoris Benedicti
... Augustae et Lincii, imp. F. A. Ilger, 1741, Crembsii,
typis Ign. Ant. Präxl. Fol. [Cum figg. aen.] — IV.
K. e. 5/1.

Barralis, Vinc., Salernus, Chronologia sanctorum et
aliorum virorum illustrium ac abbatum sacrae insulae
Lerinensis ordinis S. Benedicti, cum annotationibus ejusdem. Lugduni, Petrus Rigaud, 1613. 4°. [Titul. aeri inc.]
— IV. G. d. 9.

Ziegelbauer, Magn., ord. S. Bened. presb., Historia rei
literariae ordinis S. Benedicti in partes distributa, opus
... ichnographice adumbratum, rec., auxit, jurisque publici fecit r. p. Oliverius Legipontius. Augustae Vind.
et Herbipoli, Mart. Veith, 1754. Fol. 4 voll. — IV. K.
d. 18—21.

Jongelini, Gasp., Purpura d. Bernardi, repraesentans
elogia et insignia gentilitia tum pontificum, tum cardinalium, nec non archiepiscoporum et episcoporum, qui
assumpti ex ordine Cistertiensi in s. r. e. floruerunt.
[Cum effigie sancti Bernardi.] Coloniae Agrippinae,
Henricus Krafft, 1644. Fol. — III. J. b. 19/1. IV. J.
a. 12.

Lucas, eremita Hispanus, Romualdina seu eremitica
montis coronae Camaldulensis ordinis historia in V.
libros partita. In sacra eremo S. Mariae de Ruah in
agro Patauino, 1587. 8°. — IV. J. k. 29.

Hastivillius, Archangelus, Romualdina seu eremitica
Camaldulensis historia in duos libros partita. Parisiis,
Seb. Cramoisy, 1631. 8°. — IV. J. k. 6.

A S. Josepho, Thom. Aquinas, carmelita excal-
ceatus, Diss. hist. theol., in qua patriarchatus celeberrimi o. Carmelitarum sanctissimo prophetae Eliae
vindicatur. Ed. II. Coloniae Agr., Jod. Kalcoven, 1645.
8°. — II. M. o. 14.

Petrejus, Theod., Bibliotheca Cartusiana, siue ill. s. Cartusiensis o. scriptorum catalogus. Coloniae, Ant. Hieratus, 1609. 8°. — IV. J. k. 9.

Miraeus, Aubertus, Origines Cartusianorum monasteriorum per orbem universum. Coloniae, Ant. Hieratus, 1609. 8°. — IV. J. k. 9/2.

— Chronicon Cisterciensis o., a S. Roberto, abbate Molismensi, primum inchoati, postea a S. Bernardo, abbate Clareuallensi, mirifice aucti ac propagati. Coloniae Agr., B. Gualtherus, 1614. 8°. — IV. J. k. 20/2.

Henriquez, Chrysost., monachus Hortensis, Phoenix reviviscens sive o. Cisterciensis scriptorum Angliae et Hispaniae series, libri II. Bruxellae, Jo. Meerbeccius, 1626. 4°. — IV. J. m. 7.

Jongelinus, Gasp., Antverpiensis, Notitia abbatiarum o. Cistertiensis per orbem universum, libros X. complexa . . . Coloniae Agr., sumpt. auctoris, Jo. Henning, 1640. Fol. — III. J. b. 7/1—2.

Hees, Nic., Manipulus Hemmenrodensis, librum unum complexus. Colon. Agr., Jo. Henning, 1640. Fol. — III. J. b. 7/2.

Jongelinus, Gasp., Origo ac progressus celeberr. monasterii de Castro-Aquilae o. Cistertiensis in Wedderavia et archidiaecesi Moguntina. Col. Agr., H. Krafft, 1644. Fol. III. J. b. 19/2.

Visch, Caroli de, Prioris coenobii B. Mariae de Dunis etc., Bibliotheca scriptorum s. o. Cisterciensis, elogiis plurimorum maxime illustrium adornata. Ed. II. . . . Acc. Chronologia antiquissima monasteriorum o. Cisterciensis. Col. Agr., Jo. Busaeus, 1656. 4°. — II. P. d. 24.

Janauschek, Leop., P., Originum Cistercensium tom. I., in quo, praemissis congregationum domiciliis adjectisque tabulis chronologico - genealogicis, veterum abbatiarum a monachis habitatarum fundationes ad fidem antiquissimorum fontium primus descripsit . . . Vindobonae, in commiss. apud Alfredum Hoelder, 1877. 4°. — V. G. a. 17.

Historie von denen besessenen Nonnen des Klosters St. Ursel zu Lodün und der Verurtheilung des Predigers in derselben Stadt Urban Grandiers. Ingleichen die Anno 1509 offenbarten Betrügereyen derer Dominicaner zu Bern, bey Gelegenheit der neulichen erstaunens-würdigen Historie des Pater Girards und der Demoiselle Cadière, aus dem Frantzösischen ins Deutsche übersetzt. Cölln, 1732. 8°. — IV. K. i. 23.

Francisci, S., Regula ... Nürnberg, 1482. Fol. — III. K. b. 2/2.

(Jacobus de Alcala). — **Lucerna fratrum minorum** (o s. Francisci) et expositio Eugeniane. Fol. II. Incipit quedam compilatio (que Lucerna minorum nuncupatur) super regulam fratrum minorum per modum quaestionum: aedita a fratre Jacobo de Alcala, ord. min. reg. obs. prouinciae Aragonum. In fine: Impressum Liptzk, per Melchiarem Lotterum, anno . . . millesimo quingentes. decimo quinto. 4⁰. 70 foll. — IV. H. l. 21.

Enchiridion fratrum minorum: complectens regulam s. Francisci, (cum ejus testamento etc.), opera r. p. f. Seruatii Myricani. Antv., ex off. Plantiniana apud Jo. Moretum, 1600. 12⁰. — IV. J. n. 22.

(Junius, Balduinus), Progenies et vita sanctorum tertii ordinis S. Francisci: Ludovici IX, Galliae regis, et Isabellae, Portugalliae regine, auctore Constantio Peregrino. Antv., ex off. Trognaesiana, ap. C. J. Trognęsium, 1632. 8⁰. — IV. J. k. 30/1.

Practica criminalis ad sancte administrandam justitiam in o. fratrum minorum S. Francisci regul. obseru., juxta praescriptum statutorum generalium . . ., generali capitulo romano anno 1639 probante et mandante. Romae, typis s. Congreg. de fide propaganda, 1639. 4⁰. — IV. G. m. 17/2.

Statuta, constitutiones et decreta generalia familiae cismontan. ordinis S. Francisci de observantia, . . . in generali congregatione Romana ai. 1642 approbata. Romae, ex typ. Reu. Cam. Apost., 1642. 4⁰. — IV. G. m. 17/1.

Aremberg, Carolus de, Flores Seraphici ex amoenis annalium hortis adm. r. f. Zachariae Bouerii, ord. ff. minorum S. Francisci capucinorum definitoris generalis, collecti, sive icones vitae et gesta virorum illustrium, qui ab anno 1580 usque ad annum 1612 in eodem ordine miraculis ac vitae sanctimonia claruere, compendiose descripta. Coloniae Agr., Const. Munich, 1642. Fol. 2 voll. in 1 tomo. [Cum figg.] — IV. P. a. 4.

Stiller, Franc., soc. Jesu, Annus Franciscorum sive historica eorum ephemeris eventuum gestorumque variorum memoriis secundum anni dies conscripta, alteri majori operi de claris viris Franciscis auspiciis S. Francisci Xaverii praemissa et vulgata. Pragae, typis coll. Soc. Jesu, 1680. 4⁰. — II. L. a. 11.

Hermann, Amandus, Capistranus triumphans seu historia fundamentalis de sancto Joanne Capistrano, ordinis mi-

norum S. Francisci insigni regularis observantiae pro-
pagatore ... Coloniae, B. J. Endter, 1700. Fol. [Cum tit.
aeri inc.] — IV. H. f. 13.

Sacra congregatione episcoporum et regularium emo. et
rmo. d. card. de Rubeis ponente, ordinis minorum s.
Francisci reformatorum provinciae Majoris Poloniae
restitutionis conventuum pro ven. provincia reformatorum Majoris Poloniae cum ven. provincia reformatorum Prussiae Marianae. 1) Restrictus facti et juris.
Romae, Typis Bernabo, 1764. (An duo conventus Tho-
runo-Podgoriensis et Vladislaviensis ... sint restituendi
provinciae Majoris Poloniae? Acc. 2) Summarium. ibid.
eod. ao. impr. 3) Summarium. ibid. eod. ao. impr.) Fol.
— IV. H. a. 13.

Clementis, papae XIV., Constitutio, qua fratres minores
de observantia regni Franciae ... uniuntur fratribus
ordinis minorum conventualium sancti Francisci ...
Romae, typis Rev. Camerae Apostolicae, 1772. Fol. —
IV. J. a. 16.

Hasenmüller, Elias, Historia Jesuitici ordinis, in qua
de societatis Jesuitarum autore, nomine, incremento, vita,
votis, privilegiis, miraculis, doctrina, morte etc. perspicue
solideque tractatur, (edita e Polyc. Leysero.) Francofurti
ad M., Joh. Spiess, 1593. 4°. — V. B. d. 46/1.

Stevardi, Petri, Leodii, Apologia pro Societate Jesu
ad principes et ordines Sacri Romani Imperii contra com-
mentitiam historiam ordinis Jesuitici a Polycarpo Leysero .... editam. Ingolstadii, Dav. Sartorius, 1593. 4°.
— V. B. d. 46/2.

Crameri, Danielis, Tyrocinium apologeticum pro prace-
ptore suo, Polycarpo Leysero, ad vindicandam historiam
Jesuitici ordinis, ab Elia Hasenmüllero conscriptam,
solide oppositum futili apologiae Jesuiticae, a Petro
Stevardio ... editae. Witebergae, M. Geo. Muller, sumptibus Andreae Hoffmanni, 1594. 4°. — V. B. d. 46/3.

Lucius. Ludovicus, M., Historia Jesuitica; de Jesuitarum ordinis origine, nomine, regulis ... Basileae, J. J
Genathius, 1627. 4°· [Cum 2 figg.] — IV. J. g. 13.

Harenberg, Joh. Chph., Pragmatische Geschichte des
Ordens der Jesuiten. Halle u. Helmstädt, C. H. Hemmerde, 1760. 4°. 2 Bde. — IV. G. g. 14—15.

Histoire générale de la naissance et des progrès de la
Compagnie de Jésus et analyse de ses constitutions
et privilèges. Amsterdam, 1761—1767. 8°. (Tome 1—4 et 6).
5 voll. — IV. G. k. 34—39.

Reiffenbergii, Frid., e soc. J. presb., Historia societatis Jesu ad Rhenum inferiorem, e mss. codicibus, principum, urbiumque diplomatis et authoribus synchronis nunc primum eruta atque ad historiam patriae ex occasione illustrandam accommodata. Tom. I. Col. Agr., F. W. J. Metternich, 1764. Fol. — III. K. c. 4.

Damianus, Jacobus, s. J., Synopsis primi saeculi societatis Jesu, proponebat provinciae Gallo-Belgiae nomine. Tornaci Nerviorum, typis Adriani Quinqué, 1641. Fol. — III. J. b. 17.

Zambeccari, Nicolai, Oratio, coram sanctiss. d. n., Gregorio XV., in publico consistorio supplicantis pro beatis: Ignatio Lojola, . . . Francisco Xaverio, in sanctorum numerum referendis, habita . . . Romae, Bartholom. Zanetti, 1622, deinde Cracoviae, apud Franciscum Cesarium, s. a. 4°. — IV. G. n. 22.

Maffejus, Jo. Petr., presb. soc. J., De vita et moribus Ignatii Lojolae, qui societatem Jesu fundauit, libri III. Coloniae, M. Cholinus, 1585· 8°. — IV. G. i. 8. IV. K. b. 23.

Ribadeneira, Petrus, Res a b. Ignatio Lojola, societatis Jesu parente, gestae, quas e compendio, . . . litteris hispanicis vulgato, Jacobus Bidermannus latine conscripsit. Monachium, Ex typogr. Bergiano, 1612. 12°. — IV. G. n. 34.

Druffel, Aug. v., Ignatius von Loyola an der römischen Curie. München, Verlag der K. Akademie, 1879. 4°. — VI· C. d. 1.

Baumgarten, Herm., Ignatius von Loyola. Strassburg, J. Trübner, 1880. 8°. — V. G. i. 41.

Ponte, Ludov. de, Vallis-Oletanus, S. J., Vita P. Balthassaris Alvarez, societatis Jesu religiosi, . . . hispanice edita, P. Melchior Trevinnius ejusd. soc. latine reddidit. Colon. Agr., Jo. Kinchius, 1616. 8°. — IV. J. m. 22.

Sgambata, Scipio, s. J., Compendium vitae et miraculorum S. Francisci Borgiae, ducis Gandiae, marchionis Lombaji, regii equilis praefecti, post religiosi societatis Jesu, ejusdemque tertii praepositi generalis . . . Viennae Austriae, Matth. Cosmerovius, 1671. 8°. — IV. G. k. 48.

Nierembergii, Jo. Eus., soc. Jesu, Historia panegiryca de tribus gloriosis martyribus ex eadem societate Jesu, nuper in Urugai pro fide occisis, quorum martyrii gloriam multa prodigia significarunt. (Lugduni), J. Cardon, 1631. 8°. — III. M. n. 1/2.

Del Techo, Nicol., s. J., Historia provinciae Paraquariae societatis Jesu. Leodii, J. M. Hovius, 1673. Fol. — II. B. a. 13.

Spinola, Fab. Ambr., s. J., Vita P. Caroli Spinolae, S. J., pro christiana religione in Japonia mortui, italice scripta, latine reddita a P. Herm. ·Hugone, s. J. Antv., ex off. Plantiniana, 1630. 8°. — II. F. f. 30.

Mémoires, Nouveaux, des missions de la Compagnie de Jésus dans le Levant. Paris, Nicolas le Clerc, 1715. Tom. II. 1717. III. 1723. IV. 1724. V. 1725. VI. 1727. VII. 1729. 8°. 7 voll. — IV. R. k. 30—33.

Trigautius, Nicol., Litterae societatis Jesu e regno Sinarum ad r. p. Claudium Aquavivam, ejusd. soc. praepositum generalem, a. 1610 et 1611 . . . conscriptae. Antv., P. et J. Bellerus, 1615. 8°. — IV. E. l. 26/1.

Epistolae praepositorum generalium ad patres et fratres societatis Jesu. Antv., Jo. Meursius, 1635. 8°. — IV. H. i. 23/1.

(Pascal, Blaise), Les provinciales ou les lettres escrites par Lovis de Montalte a un provincial de ses amis et aux rr. pp. Jésuites, avec la théologie morale de dits pères et nouveaux casuistes, representée par leur prattique et par leurs livres, divisée en cinq parties. Cologne, Nic. Schoute, 1659. 8°. 4 tomes in 2 voll. — III. S. k. 18—19.

Reuchlin, Herm., Pascal's Leben und der Geist seiner Schriften, zum Theil nach neu aufgefundenen Handschriften mit Untersuchungen über die Moral der Jesuiten. Stuttgart und Tübingen, J. G. Cotta, 1840. 8°. — V. C. g. 29.

Recueil général des pièces concernant le procez entre la Mademoiseille Cadiére de la ville de Toulon, et le père Girard, Jésuite, recteur du seminaire royal de la marine de la dite ville. A la Haye, Chez Swart, 1751. 8°. 8 voll. — II. N. h. 1—8.

Cadiére, Die von dem Jesuiten Joh. Bapt. Girard verführte, . . ., ex actis in gegenwärtigem Gedichte mitgetheilet. Gedruckt im Rothen Meer, 1732. 8°. — IV. K. i. 23.

Historie, Erstaunenswürgige, des Jesuiten Pater Johann Baptista Girard, Rectoris zu Toulon in Frankreich, welcher unter dem Schein der Heiligkeit die Jungfer Cadiére, nebst noch unterschiedenen seiner Beicht-Töchter zur entsetzlichen . . . . verführet. Aus den . . . Acten und beglaubten Nachrichten zusammengetragen. Cölln, 1732. 8°. — IV. K. i. 23.

Factum oder Vertheidigungs - Schrift Marien Catharinen
Cadière wider den Pater Johann Baptist Girard, einen
Jesuiten, . . . aus dem Frantzösischen übersetzet. Cölln
am Rhein, 1732. 8°. — IV. K. i. 23.

Proces zwischen dem P. Girard, Soc. Jesu, Rectoris des
Seminarii de la 'Marine zu Toulon, und der Jungfer
Cadière, aus dem frantzösischen Original ins Teutsche
übersetzet. Cölln am Rhein, 1732. 8°. — IV. K. i. 23.

Appel à la raison des écrits et libelles publiés par la passion
contre les Jésuites de France. — 1764. 8°. — IV. G.
k. 29.

— Nouvel —, à la raison des écrits et libelles publiés par
la passion contre les Jésuites de France. Edition
nouvelle. — 1764. 8°. — IV. G. k. 30.

Saint-Priest, Alexis Cte. de, Histoire de la chute des
Jésuites au 18. siècle 1750—82. Bruxelles, Wouters
Frères, 1845. 8°. [Avec le portr. de Clément XIV.] — IV.
F. e. 31.

Hahn, Ludw., Geschichte der Auflösung der Jesuiten-
Congregationen in Frankreich im J. 1845. Leipz., Brockhaus u. Avenarius, 1846. 8°. — IV. C. n. 2.

Doctrina moralis Jesuitarum, die Moral der Jesuiten,
quellenmässig nachgewiesen aus ihren Schriften. Zweite
erweiterte Ausg. der „Flores theologiae moralis Jesuitarum." Celle, Literar. Anstalt, 1874. 8°. — V. E. k. 15.

Decreta congregationum generalium Societatis Jesu.
Romae, in Colleg. Rom. ejusdem Societatis, 1615. 8°. —
IV. J. h. 10.

Canones congregationum generalium Societatis Jesu, cum
formulis omnium congregationum. Romae, in Collegio
Rom. ejusdem Societatis, 1616. 8°. 2 voll. — IV. J. h. 10.

Decreta congregationum generalium Societatis Jesu. Antv.,
Joannes Meursius, 1635. 8°. — IV. J. h. 17.

Ordinationes praepositorum generalium, communes toti
Societati. Antverpiae, Joann. Meursius, 1635. 8°. — IV.
J. h. 17.

Formulae congregationum in quarta generali congregatione
confectae et approbatae. Antv., Jo. Meursius, 1635. 8°.
— IV. J. h. 17.

Constitutiones societatis Jesu et examen cum declara-
tionibus. Antverpiae, Joannes Meursius, 1635. 8°. — IV.
H. i. 23/2.

Bullae, decreta, canones, ordinationes, instructiones, epistolae
etc., quae instituti societatis Jesu impressioni Antverpiensi
accesserunt ab ao. 1636. Antv., Jac. Meursius, 1665. 8°.

Inter textum et indicem inserti sunt duo libelli:
1. Decreta congregationis generalis XII. et XIII. Romae, ex typogr. Jacobi Ant. de Lazzaris Varesii, 1688.
2. Formula congregationis procuratorum plurium congregationum generalium ac postremo duodecimae auctoritate probata et aucta. — IV. G. i. 20.

Epitome instituti societatis Jesu. Vilnae, typ. S. J., 1690. 8°. — IV. K. b. 22.

Loyola, Ign., Exercitia spiritualia. Pragae, typis Universitatis, 1735. 4°. — IV. G. h. 5.

Villebrune, L., Mémoire historique et politique sur les vrais intérêts de la France et de l'ordre de Malte ... Paris, Cocheris, an V. (1797). 8°. — III. K. e. 15.

Boré, Eugène, Saint-Lazare ou histoire de la société réligieuse Arménienne de Méchitar. Vénise, imprimerie de S. Lazare, 1835. 8°. [Av. fig.] — IV. R. i. 40.

Holtzendorff, F. v., Die Brüderschaft des Rauhen Hauses, ein protestantischer Orden im Staatsdienst. Berlin, Lüderitz, 1861. 8°. — V. D. m. 67.

Roverius, Petrus, e soc. Jesu, Reomaus, seu historia monasterii S. Joannis Reomaensis in tractu Lingonensi, primariae inter Gallica coenobia antiquitatis, ab anno Christi 425. Parisiis, Seb. Cramoisy, 1637. 4°. — II. N. d. 27.

Constituciones de la Escuela de Christo Nuestro Señor, que se tiene en el Hospital de los Italianos de Madrid. En Madrid, A. 1653. En Roma, Reu. Cam. Apost., 1655. 12°. — IV. J. n. 30.

Cosnier, Mich., Fontis-Ebraldi exordium, complectens opuscula duo, cum notationibus de vita r. Roberti de Arbresello, Fontebraldensis ordinis institutoris, et quaestionibus aliquot de potestate abbatissae. Flexiae, Geo. Griveau, 1641. 4°. — II. N. d. 28.

Bibel.

Vergl. hierzu Bd. III., S. 400 ff.

Biblia polyglotta). Biblia sacra hebraice, chaldaice, graece et latine, (ed. Bened. Arias Montanus). Antverpiae, Chph. Plantinus, 1571 72. 6 voll. Tom. I.—V. Tom. VII. (secundum Ebert: VIII.)
1. Communes et familiares hebraicae linguae idiotismi ... Bened. Ariae Montani Hispalensis opera.
2. Liber Joseph sive de arcano sermone.
3. Liber Jeremiae sive de actione.

(Biblia polyglotta.)

4. Thubal-Cain, sive de mensuris sacris.
5. Phalec sive de gentium sedibus primis orbisque terrae situ liber.
6. Chanaan, sive de duodecim gentibus.
7. Chaleb, sive de terrae promissae partitione.
8. Exemplar, sive de sacris fabricis liber.
9. Aaron, sive sanctorum vestimentorum ornamentorumque summa descriptio.
10. Nehemias sive de antiquae Jerusalem situ volumen.
11. Daniel, sive de saeculis codex integer.
12. Index biblicus . . .
13. Catalogus librorum canonicorum V. et N. Ti. cap. XLVII. concilii III. Carthaginensis c/a. a. CCCC.
14. Hebraea, chaldaea, graeca et latina nomina . . .
15. Loca ex chaldaica paraphrasi rejecta . . .
16. Variae lectiones et annotatiunculae, quibus **Thargum** i. e. chaldaica parpahrasis infinitis in locis illustratur et emendatur.
17. De varia in hebraicis libris lectione ac de **Mazzoreth** ratione atque usu.
18. Variarum in graecis bibliis lectionum libellus.
19. Annotationes variar. lectionum in Psalmos.
. 20. Tabula titulorum totius N. Ti. syriaci.
21. Loca restituta in Ni. Ti. syriaci contextu ope antiquissimi exemplaris mscti.
22. Variae lectiones in latinis bibliis editionis **vulgatae.**
23. Index errorum typogr. Fol. — IV. G. c. 1—6.

Biblia hebraica, impressa Venetiis, apud Dan. Bombergium, 1522. 4°. — IV. G. g. 12.

— hebraica, ex aliquot manuscriptis et compluribus impressis codicibus, item Masora tam edita quam manuscripta, . . . cura ac studio D. Joannis Heinrici Michaelis, Halae Magdeburgiae, typis Orphanotrophei, 1720. 4°. — IV. J. f. 1.

— hebraica, digessit et graviores lectionum varietates adjecit Joh. Jahn. Vien., sumptibus canoniae Claustroneoburgensis, 1806. 8°. 4 voll. Acc. Recensio codicum hebraicorum (s. scripturae) collationis Kennicottianae ex dissertatione gene ali excerpta atque observationibus Pauli Jac. Bruns et Joh. Bern. de Rossi suppleta et emendata. (136 mss. + 1260 mss.) Recensio editionum typographicarum collationis cl. de Rossi ordine chronologico digesta, (ab ao. 1477.) — IV. K. h. 13—16.

Hebraicus pentateuchus latinus planeque novus, ...
adjectis insuper rabinorum commentariis ... Item Cantica Canticorum, Ruth, Threni, Ecclesiastes. Esther.
Venetiis, ex officina Justinianea, 1551. 4º. — IV. K. b. 11.

Isajas propheta hebraice, graece et latine, addita est autem
duplex latina interpretatio, Hieronymi et Munsteri. Acc.
et succincta dificiliorum hebraicorum uocabulorum expositio, collecta per Seb. Munsterum ex Dauidis Kimhi
commentario. Basileae, per H. Petrum, (s. a.) 4º. — IV.
K. m. 6.

Novum testamentum, (graece.) Ex bibliotheca regia.
Lutetiae, ex officina Roberti Stephani, 1549. 16º. — IV.
G. i. 29.

Novum Jesu Christi d. n. testamentum. Ex bibliotheca
regia. Lutetiae, ex off. Rob. Stephani, 1550. Fol. (In fine
1567 Cal. Jul.) — IV. K. c. 11.

— Jesu Christi testamentum graece ... Bas., Nic. Brylinger,
1558. 8º. — IV. J. k. 1.

— testamentum. Ex bibliotheca regia. (Tomus I. Evv.
et Act. Apost.) Lutetiae, Rob. Stephanus, 1569. 12º. —
IV. J. n. 14.

Novum testamentum domini nostri Jesu Christi, graeco-
latinum, Theodoro Beza interprete. Tiguri, Bodmer,
1671. 8º. — IV. H. h. 13.

— — graecum, germanice illustratum, oder das griechische
neue Testament mit deutschen Noten, nebst einer Vorrede
herausgegeben von Christian Neudecker. Halle, Rengert,
1730. 8º. — IV. J. h. 6.

— — graece, recognovit atque insignioris lectionum varietatis
et argumentorum notationes subjunxit Georg Christian
Knappius. Halle, ex libr. Orphanotrophei, 1797. 8º. —
IV. J. h. 8.

Evangelia, quibus diebus dominicis utitur ecclesia, graece.
Vratisl., Ex off. And. Vuingleri, 1543. 8º. — IV. U. o. 29/2.

Biblia lat. veteris testamenti. Titulus et nov. test. deest. 8º.
8 folia praef. et 400 textus — IV. E. g. 18.

— latina. Norimb., Andr. Frisner et Jo. Sensenschmit, 1475.
Fol. — IV. P. a. 1.

— latina. Ulm., Joh. Zainer, 1480. Fol. — IV. K. c. 2.

— cum concordantiis veteris et novi testamenti et sacrorum
canonum etc. In fine: Impressa autem Lugduni, per
M. Jacobum Sacon, expensis ... Antonii Koberger Nu-
remburgensis ... 1516, die vero 17. m. Decembris. Fol.
— IV. J. d. 9.

Testamenti veteris biblia sacra sive libri canonici priscae
Judaeorum ecclesiae a Deo traditi, latini recens ex hebraeo
facti brevibusque scholiis illustrati ab Immanuele Tre-
mellio et Francisco Junio. Acc. libri, qui vulgo dicuntur
apocryphi, latine redditi et notis quibusdam aucti a Francisco Junio etc. Genevae, apud Joan. Tornaesium, 1590.
Dn. N. Jesu Christi testamentum novum sive fodus
novum, e graeco archetypo latino sermone redditum Theodoro Beza interprete, Franciscus Junius rec., auxit, illu-
stravitque. Genevae, apud Jo. Tornaesium, 1590. 4°.
6 voll. — IV. G. g. 9.

Biblia sacra vulgatae editionis Sixti V. pont. m. jussu recognita et Clementis VIII. auctoritate edita. Coloniae
Agr., haer. B. Gualteri et Soc., 1648. 8°. — IV. G. i. 13.

Biblia Sacra, vulgatae editionis, Sixti V. jussu recognita
et Clementis VIII. auctoritate edita. Coloniae Agrippinae, sumpt. Balthasaris ab Egmond, 1682. 8°. — IV.
I. h. 15.

— ex Seb. Castellionis interpretatione et postrema recognitione . . . ed. Jo. Ludolph Bünemann. Lipsiae, S. B.
Walther, 1738. 8°. [Cum eff. Castellionis.] — IV. J. b. 8.

Schultensii, Alberti, versio integra proverbiorum
Salomonis et in eadem cemmantarius, quem in compendium redegit . . . Geo. Jo Lud. Vogel . . . Acc. Auctarium
interpretationum per Guil. Abrah. Tellerum. Praefatus
est Jo. Salomo Semler. Halae, Jo. Jac. Curt, 1769. 8°.
— IV. G. h. 22.

Sententiae Salomonis juxta Hebraicam ueritatem summa
cura redditae. authore Philip. Melanch(thone)., Lips. Nic.
Faber, 1530. 8°. — IV. G. k. 46.

Versio latina sententiarum Jesu Siracidae Joachimi
Camerarii. Cum eiusd. Epistola dedicatoria ad Joh. Cratonem, Lips. XX. nov. 1567. (Tit. deest.)

Sententiae Jesu Siracidae graece summa diligentia et
studio singulari editae, cum necessariis notationibus, Joachimo Camerario Pabepergensi autore. Lipsiae. 1568. —
IV. G. i. 6/1—2.

Osiander, Luc., D., Epistolae S. Pauli apostoli omnes,
quotquot extant, juxta veterem seu vulgatam translatio-
nem ad graecum textum emendata et breui ac perspicua
explicatione illustratae . . . Tubingae, G. Gruppenbach,
1583. 4°. — IV. K. m. 4.

Septem canonici epistole beatorum apostolorum Jacobi,
Petri, Joannis et Jude. Sine l. a. et t. 4°. 17 foll.
Cf. A. G. Masch, Bibliotheca sacra p. III., pag. 288. Epi-

stolae septem canonicae ss. apostolorum cum praefationibus atque argumentis D. Hieronymi. Lipsiae, per Jacobum Thanner, 1513. Fol. In der Holzschnitt-Einfassung
des Titels findet sich das Zeichen, welches J, T u. H enthält. Da die Vorreden dem Hieronymus angehören, so
scheint der vorliegende Druck ein Abdruck der von Masch
erwähnten Folio-Ausgabe zu sein. — IV. G. m. 6/3.

Testamentum, Novum, syriace, editum ab Aegidio Gut-
birio. Hamburgi, typ. et impens. Autoris, 1664. 8°. —
IV. J. i. 23.

Gutbirius, Aegidius, Notae criticae in novum testamentum syriacum. Hamburgi, typis et impens. Autoris, 1667.
8°. — IV. J. i. 23.

Testamenti, Novi, versiones syriacae simplex, philoxeniana
et hierosolymitana, denuo examinatae et ad fidem codicum manuscript. bibliothecarum Vaticanae, Angelicae,
Assemanianae, Mediceae, Regiae aliarumque novis observat. atque tab. aere incisis illustratae a Jacobo Georg.
Christ. Adler. Hafniae, apud Christ. Gottl. Proft, 1789.
4°. — IV. B. c. 11.

Bibel, NT. (?), mit der Aufschrift in russ. Sprache auf dem
Einbande Gruzyjska Biblia. „Constance Potocka,
donné à Mr. Edouard Raczynski, le 13. Janvier 1817." 4°.
— IV. K. g. 18.

La Biblia, de la nuova translatione . . . fatta per Antonio
Bruccioli . . . In Venetia, per Bartholomeo de Zanetti da
Bressanel, 1539. 8°. — IV. H. l. 8.

— — tradotta in lingva Toscana di lingua Hebrea per Santi
Marmochini Fiorentino. In Vinegia, heredi di Luc'antonio Giunti, 1545. Fol. — IV. K. c. 10.

Testamento, El nuevo, que es los escriptos evangelicos
y apostolicos, revisto y conferido con al texto griego por
Cypriano de Valera. En Amsterdam, en casa di Henrico
Lorenzi, 1625. 8°. — IV. G. i. 23.

Bible, La sainte, contenant l'ancien et le nouveau testament,
traduit en françois sur la Vulgate par Mr. Le Maistre de
Saci. A Mons, G. Migeot, 1713. 4°. 2 voll. [Av. figg.]
— IV. K. g. 1–2.

— — qui contient le vieux et le nouveau testament, revûë sur
les originaux . . . par feu Mr. David Martin, ministre du
s. évang. à Utrecht. A Basle, J. R. Im-Hoff, Avec les
caractères de Jean Henry Decker, 1736. 4°. 2 voll. —
IV. K. g. 3–4.

— — qui contient le vieux et le nouveau testament, revue sur
les originaux . . . par David Martin. Nouvelle édition

par Pierre Roques.   Basle, Jean Rodolphe Im-Hoff, 1744.
8°. — IV. K. i. 20.

Marot, Cl., et Th. de Beze, Les pseaumes de David, mis
en rime françoyse, entierement mis sur les noix de
la musique . . . Acc. Libri symbolici.   Rotterdam, Pierre
d'Alphen, imprim. de Henry Goddaeus, 1660.   4°. — IV.
K. h. 19.

Les psaumes, v. Manuel du chrétien.   Paris, 1812.   12°. —
IV. G. i. 31.

Testament le nouveau v. Manuel du chrétien.   Paris, 1812.
12°. — IV. G. i. 31.

Bible, The holy, containing the old testament and the new.
Newly translated out of the original tongues. . . . London, Charles Bill, 1703.   8°. — IV. K. h. 20.

Biblia pentapla, d. i. Die Bücher d. h. Schrift des alten
u. neuen Testaments nach fünffacher deutscher Verdol-
metschung, als:

   1. Der Römisch-Catholischen durch Caspar Ulenberg,
      Theol. Lic.
   2. Der Evangelisch-Lutherischen durch Martin Luther,
      Theol. D.
   3. Der Evangelisch-Reformirten, durch Johann Piscator,
      Theol. Prof.
   4. Der Jüdischen, im Alten Testament des Jos. Athiae
      und Der Neuen, im Neuen Testament, durch Joh. Heinr.
      Reitzen.   •
   5. Der Holländischen, a. Verord. der H. Generalstaaten.
Gedr. und verl. durch Herm. Heinr. Holle, Hollstein-
Gottorff. privil. Buchdr., 1710—1712.   4°.   3 Bde. — IV.
G. g. 16—18.

Biblia v. et n. test., germ. M. Lutheri, graec. LXX., lat.
Vulgata, alt. lat. Santis Pagnini, (V Ti. 5. NTi. 2. partes.)
Hamburgi, excudebat Jacobus Lucius Junior, 1596.   Fol.
7 voll. in 3 tom. — IV. H. c. 4—6.

Biblia, das ist die gantze h. Schrifft alten und neuen
Testaments.   Deutsch.   Dr. Martin Luthers.   Lüneburg,
gedr. u. verlegt durch die Sterne, 1672.   Fol. [M. Kpfrn.]
— IV. G. a. 7.

— sacra oder die h. Schrift alten und neuen Testamentes,
verdeutscht u. mit Anmerk. versehen durch Ignaz Weiten-
auer.   Augsburg, Joseph Wolf, 1779—81.   8°.   14 Thle.
in 12 Bdn. — IV. K. m. 9—20.

Propheten, Die — alle, Deudsch D. Mart. Luth.(ers).   Gedrückt zu Wittemberg durch Hans Lufft, 1540.   Fol. [M.
einer Titelvign.] — IV. H. e. 5.

Biblia . . . des Ouden en des Nieuwen Testaments. Amsterdam, G. de Groot, 1718. Fol. — IV. H. f. 12.

— holl. Dordrecht, Jac. en Pieter Keur, 1722. 12⁰. 2 voll. [M. Kk.] — IV. G. i. 32—33.

— Det er, den gandske Hell-Skriftes Böger. Kiöbenhavn, Wäysenhuses Bogtrykkerie, 1740. 12⁰. — IV. J. i. 3.

Biblj Swata, to gest kniha wniz se wssecka Pisma Swata Stareho y Noweho Zakona przugi . . . 1596. 8⁰. — IV. G. h. 14.

Zákon nowý, imprimován wedle Biblij, a gest wytisstěn w slawném starém městě Pražském u Jana Kantora, 1563. 8⁰. Tit. deest. — V. B. e. 4.

Jastrzębski, J. L. Corvinus, Notice sur le texte du sacre, extrait du journal général de l'instruction publique des 4. et 7. septembre 1839. Paris, Paul Dupont et Cie., 1839. 8⁰. 6 Bll. Text u. 2 Bll. Facsim. — IV. J. e. 7.

Hanky, Wáclawa, Zpráwa o słowanském ewangelium w Remeši. W Praze, B. Háze synowie, 1839. 8⁰. 12 Stn. u. 1 Bl. Facsim. — III. T. m. 6.

— Wypisky Remešského a Ostromjrskeho ewangelium. W Praze, tiskem synow Bohumila Háze, 1842. 8⁰. — IV. J. e. 8.

— Dopisy z Ciziny Wácl. Hankowi. Wyňatek z Časop. Mus. na r. 1840 sw. II. W Prase, Boh. Haze, 1840. 8⁰. 15 Stn. u. 1 Bl. Facsimile. Záwjrka Remešského Ewangelium. — III. T. m. 25.

Codex, Quattuor evangeliorum, Glagoliticus, olim Zographensis, nunc Petropolitanus. Edidit V. Jagić. Accedunt speciminum scripturae Glagoliticae tabulae tres. Berolini, apud Weidmannos, 1879. 4⁰. — V. E. f. 2.

Biblia, Szent. Basileában, János Rodolf Im-Hof., 1764. 8⁰. [Eine neue Aufl. der daselbst im J. 1751 erschienen Bibel.] — IV. H. h. 21.

— in's Ungarische übersetzt von Georg Káldi, Soc. Jesu. Buda, gedr. in der königl. Universitäts-Druckerei, 1782. Fol. — IV. H. e. 4.

Evangelia et epistolae dominicorum festorumque dierum. (Graece et latine.) Ante a. 1580. 8⁰. Tit. deest. — IV. K. n. 26.

Swjate Zczeňa, Lectioné, ha Epistle na te Nedzele, ha Swjate Dně toho czewoho léta . . . Buduschńe, tžischczane ha Kňezné Macžeře Séhna, 1750. Liber evangeliorum et epistolarum pro catholico populo linguae sorabicae in sup. Lusatia. 8⁰. — IV. J. k. 13/1.

Rhesa, L. J., Geschichte der litthauischen Bibel, ein Bey-
trag zur Religions-Geschichte der nordischen Völker.
Königsberg, Hartung, 1816. 8°. — IV. D. e. 17/1.
— Philol.-krit. Anmerkungen zur litth. Bibel, als Erläute-
rungen zu der ... Umarbeitung des litthauischen Textes.
Königsberg, Hartung, 1816. 8°. — IV. D. e. 17/2.

Exegetische Theologie.

Conradus de Allemania, Concordantię. [Hain: Argentor.,
Jo. Mentelin c. 1475.] Fol. — IV. P. a. 6.
Althamer, Andr., Sylva biblicorum nominum ... Basileae,
Thom. Wolf, 1635. 8°. — IV. G. i. 16.
Crellius, Paul, Novum promptuarium biblicum oder newe
biblische Concordantien, ... mit mehr denn die Helffte
vermehrt ... durch M. Dan. Fesselium ... Frkf. a. M.,
In Verl. der Societät, 1662. Fol. — IV. P. a. 2.
Concordantiae Bibliorum juxta exemplar Vulgatae edi-
tionis Sixti V. pontificis max. jussu recognitum et Cle-
mentis VIII. autoritate editum, nouo studio et industria
theologorum Coloniensium reuisae, emendatae et auctae.
Coloniae Ubiorum, sumpt. Jo. Friesenhagen exc. Petrus
Hilden, 1663. Fol. — IV. K. c. 3.
Lanckisch, Frid., M., Concordantiae bibliorum germanico-
hebraico-graecae. Deutsche, hebräische und griechische
Concordantz-Bibel ... 4. Ausgabe. Leipzig und Frankfurt, gedruckt bey J. H. Richter, 1705. Fol. — IV. K. a. 14.
Burgo, Franciscus de, Bibliotheca succincta et porta-
tilis, sive directorium concionatorum, continens synopsim,
sive summam generalem legis scriptae veteris et novi testamenti et dictionarium sacro-morale alphabeticum et the-
mata biblica selecta. Coloniae, sumpt. Balthas. Joach.
Endter, bibliop. Norimb., 1691. 8°. — IV. J. h. 12.
Calmet, Augustinus, Dictionarium historicum, criticum,
chronologicum, geographicum et litterale s. scripturae
cum figuris antiquitates Judaicas representantibus, e gallico in latinum translatum et nonnihil expurgatum ab ...
Joan. Dominico Mansi. Augustae Vindelicor. et Graecii,
Ph. et M. Veith, 1729. 2 voll. [Cum figg.] — II. S. f. 7.
— id. opus. ibid. 1738. Fol. 2 voll. [Cum figg.] — IV. H.
e. 1—2.
Müllerus, Carol. Gotthelf, De versionibus codicis sacri.
Jenae, Strauss, 1758. 4°. — 897.
Schotanus, Chn., Diatribe de authoritate versionis graecae,
quae dicitur LXX. interpretum. Franekerae, Johannes
Wellens, 1663. 4°. — IV. H. h. 19.

Kohl, Joh. Pt., Introductio in historiam et rem literariam Slavorum imprimis sacram, sive historia critica versionum slauonicarum maxime insignium, nimirum codicis sacri et Ephremi Syri etc. Altona, J. Kort, 1729. 8°. — IV. C. n. 36. III. R. k. 39.

Fénélon, Franç. de Salignac de la Mothe, Lettre de Monsieur — à Monsieur l'evêque d'Arras sur la lecture de l'écriture sainte en langue vulgaire. 8°. — IV. K. h. 28/1.

Thilo, Wilh., Geschichte der preussischen Haupt-Bibelgesellschaft in ihrem ersten Halbjahrhundert, 1814—64. Berlin, Preuss. Haupt-Bibelgesellschaft, 1864. 8°. — V. B. m. 10.

Cohen de Lara, David, De convenientia vocabulorum rabbinicorum cum graecis et quibusdam aliis linguis europaeis. Amstelodami, Nicolaus Ravenstein, 1648. 8°. — IV. H. h. 19.

Ehrlen, Joh. Frid., auctor, Scherer, Joh. Frid., praes., Diss. philologica de diis et deabus gentilium in sacra scriptura memoratis. Argentor., M. Pauschinger, 1750, Sept. 16. 4°. — 889.

Seldeni, Jo., De diis syris syntagmata II., adversaria nempe de numinibus commentitiis in veteri instrumento memoratis. Accedunt fere, quae sunt reliqua Syrorum, prisca porro Arabum, Aegyptiorum, Persarum, Afrorum, Europaeorum, item theologia subinde illustratur. Editio juxta alteram ipsius autoris opera emendatiorem auctioremque omnium novissima, opera Andreae Beyeri. Lipsiae, impens. Laurentii Sigismundi Cörneri, litteris Joannis Coleri, 1672. 8°. [Cum eff. auctoris.] — III. B. l. 15.

Wedelius, Geo. Wolfg., De Elia artista, III. Jenae, Ritter, 1719. 4°. Acc. Vita doctorandi Joh. Friderici Beckii. — 282/2.

Camartus, Aegidius, Elias Thesbites sive de rebus Eliae prophetae commentarius posthumus. Parisiis, Seb. Cramoisy, 1631. 4°. — IV. G. g. 24.

Bochartus, Sam., Geographiae sacrae pars prior: Phaleg seu de dispersione gentium et terrarum divisione facta in aedificatione turris Babel, cum tabula chorographica etc. Cadomi, typis P. Cardonelli, 1646. Fol. — II. D. a. b.

Franzius, Wolfg., Historia animalium sacra. Ed. V. Witteb., Balth. Mevius, 1642. 8°. — IV. H. i. 4.

Lemnii, Leuini, Herbarum atque arborum, quae in bibliis passim obuiae sunt, explicatio. Bruxellis (?), Guil. Simon,

typis Joanuis Latii, 1566. 8°. Titulus deest. — IV.
K. b. 29.

Marchesinus, Joannes, Mamotrectus. Venet., Nicol. Jenson. 1479. 4°. (Expositio in singul. libros bibliorum per
singula capita.) 4°. — IV. L. l. 2 b.

Calovius, Abrah. D., Biblia testamenti veteris illustrata.
Editio II. Dresdae et Lipsiae, J. Chph. Zimmermann,
impr. Rudolstadii, p. Henr. Urban et Balth. Pensold,
1719. Fol. 2 voll. — IV. J. d. 1—2.

Acoluthi, Andr., Vratisl., De . . . aquis amaris, maledictionem inferentibus, vulgo dictis zelotypiae . . . (Num.
V., 2 55.) philologema. Lips., J. Brandius, 1682. 4°. —
IV. J. g. 15/2.

Wedelii, Geo. Wolfg., De physiologia excidii Sodomorum et statuae salis. Jenae, Krebs, 1692. 4°. Acc. Vita
doctorandi Johanni Petri Biesteri. — 893.

Hebenstreit, Joh. Chn., praes., Valterus, Joh. Erdm.,
auctor., Aquilae natura e sacris literis, inprimis ex Deuter.
32,11., Ezech. 17,3, Psalm. 103,5, et hae vicissim ex historia naturali et monumentis veterum illustratae. Lipsiae,
Langenhemius, 1747, Jan. 20. 4°. — 896.

Waehner, Andr. Geo., Pauca de Endorensi praestigiatrice
praefatur. (I. Sam. XXVIII.) Gottg., A. Vandenhoeck,
1738. 4°. — 888.

Mendoza, Franc. de, Olisiponensis, e Soc. Jesu,
Commentariorum in quatuor libros regum tom. I., cont.
comm. in cap. I.—II., libri I. regum. Coloniae Agr., P.
Henning, 1628. Fol. — IV. J. d. 4.

Terentius, Joh., Liber Jjobi, chaldaice et latine, cum notis,
item graece $\Sigma TIXIIP\Omega\Sigma$, cum variantibus lectionibus.
Franekerae, Joh. Wellens, 1663. 4°. — IV. H. h. 19.

Gregorius, Beatus, papa, Librum beati Job petente S.
Leandro spalense episcopo exponit. Nuremb., Joh. Sensenschmid et Joh. Kefer, 1471. Fol. — V. F. c. 5.

Kirchmajer, Geo. Casp., M. praes., Laurentius, Chn.,
resp., Thematum zoologicorum bigam de Behemoth et
Leviathan sub praesidio — disquisitioni publicae sistet
. . . 1660 Sept. 8. Witteb., J. Haken, 1660. 4°. — 1007.

Arnobii commentarius in psalmos. [Titulus et prima folia
desunt.] 4°. — IV. J. m. 10/1.

Turrecremata, Joh. de, Explanatio in psalterium. Cracis
impressa. [Estreicher: Cracoviae, 1475.] Fol. — IV.
J. f. 11.

Brunonis, Beati, episcopi Herbipolensis, Psalterium. Nuremb., Ant. Koberger, 1494. 4°. — IV. F. g. 6.

*ΛΑΒΙΛΟΥ, ΠΡΟΦΗΤΟΥ ΚΑΙ ΒΑΣΙΛΕΩΣ, ΜΕΛΟΣ ΕΛΕ-
ΓΕΙΟΙΣ ΠΕΡΙΕΙΛΗΜΜΕΝΟΝ ΥΠΟ ΠΛΥΛΟΥ ΤΟΥ
ΛΟΛΣΚΙΟΥ ΠΛΑΕΩΣ.* Psalterium prophetae et regis
Davidis, versibus elegiacis redditum a Paulo Dolscio,
Plauensi. Basileae, per Jo. Oporinum, 1555. 4°. — V.
A. m. 23.

Jansenius, Cornelius, episcop. Gandavensis, Paraphrasis
in psalmos omnes Davidicos, cum argumentis et annotationibus, itemque in ea veteris testamenti cantica,
quae per singulas ferias ecclesiasticus usus observat.
Ejusdem in proverbia Salomonis et ecclesiasticum accu-
ratissima commentaria. Lugduni, apud Carolum Pesnot,
1580. Fol. — IV. H. e. 3.

Genebrardus, Gilb., Psalmi Dauidis vulgata editione,
calendario hebraeo, syro, graeco, latino, argumentis et
commentariis . . . instructi. Ed. V. Antv., ap. Aegidium
Beysium, generum Chph. Plantini, 1592. 8°. — IV.
K. b. 28.

Speth, Wolfg., Soc. Jesu, Psalter ium Davidis et cantica,
quae per horas canonicas decantat ecclesia, brevi et clara
paraphrasi secundum litteram explicata. Coloniae,
H. Demenius, 1659. 8°. — IV. J. k. 16.

Sacy, de, Die Psalmen Davids, nebst ihrer Ausslegung, anfänglich in frantz. Sprache an das Licht gegeben, nun
aber ins Teutsche übersetzt. Alt-Stadt Prag, W. Wick-
hardt, 1713. 4°. 3 Thle. in 1 Bde. — IV. J. m. 1.

Innocentii, D., papae hujus nominis tertii, In septem psalmos poenitentiales Dauidis commentarius. Coloniae, Jo.
Birckmann, 1566. 8°. — IV. G. i. 18/1.

Erasmi, Des., Roterodami, commentarius in psalmum, Quare
fremuerunt gentes. [Sine l. a et t., cum armis typo-
graphi.] — IV. J. m. 10/2.

Strauss, Otto, Der Psalter als Gesang- und Gebetbuch,
eine geschichtliche Betrachtung. Berlin, Wilh. Hertz,
1859. 8°. — V. C. k. 56.

Ramirez, Andreas Pintus, S. J., Canticum canticorum
Salomonis, dramatico tenore, litterali allegoria, tropolo-
gicis notis explicatum. Lugduni, Gabr. Boissat et Laur.
Anisson, 1642. Fol. — IV. H. e. 8.

Herder, Lieder der Liebe, die ältesten u. schönsten aus dem
Morgenlande, [das Hohelied Salomonis,] nebst 44 alten
Minneliedern. Leipz., Weygand, 1778. 8°. — III. R. l. 27.

Proverbia Salomonis per Joannem Campensem juxta
Hebraicam veritatem paraphrasticôs latinitate donata.
Adjectae sunt precationes aliquot, que in psalterio non

habentur, ex variis scripturae locis jussu D. Dantisci depromtę. Venundantur Cracoviae, a Floriano Vnglerio,
1534. 8°. — IV. H. i. 21/1.

Buschius, Herm., Dictata quaedam vtilissima, ex prouerbiis sacris et ecclesiastico ad studiosorum quorunque
vtilitatem . . . collecta. Coloniae, apud Conradum Caesarem, 1519 m. Nov. 4°. — III. G. b. 6/2.

Geier, Mart., D., In Salomonis, regis Israel, ecclesiasten
commentarius . . . Ed. III. Lips., J. Ch. Tarnovius,
1691. 4°. — IV. J. g. 12/2.

Romberg, J. H. F., Die prophetischen Offenbarungen des
alten und neuen Testaments . . . Neue Umarbeitung.
Bromberg, E. S. Mittler. 8°. — V. B. f. 22.

Bangius, Thomas, Caelum orientis et prisci mundi triade
exercitationum literiarum repraesentatum. Havniae, typ.
Petri Morsingii, sumpt. Petri Hauboldi, 1657. 4°. — IV.
H. h. 19.

Haymonis, episcopi Halberstattensis, In Esajam commentariorum libri tres. Coloniae, Petrus Quentel, 1531. 8°. —
IV. J. i. 7.

Hyperii, Andr., In Jesaiae prophetae oracula annotationes. Basileae, ex off. Plantiniana, 1574. 8°. — IV.
J. i. 4.

Geier, Mart., D., Praelectiones academicae in Danielem
prophetam, habitae antehac Lipsiae . . . Ed. III. Lips.,
F. Lanckisius, 1702. 4°. — IV. J. g. 12/1.

Newton's, Isaak, Beobachtungen zu den Weisssagungen
des Propheten Daniels, aus dem Lat. Herrn Wilhelm
Südermanns verdeutschet . . . von M. Chr. Fried. Grohmannen, welchen beygefüget ist eben des Ritters Newton's
Auslegung der Offenbarung Johannis, aus dem Lat.
verdeutschet . . . von Abrah. Glob. Rosenberg. Leipzig
und Liegnitz, David Siegert, 1765. 8°. 2 Bde. — IV.
H. h. 12.

Kalinsky. Joh. Glieb., Vaticinia Chabacuci et Nachumi,
itemque nonnulla Jesajae, Micheae et Ezechielis oracula
. . . Vratislaviae, J. J. Korn, 1748. 4°. — IV. H. h. 3.

Reinhardus, Jo. Benj., M., De novi testamenti graeci
primus editoribus. Witeb., Ch. Schroeder, 1717. Nov.
4°. — 892.

Beausobre, Mr. de, Remarques historiques critiques et
philologiques sur le nouveau testament. Avec la vie
de l'auteur. A la Haye, P. de Hondt, 1742. 4°. 2 voll.
— IV. K. g. 13.

Fischer, Chph., Institutiones hermeneuticae ni testamenti. Pragae, Vidua Elsenwanger, 1788. 8°. — IV. G. h. 16.

Baumgarten-Crusius, Gustav Sam. Theod., Jurisprudentia in interpretando novo testamento lucina. Specimen secundum, evangelia Marci, Lucae et Joannis continens. Lips., C. Tauchnitz, 1802, Mai 19. 4°. — 923.

Baeza, Didaci de, Ponferradiensis, soc. J. theologi, Commentariorum moralium in universam historiam evangelicam libri tres. Col. Agr., Jo. Kinckius, 1630. Fol. 2 voll. — IV. H. c. 10.

Tatiani, Alexandrini, Harmoniae evangelicae antiquissima versio theotisca, ut et Isidori Hispalensis de nativitate, passione, resurrectione etc. libri eadem lingua conversi fragmentum, theotisce et latine, ex edit. et cum animadversionibus . . . Joan. Philip. Palthenii. Gryphiswaldiae, Jo. Wolfg. Fickweiler, 1706. 4°. — IV. H. h. 14.

Bauer, Bruno, Kritik der evangelischen Geschichte der Synoptiker. Bd. I.—II. Leipzig, Otto Wigand, 1841—42. Bd. III. Braunschweig, Friedrich Otto, 1842. 8°. 3 Bde. — V. J. h. 38—40.

— Kritik der evangel. Geschichte des Johannes. Bremen, Carl Schünemann, 1840. 8°. — V. J. h. 35.

Nonni, Panopolitani, Graeca paraphrasis sancti evangelii secundum Joannem, opera Francisci Nansii, cum interpretatione latina. Lugduni Batavorum, ex offic. Plantiniana, apud Francisc. Raphelengium, 1589. 8°. — IV. J. h. 16.

Nansii, Francisci, Ad Nonni Paraphrasin evangelii Joannis, graece et latine editam, curae secundae. Lugduni, Batavorum, ex offic. Plantiniana apud Francisc. Raphelengium, 1593. 8°. — IV. J. h. 16.

Obbarius, Chph. Ludov., M., praes., Heine, Chn. Frid., resp., De temperamento Johannis apostoli cholerico. Göttg., Hager, 1738. 4°. — IV. P. c. 24/3.

Freherus, Marquardus, De verbis Domini: Date Caesari quae sunt Caesaris et quae Dei Deo., sermo votivus, theologistoricam ejus loci explicationem continens. Heidelbergae, Chph. Leonis et Joh. Lanceloti typis, 1598. 4°. — II. O. e. 32/3.

Hieronymus, Introductorium in epistolare. Maguntiae, Petr. Schoiffer de Gernssheym, 1470. Fol. — IV. W. a. 1.

Augustini, Divi Aurelii, Expositio in omnes Pauli epistolas. Parrhisiis, Udalricus Gering et Bertholdus Rembolt, 1499. Fol. Acc. in fol. 227: Joannes Chrisostomus, De laudibus beati Pauli. — IV. G. b. 12.

Johannes Campensis, Commentariolus — in duas Diui
Pauli epistolas, sed argumenti ejusdem, alteram ad Romanos, alteram ad Galatas. Cracoviae, excusus pro Floriano Unglerio p. Mathiam Scharfenberg, 1534. 8°. — IV.
H. i. 21/2.

(La Peyrere, Is. de), Prae-Adamjtae sive exercitatio super
versibus duodecimo, decimotertio et decimoquarto capitis
quinti epistolae D. Pauli ad Romanos, quibus indicuntur
primi homines ante Adamum conditi. Paris., ao. 1655.
8°. — IV. G. i. 19 et i. 28.

Haymonis, episcopi Halberstattensis, Commentariorum in
apocalypsim beati Joannis libri VII. Coloniae, ex off.
Eucharii, 1531. 8°. — IV. J. i. 7.

Jansonius, Robertus, Brevis dissertatio de visionibus,
quae capitib. XIII. et XVII. apocalypseos describuntur.
Claudiopoli, 1625. 8°. — IV. J. i. 28.

Basch, Sigism., M., Pastorale Christi ex ejus litteris ad
ecclesias septem Asianas per Johannem, apoc. c. II. et III.,
exaratis, strictim delineatum . . . commendat. Hildburg-
husae, J. G. Hanisch, 1751. 8°. — III. B. k. 16/2.

Biblische Geschichte.

Biblia pauperum, nach dem Original in der Lyceums-
bibliothek zu Constanz herausgegeben und mit einer Einleitung begleitet v. Pfarrer Laib u. Decan Dr. Schwartz.
Zürich, Leo Wörl, 1867. Fol. [M. 18 Tafeln, die den
Bibeltext und Abbildungen enthalten.] — VI. B. a. 11.

Bonaventura, Biblia pauperum omnibus predicatoribus
perutilis. Sine l. a. et t. 4°. — IV. G. n. 16.

Comestoris, Petri, M., Scolastica historia —, sacre
scripture seriem breuem nimis et expositam exponentis.
Argentor., 1485. Fol. — IV. K. a. 4.

— Scholastica historia. Argentinae, 1503. 4°. — IV. K.
g. 15/1.

Palafox y Mendoça, Juan de, Obispo de la Puebla de
los angeles . . . Historia real sagrada, luz de principes
y subditos II. impression. En Brusselas, F. Foppens,
1655. 4°. (Gesch. Saul's u. David's.) — II. D. c. 11.

Basnage, Histoire du vieux et du nouveau testament . . .
Amsterd., P. Mortier, 1706. 4°. [Av. figg.] — IV. F. f. 15.

Calmet, Augustin, Histoire de l'ancien et du nouveau
testament et des Juifs, pour servir d'introduction à l'histoire
ecclesiastique de Mr. l'abbé Fleury. Paris, Emery, 1719.
4°. 2 voll. [Av. figg.] — IV. G. g. 1—2.

Rayaumont, De, Riflessioni morali sopra l'istoria del vecchio e nuovo testamento, in lingua francese, tradotte in lingua italiana. Venezia, Baglioni, 1743. 12°. — IV. J. i. 15.

Haneberg, Daniel Bonifacius, Versuch einer Geschichte der biblischen Offenbarung als Einleitung in's alte und neue Testament. Zweite Auflage. Regensburg, G. Joseph Manz, 1852. 8°. — V. C. e. 36.

Falkenheim, Biblische Geschichte und Religionslehre, für die Jugend bearbeitet. Kosten, Theodor Winkler, 1866. 8°. — V. B. m. 19/3.

Kirchenväter.

Ittigius, Thom., Bibliotheca patrum apostolicorum graeco-latina. Praemissa est dissertatio de patribus apostolicis. Lipsiae, haered. Lanckisiani, 1699. 8°. [Cum eff. auctoris.] — IV. I. i. 1.

Bibliothek der Kirchenväter, Auswahl der vorzüglichsten patristischen Werke in deutscher Übersetzung, herausgegeben von Dr. Valentin Thalhofer, [angef. v. Dr. Fr. X. Reithmayr.] Kempten, Jos. Kösel, 1869—84. 8°. Bd. I.—LXX. — VI. C. i. 1—34. VI. C. k. 1—21.

     Ambrosius, Bischof von Mailand, Ausgewählte Schriften des heil. —, übers. v. Dr. Franz Xav. Schulte. Kempten, J. Kösel. 1871—1877. 8°. 2 Bde. — VI. C. i. 18—19.

     Constitutionen und Canonen, Die sogen. apostolischen, aus dem Urtext übersetzt von Dr. Ferdinand Boxler. Kempten, Jos. Kösel, 1874. 8°. — VI. C. i. 1.

     Schriften, Die — der apostol. Väter, nebst den Martyr-Akten des heil. Ignatius und heil. Polykarp, nach dem Urtexte übers. von Dr. J. Chrys. Mayer. Kempten, Jos. Kösel, 1869. 8°. — VI. C. i. 2.

     Augustinus, Aur., Ausgew. Schriften des hl. — Kirchenlehrers, nach d. Urtexte übersetzt.

    1. Bd. (Bekenntnisse). Mit einer kurzen Lebensbeschr. des Heiligen von J. Molzberger.

   2—3. 22 Bücher über den Gottesstaat . . . übers. von Ulrich Uhl.

   4. 4 Bücher über die christl. Lehre, . . . übers. von Remigius Storf. — Büchlein vom ersten Religionsunterricht für angehende Katechumenen, . . . übers. von J. Molzberger. — 4 Bücher über d. Symbolum

Augustinus, Aur.

an die Katechumenen, ... übers. von Remigius Storf.
— Schrift über den Glauben und die Werke, ...
übers. v. Remigius Storf. — Enchiridion d. i. Hand-
büchlein für den Laurentius, od. Buch über Glauben,
Hoffnung und Liebe, ... übers. v. J. Molzberger.

5—6. Erörterungen zum Johannis-Evangelium in 124
Vorträgen (Homilien), übers. von Dr. Heinr. Hayd.

7—8. Ausgew. Briefe, übers. von Theod. Kranzfelder.
Kempten, J. Kösel, 1871—78. 8°. 8 Bde. — VI. C.
k. 1—7.

Athanasius, Erzbisch. v. Alexandria u. Kirchenl.,
Ausgew. Schriften, aus dem Urtexte übers. u. mit Einl.
sowie erläut. Bem. vers. von Jos. Fisch. Kempten, J.
Kösel, 1872—75. 8°. 2 Bde. — VI. C. i. 20—21.

Athenagoras aus Athen, Die Schriften des
christl. Philosophen —, aus d. Urtexte übers., eingel. und
erläut. v. Priester Aloys Bieringer. Kempten, J. Kösel,
1875. 8°. — VI. C. i. 8/2.

Basilius d. Gr., Bisch. von Caesarea u. Kirchenl.,
Ausgew. Schriften des —, nach d. Urtexte übersetzt ... ·
von Dr. Valent. Gröne. Kempten, J. Kösel, 1875—81. 8°.
3 Bde. — VI. C. i. 22—23.

Briefe, Die — der Päpste und die an sie gerichteten Schreiben von Linus bis Pelagius II. (67—590.) Zusammengestellt, übers., mit Einl. und Anm. versehen von
Severin Wenzlowsky. Kempten, J. Kösel, 1875—79. 8°.
6 Bde. — VI. C. k. 15—17.

Cassianus, Johannes, Sämmtl. Schriften des
ehrwürdigen —, aus dem Urtexte übersetzt. Kempten,
J. Kösel, 1879. 8°. 2 Bde. — VI. C. i. 24—25.

Chrysostomus, Erzbisch. von Constantinopel und
Kirchenl., Ausgewählte Schriften des heil. —, nach dem
Urtexte übers., mit einer kurzen Lebensbeschr. des Hei-
ligen von Dr. Joh. Chrysostomus Mitterrutzner. Kempt.,
J. Kösel, 1869—80. 8°. 7 Bde.

1. Bd. Enhält: 6 Bücher vom Priesterthume. Buch
vom jungfräul. Stande. — I. Brief an Theodorus ...
übers. v. Joseph. Rupp. 9 Homilien über die Busse
... übers. von Mitterrutzner.

2. 21 Homilien über die Bildsäulen, übersetzt von demselben.

3. Ausgew. Reden ... übersetzt von Matthias Schmitz.
Briefe an Papst Innocentius u. an Olympias übers.
von demselben.

Chrysostomus, Erzb. v. Constantinopel etc.
4—7. Homilien über die Briefe des h. Apost. Paulus. —
VI. C. k. 18—21.

Clemens, Tit. Flav., Kirchenlehrer v. Alexandrien, Ausgew. Schriften des —, aus dem Urtexte übers., mit einem kurzen Vorbericht über Clemens' Leben und Schriften von Dr. Lorenz Hopfenmüller. Kempten, Jos. Kösel, 1875. 8°. — VI. C. i. 4.

Cyprian, Bisch. v. Carthago u. Märt., Ausgw. Schriften des —, nach dem Urtexte übs. von Ulrich Uhl, Dr. Joseph Niglutsch u. Anton Egger. Kempten, J. Kösel, 1869—79. 8°. 2 Bde. — VI. C. i. 26—27.

Cyrillus, Des heil. —, Erzbischofs von Jerusalem und Kirchenvaters, Katechesen, nach dem Urtexte übs. von Dr. Joseph Nirschl. Kempten, Jos. Kösel, 1871. 8°. — VI. C. i. 5.

Cyrillus, Des heil. —, Erzbisch. und Patriarchen von Alexandria, ausgewählte Schriften, nach d. Urtexte übers. von Dr. Heinr. Hayd. Kempten, Jos. Kösel, 1879. 8°. — VI. C. i. 6.

Dionysius Areopagita, Des heil. Vaters — angebl. Schrift über die kirchl. Hierarchie, aus d. Urtexte übers. von Remigius Scharf. Kempten, J. Kösel, 1877. 8°. — VI. C. i. 8/4.

Ephräm von Syrien, Ausgewählte Schriften des heil. —, aus dem Syr. u. Griech. übers. von P. Pius Zingerle. Kempten, J. Kösel, 1873—80. 8°. 3 Bde. — VI. C. k. 8—10.

Epiphanius, Des heil. —, Erzb. v. Salamis und Kirchenlehrers, ausgewählte Schriften, nach dem Urtexte übersetzt von Dr. Cölestin Wolfsgruber. Kempten, Jos. Kösel, 1880. 8°. — VI. C. i. 7/1.

Eusebius Pamphili, Ausgew. Schriften des —, Bisch. von Caesarea in Palästina, nach dem Urtexte übs., mit einem kurz. Vorbericht über d. Leben u. d. Schriften des Eusebius von Dr. Marzell Stigloher. Kempten, Jos. Kösel, 1880. 8°. 2 Bde. — VI. C. i. 10a, b.

Gregorius d. Gr., Papst u. Kirchenlehr., Ausgew. Schriften des heil. —, nach dem Urtexte übers. . . . von Theod. Kranzfelder. Kempten, J. Kösel, 1873—74. 8°. 2 Bde. — VI. C. i. 28—29.

Gregor von Nazianz, Patriarch v. Constantinopel u. Kirchenlehr., Ausgew. Schriften des —, nach d. Urtexte übers. . . . von Johann Röhm. Kempten, Jos. Kösel, 1874—77. 8°. 2 Bde. — VI. C. i. 30.

Gregorius, Bisch. v. Nyssa, Ausgew. Schriften des heil. —, nach d. Urtexte übers. ... von Dr. Heinr. Hayd. ... Kempten, Jos. Kösel, 1874—80. 8°. 2 Bde. — VI. C. i. 31—32.

Gregorius Thaumaturgus, Ausgew. Schriften des heil. —, nach dem Urtexte übers. von Dr. Joseph Margraf. Kempten, J. Kösel, 1875. 8°. — VI C. i. 8/1.

Hermias, Des Philosophen, Verspottung der heidnischen Philosophen, übs. von J. Leitl. Kempten, Jos. Kösel, 1873. 8°. — VI. C. i. 17/8.

Hieronymus, Ausgewählte Schriften des heil. —, Kirchenlehrers, nach d. Urtexte übs. von Peter Leipelt. Kempten, Jos. Kösel, 1872—74. 8°. 2 Bde. — VI. C. i. 34—35.

Hilarius, Bisch. v. Poitiers, Ausgew. Schriften des —, aus dem Urtexte übersetzt, mit einer kurzen Biogr. des Heil. u. mit einer Einl. versehen von Joseph Fisch. Kempten, J. Kösel, 1878. 8°. — VI. C. i. 9.

Hippolytus', des Presb. u. Märt., Canones, übers. und mit Einl. vers. von Dr. Valentin Gröne. Kempten, J. Kösel, 1874. 8°. — VI. C. i. 17/6.

Hippolytus', des Presb. und Märt., Buch über Christus und den Antichrist, übs. u. m. Einl. vers. von Dr. Val. Gröne. Kempten, J. Kösel, 1873. 8°. — VI. C. i. 17/5.

Irenaeus, Bisch. v. Lyon u. Märt., Ausgewählte Schriften des —, nach dem Urtexte übers. ... von Dr. Heinr. Hayd. Kempten, J. Kösel, 1872—73. 8°. 2 Bde. — VI. C. i. 33.

Johannes v. Damaskus, Des heil. —, Mönches u. Priesters zu Jerusalems, genaue Darlegung des orthodoxen Glaubens, nach dem Urtexte übersetzt von Dr. Heinr. Hayd. Kempt., J. Kösel, 1880. 8°. — VI. C. i. 7/2.

Justinus, Philos. u. Märt., Die Apologien des —, übers. von P. A. Richard. Kempten, Jos. Kösel, 1880. 8°. — VI. C. i. 8/5.

Laktantius, Firmianus, Ausgew. Schriften des —, des „christl. Cicero“, nach d. Urtexte übersetzt. Mit ein. kurz. Vorbericht über das Leben u. die Schriften des L. von P. H. Jansen. Kempten, J. Kösel, 1875. 8°. — VI. C. i. 11.

Leo des Gr., Papstes und Kirchenlehrers, Sämmtl. Reden des —, nach d. Urtexte übers. u. mit einer Einl. vers. von Dr. M. M. Wilden. Kempten, J. Kösel, 1876. 8°. — VI. C. i. 12.

Liturgieen, Die griechischen, der heiligen Jakobus, Markus, Basilius u. Chrysostomus —, nach dem Urtexte übers. von Remigius Storf. Kempten, J. Kösel, 1877. 8⁰. — VI. C. i. 13/1.

Liturgie, Die mozarabische u. ambrosianische —, übers. u. erläutert von Theodor Kranzfelder. Kempten, J. Kösel, 1877. 8⁰. — VI. C. i. 13/2.

Makarius des Gr., des Aegypters, Sämmtliche Schriften des heil. —, aus d. griech. Texte aufs Neue übers. u. herausg. von Dr. Magnus Jocham. Kempten, J. Kösel, 1878. 8⁰. — VI. C. i. 14.

Melito's, des Bisch. v. Sardes, Rede an den Kaiser Antoninus, über die Wahrheit, übs. u. mit Einl. vers. v. Dr. Val. Gröne. Kempten, J. Kösel, 1873. 8⁰. — VI. C. i. 17/4.

Minucius Felix, M., Des — Octavius, übers. u. erläut. v. Priester Aloys Bieringer. Kempten, J. Kösel, 1871. 8⁰. — VI. C. i. 17/2.

Origenes, Kirchenschriftstell. aus Alexandrien, Ausgew. Schriften des —, nach d. Urtexte übers.
1. Bd. Schrift vom Gebete, mit ein. gedrängten Vorber. üb. d. Leben, die Schriften u. die Lehre des Origenes, von Dr. Jos. Kohlhofer. Ermunterung zum Martyrium, übs. von dems.
2—3. Bd. 8 Bücher gegen Celsus, übers. von Joh. Röhm. Kempten, J. Kösel, 1874—77. 8⁰. 3 Bde. — VI. C. k. 11—12.

Petrus Chrysologus, Ausgewählte Reden des hl. —, Kirchenlehrers und Erzbischofs zu Ravenna, nach dem Urtexte übers. und mit Einl. vers. von Marcellus Held. Kempten, J. Kössel, 1874. 8⁰. — VI. C. i. 3.

Rufinus, Tyrannius, von Aquileja, Des —, Commentar zum apostol. Glaubensbekenntniss, übers., mit einer Einl. und Anm. versehen von Dr. H. Brüll. Kempten, J. Kösel, 1876. 8⁰. — VI. C. i. 8/3.

Salvianus, Priest. v. Marseille, Des —, acht Bücher über die göttl. Regierung, übers. von Alb. Helf. Kempten, Jos. Kösel, 1877. 8⁰. — VI. C. i. 15/1.

Sulpicius Severus, Ausgew. Schriften des —, eingel., aus d. Urtexte übers. u. erläut. v. Priester Aloys Bieringer. Kempt., J. Kösel, 1872. 8⁰. — VI. C. i. 15/2.

(Syrer.) Aphraates, Rabulas und Isaak v. Ninive, Ausgew. Schriften der syr. Kirchenväter —, zum ersten Male aus d. Syr. übers. v. Dr. Gust. Bickell. Kempten, Jos. Kösel, 1874. 8⁰. — VI. C. i. 10/1.

(Syrer.) Cyrillonas, Balaeus, Isaak von Antiochien u. Jakob v. Sarug, Ausgew. Gedichte der syr. Kirchenväter —, zum ersten Male aus d. Syr. übers. v. Dr. G. Bickell. Kempt., J. Kösel, 1872. 8°. — VI. C. i. 10/2.

Tatian's, des Kirchenschriftstellers, Rede an die Griechen, übers. u. m. Einl. vers. von Dr. Valent. Gröne. Kempten, J. Kösel, 1872. 8°. — VI. C. i. 17/3.

Tertullianus, Septimius, Ausgew. Schriften des —, übers., u. mit Einl. vers. von Dr. Heinr. Kellner. Kempten, J. Kösel, 1871—1872. 8°. 2 Bde. — VI. C. k. 13—14.

Theodoretus, Bisch. v. Cyrus, Ausgew. Schriften des seligen —, aus dem Urtexte übers. . . . von Dr. Ludw. Küpper. Kempten, J. Kösel, 1878. 8°. — VI. C. i. 16.

Theophilus, Bisch. v. Antiochia, Des heil. —, Schrift an Autolykus, nach dem Urtexte übers. von J. Leitl. Kempten, J. Kösel, 1873. 8°. — VI. C. i. 17/7.

Vincenz v. Lerin, Des heil. —, Commonitorium, übers. von Ulrich Uhl. Kempten, J. Kösel, 1870. 8°. — VI. C. i. 17/1.

Zeno, Bisch. v. Verona, Die Traktate oder geistl. Reden des heil. —, nach dem Urtexte übers. von Peter Leipelt. Kempten, Jos. Kösel, 1877. 8°. — VI. C. i. 15/3.

Cotelerius, J. B., Ss. patrum, qui temporibus apostolicis floruerunt, Barnabae, Clementis, Hermae, Ignatii, Polycarpi, opera, vera et suppositicia, una cum Clementis, Ignatii, Polycarpi actis atque martyriis . . . Rec. . . . Joannes Clericus . . . Ed. II. Amstelaedami, R. et G. Wetstenius, 1724. Fol. (Gr.-lat.) 2 voll. — IV. H. c. 7—8.

Halloix, Petrus, S. J., Illustrium ecclesiae orientalis scriptorum, qui . . . primo Christi saeculo floruerunt et apostolis convixerunt, vitae et documenta. Duaci, Petrus Bogardus, 1633. Fol. — IV. J. a. 1.

— id. opus, ibid. 1636. Fol. — IV. P. a. 3.

Ambrosii, S., Opera. Bas., M. Jo. de Amerbach, 1492. Fol. — IV. K. e. 8—10.

— Liber de bono mortis, etc. In fine: Impressum Liptzck p. Baccalaurium Vuolfgangum, Monacen., anno salutis nostre, 1509. Fol. — IV. F. f. 3.

Anastasii Bibliothecarii Historia ecclesiastica sive chronographia tripertita, ex ms. codice bibliothecae Vaticanae, collata ad ms. exemplar Longobard. vetustiss. Casinens. biblioth., unde Rom. exemplar manavit, nunc denuo ad fidem veterum librorum emendata. Accedunt notae Caroli

Annibalis Fabroti, J. C., quibus obscura quaeque Anastasii illustrantur, item glossaria duo, quibus vocabula
mixo-barbara collata cum graeco Nicephori, Georgii Syn-
celli et Theophanis exponuntur. Parisiis, e Typogr. Regia,
1649. Fol. — II. T. c. 12/1.

Arnobii, Disputationum adversus gentes libri VII., Gebh.
Elmenhorstius collatis diuersis codicibus recensuit et ob-
seruationibus illustrauit. Hamburgi, 1610. Fol. 2 voll.
— III. G. a. 16.

— Sieben Bücher über die Heiden, aus dem Lat. übers. und
erl. von Franz Ant. von Besnard. Landshut, v. Vogel,
1842. 8°. — V. A. d. 31.

Athanasii, S. patris nostri, archiepisc. Alexandrini, Opera
quae reperiuntur omnia. Editio nova juxta Parisinam
anni 1726 adornata (a Luca Holsteinio.) Gr.-lat. Acc.:
Encomium et vitae aliquot divi Athanasii, archiepiscopi
Alexandriae, a diversis conscriptae. Coloniae, M. G. Weidmann, 1686. Fol. 2 voll. — IV. J. d. 6.

Athenagorae Atheniensis, philosophi christiani, Apologia
vel legatio pro Christisnis. Ejusdem de resurrectione
mortuorum. V. Justini, Opera. Paris, 1615. Fol. — IV.
K. e. 12.

— idem opus. Paris, 1636. Fol. — IV. G. e. 14.

Augustinus, Aurelius, De civitate dei. Bas., Mich.
Wenssler, 1479. Fol. — IV. F. c. 8.

— De ciuitate Dei cum commento. Bas., Jo. Amerbach,
1489. Fol. — IV. K. e. 3/1.

— Operum tomi quinti pars secunda. Genevae, Jac. Stoer,
1596. 8°. [De civitate Dei, liber XIII.–XXII.] — IV. G.
n. 30.

— De civitate Dei, libri XXII. Accedunt commentarii eru-
diti et integri quidem Joan. Ludovici Vivis, ac Leonh.
Coquei. Francofurti et Hamburgi, Zacharias Haertel,
1661. 4°. 2 voll. [Cum eff. S. Augustini.] — IV. H. h. 1—2.

— Soliloquium de arrha animae. Aug. Vind., G. Zainer,
1473. Fol. — IV. F. f. 4/2.

— Meditationes, soliloquia et manuale. Duaci, Balth. Beller,
1610. 12°. — IV. J. n. 31.

— De trinitate. Basileae, Jo. Amerbach, 1489. Fol. — IV.
K. e. 3/2.

— Librorum sancti Augustini episcopi, undecim partes.
Basileae, M. Jo. Amerbachius, Jo. Petri, Jo. Froben, 1506.
Fol. 11 voll. in 9 tomis. — IV. G. f. 5—13.

— Ferdinandi Vellosilli, Hispani, episcopi Lucensis, Adver-
tentiae theologiae scholasticae, siue animadversiones in

s. Augustini opera. (Coloniae Agr., Ant. Hierat), 1616.
Fol. — IV. H. c. 13/2.

Basilii Magni, Divi, Caesariensis episcopi, eruditis-
sima opera. Interpretes: Johan. Argyropilus, Georgius
Trapezun., Raphael Volaterra., Ruffinus presbyter, Monodia Grego. Nazian. Colon., in aedibus Eucharii Cerui-
corni aere et impendio M. Godefridi Hittorpii 1523, m.
Junio. Fol. — IV. H. a. 11.

— Orationes quedam devotissime Basilii Magni et Chrisostomi de communione eucharistiae, a Francisco Rholan-
dello Tarnisiensi e graeco translatae. Cracoviae, Ungler,
1540. 4⁰. — IV. H. i. 32/1.

— De moribus orationes XXIV., a Simeone Magistro in
lucem editae, Stanislao Ilovio interprete. Francofurti,
ex offic. Nicolai Bassaei, 1598. 8⁰. Gr.-lat. — IV. K.
i. 29.

Bedae Venerabilis, presbyteri Anglo-Saxonis, viri in
divinis atque humanis literis exercitatissimi, Opera —
omnia in octo tomos distincta . . . Bas., per Jo. Oporinum, 1563. Fol. 8 voll. — II. S. e. 4—7.

— Homiliae . . . in D. Pauli epistolas . . . Coloniae, apud
Jo. Gymnicum, 1535. 8⁰. — IV. H. i. 16/2.

Cyprianus, Caecilius, episcopus Carthag., Opera , . . .
ed. Erasmus Roterodamus. Bas., Froben, 1519. Fol.
Aus d. Biblioth. des Joh. Hess, des Breslauischen Refor-
mators, mit handschriftl. Randbemerkungen desselben.
Fol. — IV. K. c. 12.

— Opera tam vera quam falso inscripta, ed. Desid. Erasmus Roterodamus. Basileae, Jo. Froben, 1521 m. Nov.
Fol. — IV. H. b. 11.

— Historia fratrum sportuluntium, ex antiquitate idoneis
documentis eruta, atque exercitatione ad Caecilii Cypriani
lib. I., epist. IX. sedulo explicata, auctore G.(othofr.)
C.(hristoph) C.(laudio). Francofurti et Lipsiae, 1724. 8⁰.
— IV. J. i. 25.

Cassiodorus, M. Aurel., Tripertite historie ex Socrate,
Sozomeno et Theodorico in unum collecte et nuper de
greco in lat. translate ab Epyphanio Scolastico libri
numero duodecim. Augsb., Joh. Schüssler, 1472. Fol. —
II. P. a. 5.

— Historia ecclesiastica, quam tripartitam vocant, ex tribus
graecis auctoribus: Sozomeno, Socrate et Theodoreto,
per Epiphanium Scholasticum versis, et in compendium
ab Cassiodoro redacta. V. Autores historiae eccl. Basil.,
Froben, 1535. Fol. — IV. H. b. 12.

Clementis Alexandrini, Opera graece et latine, quae. extant, post accuratam D. V. Danielis Heinsii recensionem . . . a Fridr. Sylburgio . . . Editio nova juxta Parisinam ai. 1641. Coloniae, J. Schrey et H. J. Meyer, 1688. Fol. — IV. J. d. 7.

— Operum supplementum, edidit Thomas Ittigius. Lipsiae, Frideric. Lanckisius, 1700. 8°. — IV. J. i. 1.

— Laemmer, Hugo, Clementis Alexandrini de ΛΟΓΩΙ doctrina . . . Lipsiae, F. A. Brockhaus, 1855. 8°. — VI. C. d. 12.

Cyrilli Alexandrini, S., et Johannis Damasceni Argumenta contra Nestorianos, . . . praeterea Michaelis Pselli capita undecim theologica de s. trinitate et persona Christi ad Michaelem Comnenum imperatorem, ac denique Charitonymi Christonymi capita decem ad Anonymum pro divinitate Christi et christianae religionis veritate adversus Mahometistas et alios infideles, jamprimum e manuscriptis codicibus bibliothecae Augustanae eruta, latine versa et notis declarata a Johanne Wegelino. Augustae Vindelicorum, apud Davidem Francum, 1611. 8°. Graece et latine. — V. B. m. 42.

— In evangelium Joannis commentaria, rursum exactius recognita . . . per Jodocum Clichtoueum, . . . opus insigne, quod thesaurus inscribitur, de consubstantialitate filii et spiritus sancti cum deo patre contra haereticos luculenter disserens, Georgio Trapezontio interprete. Insuper in Leviticum libri XVI. (Diese 16 Bücher fehlen.) Basileae, Andr. Cratander, 1524. Fol. Blatt 147 u. 148 handschriftl. ergänzt. Eingebunden in e. Pergamenturkunde des Bisch. Johannes v. Breslau, 1489, 15. Febr. „In nomine domini amen. Sollicitudo pastoralis officii etc." — IV. K. c. 7.

— Contra impium Julianum libri decem. V. Juliani imp. Opera. Lips., M. G. Weidmann et J. L. Gleditsch, 1696. Fol. — III. D. d. 7.

Cyrille Lucar, patriarche de Constantinople, Lettres anecdotes de —, et sa confession de foi, avec des remarques. Concile de Jerusalem tenu contre lui, avec un examen de sa doctrine. Attestations et pièces diverses touchant la créance des Grecs modernes examinées selon les règles de la théologie et du droit. Amsterd., l'Honoré et Chatelain, 1718. 4°. — II. T. h. 11.

Damasi, S., papae, Opera et vita, cum notis Martii Milesii Sarazanii. Parisiis, Ludovic. Billaine, 1672. 8°. — IV. J. i. 5.   •

Janus, Damascenus. — Hahn, Jo. Gfr., De veris Mesuae
Syri scriptis non deperditis sed sub Jani Damasceni
nomine conservatis ad ... Joannem Albertum Fabricium
epistola. Brigae, G. Tramp, 1733. 4°. — II. S. h. 2/2.

Dionysius Areopagita. In fine: Operum beatissimi
Dionissii et undecim epistolarum diuini Ignatii, Antiochen-
sis ecclesiae episcopi, et unius beati Polycarpi, Smyrneo-
rum antistitis, ... finis. In alma Parisiorum academia
per Henricum Stephanum ... Anno ... 1515 die vero
mensis Aprilis decima quarta. Fol. (Latine.) — IV.
J. f. 12/1.

Sirmondi, Jacobi, societatis Jesu presbyteri, Dissertatio,
in qua Dionysii Parisiensis et Dionysii Areopagitae dis-
crimen ostenditur. Parisiis, Seb. Cramoisy, 1641. 8°. —
II. O. n. 2/1.

Ephrem Syrus, Edissenae ecclesiae diac., Libri de compunctione cordis, judicio dei et resurrectione etc., beatitudine anime, penitentia, luctamine spiritali, die judicii.
Basileae, Joh. de Amerbach, (ante a. 1500.) Fol. — IV. K.
g. 19/1.

Epiphanii, D., episcopi Constantiae Cypri, contra octoginta haereses opus, panarium sive arcula aut capsula
medica appellatum, continens libros tres et tomos sive
sectiones ex toto septem, Jano Cornario, med. phys.,
interprete. Vna cum aliis ejusdem D. Epiphanii operibus
... (lat.) Basileae, Rob. Winter, 1545. M. Sept. Fol.
(2 Exempll.) — IV. H. e. 15 u. 14.

Epiphanii, Divi, ut vulgo nominatur, Liber de vitis pro-
phetarum, graece, intra LXXXIII annorum spatium
nuspiam excusus, nunc autem locis pluribus quam trecentis repurgatus a Joachimo Zehnero. Schleusingae,
sumpt. Thomae Schüreri, 1612. 4°. — V. B. d. 36/1.

Euagrius, Scholasticus, v. Historiae eccles. autores. Fol.
— IV. G. a. 6.

Eusebii, Ecclesiastica historia diui —, et ecclesiastica historia gentis Anglorum venerabilis Bede: cum utrarum-
que historiarum per singulos libros recollecta capitulorum annotatione. Argentine, 1500. Fol. — IV. K. g. 15/2.

— Ecclesiasticae historiae libri novem, Ruffino interprete.
V. Autores historiae eccl. Basil., Froben, 1535. Fol. —
IV. H. b. 12.

— Ecclesiasticae historiae libri IX. Ejusdem de vita Constantini Imp. libri V., recens e graecis latini facti, Joan.
Portesio interprete. Ruffini ... ecclesiasticae historiae
lib. II. Antv., Jo. Steelsius, 1548. 8°. — IV. J. m. 15.

Kirchenväter. 81

Scriptores, Historiae ecclesiasticae — graeci: Eusebii, cognomento Pamphili, Caesareę Palestinae episcopi, lib. X. Ejusdem de vita Constantini Magni lib. IV. Constantini Magni oratio ad sanctorum coetum. Ejusdem Eusebii in laudem Constantini Magni ad trigesimum illius imperii annum, nunquam antehac nec graece nec latine impressa. Socratis Scholastici Constantinopolitani hist. eccles. lib. VII. Theodoriti Cyrenensis episcopi lib. V. Hermiae Sozomeni Salaminii lib. IX. Euagrii Scholastici Epiphanensis lib. VI. Joanne Christophorsono Anglo, Cicestrensi quondam episcopo, interprete. Coloniae Agrippinae, apud haeredes Arnoldi Birkmanni, 1570. Fol. — III. D. d. 5.

Eusebii Pamphili eccles. hist. lib. decem. Ejusdem de vita imp. Constantini lib. IV., quibus subjicitur oratio Constantini ad sanctos et panegyricus Eusebii. Henricus Valesius graecum textum collatis IV. mstis codicibus emendavit, latine vertit et adnotationibus illustravit. Moguntiae, Chn. Gerlach & Sim. Beckenstein, 1672. Fol. — III. D. d. 6.

— De evangelica praeparatione, a Georgio Trapezuntio e gr. in lat. traductus, (ed. per Hieron. Bononium.) Venetiis, 1500. Fol. — IV. J. f. 12/3.

— De evangelica praeparatione, a Georgio Trapezuntio e · graeco in latinum traductus. Haganoae, impensis Joannis Rynman de Oringau, 1522. 4°. — V. B. d. 36/2.

— Praeparatio evangelica. Franciscus Vigerus Rothomagensis, S. J. presb., ex mss. codd. . . . rec., latine vertit, notis illustravit. Editio nova juxta Parisinam ai. 1628 adornata. Coloniae Agr., M. G. Weidmann, 1688. Fol. — IV. J. d. 10.

— De demonstratione evangelica libri decem, quibus acc. nondum hactenus editi nec visi contra Marcellum, Ancyrae episcopum, libri duo: de ecclesiastica theologia libri tres, omnia studio R(igaltii) M. latine facta, notis illustrata etc. Editio nova juxta Parisinam ai. 1628 adornata. Coloniae, M. G. Weidmann, 1688. Fol. Gr.-lat. — IV. J. d. 11.

— Epistola de morte gloriosi Hieronimi. Acc.: Epistola beati Cyrilli de miraculis gloriosi Hieronimi. Patavie, C. Stabel et Benedictus, 1482. 4°. — IV. G. m. 16/1.

Firmici, Julii — Materni, V. C., De errore profanarum religionum ad Constantium et Constantem Augustos, liber. V. Mythologici latini . . . rec. Hieron. Commelinus, 1599. 8°. — IV. E. l. 6.

L   6

Fulgentius, episc., Ruspensis, Opera quae extant omnia.
Acc. libellus D. Petri Diaconi de incarnatione et gratia
dn. n. Jesu Christi. Basilae, Sebast. Henricpetri, 1587.
8°. — IV. J. h. 14.

Gregorius Nazianzenus. *ΓΡΗΓΟΡΙΟΥ ΤΟΥ ΝΑΖΙΑΝ-
ΖΗΝΟΥ ΤΟΥ ΘΕΟΛΟΓΟΥ ΑΠΑΝΤΑ, ΤΑ ΜΕΧΡΙ ΝΥΝ
ΜΕΝ ΕΥΡΙΣΚΟΜΕΝΑ ... ΤΟΥ ΑΥΤΟΥ ΒΙΟC, ΣΥΓΓΡΑ-
ΦΕΙC ΥΠΟ COΥΙΔΑ, CΩΦΡΟΝΙΟΥ ΚΑΙ ΓΡΗΓΟΡΙΟΥ
ΤΟΥ ΠΡΕCΒΥΤΕΡΟΥ.* Basilae, Jo. Hervagius, 1550. (Gr.)
Fol. — IV. K. c. 8/1. IV. K. e. 11/2. IV. K. d. 15.

— *ΑΠΟΡΡΗΤΑ*, seu arcana, cum graeca paraphrasi, . . .
opera Davidis Hoeschelii publicata, jam vero recognita
et latina interpretatione, nec non altera latina eaque me-
trica cujusdam paraphrasi donata, studio Johannis Horn-
schuchii. Lipsiae, imprimebantur a Timotheo Ritschio,
1645. 8°. — IV. D. k. 11.

Gregorii, Sancti, papae I., cognomento Magni, Opera
omnia, ad manuscriptos codices Romanos, Gallicanos,
Anglicanos emendata, aucta et illustrata notis, studio
et labore monachorum o. s. Benedicti e congregatione
S. Mauri. Tomi quarti secunda pars: Sancti Paterii liber
de expositione v. ac n. ti de diversis libris sancti Gregorii papae concinnatus. Item: Alulfi de expositione n. ti
liber. [Cum eff. P. Clementis XI.] Parisiis, Claudius
Rigaud, 1705. Fol. 4 voll. — IV. G. c. 8—11.

Hermiae philosophi, Gentilium philosophorum irrisio. V.
Justini Opera. Paris., 1615. Fol. — IV. K. e. 12.

— idem opus. Raphaele Seilero interprete. (Gr. lat.) V.
Justini, Opera. Paris., 1636. Fol. — IV. G. e. 14.

S. Hieronymi Stridoniensis Opera omnia, quae extant, Mariani Victorii, Reatini, episcopi Amerini, labore et studio
ad fid. mstor. . . . emendata . . . Col. Agr., Ant. Hierat,
1616. Fol. 11 voll. — IV. H. c. 11—13.

— Epistolae aliquot selectae. Hispali, apud Didacum Philippum de Vrrieta, 1670. 12°. In fine: Imprimatur, Aubertus van den Eede, canonicus et archidiacon. Antverp.
librorum censor. — IV. H. i. 15.

···— Epistolae selectae, a Petro Canisio olim *.* . emendatae,
... in hac noviss. edit. vita s. doct. nunc primum auctae,
notisque illustr. opera et studio Jos. Catalani. Bassani,
1776, sed prost. Venet., ap. Remondini. 8°. — IV. J. n. 3.

(Ignatius, S.) — Fischeri, Erdm. Rudolphi, De *ΘΕΟΛΟΓΟ-
ΜΟΙC,* veteris ecclesiae legatis, in s. Ignatii epistolam
ad Polycarpum brevis commentatio. Coburgi, Paul. Günther. Pfotenhauerus, 1718. 8°. — IV. J. i. 25.

[Irenaeus.] Opus eruditissimum divi Irenaei, episcopi Lugdunensis, in quinque libros digestum, ... Des. Roterod. opera emendatum. Basileae, Froben, 1560. Fol. — IV. H. b. 1.

— Libri quinque adversus portentosas haereses Valentini et aliorum, accuratius quam antehac emendati, additis graecis, quae reperiri potuerunt: opera et diligentia Nicolai Gallasii, s. th. prof., una cum ejusdem annotationibus. Parisiis et Genevae, apud Joannem le Preux et Joannem Parvum, 1570. Fol. (Lat. et partim gr.-lat.) — IV. K. e. 11/1.

Joannes Chrysostomus. Accipe candidissime lector opera Diui Joan. Chrisostomi, archiepiscopi Constantinopolitani. [Homeliae XLV.] Fol 2a. Praefatio Gregorii de Gregoriis, artis impressoriae mancipitis, et Thomae Januensis de Valerano correctoris. Sub finem indicis: Venetiis communi impensa et studio Bernardini Stagnini Tridinensis et Gregorii de Gregoriis ... M. D. III. mens. Febr. Fol. 2 voll. in 1 tomo. — IV. H. b. 7/1—2.

— Opera omnia in XII. tomos distributa Gr. et lat. conjunctim edidit ... Fronto Ducaeus, s. J. theol. Francof. ad M., B. Ch. Wust, 1698. Fol. 12 voll. [Cum effigie.] — IV. H. d. 1—4.

— id. opus. — IV. H. d. 8—12.

— Opera praestantissima, cura Frid. Guil. Lomler. Rudolphopoli, sumpt. et typ. Guentheri Froebel, 1840. 4°. (Gr. lat.) — IV. L. b. 26.

— Homiliae XXI. de statuis, ad populum Antiochenum habitae: item homiliae ejusdem IX. de poenitentia, ad mst. codices ... castigatae, opera et studio D. Bernardi de Montfaucon. Juxta editionem Parisinam ai. 1718 recusae. Tyrnaviae, typis collegii S. J., 1763. 4°. — IV. G. m. 4.

— De sacerdotio libri sex. Acc. Ephraem Syri de sacerdotio liber unus. Editionem curavit ... Ant. Khager. Augustae Vindel., fratres Veith, 1763. 8°. [C. tab. aen.] — IV. J. m. 12.

— Duae orationes in laudem Pauli apostoli, (una cum veteris interpretis Aniani, qui initio seculi V. floruit, latina versione, ex cod. ms. aliquoties emendata.) V. Ti. Hemsterhusii et L. C. Valckenari Orationes. Lugd. Bat., 1784. 8°. — III. B. f. 9.

— Oratio de circo, ex vetere graeco manuscr. excerpta, nusquam hactenus edita, cum Bulengeri interpretatione. Vide J. C. Bulengeri de circo Romano. Paris., 1598. 8°. — III. D. l. 22.

Joannes Damascenus, De orthodoxa fide liber, In hoc opere contenta· Theologia Damasceni quatuor libris explicata et adjecto ad literam commentario elucidata ... Parisiis, H. Stephanus, 1512, nonis Februariis. Fol. — IV. J. f. 12/2.

S. Isidori Pelusiotae epistolae, latine nunc primum editae interprete Andrea Schotto. Romae, Franc. Corbelletti, 1629. 8°. (Lat.) — IV. J. k. 15.

S. Justini, philosophi et martyris, Opera. Graecus textus ... et latina Joannis Langi versio passim emendata. Corollaria Justino addita ... Lutetiae Parisiorum, Mich. Sonnius, 1615. Fol. (Gr. et lat.) — IV. K. e. 12.

— Opera. Item Athenagorae Atheniensis, Theophili Antiocheni, Tatiani Assyrii et Hermiae philosophi tractatus aliquot ... graece et latine ... Parisiis, Seb. Cramoisy, 1636. Fol. |Cum effigie Justini.| — IV. G. e. 14.

Lactantii, L. Coelii sive Caecilii, Firmiani, Opera omnia, quae exstant, ad optimas edit. collata. Praemittitur notitia literaria studiis Societatis Bipontinae. Biponti, ex typogr. Societatis, 1786. 8°. 2 voll. — III. B. g. 7. III G. e. 13—14.

M. Minucii Felicis Octavius et Caecilii Cypriani de vanitate idolorum liber, uterque recensitus et illustratus ... a Joh. Glieb. Lindnero. Cum praefatione D. Jo. Aug. Ernesti. Longosalissae, J. Chr. Martini, 1760. 8°. — III. B. k. 16/1.

Nicephori, Callisti Xanthopuli ... Ecclesiasticae historiae libri decem et octo, sacratiss. Rom. regis Ferdinandi liberalitate, opera uero ac studio doctiss. uiri Jo. Langi, consiliarii regii, e graeco in lat. sermonem translati. Basileae, Jo. Oporinus et Heruagius, 1561, m. Aug. Fol. — IV. J. c. 13.

— idem opus. Parisiis, B. Turrisanus, 1566. 8°. — IV. J. m. 13.

— Ecclesiasticae historiae libri XVIII. in duos tomos distincti, ac graece nunc primum editi, adjecta est latina interpretatio Joannis Langi, a. r. p. Frontone Ducaeo s. J. cum graecis collata et recognita. Tomus I. et II. Lutetiae Parisior., Seb. et Gabr. Cramoisy, 1630. Fol. 2 voll. — III. J. a. 4—5.

— Historia eccles. a Nicephoro graeco monacho conscripta ... V. Autores historiae eccles. Basil., Froben, 1635. Fol. — IV. H. b. 12.

Nicetae, Choniatae, qui judex Veli fuit, ... Ex orthodoxiae thesauro beati — libri aliquot, recens latinate

donati ... P. Morello interprete ... Elenchus conten-
torum in hoc opusculo: Praefatio in B. Nicetae Choniatae
thesaurum ... Michaelis Choniatae monodia in funere
Nicetae fratris. Nicetae Choniatae in suum orthodoxiae
thesaurum index. Thesauri orthodoxiae beati Nicetae
Choniatae liber primus. De iconomachis ejusd. thesauri,
lib. 16. Synopsis haereseôn, quae Alexio Comneno imperante grassatae sunt. lib. 23. Obiter Alexii Comneni de
rebus sacris aurea bulla. De haeresi quae super his verbis: Tu es qui offers et qui offerris, Manuele Comneno
imperante mota est, lib. 24. De haeresi super diuinis
mysteriis exorta. De Lizicorum haeresi fragmentum.
[Historia rerum in oriente gestar. Francof. ad M., 1587.
Fol.] — II. N. a. 5/6.

Origenis Adamantii Operum tomi duo priores cum tabulis et indice generali proxime sequentibus. Vęnundantur
cum reliquis Joanni Paruo, Jodoco Badio et Conrado
Reich. Tertius et quartus tomi operum Origenis Adamantii, quorum tertius complectitur post apologiam explicanda. — Finis quartae partis operum Origenis Adamantii. In aedibus Ascensianis, ad idus Jul. 1522. In
pagina versa antem legitur: Origenis per Badium
commendatio, decimo quarto Kalen. Nouembris, 1512. (lat.)
Paris., 1522 vel. 1512, J. Parvus. Fol. 4 voll. in 1 tomo.
— IV. J. f. 13.

— Hexaplorum, quae supersunt, ... ex mstis. et ex libris
editis eruit et notis illustravit D. Bernardus de Montfaucon. Parisiis, L. Guerin, 1713. Fol. 2 voll. [C. eff.]
— IV. H. c. 1—2.

— Redepennig, Ernst Rud., Origenes. Eine Darstellung
seines Lebens und seiner Lehre. Bonn, E. Weber, 1841
—46. 8⁰. 2 Thle. in 1 Bde. — IV. F. e. 33.

Orosii, Pauli, presbyteri Hispani, Adversus paganos histo-
riarum libri VII. ... opera et studio Franc. Fabricii
Marcodurani. Coloniae Agr., M. Cholinus, 1561. 8⁰. —
IV. J. m. 18.

— Adversus paganos historiarum libri septem ... opera et
studio Franc. Fabritii Marcodurani etc. Francof., J. F.
Weissius, 1650. Fol. — II. T. a. 17/2.

— Adversus paganos historiarum libri septem, ut et apolo-
geticus contra Pelagium de arbitrii libertate, ad fidem
mss. et praesertim cod. Longob. antiquiss. bibliothecae
Florentinae Mediceae S. Laurentii, adjectis integris notis
Franc. Fabricii Marcodurani et Lud. Lautii, recensuit
suisque animadversionibus nummisque antiquis plurimis

illustravit Sigebertus Havercampius. Lugd. Bat., S. et
J. Luchtmans, 1767. 4º. — II. B. c. 6.

Philostorgii, Cappadocis, . . . Ecclesiasticae historiae,
a Constantino M. Ariique initiis ad sua usque tempora
librı XII, a Photio . . . in epitomen contracti, nunc primum editi a Jacobo Gothofredo, una cum versione, sup-
plementis nonnullis, indiceque accurato. Genevae, sumpt.
Jacobi Chouët, 1643. 4º. — IV. G. b. 11.

Ruffinus, Aquilejensis presbyt., Hist. eccl., libri duo.
V. Autores historiae eccl. Basil., Froben, 1535. Fol. —
IV. H. b. 12.

(Salvianus.) S. Presbyterorum: Salviani Massiliensis
Opera cum libro commentario Conr. Rittershusii ac notis in-
tegris Johannis Weitzii, Tobiae Adami, Theodori Sitzmanni,
Joh. Alexandri Brassicani, Steph. Baluzii, — et Vincentii
Lirinensis Commonitorium, ab eodem Baluzio Tutelensi
ad fidem vet. codicum mss. emendatum et illustratum.
Praemissa dissertatione G. Calixti in Vincent. Lir. etc.
Bremae, H. Brauer, 1688. 4º. — III. G. b. 5.

Socrates, Scholasticus, v. Historiae eccles. autores. Fol. —
IV. G. a. 6.

Theodoritus, v. Historiae ecclesiae autores. Fol. — IV.
G. a. 6.

Theophili, patriarchae Antiocheni, Contra Christianae religionis calumniatores ad Antolycum libri tres. V. Justini
Opera. Paris., 1615. Fol. — IV. K. e. 12.

— idem opus. V. Justini Opera. Paris., 1636. Fol. — IV.
G. e. 14.

Tertulliani, Q. Septimii Florentis, Carthaginiensis
presbyteri, Opera quae hactenus reperiri potuerunt omnia
cum Jacobi Pamelii Brugensis . . . argumentis et adnotationibus . . . Antv., Chph. Plantinus, 1584. Fol. —
IV. K. c. 1.

Tatiani Assyri oratio ad Graecos: Quod nihil eorum quibus Graeci gloriantur studiorum apud ipsos natum, sed
omnia a barbaris inuenta sint. V. Justini Opera. Paris.,
1615. Fol. — IV. K. e. 12.

— idem opus. V. Justini Opera. Paris., 1636. Fol. — IV.
G. e. 14.

Victor, S., episcopus Vitensis, Historia persecutionis
Africanae provinciae temporum Geiserici et Hunerici
regum Vandalorum. V. Autores hist. eccl. Bas., Froben,
1635. Fol. — IV. H. b. 12.

Zosimi, comitis et exadvocati fisci, Historiae novae, veluti
ante paucos solummodo annos editae et multis magnis

viris incognitae, sed temporibus Christianorum et paga-
norum et eorundem circa religionem studiis et certaminibus magnam lucem adferentis libri VI. Francof.,
J. F. Weissius, 1650. Fol. — II. T. a. 17/3.

Scholastiker und Neuere.

Thomasius, Jac., M., praes., Busse, Mart., resp. autor.,
Diss. hist. de doctoribus scholasticis latinis ... Lips.,
Colerus, 1676 Aug. 4°. — 941.

Albertus Magnus de arte intelligendi, docendi et predicandi res spirituales et invisibiles per res corporales et
visibiles et e conuerso pulcra et utilissima. Ulm., Joh.
Zainer, s. a. Fol. — II. F. b. 18/2.

Anselmi, S., ex Beccensi abbate Cantuariensis archiepiscopi, Opera, nec non Eadmeri, monachi Cantuariensis,
historia novorum et alia opuscula, labore et studio D.
Gabrielis Gerberon ... ad mss. fidem expurgata et
aucta. II. editio. Lutetiae Parisiorum, sumptibus Montalant, 1721. Fol. — IV. J. d. 5.

B. Anselmi, archiepiscopi Cantuariensis, Liber meditationum. V. Augustini, Meditationes: Duaci. 1610. 12°. —
IV. J. n. 31.

Aquila, Petrus de, Magister —, dictus Scotellus, Super
quatuor libros magistri sententiarum. Venetiis, Sim. de
Luere, 7. Febr. 1501. 4°. — III. O. n. 14/1.

Ausmo, (Auxmo), Nicol. de, Supplementum (Summae).
Venet., Franciscus de Hailbrunn, et Nicol. de Francfor-
dia, 1474. 4°. — II. F. b. 17.

— idem opus. Venet., Franc. Renner de Hailbrunn, 1482.
8°. — IV. K. b. 25/1.

[S. Bernardus.] Melliflui deuotique doctoris sancti Bernardi, abbatis Clareuallensis Cisterciensis ordinis, Opus
preclarum, suos complectens sermones de tempore, de
sanctis et super cantica canticorum etc. etc. Acc.: Epistolae etc. In fine: Impressa in insigni Lugduneñ.
emporio, industria ... Johannis Clein, Alemanni, chalco-
graphi atque bibliopole, ... anno salutis nostre XV.
supra millosimum, (sic, pro 1515) mense Aprili. Fol.
2 voll. — IV. J. f. 10.

D. Bernardi Meditationes devotissimae ad humanae conditionis cognitionem, alias, liber de anima. V. Augustini, Meditationes. Duaci. 1610. 12°. — IV. J. n. 31.

Bernhardi, Beati, Omelia super illud Johannis XIX.
„Stabat". Sine L a. et t. 4°. [Char. goth., sine signat.,

custod. et num., 34 lin. in pag. 18 foll.] Incipit: Stabat
juxta crucem Jesu mater ejus ... In fine: ... ubi re-
gnat cum filio suo, qui est super omnia benedictus in
seculorum secula. Amen. 4°. — IV. F. h. 13.

Bonaventura, Breviloquium. 1484. Fol. — IV. F. f. 7/1.
— Parvum bonum vel regimen consciencie, quod vocatus
fons vite. 1484. Fol. — IV. F. f. 7/2.
— Soliloquium ... de quatuor exercitiis ... 1484. Fol.
— IV. F. f. 7/3.
— Tractatus, ... qui vocatur lignum vite ... 1484. Fol.
— IV. F. f. 7/4.
— Centiloquium. Acc.: Utilissima quaedam exempla. 1484.
Fol. — IV. F. f. 7/5.
— Itinerarium mentis in deum ... 1484. Fol. — IV.
F. f. 7/6.
— Tractatus de profectu religiosorum ... Parisiis, Diony-
sius Roce, c. 1499. 8°. — II. K. d. 15/1.
— Geistliche Schriften des heiligen Kirchenlehrers ..., aus
dem Lat. übers. von Pet. Schegg. I. Bändchen. Landshut,
v. Vogel, 1841. 8°. — V. A. i. 35.

Duns-Scoti, Joannis, Quaestiones, quae reportata dicuntur,
in IV. libros magistri sententiarum. Venetiis, Jo. Bapt.
et Jo. Bernard. Sessa, 1597. Fol. Tit. deest. — IV.
K. e. 13.
— In lib. IV. sententiarum quaestiones. Antv., Jo. Keerbergius, 1620. Fol. Tit. deest. — IV. K. c. 4.

Eadmeri, Cantuariensis, monachi ordinis S. Benedicti, Opera:
labore ac studio monachorum congregationis S. Mauri
restituta et emendata. V. Anselmi, S. Opera, Lutetiae
Parisior., Montalant, 1721. Fol. — IV. J. d. 5/2.

S. Francisci Assisiatis, patriarchae Seraphici, Opuscula, olim a r. p. f. Luca Waddingo, Hiberno, ... collecta ... Lugduni, L. Durand, 1637. 12°. — IV. J. n. 19.

Gerson, Jo., De passionibus anime. Ante a. 1500. 8°. —
II. K. d. 15/5.
— Tractatus de examinatione doctrinarum. Tractatulus de
duplici statu in dei ecclesia: (Curatorum et privilegia-
torum). Admonitio, ... quo modo caute legendi sunt
quorundam libri propter errores occultos. Tractatulus
de appellatione cujusdam peccatoris a divina justitia ad
divinam misericordiam. Tractatus de Simonia. Tractatus in trigilogio astrologie theologisate. Norimb., Joh.
Sensenschmid, ante a. 1500. Fol. — IV. F. f. 4/4.
— Collectorum super Magnificat. [Hain: Esslingen, Conr.
Fyner, 1473.] Fol. — IV. H. b. 17/2.

(Jordan, Raym.), Idiotae, viri docti et sancti, contempla-
tiones de amore divino. V. Augustini Meditationes. Duaci
1610. 12°. — IV. J. n. 31.

S. Isidori Junioris, Hispalensis episc., Sententiarum de
summo bono lib. III., ad veterum codicum fidem jam
primum accurate restituti per Hubertum Scutteputaeum.
Ejusdem de contemtu mundi libellus etc. Antv., Jo.
Bellerus, 1566. 12°. — IV. J. n. 10/1.

Ivonis, Carnotensis, Opera omnia, in duas partes distributa. Praefixa est huic operi vita authoris. Praef. scripsit J. Fronto, notas J. B. Souchet. Parisiis, Laurent.
Cottereau, 1647. Fol. — IV. J. a. 5.

D. Leonis, ejusdem nominis I. Romani pontificis, . . . Opera,
quae quidem haberi potuerunt, omnia. His adjunximus
D. Leonis IX., aeque Romani pontificis, eruditas aliquot
lucubrationes nunquam antehac typis excusas. Coloniae
Agr., Jo. Birckmann, 1569. Fol. — IV. H. b. 5/1.

(Petrus Lombardus.) Prologus in libros sententiarum
. . . liber primus de misterio trinitatis. Norimbergae,
Antonius Koburger, ante a. 1500. Fol. Cf. Hain 10188.
— III. L. c. 11.

— Textus sententiarum. (Folia a GG. V. desunt.) Ante a.
1500. Fol. — IV. G. b. 14.

Sybilla, Bartholom., Speculum peregrinarum questionum.
Argentine, Jo. Grueninger, 1499. 4°. — IV. F. i. 20.

Thomas de Aquino, Prima pars summe theologie . . .
Nürnb., A. Koberger, 1496. Fol. — IV. J. f. 7.

— Prima pars summe. Prima secunde partis summe. (Hain:
Nurnb, A. Koberger, 1496.) Fol. 2 voll. — IV. F. d. 11.

— Summa theologiae, prima pars secundae partis. Moguntiae, Pet. Schoiffer de Gernsheim, 1471. Fol. — V.
F. c. 9.

— Prima pars secunde partis summe theologie . . . Venet.,
Franc. de Hailbrun et Petr. de Bartua, 1478. Fol. —
IV. K. a. 11.

— Summae theologicae secundae partis pars secunda.
[Hain, n. 1454. Argent., Joh. Mentelin, 1466. Editio
princeps.] Fol. – IV. F. c. 16.

— Secunda secunde partis summe theologie. Tertia pars
summe theologie. Nurnberg., A. Koberger, 1496. Fol.
2 voll. — IV. F. f. 18.

— Summa totius theologiae . . . Antv., Chph. Plantinus,
1575. 4°. 3 voll. — IV. K. g. 5.

— Quodlibeta duodecim. Nuremb., Jo. Sensenschmid et
Andr. Frisner de Bunsidel, 1474. Fol. — II. F. a. 18.

Thomae de Aquino, Tractatus de ente et essentia seu de quidditatibus rerum . . . Coloniae, Henricus Quentel, 1489. (?) Fol. — III. F. b. 9/3.

Antoninus, archiep. Florent., Tertia pars summe . . ., que pars de statibus nuncupatur. Norimb., A. Coburger, 1478. Fol. — IV. P. a. 5.

Paraldus, Guil., episc. Lugd., Capitula summe, seu tractatus de viciis, quibus competenter patent materie in eo contente. [Sine notis typogr., ante annum 1500.] Fol. — IV. F. f. 6.

Wilhelmus Parisiensis, episc. Lugd., De fide et legibus. [Ante a. 1500.] Fol. — IV. E. c. 4.

Huss, Joh., Opera, tomi tres, ed. Otho Brunnfelsius. [Mart. Luthero dedicata. Lutheri praef. 1524. Secundum Ebertum, 10 398, desiderantur in hac collectione Processus consistorialis martyrii Joh. Huss, 21 foll. et Epistola nobilium LIV. Moraviae, 10 foll.] Arg., 1525. 4°. 3 voll. — IV. K. h. 18. Ex libris Dr. H. Ribysch, Vrat., 1528.

Luther, Mart., D., Teutsche Schrifften, aus denen Wittebergischen, Jehnischen u. Eisslebischen Tomis zusammengetragen. Bd. I.—IX. Altenburg in Meissen, 1661—1663. Bd. X. Hauptregister, ebd., 1664. Bd. IX. . . . D. M. Lutheri Bücher, Schrifften und Predigten, welche in den Wittembergischen, Jhenischen vnd Eislebischen Teilen, Kirchen vnd Hauspostillen, auch zuletzt vor diesen ausgegangenen Aldenburgischen Tomis nicht zu finden . . . Mit einer Vorrede . . . Joh. Franc. Buddei. Halle, J. G. Renger, 1702. Fol. 11 Bde. — IV. H. f. 1 - 11.

Weller, Hier., D., Eine Vermahnung — an seine liebe Freyberger zur Zeit, da die Pestilentz bey ihnen regierte, am 20. Sept. 1564. Acc.: Eine Vermahnung . . . Dr. Martini Lutheri an seine Wittenberger zur Zeit der Pestilentz. 4°. — IV. M. l. 6/1.

Melanchthonis, Phil., Operum omnium tomus I.—IV. Witebergae, haeredes Johannis Cratonis, I. 1580, II. 1583, III. 1563, IV. 1577. 4 voll. Fol. — IV. H. e. 10 -13.

Dogmatik.

Bruns, Raym., ord. praed., Kern des Christenthums, in einer Erklärung der katholischen Glaubens-Bekenntniss. Bamberg u. Wirzburg, T. Gebhardt, 1784. 8°. [M. Titk.] — IV. J. k. 2.

Albertus, Magnus, Compendium theologice veritatis. Venetiis, Octavianus Scotus, 1490. 4°. — IV. G. b. 9.

Monschein, Jos., Soc. Jes., Theologia dogmatico-speculativa in praelectionibus publicis tradita. Tractatus III. de peccatis, gratia et merito. Vilnae, typis Soc. Jesu, sine ao. 8°. — II. S. i. 72.

Novicampianus, Alb., Scopus biblicus v. et n. ti, cum annotationibus, summam doctrinae christianae complectentibus. Antverpiae, Joan. Bellerus, 1572. 12°. — IV. J. n. 26.

[Clerici, Jo.,] Liberii de Sancto Amore, Epistolae theologicae, in quibus varii scholasticorum errores castigantur. Irenopoli, typis Philalethianis, 1679. 8°. — V. B. m. 43.

Morus, Sam. Frid. Nath., Epitome theologiae christianae Editio quarta. Lipsiae, E. B. Schwickert, 1799. 8°. — IV. J. h. 18.

[Canones apostolorum.] Octoginta quinque regulae seu canones apostolorum: cum vetustis Joannis Monachi Zonarae in eosdem commentariis latine modo versis. Jo. Quintinus Haeduus, J. D. . . . edidit. V. Historia rerum in oriente gestarum. Francof. a. M., 1587. Fol. — II. N a. 5/8.

Canones ss. apostolorum, conciliorum generalium et provincialium: sanctorum patrum epistolae canonicae, quibus praefixus est Photii, Constantinopolitani patriarchae, nomocanon, id est canonum et legum imperatoriorum conciliatio et in certos titulos distributio: omnia commentariis amplissimis Theodori Balsamonis, Antiocheni patriarchae, explicata et de graecis conuersa, Gentiano Herveto interprete. E bibliotheca r. d. Jo. Tilii, Briocensis episcopi. Accessit hac editione graecus textus ex codd. mss. erutus et cum latino locis innumeris emendato comparatus. Lutetiae Parisiorum, Typis Regiis, 1620. Gr.-lat. Fol. — IV. J. d. 3.

Przibram, Joannes de, De professione fidei catholicae et errorum revocatione. V. Cochlaeus, Hist. Hussitar. Fol. — IV. H. a. 4.

Nicolai, Laur., Norvegus, e S. J., Confessio christiana de via domini, quam christianus populus in tribus regnis septemtrionalibus Daniae, Sueciae et Noruegiae constanter confessus est annis . . . amplius sexcentis . . . Cracoviae, in off. typogr. Lazari, 1604. 4°. — IV. G. h. 33.

[Confessio Augustana.] Confessio fidei exhibita . . . Carolo V., caesari aug. in comiciis Augustae anno MDXXX. Addita est apologia confessionis. Witebergae, G. Rhau, 1531. (Blatt i. 5 bis k. 4. ergänzt von gleichzeit. Hand.) 8°. — IV. G. i. 25.

Swedenborg, Emanuel, A treatise concerning heaven and hell, and of the wonderful things, therein as heard and seen, translated from the original latin, the II. éd. London, R. Hindmarsh, 1784. 8°. — IV. G. h. 12.

(Allut, Jean), Plan de la justice de Dieu sur la terre dans ces derniers jours et du relevement de la chûte de l'homme par son péché. (Stockholm), imprimé par les soins de N. F., 1714. 8°. — IV. J. k. 10/1.

— Quand vous aurez saccagé, vous serez saccagés: sur la lumière est apparue dans les tenèbres pour les détruire. (Stockholm), imprimé par le soins de N. F., 1714. 8°. — IV. J. k. 10/2.

Raymundus de Sabunde, Theologia naturalis sive liber creaturarum. Argentine, Mart. Flach, 1496. Fol. — IV. G. b. 18.

Suarez, Francisci, S. J., Opus de triplici virtute theologica, fide, spe et charitate. Moguntiae, sumpt. Herm. Mylii Birckmanni exc. Balth. Lippius, 1622. Fol. — IV. K. c. 6.

Petavii, Dionysii, Aurelianensis, e Soc. Jesu, Opus de theologicis dogmatibus auctius in hac nova editione . . . Theophili Alethini S. J. A. E. Antwerpiae, G. Gallet, 1700. Fol. 6 voll. in 3 tom. [C. eff. auctoris.] — IV. J. e. 12—14.

Speculum Christianorum malta bona continens . . . Parisiis, Denis Roce, c. 1499. 8°. — II. K. d. 15/7.

Pici, Joannis Francisci, Mirandulae domini et Concordiae Comitis, De rerum praenotione libri novem. Pro veritate religionis, contra superstitiosas vanitates editi. (Panzer, VII., pag. 375. Mantuae, 1506.) Fol. — IV. K. a. 5.

Lettres d'une mère à son fils, pour lui prouver la verité de la religion chrétienne, 1°. par la raison, 2°. par la révélation, 3°. par les contradictions, dans lesquelles tombent ceux, qui la combattent. 3. édition. Paris, Nyon ainé, 1776. 8°. 3 voll. — III. N. o. 28—30.

Ficini, Marsilii, Florentini, De religione christiana et fidei pietate opusculum. Xenocrates de morte, eodem interprete. Impressum Argentine per Joannem Knoblouch. Anno domini MDVII., nonas decembris. (Lat.-char., 90 n. n. foll. cum sign.) Praefatio. Idus Octobris. Anno dni MDVII. 4°. — IV. P. g. 11.

[Weidner, Paul], Loca praecipua fidei Christianae collecta et explicata, nunc autem recognita et multis accessionibus locupletata a Paulo Weidnero, ph. et m. dr. . . . . ex Judaismo ad fidem Christi conuerso. Viennae Austriae, Steph. Hösch, 1562. 4º. (Bl. 2. ein Hschn. die Familie Weidner's und ihn selbst unterm Krenze Christi darstellend.) — IV. K. m. 2.

Graevii, Joh. Georgii, Oratio pro fide et veritate religionis christianae, ob insignem dictionis elegantiam et . . . praestantiam separatim edita, cum praefatione et annotatiunculis a Gabr. Guil. Goetten, past. eccl. Cellensis. Cellis., Imp. Joach. Andr. Deetzii, 1739. 8º. — III. B. k. 16/3.

Francke, Aug. Herm., Zweyfache schrifftliche Ansprache an einige auswärtige christliche Freunde, etliche besondere zum Christenthum gehörige Puncte betreffend . . . Halle, in Verl. des Waysenhauses, 1701. 4º. — V. B. m. 28/1.

Nili, Beati, episcopi et martyris antiquissimi, sententiae tropologicae, (editae per Hubertum Scutteputeum.) Antv., Jo. Bellerus, 1566. 12º. — IV. J. n. 10/1.

(Busenbaum, Herm.), Theologia moralis, antehac. . . breviter concinnata a. r. p. —, nunc pluribus partibus aucta a. r. p. Claudio La Croix. Coloniae, Servatius Noethe, 1719. Fol. 2 voll. — IV. K. c. 14—15.

— Medulla theologiae moralis facili ac perspicua methodo resolvens casus conscientiae. Wratisl., typis Soc. Jesu, 1733. 8º. — IV. J. k. 23.

— Theologia moralis, antehac breviter concinnata a —, deinde pluribus partibus aucta a r. p. Claudio La-Croix . . . s. J., postremo vero multis locupletata et studiosis proposita a r. p. Franc. Ant. Zacharia . . . s. J. Ravennae, sed prostant Venetiis, ap. Nic. Pezzana, 1761. Fol. 3 voll. in 1 tomo. — IV. J. d. 12.

Mosheim, Joh. Lor. v., Sittenlehre der heiligen Schrift. (Thl. 6—9 verf. v. Joh. Pet. Müller.)
1. Thl., 5. Aufl., Leipz., Weygand, 1773.
2. Thl., 2. Aufl., Helmstädt, Weygand, 1743.
3. Thl., 3. Aufl., ibid., 1764.
4. Thl., 2. Aufl., ibid., 1752.
5. Thl., ibid., 1761.
6. Thl., 2. Aufl., Halle u. Helmstädt, J. F. Weygand, 1765.
7. Thl., 2. Aufl, Leipz., Weygand, 1778.
8. Thl. Göttg. u. Leipz., Weygand, 1767.
9. Thl. u. letzter Thl., ibid., 1770. 4º. 9 Bde. [M. Bildn.] — IV. J. g. 1—9.

Mansi, Jo. Dominic., Epitome doctrinae moralis et canonicae ex constitutionibus, aliisque operibus felicis recor-

dationis Benedicti XIV., p. m., excerpta. Ed. 5. Bassani.
Venetiis, Remondini, 1777. 8°. — IV. K. n. 17.

Necker, M., Cours de morale religieuse. Genève, de l'imprimerie de Bonnant, 1800. 8°. 3 voll. — IV. K. h.
10—12.

Reyberger, Ant. Car., Institutiones ethicae christianae,
seu theologiae moralis, usibus academicis adcommodatae.
Editio tertia, nil mutata. Etyka chrześciańska, czyli
teologia moralna, do użycia szkólnego zastósowana, a na
język polski przez Jana Kantego Chodaniego przełożona.
Wilno, druk. Marcinowskiego, 1821—22. 8°. 3 voll. —
IV. K. f. 43—45.

Sermones decem de praeceptis dialogi. Liptzk, per Conradum Kachelouen, 1494. 4°. — II. N. l. 26/3.

Vives, Jo. Lud., De institutione foemine christiane libri
tres. Basileae, Rob. Winter, 1538. 8°. — IV. K. f. 18.

Spener, Phil. Jac., Des Sohnes Gottes, . . . Jesu Christi,
vor seiner aus der hochgebenedeyten Jungfrau Maria ge-
schehenen leiblichen Geburt bereits gehabte wesentliche
Gottheit und ewige Geburt aus dem Wesen des Vaters
. . . Franckfurt a. M., Joh. Dav. Zunner, 1702. 4°. — V.
B. m. 28/2.

Friedrich, Joan. Chph., Discussionum de christologia
Samaritanorum liber. Acc. appendicula de columba dea
Samaritarum. Lipsiae, Weidmann, 1821. 8°. — IV.
G. h. 13.

Hanne, J. R., Wie entstand das Dogma von der Gottheit
Christi? Ohrdruf u. Leipz., Aug. Stadermann jr., 1878.
8°. — V. G. m. 27.

Gengell, Geo., S. J., Vindicia Marianae innocentiae . . .
Leopoli, typis soc. Jesu, 1725. 4°. — IV. G. h. 24.

Bivarius, Franciscus, P., Sancti patres vindicati a vul-
gari sententia, quae illis in controversia de immaculata
Virginis conceptione imputari solet. Lugd., sumptibus
J. Cardon et P. Cauellat, 1624. 8°. — II. M. n. 28/2.

De los Rios, Bartholomaei, P. M. F., Hierarchia Mari-
ana ad Philippum IV., Hispaniarum et Indiarum regem.
Antv., ex off. Plant. Balth. Moreti, 1641. Tit. et pag. I.
—VI. desunt. Fol. — II. B. a. 2.

Sixtus IV., papa, antea Franciscus Cardinalis de Rouere,
Tractatus de sanguine Christi et de potentia Dei. Nürnb.,
Frid. Creussner, 1474. Fol. — IV. H. b. 17/1.

Bodock, Laurentius, M., Coeli ineffabiles favores, quibus humanum genus amarissima Christi Jesu passio et
mors locupletavit, publico ante ore in incluta Rosarum

Academia pronuntiati, nunc autem in lucem editi. (Oratio.) Rostochii, typ. Nicol. Kilii, 1640. 4°. — IV. K. n. 16/5.

(Faust, Jo., praes., Specht, Jo., resp.), *CYZIITHCIC, 'IIN ΠΕΡΙ ΤΙΙΣ ΤΟΥ 'ΑΓΙΟΥ ΠΝΕΥΜΑΤΟΣ ΕΚΠΟΡΕΥΣΩΣ ΣΥΝΕΓΡΑΨΕ ΚΑΙ 'ΥΠΟ ΑΝΛΡΙ ΜΕΓΑΛΩΙ ΙΩΑΝΝΙΙ ΦΑΥCΤ ΤΕΣ ΤΕΟΛΟΠΑΣ ΛΟΚΤΩΡΙ . . . ΠΛΝΤΩΝ 'ΕΞΕΤΑΣΕΙ . . . 'ΥΠΟΒΑΛΛΕΙ ΙΩΑΝΝΙΙC CΠΕΧΤ . . .* Strasb., J. F. Spoor, 1694. 4°. — 895.

Lechla, Glob. Frid., praes., Hofmann, Henr. Gotth. Noachus, resp., Disp. historico-philologica de donis spiritus s. extraordinariis in ecclesia primitiva. Lips., Langenhemius, 1759, Mai 16. 4°. — 899.

Unterricht über das Reich Gottes u. dessen Fortdauer in der kathol. Kirche, von einem kath. Geistlichen. Lissa, E. Günther, 1842. 8°. — IV. J. e. 13.

Nicolaus de Ploue, Tractatus sacerdotalis de sacramentis deque diuinis officiis et eorum administrationibus . . . Argentine, Mart. Flach, 1492. 4°. — IV. H. k. 30/2.

— id. opus. Argentine, Mart. Flach, 1496. 4°. — IV. G. n. 9.

— idem opus. Argentine, Mart. Flach, 1499. 4°. — IV. K. b. 24/1.

Tractatus resolvens dubia per modum dyalogi circa septem sacramenta occurrentia. Argentin., Mart. Flach, 1496. 4°. — IV. K. b 24/2.

Rokyzana, Jo., Tractatus de septem sacramentis ecclesiae. V. Cochlaeus, Hist. Hussitarum. Fol. — IV. H. a. 4.

Caspari, C. P., Ungedruckte, unbeachtete und wenig beachtete Quellen zur Geschichte des Taufsymbols und der Glaubensregel. Christiania, P. T. Malling, 1866—69. 8°. 2 Bde. — V. A. e. 24.

Dallaei, Joh., De duobus Latinorum ex unctione sacramentis, confirmatione et extrema, ut vocant, unctione, disputatio. Genevae, sumt. Jo. Antonii et Sam. De Tournes, 1659. 4°. — IV. K. h. 22.

Novicampiani, Alb., Apologia pro catholica fide, et doctrina de veritate corporis Christi Jesu in eucharistia, de caeterisque sacramentis etc., in Transeylvania, Tordae, in comitiis, anno . . . 1557 oblata. Cracoviae, Andr. Lazar, 1559. 4°. — IV. J. m. 3.

Summa purioris doctrinae de sacrosancta coena domini . . . Islebii, per Urb. Gubisium, 1562. 8°. — V. B. m. 46/2.

Synodus Ephesina, Qualis sit vera carnis Christi, ut verbi propriae, in mysterio manducatio, deque ipsius viuificatione: contra Nestorium, ex Cyrillo et toto orthodoxo consensu . . . Adjunctae sunt theses Hermanni

Pacifici de coena domini ... Neustadii in Palatinatu, 1581. 4°. — IV. J. g. 11/1.

Palingenius, Elias, Elenchus sanctae de eucharistia doctrinae atque fidei ... Neapoli Nemetum, Matth. Harnisch, 1583. 8°. — V. B. m. 47/1.

Walch, Jo. Geo., praes., Ziegenbalg, Ern. Theoph., Tranquebar. Indus, resp., Historia transsubstantiationis pontificiae. Jenae, Ritter, 1738 Oct. 11. 4°. — 894.

Bittner, Franz Seraph., Dr., Die katholisch-dogmatische Lehre von dem Mysterium der heil. Eucharistie, mit besonderer Rücksicht auf die patrist. speculativen Ideen. Posen, J. J. Heine, 1838. 8°. — IV. G. g. 22.

Holstenius, Lucas, De Abassinorum communione sub unica specie. V. Allatii, L., CYMMIKTA, J. Opuscula. Venet., 1733. Fol. — II. T. c. 6/4.

Ockam, Guil., Quodlibeta septem una cum tractatu de sacramento altaris. Argentine, 1491. Fol. — IV. E. c. 25.

Galura, Bern. X., O mszy świętéj, czyli nauka o nieustającéj ofierze nowego zakonu, z niem. podł. 6. wydania przez X. ***. Leszno, E. Günther, 1853. 16°. — V. B. d. 33.

Sanches, Thom., S. J., De sancto matrimonii sacramento disputationum tomi tres. Lugduni, sumpt. Soc. Typographorum, 1637. Fol. 3 voll. — IV. J. a. 17.

Houpellande, Guillermus, Libellus perutilis de anime hominis immortalitate ... Paris., Dyonisius Roce, 1499. 8°. — II. K. d. 15/2.

Gengell, Geo., S. J., De immortalitate animae humanae veritas. Calissii, typ. Collegii Soc. Jesu, 1727. 4°. — IV. J. i. 14.

Sherlock, Guill., De l'immortalité de l'âme et de la vie éternelle, trad. de l'anglois. Nouvelle édition. Amsterdam, 1755. 8°. — IV. H. h. 11.

Roa, Mart. de, Status animarum purgatorii. [Liber a typographo dedicatus Petro Gembicki, episc. Crac.] Viennae, Matth. Cosmerovius, c. 1632. [Tit. deest.] 32°. — IV. J. n. 32.

Honorii, Augustodunensis presbyteri, Inevitabile, sive de praedestinatione et libero arbitrio dialogus, erutus nunc primum e coenobii S. Mariae in Tongerlo, ord. Praemonstratensis, bibliotheca opera v. p. Jo. Conen, s. th. lic. ibid prioris. Antverpiae, apud Gul. a Tongris, 1624. 8°. -- II. N. l. 30/3.

Possevini, Ant., de S. J., Responsiones ad nobilissimi viri septentrionalis interrogationes, qui de salutis aeternae

comparandae ratione, ac de vera ecclesia cupiebat institui,
opera Nicolai Mylonii in lucem editae. Ingolstadii, W.
Eder, 1583. 16°. [Pagg. 93 ad finem desunt.] — IV. G.
k. 55/2.

(Junius, Balduinus), Sanctorum angelorum amica lau-
datio auctore Constantio Peregrino. Antv., ex off. Trognaesiana, Caes. Joach. Trognęsius, 1632. 8°. — IV. J.
k. 30/2.

Vincentii, S., ord. praed., De fine mundi (sermo). Impressus per Conradum Zeninger, civem Nurenbergensem. 4°.
— IV. F. h. 13.

Hulsemanni, Joh., De ministro consecrationis et ordina-
tionis sacerdotalis tractatus ... Lipsiae, haer. Thomae
Schüreri et Matth. Götzii, 1658. 4°. — V. B. m. 29.

Carolus, Theoph., S. P., Vetus et constans in ecclesia
catholica de sacerdotum caelibatu doctrina. Varsaviae,
1801. 8°. — IV. K. f. 2.

[De Portu Mauritius,] Enchyridion fidei, lucubrationi-
bus preclarissimi doctoris magistri Mauritii de Portu
Hybernici, ordinis minorum, archiepiscopi Tuamensis
dignissimi. Venetiis, per Bonetum Locatellum, presbyterum, 1509, vigesima tertia die mensis nouembris. Acc.:
Practica utilis et breuis ad cognoscendum numerum et
ordinem librorum biblie atque cujuslibet libri capitulorum
numerum ... (In pagina ultima signum bibliopolae edi-
toris Octaviani Scoti Modoetiensis.) 4°. Char. goth.,
26 folia, ultimum vacuum. — IV. H. l. 13/1.

Tabula christiane religionis valde vtilis et necessaria cuilibet christiano, quam omnes scire tenentur.
  13a. Fol. Explicit tabula ad christiane religionis disci-
    plinam.
  13b. Isti sunt versus continentes decem precepta legis etc.
  15b. Finis.
  16. Ultimum vacuum. Romae, Eucharius Silber alias
    Franck, 1509. 8°. — II. G. b. 39/3.

Wicelius, Geo., Catechisticae quaestiones lectu jucundae
simul et perutiles, noviter excusae et revisae. Cracoviae,
Hier. Scharffenberg, 1549. 8°. — III. O. o. 21/4.

Summa doctrinae Christianae, per quaestiones tradita, et in
usum Christianae pueritiae nunc primum edita, jussu et
authoritate sacratiss. Rom. Hung. Behem. etc. Regiae
Majest. Archiducis Austriae etc. (Ferdinandi.) Viennae?
1558. 8°. — II. G. a. 26/5.

Eschenloher, Marcus, Kinderlehren oder leichtbegreiff-
liche Auslegungen über den gantzen römisch-katholi-

L.   7

schen Catechismum. Augsp., Joh. Stretter, 1706. 4°. —
IV. H. l. 17.

(Canisius, Petr.) Kaniziusza, Pětra, S. Pisma Wutżerja,
Soc. Jes., Tón mawó kżescżijanszki khatólszki Khatechisz-
mus. (Buduschne), 1750. 8°. — IV. J. k. 13/2.

Catechismus ex decreto concilii Tridentini ad parochos,
Pii V. pont. max. primum, dein fel. record. Clementis XIII.
jussu editus. Bassani, sed prostant. Venet., ap. Remondini, 1774. 8°. — IV. K. n. 4.

Romberg, J. H. F., Die prophetischen Offenbarungen des
alten und neuen Testaments, ein Leitfaden beim christlichen Religionsunterrichte. Bromb., Berl., Posen, E. S.
Mittler, 1837. 8°. — IV. K. f. 11.

Luther's, Martin Dr., Kleiner Katechismus durch Bibel-
sprüche erläutert. Vierte Aufl. Trzemeszno, G. Olawski, 1866. 16°. — V. B. m. 19/5.

Martinet, Ant., Filozofia katechizmu katolickiego, przekład z franc. język. na polski przez X. Stan. Snarskiego.
Wilno, Józ. Zawadzki, 1861. 8°. — V. B. h. 71.

Polemische Theologie. — Gegen die Evangelischen.

Vgl. hierzu Bd. III., S. 428 ff.

Erasmi, Desiderii, Roterodami, Apologia ad . . . Jacobum Fabrum Stapulensem. Acc. Annotatio (ejusdem) in
secundum caput epistolae ad Hebraeos, ex ipsius opere
decerpta, quam Faber Stapulensis impugnat. Arg. (?).
Matth. Schurer, 1517. 4°. — III. F. m. 15/1.

Eckii, Jo., Enchiridion locorum communium adversus Mar-
.   tinum Lutherum. . . . Coloniae, ap. Heronem Alopecium,
impensa Petri Quentel, 1532. 8°. — IV. J. i. 2/1.

— Enchiridion locorum communium, das ist ein Hand-
büchlein, wie sich ein recht euangelischer Christ vor-
antworten sol . . . herausg. von Jo. Mentzel. Neyss, Jo.
Creutzinger, 1574. 12°. — IV. K. n. 34.

Erasmi, Desiderii, Roterodami, Purgatio aduersus epistolam non sobriam Martini Luteri. (De servo arbitrio.)
Basileae, 1534. 8°. — IV. G. k. 51/2.

(Politi, Lancelotus), Speculum haereticorum fratris Ambrosii Catharini Politi, Senensis, ordinis praedicatorum.
Cracoviae, Joannes Haeliz neochristianus, 1540. (Politi.
Lancelotus, war der bürgerliche, Ambrosius Catharinus,
der Mönchsname.) 8°. — IV. G. k. 54.

Vio, Thomae de, Cajetani, card. S. Xysti, Reuerendissimi domini d. —, Adversus Lutheranos opuscula,

uidelicet, de fide et operibus, de communione, de confessione, de satisfactione, de inuocatione sanctorum etc. Cracoviae, apud viduam Fl. Unglerii, 1544. 8°. — IV. H. i. 30.

Wicelius, Geo., Detectio Lutherismi, qui se veteris et apostolicae ecclesiae nomine venditat . . . Coloniae, Jo. Quentel, 1548. 8°. — IV. U. o. 24.

Lutheri, Martini, Theologiae trimembris epitome . . . nuper collecta Wormatiae, durante colloquio, anno 1558. 4°. — V. B. m. 26.

Valdes, Ferd. de, Censura generalis contra errores, quibus recentes haeretici sacram scripturam asperserunt, edita a supremo senatu inquisitionis . . . in Hispania . . . Venetiis, ex. off. Jordani Zileti, 1562. 4°. — IV. G. m. 7/2.

Ninguarda, Felicianus, a Morbinio, Assertio fidei catholicae aduersus articulos utriusque confessionis fidei Annae Burgensis, J. D., et in academia Aurelianensi olim professoris, ac postremo parlamenti Parisini senatoris, quam ipse eidem parlamento obtulit, cum propter haeresim diu in carcere inclusus, paulis post diebus ad supplicium esset deducendus, nec non aduersus pleraque id genus alia. Venetiis, apud Dominicum Nicolinum, 1563. [Ex libris Benedicti Herbesti.] 4°. — IV. G. m. 7/1

Annas Burgensis, De historia martyrii Annae Burgensis. deque haereticorum miraculis articulus unus, auctore Feliciano Ninguarda a Morbinio, Dominicano Theologo. Venet., Dom. Nicolinus, 1563. 4°. — IV. G. m. 7/2.

Copus, Alanus, Anglus, Dialogi sex contra summi pontificatus, monasticae vitae, sanctorum, sacrarum imaginum oppugnatores et pseudomartyres. Antv., Chph. Plantinus, 1566. 4°. — IV. J. m. 2.

Capitefontium (Cheffontaines), Chph. a, Fidei majorum nostrorum defensio, qua haereticorum saeculi nostri astus ac stratagemata deteguntur. Antv., ex off. Chph. Plantini, 1575. 8°. — V. B. m. 41.

Longolii, Chph., Ad Lutheranos quosdam oratio, annos abhinc LIV. formis expressa. V. Osorii, Hier., De religione libri III., Dilingae, 1576. 12°. — IV. J. n. 16.

Possevini, Ant., de S. J., Adversus Davidis Chytraei haeretici imposturas, quas in oratione quadam inseruit, quam „de statu ecclesiarum hoc tempore in Graecia, Asia, Africa, Ungaria, Boemia" inscriptam edidit et per Sueciam, ac Daniam disseminari curauit, opera Nicolai Mylonii, theologi Germani, in lucem edita. Ingolstadii, Wolfg. Eder, 1583. 16°. — IV. G. k. 55/1.

Possevini, Ant., e soc. Jesu, Epistola ad Stephanum I., Poloniae regem sereniss., adversus quendam Volanum, haereticum Litvanum . . . Ingolstadii, W. Eder, 1583. 12°. — III. T. l. 50/2.

— Scriptum magno Moscoviae duci traditum, cum Angli mercatores eidem obtulissent librum, quo haereticus quidam ostendere conabatur, pontificem maximum esse Antichristum. Ingolstadii, W. Eder, 1583. 16°. — IV. G. k. 55/4 & III. T. l. 50/2.

— Interrogationes et responsiones de processione spiritus sancti a patre et filio, desumptae . . . ex libro Gennadii Scholarii patriarchae Costantinopolitani, . . . in gratiam . . . Rutenorum. Ingolstadii, W. Eder, 1583. 16°. — IV. G. k. 55/5.

— Moscovia et alia opera, de statu hujus seculi adversus catholicae ecclesiae hostes. Coloniae, Birckmann, 1587. Fol. — II. N. b. 20.

Acta colloquii inter reverendiss. episcopum Ebroicensem (Frontonem Ducaeum), catholicum, et dominum du Plessis, calvinianae sectae antesignanum, in Fontaineblau habiti, gallice antea, nunc latine conversa . . . per Jacobum Couthonum. Moguntiae, Balth. Lippius, 1603. 8°. — IV. J. k. 5.

Bcribanius, Car., S. J., Orthodoxae fidei controversa. Antv., ex off. Plantin., apud Jo. Moretum, 1609. 8. 2 voll. — IV. K. f. 1.

Secanus, Mart., Soc. Jesu, theol., Sereniss. Jacobi, Angliae regis, apologiae et monitoriae praefationis ad imperatorem, reges et principes refutatio. Moguntiae, Joh. Albinus, 1610. 8°. — II. Q. i. 8/1.

— Refutatio torturae torti, seu contra sacellanum regis Angliae, quod causam sui regis negligenter egerit. Moguntiae, Jo. Albinus, 1610. 8°. — II. Q. i. 8/2.

Anatomia ecclesiae catholicae romanae, in qua quid tempora per discessionem ab ea dederint: quid fides per unitatem cum ea effecerit . . . demonstratur. (Cum appendice.) Francof., J. G. Schonwetter, 1653. 4°. — IV. H. g. 22.

Praetorius, Matth., Memelâ-Prussus, Tuba pacis ad universas dissidentes in occidente ecclesias, seu discursus theologicus de unione ecclesiarum romanae et protestantium etc. Amstelodami, Alex. Lintmann, 1685. 4°. — IV. G. k. 17.

Frantz, Chrn., Unbetrieglicher Weg dess Lebens, welchen nach erkandten Irrwegen der lutherischen Lehre in der

h. röm.-cath. Kirchen . . . gefunden und . . . zeigen wollen. Wien, S. Ch. Cosmerovin, 1687. 8⁰. — IV. K. m. 22.

Solutiones catholicae sex praecipuorum fidei dubiorum acatholicorum contra veritatem fidei Romano-Catholicae, a quodam jam multis annis summo cum studio inquirente, quaenam, inter tot ac tam varias in christianitate modernoque tempore vigentes fidei religiones, sit vera et salvifica, prae aliis omnibus eligenda et amplectenda. Omnibus dominis ab ecclesia Romano-Catholica alienis pro xenio novi anni 1701 affectuosissime oblatae authoritate et impensis eminentiss. card. Leopoldi a Kollonicz, archi-episc. Strigoniensis. Anno 1701. 4⁰. [Pagg. a 24 ad finem desunt.] — II. M. o. 19/7.

Scheffmacher, Jo. Jac., Lettres d'un docteur allemand de l'université catholique de Strasbourg à un gentilhomme protestant, sur le six obstacles au salut, qui se rencontrent dans la religion lutherienne. II. éd. Strasbourg, J. F. Le Roux, 1730. 4⁰. — IV. H. l. 16.

— Lettres d'un théologien de l'université catholique de Strasbourg à un des principaux magistrats de la même ville, faisant profession de suivre la confession d'Augsbourg, sur les six principaux obstacles à la conversion des protestans. Strasbourg, J. F. Le Roux, 1732. 4⁰. — IV. J. b. 6.

— Sendschreiben eines teutschen Theologi der cathol. Universität zu Strassburg, an eine der fürnehmsten obrigkeitl. Personen besagter Stadt, welche sich zur Augspurg. Confession bekennet, worinnen dargethan wird, dass die fürnehmste, ihre Spaltung zu beschönigen, von denen Lutheranern angeführte Ursachen keineswegs wichtig genug seyen, sie von der Rückkehr zur cath. Kirchen abzuhalten. Augspurg, J. H. Muller, 1739. 4⁰. — IV. H. l. 22.

Noceti, Carolus, Veritas vindicata sive permultae sententiae auctorum Societatis Jesu in theologia christiana dogmatico-morali minus sincere relatae suaeque integritati . . . restitutae. Acc. confutatio primae epistolae patris Dinellii, cathedratici Casanatensis, ordinis praedicator. Romae, ex typogr. Generosi Salomoni, 1753. 4⁰. — IV. H. g. 23.

Tractatus, Super reunione protestantium cum ecclesia catholica —, inter Jacobum Benignum Bossuetum, episcopum Meldensem, et D. Molanum, abbatem in Lokkum. Viennae Austriae, Sonnleithner, 1782. 4⁰. — IV. K. g. 6·

Polemische Theologie. — Gegen die Katholiken.

[Fischart, Joh.] — Pickhart, Jesuwald, Bienenkorb des
Heil. Röm. Immenschwarms, seiner Hummelszellen, oder
Himmelszellen, Hurnaussnäster, Brämengeschwürm und
und Wäspengetöss. Am Schluss: In Jesuvvalti Picardi
Binencorbicis nihil Acatholicon Itromanum contineri
testor ego J. Fr. Molanus Apostolicus Censor, 21. Sextilis
82. Gedruckt zu Christlingen bey Vrsino Gottgewinn.
8°. — IV. J. h. 9.

Calvini, Jo., Der Heylig-Brotkorb, der heiligen römischen
Reliquien, oder würdigen Heiligthumbs-Procken, dem
christlichen Leser zu gute verteutscht von Jacob Eisenberg. Christlingen, bey Ursino Gutwino, 1608. 8°. Mit
einem Gedicht v. Fischart. — IV. J. h. 9.

[Zimmermann, Matth.] — Ascianus, Dorotheus, Montes
pietatis romanenses historice, canonice, theologice detecti.
Praemittitur tractatus de nervis rerum gerendarum
romanae ecclesiae. Subjungitur biga scriptorum pontificiorum: Nicolai Bariani Augustiniani Montes impietatis, et Michaelis Papafavae Decisio contra montes pietatis . . . Lipsiae, sumpt Schüreri-Götzianorum haeredum
et Johan. Fritschii, 1670. 4°. [Cum figg.] — III. F. e. 31.

Klee, E. W., Papstthum oder Christenthum, zur Feststellung
der christlichen Freiheit oder der wahren Katholicität
. . . Posen, Jac. Cohn, 1845. 8°. — IV. J. e. 64.

Polemische Theologie. — Gegen die Reformirten
seitens der Evangelischen.

Melanchthon, Phil., Responsiones scriptae ad impios articulos Bavaricae inquisitionis. Witebergae, haeredes
Georgii Rhaw, 1559. 8°. — V. A. m. 25/2.

Loos, Corn., Urbis et orbis defensio: qua de abominabili
crimine ΑΡΤΟΛΑΤΡΕΙΑΣ siue panis cultus et adorationis
in eucharistia a sectariis passim objecto vindicantur.
Cornelio Loos Callidio auctore, contra Chnum. Francken,
apostatam. Moguntiae, C. Behem, 1581. 8°. — IV. G.
i. 18/2.

Historia, Solida ac vera confessionis Augustanae —, quomodo . . . in articulo de s. coena perpetuo intellecta . . .
fuerit . . . Item: De concordia anno 1536 Witembergae
in articulo coenae dominicae instituta, . . . opposita . . .
narrationibus, quas . . . Ambrosius Wolfius de his rebus

... disseminare non erubuit, a quibusdam ... theologis primum germanice conscripta, nunc vero ... in lat. linguam translata per Jacobum Godfriedum. Lips., Geo. Defnerus, impensis Henningii Grosii, 1585. 4º. — IV. J. g. 11/2.

Satler, Bas., Kurtzer bericht vnd anleitung, wie sich ein einfeltiger Christ in den jetzigen geschwinden Streit von dem heiligen Nachtmahl Christi, so sich zwischen den Lutherischen vnd Calvinischen ... erhelt, schicken sol. Helmstatt, gedruckt durch Jac. Lucium, 1590. 8º. — V. B. m. 44.

Schultesius, Joh., ΦΡΑΣΕΟΛΟΓΙΑ, qua ostenditur, cum vocabula, tum modos loquendi usurpare Calvinistas, in ecclesia Christi usitatos, alia tamen significatione, quam par est, ut imponant iucautis. Smalcaldiae, Michael Schmück, 1593. 8º. — V. B. m. 48.

Refutatio, Libelli calviniani, cui titulus tractatus historicus de clarissimi viri Philippi Melanthonis sententia, de controversia coenae domini, a D. Casparo Peucero ante plures annos scriptus etc., concinnata a facultate theologica in academia Witebergensi. Witeb., typ. Cratonianis, 1597. 4º. — II. O. e. 32/15.

Defensio justa et moderata ... Phil. Melanchthonis ... adversus maledicum scriptum theologorum novitiorum Witebergensium, cui titulum fecerunt: „Refutationis historici tractatus D. Peuceri etc.,“ scripta ... ab amantibus memoriam nominis et meritorum Melanthonis. Hanoviae, Guil. Antonius, 1601. 4º. — V. B. d. 36/3.

Embdenus, Casp., Kurtzer schriffmesziger Bericht christlicher Hessischer Verbesserungs - Puncten ... Item: Zwey analytische Refutationes vnnd Widerlegung desz vermeinten bestendigen Berichts D. Jer. Vietoris: I. Vom Brodbrechen des h. Abendmals vnd Einsatzung der zehen Gebot Gottes. II. Von ordentlicher rechter Zehlung der zehen Gebot vnd Abschaffung der Bilder ... Marpurgk, R. Hutwelcker, 1606. 4º. — V. B. m. 32 2.

Hutter's, Leonh. D., Bestendiges, rechtmessiges Bekantnus von seinen durch den Druck publicirten vnd vnter die Leute gebrachten wunderbahren Warheiten, der Welt vor die Augen gestellet von den Liebhabern vnd Bekennern der Wahrheit in Cöln vnnd Berlin. Franckfurt a. O., Friedr. Hartman, 1615. 4º. — V. B. m. 30/2.

— und D. Matthiae Hoe, Zum Theil freywillige, zum Theil mit Gewalt der heiligen Schrifft jhnen auszgepreste Bekantnusz, dasz der reformierten Kirchen in Deutsch-

land, némlich zu Franckfurt an der Oder anderweit gedruckte Confession just und recht sey, durch die Prediger
der reformirten Gemeinde Gottes im Churfürstenthumb
Brandenburg. Ausz dem zu Franckfurt an der Oder gedruckten Exemplar nachgedruckt bey Johann Schönfeld,
1615. 4º. — V. B. m. 30/1.

Botsaccus, Joh., Dr., Gymn. Gedanens. Rect. *ΠΑΡΑΒΛΛ-*
ΕΤΑΙΡΟΣ hoc est:

1. Falsa sodalitas Calvinianorum, in Augustana inva-
   riata confessione.
2. D. Joh. Crocii pro illa inania argumenta.
3. Colloquii Lipsiensis 1631 perversa interpretatio.
4. Repetitio vitiorum Philippicae variatae confessionis
   . . . Gedani, G. Rhetius, 1636. 16º. — IV. G. k. 56.

ΑΠΟΛΟΚΙΜΑΣΙΑΣ ΑΠΟΛΟΚΙΜΛΣΙΑ, sive tractatus adversus reprobationis absolutae decretum, . . . in duos
libros digestus. Londini, Jac. Norris, 1683. 8º. — V. B.
m. 43/2.

Gleichius, Jo. Andr., Diss. de liturgiis orientalibus in
doctrina de s. eucharistia . . . contra novos pontificiorum
et C. reformatorum errores. Wittebergae, vidua Gerdesia,
1724. 4º. — IV. H. h. 18.

Polemische Theologie. — Gegen die Socinianer.
Vgl. hierzu Band III., S. 428 ff.

(Kannengiesser), Unwiedersprechliche Beweisz-Gründe von
der Wahrheit der heil. Schrifft und dann daraus kräfftig
erwiesen das grosse Geheimnüss des drey-einigen göttlichen Wesens und insbesonder noch die ewige Gottheit
des Herrn Jesu und des heiligen Geistes, und letztlich
auch wiederleget und beantwortet die fürnehmsten Irrthümer und Einwürffe der Socinianer und Arianer, . . .
nebst einer Vorrede Herrn Doctor Philipp Jac. Spener's.
Glaucha an Halle, Wäysenhaus, o. J. 4º. — V. B. m. 28/3.

Polemische Theologie. — Varia.

Calovius, Abr., Consideratio Arminianismi. Editio tertia
correctior. Wittebergae, Joh. Haken, 1671. 4º. — V. A.
m. 2/2.

— Vindiciae considerationis Arminianismi exercitationi apolo-
geticae Henrici Nicolai oppositae . . . Sine notis typogr
4º. — V. A. m. 2/3.

Calovius, Abr., Syncretismus Calixtinus, a modernis ecclesiae turbatoribus, Georgio Calixto, ejusque discipulo, Joan. Latermanno, complice ac hyperaspista, Christiano Drejero, in nupero papistico-calvinistico-arminiano tractatu: Der ungründlichen Erörterung etlicher schwerer theologischen Fragen, nimis infeliciter cum reformatis te pontificiis tentatus . . . Wittebergae, Mich. Wendt, 1655. 4⁰. — V. A. m. 2/4.

Nachrichten, Zuverlässige, von verschiedenen kleinen Schriften, in welchen Herr Joh. Glieb. Elsner, ref.-böhm. Prediger an der Bethlehemskirche zu Berlin, die ev.-luth. Kirche, auch sogar in den Actis-historico-ecclesiasticis angegriffen, besonders von einem Sendschreiben, welches er als eine Erörterung der Frage: Ob die zehn Gebote Gottes bey den alten böhmischen Brüdern lutherisch oder reformirt eingetheilet gewesen, wider das 73. Stück der Kraftischen theologischen Bibliothek unter dem Namen eines Ignatii herausgegeben. Ecclesia Lutherana non habet osorem nisi ignorantem. 1755. 8⁰. — III. L. g. 24/2.

Lavater's, Des Herrn Diaconus, eigentliche Meynung von den Gaben des Heil. Geistes, der Kraft, des Glaubens und des Gebetes, geprüft und bevorwortet von einem Freunde der Wahrheit. Bremen, J. H. Cramer, 1775. 8⁰. — IV. J. i. 17/1.

— Prüfung und Beantwortung der Lavater'schen Meynung, fortgesetzt von einem Freunde der Wahrheit. Bremen, J. H. Cramer, 1777. 8⁰. — IV. J. i. 17/2.

— Prüfung und Beantwortung der Lavater'schen Meynung, beendigt von einem Freunde der Wahrheit. Bremen, J. H. Cramer, 1777. 8⁰. — IV. J. i. 17/3.

Franke, Laur., Kritische Beleuchtung der von dem ev. Pfarrer Herrn C. W. A. Krause gegen die kath. Kirche und ihr Oberhaupt gerichteten Anschuldigungen. (Pastor Jäckel in Dobrzyca schrieb 1833 einen „Ausführl. evang. Katechismus." Franke schrieb gegen Jäckel. Krause, Pastor in Grätz, gegen Franke. Franke gegen Krause.) Leipzig, Rostosky u. Jackowitz, 1839. 8⁰. — IV. K. k. 39.

Romberg, J. H. F., Ein Wort an meine Gemeinde über die Theilnahme der ev. Bekenner an den unterscheidenden Kirchenfesten und Gottesdiensten der röm.-kath. Kirche. Bromberg, E. S. Mittler, 1844. 8⁰. — IV. K. f. 25.

Turkowski, Erwiderung auf die von dem Herrn Konsistorialrath Romberg verfasste Beleuchtung meiner Gegenschrift, gleichzeitig als ein zweites Wort an meine christ-

katholische Gemeinde. Bromberg, Louis Levit, 1844. 8°.
— IV. K. f. 25.

Stimme, Eine, aus der kath. Kirche Preussens in Sachen
des Herrn Erzbischofs Clemens August von Köln. Posen,
W. Decker et Comp., 1838. 8°. — IV. K. k. 33.

Gonzalez de Santalla, Thyrsus, e S. J., Manuductio
ad conversionem Mahumetanorum, in duas partes divisa.
. . . Matriti, Bern. de Villa-Diego, 1687. 8°. 2 voll. —
IV. H. i. 6.

Predigten.

Leo Magnus, papa, Liber sermonum . . . [Hain: Ant. Sorg
od. Conr. Fyner, ante a. 1500.] Fol — IV. J. f. 14.

Petrus de Ailliaco, Tractatus et sermones. [Sine notis
typogr. ante a. 1500.| Fol. — II. F. b. 16.

Alberti Magni Sermones notabiles de tempore et de sanctis.
|Sine notis typogr Ante a. 1500.] Fol. (Hain, 469.) — IV.
G. b. 16.

Lyra, Nic. de, Postilla. [Sine notis typogr., 1473. (?)| Fol.
— IV. F. c. 1.

Paulus, Florentinus, Quadragesimale de reditu peccatoris ad deum. Mediól., Uldericus Scinczenceller et Leonard. Pachel, 1479. Fol. — IV. G. b. 17.

Homiliarius. In fine: Omeliarum opus egregium . . .
Spirae, Petr. Drach, 1482. Fol. — IV. F. f. 8.

Herpf, Henr., Sermones de tempore, de sanctis etc.
Spirae, Petr. Drach, 1484. Fol. — IV. G. b. 15.

Maximus, ep. Taurinensis, Opus insigne homiliarum
hyemalium et aestivalium tam de tempore quam de
sanctis . . . Additę sunt aliquot homiliae D. Joannis
Chrysostomi, . . . antehac non excusae. Coloniae, Jo.
Gymnicus, 1535. 8°. — IV. H. i. 11.

Helmesii, F. Henrici, Germipolitani, Homiliae aliquot.
De purgatorio et defunctorum suffragiis (XI. homiliae.)
. . . Aeditio prima. Colon., apud Iasparem Gennepaeum,
1557. 8°. — IV. J. i. 2/4.

Nattae, Marci Antonii, Assensis, In festo assum-
ptionis sacratiss. dei genitricis Mariae oratio. Venetiis,
apud Andr. Ariuabenum, 1561. 4°. — IV. G. m. 7/3.

Calvin, Jean, Vingt deux sermons de M. —, ausquels est
exposé le pseaume cent dix neufieme, contenant pareil
nombre de huictains. A Genève, Franç. Estienne pour
Bertrand Bodin, 1562. 8°. — IV. G. i. 9.

Methodus serviendi Deo plane aurea et evangelica, in formam orationis ordinata, duas in partes distributa ... Edita primum. Mediolani 1656, nunc Litomisslii, typis Joannis Arnolti, 1666. 12°. — V. A. m. 26.

Pfaltz von Osteritz, Chn. Aug., Abominatio desolationis Turcicae, der Turckische Verwüstungs-Grewel durch ... Jesum Christum vorgesagt, ... Matth. 24, v. 15. (Predigten.) Prag, W. Knauff, 1672. 4°. [Mit d. Bildn. des Verf. in Kstich.] — IV. K. n. 5.

Barrow, Isaac, The werks of the learned —, published by the reverend Dr. Tillotson.
  1. Thirty two sermons. Exposition of the Lords prayer. Treatise of the Popes supremacy.
  2. Sermons and expositions upon all the articles in the apostles creed.
  3. Forty five sermons. London, M. Flesher, 1683—86. Fol. 3 voll. [Mit Bildn.] — III. U. c. 1—3.

Venceslaus a S. Francisco, schol. p., Annus scholasticus per lucubrationes oratorias decurrens. Varsaviae, in Coll. Schol. Piar., 1696. 8°: — IV. K. m. 21.

Lütke, Franz Jul., Die Gleichheit zwischen Adam und Christo, über das seelige Ableben der Wol-Edlen Frauen Marien Ungerinn, des Wol-Edlen ... Herrn Sebastian Nethen ... gewesenen lieben Ehe-Frauen, ... in einer Leich-Predigt ... vorgestellet. Cölln an der Spree, druckts Ulrich Liebpert, o. J. 4°. — V. B. m. 28/4.

Folietae, Uberti, in festo die omnium sanctorum oratio. V. Graevii, thes. antiquitt. et histor. Ital. Tom. I., 2. L. Bat., 1704. Fol. — II. T. e. 1.

Neumann Casp., In Jesu Namen.
  1. Gott der König aller Könige und Herr aller Herren.
  2. Unser Gott, des Kaysers Freund.
  3. Das Göttl. Wolgefallen an der brüderlichen Liebe. Aus christschuldigster Danckbarkeit über den im J. 1709 bey Dornick, der Schlacht im Hennegau und Mons, mit glorwürdigster Erorberung und Ueberwindung erhaltenen dreyfachen Siege an drey ... Danckfesten ... zu St. Elisab. in Bresslau geprediget. Bresslau, J. G. Stecks Wittib, 1709. 4°. — II. O. e. 23/4 a.

Saurin, Jaques, pasteur à la Haye, Sermons sur divers textes de l'écriture sainte. A la Haye, Pierre Husson, 1730—37. 8°. 9 voll. — IV. K. h. 1—9.

— Nouveaux sermons sur l'histoire de la passion de notre seigneur Jésus Christ ... Rotterdam, Jean Daniel Beman, 1732. 8°. 2 voll. — IV. H. h. 23--24.

Bossuet, Jacques Benigne, Recueil des oraisons tune-
bres prononcées par Messire —. Nouv. édit. augmentée
de l'éloge historique de l'auteur et du catalogue de
ses ouvrages. Paris, Desaint et Saillant, 1749. 8°. — III.
Q. n. 2.

Ashburnham, William, Bart. Lord Bishop of Chichester,
A sermon preached before his grace William Duke of
Devonshire, president, and the governos of the London-
Hospital at Mile-End . . . (Psalm 113. 7.) London, H.
Woodfall, 1764. Acc.: Account of the rise, progress and
state of the London-Hospital, (1740—62.) 4°. — 905.

Venini, Ignazio, Panegirici e discorsi sacri dell' abbate
Don —. In Milano, G. Marelli, 1782. 8°. (Bogen 2 fehlt.)
— III. N. o. 11.

Hemsterhusii, Ti., Orationes, quarum prima est de Paulo
apostolo. L. C. Valckenari tres orationes, quibus sub-
jectum est schediasma, specimen exhibens adnotationum
criticarum in loca quaedam librorum sacrorum novi foe-
deris. Praefiguntur duae orationes Joannis Chrysost.
in laudem Pauli apostoli, cum veteri versione latina
Aniani, ex cod. ms. hic illic emendata. Lugd. Bat., S.
et J. Luchtmans, 1784. 8°. — III. B. f. 9.

Bourdaloue, Sermons du père pour l'avent. Liège, J. F.
Bassompierre, 1784. 8°. — IV. E. i. 5.

— Sermons pour les dimanches. Liège, J. F. Bassompierre,
1784. 8°. 4 voll. — IV. E. i. 9—12.

— Sermons pour le carème. Liège, J. F. Bassompierre,
1784. 8°. 3 voll. — IV. E. i. 13—15.

— Sermons pour les fètes des saints et pour des vêtures et
professions religieuses. Liège, J. F. Bassompierre, 1784.
8°. 2 voll. — IV. E. i. 16—17.

Verba domini nostri Jesu Christi pro nobis passi, ab horto
Gethsemani usque ad domum Caiphae pronuntiata, per
verni jejunii dominicas . . . breviter exposita. Wratislaviae, 1785. 8°. — IV. J. k. 17.

Freymark, C. A. W., Dr., Provinzial-Prediger-Bibliothek;
enthaltend eine Sammlung von Predigten u. geistl. Reden,
eingesandt von den ev. Geistlichen des Grossherzogth.
Posen, 2 Samml. Posen, J. J. Heine & Comp., 1833. 8°.
Enthält Predigten von: Freymark, C. A. W. Dr., Sydow,
M. F., Altmann, M., Vater, E., Göbel, Fr., Grabig, J. T.,
Schönborn, J. M., Dütschke, Dr., Gaebel, Fendler. —
IV. G. h. 35.

Bartmann, Goswin, Zehn Predigten und Betrachtungen
. . . Posen, J. J. Heine, 1837. 8°. — IV. G. g. 23.

Krause, C. W. A., Predigt, am Jubelfeste der evangelischen Kirche zu Grätz gehalten. Lissa, Ernst Günther, 1839. 8°. — IV. K. f. 14.

Thym, A., Vierundachtzig Trauungs- und Hochzeitslieder ... Grätz, Emil Thym, 1863. 8°. — V. B. m. 19/1.

— Homiletisches Handbuch·, eine reiche Sammlung von Dispositionen zu Leichen - Predigten und Reden ... Erste Abtheilung. Leichen-Predigten und Reden. Grätz, Emil Thym, 1866. 8°. — V. B. m. 19/2.

Niese, Moritz Ludwig, Predigten, herausgegeben von A. Henschel. Posen, Louis Merzbach, 1873. 8°. [Mit dem Bilde des Verfassers].

Christliche Dichtung.

Poetae ecclesiastici. Poetarum veterum ecclesiasticorum opera christiana et operum reliquiae atque fragmenta, ... thesaurus cathol. et orthod. ecclesiae, ... collectus ... studio Geo. Fabricii, Chemnicensis. Bas., J. Oporinus, 1564. 4°. Cf. Ebert, 17558. — III. F. e. 4. III. S. c. 14.

Hymni ecclesiastici varii. V. Poetae ecclesiastici. — III. F. e. 4.

Auctoris incerti De laudibus Domini. V. Poetae ecclesiastici. — III. F. e. 4.

Alcimi, Aviti Viennensis, De origine mundi libri V. et de consolatoria castitatis laude ad Fuscinam sororem liber. V. Poetae ecclesiastici. — III. F. e. 4.

Ambrosius, Mediolanensis, episcopus, De opere creationis hymni VII. V. Poetae ecclesiastici. — III. F. e. 4.

Amoeni, Enchiridion veteris et novi testamenti. V. Poetae ecclesiastici. — III. F. e. 4.

Aratoris, Itali, (560 p. Chr.) Apostolicae historiae libri II. V. Poetae ecclesiastici. — III. F. e. 4.

Claudianus Mamertus, (480 p. Chr.) Contra poetas vanos ad collegam. V. Poetae ecclesiastici. — III. F. e. 4.

Columbanus Hibernus, Epistola, in qua detestatur avaritiam. V. Poetae ecclesiastici. — III. F. e. 4.

Cypriani, Caecilii, (256 p. Chr.) Poemata. V. Poetae ecclesiastici. — III. F. e. 4.

Damasi Romani (380 p. Chr.) Elogia. V. Poetae ecclesiastici. — III. F. e. 4.

Dracontii Hexametron, seu de opere sexdierum liber. Vide Poetae ecclesiastici. — III. F. e. 4.

Drepanii Flori Psalmi et hymni. V. Poetae ecclesiastici. — III. F. e. 4.

Fortunati Venantii Honorii Clementiani (570 p. Chr.) De partu virginis. — De Christi Jesu beneficiis. — De vita hominum. — De judicio extremo. — De gaudiis et spe vitae aeternae. — De certaminibus et gaudiis piorum. V. Poetae ecclesiastici. – III. F. e. 4.

Helpidii, Rustici (500 p. Chr.) Historia testamenti veteris et novi. — De Christi Jesu beneficiis carmen. V. Poetae ecclesiastici. — III. F. e. 4.

Hilarii Pictaviensis (360 p. Chr.) Poema. V. Poetae ecclesiastici. — III. F. e. 4.

Juvenci, Hispani, (330 p. Chr.) Historiae evangelicae libri IV. V. Poetae ecclesiastici. — III. F. e. 4.

Lactantii, Coelii Firmiani, De beneficiis suis Christus. V. Poetae ecclesiastici. — III. F. e. 4.

Merobaudis Hispani, De Christo carmen. V. Poetae ecclesiastici. — III. F. e. 4.

Paulini (370 p. Chr.) De sancto Joanne Baptista. Epistolae ad Ausonium III. V. Poetae ecclesiastici. — III. F. e. 4.

— episcopi Ad Deum omnipotentem praecatio. V. Poetae ecclesiastici. — III. F. e. 4.

— Nolani episcopi, Panaegyricus. De Martiniani periculis et liberatione ad Cytherium. — Ad Nicetam, Dacorum episcopum. — De statu turbulento suorum temporum. — De diebus festis. — De tribus virgis Jacobi patriarchae. — De vitae renovatione. — De fabrica hominis. — Psalmi. V. Poetae ecclesiastici. — III. F. e. 4.

Perdiccae protonotarii, Ephesii, Hierosolyma, expositio thematum dominicorum et memorabilium, quae Hierosolymis sunt, Fed. Morello interprete. V. Allatii, Leonis, *CYMMIKTA* sive opuscula. Venet., 1733. Fol. — II. T. c. 6/4.

Prosperi, Aquitanici (455 p. Chr.) Sacrorum epigrammatorum super divi Aurelii Augustini sententias liber, ejusdem de ingratis liber. V. Poetae ecclesiastici. — III. F. e. 4.

Prudentii, Aurelii Clementis, Opera noviter ad mss. fidem recensita . . . a Joh. Weitzio. Acc. omnium doct. virorum, quotquot in Prudentium scripserunt, notae . . . cum glossis veteribus. Hanoviae, typ. Wechelianis, ap. haeredes Johannis Aubrii, 1613. 8°. 2 voll. — III. B. i. 20—21.

— (400 p. Chr.) Opera. V. Poetae ecclesiastici. — III. F. e. 4.

Sedulii Caelii, Scoti, (430 p. Chr.) Mirabilium divinorum sive operis paschalis libri IV. — Novi testamenti collatio. — Hymnus acrostichis totam vitam Christi continens. V. Poetae ecclesiastici. — III. F. e. 4.

Sedulii Caelii, Scoti, Mirabilium divinorum libri V., sive carmen paschale, item hymni duo, ad cod. mss. et editionum veterum fidem recensuit.., Jo. Frid. Gruner. Lipsiae, Jo. Wendlerus, 1787. 8°. — III. F. i. 29.

Victor, Claudius Marius, Massiliensis, (460 p. Chr.) Poëma. V. Poetae ecclesiastici. — III. F. e. 4.

Victorini Marii, Afri, (350 p. Chr.) De fratribus Machabaeis interfectis ab Antiocho Epiphane. V. Poetae ecclesiastici. — III. F. e. 4.

— Pictaviensis, (ante Constantinum M.), De Jesu Christo, Deo et homine, carmen. V. Poetae ecclesiastici. — III. F. e. 4.

Versus, Elegantiores, De christiana religione et moribus ex Prudentio, Lactantio et aliis castis poëtis delecti ... Lipsiae, Mich. Blum, 1541. 8°. — V. B. m. 50/7.

Toxites, Micaelus, Rhaeticus, Sententiae Nili, episcopi et martyris, carmine expressae ... Argentorati, apud Cratonem Mylium, 1543. 8°. — V. B. m. 50/2.

Giselini, Victoris, Hymnorum liturgicôn sive precationum audiendo sacro accommodatarum, ex piis veterum et recentiorum poetarum scriptis liber. Antv., apud M. Nutium et fratres, 1620. 12°. — III. M. o. 24/2.

Balinghem, Ant. de, Soc. Jesu, Parnassus Marianus seu flos hymnorum de ssa. virgine Maria. Duaci, B. Beller, 1624. 12°. — IV. K. n. 33.

(Kergatte, Soc. Jesu), Le triomphe de l'amour divin dans l'immaculée conception de la très sainte Vierge, poème. Varsovie, de l'impr. au Col. de la Comp. de Jésus, 1767. 4°. — II. B. l. 2/1.

Ascetik.

Vgl. hierzu Band III., S. 453 ff.

(Thomas a Kempis). — Schmidt-Reder, Codex Roolf, Pergamenthandschrift des Traktats De imitatione Christi vom Jahre 1431. (Separat-Abdruck aus Petzholdt's „Neuer Anzeiger für Bibliographie u. Bibliothekswissenschaft." 1881.) Dresden, G. Schönfeld, 1881. 8°. [14 S. u. 2 Facsm.- Tafeln.] — VI. F. e. 35.

— De imitatione Christi et de contemptu omnium vanitatum. Acc. Tractatus de meditatione cordis magistri Johannis Gerson. Argent., Mart. Flach, 1487. 4°. — IV. F. h. 13.

Thomas a Kempis), De imit. Christi etc. Finitur iste libellus Colonie ... Ao. MCCCCCiij. quinta octobris. 8°. — IV. J. n. 5/2.

— De imit. Christi libri quatuor, recensiti ad fidem autographi anni 1441, cum vita ejusdem Thomae per Heribertum Rosweydam, soc. Jesu. Amstelaedami, ex off. Elzeviriana, 1675. 12°. — IV. G. i. 34/1.

— De imitatione Christi. Posn., typ. Coll. S. Jesu. 12°. — IV. K. i. 35.

— De imit. Christi libri IV. ex postrema recognitione Heriberti Rosweydi, S. J. Acc. Vita et syllabus operum omnium ejusdem Thomae a K., quae ex tribus codd. ms. in lucem protulit et notis illustravit Georg Heserus, S. J. Augustae Vindelicorum, Ign. Veith et Mich. Rieger, 1798. 8°. — IV. F. l. 30.

— L'imitation de Jésus-Christ, traduite et paraphrasée par Pierre Corneille. Édition nouvelle, rétouchée par l'auteur avant sa mort. Paris, Michel David, 1755. 8°. [Av. figg.] — V. A. m. 18.

— L'imitation de Jésus Christ. V. Manuel du Chrétien. Paris, 1812. 12°. — IV. G. i. 31.

Theologia germanica ... Bas., Jo. Oporinus, 1532. 8°. — IV. U. o. 24.

— germanica, libellus aureus, ... ex germanico translatus, Joanne Theophilo interprete. Bas., Jo. Oporinus, 1557. 8°. — IV. U. o. 24.

Lotharius Diaconus, Liber de miseria humane condicionis ... Anno Domini 1448. [Secundum Schoepflinum a Gutenbergo impr.] Fol. — II. F. b. 18/1.

— Liber de vilitate conditionis humane. Parisiis, Gaspardus Philippi, 1492. 8°. — II. K. d. 15/3.

[Elimandus, Helmandus], Gesta Romanorum, cum applicationibus moralisatis ac misticis. 1464 4°. — IV. F. g. 6.

Modus perveniendi ad summam sapientiam. Aug. Vindel., G. Zainer, c. 1473. Fol. — IV. J. f. 4/3.

Matheus de Cracovia (Naymannus), Ars moriendi ... von der Kunst wol to steruende ... [vor 1500.] 4°. — IV. H. l. 27/3.

Johannes Gallensis, Summa collationum ad omne genus hominum. [Sine notis typogr., ante a 1500.] 8°. — II. U. d. 12.

— Summa collationum sive communiloquium vocitata. Ulm., Jo Zainer, 1481. Fol. — IV. E. c. 3. IV. E. c. 5/1.

— idem opus. Argentine, 1489. Fol. — IV. F. f. 20.

Lumen animae seu liber moralitatum . . . |secund. ord. alphab.] 1482. Fol. — IV. K. d. 4.

Hortulus rosarum, liber devotus. Parisiis, Dionysius Rosse, c. 1499. 8°. — II. K. d. 15/6.

[Wilhelmus.] Guillermus, episc. Paris., Rhetorica divina de oratione domini. Bas., Joh. Amerbach, [ante a. 1500.] Fol. — IV. K. g. 19/2.

Gersonis, Joh., Tractatus de meditatione cordis. Vide Thomas a Kempis, de imitatione Christi. Colonie, 1503. Sub finem. — IV. J. n. 5/2.

Horologium eterne sapientie . . . Colonie, apud predicatores impressum, ao. domini 1509, m. Septembris ipso die Marcelli. 8°. — IV. H. i. 16/1.

Orationes sancte Brigitte, cum oratione sancti Augustini. Romae, Eucharius Silber alias Franck, 1509. 8°. 8 foll. — II. G. b. 39/6.

Angelus Silesius (= Joh. Scheffler), Braun, J. W. J., Blüthen aus dem Cherubinischen Wandersmann des Angelus Silesius. Trier, P. Braun, 1855. 8°. — V. B. f. 70.

Caramuelius de Lobkowitz, Jo., Thanatosophia, nempe mortis museum, in quo demonstratur esse tota vita ab introitu ad interitum vanitas vanitatum, atque per omnia vanitas: esse mors limen verae foelicitatis. Bruxellae, Luc. Meerbek, 1637. 4°. — IV. K. n. 19.

(Innocentius III., p. m.), Contemptus mundi etc. Coloniae, J. A. Kinckius, 1681. 12°. Acc.: Camoena rythmica de contemptu mundi . . . exhibita a T. M(ensinck). 2 voll. — IV. J. n. 25/1.

Pachiuchelli, Angelus, P., Trostquell, denen, so in Trübsal und Widerwertigkeit leben, zu Trost, den Glückseeligen zur Warnung, den Seelsorgeren und Beichtvätteren zur Vnterrichtung etc., anfangs in welscher Sprach, nachmahls von — P. Leonardo Messen . . . ins Lat. übergesetzet, vnd letzlich in (teutscher) Sprach an Tag gegeben. Cöllen, Arnold Metternich, 1682. 4°. — II. L. a. 28.

La Mothe-Guion, J. M. B. de, Les opuscules spirituels de Madame —. Nouv. éd. Cologne, Jean de la Pierre, 1720. 8°. — III. N. p. 30.

Pinamonti, Gian Pietro, Esercizj spirituali di S. Ignazio propositi alle persone secolari . . . Padova, G. Manfrè, 1738. 8°. — IV. K. n. 24.

Sales, Franc. de, Introduzione alla vita divota. Padova, G. Manfrè, 1745. 12°. — IV. K. n. 28.

Office, L', de la semaine sainte en latin et en françois selou le missel et le bréviaire romain . . . Dedié à la Reine pour l'usage de sa maison. Paris, J. B. Garnier. 1752. 12⁰.
[Der Maria Leszczyńska, Königin von Frankreich dedicirt von: „La veuve Mazières, libraire de Votre Majesté." Der Einband trägt auf beiden äusseren Seiten des Deckels das Wappen der Koenigreiche Frankreich und Polen.] — IV. J. i. 11.

Bourdaloue, Exhortations et instructions chrétiennes. Liège, J. F. Bassompierre, 1784. 2 voll. 8⁰. — IV. E. i. 6—7.

— Retraite spirituelle à l'usage des communautés religieuses. Liège, J. F. Bassompierre, 1784. 8⁰. — IV. E. i 8.

Manuel du chrétien, contenant les psaumes, le nouveau testament, et l'imitation de Jésus Christ. Nouvelle édit. augmentée etc. Paris, Mame fréres, 1812. 12⁰. — IV. G. i. 31.

Lottospiel-Tafel mit 107 Quadratstellen, zum Spielen mit Würfeln um Gebete eingerichtet. Fol. [Manuscr.] — IV. J. a. 16.

[Kancional], Pieśńe Chwal Bożskych. Pieśńe Duchownie Ewangelitske . . . W Praze, Jan Roh. Wytissťěn a dokonan tento Kancional . . . skrze mne Pawla Seweryna z Kapi-Hory. 1541. 4⁰. — IV. K. g. 23.

Psalm-Boken, Then Swenska. (Gesangbuch.) Acc.: Evangelia och Epistler . . . Skara, H. A. Möller, 1727. 16⁰. — IV. G. i. 5.

Sammlung von Kirchenliedern und Gebeten, in litthauischer Sprache, veranstaltet u. herausg. von Dr. Joh. Jac. Quandt, Ober-Hofprediger, Koenigsberg, 1794. 12⁰. — IV. J. i. 10.

Grammlich's, J. A., Erbauliche Betrachtungen auf alle Tage des ganzen Jahres, aufs Neue herausg. von Dr. A. W. L. Boeck. 2. Aufl. Breslau, Geiser, 1853. 8⁰. — V. B. d. 40.

— dass. Fraustadt, J. A. Steiner, 1875. 8⁰. — IV. K. f. 27.

Bleske, Mich., Kath. Gesang-Buch, . . . zusammengetragen von —, 1803. 12⁰. — IV. K. k. 37.

Lieder, Christliche, zum Gebrauche bei den Morgen-Andachten in Gymnasien und anderen Schulen. Lissa, E. Günther, 1839. 8⁰. — IV. K. f. 12.

Sydow, Stanisl. Chr. Vinc., Katholisches Gebet- und Gesangbuch . . . Lissa, E. Günther, 1856. 12⁰. 2 Bde. [Mit Titelk.] — V. B. g. 35.

Sainte-Foi, Karól, Godziny rozmyślań dla młodéj kobiety, przekł. z franc. Leszno, E. Günther, 1857. 16. — V. B. f. 76.

Betrachtungen über das bittere Leiden und Sterben Jesu Christi während der heiligen Fastenzeit, nach dem polnischen Texte und Melodie der bekannten **Gorzkie żale** bearbeitet von Joseph Hannich, durchgesehen von Markwitz. Posen, M. Leitgeber u. Co., 1883. 8°. — V. E. k. 50 a.

Indulgentiae pro se invicem salutantibus dicendo: Laudetur Jesus Christus, et respondentibus: Amen, et pro invocantibus s. s. nomen Jesus et Mariae, ant litanias b. Mariae virginis recitantibus. Romae, typis Rever. Camerae Apostolicae, 1728. Placat. [Mit der Abbild. des heilig. Petrus u. Paulus in Holzschn.] — IV. J. a. 16.

Officium b. Mariae v. *ΠΕΝΤΑΓΛΟΤΤΟΝ*, Neapoli editum, . . . nunc latine, graece et hebraice recusum et auctum. Vetero-Pragae, Jo. Car. Hraba, 1759. 8°. — IV. G. i 14.

Eloquentia caelestis, seu officiosa pietatis exercitia, cultui divino magnae matris Mariae . . . debita. Posnaniae, 1775. 12°. — IV. K. i. 34.

Liguori, Alph. de, Visites au st. sacrement et à la st. vierge pour chaque jour du mois. 7. éd. Varsovie, Pierre Zawadzki, 1794. 8°. — IV. J. i. 26.

Wael a Vronesteyn, Guil. de, Corona sacratissimorum Jesu Christi vulnerum 35 considerationibus . . . illustrata. Antv., Jo. Cnobbar, 1649. 8°. [Cum figg.] — IV. J. k. 19.

Modus absolvendi utiliter et cum fructu spirituales recollectiones. [Nach den Stunden eingerichtet. Manuscript. Ein Blatt in 4°.] — IV. J. a. 16.

Ritus.
Vgl. Band III., S. 449 ff.

Falaschi, Victor, La hiérarchie ecclésiastique et la maison du souverain pontife. Macerata, Benoit d'Antoine Cortesi, 1828. 8°. [Av. figg. color.] Ital.-franç. — IV. K. k. 29.

Sestini, Francesco, Il moderno maestro di camera. Roma, Mich. Angelo, 1697. 12°. — II. O. n. 27/2.

— idem opus. Dei nuouo ricorretto secondo il cerimoniale Romano. In Venetia, A. Tivanni, 1699 [pro 1689.] 12°. — II. G. a. 33/2.

— Amati, Scipio, Censura al „maestro di camera" di Franc. Sestini da Bibiena. In Liege, appresso Henrico Hartes, 1634. 12°. — IV. J. n. 13.

8*

Lunadoro [vel Lunardo,] Girolamo, Relatione della corte di Roma e de riti da osservarsi in essa e de suois magistrati et officii . . .ᴬ In Venetia, Ant. Tinanni, 1689. 12°. — II. G. a. 33/1.

— idem opus. Roma, Michel Angelo, 1697. 12°. — II. O. n. 27.

De electione et coronatione pontificis Romani, ex libro primo sacrarum caeremoniarum ecclesiae Rom., edito Venetiis 1516 apud Gregorium de Gregoriis. V. Inauguratio, coronatio, electioque aliquot impp., Hanoviae, 1613. 8°. — II. G. a. 14/10. II. M. l. 27/11.

Scappus, Ant., De birretto rubeo dando s. r. e. cardinalibus regularibus, responsa prudentium diuini humanique juris . . . Romae, G. Ferrarius, 1592. 4°. — II. N. l. 18/1.

Catena, Girolamo, Della beretta rossa da darsi a cardinali religiosi discorso. Roma, Giorgio Ferrari, 1592. 4°. — II. N. l. 18/2.

Terklau, Mat., Ks., O obrządkach kościoła katolickiego, tłomaczenie podług 6. wyd. ks. S. K. Leszno, E. Günther, 1858. 8°. — V. B. h. 5.

Casalii, Joh. Bapt., De profanis et sacris veteribus ritibus opus tripartitum: I. De ritibus Aegyptiorum. II. De ritibus Romanorum. III. De sacris Christianorum ritibus. Editio post romanam prima, quae in Germania prodiit, quam plurimis aeneis tabulis ornata. Francof. et Hannoverae, sumptib. Thomae Henr. Hauensteinii, 1681. 4°. — III. F. e. 31.

Acta causae rituum seu ceremoniarum Sinensium. Coloniae Agr., 1715. 8°. [Cum tab. aen.] — IV. G. i. 21.

Noël, Franc., Historica notitia rituum ac ceremoniarum Sinicarum in colendis parentibus ac benefactoribus defunctis, ex ipsis Sinensium autorum libris desumpta. Pragae, typ. Univers. Carolo-Ferdinandeae in Colleg. Soc. Jesu, 1711. 4°. — V. B. d. 45/3.

Rituale ecclesiae Aegyptiacae sive Cophtitarum, quod jussu cardinalium s. congregationis de propaganda fide ex lingua copta et arabica in latinam transtulit Athanasius Kircherus . . . Ao. 1647. V. Allatii, Leonis, *CYMMIKTA* s. opuscula. Venet., 1733. Fol. — II. T. c. 6/4.

Gabriel Sionita, De ritibus Maronitarum nonnullis. Vide Allatii, Leonis, *CYMMIKTA* s. opuscula. Venet., 1733. Fol. — II. T. c. 6/4.

Pinius, Joannno, societatis Jesu, Liturgia antiqua Hispanica, Gothica, Isidoriana, Mozarabica, Toletana, Mixta, illustrata, adjectis vetustis monumentis, cum

additionibus, scholiis et variantibus lectionibus, ad vetu-
stissimorum codicum fidem exactis. Romae, Hieron.
Mainardus, 1746. Fol. 2 voll. Cum effigie Josephi Mariae
Thomasii. — II. U. e. 1.

(Murawiew, Andreas Nikolajewicz), Briefe über den
Gottesdienst der morgenländischen Kirche, aus dem Russi-
schen übersetzt und aus dem Griechischen erläutert von
Dr. Edw. v. Muralt. Leipzig, Weygand, 1838. 8°. —
V. B. m. 38.

Manuale parochialium sacerdotum, multum perutile. [Sine
notis typogr., ante a. 1500.] 4°. — IV. G. n. 9.

Duranti, Guilh., Minacensis, ecclesie episcopi, Rationale
divinorum officiorum. [Sine notis typogr., ante a. 1500.|
Fol. — IV. H. b. 10.

— idem opus. Nurembergae, Ant. Koburger, 1481. Fol. —
IV. G. b. 13.

— idem opus. Argentine, 1501. Fol. — IV. H. b. 3.

— idem opus. Correctum per magistrum Bonetum de
Locatellis. Lugduni, Laur. Hyllaire, 1516. 4°. — IV.
G. b. 9.

Guide de Monte Rochen s. Rotherii, Manipulus curatorum, officia sacerdotum secundum ordinem septem sacramentorum perbreuiter complectens. Argentine, 1493. 4°.
— IV. H. k. 30/3.

Missale kathedralis vratislaviensis ecclesie. Cracovie, impensis Johannis Haller et Sebastiani Hyber, 1519. Fol.
Cfr.: Adam Jocher, Obraz bibliogr.-histor. s. v. Missale
No. 6434. Janocki, Nachrichten, IV., 144.| — IV. F. c. 11.

— romanum ex decr. sacros. concilii Tridentini restitutum,
Pii V., pont. max., jussu editum, et Clementis VIII. primum, nunc denuo Urbani papae VIII. auctoritate recognitum. Antverpiae, ex off. Plantiniana Balthasaris Moreti, 1650. 4°. Acc.:

  1. Missae propriae patronorum et festorum regni Po-
     loniae, ad normam missalis Romani accommodatae.
     Antv., ex off. Plant. Balthasaris Moreti, 1644.
  2. Missae propriae festorum ordinis fratrum minorum
     ad formam Missalis romani, ibid. eodemque anno.
  3. Supplementum novarum missarum dioecesis Wratisla-
     viensis, cum novissimis Romanis. (Breslauer? Druck.)
     — IV. G. g. 10.

Mone, Franz Joseph, Lateinische u. griechische Messen
aus dem zweiten und sechsten Jahrhundert, mit einer
Schrifttafel. Frankfurt a. M., Bernh. Lizius, 1850. 4°. —
V. C. g. 2.

(Bechoffen, Jo., ord. fr. erem. S. August.), Quadru-
plex expositio missalis scti officii misse. Argentine, in
edibus Jo. Scoti, 1519, kal. febr. 4°. — IV. K. b. 13/1.

Balduinus, Frid., Tractatus ... posthumus ... de materia rarissime antehac enucleata, casibus nimirum conscientiae ... Francof. ad M., Casp. Wächter, typ. Wolfg.
Hoffmanni, 1654. 4°. [Cum eff. auctoris.] — IV. J. g. 10.

Salis, Bapt. de, Summa casuum, ... que Baptistiana nuncupatur. Nuremberg., Ant. Koberger, 1488. Fol. — IV.
P. a. 8.

Interrogationes et doctrine, quibus quilibet sacerdos
debet interrogare suum confitentem. Romae, Eucharius
Silber alias Franck, 1509. 8°. 8 foll. — II. G. b. 39/4.

Modus confitendi, compositus per reuerendum epm. Andream
Hispanum, sancte Romane ecclesie penitentiarium. Romae,
Euch. Silber alias Franck, 1509. 8°. 8 foll. char. goth.,
reliqua 4 lat. Cf. Hain, n. 11451 ss. — II. G. b. 39/2.

Bartholomaeus de Chaimis, Interrogatorium sive Confessionale. Norimbergae, Frid. Creussner, 1477. Fol. —
IV. F. f. 4/1.

— id. opus. Venet., 1480. 4°. — II. K. c. 21.

— id. opus. 1482. 4°. — IV. G. m. 16/2.

S. Bonaventurae, Opusculum de sex alis Seraphim, ...
superioribus ad instituendum recte regimen subditorum
perutile et accommodum. Reimpressum, 1785. 8°. — V.
J. k. 28.

Pinamonti, Gio. Pietro, s. J., Il direttore ovvero metodo
da potersi tenere per ben regolar l'anime nella via della
perfezione cristiana, opera postuma. Venezia, G. Tagier.,
1751. 8°. — IV. J. k. 27.

Salis, Baptista de, Summa casuum. Norimberg., A.
Koberger, 1488. Fol. — II. F. b. 14.

Conjuratio malignorum spirituum in corporibus hominum
existentium ... Romae, Eucharius Silber alias Franck,
1509. 8°. 8 foll. — II. G. b. 39/5.

Agenda ecclesiastica slavonica, to gest práce cýrkewnj,
kterauž ewangelisstj kněži ... w Králostwj Vherském
při službach Božich ... wykonawagj. 1734. 4°. — IV.
K. h. 21.

Kirchen-Agenda, Die evang., auff sonderbare Verordnung
der gesambten Stände des Marggraffthumbs Ober-Lausitz
in die wendische Sprache übersetzet ... Budissin, in
Verlegung Johann Willisch, druckts Andreas Richter,
1696. 4°. — IV. H. h. 10a.

Rechtswissenschaft.

Encyklopädie und Einleitung.

Vgl. hierzu Bd. III., S. 522 ff.

Encyclopédie méthodique. Jurisprudence. A Paris, Panckoucke, à Liège, Plomteux, 1782—91. 4°. 10 voll. Tome IX., X. contenant la police et les municipalités. — IV. Q.

Bartsch, C. F. W., Juristisches Haus-Lexicon. Wollstein u. Posen, A. Alexander, 1845. 8°. — II. F. m. 26.

Nettelbladt, Dan., Initia historiae litterariae juridicae universalis. Ed. II. Halae Magdeb., Renger, 1774. 8°. — III. U. d. 10.

Schott, Aug. Friedr., Entwurf einer juristischen Encyklopädie und Methodologie. 3. verm. u. verb. Aufl. Leipzig, Joh. Sam. Heinsius, 1780. 8°. — II. B. l. 10.

Ersch, Joh. Sam., Literatur der Jurisprudenz und Politik seit der Mitte des 18. Jahrh. bis auf die neueste Zeit, systematisch bearbeitet . . . Amsterdam und Leipzig, Kunst- und Industrie-Comptoir, 1812. 8°. — III. S. d. 8.

Revue de législation et de jurisprudence, publiée sous la direction de M. L. Wolowski . . . par une réunion de magistrats, de professeurs et d'avocats français et étrangers. Paris, 1835—1841. 8°. 13 voll. — II. D. n. 2—14.

Brissot de Warville, J. P., Bibliothèque philosophique du législateur, du politique, du jurisconsulte . . . (Choix des discours, dissertt., essais.) Berlin, Paris, Désauges, 1782. 8°. 10 voll. — IV. E. h. 13—22.

(Montesquieu), De l'esprit des loix. Genève, Barrillot et fils, 1749. 4°. — III. R. b. 8.

— De l'esprit des lois. Nouv. édition, revue, corrigée et considérablement augmentée par l'auteur. [Editeur d'Alembert.] A Londres, 1768. 8°. 4 voll. — III. J. k. 1—4.

— De l'esprit des lois. Paris, Pierre Didot l'aîné, an XII, (1803). 12°. 5 voll. — III. K. i. 29—33.

Stahl, Friedr. Jul., Die Philosophie des Rechts nach geschichtlicher Ansicht.

1. Bd. Die Genesis der gegenwärt. Rechtsphilosophie. 2—3. Christliche Rechts- und Staatslehre. Heidelberg, J. C. B. Mohr, 1830—1837. 8°. 3 Bde. — III. T. p. 12—14.

Michaelis, Henr., JCtus, Vinculum juris: et universalis circa naturalia, moralia, politica, et singularis circa pri-

vata et publica. Francof. et Lips., J. S. Richelius, 1690.
8⁰. — II. G. a. 19/3.

Corasii, Jo., JCti, De juris arte libellus. Lugd., Ant. Vincentius, 1560. 8⁰. — II. G. a. 3.

Gvineti, Francisci, JC., Institutionum munus solemni-
bus auspiciis in academia Pontimussana ineuntis oratio,
audiente . . . Nicolao Francisco a Lotharingia, s. r. e.
cardinali. 1628. Publica invitatio. Franciscus Guinetus
J. U. D. scientiae ciuilis initium expositione institutionum
facturus, Jnstinianeis novellis in forum deductis jurispru-
dentiam ostendet, cinctam augustissimo procerum JCtorum
comitatu, d. 19. Jan. anno 1627. 8⁰. — II. M. o. 5/2.

Bentham, Jérémie, jurisconsulte anglais, Oeuvres.
  1. Traités de législation civile et pénale. Tactique des
     assemblées législatives.
  2. Théorie des peines et de récompenses. Traité des
     preuves judiciaires.
  3. De l'organisation judiciaire. Essai sur la situation
     politique de l'Espagne. Défense de l'usure. Essai
     sur la nomenclature et la classification des principa-
     les branches d'art et science.
  4. Déontologie ou science de la morale I. et II. partie.
     Bruxelles, L. Haumann et Cie., 1829—34. 8⁰. 4 voll.
     — III. S. f. 9—12.

— Oeuvres.
  1. Tome. Traités de législation civile et pénale. Tacti-
     que des assemblées politiques délibérantes. Traité
     des sophismes politiques.
  2. Théorie des peines et des récompenses. Traité des
     preuves judiciaires.
  3. De l'organisation judiciaire et de la codification. Essai
     sur la situation politique de l'Espagne. Défense de
     l'usure. Essai sur la nomenclature des principales
     branches d'art et science. Déontologie ou science de
     la morale. Troisième édition. Bruxelles, Haumann
     et Cie., 1840. 4⁰. 3 voll. — III. U. n. 12—14.

Rechtsquellen.

Justiniani, Pancratii, patricii Veneti, . . . Pandecta.
Venetiis, per Jo. Tacuinum de Tridino, 1527. 4⁰. — III.
S. b. 9.

— Imperatoris Codex (libb. IX.) cum apparatu. Mainz,
Petr. Schoyffer de Gernssheym, 1475. — IV. W. a. 9.

-- Institutiones. Moguntiae, Petrus Schoiffer de Gernsheim,
1476. Fol. — IV. J. c. 15/2.

(Justinianus.) Institutionum D. Justiniani sacratissimi principis libri 4. Ad editionem Gregorii Haloandri diligenter collati. Lugd., Gul. Rouillius, 1551. 12°. — II. G. b. 43/1.

Index rerum et verborum, quae in pandectis tractantur, copiosissimus. (Index in Digesta.) Lugd., G. Rouillius, 1551. 12°. — II. G. b. 43/2.

Institutiones imperiales latino-germanicae. Die vier Bücher Institutionum Keisers Justiniani, ... verteutscht durch D. Justinum Goblerum ... Cóln, Gerwinus Calenius vnd Johan Quentels Erben, 1583. 8°. Pag. 173—176 fehlt. — III. J. h. 34.

Cujacii, Jac., Paratitla in libros quinquaginta digestorum seu pandectarum, item in libros nouem codicis imperatoris Justiniani. Col. Agr., apud Jo. Gymnicum, 1595. 8°. 2 voll. — II. L. b. 48.

Justiniani, Imp. Caes., Das ist ein Auszug vnd Anleittung etlicher Keyserlichen vnnd dess heyligen Römischen Reichs geschribner Rechten ... durch ... Andream Perneder, anjetzo aber mit herrlichen Annotationen vnd Glossen ... durch Rochum Freymon von Obernhausen. Ingolstadt, Eder, 1600. Fol. — III. K. a. 9/1.

Palthenius, Zach., D., Analecta institutionum Justinianearum ex privatis diversorum collegiorum academiae Marpurgensis lectionibus, institutionum textu praemisso, congesta et in publicum data a collegio musarum novenarum Paltheniano, quod est in nobili Francofurto. Francof., 1601. 8°. — II. D. l. 38.

Corpus juris civilis in IV. partes distinctum, eruditissimis Dionysii Gothofredi JC. clarissimi notis illustratum ... cura N. Antonii, J. Prof. Lugd., Laur. Anisson, 1652. 4°. Tom. II. Codicis Justinani ... repetitae praelectionis libri XII., notis Dionysii Gothofredi JC. illustrati. Lugduni, Laur. Anisson, 1652. Acc. Authenticae seu novellae constitutiones D. Justiniani etc. 2 voll. — III. O. c. 7.

Justiniani, Imp., Institutionum sive elementorum lib. IV. Access. ex digestis tituli de verborum significatione et de regulis juris. Jacobus Maestiatius JC. recensuit et summariis illustravit. Parisiis, apud Petrum de Laulne, 1663. 12°. — II. G. b. 46.

Corpus juris civilis Romani ... cum notis integris Dionysii Gothofredi, quibus et aliae ... Simonis van Leeuwen ... accesserunt. Lips., J. F. Gleditsch, 1720. 4°. 2 voll. — II. F. a. 16—17.

Codex Theodosianus cum perpetuis commentariis Jac. Gothofredi . . . Praemittuntur: chronologia accuratior, chronicon
historicum et prolegomena, subjiciuntur notitia dignita-
tum, prosopographia, topographia, index rerum et glossa-
rium nomicum, . . . opera et studio Antonii Marvillii . . .
Editio nova in VI. tomos digesta, . . . iterum recognita
emendata, variorumque observationibus aucta, quibus adjecit suas Joan. Dan. Ritter. Lips., M. G. Weidmann,
1736—1745. Fol. 6 voll. — III. D. d. 12—14.

Platner, Frid., praes., Frosch, Sam. Traug., resp.,
Novae editionis institutionum Justinianearum specimen.
Lips., Loeper, 1759, Oct. 19. 4°. — 920.

Justiniani, Imperatoris, Institutionum libri quatuor, adjecti sunt ex digestis tituli de verborum significatione et
de regulis juris. Patavii, 1760. 12°. — II. D. l. 30.

Commentare und erläuternde Schriften.

Vocabularius juris utriusque. [Sine notis typogr., ante
a. 1500.] Fol. — II. F. b. 15.

— utriusque juris. Nurenb., A. Koberger, 1496. 4°. — II.
N. d. 26.

Henricus Bruno alias de Pyro super institutis. [Sine
notis typogr., ante a. 1500.] 4°. — II. F. a. 27.

Jurisprudentia Romana et Attica: continens varios com-
mentatores, qui jus Romanum et Atticum: item classicos
aliosque auctores veteres emendarunt, explicarunt, illustrarunt, cum praefatione Jo. Glieb. Heineccii, JCti et
antecessoris. Tomus I. in quo: Francisci Balduini,
JCti, opuscula omnia. Lugd. Bat., J. et H. Verbeek, 1738.
Tomus II. in quo: Bartholomaei Chesii, JCti, interpretationum juris libri 2 et de differentiis juris liber. Item:
Guidi Panciroli, JCti, variarum lectionum libri tres.
Ibid. 1739. Fol. 2 voll. — II. U. c. 7—8.

— Tomus III. in quo: Petiti, Samuelis, Leges Atticae et
commentarius. Cum animadversionibus Jac. Palmerii
a Grentemesnil, A. M. Salvinii, C. A. Dukeri et P. Wesse-
lingii. Lugd. Bat., Joh. et Herm. Verbeek et Abr. Kalle-
wier, 1741. Fol. — III. F. c. 11.

Meursii, Jo., Themis Attica sive de legibus Atticis libri II.
Traj. ad Rh., Jo. van de Water, 1685. 4°. — III. D.
g. 22.

Afflictis, Matth. de, Decisionum sacri regii Neapolitani
consilii centuriae quatuor. Francof., Jo. Feyerabend,
1600. Fol. — II. F. a. 15/1.

Afflictis, Matth. de, Additiones aureae decisionibus — noviter appositae quatuor maximi nominis JCtorum Joannis Angeli Pisanelli, Prosperi Carauitae, Hieronymi de Martino, ac M. Antonii Pulverini etc. Francof., typis Joh. Sauri impensis Eliae Willeri, 1601. Fol. — II. F. a. 15/2.

Antoninus, Marius, Maceratensis, Variae practicabilium rerum resolutiones in tres libros digestae. Romae, Vinc. Castellanus, 1620. Fol. — III. K. a. 4/2.

Balduini, Francisci, JCti, opuscula omnia. V. Jurisprudentia Romana et Attica ... Tomus I. Lugd. Bat., J. et H. Verbeek, 1738. Fol. — II. U. c. 7.

Boerii, Nic., JCti clariss, Consilia. Lugduni, apud Mich. Parmenterium, excudebat Petrus Fradin, mense Julio, 1554. Fol. — II. S. a. 19/2.

Bynkershoek, Corn. van, Observationum juris Romani quatuor libri priores, et quatuor posteriores, in quibus plurima juris civilis aliorumque auctorum loca explicantur et emendantur, cum praefatione Jo. Gottl. Heineccii. Ed. II. Francof. et Lips., Krug, 1739. 4°. 2 voll. — IV. E. d. 6.

Perezii, Ant., Institutiones imperiales erotematibus distinctae. Acc.: Valerii Andreae Desselii erotemata juris canonici juxta ordinem librorum et titulorum, qui in decretalibus Gregorii IX. P. M. Col. Agr., A. Bingius, 1660. 12°. — II. G. a. 35.

Chesii, Bartholomaei, JCti., Interpretationum juris libri duo et de differentiis juris liber. V. Jurispondentia Romana et Attica. Tomus II. Lugd. Bat., J. H. Verbeek, 1739. Fol. — II. U. c. 8.

Coleri, Matthiae, Decisiones germanicae, hoc est, celeberrimorum inter Germanos collegiorum juridicorum res judicatae, editae a Jacobo Schultes, Elbing., V. J. D. Ed. II. Lips., Henn. Gross, 1606. 4°. — II. G. a. 12.

Covarruvias, Didaci a Leyva, Toletani, episcopi Segobiensis, ... Opera omnia, ... cum authoris tractatu in tit. de frigidis et maleficatis ... Accesserunt Joannis Uffelii ... notae. Antv., Jo. Keerbergius, 1610. Fol. 2 voll. — IV. H. c. 9.

Cujacii, Jac., JC., Opera, quae de jure fecit et vivus pro suis agnovit, ab ipso auctore recognita et aucta ... Coloniae Agr., apud Jo. Gymnicum, 1594. 8°. — II. O. n. 6/1.

— Ad Africanum tractatus IX., quibus difficillimae juris quaestiones enodantur. Ex postrema auctoris recognitione castigate editi. Colon. Agr., apud Jo. Gymnicum, 1595. 8°. — II. O. n. 6/2.

Freheri, Marqu., *ΠΑΡΕΡΓΩΝ*, seu novarum observationum et *ΠΕΙΘΑΝΩΝ* libri duo, in quibus varia juris civilis loca nove explicantur, . . . stud. et op. Joh. Bosch. Norimbergae, Simon Halbmayer, 1622. 4°. — III. F. e. 28.

— Oratio de constitutionum imperialium inter caeteras juris civilis partes excellentia, habita, cum in . . . acad. Heidelberg. professionem codicis ad X. Cal. Maji ao. 1596 auspicaretur. Francof. ad Od., Joh. Ernesti, 1672. 4°. — II. G. a. 10/3.

— Decisionum Areopagiticarum sylvula, in queis controversiarum apud veteres pro inexplicabilibus habitarum resolutiones nova ratione tentantur. Ed. II. Francof. ad Od., Joh. Ernesti, 1672. 4°. — II. G. a. 10/2.

Panciroli, Guidi, JCti., Variarum lectionum libri 3. Vide Jurisprudentia Romana et Attica. Tomus II. Lugd. Bat., J. et H. Verbeek, 1739. Fol. — II. U. c. 8.

Rittershusii, Conradi, J C., Commentarius novus in IV. libros institutionum imperialium divi Justiniani . . . Argentorati, L. Zetzner, 1618. 4°. — IV. E. d. 9.

Struvii, Geo. Adami, Jurisprudentia romano-germanica forensis. Acc. Additiones . . . opera Lüderi Menckenii phil et j. u. d. Jenae, haeredes Birckneri, 1713—14. 12°. 2 voll. — II. G. b, 15.

Kaestner, Abr. Ghelf., Physicae juris prudentiam illustrantis specimina aliquot exhibet. Lips., A. H. Hollius, 1748. 4°. — 925.

Wollii, Chph., Epistola critica de hebraismis Ulpiani, jureconsulti. Lips., Langenheim, 1739, Aug. 31. 4°. — 928.

Scuminovii, Theodori, ep. Gratianopolitani, . . . De jure personarum seu in primum institut. Justinianearum librum catholica explicatio. Bruxellae, Jo. Mommartius, 1663. 4°. — II. O. m. 6.

Conradi, Franc. Carolus, ph. M., Jus provocationum ex antiquitate romana erutum . . . Lips., B. Chr. Breitkopf, 1723. 4°. — III. M. c. 4/2.

Lancellottus, Rob., Tractatus de attentatis et innovatis, lite et appellatione pendente, et in aliis casibus, qui pagina V. distincte indicantur . . . Venetiis, J. A. Somaschus, 1612. Fol. — III. K. d. 4/1.

Barptolomaei Bolognini, clariss. JCti., super autentica constitutione, Habita, C. Ne filius pro patre etc. enarratio longe doctissima . . . Volphangus Hungerus Aquaburgensis JCtus et P. P. apud Ingolstadium, ab innumeris mendis

repurgauit. Ingolst., in off. Vueissenborn., 1542. Fol. —
III. J. b. 20.

Boherii, Nicolaus, de monte Pesulano, Solennis repetitio
famose l. consentaneum. C. quomodo et qu. judex, edita
Bitnris, . . . continens utilem et quotidianam cita-
tionum primi et secundi decreti materiam: per octo conclusiones diffuse disputatam . . . 1512. 8º. — II. P. d. 27/2

Platner, Frid., praes., Marchius, Geo. Aug., Lips.,
resp., Ad Marcianum de formula hypothecaria exercita-
tionem primam . . . sub praesidio — defendet. Lipsiae,
Loeper, 1759. 4º. — II. P. g. 18/5.

Curtius, Jo., J. U. D., praes., Kirsten, Chph., aut. resp.,
De tutela et cura dissertatio. Lips., typis E. Hynitzii,
1610. 4º. — IV. H. l. 27/11.

Declève, J., Du serment et de la formule, étude historique.
Bruxelles, C. Muquardt, 1873. 8º. — V. E. i. 19.

Dornfeldius, Jo. Jac., praes., Bartholdus, Geo. Wilh.,
resp., Diss. jurid. de juribus circa lithanthraces, von denen
Rechten derer Stein-Kohlen. Lips., Langenhemius, 1742,
Dec. 21. 4º. — 922.

Geschichte des röm. Rechts.

Terrasson, Ant., Histoire de la jurisprudence Romaine
. . . Tom. II. Veteres jurisprudentiae Romanae monumenta,
quae extant, integra aut fere integra, seu leges, senatus-
consulta, plebiscita, decreta, interdicta etc. etc. Paris.,
G. Cavelier, 1750. Fol. 2 voll. — III. D. a. 6.

Conradi, Joh. Ludov., Ratio enarrandae historiae juris
romani. Lips., Buschel, 1763. 4º. — 926.

Augustini, Antonii, archiepiscopi Tarraconensis, De
legibus et senatusconsultis liber, cum notis Fulvii Ursini.
Lugduni, Franc. Faber, 1592. 4º. — IV. II. g. 21/2.

Hotomani, Francisci, Commentarius verborum juris,
antiquitatum Ro. elementis amplificatus, de magistratibus, de senatu et sc., de legibus, de formulis, de jctis.,
de comitiis. Bas., Nic. Episcopius jun., 1558. Fol. —
II. S. a. 19/1.

Sithmanni, Joh., JCti, Speculum imperii Romani, ab origine urbis, de ejus regimine, magistratibus, plebe, juris-
consultis, deque juris continuatione ad Justinianum, et
inde de origine jurium Gothicorum, Longobardorum, de
jure doctorum et academiarum, accessione juris feudalis,
canonici, jurisque publici introductione, transactione
Passaviensi, pacificatione religiosa, et capitulatione Cae-

sarea varie et chronologice continuatum. Stetini, apud
Jo. Mamphrasium, 1660. 8°. — III. F. n. 12/1.

Savigny, Friedr. Carl von, Geschichte des römischen
Rechts im Mittelalter . . . Heidelberg, Mohr u. Zimmer,
1815—22. 8°. 3 voll. — III. B. f. 28—30.

Rapédius de Berg, Ferdinand, Mémoire sur la question
depuis quand le droit romain est-il connu dans les pro-
vinces des Pays-Bas Autrichiens, et depuis quand y
a-t-il force de loi? Bruxelles, l'imprim. académ., 1783.
4°. — III. K. b. 6.

Handbücher und Rechtssysteme.

Stynna, Joannes de, Speculator abbreviatus alias speculum abbreviatum: cum variis libellorum et instrumentorum, tam in judiciis quam in contractibus occurrentium
aliorumque ad practicam utriusque juris mirifice deser-
vientium formis. 1511. Fol. — II. S. a. 18/1.

Brissonii, Barnabae, De verborum, quae ad jus civile
pertinent, significatione, opera studioque Jo. Gottlieb
Heineccii JC., . . . praemissa praefatione nova . . .
Justi Henningii Boehmers JC. Halae Magdeb., impensis
Orphanotrophei, 1733. Fol. 2 voll. — III. A. c. 21—22.

Andree, Jo., Processus judiciarius et juris defensorium,
vna cum procuratorum manuali. Norimberge, J. Weyssen-
burger, presbyter, 1512, 3. Martii. 4°. — IV. H. l. 13/6.

Alciati, Andreae, D., Judiciarii processus compendium
atque adeo juris utriusque praxis . . . Coloniae, Arnold
Birckmann, 1555. 8°. — II. M. o. 20.

Aurbach, Johannis de, Processus juris clarissimi viri
dni —, vna cum lectura expositionibusque peritissimi viri
domini Johannis de Eberhausen . . . Praefatio de dato
Liptzck, 1512. Fol. — II. S. a. 18/2.

Rhapsodia quaestionum in foro quotidie obvenientium,
neque tamen legibus decisarum collectio XXII. Lipsiae,
Langenhemius, 1769. 4°. Acc.: Vitae doctorandorum
Chn. Carol. Kannii, & M. Chn. Henr. Schmidii. — 927.

Flores legum siue congeries auctoritatum juris ciuilis
ordine alphabeti cum librorum (ex quibus sumuntur) alle-
gationibus ll. et §. laboriose contexti. In fine: Finiunt
Flores legum etc. per me Cornelium de Zyryckze, felicis
ciuitatis Coloniensis incolam, anno 1507, die vero 12. maii.
8°. — II. H. k. 17/1.

Constantinus Harmenopulus, Epitome juris civilis ex
libris pandectarum, codicis, institutionum, et Justiniani

aliorumque principum novellis constitutionibus, quondam
graece collecta, nuper autem a Bernardo Reidano JCto
sermoni latino restituta. Colon. Agr., Gualth. Fabricius
& Jo. Gymnicus, 1566. 8º. — II. O. n. 10.

Brautlach, Geo., Epitome jurisprudentiae publicae. V. ed.
Francof., J. Meyer, 1688. 8º. — II. G. a. 19/1.

Schoepffer, Joh. Joach., Synopsis juris privati Romani
et forensis . . . Francof. ad V., J. Schrey, 1710. 8º. —
II. G. a. 18.

Deutsches Recht.

Fürstenthal, F. A. L., Real-Encyklopädie des gesammten
in Deutschland geltenden gemeinen Rechts . . . Berlin,
August Rücker, 1827. 8º. 3 Bde. — V. A. g. 34—36.

Selchow, Jo. Hr. Chn. von, Geschichte der in Teutschland geltenden fremden und einheimischen Rechte . . .
3 Auflage. Göttingen, V. Bossiegel, 1778. 8º. — II.
N. k. 24.

Stintzing, R., Geschichte der deutschen Rechtswissenschaft.
Erste Abtheilung. München u. Leipzig, R. Oldenbourg,
1880. 8º. Gesch. der Wissenschaften in Deutschland.
18 Band. — V. G. e. 21.

Leges Longobardorum seu capitulare diui ac sacratissimi Caroli Magni, imperatoris et Francie regis, ac no-
uelle constitutiones dui Justiniani imperatoris, cum prae-
fatiuncula et annotationibus in ipsas ll. et constitutiones
nouellas per cl. et spectab. v. dn. Nic. Boherii, J. U. inter-
pretem . . . 1512. 8º. — II. P. d. 27/1.

Recht, Das alte kulmische, mit einem Wörterbuche herausgegeben von C. K. Leman. Berlin, Ferdinand Dümmler,
1838. 8º. — V. J. f. 29.
Vgl. hierzu Band III., S. 289—291.

Heineccius, Jo. Gottl., Elementa juris germanici tum
veteris, tum hodierni. Tom. I., ed. III. Tom. II., ed. II.
Halae, Orphanotropheum, 1743—1746. 8º. 2 voll. — II.
D. d. 7—8.

Reusneri, Geo., Commentatio succincta ad jus statutarium
Saxonum in Transsylvania, una cum textu locis debitis
inserto. Vitembergae, G. M. Knoch, 1722. 4º. — II. P.
b. 16.

Gonne, Jo. Glieb., De commento speculi Svevici nec non
juris Svevici seu Alemannici, quod in illo haberi creditur,
exercitatio . . . Erlang., Tetzschner, 1753. 4º. — Pagg.
56 usque ad finem desunt. — 918.

Lambacher, Phil. Jac., De aetate juris illius antiqui germanici, quod vulgo vocatur Speculum suevicum, deque significatu vocabuli Semperleutte, quod in eo usurpatur, quorum utrumque hactenus minus cognitum, ex codice praestantissimo Harrachiano nunc eruitur, dissertatio epistolaris. Ed. II. Viennae, 1757. 4°. — 919.

Blüting, Joach., Commentariolus juris Jutici de emtione rerum immobilium, von dem Landkauff, nach jütischem Low-Buche. Ex autographo autoris. V. Westphalen, C. J. de, Monum. ined. rerum Germ. Tom. III. Lips., 1743. Fol. — II. U. g. 3/41.

— Novem observationes juris Cimbrici, sigillatim I. de origine et introductione juris Jutici, vulgo Low-Buch, II. de ordine argumentorum, III. de judiciis formaque processus, IV. probationibus, V. juramentis, quae fiunt manu duodecima, vulgo Zwoelff-Mannen-Eid, VI. praescriptionibus possessionibus, detentionibus legitimis, vulgo Haefft et Loew-Haefft, VII. de alienationibus rerum immobilium et jure protimiseos, VIII. de scotatione et testimoniis judicialibus, vulgo Scoete et Dingeswinde, IX. De praestatione evictionis. V. Westphalen, E. J. de, Monum. ined. rer. Germ. Tom. III. Lips., 1743. Fol. — II. U. g. 3/42.

Die Lehenrecht verteutscht: auch in eyn newe vnd richtige ordnung der titel gesatzt vnd zusamenbracht. Meyntz, Juo Schöffer, 1531. 4°. — II. M. n. 4/3.

Rau, Chn., De duplici in Germania genere bonorum: feudis et allodiis. Lips., C. Tauchnitz, 1803. 4°. — 924.

Gerichts-Ordenung vnnd Process, jetzläuffiger Uebungen, mit rechtmassiger deren Grund vnd klarer Anzeyg in keyserlichen vnnd geystlichen Rechten. Franckf. a M., Chn. Egenolph, 1531. 4°. — II. M. n. 4/2.

Perneder, Andr., Lehenrecht, das ist: ein Ausszug vnd Anleittung auch eygentliche Verteutschung der Lehenrecht. Ingolstatt, Eder, 1600. Fol. — III. K. a. 9/3.

— Gerichtlicher Process, das ist ein kurtzer Ausszug vnd anzaigung etlicher gemeynen geschribenen weltlichen vnd geistlichen Rechten. Ingolstadt, Eder, 1600. Fol. — III. K. a. 9/2.

— Halssgerichtsordnung, das ist ein Ausszug vnd Anzaigung etlicher Malefitzhandlungen, von Peen vnd Straf derselbigen, auss gemeynen geschribnen Rechten, fürnemblichen Keyser Carls desz Fünfften ... Halssgerichtsordnung, zusammengezogen. Ingolstadt, Eder, 1600. Fol. — III. K. a. 9/4.

Gobler, Justin., Goarinus, JC., Augustiss. Imp. Caroli V. de capitalibus judiciis constitutio, germanice primum evulgata, nuncque in latinum uersa et aequo commentario aucta. Acc. quoque ejusdem Caroli V., Imp. Rom., Constitutio de pace publica tenenda, Vuormaciae edita, atque e uernacula lingua per eundem D. Just. Goblerum in latinam traducta. Item, in l. Respiciendum, Tit. Pandectarum de Poenis, succincta ad aequitatis commendationem explanatio eodem D. Just. Goblere autore. Bas., Jo. Oporinus, 1543 m. Aug. Fol. — III. J. b. 20.

Inquisition- vnd Achts-Process, Peinlicher Sächsischer —, auss Kayser Carolus V. vnd dess Heil. Röm. Reichs Peinlichen Halssgerichts-Ordnung etc. zusammengetragen. Frankf. a M., Johannis Pressen Wittib, 1653. 4°. — III. L. g. 28.

Rhetoric vnd Teutsch Formular, in allen Gerichts-Händeln. Kunst vnd Regel der Notarien vnd Schreiber. Titel- und Cantzlei-Büchlin etc. Franckf. a. M., Chn. Egenolph, 1531. 4°. — II. M. n. 4/1.

Perneder, Andr., Summa Rolandina, das ist, ein ordentlicher Ausszug vnd Anzaigung etlicher gewissen Formen von allerhand Contracten und Testamenten, . . . aus gemoynen geschribnen Rechten zusammengezogen . . . Ingolstadt, Eder, 1600. Fol. — III. K. a. 9/5.

Vadiani, Joch., De conjugio servorum epistola ad Johannem Zvickium, JC. et patricium Constantiensem, cum ejusdem Zvickii responsoriis, et Leonis Judae de divortio epistolis. V. Goldasti, M. H., Alamannicarum rerum scriptt. tomus III. Francof., 1606. Fol. — II. N. a. 17.

Planeth, Jac., Examen practicum über die . . . Materie der märckischen Erb-Folge unter Ehe-Leuten etc. Neo-Ruppini, Wendelin Müller, 1719. 4°. — II. P. g. 18/3.

Preussisches Recht.

Register des ersten Buchs des Corporis juris Fridericiani, von der Processordnung. O. Druckdaten. 8°. — II. D. l. 22.

Richter, Opt. Wilh. Leop., Repertorium der königlich preussischen Landes-Gesetze. Leipz., Baumgärtner, 1832 —35. 8°. 7 Bde. — V. A. f. 29—35.

Gräff, H., Sammlung sämmtlicher Verordnungen, welche bis jetzt in den von Kamptzschen Jahrbüchern für preussische Gesetzgebung enthalten sind und die Erläuterung der allgemeinen Gerichtsordnung betreffen. Berlin, Maurer, 1830. 8°. B. II. u. III. — V. B. f. 2—3.

Zusammenstellung der neueren organischen Process-
Gesetze Preussens nach ihrem nebeneinander laufenden
Texte, so wie der auf dieselben sich beziehenden gesetz-
lichen Einzel-Vorschriften, nebst Bemerkungen zur Erläu-
terung der Verordnung vom 21. Juli 1846, betreffend das
Verfahren in Civil-Processen. Posen, Scherk, 1847. 4°.
— II. P. c. 23.

Lossow, Ed. von, und Aug. Dockhorn, Die preussi-
schen Staatsgesetze mit den erläuternden Ministerial-
Reskripten und Rechtssprüchen des königlichen Ober-
Tribunals ... Posen, Louis Merzbach, 1856. 8°. — V.
B. g. 36.

Stoepel, Paul, Preussisch-deutscher Gesetz-Codex, ein
chronologisch geordneter Abdruck der in der Gesetz-
sammlung für die königlich preussischen Staaten von
1806, im Bundes-Gesetzblatt und im Reichs-Gesetzblatt
von 1871 bis auf die neueste Zeit enthaltenen Gesetze,
Verordnungen, Kabinetsordres, Erlasse etc. mit Rücksicht auf ihre noch jetzige Gültigkeit zusammengestellt.
... Dritte Aufl. Frankfurt a. O., Trowitzsch und Sohn,
1881—82. 8°. 6 Bde. — VI. C. b. 1—5.

Strümpfler, C. L. P., Allegate zu dem allgemeinen Land-
rechte, der Gerichts-, Criminal-, Hypotheken- und Depo-
sital-Ordnung, dem Sportel-Cassen-Reglement, der Sportel-
Taxe und dem Stempel-Gesetze der preussischen Staaten
... Magdeburg, Ferdin. Rubach, 1825. 8°. 2 Bde. —
V. A. g. 28—29.

Strombeck, Friedr. Heinr. von, Ergänzungen des
allgem. Landrechts für die preussischen Staaten. IV. Bd.
... bearbeitet u. bis auf die neueste Zeit fortgeführt von
Ferd. Leop. Lindau. Leipz., F. A. Brockhaus, 1829—37.
8°. 4 Bde. — IV. D. b. 17—20.

— Ergänzungen der allg. Gerichtsordnung und der allgem.
Gebührentaxen für die ... preuss. Staaten etc. III. Aus-
gabe. IV. Band ... bearbeitet und bis auf die neuste
Zeit fortgeführt von Ferdin. Leop. Lindau. Leipzig,
F. A. Brockhaus, 1829—1838. 8°. 4 Bde. — IV. D. b.
21—24.

— Ergänzungen der allgemeinen Hypotheken- u. Deposital-
Ordnung für die preuss. Staaten ... 3. verb. und verm.
Ausgabe. Halberstadt, Carl Brüggemann, 1827. 8°. —
V. A. h. 29.

— Ergänzungen des preuss. Criminalrechts ... 3. sehr vermehrte und verb. Ausg. Berlin, Ferd. Dümmler, 1827.
8°. 2 Bde. — V. A. h. 27—28.

Schneider, H., Die Supplemente der preuss. Civilgesetz-
gebung. . . . Lissa, E. Günther, 1859. 8°. — V. B. h. 57.

Kamptz, Von, Die Provinzial- und statutarischen Rechte
der preuss. Monarchie. Berlin, F. Dümmler, 1826—28.
8°. 3 Bde. — IV. R. m. 12—14.

— Sammlung der Provinzial- und statutarischen Gesetze
der preuss. Monarchie. Berlin, J. W. Boike, 1832. 8°.
2 Bde. — IV. R. m. 10—11.

Schneider, H., Das in den preuss. Staaten geltende Pro-
vinzialrecht . . . Lissa, Ernst Günther, 1860. 8°. — V.
B. k. 25.

Müller, Geo. Friedr., Kön. preuss. Kriegsrecht. Berlin,
Haude u. Spener'sche Buchhandl., 1760. 8°. [Fridericus
Magnus, Rex Borussiae, S. R. J. Elector, nach Hempel
in Kpfr. gestoch.] — IV. B. l. 6.

Criminalrecht, Allgemeines, für die preuss. Staaten.
I. Thl. Criminal-Ordnung. 6. Abdruck. Berlin, G. C.
Nauck, 1835. 8°. — II. E. n. 21.

Seger, Uebelstände und Bedürfnisse der preuss. Rechtspflege, mit Hinblick auf die Verordnung vom 21. Juli
1846 über das Verfahren in Civilprocessen. Posen, Gebr.
Scherk, 1846. 8°. — II. F. m. 20.

Grauer, F. und A. Rump, Der preuss. Civilprozess . . .
Lissa, E. Günther, 1861. 8°. — V. C. g. 4.

Schneider, H., Der allgemeinen Gerichtsordnung für die
preuss. Staaten. II. Theil. Lissa, E. Günther, 1861. 8°.
— V. B. k. 21.

Alker, A., Handbuch zur Vorbereitung und zum praktischen
Gebrauch für preuss. Juristen und für preuss. Justiz-
Subaltern-Beamten . . .
  1. Bd. a) einleit. Bemerkungen, b) d. preuss. Zivilprocess.
  2. Bd. a) d. Kriminalprocess, b) d. fiskal. Process, c) d.
    Verfahren in Holzdiebstahlssachen, d) d. Hypotheken-
    wesen, e) d. Depositalverfahren, f) d. Gebührentaxe.
    Lissa und Gnesen, E. Gunther, 1844—46. 8°. 2 Bde.
    — II. F. m. 13—14.

— Der preussische Zivilprocess. Lissa u. Gnesen, E. Günther,
1846. 8°. — II. R. a. 13.

— Der preuss. Bagatell- und der summarische Process in
seiner durch die Verordnung vom 21. Juli 1846 erlangten
Gestalt. Lissa und Gnesen, E. Günther, 1846. 8°. — II.
F. m. 17.

— Der preuss. Kriminal- und fiskalische Process nebst dem
Verfahren gegen Forstfrevler etc. Lissa und Gnesen,
E. Günther, 1846. 8°. — II. F. m. 15.

Alker, A., Die preuss. Exekutions- und Subhastations-
ordnung . . . Lissa u. Gnesen, E. Günther, 1846. 8°. —
III. K. n. 37.

— Das Gesetz vom 28. Juni 1844, betreffend das Verfahren
in Ehesachen . . . Lissa u. Gnesen, E. Günther, 1846. 8°.
— IV. J. e. 60.

— Der preuss. Konkurs- u. der erbschaftliche Liquidations-
process in seiner jetzigen Gestalt. Lissa uud Gnesen,
E. Günther, 1845. 8°. — III. K. n. 36.

— Preussens Pressgesetze und der Buchhandel in Preussen.
Lissa u. Gnesen, E. Günther, 1844. 8°. — II. E. m. 33.

— Die preussische Deposital-Verwaltung. Lissa u. Gnesen,
E. Günther, 1846. 8°. — II. F. m. 18.

— Die Verwaltung des preussischen Hypothekenwesens.
Lissa u. Gnesen, E. Günther, 1846. 8°. — II. F. m. 19.

— Die Gebührentaxen der Gerichte für streitige und nicht
streitige Gerichtsbarkeitspflege und für Strafsachen, sowie
für Justizkommissarien und Notare . . . Lissa u. Gnesen,
E. Günther, 1847. 8°. — V. B. d. 58.

— Das preuss. Stempelsteuergesetz vom 7. März 1822 nebst
Erläuterungen und Ergänzungen. Lissa und Gnesen,
E. Günther, 1847. 8°. — II. F. m. 16.

Schneider, Heinr., Allgemeine Depositalordnung vom
15. Sept. 1783 . . . Lissa, E. Günther, 1859. 8°. — V.
B. h. 50.

Entwurf zur Instruktion über Anfertigung der Jahres-
Rechnungen u. Quartal-Extrakte der gerichtl. Salarien-
Kassen im Grossherzogthum Posen. Posen, W. Decker
u. Comp., 1843. 8°. — V. B. h. 14.

Adler, A., Rechtsgrundsätze des koenigl. Ober-Tribunals
über Grundgerechtigkeiten und Eigenthums-Beschrän-
kungen . . . Bromberg, L. Levit, 1857. 8°. — V. B. g. 24.

Delius, M., Das Amt des Notars nach preuss. Recht . . .
Lissa, E. Günther, 1864. 8°. — V. C. h. 27.

Jahn, R., Die Schwurgerichts-Verhandlung in chronologischer Darstellung ihrer einzelnen Abschnitte, unter Anführung der einschlagenden Gesetzstellen . . . . Posen,
L. Merzbach, 1863. 8°. — V. C. h. 62.

Giernat, H. J., Der Tabagist, enthaltend: Gesetze, Declarationen, Rescripte etc. in Betreff des Gast- und Schank-
wirthschafts-Betriebes, sowie des Kleinhandels mit geistigen Getränken. Kempen, Selbstverlag, o. J. 8°. — V.
B. h. 56.

Heyde, W. G. von der, Polizei-Untersuchungs-Ordnung.
Magdeburg, 1838—39. 8°. 3 Bde. — V. A. h. 17—19.

Anleitung zur Kenntniss und guten Ausführung städtischer Polizey - Oekonomie und rathhäuslichen Dienstgeschätte. Berlin, Friedr. Maurer, 1800. 8°. — II. C. h. 18.

Heyde, W. G. von der, Communal-Steuer und Communal-Verwaltungs - Ordnung. 2. Aufl. Magdeburg, 1838. 8°. — V. A. i. 27.

Natur- und Völkerrecht.

Strube de Piermont, F. H., Ebauche des loix naturelles et du droit primitif. Amsterdam, J. Ryckhoff le fils, 1744. 4°. Acc.:
  1. Dissertation sur la raison de guerre et le droit de bienséance.
  2. Exercitatio philosophica de actionibus et passionibus animae. — III. N. o. 1.

Cumberland, Rich., Dr., depuis evêque de Peterborough, Traité philosophique des loix naturelles, traduit du latin par Monsr. Barbeyrac, Dr. en droit . . . Amsterd., P. Mortier, 1744. 8°. — III. N. o. 2.

Heineccii, Jo. Gottl., Elementa juris naturae et gentium . . . Ed. III. Halae, Orphanotropheum, 1749. 8°. — IV. U. i. 26.

Pufendo̓rf, Sam. L. B. a, De jure naturae et gentium libri octo, cum integris commentariis viror. cl. Jo. Nic. Hertii atque Jo. Barbeyraci. Acc.: Eris Scandica. Rec. et animadv. illustravit Gfr. Mascovius. Francofurti & Lipsiae, ex off. Knochio-Eslingeriana, 1759. 4°. 2 voll. [Cum eff.] — III. N. c. 20—21.

Vattel, M. de, Le droit des gens ou principes de la loi naturelle, appliqués à la conduite et aux affaires des nations et des souverains. Londres, 1758. 4°. — III. O. a. 2.
— idem opus. Amsterd., E. van Harrevelt., 1775. 2 voll. 4°. — II. C. b. 7.

Nettelbladt, Dan., Systema elementare universae jurisprudentiae naturalis in usum praelectionum academicarum adornatum. Editio V. Halae Magdeb., Renger, 1785. 8°. — III. U. d. 9.

Seerecht.

Grotius, Hugo, De mari libero. Acc.: Marci Zuerii Boxhornii apologia pro navigationibus Hollandorum adversus Pontum Heuterum. Tractatus pacis mutui commercii sive intercursus navigationum, confirmatus Londini, anno 1495 inter Henricum Septimum, Angliae Regem, et Philippum, Archiducem Austriae, Burgundiae etc. ex bibliotheca Marci Zuerii Boxhornii. Lugd. Bat., Elzevir, 1633. 12º. — II. G. b. 48.

Merulae, Pauli, Dissertatio de maribus. Lugd. Bat., Elzevir, 1633. 12º. — II. G. b. 48/2.

Schurzfleisch, Conr. Sam., Maris servitus. Lps., N. Scipio, 1698. 4º. — II. C. c. 21/44.

Kuricke, Reinoldus, Secret.-Ged., Jus maritimum Hanseaticum olim germanico tantum idiomate editum, nunc vero etiam in latinum translatum ... Acc.: Diatriba de assecurationibus. Item variae illustres quaestiones ad jus maritimum pertinentes. Hamburgi, Z. Hertel, 1667. 4º. — II. J. d. 9/3.

Ordinatio, Civitatum Hanseaticarum, nautica et jus maritimum, cui se cives ipsarum, inprimis navium exercitores, locatores, conductores, naucleri et nautae conformabunt, denuo reuisum, melioratum et in certos titulos distributum. Acc.:

1. Commentarius ad inscriptionem juris maritimi hanseatici.
2. Diatriba de assecurationibus. (Lübeck, 1614). 4º. — III. L. g. 43.

Kriegsrecht.

Boherii, Nicol., Questio de custodia clavium portarum ciuitatum, castrorum, et aliorum locorum fortiliciorum, ... eleganter et diffuse disputata. 1512. 8º. (Folia ultima mutilata). — II. P. d. 27/3.

Grotii, Hugonis, De jure belli ac pacis libri tres, in quibus jus naturae et gentium item juris publici praecipua explicantur. Editio nova cum annotatis auctoris, ex postrema ejus ante obitum cura multo nunc auctior. Accesserunt et annotata in epistolam Pauli ad Philemonem. Amstelodami, apud Joannem Blaeuv, 1660. 8º. — II. N. e. 26.

Schurzfleisch, Conr. Sam., De induciis. Lps., N. Scipio, 1698. 4º. — II. C. c. 21/42.

— Jus belli circa fana et sepulchra. Lps., N. Scipio, 1698. 4º. — II. C. c. 21/45.

Tetens, Jo. Nicol., Considérations sur les droits réciproques des puissances belligérantes et des puissances neutres sur mer, avec les principes du droit de guerre en général. Copenhague, F. Brummer, 1805. 8º. — II. N. f. 15.

Strafrecht.

Beccaria, Marchese, Dei delitti e delle pene, coll aggiunta del commentario alla detta opera di Mr. de Voltaire, tradotto da celebre autore. Londra, presso la Societa dei Filosofi, 1774. 8°. — IV. J. k. 8.

— Ueber Verbrechen und Strafen, mit einem Anhange: Graf Röderer, Über die Abschaffung der Todesstrafe, übersetzt und mit einer Biographie Becc. versehen von M. Waldeck. Berlin, L. Heimann, 1870. 8°. — V. H. e. 12.

Maconochie, Capitain, Verbrechen und Strafe. Das Markensystem. Deutsch v. Wulsten. Frankf. a. O., Koscky u. Comp., 1851. 8°. — V. D. m. 68.

Compendium juris criminalis romano-germanico-forensis. Halae, Joh. Jac. Gebauer, 1789. 8°. — III. K. e. 33.

Meyer, Hugo, Grundzüge des Strafrechts nach d. deutschen Gesetzgebung ... Leipzig, F. A. Brockhaus, 1877. 8°. (Internation. wissenschaftl. Biblioth., B. XXIX.) — VI. C. f. 29.

Annalen der deutschen und ausländischen Criminal-Rechts-Pflege, herausg. von dem Criminal-Dir. Hitzig in Berlin. Berlin, Ferd. Dümmler, 1830. 8°. 13. Heft. (Enth. u. A.: Carl Ludwig Sand und sein an Kotzebue verübter Mord, von Professor Dr. Jarcka in Berlin. S. 60—166.) — VI. F. d. 2.

Codex criminalis Hetruriae serenissimi archiducis Petri Leopoldi, nunc regis Hung. Boh. Gallic. Lod. etc., traductus a Josepho Voltiggi. Viennae, apud Societatem Typographicam, 1790. 8°. — II. D. m. 11.

Legislazione criminale della Toscana, e legge sopra la carcere dei debitori civili di S. A. R. Pietro Leopoldo, Granduca di Toscana etc. Vienna, Societa Tipografica, 1790. 8°. — III. L. g. 11.

Hofmann, Glob. Bened., Diss. inaug. de poena ordinaria nonnunquam mitiganda ... pro summis in u. j. honoribus rite obtinendis. Lipsiae, Loeper, 1762, Nov. 9. 4°. Acc. Programma procancellarii D. Friderici Augusti Hommelii, ... cum vita G. B. Hofmanni. — II. P. g. 18/6.

Zoller, Frid. Glieb., praes., Wilke, Dav. Gfr. Aegid., autor, Diss. jurid. de poena veneficii attentati, quamvis irreparabile inde oritur damnum, ad mortem non extendenda. Lips., Langenhemius, 1761, Juni 4. 4°. — 921.

Ehe-, und Erbrecht.

Gans, Ed., Das Erbrecht in weltgeschichtlicher Entwickelung, eine Abhandlung der Universal-Rechtsgeschichte.
Berlin. Maurer, 1824—1829. 8°. 3 Bände. — III. K. f.
16—18.

(Erb- u. Vormundschaftsrecht.) Unvollständig. Vorh.
ist pag. 49—224. 8°. — IV. E. d. 22/2.

Kohl, Andr., JC., Tractationes duae, prior de pactis dota-
libus, altera de successione conjugum: quibus annexa
tertio loco declaratio constitutionis marchicae sub titulo :
Erbfälle zwischen Eheleuten, et sub titulo: von Kinder-
geld und Erbegeld. Ed. II. Lips., Dan. Reichel, 1671. 4°.
— II. G. a. 10/1.

Weyer, Jo. Maur., J. U. D., Commentarius de communione
bonorum inter conjuges eorumque divisione inter liberos
demortui conjugis et superstitem parentem. Lemgoviae,
Meier, 1739. 4°. — IV. E. g. 11.

Deutsches u. preussisches Staatsrecht.

Reinkingk, Theod., Tractatus de regimine seculari et
ecclesiastico, exhibens brevem et methodicam juris publici
delineationem, ac praecipuarum controversiarum circa
hodiernum s. imperii Romani statum ac gubernationem,
tam secularem, quam in genere ecclesiasticam, verten-
tium resolutionem ex jure divino canonico civili et praesertim aurea Caroli IV. bulla, ac novissimis imperii constitutionibus . . . Giessae, Nic. Hampelius, 1619. 4°.
Ultima folia indicis desunt. — II. B. l. 1.

Bebelii, Henr., Oratio apologetica pro defensione imperatorum contra Leonhartum Justinianum. V. Schard, Sim.,
Historic. opus. T. I, p. 243. Fol.— III. Q. b. 28.

Lampadius, Jac., De republica romano-germanica. [Titu-
lus deest. Impr. ante a. 1649.] 8°. — II. G. a. 19/2.

Hornii, Casp. Heinr., JCti, Juris publici romano-germanici
ejusque prudentiae liber unus . . . Ed. II. Halae-
Magdeb., Orphanotropheum, 1725. 8°. — II. G. a. 24.

Vitriarii, Phil. Reinh., Institutiones juris-publici romano-
germanici selectae, antiquum et modernum imperii
romano - germanici statum . . . exhibentes, singulari
studio et opera Francisci Speneri . . . Accesserunt Aurea
Bulla, Instrumenta pacis Westphalicae, Svecicum et Gallicum, et Capitulatio Caroli VI. Norimb. et Lips., Geo.
Lehmann, 1727. 8°. — II. D. l. 37.

Waitz, Georg, Deutsche Verfassungsgeschichte. Kiel, Ernst Homann, 1865—1883. 8º. B. I.—III., V.—VIII. — V. I. d. 20—24 a.

— Urkunden zur deutschen Verfassungsgeschichte im 11. und 12. Jahrhundert. Mit einem Anhang: Ueber Freien- und Schöffengut. Kiel, E. Homann, 1871. 8º. — V. I. d. 25.

Verfassung des deutschen Reiches. Amtliche Ausgabe. Frankfurt a. M., Druck von Karl Horstmann, 1849. 4º. — V. B. b. 30.

— Die, des deutschen Bundes-Staates. Zweite verm. Aufl. Leipzig, Duncker und Humblot, 1870. 8º. — VI. C. d. 7.

Rönne, Ludw. v., Das Staatsrecht des deutschen Reichs. Zweite, völlig umgearb. Aufl. Leipzig, F. A. Brockhaus, 1876—77. 8º. 2 Bde. — VI. D. c. 3—5.

Olawsky, Eduard, Preussens und Oesterreichs gegenwärtige Lage kurz erörtert. Lissa und Leipzig, Ernst Günther, 1848. 8º. — IV. L. c. 16.

— Preussens Stellung zu Deutschland nach dem 6. August. Lissa u. Leipzig, E. Günther, 1848. 8º. — IV. L. c. 16.

Levy, M., Der Staat und die Juden im norddeutschen Bunde, ein Mahnruf an das norddeutsche Parlament. Lissa, Theodor Scheibel, 1867. 8º. — V. B. l. 49.

Ditmar, M., Handbuch uber die Zollgesetzgebung, so wie die Zoll- und Handelsverträge des deutschen Zoll- und Handelsvereins. Posen, Selbstverlag, Druck von W. Decker et Comp., 1858. 8º. — V. B. g. 47.

Festenberg-Packisch, Herm. von, Deutschlands Zoll- und Handelspolitik 1873—1877. Die handelspolitischen Debatten im deutschen Reichstage während der drei ersten Legislaturperioden nach den stenographischen Berichten zusammengestellt und erläutert. Berlin, Puttkammer et Muhlbrecht, 1879. 8º. — V. K. d. 16.

Rönne, Ludw. v., Das Staatsrecht der preuss. Monarchie. 4. verm. und verbess. Aufl. Leipzig, F. A. Brockhaus, 1881—82. 8º. 2 Bde. — VI. D. c. 1—2.

Lasker, E., Zur Verfassungsgeschichte Preussens. Leipz., F. A. Brockhaus, 1874. 8º. — V. H. d. 27.

Riedel, Adolph Friedr., Der brandenburgisch-preussische Staatshaushalt in den beiden letzten Jahrhunderten. Berlin, Ernst Korn, 1866. 8º. [M. 20 Tabellen.] — V. H. f. 3a.

Berichte, Stenographische, über die Verhandlungen der durch die allerhöchste Verordnung vom 27. December 1860 einberufenen beiden Häusern des Landtags. Haus der Abgeordneten, B. I.—VII., Herrenhaus, B. I.—II. Berlin, Kgl. Geh. Ober-Hofbuchdruckerei (R. Decker), 1861. 4°· 9 Bde. — V. A. a. 35—41.

Hertzberg, Le comte de, ministre de S. M. le Roi de Prusse, Oeuvres politiques, précédées d'une notice sur sa personne et sur les emplois, qu'il a successivement remplis. Berlin et Paris, Maradan, an III. (1795). 8°. 2 voll. — III. J. g. 34—36.

— Recueil des deductions, mémoires, déclarations, lettres, traités et autres actes et écrits publics, qui ont été rédigés et publiés pour la cour de Prusse dans les années 1789 et 1790. Tome III. Berlin, J. F. Unger, 1792. 8°. — III. L. e. 13.

Staatsschriften, Preussische, aus der Regierungszeit König Friedrich's II., im Auftrage der königl. Akademie der Wissenschaften zu Berlin herausgeg. von J. G. Droysen und M. Duncker. Berlin, Alexander Duncker, 1877 — 8°. B. I. — V. K. e. 5.

Poschinger, H. von, Bankwesen und Bankpolitik in Preussen, nach amtlichen Quellen bearb. Berlin, Julius Springer, 1878—79. 8°. 3 Bde. [I. B.: Von der ältesten Zeit bis z. Jahre 1846. II. B.: Die Jahre 1846 bis 1857. III. B.: Die Jahre 1858 bis 1870.] — V. K. d. 18.

Politik.

Baumbach, Karl, Staats-Lexikon. Leipzig, Bibliograph. Institut, 1882. 8°. [Meyer's Populäre Fachlexika.] — VI. D. h. 13.

Staats-Wörterbuch, Deutsches, herausgeg. v. Bluntschli, unter Mitredaktion v. Brater. Stuttgart und Leipzig, 1857—70. 8°. 11 Bde. — V. F. c. 4—14.

Mohl, Robert von, Encyklopädie der Staatswissenschaften. Zweite umgearb. Aufl. Tübingen, H. Laupp, 1872. 8°. — V. F. c. 3.

— Geschichte und Literatur der Staatswissenschaften, in Monographieen dargest. Erlangen, Ferd. Enke, 1855—58. 8°. 3 Bde. — V. F. c. 1—2.

Bluntschli, J. C., Geschichte des allgemeinen Staatsrechts und der Politik seit dem sechzehnten Jahrh. bis zur Gegenwart. Zweite Aufl. München, Lit.-artist. Anstalt v. J. G. Cotta, 1867. 8°. [Gesch. d. Wissensch. in Deutschland. B. I.] — V. G. e. 10.

— Allgemeine Staatslehre. Fünfte umgearb. Aufl. des ersten Bandes Allgemeinen Staatsrechts. Stuttgart, J. G. Cotta, 1875. 8°. — V. J. h. 5.

Leibniz, (Gottfr. Wilh. Frhr. von), Werke, gemäss seinem handschriftlichen Nachlasse in der königlichen Bibliothek zu Hannover, herausgegeben von Onno Klopp. Erste Reihe: Historisch-politische u. staatswissenschaftl. Schriften. Hannover, Klindworth, 1872—73. 8°. 6. bis 9. B. [Mit dem Bildn. der Prinzessin Sophie in Band 7.] — V. J. d. 19—22.

Bentham, Jérémie, Oeuvres. Troisième édition. Bruxelles, Société Belge de Librairie, Hauman et Comp., 1840. 4°. 3 voll. — III. S. c. 11—13.

Mohl, Robert von, Staatsrecht, Völkerrecht und Politik, Monographien. Tübingen, H. Laupp, 1860-69. 8°. 3 Bde. — V. I. i. 15—17.

Raumer, Friedrich von, Über die geschichtliche Entwickelung der Begriffe von Recht, Staat u.Politik. Zweite verb. u. verm. Aufl. Leipzig, F. A. Brockhaus, 1832. 8°. — IV. R. m. 24.

Aristotelis Politicorum libri octo superstites. Graeca recensuit, emendavit, illustravit, interpretationemque latinam addidit Joan. Gottlob Schneider. Francofurti ad Viad., sumpt. Tabernae Librariae Academicae, 1809. 8°. — III. A. g. 10—11.

Dantis Alligherii, De monarchia libri III., codicum manuscriptorum ope emendati per Carolum Witte. Ed. altera. Vindob., sumpt. Guil. Braumuller, 1874. 8°. — V. B. d. 6.

Platinae, Bap., Cremonen., De optimo cive libri duo. Nissae, Jo. Cruciger, 1557. 4°. Acc. in fine: In libros Bap. Platinae de optimo cive adnotata mscr. 30 foll. — II. G. a. 5/1.

Machiavelli, Nicolai, Florentini, Princeps, ex Sylvestri Telii Fulginatis traductione diligenter emendatus. Adjecta sunt ejusdem argumenti aliorum quorundam contra Machiavellum scripta, de potestate et officio principum contra tyrannos. Quibus denuo accessit Ant. Posseuini judicium de N. Machiavelli et Joannis Bodini scriptis. ... Lugd. Bat., Hier. de Vogel, typis Phil. de Croï, 1648. 12°. — III. K. l. 23/2.

— Princeps. Acc.:
   1. Agrippae ad Octavium Caes. Augustum oratio contra monarchiam ex Dione lib. 52, Coelio Secundo Curione interprete.
   2. Maecenatis oratio pro monarchia ad Caes. Augustum ex Dionis lib. III., eod. interprete.
   3. Antonii Possevini judicium de Nicolao Machiavello et libro, cui Anti-Machiavellum nomen est.

Machiavelli, Nic., Princeps.

4. De Joannis Bodini methodo historiae, libris de republica, et daemonomania. [Initium et finis libri desiderantur. XVI. saec.] 12⁰. — II. F. m. 8.

— Le prince. Traduction nouvelle etc. A Amsterd., H. Desbordes, 1696. 8⁰. Acc.

1. La vie de Castruccio Castracani de Luques.
2. Récit de la manière, dont se servit le duc de Valentinois, pour se défaire de Vitelli, d'Olivier de Fermo, du Seigneur Pagolo et du Duc de Gravine, de la Maison des Ursins.
3. Portrait de la France.
4. Portrait de l'Allemagne. — III. R. i. 19.

Ferrarii, Joannis, Montani, De republica bene instituenda paraenesis: in qua tam privati, quam qui aliis praesunt, officii sui non sine pietatis studio praestandi ... monentur. Bas., Jo. Oporinus. Fol. — II. K. f. 7/3.

Patricii, Francisci, Senensis, pontificis Cajetani, De institutione reipub. libri novem, historiarum setentiarumque varietate refertissimi, cum annotationibus margineis ... Paris., Jo. Parvus, 1534. Fol. — II. K. f. 7/2.

— De regno et regis institutione libri novem, multo quam antea emendatiores ... per Jo. Nicodonum Sammaxentinum. Paris., Mich. Julianus, 1578. 16⁰. — III. J. l. 35.

— Compendiosa epitome commentariorum in duas partes secta, quarum prior, nouem librorum de reipublicae institutione atque administratione summam complectitur, posterior nouem item aliorum de regno et regis institutione anacephalaeosin exhibet. Acc. his de institutione principis Christiani brevis collectio, et insuper ex Stobaeo, quod optima sit monarchia. Coloniae, apud Jo. Gymnicum, 1596. 12⁰. — II. G. b. 34.

Sansovino, Francesco, Del governo de regni et delle republiche antiche et moderne di M. — libri XXI. In Venetia, Marchio Sessa, 1567. 4⁰. — II. P. b. 19.

Discours politiques sur la voye d'entrer deuëment aux estats et manière de constamment s'y maintenir et gouverner. Paris, Rob. le Mangnier, 1574. 8⁰. — II. C. i. 19/1.

Osorii, Hier., Lusitani, episcopi Algarbiensis, De regis institutione et disciplina libri octo, ad . . . Lusitaniae regem Seb. I. Colon., Birckmann., 1582. 8⁰. — III. O. n. 24.

De la Nouë, Discours politiques et militaires du Sieur —. Basle, Franç. le Fevre, 1591. 12⁰. — II. L. b. 37.

Colle, (Collibus), Hippolytus a, Princeps, consiliarius, palatinus, sive aulicus et nobilis. 1592. 8°. [Notae typographicae abscissae.] — III. N. o. 27.

Mancini, Celsi, Ravennatis, De juribus principatuum libri novem. Romae, G. Facciotti, 1596. 4°. — II. G. a. 4.

Lipsii, Justi, Politicorum sive civilis doctrinae libri sex, qui ad principatum maxime spectant, additae notae auctiores, tum et de una religione liber, omnia postremo auctor recensuit. Antv., ex off. Plantiniana, 1596. 3 voll. 4°. — II. F. m. 1/1—3.

— Monita et exempla politica libri duo, qui virtutes et vitia principum spectant. Antverpiae, ex offic. Plantiniana apud Joannem Moretum, 1605. 4°. — III. Q. b. 8.

Carvallo Villas Boas, Martin de, Volumen primero del espeio de principes y ministros. En Milan, Paçifico Poçio, 1598. 8°. — II. O. m. 22.

Jacobi Primi, Angliae, Scotiae, Franciae et Hiberniae Regis, . . . *BAΣIΛIKON ΔΩPON* sive regia institutio ad Henricum principem, primogenitum filium suum et haeredem proximum. Hanoviae, typis Wechelianis, 1604. 8°. — II. G. b. 10/1.

Richter, Gregor., Gorlic., Editio nova axiomatum politicorum, accessione CLXXIV. novarum regularum multarumque sententiarum et exemplorum aucta et locupletata. Acc. index verborum et rerum memorabilium. Gorlicii, J. Rhamba, 1604. 4°. — II. O. m. 21.

Clapmarius, Arn., De arcanis rerum publicarum libri sex. Bremae, Joh. Wesselius, 1605. 4°. — II. M. n. 29/1.

Gregorius, Petrus, Tholozanus, J. U. D. & Pr., De republica libri sex et viginti, antea in duos distincti tomos, nunc uno . . . comprehensi. Francof., N. Hoffmann, 1609. 4°. — III. O. b. 8.

Rosaeus de Fabriano, Mambrinus, Institutio principis christiani, italice conscripta, latine vero reddita ab Adamo a Stang in Stonsdorf et Cunitz. Argentor., Laz. Zetzner, 1608. 8°. — V. B. m. 46.

Spinoza, Benedicti de, Tractatus politicus. V. Opera. 4°. — III. Q. b. 33/2.

Marianae, Jo., Hispani, e Soc. Jesu, De rege et regis institutione libri III. Francof., typis Wechelianis, 1611. 8°. — II. O. n. 11/1.

Dornavii, Casp., Menenius Agrippa, hoc est, corporis humani cum republica perpetua comparatio, observationibus historicis, ethicis, oeconomicis, politicis, physicis, medicis

illustrata. Hanoviae, typis Wechelianis, ap. haeredes Jo.
Aubrii, 1615. 4º. — II. J. c. 1/2.

Scribanii, Caroli, e soc. Jesu, Politico-Christianus. [Insti-
tutio politico-christiana] Philippo IV. Hispaniarum regi
dd. Antv., Mart. Nutius, 1624. 4º. — III. J. b. 25.

Ceriole, L. Friderici, De concilio et consiliariis princi-
pis liber, ex hispanico in latinum versus . . . a Christoph.
Varsevicio. V. Varsevicii Turcicae quatuordecim. Fol.
— III. Q. b. 4.

Cardani, Hier., Mediolanensis, Proxeneta seu de pru-
dentia ciuili liber. Lugd. Bat., Elzevir, 1627. 12º. — III.
M. o. 22.

Efferen, Wilh. Ferd. ab, dominus in Maubach et Aren-
dall, Manuale politicum de ratione status seu idolo principum, in quo de vera et falsa forma gubernandi rempubl.,
de religione, de virtutibus principum, de potestate ecclesiastica, de bello et pace compendiose agitur. Francof.,
J. G. Schönwetter, 1630. 12º. — II. G. b. 38.

Marlianus, Ambrosius, Theatrum politicum. Dantisci,
G. Foerster, 1645. — III. N. p. 22. III. M. n. 7. (1655). 8º.

Santes, Johannes, cognomento Santenus, Speculum
boni principis Alphonsus rex Aragoniae, hoc est, dicta et
facta Alphonsi, regis Aragoniae, primum IV. libris con-
fuse descripta ab Antonio Panormita, sed nunc . . . digessit et auxit —. Amstelaed., apud Lud. Elzevirium, 1646.
12º. — III. A. n. 23.

Theophylacti, s. patris nostri, archiepiscopi Bulgariae,
Institutio regia, ad Porphyrogenitum Constantinum, interprete Petro Possino, soc. Jesu. Paris., e Typogr. Regia,
1651. 4º. — II. T. d. 10.

Brügler, Joh. Romaricus, von Herckelsberg, JC.,
Politicus regens sine politica, Das ist kurtzbenandter,
jedoch getreuer unbemandtleter Wegweiser zu rechten
christlichen Regier- und Staats-Künsten, [1670]. 12º. —
II. J. m. 22/2.

Gratians, Lorentz, Staatskluger catholischer Ferdinand,
aus dem Spanischen übersetzet von Daniel Caspern von
Lohenstein. Bresslau, V. J. Trescher. In Jehna, druckts
J. Nisius, 1676. 12º. — II. J. m. 23/2.

Graziano, Baldassar, L'huomo di corte, o sia l'arte di
prudenza, tradotto dallo spagnuolo nel francese idioma
e comentato dal signor Amelot de la Houssaie. Nuova-
mente tradotto dal francese nell'italiano, e comentato
dall' abbate Francesco Tosques. In Venezia, G. G. Hertz,
1703. 8º. 2 voll. — III. M. n. 4.

Balzac, Le prince de —, reveu, corrigé et augmenté de nouveau par l'autheur. Paris, L. Billaine, 1677. 12°. — III. M. l. 21.

Rechenbergii, Adami, Lineamenta philosophiae civilis. Lipsiae, Jo. Heinichen, 1693. 12°. — IV. R. l. 25.

Weisens, Chn., Politische Fragen, d. i. gründliche Nachricht von der Politica, welcher Gestalt vornehme und wohlgezogene Jugend hierinne einen Grund legen, sodann aus den heutigen Republiqven gute Exempel erkennen, endlich auch in practitablen Staats-Regeln den Anfang treffen soll. Dresden, J. Ch. Mieth, 1696. 8°. — II. Q. g. 42.

Besoldus, Chph., JCtus, Discursus politicus de incrementis imperiorum, eorumque amplitudine procuranda, cui inserta est dissertatio singularis de novo orbe. Argentorati, Lazarus Zetzner, 1623. 4°. — II. J. d. 39/11.

Schurzfleisch, Conr. Sam., Quid expediat imperio? Lipsiae, N. Scipio, 1698. 4°. — II. C. c. 21/52.

— De eo, quod interest abdicationis principum. Lipsiae, N. Scipio, 1698. 4°. — II. C. c. 21/46.

Chansierges, L'idée d'un roy parfait, suivis du sistème de l'esprit. Paris, G. Cavellier, 1723. 8°. — III. J. l. 17.

Wacker, Jo. Henr., Diss. prima de reipublicae mixtae et rationi et usui contraria notione. Lips., Langenhemius, 1745. 4°. — 913.

Schumann, Glieb., M., De doctrina prudentiae civilis publicae in academiis, pro loco in ampliss. facult. philos. obtinendo . . . 3. Oct. 1750 primum disputabit. Lipsiae, G. W. Pouillard, 1750. 4°. — 914.

Philippe, Joh. Albr., Staatsfehler der mehresten Hofe im französischen Gemählde, eine Uebersetzung. Berlin und Leipz., Rüdiger, 1766. 8°. — II. C. f. 22/2.

Bielefeld, Le Baron de, Institutions politiques. A Leide, Sam. et Jean Luchtmans, 1767. 8°. 4 voll. [Av. le portr.] — II. D. g. 8—11.

Bianchi, Isidoro, Meditazioni su vari punti da felicità pubblica e privata. II. ed. Palermo, A. Rapetti, 1774. 12°. — III. V. k. 12.

Mably, L'abbé de, Oeuvres posthumes. Paris, Guillaume, an VI., 1798. 8°. 3 voll. — IV. F. h. 31—33.

Theorie der politischen Welt. Hamburg, B. G. Hoffmann, 1807. 8°. — III. K. g. 7.

Ancillon, Friedr., Ueber Souveränität und Staats-Verfassungen, ein Versuch zur Berichtigung einiger polit.

Grundbegriffe. Berlin, Duncker et Humblot, 1815. 8°.
— III. L. d. 21.

De l'influence, de la forme des gouvernemens sur les
nations . . . Bruxelles, De Mat, 1817. 8°. — III. J.
g. 21.

Saint-James, Lettres de. Genève et Paris, J. J. Paschoud, 1822. 8°. 3 voll. — IV. F. g. 16.

Lassalle, Ferd, Ueber Verfassungswesen, ein Vortrag,
gehalten in einem Berliner Bürger - Bezirks - Verein.
Sechste Aufl. Berlin, Allg. Deutsche Associations-Buchdruckerei, 1877. 8°. — V. G. m. 40 a./1.

Mill, John, Stuart, Betrachtungen über Repräsentativ-
Regierung, übersetzt von Eduard Wessel. Leipzig, Fues,
1873. 8°. S. Gesammelte Werke. Bd. VIII. — V. I. f. 26.

De l'impossibilité, d'établir un gouvernement constitu-
tionnel sous un chef militaire et particulièrement sous
Napoléon. De l'imprimerie de Renaudière. 8°. — III.
L. e. 16.

Lentuli, Cyriaci, Augustus sive de convertenda in monarchiam republica, juxta ductum et mentem Taciti. Amstel.,
Lud. Elzevir, 1644 aut 1645. 12°. — II. G. b. 22.

De l'influence de la philosophie sur les forfaits de la
révolution, par un officier de cavalerie. A Paris, A. A.
Lottin, 1790. 8°. — II. E. h. 15.

Paine, Thomas, Rights of man: being an answer to Mr.
Burke's attack on the french revolution. Seventh edition.
London, J. S. Jordan, 1791. 8°. — II. C. f. 31.

Proudhon, P. J., Idées révolutionaires. Avec une préface
par Alfred Darimon. Paris, Garnier frères, 1843. 8°. —
IV. L. k. 47.

Necker, Du pouvoir exécutif dans les grands états. 1792.
8°. 2 voll. — II. D. d. 14—15.

Des lettres de cachet et des prisons d'état, ouvrage posthume, composé en 1778. Hambourg, 1782. 8°. 2 voll.
— II. B. d. 28.

Varsevicii, Christophori, De legato legationeque. V.
Varsevicii Turcicae quatuordecim. Fol. — III. Q. b. 4.

Paschalii, Caroli, Legatus. Amstelod., L. Elzevir, 1645.
12°. — III. M. o. 11.

Tesero politico cioè relationi, instruttioni, trattati, discorsi vari di ambasciatori. Nell academia italiana di
Colonia, 1598. 8°. — II. M. l. 32.

Praidschedelii, Geo. Thomae, a Pielenhofen,
Illustris viri — de privilegiis commentariolum. Ratis-
bonae, Aug. Hanckwitz, 1681 (1682?) 4°. — II. J. d. 9/4.

Thierriat, Florentin de, Trois traictez scavoir: 1. de
la noblesse de race, 2. de la noblesse ciuille, 3. des immu-
nitez des ignobles. Paris, L. Bruneau, 1606. 8°. — II.
C. i. 19/2.

Würtzer, Heinr., Dr. d. Phil., Briefe eines schlesischen
Grafen an einen kurländischen Edelmann, den Adel
betreffend. Altona, J. F. Hammerich, 1795. 8°. — II.
N. g. 17.

Nationalökonomie.

Encyklopédie méthodique. Economie politique et diplomatique . . . par M. Démeunier. Tome I.—IV. A Paris,
chez Panckoucke, à Liège, chez Plomteux, 1784—88. 4 voll.
4°. — IV. Q.
— Finances. (Discours préliminaire ou essai historique sur
les finances par M. Rousselot de Surgy . . .) Tome I—
III. A Paris, chez Panckoucke, à Liège, chez Plomteux,
1784—87. 4°. 3 voll. — IV. Q.
Bericht über die Verhandlungen des 18. Kongresses
deutscher Volkswirthe in Posen am 2., 3., 4. u.
5. Sept. 1878. Herausg. durch W. Wackernagel. Berlin,
L. Simion, 1878. 8°. — VI. F. c. 39.
Kongress, Der achtzehnte, deutscher Volkswirthe zu Posen,
vom 2. bis 5. September 1878. Posen, Hofbuchdruckerei
W. Decker & Comp., 1878. 16°. — V. E. k. 53a.
Dühring, E., Kritische Gesch. der Nationalökonomie und
des Socialismus. Berlin, Theobald Grieben, 1871. 8°. —
V. L f. 17a.
Contzen, Heinr., Geschichte der volkswirthschaftlichen
Literatur im Mittelalter unter Berücksichtigung der
mittelalterlichen Staatslehre. 2. verm. Aufl. Berlin, L.
Heimann, 1872. 8°. — V. J. h. 3.
Roscher, Wilh., Geschichte der National-Oekonomie in
Deutschland. München, R. Oldenbourg, 1874. 8°. [Gesch.
der Wissenschaft. B. XIV.] — V. G. e. 19.
Bibliothek der Volkswirthschaftslehre und Gesellschafts-
wissenschaft, herausg. von Stöpel. Berlin, Expedition
des Merkur, 1878—79. 8°. 7 Bde. [Siehe A. Smith,
P. Smith, Carey und Malthus.] — V. J. h. 25—29.
Xenofonta Ekonomik, przekł. z greck. Ant. Bronikowski.
Poznań, J. K. Żupański, 1857. 8°. — V. B. g. 52.
Mangoldt, H. v., Volkswirthschaftslehre. Stuttgart, Julius
Maier. 8°. — V. I. f. 17b.
Muñoz, Ant., Discurso sobre economia politica. Madrid,
J. de Ibarra, 1769. 8°. — III. K. h. 30.

I.   10

Lehrbegriff sämmtlicher oeconomischer und Cameral-wissenschaften. Mannheim, C. F. Schwan, 1778—79. 4°. 4 Bde. — II. P. f. 25—28.

Rumford, Benj., Comte de, Essais politiques, économiques et philosophiques, traduits de l'anglais par L. M. D. C. Genève, C. J. Manget, an VII. (1799.) 8°. 2 voll. [Av. 8 figg.] — III. V. f. 33—34.

Smith, Adam, Untersuchung über das Wesen und die Ursachen des Volkswohlstandes, deutsch von F. Stöpel. Berlin, Expedition des Merkur, 1878. 4 Bde. [Aus der Biblioth. der Volkswirthsch. und Gesellschaftswissensch.] 8°. — V. J. h. 25—26.

— Über die Quellen des Volkswohlstandes. Neu bearbeit. v. Dr. Asher. Stuttgart, J. Engelhorn, 1861. 8°. 2 Bde. — V. I. f. 5—6.

— Recherches sur la nature et les causes de la richesse des nations traduit de l'anglais par le citoyen Blavet. Paris, Laran & Cie., an 9., 1800/1. 8°. 4 voll. — II. E. f. 22—25.

Say, Louis, de Nantes, Principales causes de la richesse ou de la misère des peuples et des particuliers. A Paris, Déterville, 1818. 8°. — II. O. e. 11.

— J. B., Traité d'économie politique. Bruxelles, A. Wahlen, 1827. 8°. 3 voll. — III. K. h. 14—16.

— Ausführliches Lehrbuch der praktischen politischen Oekonomie, deutsch mit Anmerkungen von Max Stirner. Leipzig, Otto Wigand, 1845–46. 8°. 4 Bde. — V. I. f. 11—12.

Mac-Culloch, J. R., Grundsätze der politischen Oekonomie. aus dem Engl. v. Dr. Georg Michael von Weber. Stuttgart, Hallberger, 1831. 8°. — V. I. f. 18.

Chevalier, Michel, Cours d'économie politique fait au Collège de France, rédigé par M. A. Broet. Paris, Capelle, 1842. 8°. — V. A. g. 42.

Fourier, Cr., La fausse industrie, morcelée, répugnante, mensongère, et l'antidote, l'industrie naturelle combinée, attrayante, véridique, donuant quadruple produit. Paris, Bossange père, 1835. 8°. — III. O. p. 21.

Wołowski, L., Études d'économie politique et de statistique. Paris, Guillaumin et Comp., 1848. 8°. — V. A. f. 27.

Proudhon, P. J., Système des contradictions économiques ou philosophie de la misère. Paris, Guillaumin et Cie., 1846. 8°. 2 voll. — IV. L. i. 23—24.

List, Frdr., Gesammelte Schriften. Stuttgart u. Tübingen, J. G. Cotta, 1850—51. 8°. 3 Bde. — V. L e. 3.

Malthus, T. R., Definitions in political economy, a new edition by John Cazenove. London, Simpkin and Marshall, 1853. 8°. — V. I. h. 9.

Rau, Karl Heinr., Grundsätze der Volkswirthschaftspolitik. Fünfte Aufl. Leipzig u. Heidelberg, C. F. Winter, 1862—63· 8°. 2 Bde. — V. I. f. 10.

— dass. Achte Aufl. Leipzig u. Heidelberg, C. F. Winter, 1868—69. 8°. 2 Bde. — V. I. f. 9.

Bastiat, Frédéric, Oeuvres complètes 2. éd. Paris, Guillaumin, 1862—64. 8°. 7 voll. — V. I. h. 2—8.

Roscher, Wilhelm, System der Volkswirthschaft. Stuttgart, J. G. Cotta, 1867—68. 8°. 2 Bde. [Band I.: Die Grundlagen der Nationalökonomie. II.: Nationalökonomik des Ackerbaues.] — V. D. h. 16—17.

— Ansichten der Volkswirthschaft aus dem geschichtlichen Standpunkte. 3. verb. und mit acht Abhandlungen verm. Aufl. Leipzig und Heidelberg, C. F. Winter, 1878. 8°. 2 Bde. — V. J. f. 33—34.

Mill, John Stuart, Gesammelte Werke. Autorisirte Übersetzung unter Redaction von Prof. Dr. Theodor Gompertz. Leipz., Fues 1869—80. 8°. 12 Bde. [Grundsätze der politischen Oekonomie, . . . übers. v. Adolf Soetbeer. 3 Bde. Der Gesam. Werke, Bd. V.—VII.] — V. I. f. 19—29a.

Rapet, J. J., Manuel de morale et d'économie politique. Paris, Guillaumin et Cie., Delagrave et Cie., 1870. 8°. — V. I. h. 1.

Carey's, H. C., Lehrbuch der Volkswirthschaft und Socialwissenschaft, autoris. deutsche Ausg. von Dr. Karl Adler. 2. verb. und vom Verf. mit einem Vorwort vers. Auflage. Wien, Wilh. Braumüller, 1870. 8°. — V. I. f. 4.

Wirth, Max, Grundzüge d. Nationaloekonomie. 4. umgearb. verm. u. verb. Aufl. Köln, M. Du Mont-Schauberg, 1870—73. 8°. 4 Bde. — V. I. f. 2—3.

Schäffle, Alb. Eberh. Friedr., Das gesellschaftl. System der menschlichen Wirthschaft, ein Lehr- und Handbuch der ganzen politisch. Oekonomie, einschl. der Volkswirthschaftspolitik und Staatswirthschaft. Dritte, durchaus neu bearb. Aufl. Tubingen, H. Laupp, 1873. 8°. 2 Bde. — V. I. f. 7.

Held, Adolf, Grundriss für Vorlesungen über Nationalökonomie. Zweite Aufl. Bonn, Emil Strauss, 1878. 8°. — V. I. i. 7.

Smith, E. Peshine, Handbuch der politischen Oeconomie, nach dem amerikanischen Original von F. Stöpel. Berl.,

Expedition des Merkur, 1878. 8°. Aus der Biblioth. der
Volkswirthsch. u. Gesellschaftswissensch. — V. J. h. 27.

Ricardo, David, Grundgesetze der Volkswirthschaft und
Besteuerung. Aus dem Engl. übers. von Dr. Ed. Baum-
stark. 2. durchges., verb. und verm. Aufl. Bd. I. Leipz.,
W. Engelmann, 1877. 8°. — V. J. h. 9.

Wagner, Adolph und Erwin Nasse, Lehrbuch der
politischen Oekonomie, in einzelnen selbständigen Abthei-
lungen bearbeitet. Leipzig und Heidelberg, C. F. Winter,
1879—80. 8°. I. Bd. Allgemeine und theoretische Volkswirthschaftslehre von Adolph Wagner. 1. Theil. Grundlegung. 2. vielf. verbess. und stark verm. Ausg. VI. Bd.
Finanzwissenschaft von Adolf Wagner. II., 2. — V. K.
d. 22—22 a.

Thünen, Joh. Heinr. v., Der isolirte Staat in Beziehung
auf Landwirthschaft und Nationalökonomie. Dritte Aufl.
herausg. von H. Schumacher-Zarchlin. Berlin, Wiegand,
Hempel und Parey, 1875. 8°. 2 Bde. — V. I. f. 35.

Wagner, Adolph, Die Abschaffung des privaten Grund-
eigenthums. Leipzig, Duncker u. Humblot, 1870. 8°. —
VI. C. d. 6.

Dunckley, Henry, The charakter of the nations, or free
trade and its results ... London, W. and F. G. Cash,
1854. 8°. — V. B. f. 27.

Gagliani, l'abbé, Dialogues sur le commerce des blés.
Berlin, Rottmann, 1795. 12°. 2 voll. — II. O. k. 21—22.

Condillac, l'abbé de, Le commerce et le gouvernement,
considérés relativement l'un à l'autre, ouvrage élemen-
taire. Paris, an III. (1795). 8°. 2 voll. — II. O. i. 6.

Wirth, Max, Handbuch des Bankwesens. Köln, M. Du
Mont-Schauberg, 1870. 8°. S. Grundzüge d. Nat.-Oekon.
B. III. — V. I. f. 3/1.

Marx, Karl, Das Kapital, Kritik der politischen Oekonomie.
I. Band, Buch 1. Der Produktionsprocess des Kapitals.
2. verb. Aufl. Hamburg, Otto Meissner, 1872. 8°. — V.
I. f. 36.

Wagner, Adolph, System der Zettelbankpolitik, mit
besonderer Rücksicht auf das geltende Recht und auf
deutsche Verhältnisse. 2. theilw. umgearb. und vervollst.
Ausg. Freiburg i. Br., Fr. Wagner, 1873. 8°. — V.
I. f. 1.

Stein, Lor. v., Lehrbuch der Finanzwissenschaft, als Grundlage für Vorlesungen und Selbststudium, mit Vergleichung
der Finanzsysteme und Finanzgesetze von England,
Frankreich, Deutschland, Oesterreich und Russland. 3.

vielf. verb. und verm. Aufl. Leipzig, F. A. Brockhaus, 1875. 8⁰. — V. I. e. 5.

|Kabrun, Jac.], Réflexions d'un négociant sur les bésoins publics et la pénurie d'argent. Weimar, au bureau d'industrie, 1809. 8⁰. — II. E. h. 14.

Simonde de Sismondi, J. C. L. Du papier monnoie, et des moyens de le supprimer. Weimar, Landes-Industrie-Comptoir, 1810. 8⁰. — II. F. f. 27.

Knies, Carl, Geld und Credit. Berlin, Weidmann, 1873— 1879. 8⁰. 3 Bde. — V. J. h. 6—8.

Jevons, W. Stanley, Geld und Geldverkehr. Leipzig, F. A. Brockhaus, 1876. 8⁰. Internation. wissenschaftl. Biblioth. B. XXI. — VI. C. f. 21.

Mac-Culloch, J. R., Geld und Banken, aus dem Engl. von Bergius und Tellkampf, mit ergänzend. Abhandl. beider Uebersetzer. Leipzig, J. J. Weber, 1859. 8⁰. — V. I. f. 8.

Bamberger, Ludw., Reichsgold, Studien über Währung und Wechsel. Dritte Aufl. Leipzig, F. A. Brockhaus, 1876. 8⁰. — V. I. f. 34.

Turgot, Oeuvres, nouvelle édition, avec les notes de Dupont de Nemours, augmentée des lettres inédites, des questions sur le commerce et d'observations et de notes nouvelles par M. M. Eug. Daire et Hippol. Hussard et précédée d'une notice sur la vie et les ouvrages de Turgot par Eugène Daire. Paris, Guillemin, 1844. 8⁰. 2 voll. — V. I. e. 1—2.

Au, J., Die Kreditgenossenschaft in ihrer Bedeutung für Stadt und Land und in ihren Beziehungen zur socialen Frage. Heidelberg, Bassermann, 1869. 8⁰. — V. I. d. 1.

Saenger, C. von, Die Reform des ländlichen Creditwesens. Bromberg, Louis Levit, 1857. 8⁰. — V. B. g. 23.

Dankelmann, Graf von, Legationsrath, auf Osseg in Schlesien, Ueber die Ausgleichung der Kriegsschäden zwischen den Grund-Eigenthümern und ihren Gläubigern in denen königl. preuss. Staaten, besonders in Schlesien, sowie über Papiergeld und Requisitions-System, an die National-Repräsentation zu Berlin geschickt im Februar 1814. Schweidnitz, E. F. Stuckart, 1814. 8⁰. — III. L. g. 10.

Schäffle, Alb. E. Fr., Die Grundsätze der Steuerpolitik und die schwebenden Finanzfragen Deutschlands und Oesterreichs. Tübingen, H. Laupp, 1880. 8⁰. — V. J. i. 2.

Radicke, F., Die Steuerfrage aus dem praktischen Gesichtspunkte, oder Grundzüge zur Einführung einer allge-

meinen Staatssteuer. Schmiegel, Selbstverlag des Verf.,
1850. 8°. — V. A. g. 23.

Vauban, Le maréchal de, Projet d'une dixme royale,
qui, supprimant la taille, les aydes, les douanes d'une
province à l'autre, les décimes du clergé, les affaires
extraordinaires et tous autres impôts onéreux et non
volontaires, diminuant le prix du sel de moitié et plus,
produiroit au roi un revenu certain et suffisant, sans
frais . . . Nouv. éd. corrigée et notablement augmentée.
Bruxelles, George de Backer, 1708. 8°. — III. K. k. 8.

Raumer, Friedr. v., Das brittische Besteuerungs-System,
insbesondere die Einkommensteuer, dargestellt mit Hinsicht auf die in der preussischen Monarchie zu treffenden
Einrichtungen. Berlin, J. D. Sander, 1810. 8°. — III.
I. i. 8.

Biliński, Leon Ritter.v., Die Luxussteuer als Correctiv
der Einkommensteuer, finanz-wissenschaftlicher Beitrag
zur Lösung der socialen Frage. Leipzig, Duncker und
Humblot, 1875. 8°. — VI. E. c. 28.

Contzen, Heinr., Geschichte der socialen Frage von den
ältesten Zeiten bis zur Gegenwart. Berlin, Theob. Grieben,
1877. 8°. [Aus der: „Bibliothek für Wissenchaft und
Literatur, 17. Band."] — V. J. h. 2.

Averbeck, Heinr., Die sociale Frage und ihre Lösung.
Bremen, L. Schünemann, 1877. 8°. — V. I. f. 34a.

Mehring, Franz, Die deutsche Socialdemokratie, ihre Geschichte und ihre Lehre, eine historisch-kritische Darstellung. 3. durchges. u. verm. Aufl. Bremen, C. Schünemann, 1879. 8°. — V. I. f. 37.

Held, Adolf, Sozialismus, Sozialdemokratie und Sozial-
politik. Leipzig, Duncker und Humblot, 1878. 8°. — V.
I. f. 40.

Wirth, Max, Die sociale Frage. Berlin, C. G. Lüderitz,
1872. 8°. — V. I. f. 38.

— Beiträge zur socialen Frage. Köln, M. Du Mont-Schauberg, 1873. 8°. [S. Grundzüge d. Nat.-Oekon. B. IV.]
— V. I. f. 3/2.

Mill, John Stuart, Arbeiterfrage, Socialismus. [S. Verm.
Schr., B. III. Gesamm. Werke, B. XII.] 8°. — V. I. f.
29a./2.

Malthus, T. R., Versuch über das Bevölkerungsgesetz oder
eine Betrachtung über seine Folgen für das menschliche
Glück in der Vergangenheit und Gegenwart, nach der
7. Ausg. des engl. Orig. übers. von F. Stöpel. Berlin,
Exped. des Merkur, 1879. 8°. [Aus der Bibliothek der

Volkswirthschaftsl. und Gesellschaftswissenschaft.] — V.
J. h. 29.

Schäffle, A., Die Quintessenz des Socialismus. 7. Auflage.
Gotha, Fr. Andr. Perthes, 1879. 8°. — V. K. f. 1.

— Alb. E. Fr., Bau und Leben des socialen Körpers, ency-
klopädischer Entwurf einer realen Anatomie, Physiologie
und Psychologie der menschlichen Gesellschaft mit besonderer Rücksicht auf die Volkswirthschaft als socialen
Stoffwechsel. Tübingen, H. Laupp, 1875—1878. 8°. 4 Bde.
— V. I. g. 16—19.

Samter, Adolph, Social-Lehre, über die Befriedigung der
Bedürfnisse in der menschlichen Gesellschaft. Leipzig,
Duncker u. Humblot, 1875. 8°. — V. I. e. 4.

Spencer, Herbert, Einleitung in das Studium der Socio-
logie. Leipzig, F. A. Brockhaus, 1875. 8°. 2 Bde.
[Internation. wissenschaftl. Biblioth., B. XIV.—XV.] — VI.
C. f. 14—15.

Carey, H. C., Die Einheit des Gesetzes, nachgewiesen in
den Beziehungen der Natur-, Social-, Geistes- und Moral-
Wissenschaft, nach dem amerikan. Original v. F. Stöpel.
Berlin, Expedition des Merkur, 1878. 8°. [Aus d. Biblioth.
d. Volkswirthschaftsl. u. Gesellschaftswissensch.] — V.
J. h. 28.

George, Henry, Fortschritt und Armuth, eine Untersuchung über die Ursache der industriellen Krisen und
der Zunahme der Armuth bei zunehmendem Reichthum.
Deutsch von C. D. F. Gütschow. Berlin, Elwin Staude,
1881. 8°. — V. H. g. 33.

Haza-Radlitz, v., Skizze eines Planes, wie Seitens des
Staats der Verarmung der niederen Volksklassen vorge-
beugt, resp. auf welche Weise und mit welchen Mitteln
denselben fortdauernd Arbeit geschafft werden könne.
Posen, in Kommiss. bei Gebr. Scherk, 1850. 8°.

Brandes, Georg, Ferdinand Lassalle, ein literarisches
Characterbild. Aus dem Dänischen. Berlin, Franz Duncker, 1877. 8°. — V. I. f. 39.

Lassalle, Ferd., Das System der erworbenen Rechte, eine
Versöhnung des positiven Rechts und der Rechtsphilo-
sophie. 2. Aufl. herausg. von Loth. Bucher. Leipzig, F.
A. Brockhaus, 1880. 8°. 2 Bde. — V. H. f. 32—33.

— Briefe an Carl Rodbertus-Jagetzow, mit einer Einleitung
von Adolph Wagner. Berlin, Puttkammer u. Mühlbrecht,
1878. 8°. — V. I. f. 41.

— Die Wissenschaft und die Arbeiter. Berlin, C. Ihring
Nachfolger, 1874. 8°. — V. I. h. 27/4.

Lassalle, Ferdinand, Zur Arbeiterfrage, Rede bei der am 16. April 1863 in Leipzig abgehaltenen Arbeiterversammlung, nebst Briefen der Herren Prof. Wuttke und Dr. Lothar Bucher. 7. Auflage. Berlin, Allgemeine Deutsche Associations-Buchdruckerei, 1876. 8°. — V. G. m. 40 a/2.

— Die indirecte Steuer u. die Lage d. arbeitenden Klassen. Chicago, Charles Ahrens, 1872. 8°. — V. K. f. 7.

— Die Agitation des allgemeinen deutschen Arbeitervereins. Berlin, 1878. 8°. — V. I. h. 27/7.

— Die Feste, die Presse u. d. Frankfurter Abgeordnetentag. Berlin, C. Ihring Nachfolg., 1874. 8°. — V. I. h. 27/6.

— An die Arbeiter Berlins. Berlin, C. Ihring Nachf., 1874. 8°. — V. I. h. 27/5.

— Offenes Antwortschreiben an das Central-Comité zur Berufung eines allgemeinen deutschen Arbeiter-Congresses zu Leipzig. 5. Auflage. Berlin, Allg. Deutsche Associations-Buchdruckerei, o. J. 8°. — V. I. h. 27/2.

— Arbeiter-Lesebuch. 7. Aufl. Berlin, 1878. 8°. — V. I. h. 27/1.

— Kleinere Aufsätze. Berlin, C. Ihring, 1874. 8°. — V. I. h. 27/3.

— Der Prozess wider Ferd. Lassalle vor der korrektionellen Appelkammer zu Düsseldorf am 27. Juni 1864. (Separatabdruck aus der Düsseldorfer Ztg.) Berlin, Allgemeine Deutsche Associations-Buchdruckerei, 1877. 8°. — V. G. m. 35.

Rodbertus-Jagetzow, Carl, Aus dem literarischen Nachlass von —, herausg. von H. Schumacher-Zarchlin und Adolph Wagner. I. Briefe von Ferdinand Lassale an Rodbertus. II. Das Kapital. Vierter socialer Brief an von Kirchmann, von Dr. Carl Rodbertus-Jagetzow. Berlin, Puttkammer und Mühlbrecht, 1878—84. 2 Bde. 8°. — V. I. f. 41.

Bamberger, Ludwig, Deutschland und der Socialismus. 2. unveränd. Aufl. Leipzig, F. A. Brockhaus, 1878. 8°. — V. G. m. 31.

— Die culturgeschichtliche Bedeutung d. Socialistengesetzes. 2. Aufl. Leipzig, F. A. Brockhaus, 1879. 8°. [46 S.] — V. G. m. 26.

Böhmert, Victor, Die Gewinnbetheiligung, Untersuchungen über Arbeitslohn und Unternehmergewinn. Leipzig, F. A. Brockhaus, 1878. 8°. 2 Bde. Internation. wissenschaftl. [Biblioth., B. XXXII.—XXXIII.] — VI. C. f. 32—33.

Girardin, Emile de, Le droit au travail au Luxembourg et à l'assemblée nationale par M. M. de Lamartine, Thiers, Louis-Blanc, Dufaure, Duvergier de Hauranne, de Tocqueville, Wolowski, Ledru-Rollin etc. Avec une introduction. Paris, Michel Lévy frères, 1849. 8°. 2 voll. — IV. L. i. 43—44.

Heinrichs, Joseph, Die Emancipation der Frauen. Posen, Louis Merzbach, 1863. 8°. — V. C. i. 11.

Henschke, Ulrike, Die Bedeutung des Vereinslebens für die Frauen. Lissa (Posen), in Kommiss. bei Th. Scheibel, 1866. 8°. — V. B. m. 20/4.

Mill, John Stuart, Ueber Frauenemancipation. [Siehe Vermischte Schriften, B. III. Gesamm. Werke, B. XII.] 8°. — V. J. f. 29a/1.

Oettingen, Alex. von, Die Moralstatistik in ihrer Bedeutung für eine Socialethik. 3. vollst. umgearb. Aufl. Mit tabellarischem Anhang. Erlangen, Andr. Deichert, 1882. 8°. — VI. C. d. 18.

Morselli, Heinr., Der Selbstmord, ein Kapitel aus der Moralstatistik. [Mit einer lithograph. Karte.] Leipzig, F. A. Brockhaus, 1881. 8°. [Internation. wissenschaftl. Biblioth., B. L.] — VI. C. f. 50.

Kirchenrecht.

Vergl. hierzu Band III., S. 526—527, desgl. S. 232 ff., 253 ff.

Justiniani L. Imperatoris Augusti, Autenticae, de rebus sacris, per compendium a Johanne Cochleo commemoratae. Lipsiae, Nicol. Faber, 1529, 18. Cal. Aug. 8°. — IV. K. n. 29/1.

Corpus juris canonici emendatum et notis illustratum, Gregorii XIII. pont. max. jussu editum. . . . Coloniae, 1631. 4°. — IV. J. b. 9.

— juris canonici academicum iu suos tomos distributum, . . . auctore Chph. Henr. Freiesleben alias Ferromontano, J. U. D. Pragae, Altenburgi et Lips., apud J. L. Richterum et J. S. Heinsium, 1728. Fol. — 2. F. b. 13.

— juris canonici, editio Lipsiensis secunda, post Aemilii Ludovici Richteri curas ad librorum manuscriptorum et editionis Romanae fidem recognovit et adnotatione critica instruxit Aemilius Friedberg. Lipsiae, Bernhard Tauchnitz, 1879—81. 4°. 2 voll. — V. G. a. 26—27.

Gratianus, Decretum. — Concordia discordantium canonum . . . Basil., Jo. Froben, 1493. 4°. — IV. G. m. 19.

Gratiani, Divi, Decretum universi juris canonici, ponti-
ficias constitutiones et canonicas breui compendio complectens etc. Lugduni, Joan. Pindaeius, 1553—1554. [Ex
bibliotheca regis Sigismundi Augusti, 1563.] 4°. — IV.
H. b. 21.
— idem opus. Venetiis, 1572. 4°. — IV. H. b. 20.
Clemens V., papa, Constitutiones. Moguntiae, Petr. Schoyffer
de Gernsshem, 1476. Fol. — IV. J. c. 15/1.
— Constitutiones, . . . una cum apparatu Joannis Andree.
Nuremberge, Antonius Koburger, 1482. Fol. — III. K.
b. 2/1.
— Constitutiones, . . . una cum apparatu Dni Joannis Andree.
(Opus Clementinarum.) Venetiis, Bartholomaeus de Alex-
andria et Andr. de Asula, 1485. 4°. Acc.: Decretales
extravagantes, quae emanarunt post sextum etc. — IV
G. g. 8/2.
— Constitutiones —, quas Clementinas vocant. Venetiis,
1572. 4°. — IV. H. b. 18/2.
Bonifacii, pape VIII., Liber sextus decretalium, . . . vna
cum apparatu dni Joh. Andree. Nuremb., A. Koburger,
1482. Fol. — III. K. b. 2/3.
— Liber sextus decretalium una cum apparatu dni Johannis
Andree. Venetiis, Bartholom. de Alexandria et Andreas
de Asula, 1485. 4°. — IV. G. g. 8/1.
— Sextus decretalium liber a Bonifacio octavo in concilio
Lugdunensi editus. Venetiis, 1572. 4°. — IV. H. b. 18/1.
— Liber sextus decretatium D. Bonifacii papae VIII. Cle-
mentis papae V. constitutiones extravagantes, tum viginti
D. Joannis Papae XXII., tum communes . . . c.
additionibus. Venetiis, apud Juntas, 1615. 4°. — IV.
H. a. 18.
Calderinus, Joh., Biblie auctoritatum et sentenciarum,
quae in decretorum et decretalium compilationibus solent
induci, tabula. Spirae, Petrus Drach, 1481. Fol. — IV.
E. c. 5/2.
[Johannes XXI. = Johannes Petrus = Petrus Ju-
liani = Petrus Hispanus.] Textus summularum
Petri Hyspani per tractatus et capitula divisus cumque
singulorum tractatuum summariis cuilibet studioso mul-
tum profuturis. Impressum Cracouie, in ędibus dni
Joannis Haller, ciuis Cracouiensis, anno nostri saluatoris
1519. 4°. — III. N. c. 10.
— Extrauagantes, tum viginti Joannis Vigesimi Secundi,
tum communes, cum glossis et epitomis assuetis etc.
Venetiis, 1572 (in fine 1571). 4°. — IV. H. b. 18/3.

Decisiones et declarationes Jllor. cardinalium s. concilii Tridentini interpretum, quae in quarto volumine Decisionum Rotae Romanae habentur, . . . opera et studio D. Joannis de le Mart. Duaci, Balth. Beller, 1615. 8⁰. — IV. K. m. 27.

— Rotae. Antiquarum novarumque decisionum suis cum additionibus dominorum de Rota. Mainz, Petr. Schoeffer, 1477. Fol. — IV. K. a. 9.

Lancelottus, Joan. Paul., Perusinus, Institutiones juris canonici, quibus jus pontificium singulari methodo libris quatuor comprehenditur etc. Venetiis, apud Petr. Mariam Bertanum, 1613. 4⁰. — IV. G. m. 5.

Cavallarii, Dominici, Institutiones juris canonici, quibus vetus et nova ecclesiae disciplina enarratur. Posn., K. Reyzner, typis Caroli Pompei, 1834. 8⁰. 2 voll. — IV. G. g. 20.

Gratianus de Garzatoribus, Franc., Compendium jusis canonici . . . Venetiis, apud F. Valgrisium, 1582. Fol. — IV. K. e. 2.

Hinschius, Paul, Das Kirchenrecht der Katholiken und Protestanten in Deutschland. Berlin, J. Guttentag, 1869 —1883. 8⁰. 3 Bde. — VI. B. b. 3—5.

Schulte, Joh Friedr. v., Die Geschichte der Quellen und Literatur des canonischen Rechts von Gratian bis auf die Gegenwart. Stuttgart, Ferdin. Encke, 1875—80. 8⁰. 3 Bde. — V. I. e. 9—9 a.

Rosshirt, C. Fr., Von den falschen Decretalen und von einigen neuen, in Bamberg entdeckten Handschriften der falschen Decretalen und alter Collectiones canonum. Heidelberg, J. C. B. Mohr, 1847. 8⁰. — VI. F. e. 5/1.

— Zu den kirchenrechtlichen Quellen des ersten Jahrtausends und zu den pseudoisidorischen Decretalen, mit besonderer Rücksicht auf noch nicht bekannte Handschriften. Heidelberg, J. C. B. Mohr, 1819. 8⁰. 4 Bde. — VI. F. e. 5/2.

Kremer-Auenrode, H. v., Actenstücke zur Geschichte des Verhältnisses zwischen Staat und Kirche im XIX. Jahrhundert. Leipzig, Duncker u. Humblot, 1880. 8⁰. — VI. E. b. 11—12.

Zeller, Eduard, Staat und Kirche, Vorlesungen an der Universität zu Berlin gehalten. Leipzig, Fues, 1873. 8⁰. — VI. F. f. 15.

Friedberg, Emil, Der Staat und die Bischofswahlen in Deutschland, ein Beitrag zur Geschichte der kathol. Kirche und ihres Verhältnisses zum Staat, mit Acten-

stücken. Leipz., Duncker u. Humblot, 1874. 8°. 488 S.
Text, 274 S. Actenstücke. — V. F. i. 4a.

Friedberg, Emil, Die Gränzen zwischen Staat und Kirche
und die Garantieen gegen deren Verletzung, historisch-
dogmatische Studie, mit Berücksichtigung der deutschen
und ausserdeutschen Gesetzgebungen und einem Anhange theils ungedruckter Aktenstücke. Tübingen, H.
Laupp, 1872. 8°. — VI. F. d. 3.

— Das deutsche Reich und die katholische Kirche. Separat-
abdruck aus von Holtzendorffs „Jahrbuch der Gesetzgebung etc." Leipzig, Duncker und Humblot, 1872. 8°.
— VI. C. d. 15.

Gesetze, Die kirchenpolitischen, nach den Berichten der
XIV. Commission des preussischen Abgeordnetenhauses.
Berichterstatter Dr. R. Gneist. Separatabdruck aus von
Holtzendorffs „Jahrbuch für Gesetzgebung etc." Zweiter
Jahrgang. Leipzig, Duncker u. Humblot, 1873. 8°. —
VI. C. d. 10.

Hübler, Bernhard, Zur Revision der Lehre von der recht-
lichen Natur der Concordate. Tübingen, Heinr. Laupp,
1865. 8°. — VI. F. e. 32.

Barclaii, Guil., De potestate papae: an et quatenus in
reges et principes seculares jus et imperium habeat. Liber
posthumus. Mussiponti, apud Franc. du Bois et Jac.
Garnich, 1609. 8°. — II. D. m. 8/2.

(Sarpi, Paolo), Considerationi sopra le censure della santità
di papa Paolo V. contra la serenissima republica di Venetia, del P. M. Paolo da Venetia dell' ordine de' servi.
Volume II. In Venetia, Rob. Meietti, 1673. 12°. — II.
O. k. 6/1.

Gersone, Gio., Trattato et resolutione sopra la validità
delle scommuniche, tradotto dalla lingua latina nella vol-
gare con ogni fedelta. in opusculi due. Venetia, Rob·
Meietti, 1675. 12°. — II. O. k 6/2.

(Sarpi, Paolo), Apologia per l'oppositioni fatte dall' illustriss. et reuerendiss. sig. cardinale Bellarmino alli trattati
et resolutioni di Gio. Gersone, sopra la validità delle
scommuniche, del p. m. Paolo da Venetia dell' ordine
de servi. In Venet., R. Meietti, 1675. 12°. — II. O. k. 6/3.

Patrimonium Petri, Das, aus der Edinburgh Rewiew
übersetzt, Nr. 227, Juli 1860. Posen, Louis Merzbach,
1861. 8°. — V. C. h. 5.

Turrecremata, Johannes de, Tractatus nobilis de potestate Pape et concilii generalis. Colon., Henr. Quentel,
1480. Fol. — II. U. f. 9/2.

(Huber, Johannes), Der Papst und das Concil, von Janus. Eine weiter ausgeführte und mit dem Quellennachweis versehene Neubearbeitung der in der „Augsburg. Allgemeinen Zeitung" erschienenen Artikel: Das Concil und die Civiltà. Leipzig, E. F. Steinacker, 1869. 8°. — V. E. k. 13.

Schulte, Joh. Friedr. von, Die Stellung der Concilien, Päpste und Bischöfe. Prag, F. Tempsky, 1871. 8°. — V. J. f. 3 a.'

Le Maistre, N., Instauratio antiqui episcoporum principatus, ... cui praemissa est confutatio rationum, quas Sorbonicae censurae objecit Spongia. Parisiis, Guillelmns Pelé, 1633. 4°. — IV. G. b. 10.

Mandagotus, Guil., Tractatus de electionibus novorum praelatorum, ... una cum additionibus D. Nic. Boërii. Acc. de permutatione beneficiorum Frederici de Senis tractatulus, recenter purgatus et auctus per Matthaeum Boyss, J. L. Col. Agr., Th. Baum, 1573. 8°. — IV. K. m. 23/1.

Castellinus, Lucas, De electione et confirmatione canonica praelatorum quorumcumque, praesertim regularium. Romae, Bartholom. Zannetti, 1625. Fol. — IV. J. a. 3.

Hallier, Franciscus, De sacris electionibus et ordinationibus ex antiquo et novo ecclesiae usu. Lutetiae Parisiorum, sumpt. Sebastiani Cramoisy, 1636. Fol. — IV. J. a. 2.

Senis, Fredericus de, Tractatus super permutatione beneficiorum ... V. Mandagotus, Guil., Tract. de electionibus novorum praelator. Col. Agr., 1573. 8°. — IV. K. m. 23/1.

Boehmer, Just. Henning., praes., Taucher, Geo. Dav., resp., Diss. jurid. de jure custodiendi reditus vacantis beneficii. Halae, J. F. Grunert, 1742. 4°. — II. P. g. 18/10.

(Torres, Franc.), De residentia pastorum, jure divino scripto sancita, liber unus. Florentiae, Laur. Torrentinus (?) c/a. 1551. 4°. cf. Joecher. — IV. G. n. 2/2.

Lecture super arboribus consanguineitatis et affinitatis: nec non cognationis spiritualis et legalis cum breuiusculis quibusdam commentariis et additamentis ... in fine: Hoc elimatissimum arboris consanguineitatis et affini(tatis) opusculum impresserunt summa vigilantia Vienne Austrie Hieronymus Vietor et Joannes Singrenius socii, expensis autem Leonardi et Luce Alantsee fratrum, kalen. Februarii, anno milles. quingentes. tredecimo, imperatore

Maximiliano. P. F.   Auf der letzten Seite das Reichswappen. 4°. Goth. 36 Bll. o. Z. et C., m. Sign. — IV.
H. l. 13/5.

Sithmann, Joh., Stet. Pomer., J. U. D., Idea arboris consanguinitatis et affinitatis theoreticae et practicae. Stetini,
J. Mamphrasius, 1657. 8°. — III. F. n. 12/2.

Gregorius de Shamotuli, Euchiridion impedimentorum,
que juxta canonicas constitutiones in matrimoniis contin-
gunt, . . . Cracoviae, Flor. Unglerius, 1529. 8°. Goth.
2 + 33 Stn. — IV. G. k. 42.

(Beza, Th.), Tractatio de repudiis et divortiis, . . . ex Theodori Bezae Vezelii praelectionibus in priorem ad Corinthios epistolam. Genevae, Eustath. Vignon, 1591. 8°.
— II. G. a. 17/2.

(Beza, Th.), Tractatio de polygamia, in qua et Ochini apo-
statae pro polygamia et Montanistarum ac aliorum aduersus repetitas nuptias argumenta refutantur: addito veterum
canonum et quarundam ciuilium legum ad normam
verbi divini examine ex Theodori Bezae Vezelii praelectionibus in priorem ad Corinthios epistolam. Genevae, apud haeredes Eustathii Vignon, 1591. 8°. — II. G.
a. 17/1.

Delphinus, Hier., Eunuchii conjugium, die Capaunen-
Heyrath, hoc est, scripta et judicia varia de conjugio
inter eunuchum et virginem juvenculam anno 1666 con-
tracto, a quibusdam supremis theologorum collegiis petita,
postea hinc inde collecta. Halae, apud Melchiorem Oel-
schlägeln, 1685. 4°. Pagg. a 186 reliquae desunt. — IV.
P. e. 22.

Franconius, Hegitmacianus, De celibatu christianorum et presertim sacerdotum, ac virginum et cur sacer-
dotibus non liceat uxores habere. Cracoviae, per Florian.
Unglerium, (1529). 8°.   In fine: De celibatu Christi fide-
lium opusculum finit feliciter, pridie Kalendas mensis
Augusti, anno partus virginalis millesimo quingentesimo
vigesimo nono, Cracoviae in civitate regia per Florianum
Unglerium impressum. Authore Stanislao Zaborowski,
Regni Poloniae tesauri custode. — IV. J. h. 19.

Rebuffi, Petri, Montepessulani, J. U. D. ac Comitis, Tractatus novem:
   1. De Decimis,
   2. alienatione rerum ecclesiae,
   3. congrua portione,
   4. pacificis possessoribus,
   5. nominationibus,

Rebuffi, Petri, Tractatus novem.

> 6. repet. l. unic. de sentent. qua pro eo quod interest, proferuntur,
> 7. feudis,
> 8. seruitutibus,
> 9. exceptionibus, nunc demum recogniti et summariis illustrati, quibus accessit . . . index. Lugd., apud Claudium Sennetonium, 1566. Fol. — III. B. c. 16/2.

Bárdosy, Jo., Moldavensis vel Szepsiensis, Decimae indagatio. Posonii, Geo. Aloys. Belnay, (1802?) 4⁰. — IV. L. b. 28.

Strykius, Jo. Sam., praes., Wagner, Conr. Ludov., Brunsvic., resp., Diss. juris ecclesiastici inaug. de jure sabbathi . . . praeside —, pro lic. summos in u. j. honores ac privilegia obtinendi . . . publice habenda ac defendenda a resp. — Halae, 1702. 4⁰. — II. P. g. 18/7.

— De incommodis festorum, programma inaugurale. Halae, 1702. 4⁰. — II. P. g. 18/8.

Klee, E. W(ilhelm), Das Recht der einen allgemeinen Kirche Jesu Christi, aus dem in der heiligen Schrift gegebenen Begriff entwickelt. Berlin, 1839, Magdeburg, W. Heinrichshofen, 1841. 8⁰. 2 Bde. — IV. K. f. 4—5.

— Ueber die Bedeutung der Synoden in der evang. Kirche und das Gesetz ihrer Organisation. Posen, Gebr. Scherk, 1843. 8⁰. — IV. J. e. 26.

Curalt, Rob., ord. Cist., Genuina totius jurisprudentiae sacrae principia etc. Viennae, Joseph de Kurzbeck, 1781. 8⁰. 2 voll. — IV. L. m. 29—30.

Riccius, Jo. Aloys., Praxis rerum quotidianarum ecclesiastici fori . . . Tomus III. Venetiis, apud Juntas, 1623. Fol. — II. S. a. 16.

Corvini, Arnoldi, a Belderen, J. U. D., Jus canonicum per aphorismos strictim explicatum. Amstelod., Elzevir, 1663. 12⁰. — IV. J. n. 6.

Cucchius, Ant. M., Institutionum juris canonici libri quattuor. Coloniae, M. Cholinus, 1564. 12⁰. — IV. J. n. 10/2.

— Institutiones juris canonici, insertis etiam opportune s. Tridentini concilii constitutionibus. Colon., M. Cholinus, 1566. 8⁰. — IV. J. m. 21.

Strykii, Joannis Sam., Programma de usu vero juris ecclesiastici, in quo novum collegium publicum ad . . . Johannes Schilteri JCti institutiones juris canonici aperitur. Halae, Orphanotropheum, 1702. 4⁰. — II. P. g. 18/9.

Philipps, Georg, Kirchenrecht. Regensburg, Georg J.
Manz, 1846—57. 8°. 5 Bde. — V. C. g. 20—24.

Windeck, Jo. Paul, De theologia jureconsultorum libri
duo, quorum prior quadraginta amplius Romanae ecclesiae dogmata . . . ex Justiniani Imperat. legibus com-
probat, posterior praecipuos casus recenset, in quibus
canones pontificii et jura civilia conveniunt, . . . tractat.
Col. Agr., Arnold Quentel, 1604. 4°. — IV. J. m. 11.

Philosophie.

Encyklopädie. Einleitung und allgem. Schriften.

Walch, Joh. Geo., Philosophisches Lexikon. Leipzig, J.
F. Gleditsch, 1740. 8°. [Mit Bildn.] — III. M. c. 8.

Noack, Ludwig, Philosophie - geschichtliches Lexikon,
historisch-biographisches Handwörterbuch zur Geschichte
der Philosophie. Leipzig, Erich Koschny, 1879. 8°. —
V. F. a. 21.

Hegel, Georg Wilh. Friedr., Encyklopädie der philosophischen Wissenschaften im Grundriss. S. Werke, B. VI.
—VIII. 8°. — III. J. m. 27—29.

Hollmanni, Sam. Chn., Paulo uberior in universam philosophiam introductio . . . Tom. I., qui logicam et philosophiam primam seu metaphysicam complectitur. Vitembergae, C. S. Henning, (1734). 8°. — III. F. m. 23.

Gioberti, V., Introduction à l'étude de la philosophie, traduite sur la seconde édition italienne par V. Tourneur
et P. Défourny. Paris, Jacques Lecoffre et Comp., 1847.
3 voll. 8°. — IV. R. m. 7—9.

Hegel, Georg Wilh. Friedr., Philosophische Propädeutik.
S. Werke. B. XVIII. 8°. — III. J. m. 42.

Meier's, Geo. Friedr., Versuch einer allgem. Auslegungs-
kunst. (Hermeneutik.) Halle im Magdeb., C. H. Hemerde,
1757. 8°. — III. O. i. 14.

Manière, La, de bien penser dans les ouvrages d'esprit,
dialogues. A la Haye, Pierre Gosse, 1739. 8°. — III.
N. o. 25.

D'Alembert, (Jean-le-Rond), Élémens de philosophie.
V. Oeuvres complètes. Paris, A. Belin, 1821—22. T. I.,
p. 116. 8°. — IV. F. g. 7.

Gley, G., Essai sur les éléments de la philosophie. In elementa philosophiae tentamen. Paris, Gide Fils, 1817.
8°. [Franç. et lat.] — IV. L. l. 79.

Bayle, Pierre, Oeuvres diverses de Mr. —, contenant tout
ce que cet auteur a publié sur des matières de théologie,
de philosophie, de critique, d'histoire et de littérature;
excepté son dictionnaire historique et critique. A la
Haye, P. Husson, 1727—1731. Fol. 4 voll. — III. Q. c.
13—16.

Frédéric le Grand, Traités de philosophie. V. Oeuvres.
Berlin, 1846—57. 4⁰. — II. L. a. u. b.

Weiss, Major, Principes philosophiques et moraux. 4 éd.
A Genève, Barel, Manget & Comp., 1789. 8⁰. 3 voll., av.
le portr. — III. M. k. 8—10.

Leiner, Josephus de, Propositiones ex universa philosophia, quas pro suprema philosophiae laurea publice
defendit —. 1766. 4⁰. — II. P. b. 27/2.

Müller, Gotofr. Polyc., Philosophia facultatibus superioribus accommodata. Autore —. Francof. & Lips., Ph.
W. Stock, 1718. 8⁰. — III. O. n. 23.

Helvétius, Mr., Les progrès de la raison dans la recherche
du vrai, ouvrage posthume. Londres, 1775. 8⁰. — III.
V. d. 26.

Brissot de Warville, J. P., De la verité ou méditations
sur les moyens de parvenir à la vérité dans toutes les
connoissances humaines. Neuchatel, société typograph.,
1782. 8⁰. — III. M. d. 1.

Scaligeri, Julii Caesaris, Exotericarum exercitationum
liber XV. De subtilitate ad Hieronymum Cardanum.
Francof., B. Ch. Wust, 1665. 8⁰. — III. V. h. 24/1.

Gin, Nouveaux mélanges de philosophie et de littérature, ou
analyse raisonnée des connoissances les plus utiles à
l'homme et au citoyen. Paris, Gueffier, 1785. 8⁰. — III.
N. f. 39.

Ancillon, F., Mélanges de littérature et de philosophie.
Paris, F. Schoell, 1809. 8⁰. 2 voll. — III. T. e. 21—22.

Trembley, Abrah., Instructions d'un père à ses enfans
sur la nature et sur la religion. Genève, J. S. Cailler,
1775. 8⁰. 2 voll. — III. Q. g. 49—50.

Huarte, Juan, Examen de ingenios para las sciencias
... La IV. edicion ... Amsterd., Juan de Ravestein,
1662. 12⁰. — III. L. k. 28.

Agrippae ab Nettesheim, Henr. Corn., De incertitu-
dine et vanitate omnium scientiarum et artium liber
lectu plane jucundus et elegans, cum adjecto indice
capitum. Accedunt duo ejusdem auctoris libelli, quorum
unus est de nobilitate et praecellentia foeminei sexus
ejusdemque supra virilem eminentia, alter de matrimo-

L   11

nio seu conjugio, lectu etiam jucundissimi. Francof. et
Lips., J. A. Plener, 1693. 12⁰. — III. M. l. 22.

Hirnhaim, Hier., De typho generis humani, sive scientiarum humanarum inani ac ventoso tumore, difficultate,
labilitate, falsitate, jactantia, praesumptione, incommodis
et periculis tractatus brevis, in quo etiam vera sapientia a falsa discernitur et simplicitas mundo contempta
extollitur, idiotis in solatium, doctis in cautelam conscriptus. Pragae, G. Czernoch, 1676. 4⁰. |C. tab. aeri inc.|
— IV. M. l. 5.

Gibbon, Edouard, Mémoires, suivis de quelques ouvrages
posthumes et de quelques lettres du même auteur,
recueillis et publiés par Lord Sheffield, traduits de l'anglois. A Paris, chez le directeur de la Décade philosophique, an V., 1797. 8⁰. [Avec portrait.] — III. R. e.
25—26.

Zeller, Eduard, Vorträge und Abhandlungen. Leipzig,
Fues, 1875—77. 8⁰. 2 Bde. Bd. I. in zweiter Aufl. —
VI. D. d. 8—9.

Müller, Max, Essays. Leipzig, Wilh. Engelmann, 1872
—1881. 8⁰. 4 Bde. Bd. I. u. II. in zweiter Aufl. — VI.
D. d. 13—16.

Vergilii, Polydori, Urbinatis, De rerum inventoribus
libri VIII. et de prodigiis libri III. Lugd. Bat., Franc.
Heger, 1644. 12⁰. [M. Titk.] — IV. K. n. 32.

[Reisch, (Gregorius)], Margarita philosophica. (Philosophia triceps: naturalis, rationalis, moralis humanarum
rerum. S. l. a. et t. 4⁰. Cfr. Hain, s. v. Reisch, Nr.
13,852. — IV. F. c. 5.

Geschichte der Philosophie.

Ersch, Joh. Sam., Literatur . . . der Philosophie . . . seit
der Mitte des 18. Jahrh. bis auf die neueste Zeit systematisch bearb. Amsterd. et Leipz., 1812. 8⁰. — III.
S. a. 13.

[Vitae philosophorum et poetarum.| In fine: Explicit Vita
philosophorum. Norimbergae, Ant. Koberger, ca. 1472.
Fol. — III. J. b. 6/3.

Stanlejus, Thomas, Historia philosophiae, vitas, opiniones, resque gestas et dicta philosophorum sectae cujusvis complexa, ex anglico sermone in latinum translata,
emendata et variis dissertationibus atque observationibus
passim aucta. Accessit vita autoris. Lipsiae, Thomas
Fritsch, 1711. 4⁰. — III. O. c. 6.

Bruckeri, Jac., Historia critica philosophiae a mundi incunabulis ad nostram usque aetatem deducta. Editio II.
Lipsiae, impensis haeredum Weidemanni et Reichii, 1766
—1767. 4⁰. 6 voll. [Cum eff. auctoris.] — III. N. c.
1 — 6.

Encyclopédie méthodique. Philosophie ancienne et moderne par M. Naigeon. Paris, chez Panckoncke, 1791—
1794. 4⁰. 3 voll. — IV. Q.

Reinhold, Ernst, Geschichte der Philosophie nach den
Hauptmomenten ihrer Entwicklung. III. Aufl. Jena,
F. Mauke, 1845. 8⁰. 2 voll. — III. G. g. 34—35.

Ueberweg, Friedr., Grundriss der Geschichte der Philosophie. Erster Theil: Das Alterthum. Sechste Aufl.,
bearb. u. herausgegeben von Dr. Max Heinze. Berlin,
Ernst Siegfr. Mittler und Sohn, 1880. 8⁰. — VI. D. d. 3.

Noël, Franc., Soc. J., Philosophia Sinica, tribus tractati-
bus: primo cognitionem primi entis, secundo ceremonias
erga defunctos, tertio ethicam juxta Sinarum mentem
complectens. Pragae, typis Univers. Carolo-Ferdinandeae
in Colleg. Soc. Jesu, 1711. 4⁰. — V. B. d. 45/2.

Wolf, Chn., De sapientia Sinensium, oratio in solemni
panegyri, quum fasces prorectorales successori traderet,
in ipso Fridericianae (acad. Halensis) natali 28., die
12. Julii a. r. s. 1721 recitata. Romae, 1722. Recusa
Trevoltii, apud Jo. Boudot, 1725. 4⁰. — 962.

Gladisch, Aug., Einleitung in das Verständniss der Welt-
geschichte. Erste Abth. Die alten Schinesen und die
Pythagoreer. [Mit 4 Steindruckblättern.] Posen, J. J.
Heine, 1841, (1844). 8⁰. — II. E. m. 16. II. F. l. 26.

Oldenberg, Herm., Budha, sein Leben, seine Lehre, seine
Gemeinde. Berlin, Wilh. Hertz, 1881. 8⁰. — VI. D. d. 5.

Ritter, H. et L. Preller, Historia philosophiae graecae
et romanae, ex fontium locis contexta. Editio quinta,
curavit G. Teichmueller. Gothae, sumptibus Frider.
Andr. Perthes, 1875. 8⁰. — VI. F. c. 32.

Menagii, Aeg., In Diogenem Laertium observationes et
emendationes, hac editione plurium auctae. Acc. Joach.
Kühnii in Diogenem Laertium observationes, ut et va-
riantes lectiones ex duobus codicibus mss., Cantabrigensi
et Arundeliano, cum editione Aldobrandiniana collatis,
. . . epistolae et praefationes, variis Diogenis Laertii editionibus hactenus praefixae. Amstelaedami, apud Henr.
Wetstenium, 1692. 4⁰. — III. F. e. 3.

— Historia mulierum philosopharum. Amstelodami, apud
Henr. Wetstenium, 1692. 8⁰. — V. B. e. 2.

Hesychii Milesii, Opuscula duo, quae supersunt:
1. De hominibus doctrina et eruditione claris.
2. De originibus urbis Constantinopoleos, et cardinalis
   Bessarionis epistola de educandis filiis Jo. Palaeologi,
   lingua graeca vulgari scripta. Graece et latine. Recognovit, notis Hadr. Junii, Henrici Stephani, Joan.
   Meursii, Petri Lambecii, Gisberti Cuperi, Frid. Jac.
   Bastii aliorumque et suis illustravit Jo. Conradus
   Orellius. Accedunt: Anonymi scriptoris latini topographia urbis Constantinopolitanae, cum notis Guidonis Paucirolli, et Chr. Gottl. Heynii pars commen-
   tationum de antiquitatibus byzantinis, quae ad Hesy-
   chium illustrandum pertinent. Lips., in libr. Weid-
   mannia, 1820. 8°. — III. B. e. 21.
Eunapius Sardianus, De vitis philosophorum et sophi-
   starum, Hadriano Junio, Hornano, interprete. Graeca
   cum mss. Palatiuis comparata, aucta et emendata Hieronymi Commelini opera. Nunc recens accedunt ejusdem
   auctoris Legationes e bibliotheca Andreae Schotti Ant-
   verpiani. S. l., apud Hieronymum Commelinum. 1696
   8°. [Graece et latine.] — III. B. l. 16.
Zeller, Eduard, Die Philosophie der Griechen in ihrer
   geschichtlichen Entwickelung. Zweite, völlig umgearb
   Aufl. Tübingen, Ludw. Friedr. Fues, 1856—1879. 8°.
   4 Bde. — V. D. c. 1—4.
Schwegler, A., Geschichte der griechischen Philosophie,
   herausgegeben von Karl Köstlin. Dritte, vermehrte u.
   verbess. Aufl. Freiburg i. B. u. Tübingen, J. C. B. Mohr,
   1882. 8°. — V. I f. 42.
Simon, Jules, Histoire de l'école d'Alexandrie. Paris,
   Joubert, 1845. 8°. 2 voll. — IV. L. i. 25—26.
Larrey, De, Histoires des sept sages. Rotterdam, Fritsch
   et Böhm, 1714—1716. 12°. 2 volumes. — IIL G. l.
   15—16.
Ueberweg, Friedrich, Grundriss der Geschichte der
   Philosophie. Zweiter Theil: Die mittlere oder die
   patristische und scholastische Zeit. Sechste Auflage,
   bearbeitet und herausgegeben von Dr. Max Heinze.
   Berlin, Ernst Siegfr. Mittler und Sohn, 1881. 8°. — VI.
   D. d. 4.
Telesius, Bernardinus.) — Lotteri, Joannis Geo.,
   De vita et philosopia Bernardini Telesii commentarius
   ad inlustrandas historiam philosophicam universim et
   litterariam saeculi XVI. christiani sigillatim comparatus. Lipsiae, B. Ch, Breitkopf, 1733. 4°. — 996.

Fischer, Kuno, Geschichte der neueren Philosophie. Mannheim, Friedr. Bassermann, 1865—1872. 8°. 6 Bde. — V. H. e. 13—19.

— Geschichte der neuern Philosophie. Dritte, neu bearbeitete Aufl. München, Fr. Bassermann, 1878—84. 8°. Bd. I, 1—3. III.—V. — V. H. e. 20—24a.

Feuerbach, Ludwig, Geschichte der neueren Philosophie von Bacon von Verulam bis Benedict Spinoza. Leipzig, Otto Wigand, 1847. 8°. — VI. F. c. 25.

—· Pierre Bayle, ein Beitrag zur Geschichte der Philosophie und Menschheit. Leipzig, Otto Wigand, 1848. 8°. — VI. F. c. 27.

Lange, Friedr. Albert, Geschichte des Materialismus und Kritik seiner Bedeutung in der Gegenwart. 2. verb. und verm. Aufl. Leipzig und Iserlohn, J. Baedecker, 1873—75. 8°. 2 Bde. — V. H. g. 18.

Zeller, Eduard, Geschichte der deutschen Philosophie seit Leibniz. München, R. Oldenbourg, 1873. 8°. — V. D. c. 4a.

Fischer, Kuno, Das Interdict meiner Vorlesungen und die Anklage des Herrn Schenkel in der „Darmstädtischen Kirchenzeitung." Mannheim, Bassermann und Mathy, 1854. 8°. — VI. F. e. 29.

— Die Apologie meiner Lehre nebst Replik auf die „Abfertigung" des Herrn Schenkel. Mannheim, Bassermann und Mathy, 1854. 8°. — VI. F. e. 36.

— Anti-Trendelenburg, eine Gegenschrift. Zweite Auflage. Jena, Hermann Dabis, 1870. 8°. — VI. F. e. 45.

Logik, Dialektik, Metaphysik.

Encyclopédie méthodique. Logique et métaphysique (et morale) publiée par M. Lacretelle. A Paris,.Panckoucke, à Liège, Plomteux, 1786—91. 4°. 4 voll. — IV. Q.

Grosser, Sam., M., Gründliche Anweisung zur Logica... in deutlichen Fragen und richtigen Antworten vorgetragen. Budissin u. Görlitz, Joh. Wilisch, 1696. 8°. — III. N. p. 29/2.

Mako, P., Compendiaria logicae institutio ... Vindob., Trattnern, 1769. 8°. — III. M. n. 16.

Ivancsisc, Jo., s. J., Institutiones logicae, in usum discipulorum conscriptae. Tyrnaviae, 1763. Calissii, typis Soc. Jesu, 1769. 4°. — III. O. b. 7/2.

Gassendi, Petri, ... Logica ... V. Opera omnia. T. I. Fol. — III. Q. c. 7.

Kant, Imm., Logik, ein Handbuch zu Vorlesungen. Königsberg, F. Nicolovius, 1800. 8°. — III. U. d. 12.

Hegel, Geo. Wilh. Friedr., Wissenschaft der Logik. S. Werke, Bd. III.—VI. 8°. — III. J. m. 24—27.

Fischer, Kuno, System der Logik und Metaphysik oder Wissenschaftslehre. Zweite, völlig umgearbeitete Auflage. Heidelberg, Friedrich Bassermann, 1865. 8°. — V. J. h. 36.

Mill, John Stuart, System der deductiven und inductiven Logik, . . . unter Mitwirkung des Verfassers übersetzt und mit Anmerkungen versehen von Theodor Gompertz. Leipzig, Fues, 1872 — 1873. 8°. 3 Bde. S. Gesammelte Werke, Bd. II.—IV. — V. I. f. 20—22.

Wundt, Wilh., Logik, eine Untersuchung der Principien der Erkenntniss und der Methoden wissenschaftlicher Forschung. Bd. I. Erkenntnisslehre. Bd. II. Methodenlehre. Stuttgart, Ferdinand Enke, 1880—1883. 8°. 2 Bde. — VI. D. c. 5a.

Strümpell, Ludw., Grundriss der Logik oder der Lehre vom wissenschaftlichen Denken. Leipzig, Georg Böhme, 1881. 8°. — VI. D. d. 11.

Dowgird, Anioł, X., Wykład przyrodzonych myślenia prawideł czyli logika. Połock, w Druk. XX. Pijarów, 1828. 4°. — III. U. a. 18.

Caesarii, Joa., Dialectica in X. tractatus digesta . . . Item appendix, in qua ex Alcinoo, philosopho Platonico, declaratur, quid sit philosophia et quid philosophus; item ex Marsilio Ficino, quot sint apud philosophos disserendi genera. Coloniae, apud Eucharium Cervicornum, 1529. 8°. — IV. U. o. 7/7.

Agricolae, Rodolphi, Phrisii, De inventione dialectica libri omnes integri et recogniti juxta autographi . . . fidem. Coloniae, ap. Gymnicum, 1552. 8°. — II. G. a. 27.

Ramus, Petrus, Institutionum dialecticarum libri III. Basileae, per Nicol. Episcopium juniorem, 1554. 8°. [Tit. deest.] — IV. U. h. 30/1.

Melanthon, Phil., Erotemata dialectices, continentia fere integram artem, . . . Witeb., ex off. Joh. Lufft, 1577. 8°. — III. N. p. 11.

Quaestionum dialecticarum libri IV. Wratislaviae, in offic. typographica Georgii Baumann, 1597. 8°. Tit. deest. — III. G. d. 37.

Schmidt, Joh. Andr., Logica positiva, sive dialectica analytica. Helmstadii, J. M. Sustermann, 1702. 8°. — III. N. p. 1/1.

Kant, Imm., Prolegomena zu einer jeden künftigen Metaphysik, die als Wissenschaft wird auftreten können. Riga, J. F. Hartknoch, 1782. 8°. — III. U. d. 11.

Suarez, Franc., e soc. Jesu, Metaphysicarum disputationum, in quibus et universa naturalis theologia ordinate traditur et quaestiones ad omnes duodecim Aristotelis libros pertinentes accurate disputantur, tomi duo. Moguntiae, 1630, sumpt. Herm. Mylii Birckmanni, exc. Herm. Meresius. Fol. 2 voll. — IV. K. c. 13.

Ivancsisc, Jo., s. J., Institutiones metaphysicae in usum discipulorum conscriptae. Tyrnaviae, 1763. Calissii, typis Soc. J., 1669. 4°. — III. O. b. 7/1.

Donati, Christiani, Metaphysica usualis terminos transscedentes succincte et perspicue proponens, emendatius edita. Adjectis ejusdem regulis metaphysicis potioribus. Witeb., Vidua et herr. H. J. Meieri, 1697. 8°. — III. N. p. 29/1.

Schmidt, Jo. Andr., Metaphysica sive scientia de ente ejusque inferioribus positive tradita. Helmstadii, J. M. Süstermann, 1701. 8°. — III. N. p. 1/2.

Ayleworthi, Guil., s. J., Disputationes metaphysicae seu metaphysica scholastica . . . Editio II. Duaci, apud Antonium Fabrum, 1722. Fol. — IV. J. f. 8.

Mako, Paulus, Compendiaria metaphysicae institutio . . . Ed. III. Vindobonae, J. Th. de Trattnern, 1769. 8°. — III. L. n. 4.

[Helvétius, Cl. Adr.], De l'esprit. Amsterd. & Lpz., Arkstee & Merkus, 1759. 8°. 2 voll. — III. M. h. 7—8.

Naturphilosophie. — Psychologie.

Saint-Pierre, Jacques Henri Bernardin de, Études de la nature. 2. éd., rev., corr. et augm. Paris, P. F. Didot le jeune, 1791. 12°. — III. V. 1. 27—32.

Dieterici, Friedrich, Die Naturanschauung und Naturphilosophie der Araber im zehnten Jahrhundert, aus den Schriften der lautern Brüder übersetzt. Posen, M. Jagielski, 1864. 8°. — V. C. 1. 24.

Büchner, Ludwig, Kraft und Stoff, naturphilosophische Untersuchungen auf thatsächlicher Grundlage. 14. sehr verm. und mit Hilfe der neuesten Forschungen ergänzte Aufl. Leipzig, Theod. Thomas, 1876. 8°. [Mit Bildn. und Biographie des Verf.] — V. I. h. 13.

Carus, C. G., Vorlesungen über Psychologie. Leipzig, Gerhard Fleischer, 1831. 8°. — IV. O. n. 7.

Herbart, Joh. Friedr., Schriften zur Psychologie, herausgegeben von G. Hartenstein. Leipzig, Leopold Voss,
1850—51. 8° 3 Bde. [S. Sämmtl. Werke, B. 5—7.] —
V. C. e. 28—30.

Beneke, Ed., Lehrbuch der Psychologie als Naturwissenschaft. 3. Aufl. bearb. v. Dressler. Berlin, E. S. Mittler,
1861. 8°. — V. H. e. 3.

— Pragmatische Psychologie oder Seelenlehre in der Anwendung auf das Leben. Berlin, E. S. Mittler, 1850. 8°.
2 Bde. — V. H. e. 4.

Sully, James, Die Illusionen, eine psychologische Unter-
suchung. [Mit 7 Abbild. in Holzschnitt.] Leipzig, F. A.
Brockhaus, 1884. 8°. [Internationale wissenschaftliche
Bibliothek, Band 62.]

Vignoli, Tito, Über das Fundamentalgesetz der Intelligenz
im Thierreiche, Versuch einer vergleichenden Psychologie.
Leipzig, F. A. Brockhaus, 1879. 8°. [Internation. wissenschaftl. Biblioth., B. XXXVI.] — VI. C. f. 36.

Dumont, Léon, Vergnügen und Schmerz, zur Lehre von
den Gefühlen. Leipz., F. A. Brockhaus, 1876. 8°. [Inter-
nation. wissenschaftliche Bibliothek, Band XXII.] — VI.
C. f. 22.

Walchii, Jo. Geo., Commentatio de arte aliorum animos
cognoscendi. Editio V. Jenae, F. Bartolettus, 1733. 4°.
III. N. f. 7.

Lazarus, M., Ideale Fragen, in Reden und Vorträgen
behandelt. Berlin, A. Hoffmann u. Comp., 1878. 8°. —
VI. F. f. 6.

Weikard, M. A., Der philosophische Arzt. Frankfurt am
Main, Andräische Buchhandl., 1798. 8°. — IV. N. d. 1—2.

Tetens, Joh. Nicol., Philosophische Versuche über die
menschl. Natur und ihre Entwickelung. Leipzig, M. G.
Weidmanns Erben u. Reich, 1777. 8°. 2 voll. — IV. M.
i. 15—16.

Fischer, Kuno, Ueber die Entstehung und die Entwicke-
lungsformen des Witzes. Heidelberg, Fr. Bassermann,
1871. 8°. — V. I. h. 32.

Portae, Jo. Bapt., Phytognomonica octo libris contenta.
Francof., J. Wechel et P. Fischer consortes, 1591. 8°. —
III. O. g. 25/2.

— Physiognomonia, libri IV. Ursellis, typis Corn. Sutorii,
sumpt. Jone Rosae Fr., 1601. 8°. — III. O. g. 25/1.

Wendii, G., M., De Prosperi Aldorisii Romani Idengraphia,
(de graphimantia.) V. Jaenichii, Meletemata Thorun.
Tom. I., p. 159. 8°. — III. L. g. 1.

Burckhardtus, Joh. Theoph., M., De memoria ...
disputabit. Lipsiae, Holle, 1780, Mai 10. 4°. — 960.

Aesthetik.

Lotze, Herm., Geschichte der Aesthetik in Deutschland.
München, Liter.-artistische Anstalt der J. G. Cotta'schen
Buchhandl., 1868. 8°. [Gesch. d. Wissenschaften, B. VII.]
— V. G. e. 13.
Kant, Immanuel, M., Beobachtungen über das Gefühl des
Schönen und Erhabenen. Riga, F. Hartknoch, 1771. 8°.
— III. M. k. 15.
Herder, Joh. Gottfr. v., Kalligone, vom Angenehmen
und Schönen, von Kunst und Kunstrichterei, vom Erha-
benen und vom Ideal. S. Sämmtl. Werke. Berlin, Weid-
mann, 1880. 8°. B. XXII. — VI. F. d. 29.
Müller, Adam, Von der Idee der Schönheit. In Vorlesun-
gen, gehalten zu Dresden im Winter 1807/8. Berlin,
J. E. Hitzig, 1809. 8°. — III. R. e. 19.
Carriere, Moriz, Aesthetik. Die Idee des Schönen und
ihre Verwirklichung im Leben und in der Kunst. Zweite,
neu bearb. Auflage. Leipzig, F. A. Brockhaus, 1873. 8°.
2 Bde. — V. J. i. 4—5.
Lemcke, Carl, Populäre Aesthetik. Fünfte, verm. u. verb.
Aufl. [Mit 61 Illustr.] Leipzig, E. A. Seemann, 1879. 8°.
XIV., 599. — V. J. g. 1.
Falke, Jakob von, Aesthetik des Kunstgewerbes ...
Stuttgart, W. Spemann, (1883). 8°. [Mit Holzschnitten
u. ein. Chromolithogr.] — VI. D. d. 20.
Jaenichii, Petri, Oratio auspicalis de cognatione artium
ac vinculo scientiarum sororio, hab. Thorunii, d. 31. Aug.
anno 1706, cum rectoratum gymnasii iniret. 8°. — III.
L. g. 1.
Pfannenberg, Joh. Gottf., Ueber die rednerische Aktion
mit erläuternden Beispielen, vorzüglich für studirende
Jünglinge. Leipzig, F. A. Leo, 1796. 8°. — III. S. k. 15/1.
Freytag, Gustav, Die Technik des Dramas. Dritte, ver-
besserte Aufl. Leipz., S. Hirzel, 1876. 8°. — V. G. c. 34.
Ruhe, A., Herr Professor Roetscher als Dramaturg. Bromberg, L. Levit, 1846. 8°. — III. O. p. 15.

Religionsphilosophie.

Berger, Immanuel, Geschichte der Religionsphilosophie
oder Lehren und Meinungen der originellsten Denker
aller Zeiten über Gott und Religion, historisch dargestellt. Berlin, Lange, 1800. 8°. — II. F. h. 21.

Joël, D. H., Rabbiner in Schwersenz, Die Religionsphilosophie des Sohar und ihr Verhältniss zur allgemeinen jüdischen Theologie. Zugleich eine kritische Beleuchtung der Franck'schen „Kabbala." [M. einer Abbild.] Leipz., C. L. Fritzsche, 1849. 8°. — IV. B. h. 26.

Buchez, P. J. B., Essai d'un traité complet de philosophie du point de vue du catholicisme et du progrès. Paris, E. Éveillard et Cie., 1838—40. 8°. 3 voll. — IV. E. e. 13—15.

Lamennais, F.(élicité Robert de), Esquisse d'une philosophie. Paris et Leipsig, Jules Renouard et Comp., 1840. 8°. 3 voll. — V. B. d. 17—18.

Feuerbach, Ludwig, Vorlesungen über das Wesen der Religion . . . Leipzig, Otto Wigand, 1851. 8°. — VL F. c. 29.

— Das Wesen des Christenthums. Zweite Aufl. Leipzig, Otto Wigand, 1843. 8°. — Dritte umgearb. u. vermehrte Auflage. Leipzig, Otto Wigand, 1849. 8°. — V. H. e. 31. VI. F. c. 28.

— Erläuterungen u. Ergänzungen zum Wesen des Christenthums. Leipzig, Otto Wigand, 1846. 8°. — VI. F. c. 22.

Strauss, David Friedrich, Der alte u. der neue Glaube, ein Bekenntniss. Siebente Aufl. Bonn, Emil Strauss, 1874. 8°. — V. H. g. 17.

Frohschammer, J., Das neue Wissen u. der neue Glaube, mit besonderer Berucksichtigung v. F. D. Strauss' neuester Schrift: „Der alte und der neue Glaube." Leipzig, F. A. Brockhaus, 1873. 8°. — VI. E. c. 30.

Harnisch, W., Einige Betrachtungen über Gott u. Welt, herausg. von F. S. Lucas. Posen, gedr. bei W. Decker et Comp., 1848. 8°. — IV. L. e. 16.

Buddeus, Jean Franç., Traité de l'athéisme et de la superstition . . . trad. en franç. par Louis Philon et mis au jour par J. Chr. Fischer. Amsterdam, Pierre Mortier, 1740. 8°. [Mit d. Bildn. des Herzogs Ernst August zu Sachsen-Weimar-Eisenach] — IV. G. h. 21.

Sarggott, Edm., Aus dem Leben eines Atheisten. Posen, J. Lissner, 1868. 8°. — II. S. i. 252.

(Voltaire.) Traité sur la tolérance. 1763. 8°. (Histoire de Jean Calas.) — II. D. m. 16.

Kerner, Justinus, Die Seherin von Prevorst, Eröffnungen über das innere Leben des Menschen u. über das Hereinragen einer Geisterwelt in die unsere. Stuttgart und Tubingen, J. G. Cotta, 1829. 8°. 2 Bände. — III. S. d. 52—53.

Draper, John William, Geschichte der Conflicte zwischen Religion und Wissenschaften. Leipzig, F. A. Brockhaus, 1875. 8°. [Internation. wissenschaftl. Biblioth., B. XIII.] — VI. C. f. 13.

Ethik.

Dicta notabilia sive illustriores sententiae ad excolendos mortalium mores et uitas recte instituendas, ex Platone, Aristotele, Cicerone, Terentio et aliis quam pluribus electae. Venetiis, ad signum Spei, 1547. 12°. — III. G. p. 21.

Eborensis, Andreas, Lusitanus, Sententiae et exempla ex probatissimis quibusque scriptoribus collecta et per locos communes digesta ... Ed. 5. Parisiis, Mich. Gadoulleau, 1590. 8°. — III. U. h. 4.

Cardani, Hier., Mediol., Proxeneta sive de arcanis prudentiae civilis liber singularis. Gorlicii, J. A. Kästner, 1668. 12°. — II. G. b. 17.

Gassendi, Petri, ... Ethica, sive des moribus. V. Opera omnia. Pars III. Fol. — III. Q. c. 7.

Schmidt, Jo. Andr., Ethica positiva. Helmstadii, J. M. Süstermann, 1702. 8°. — III. N. p. 1/4.

Meier, Georg Friedrich, Philosophische Sittenlehre. Zweyte, verb. Aufl. Halle, Carl Herm. Hemmerde, 1761 —66. 8°. 5 Bde. — IV. K. i. 1—5.

Beseke, Joh. Melch. Glieb, Entwurf eines Lehrbuchs der natürlichen Pflichten. Mitau, Friedr. Hinz, (1777). 8°. — II. D. l. 23.

Kant, Immanuel, Grundlegung zur Metaphysik der Sitten. 4. Aufl. Riga, J. F. Hartknoch, 1797. 8°. — III. M. d. 30/1.

— Die Metaphysik der Sitten in zwey Theilen. A. u. d. T.: Metaphysische Anfangsgründe der Tugendlehre von Immanuel Kant. Zweyte verb. Aufl. Königsb., F. Nicolovius, 1803. 8°. — III. V. e. 18.

Mill, John Stuart, Die Freiheit, übersetzt von Theodor Gompertz. [S. Gesammelte Werke, B. I] 8°. — V. I. f. 19/1.

— Das Nützlichkeitsprincip, übersetzt von Dr. Ad. Wahrmund. [S. Gesammelte Werke, B. I.] 8°. — V. I. f. 19/2.

Hartmann, Eduard von, Phänomenologie des sittlichen Bewusstseins, Prolegomena zu jeder künftigen Ethik. Berlin, Carl Duncker, 1879. 8°. — VI. D. c. 8.

Nierembergii, Jo. Eus., ex Soc. Jesu, De arte voluntatis libri sex. Lugd., J. Cardon, 1631. 8°. - — III. M. n. 1/1.

Fischer, Kuno, Ueber das Problem der menschlichen
  Freiheit . . . Heidelberg, Buchdruckerei von Georg
  Mohr, 1875. 4°. — V. B. b. 29.

Maurocordatus, Joannes Nicolaus Alexandri,
  Voivoda, Liber de officiis, conscriptus a piissimo, cel-
  sissimo atque sapientissimo principe ac duce totius Ungro-
  Valachiae, editione hac secunda latine conversus. Lips.,
  Thom. Fritsch, 1722. 4°. — III. T. d. 15.

Faccii, Bartholomaei, De humanae vitae felicitate ad
  Alphonsum Aragonum et Siciliae etc. regem inclytum
  liber. Ejusd. de excellentia ac praestantia hominis ad
  Pium papam secundum liber. V. Sandei, Felini, De re-
  gibus Siciliae et Apuliae . . . Hanov., Wechel., 1611. 4°.
  — II. O. m. 15/3.

Le Maitre de Claville, Traité du vrai mèrite de l'homme,
  considéré dans tous les âges et dans toutes les conditions.
  Avec des principes d'éducation propres à former les jeunes gens à la vertu. Tome I. & II. Amsterdam, aux
  dépens de la Comp., 1760. 8°. 2 voll. — II. S. i. 21.

Du Moulin, Abrégé du traité de Mr. —, qui a pour titre:
  de la paix de l'âme et du contentement de l'esprit, fait
  en stile de maximes . . . par J. S. Sartoris. A Genève,
  M. M. Bousquet, 1729. 8°. — III. N. o. 34.

Manuel de l'honnète homme ou maximes necessaires en tous
  lieux et en tous tems, ouvrage traduit du françois en
  italien. II. éd. Augsbourg, C. H. Stagé, 1768. 8°. —
  III. N. f. 40.

La fausseté des vertus humaines, par Mr. Esprit de l'académie françoise. I. & II. partie. Amsterdam, Etienne
  Roger, 1717. 2 voll. 8°. — III. V. i. 14.

Stael-Holstein, Mad. la baronne, De l'influence des
  passions sur le bonheur des individus et des nations. Lausanne, J. Mourer, 1796. 8°. — III. T. e. 12.

Philonii, Joannis Dugonis, [† 1553], Tilianus, vel de
  scientia bene moriendi liber, item Xenocratis philosophi
  Platonici liber de contemnenda morte, eodem Philonio
  interprete. Additum est ejusd. authoris breue scriptum
  de regimine sanitatis. Bas., Jo. Oporinus, 1553. 8°. —
  II. G. a. 26/2.

Stael-Holstein, Mme la baronne de, Réflexions sur le
  suicide. St. Petersburg, Pluchart & Comp., 1813. 8°. —
  III. M. h. 6.

March, Casp., Programma de praemiis et poenis etc. Acc.:
  Vita doctorandi Henrici Bernh. Beselin. Kilonii, J. Reumann, 1666. [Erste Promotion in Kiel.] 4°. — 248/2.

Oxenstirn, Mr. le Comte d' —. Pensées de — sur divers sujets, avec les réflexions morales du même auteur. T. I. Paris, aux dépens de la Société, 1756. 8°. — II. S. i. 38.

Zur griechischen Philosophie.

Die griechischen philosophischen Schriftsteller s. unter Philologie, Abtheil. Philosophie.

Opuscula mythologica physica et ethica. Graece et latine. Amstelaedami, apud Henr. Wetstenium, 1688. 8°. — III. B. d. 18.

Pythagorei. Ex quorundam Pythagoreorum libris fragmenta, in quibus de philosophia morali agitur. V. Opusc. mythol., phys. et ethica. 8°. — III. B. d. 18/15.

Demophili Similitudines, seu vitae curatio ex Pythagoreis. V. Opusc. mythol., phys. et ethica. 8°. — III. B. d. 18/12.

Meursii, Joa., Denarius Pythagoricus, sive de numerorum, usque ad denarium, qualitate, ac nominibus, secundum Pythagaricos. Lugduni Batavorum, ex offic. Joa. Maire, 1631. 4°. — III. F. e. 28.

Lassalle, Ferd., Die Philosophie Herakleitos des Dunklen von Ephesos, nach einer neuen Sammlung seiner Bruchstücke und der Zeugnisse der Alten dargestellt. Berlin, Franz Duncker, 1858. 8°. 2 Bde. — V. K. b. 19—20.

Timaei Sophistae Lexicon vocum platonicarum, ex codice manuscr. Sangermanensi nunc primum edidit, atque animadversionibus illustravit David Ruhnkenius. Editio secunda, multis partibus locupletior. Lugduni Batavorum, apud Samuelem et Joan. Luchtmans, 1789. 4°. — III. B. d. 22.

Joecher, Chn. Gottl., D., De Cynicis nulla re teneri volentibus disserit . . . [Pagg. a VIII. usque ad finem desunt.] 4°. — 991.

[Jamblichus.] — Hebenstreit, Geo. Ern., M. praes., Hebenstreit, Henr. Mich., resp., De Jamblichi philosophi Syri doctrina, Christianae religioni, quam imitari studet, noxia. Büttner, 1764, Oct. 20. 4°. — 986.

Scholastik.

Erigena, Joh. Scotus, Ueber die Eintheilung der Natur, übersetzt von Ludwig Noak. Berlin, L. Heimann, 1870. 8°. 2 Bde. — V. I. h. 11.

Noack, Ludw., Johannes Scotus Erigena, sein Leben und seine Schriften, die Wissenschaft und Bildung seiner

Zeit, die Voraussetzungen seines Denkens und Wissens. Leipzig, Erich Koschny, 1876. 8°. — V. I. h. 12.

Trombeta, Ant., Auree scoticarum formalitatum lucubrationes in florentissima jam Patavina academia edite. [Mit goth. Schrift zweispaltig, ohne Custod., mit der Signat. Aa. 2. bis Cc. 4., foliirt 1—20.] 4°. — IV. L. b. 22.

Sirecti, Ant., Formalitates moderniores de mente clarissimi doctoris subtilis Scoti in florentissimo Parisiensi gymnasio compilate. Impressum Venetiis, 1514. 4°. — IV. L. b. 22.

Exercitium physicorum, exercitari solitum per facultatis artium decanum studii Cracoviensis pro baccalauriandorum et magistrandorum in artibus completione. Cracov., impensis Johannis Haller, 1510. 4°. — III. S. b. 3/2.

Purchotius, Edm., Exercitationes scholasticae in varias partes philosophiae praesertimque in Aristotelis metaphysicam etc., quibus praemissum est breve compendium philosophiae. Venet., J. Manfrè, 1730. 8°. — III. M. n. 25.

Neuere Philosophie.

Baconi, Franc., Baronis de Verulamio, Opera omnia, quae extant philosophica, moralia, politica, historica. Francof. ad M., J. B. Schönwetter, 1665. Fol. [Cum eff.] — III. S. a. 3.

— Operum moralium et civilium tomus, ... ab ipso honoratissimo auctore praeterquam in paucis latinitate donatus, cura et studio Guilielmi Rawley, S. Th. Dr.

    Sermones fideles sive interiora rerum.

    De sapientia veterum liber.

    Dialogus de bello sacro fragmentorum prius.

    Nova Atlantis fragmentorum alterum.

    Tractatus de dignitate et augmentis scientiarum, qui est Instaurationis Magnae pars prima. Historia naturalis et experimentalis ad condendam philosophiam, sive Phaenomena universi: quae est Instaurationis Magnae pars tertia. (Historia ventorum.)

    Historia vitae et mortis sive titulus secundus in Historia naturali et experimentali ad condendam philosophiam, quae est Instaurationis Magnae pars tertia.

    Londini, Edw. Griffinus, 1638. Fol. — III. S. a. 7 /[1—8].

— Neues Organon der Wissenschaften, aus d. Lateinischen übersetzt, mit einer Einleitung und Anmerkungen begleitet von Anton Theobald Brück. Leipz., F.' A. Brockhaus, 1830. 8°. — V. I. l. 1.

Baco, Franz., Neues Organon, übers., erläut. und mit einer Lebensbeschr. des Verfassers versehen von J. H. von Kirchmann. Berlin, L. Heimann, 1870. 8⁰. — V. H. g. 3.

Fischer, Kuno, Francis Bacon und seine Nachfolger, Entwickelungsgeschichte der Erfahrungsphilosophie. Zweite, völlig umgearbeitete Aufl. Leipzig, F. A. Brockhaus, 1875. 8⁰. — V. J. h. 31.

D'Alembert, (Jean-le-Rond), Explications du système de Bacon. V. Oeuvres complètes. Paris, A. Belin, 1821—22. 8⁰. T. I., p. 110. — IV. F. g. 7.

Bruno, Giordano, Von der Ursache, dem Princip und dem Einen, aus dem Italien. übers. und mit erläuternd. Anmerkungen versehen, v. Lasson. Berlin, L. Heimann, 1872. 8⁰. — V. H. g. 1.

Brunnhofer, Hermann, Giordano Bruno's Weltanschauung und Verhängniss, aus den Quellen dargestellt. Leipz., Fues, 1882. 8⁰. — VI. D. c. 17.

Descartes, René, Oeuvres, publiées par Victor Cousin. Paris, F. G. Levrault, 1824—26. 8⁰. 11 voll. — VI. F. e. 15—25.

— Principia philosophiae. Amstelodami, apud Danielem Elzevirium, 1672. 4⁰. — IV. F. h. 9.

— Specimina philosophiae, seu dissertatio de methodo recte regendae rationis et veritatis in scientiis investigandae. Dioptrice et meteora, ex gallico translata. Amstelodami, apud Danielem Elzevirium, 1672. 4⁰. — IV. F. h. 9.

— Passiones animae, gallice ab ipso conscriptae, nunc autem in exterorum gratiam latina civitate donatae ab H. D. M. i. v. l. Amstelodami, apud Danielem Elzevirum, 1672. 4⁰. — IV. F. h. 9.

— Philosophische Werke, übersetzt, erläut. und mit einer Lebensbeschr. D. versehen von J. H. v. Kirchmann. Berl., L. Heimann, 1870. 8⁰. 4 Thle. — V. H. g. 2.

— Hauptschriften zur Grundlegung seiner Philosophie, in's Deutsche übertragen und mit einem Vorwort begleitet von Kuno Fischer. Neue Ausgabe. (Anhang zu seiner Gesch. der neuern Philosophie, B. I., 1.) Heidelberg, Friedr. Bassermann, 1868. 8⁰. — V. H. e. 19b.

— La vie de Mr. —, contenant l'histoire de sa philosophie et de ses autres ouvrages. Paris, Mabre Cramoisy Vve, 1693. 12⁰. — III. K. i. 26.

Gassendi, Petri, Opera omnia in sex tomos divisa. Tom. I., quo continentur syntagmatis philosophici . . . pars 1. sive logica itemque partis 2. seu physicae sectiones duae priores 1) de rebus naturae universae, 2) de rebus caele-

stibus. Tomus II., quo continentur syntagmatis philosophici partis secundae seu physicae sectionis tertiae
membra duo 1) de rebus terrenis inanimis, 2) de rebus
terrenis viventibus seu de animalibus. Adjecta est pars 3 a,
qua est ethica sive de moribus. Lugd., Laur. Anisson
et J. B. Devenet, 1658. Fol. [Cum effigie.] — III.
Q. c. 7.

Gassendus, Fetrus, De vita et moribus Epicuri libri octo.
Editio altera auctior et correctior. Hagae-Comitum, ap.
Adrianum Vlacq, 1656. 4°. — V. B. d. 45/1.

Malebranche, (Nicolas), Oeuvres. Nouvelle édition, colla-
tionnée sur les meilleurs textes et précédée d'une introduction par M. Jules Simon. Paris, Charpentier et Cie.,
1871. 8°. 4 voll. — VI. F. g. 28—31.

Slany, Paul, Über die Sinne nach Malebranche. Halle
a. S., 1881, Druck von W. Decker u. Comp. in Posen.
[Inaug.-Dissert.] 8°. — VI. F. e. 2.

Spinoza, Benedicti de, Opera, quotquot reperta sunt,
recognorerunt J. van Vloten et J. P. N. Land. Hagae
Comitum, apud Martinum Nijhoff, 1882—83. 8°. 2 voll.
— VI. D. c. 23—24.

— Opera posthuma. 1677. 4°. [Editor: Jarrig Jellis.] —
III. Q. b. 33.

— Sämmtliche philosophische Werke, übersetzt von J. H.
v. Kirchmann u. Prof. Scharschmidt. Berlin, L. Heimann,
1868—71. 8°. 2 Bde. — V. H. g. 4—5.

— Kurzer Tractat von Gott, dem Menschen u. dessen Glück-
seligkeit, auf Grund einer neuen von Dr. Antonius van
der Linde vorgenommenen Vergleichung der Handschriften
ins Deutsche übersetzt v. Dr. Christoph Sigwart. Zweite
Ausgabe. Freiburg i. B. u. Tübingen, J. C. B. Mohr,
(1869). 8°. — VI. D. d. 10.

Locke, Essai philosophique concernant l'entendement humain,
où l'on montre, quelle est l'étendue de nos connoissances
certaines et la manière, dont nous y parvenons, traduit
de l'anglois de Mr. — par Pierre Çoste, sur la 4. éd.
Amsterd., H. Schelte, 1700. 4°. [Av. portr. et l'autographe
de Maupertius.] — III. O. c. 9.

Hume, Dav., Eine Untersuchung in Betreff des menschlichen Verstandes, übers., erläut. u. mit einer Lebensbeschr. H. versehen von J. H. v. Kirchmann. Berlin,
L. Heimann, 1869. 8°. — V. H. g. 14.

— Essays and treatises on seneral subjects. Basileae, J.
I. Tourneisen, 1793. 8°. 4 volumes. — III. Q. g.
45—48.

Jodl, Friedrich, Leben und Philosophie David Hume's, von der Universität zu München gekrönte Preisschrift. Halle, C. E. M. Pfeffer, 1872. 8°. — V. I. g. 37.

Condillac, (Etienne Bonnot de), Abhandlung über die Empfindungen, aus dem Französischen übersetzt, mit Erlauterungen und einem Excurs über das binoculare Sehen von Dr. Eduard Johnson. Berlin, L. Heimann, 1870. 8°. — V. H. g. 16.

Helvetius, Oeuvres complettes. A Londres, 1777. 8°. 5 voll. [Av. portr] — III. Q. k. 41—45.

De la Mettrie, Der Mensch eine Maschine, übersetzt, erläutert und mit einer Einleitung über den Materialismus versehen von Dr. Adolf Ritter. Leipzig, Erich Koschny, (L. Heimann's Verlag), 1875. 8°. — V. H. g. 16a.

Tralles, Balth. Ludov., D., De machina et anima humana prorsus a se invicem distinctis commentatio, libello latere amantis auctoris gallico, homo machina inscripto, opposita et ad . . . Albertum Haller . . . exarata . . . Lips. et Vrat., Mich. Hubert, 1749. 8°. — IV. O. i. 12.

Du Bois-Reymond, La Mettrie, Rede in der öffentlichen Sitzung der königl. preuss. Akademie der Wissenschaften zur Gedächtnissfeier Friedrichs II. am 28. Januar 1875 gehalten. Berlin, Aug. Hirschwald, 1875. — V. I. e. 31.

Leibnitii, Gothofr. Guill., Opera omnia, nunc primum collecta, in classes distributa, praefationibus et indicibus exornata, studio Ludovici Dutens. Genevae, Fratres de Tournes, 1768. 4°. [Cum eff.] 6 voll. — III. O. c. 11—16.

— Opera philosophica, quae extant, latina, gallica, germanica omnia, edita recognovit, . . . pluribus ineditis auxit . . . Jo. Eduardus Erdmann. Berol., sumtib. G. Eichleri, 1839—40. 4°. 2 voll. — III. Q. b. 31.

Feuerbach, Ludwig, Darstellung. Entwickelung u. Kritik der Leibnitz'schen Philosophie. Leipzig, Otto Wigand, 1848. 8°. — VI. F. c. 26.

Berkeley, Abhandlung über die Principien der menschlichen Erkenntniss, übers. von Dr. Friedr. Ueberweg. Berlin, L. Heimann, 1869. 8°. — V. H. g. 15.

Wolff, Chn., Cours abrégé de la philosophie Wolfienne en forme de lettres. Tome II. première partie (et seconde partie) qui contient la psychologie experimentale (et raisonnée) par Jean Des Champs. Amsterd. & Lpz., Arkstee & Merkus, 1747. 8°. 2 voll. — III. R. n. 35—36.

Mendelssohn's, Moses, Philosophische Schriften. I.—II. Thl. Carlsruhe, Schmieder, 1780. 8°. 2 voll. — III. O. g. 19—20.

L

Kant, Immanuel, Sämmtliche Werke, herausgegeben von
Karl Rosenkranz u. Frdr. Wilh. Schubert. Leipzig, Leop.
Voss, 1838—40. 8⁰. 12 Bde. [Mit d. Portr. Kant's nach
Stobbe in Kpfr. gest.] -- V. H. g. 19—30.

  1. Bd. Kleine logisch-metaphysische Schriften:
Principiorum primorum cognitionis metaphysicae
nova dilucidatio. 1755.
Versuch einiger Betrachtungen über den Optimismus.
1759.
Die falsche Spitzfindigkeit der vier syllogistischen
Figuren. 1762.
Untersuchung über die Deutlichkeit der Grundsätze
der natürl. Theologie und der Moral. 1763.
Versuch den Begriff der negativen Grössen in die
Weltweisheit einzuführen. 1763.
Der einzig mögliche Beweisgrund zu einer Demon-
stration des Daseyns Gottes. 1763.
M. Immanuel Kants Nachricht von der Einrichtung
seiner Vorlesungen in dem Winterhalbenjahre von
1765—1766.
De mundi sensibilis atque intelligibilis forma et prin-
cipiis.
Kant's und Lambert's philosophische Briefe. 1765—
1770.
Was heisst: sich im Denken orientiren? 1786.
Einige Bemerkungen zu Jacob's Prüfung der Men-
delssohn'schen Morgenstunden. 1786.
Ueber eine Entdeckung, nach der alle neue Kritik
der reinen Vernunft durch eine ältere entbehrlich
gemacht werden soll. 1790.
Ueber die von der K. Ak. der Wiss. zu Berlin f. d.
J. 1791 ausgesetzte Preisfrage: Welches sind die
wirklichen Fortschritte, w. die Metaphysik seit Leibnitz's und Wolf's Zeiten in Deutschland gemacht hat.
Herausg. von Dr. Friedr. Theod. Rink. 1804.
Ueber Philosophie überhaupt. 1794.
Von einem neuerdings erhobenen vornehmen Ton in
der Philosophie. 1796.
Ausgleichung eines auf Missverstand beruhenden
mathematischen Streits. 1796.
Verkündigung des nahen Abschlusses eines Tractats
zum ewigen Frieden in der Philosophie. 1796.
  2. Kritik der reinen Vernunft.
  3. Prolegomena zu einer jeden künftigen Mataphysik,
die als Wissenschaft wird auftreten können, und Logik.

Kant, Immanuel, Sämmtliche Werke.

4. Kritik der Urtheilskraft und Beobachtungen über das Gefühl des Schönen und Erhabenen.

5. Schriften zur Phylosophie der Natur:
Gedanken von der wahren Schätzung der lebendigen Kräfte. 1746.
Meditationum quarundam de igne succincta delineatio. 1755.
Methaphysicae cum geometria junctae usus in philosophia naturali, cujus specimen I. continet monadologiam physicam. 1756.
Neuer Lehrbegriff der Bewegung und Ruhe und der damit verknüpften Folgerungen in den ersten Gründen der Naturwissenschaft. 1758.
Von dem ersten Grunde des Unterschiedes der Gegenden im Raume. 1786.
Metaphysische Anfangsgründe der Naturwissenschaft. 1786.

6. Bd. Schriften zur physischen Geographie:
Untersuchung der Frage: ob die Erde in ihrer Umdrehung um die Achse . . . einige Veränderung seit den ersten Zeiten ihres Ursprunges erlitten habe . . .? 1754.
Die Frage: ob die Erde veralte? physikalisch erwogen. 1754.
Allgem. Naturgesch. und Theorie des Himmels, oder Versuch von der Verfassung und dem mechanischen Ursprunge des ganzen Weltgebäudes . . . 1755.
Gesch. u. Naturbeschr. . . . des Erdbebens . . . des 1755 Jahres . . .
Betrachtung der seit einiger Zeit wahrgenommenen Erderschütterungen. 1756.
Einige Anmerkungen zur Erläuterung der Theorie der Winde. 1756.
Entwurf und Ankündigung eines Collegii der phys. Geographie, nebst dem Anhange . . . ob die Westwinde . . . feucht sind, weil sie über ein grosses Meer streichen? 1765.
Von den verschied. Racen der Menschen. 1775.
Bestimmung des Begriffs einer Menschenrace. 1785.
Ueber den Gebrauch teleologischer Principien in der Philosophie. 1788.
Ueber die Vulcane im Monde. 1785.
Etwas über den Einfluss des Mondes auf die Witterung. 1794.

Kant, Immanuel, Sämmtliche Werke.

    Vorlesungen über phys. Geographie ... hrsg. von Dr. Friedr. Theod. Rink. 1802.

    Supplemente zur phys. Geogr. aus dem handschriftl. Nachlasse Kants. I.—VI.

7. a) Kleine anthropologisch-praktische Schriften:
    Ueber Swedenborg.
    Versuch über die Krankheiten des Kopfs.
    Träume eines Geistersehers, erläutert durch Träume der Metaphysik.
    Ueber Schwärmerei und die Mittel dagegen.
    Zu Sömmerring über das Organ der Seele.
    Zur Moral und Politik:
    Tröstung einer Mutter bei dem Tode ihres Sohnes.
    Ueber Schulz's Versuch einer Anleitung zur Sittlichkeit für alle Menschen ohne Unterschied der Religion ... 1783.
    Beantwortung der Frage: Was ist Aufklärung?
    Von der Unrechtmässigkeit des Büchernachdrucks.
    Ueber G. Hufeland's Versuch über den Grundsatz des Naturrechts.
    Ueber den Gemeinspruch: das mag in der Theorie richtig seyn, taugt aber nicht für die Praxis.
    Zum ewigen Frieden, ein philos. Entwurf.
    Ueber ein vermeintes Recht, aus Menschenliebe zu lügen.
    Ueber Buchmacherei.
    Zur Philosophie der Geschichte:
    Idee zu einer allgem. Gesch. in weltbürgerl. Absicht.
    Kritik des I. Thl. von Herder's Ideen zur Philos. der Gesch. der Menschheit.
    Muthmaasslicher Anfang der Menschengeschichte.
    Ueber das Misslingen aller philos. Versuche in der Theodicee.
    Das Ende aller Dinge.

7. b) Anthropologie in pragmatischer Hinsicht.

8. Grundlegung zur Metaphysik der Sitten und Kritik der praktischen Vernunft.

9. Metaphysik der Sitten in 2 Theilen u. Paedagogik. (A. u. d. T.)
    Rechtslehre, Tugendlehre und Erziehungslehre.

10. Religion innerhalb der Grenzen der blossen Vernunft und Streit der Facultäten.

11. a) Briefe, Erklärungen. Fragmente a. sein. Nachlasse.

11. b) Imm. Kant's Biographie, von Fr. Wilh. Schubert.

Kant, Immanuel, Sämmtliche Werke.

    12. Geschichte der Kant'schen Philosophie von Karl
    Rosenkranz.

— Die Religion innerhalb der Grenzen der blossen Vernunft.
2. verm. Aufl. Königsb., F. Nicolovius, 1794. 8°. — III.
U. d. 14.

— Metaphysische Anfangsgründe der Rechtslehre. 2. Auflage. Königsberg, F. Nicolovius, 1798. 8°. A. u. d. T.:
Die Metaphysik der Sitten. Erster Theil. — III. M.
d. 30/2.

— Anthropologie in pragmatischer Hinsicht. 3. verbesserte
Aufl. Königsberg, Univ. Buchhandlg., 1820. 8°. — III.
M. d. 28.

— Critik der practischen Vernunft. 6. Aufl. Leipz., J. F.
Hartknoch, 1827. 8°. — III. M. d. 29.

— Critik der reinen Vernunft. 7. Aufl. Lpz., J. F. Hartknoch, 1828. 8°. — III. T. d. 22.

Jacobi, Frdr. Heinr., Werke. Leipz., Gerh. Fleischer jr.,
1812—25. 8°. 6 Bde. — V. H. c. 5—11.

    1. Allwill's Briefsammlung.

    2. David Hume über den Glauben, oder Idealismus und
    Realismus.
    Ueber die Unzertrennlichkeit des Begriffes der Frei-
    heit und Vorsehung von dem Begriffe der Vernunft.
    Etwas, das Lessing gesagt hat. Ein Commentar zu
    den Reisen der Päpste. — Anhang zu dem Etwas.
    Ueber das Buch: Des lettres de Cachet, und eine
    Beurtheilung desselben.
    Einige Betrachtungen über den frommen Betrug und
    über eine Vernunft, welche nicht die Vernunft ist.
    An Joh. Geo. Schlosser.
    An Herrn Friedr. Nicolai in Berlin.
    An Herrn Laharpe.

    3. Jacobi an Fichte.
    Ueber das Unternehmen des Kriticismus, die Vernunft
    zu Verstande zu bringen.
    Ueber eine Weissagung Lichtenberg's.
    Von den göttl. Dingen u. ihrer Offenbarung.
    Briefe an Verschiedene.

    4. a) Ueber die Lehre des Spinoza, in Briefen an Herrn
    Moses Mendelssohn.
    b) Beylagen zu den Briefen über die Lehre des
    Spinoza.
    c) J. G. Hamann's Briefwechsel mit F. H. Jacobi,
    hrsg. v. Friedr. Roth.

Jacobi, Frdr. Heinr., Werke.
  5. Woldemar. (Mit Widm. an Goethe.)
  6. Ueber gelehrte Gesellschaften, ihren Geist u. Zweck.
      An Schlosser, über dessen Fortsetzung des Platoni-
      schen Gastmales.
      Vorrede zu einem überflüssigen Taschenbuche für
      das Jahr 1800.
      Fliegende Blätter. (Aphorismen.)
      Betrachtung über die von Herder in s. Abhandlung
      vom Ursprung der Sprache vorgelegte genetische
      Erklärung der thierischen Kunstfertigkeiten und
      Kunsttriebe.
      Briefe über die Recherches philosophiques sur les
      Egyptiens et les Chinois par M. de Pauw.
      Eine politische Rhapsodie. Aus einem Aktenstock
      entwendet.
   , Noch eine politische Rhapsodie, worin sich verschie-
      dene Plagia befinden, betittelt: Es ist nicht recht,
      und es ist nicht gut.
      Ueber Recht und Gewalt . . .
      Alexis oder von dem gold. Weltalter.
Fichte's, Joh. Gottlieb, Sämmtliche Werke. Herausg.
  von J. H. Fichte.
  1—2. I. Abth. Zur theoret. Philosophie. I.—II. Bd.
  3—4. II. Abth. A. Zur Rechts- u. Sittenlehre, I—II. Bd.
  5. B. Zur Religionsphilosophie.
  6—8. III. Abth. Popular-philos. Schriften. I. Bd. Zur
      Politik und Moral.
      II. Bd. Zur Politik, Moral u. Philosophie d. Geschichte.
      III. Bd. Vermischte Schriften und Aufsätze.
  9—11. Nachgelassene Werke. I.—III. Band. Bonn, A.
      Marcus. Berlin, Veit und Comp., 1845—46. 11 Bde.
      8°. — III. D. f. 6—16.
Lasalle, Ferd., Die Philosophie Fichte's. Berlin, 1877. 8°.
  — V. K. f. 6.
Herbart, Johann Friedrich, Sämmtl. Werke, herausgegeben von G. Hartenstein. [Mit Herbart's Bildniss.]
  Leipzig, Leopold Voss, 1850-52. 8°. 12 Bde. — V. C.
  e. 24—35.
  1. Bd. Schriften zur Einleitung in die Philosophie:
      Lehrbuch zur Einleitung in die Philosophie.
      Kurze Darstellung eines Plans zu philosoph. Vor-
      lesungen.
      Ueber philosoph. Studium.
      Hauptpuncte der Logik.

Herbart, Joh. Fr., Sämmtliche Werke.

Ueber den Hang des Menschen zum Wunderbaren.

Ueber die verschiedenen Hauptansichten der Naturphilosophie.

Ueber die allgem. Verhältnisse der Natur.

De principio logico exclusi medii, inter contradictoria
non negligendo. — Aphorismen.

2. Kurze Encyklopädie der Philosophie aus praktischen
Gesichtspuncten entworfen.

3--4. Schriften zur Metaphysik:

Hauptpuncte der Metaphysik.

Allgem. Metaphysik nebst den Anfängen der philos.
Naturlehre.

Theoriae de attractione elementorum principia metaphysica.

Philos. Aphorismen, veranlasst durch eine neue Erklärung der Anziehung unter den Elementen.

5—7. Schriften zur Psychologie:

Lehrbuch der Psychologie. — Psychologie als Wissenschaft neu gegründet auf Erfahrung, Metaphysik
und Mathematik.

Psychologische Bemerkungen zur Tonlehre.

Psycholog. Untersuchung über die Stärke einer gegebenen Vorstellung als Function ihrer Dauer betrachtet.

Ueber die dunkle Seite der Pädagogik.

De attentionis mensura causisque primariis.

Ueber die Möglichkeit und Nothwendigkeit, Mathematik auf Psychologie anzuwenden.

Ueber die Subsumtion der Psychologie unter die onto-
logischen Begriffe.

Psycholog. Untersuchungen. I.—III.

Aphorismen zur Psychologie.

8. Schriften zur prakt. Philosophie:

Allgemeine prakt. Philosophie. — Analyt. Beleuchtung
des Naturrechts und der Moral.

9. Kleinere Abhandlungen zur prakt. Philosophie:

Bemerkungen über die Ursachen, welche das Ein-
verständniss über die ersten Gründe der praktischen
Philosophie erschweren. Nebst der Vorrede zu Chr.
Jac. Kraus nachgel. philos. Schriften.

Ueber d. freiwill. Gehorsam als Grundzug ächten
Bürgersinns in Monarchien.

Gespräche über das Böse.

Ueber die gute Sache. Gegen . . . Steffens.

Herbart, Joh. Fr., Sämmtliche Werke.

    Erste Vorl. üb. d. prakt. Philosophie.

    Ueber Menschenkenntniss in ihrem Verhältniss zu den polit. Meinungen.

    Ueber einige Beziehungen zwischen Psychologie und Staatswissenschaft.

    Ueber die Unmöglichkeit, persönl. Vertrauen im Staate durch künstl. Formen entbehrlich zu machen.

    Zur Lehre von der Freiheit des menschl. Willens.

    Briefe an . . . Griepenkerl.

    Aphorismen zur prakt. Philosophie.

10. Schriften zur Paedagogik:

    Allgem. Paedagogik, aus dem Zweck der Erziehung abgeleitet.

    Umriss paedagogischer Vorlesungen.

    Briefe über die Anwendung der Psychologie auf die Paedagogik.

11. An Herr von Steiger.

    Ueber Pestalozzi's Schrift: Wie Gertrud ihre Kinder lehrte. An drei Frauen.

    Rede bei Eröffnung der Vorlesungen über Paedagogik.

    Pestalozzi's Idee eines ABC der Anschauung, als ein Cyclus von Vorübungen im Auffassen der Gestalten, wissenschaftlich entwickelt.

    Paedagogisches Gutachten über Schulklassen u. deren Umwandlung nach der Idee des Herrn Reg.-Rath Graff.

    Ueber das Verhältniss des Idealismus zur Paedagogik.

    Kurze Aufsatze paedag. Inhalts:

    Ueber den Standpunkt der Beurtheilung der Pestalozz. Unterrichtsmethode.

    Vorrede und Anm. zu L. G. Dissen's Anleitung für Erzieher, die Odyssee mit Knaben zu lesen.

    Ueber Erziehung unter offentl. Mitwirkung.

    Bemerkungen über einen paedag. Aufsatz.

    Ueber das Verhaltniss der Schule zum Leben.

    Ueber den Unterricht in der Philosophie auf Gymnasien.

    Ueber die allgem. Form einer Lehranstalt.

    Ueber d. Einrichtung eines paedag. Seminars.

    Ueber paedag. Discussionen u. die Bedingungen unter denen sie nutzen können.

    Aphorismen zur Paedagogik.

12. Historisch-kritische Schriften:

    Bemerkungen zu Fichte's Grundlage der gesammten Wissenschaftslehre.

    Bruchstück einer Abhandlung aus d. J. 1794.

Herbart, Joh. Fr., Sämmtliche Werke.

    Spinoza und Schelling. Eine Skizze.

    Versuch einer Beurtheilung von Schelling's Schrift: Ueber die Moglichkeit einer Form der Philosophie überhaupt.

    Ueber Schellings Schrift: Vom Ich, oder dem Unbedingten im menschl. Wissen.

    Erster problematischer Entwurf der Wissenslehre. Theses.

    De Platonici systematis fundamento commentatio.

    Entwurf zu Vorlesungen über die Einleitung in die Philosophie.

    Drei Reden gehalten am Geburtstage Kant's.

    Ueber die Philosophie des Cicero.

    Ueber die Unangreifbarkeit der Schelling'schen Lehre.

    Ueber meinen Streit mit der Modephilosophie dieser Zeit.

    Ueber Fichte's Ansicht der Weltgeschichte.

    Oratio ad capessendam in Georgia Augusta professionem philos. ord. habita 1833.

    Commentatio de realismo naturali, qualem proposuit Theoph. Ern. Schulzius. 1837.

    Erinnerung an die Götting. Katastrophe im J. 1837, 1838.

    Recensionen.

    Chronologisches Verzeichniss von J. F. Herbart's sämmtl. Schriften und Abhandlungen.

Schelling, Friedrich Wilhelm Joseph von, Sämmtl. Werke. Stuttgart und Augsburg, J. G. Cotta, 1856—61. 8°. 14 Bde. — V. C. e. 8—21.

    1. Magisterdissertation: Antiquissimi de prima malorum humanorum origine philosophematis Genes. III. explicandi tentamen criticum et philosophicum.

    Ueber Mythen, histor. Sagen und Philosopheme der ältesten Welt.

    Ueber die Möglichkeit einer Form der Philosophie überhaupt.

    Theologische Examensdissertation: De Marcione Paullinarum epistolarum emendatore.

    Vom Ich als Princip der Philosophie oder über das Unbedingte im menschl. Wissen.

    Neue Deduction des Naturrechts.

    Philosophische Briefe über Dogmatismus und Kriticismus.

Schelling, Fr. Wilh. J. von, Sämmtl. Werke.
   Abhandlungen zur Erläuterung des Idealismus der
   Wissenschaftslehre.
   Ueber die Preisfrage der Berliner Akademie (1795):
   Welche Fortschritte hat die Metaphysik seit Leib-
   nitzens und Wolff's Zeiten in Deutschland gemacht,
   und deren Lösungen.
   Abhandlung uber die Frage, ob eine Philosophie der
   Erfahrung, insbesondere, ob eine Philosophie der
   Geschichte möglich sey.
   Ueber Offenbarung und Volksunterricht.
   Recension über Schlosser's Schreiben an einen jungen
   Mann, der die krit. Philosophie studiren wollte. 1797.
2. Ideen zu einer Philosophie der Natur.
   Von der Weltseele.
3. Erster Entwurf eines Systems der Naturphilosophie.
   Einleitung zu dem Entwurf etc.
   System des transcendentalen Idealismus.
   Ueber die Jenaische Allgemeine Literaturzeitung.
4. Allgemeine Deduktion des dynamischen Processes.
   Ueber den wahren Begriff der Naturphilosophie.
   Darstellung meines Systems der Philosophie.
   Bruno, ein Gespräch.
   Fernere Darstellung aus dem System der Philo-
   sophie.
   Die vier edlen Metalle (Platina, Gold, Quecksilber
   und Silber).
   Miscellen.
5. Ueber das Wesen der philosoph. Kritik überhaupt
   und ihr Verhältniss zum gegenw. Zustand der Philo-
   sophie insbesondere.
   Ueber das absolute Identitätssystem und sein Ver-
   hältniss zu dem neuesten Reinholdischen Dualismus.
   Rückert und Weiss oder die Philosophie, zu dem es
   keines Denkens und Wissens bedarf.
   Ueber das Verhältniss der Naturphilosophie zur Phi-
   losophie überhaupt.
   Ueber die Construction in der Philosophie.
   Ueber Dante in philosoph. Beziehung.
   Notizenblatt.
   Vorlesungen über die Methode des akademischen
   Studiums.
   Philosophie der Kunst.
6. Immanuel Kant.
   Philosophie und Religion.

Schelling, Fr. Wilh. J. von, Sämmtl. Werke.
Propaedeutik der Philosophie.
System der gesammten Philosophie und der Natur-
philosophie insbesondere.
7. Darlegung des wahren Verhältnisses der Naturphilo-
sophie zu der verbesserten Fichte'schen Lehre.
Vorrede zu d. Jahrbüch. d. Medicin als Wissenschaft.
Aphorismen zur Einleitung in die Naturphilosophie.
Aphorismen über die Naturphilosophie.
Kritische Fragmente.
Vorläufige Bezeichnung des Standpunktes der Medi-
cin nach Grundsätzen der Naturphilosophie.
Ueber das Verhältniss der bildenden Künste zu der
Natur.
Philosophische Untersuchungen über das Wesen der
menschlichen Freiheit und die damit zusammenhän-
genden Gegenstände.
Stuttgarter Privat-Vorlesungen.
Aufsätze und Recensionen aus der Jenaer und Er-
langer Literatur-Zeitung und dem Morgenblatt.
a) Notiz von den neuen Versuchen über die Eigenschaften der Erz- und Wasserfühler etc.
b) Die Weihnachtsfeier . . . v. F. Schleiermacher.
c) Der Streit d. Philanthropinismus u. Humanismus
. . . von F. F. Niethammer.
d) Ehrenpforte und Triumphbogen für . . . Kotzebue·
e. Einiges über die Schädellehre.
f) Bild vom Zinsgroschen.
g) Notiz über ein merkw. Bild von Herrn Direct.
Langer in München.
h) Ueber die Verfassung der neuen königl. Akad.
der bildenden Künste in München.
8. Ueber das Wesen deutscher Wissenschaft.
Denkmal der Schrift von den göttl. Dingen des Hrn.
F. H. Jacobi.
Vorrede zur Allg. Zeitschrift für Deutsche.
Briefwechsel mit Eschenmayer bezugl. der Abhandl.:
Philos. Untersuchungen über das Wesen der menschl.
Freiheit.
Ludwig August Hülsen.
Die Weltalter.
Ueber die Gottheiten von Samothrake.
Ueber das sogenannte Wetterschiessen.
Bericht über den pasigraphischen Versuch des Prof.
Schmid in Dillingen.

Schelling, Fr. Wilh. J. von, Sämmtl. Werke.

 Vorschläge die Beschäftigung der philol.-philos. Klasse betreffend.

 Noch ein Wort über die Arbeiten der philol.-philos. Klasse.

 9. Ueber den Zusammenhang der Natur mit der Geisterwelt.

 Kunstgesch. Anm. zu Joh. Mart. Wagner's Bericht über die aeginetischen Bildwerke.

 Ueber die Natur der Philosophie als Wissenschaft.

 Ueber den Werth u. die Bedeutung der Bibelgesellschaften.

 Spicilegium observationum in novissimam Arnobii editionem.

 Ueber eine Stelle des Lucretius. Ueber eine Stelle Platons. Ueber eine Stelle in Homer's, Hymnus an Demeter. Ueber die arab. Namen des Dionysos.

 Ueber d. Alter der kyklop. Bauwerke in Griechenland. Erste Vorlesung in München.

 Rede an die Studirenden der Ludw. Maximil. Univ. . . . 29. Dec. 1830.

 Reden in den öffentl. Sitzungen der Akademie der Wissenschaften in München.

 10. Zur Gesch. der neueren Philosophie.

 Vorrede zu einer philosoph. Schrift des Herrn Victor Cousin.

 Darstellung des philosoph. Empirismus.

 Anthropologisches Schema.

 Worte zum And. des Freih. von Moll und Sylvestre de Sacy's.

 Darstellung des Naturprocesses.

 Vorwort zu H. Steffens nachgel. Schriften.

 Vorbem. zur Frage über den Ursprung der Sprache. Epigrammata.

 Gedichte und metrische Uebersetzungen.

 II. Abtheilung.

 1. Bd. Einleitung in die Philosophie der Mythologie.

 2. Philosophie der Mythologie.

 3—4. Philosophie der Offenbarung.

Hegel's, Georg Wilh. Friedrich, Werke, vollständige Ausgabe durch einen Verein von Freunden des Verewigten: D. Ph. Marheinecke, D. J. Schulze, D. Ed. Gans, D. H. Hotho, D. C. Michelet, D. F. Forster. 2. Auflage. Berlin, Duncker & Humblot, 1845. 22 Bde. 8°. — III. J. m. 22 · 43.

Hegels, G. W. Fr., Werke.

1. Bd. Philos. Abhandlungen, herausg. von D. Carl Ludw. Michelet.
2. Phaenomenologie des Geistes, herausg. von D. Joh. Schulze,
3. Wissenschaft der Logik, herausg. von D. Leop. von Henning. I. Thl. Die objective Logik. Erste Abth. Die Lehre vom Seyn.
4. Zweite Abth. Die Lehre vom Wesen.
5. II. Thl. Die subjective Logik oder die Lehre vom Begriff.
6. Encyclopädie der philosophischen Wissenschaften im Grundriss. I. Thl.: Die Logik, herausg. von Dr. Leop. von Henning.
7. 1. Vorlesungen über die Naturphilosophie, als der Encyklopädie der philosophischen Wissenschaften II. Thl. Herausg. v. D. Carl Ludw. Michelet.
   2. Encyklopädie . . . III. Thl. Die Philosophie des Geistes, herausg. von Dr. Ludwig Boumann.
8. Grundlinien der Philosophie des Rechts oder Naturrecht und Staatswissenschaft im Grundrisse, herausg. von Dr. Eduard Gans.
9. Vorlesungen über die Philosophie der Geschichte, herausg. von Dr. Eduard Gans. 2. Aufl., besorgt von Dr. Karl Hegel.
10. Vorlesungen über die Aesthetik, herausgegeben von Dr. H. G. Hotho. I.—III. Abth.
11. Vorlesungen über d. Philosophie der Religion, nebst einer Schrift über die Beweise vom Daseyn Gottes, herausg. von Dr. Ph. Marheinecke, I. Thl.
12. Vorlesungen über die Philosophie der Religion . . . II. Thl.
13—15. Vorlesungen über die Geschichte der Philosophie, herausg. von Dr. Carl Ludwig Michelet, I.—III. Thl.
16—17. Vermischte Schriften, I.—II. Bd., herausgegeben von D. Friedrich Foerster und D. Ludwig Boumann. 1834.
18. Philosophische Propädentik, herausg. v. Karl Rosenkranz. 1840. Georg Wilh. Friedrich Hegel's Leben, beschrieben durch Karl Rosenkranz, Supplement zu Hegel's Werken. [Mit Hegel's Bildniss, gest. von K. Barth.] Berlin, 1844.

Michelet, Karl Ludw., Dr., Einleitung in Hegel's philosophische Abhandlungen. Berlin, Duncker & Humblot, 1832. 8°. — III. J. m. 44.

Ogieński, Immanuel, Dr., Hegel, Schubarth und die Idee der Persönlichkeit in ihrem Verhältniss zur preussischen Monarchie. Trzemeszno, Gustav Olawski, 1840. 8°. — III. T. m. 22.

Feuerbach, Ludwig, Sämmtliche Werke. Leipzig, Otto Wigand, 1846.–76. 8°. 10 Bde. — VI. F. c. 22—31.

    1. Bd. Erläuterungen und Ergänzungen zum Wesen des Christenthums.

    2. Philosophische Kritiken und Grundsätze.

    3. Gedanken über Tod und Unsterblichkeit.

    4. Geschichte der neueren Philosophie von Bacon von Verulam bis Benedict Spinoza.

    5. Darstellung, Entwickelung und Kritik der Leibnitzschen Philosophie.

    6. Pierre Bayle, ein Beitrag zur Gesch. der Philosophie der Menschheit.

    7. Das Wesen des Christenthums.

    8. Vorlesungen über das Wesen der Religion, nebst Zusätzen und Anm.

    9. Theogonie, nach den Quellen des class., hebr. und christl. Alterthums.

    10. Gottheit, Freiheit und Unsterblichkeit vom Standpunkte der Anthropologie.

Beyer, C., Leben und Geist Ludwig Feuerbach's. [Mit dem Bildniss Feuerbach's nach einem Oelgemälde von Karl Rahl.] 2. Aufl. Leipzig, Paul Frohberg, 1873. 8°. — VI. F. c. 42.

Grün, Karl, Ludwig Feuerbach in seinem Briefwechsel u. Nachlass, sowie in seiner philosophischen Charakterentwickelung dargestellt. [Mit dem Bildniss Feuerbach's.] Leipzig und Heidelberg, C. F. Winter, 1874. 8°. 2 Bde. — VI. E. c. 33.

Schopenhauer, Arthur, Sämmtliche Werke, herausgegeben von Julius Frauenstädt. Leipzig, F. A. Brockhaus, 1873—74. 8°. 6 Bde. — V. H. e. 25—30.

    1. Band. Schriften zur Erkenntnisslehre:

        a) Über die vierfache Wurzel des Satzes vom zureichenden Grunde.

        b) Über das Sehn und die Farben.

        c) Theoria colorum physiologica.

    2.—3. Die Welt als Wille und Vorstellung. 1. Band: Vier Bücher nebst einem Anhange, w. die Kritik der Kantischen Philosophie enthält. 2. Band, welcher die Ergänzungen zu den vier Büchern des ersten Bandes enthält.

Schopenhauer, A., Sämmtliche Werke.
  4. Schriften zur Naturphilosophie und zur Ethik:
  Über den Willen in der Natur.
  Die beiden Grundprobleme der Ethik.
  5.—6. Parerga und Paralipomena, kleine philosophische
  Schriften:
  Skizze einer Geschichte der Lehre vom Idealen und
  Realen.
  Fragmente zur Geschichte der Philosophie.
  Über die Universitäts-Philosophie.
  Transcendentale Speculation über die anscheinende
  Absichtlichkeit im Schicksale des Einzelnen.
  Versuch über das Geistersehn und was damit zusam-
  menhängt.
  Aphorismen zur Lebensweisheit.
  Vereinzelte, jedoch systematisch geordnete Gedanken
  über vielerlei Gegenstände. — V. H. e. 25—30.
Gwinner, Wilh., Schopenhauer's Leben. Zweite, umge-
  arbeitete und vielfach vermehrte Auflage der Schrift:
  Arthur Schopenhauer aus persönlichem Umgange darge-
  stellt. [Mit 2 Stahlstichen: Arthur Schopenhauer im 21.
  und 70. Lebensjahre.] Leipzig, F. A. Brockhaus, 1878.
  8°. — V. K. e. 7.
Hartmann, Eduard v., Philosophie des Unbewussten.
  Vierte unveränd. Aufl. Berlin, Carl Duncker, 1872. 8°.
  — VI. D. c. 11.
— Philosophie des Unbewussten. Siebente erweiterte Auf-
  lage. Berlin, Carl Duncker, 1876. 8°. 2 Bde. — VI.
  D. c. 10.
— Das Unbewusste vom Standpunkt der Physiologie und
  Descendenztheorie. Zweite vermehrte Auflage. [Nebst
  einem Anhang: Entgegnung auf Prof. Oskar Schmidt's
  Kritik der naturwissenschaftlichen Grundlagen der Philo-
  sophie des Unbewussten.] Berlin, Carl Duncker, 1877. 8°.
  — VI. D. c. 9.
— Kritische Grundlegung des transcendentalen Realismus.
  Zweite, erweiterte Auflage von: „Das Ding an sich und
  seine Beschaffenheit." Berlin, Carl Duncker, 1875. 8°.
  — VI. D. c. 12.
— Das religiöse Bewusstsein der Menschheit im Stufengang
  seiner Entwickelung. Berlin, Carl Duncker, 1882. [8°. —
  VI. D. c. 6.
— Die Selbstzersetzung des Christenthums und die Religion
  der Zukunft. Zweite Auflage. Berlin, Carl Duncker,
  1874. 8°. — VI. D. c. 13.

Hartmann, Ed. von, Gesammelte Studien und Aufsätze gemeinverständlichen Inhalts. Berlin, C. Duncker, 1876. 8°. — VI. D. c. 7.

— Wahrheit und Irrthum im Darwinismus, eine kritische Darstellung der organischen Entwickelungstheorie. Berl., Carl Duncker, 1875. 8°. — VI. D. c. 14.

Mainländer, Philipp, Die Philosophie der Erlösung. Zweite Auflage. Berlin, Theod. Hofmann, 1879—84. 8°. — VI. D. d. 6—7.

Reichenau, Wilh. v., Die monistische Philosophie von Spinoza bis auf unsere Tage. Gekrönte Preisschrift. Köln und Leipzig, Eduard Heinr. Mayer, 1881. 8°. — VI. F. c. 21.

Mill, John Stuart, August Comte und der Positivismus, . . . übersetzt von Elise Gompertz. Leipzig, Fues, 1874. 8°. S. Gesammelte Werke, Bd. IX. — V. I. f. 27. Vergl. Band III., S. 461—467.

Paedagogik.

Vergl. hierzu Band III., Seite 479 ff.

Geschichte der Paedagogik.

Ersch, Joh. Sam., Literatur . . . der Paedagogik seit der Mitte des 18. Jahrh. bis auf die neueste Zeit systematisch bearbeitet. Amsterd. und Leipz., 1812. — III. S. d. 13.

Encyklopädie des gesammten Erziehungs- und Unterrichtswesens, bearbeitet von einer Anzahl Schulmänner und Gelehrten, herausg. unter Mitwirkung von D. D. Palmer, Wildermuth, Hauber, von Dr. K. A. Schmid. Zweite verb. Aufl. Gotha, Rudolf Besser, 1876—78. 8°. 11 Bde. — V. J. d. 8—16.

Raumer, Karl von, Geschichte der Pädagogik vom Wiederaufblühen klassischer Studien bis auf unsere Zeit. 4. Auflage. [Mit dem Bildnisse des Verfassers.] Gütersloh, C. Bertelsmann, 1872—74. 8°. 4 Bde. — V. J. d. 23—26.

Schmidt, Karl, Geschichte der Pädagogik, dargestellt in weltgeschichtlicher Entwickelung und im organischen Zusammenhange mit dem Culturleben der Völker. 3. vielfach verm. und verbess. Aufl. von Wichard Lange. Cöthen, Paul Schettler, 1873—1878. 8°. 4 Bde. — V. I. d. 34—37.

Middendorpius, Jac., Academiarum celebrium universi
terrarum orbis libri VIII. Colon. Agr., Goswinus Cholinus, 1601. 8°. — III. N. k. 34.

Kirstenius, Petrus, phil. et med. D., Oratio de origine,
successione, propagatione et perfectione scholarum et de
harum incrementi et decrementi causis. Breslae, G. Baumann, 1610. 4°. — IV. C. i. 17/7.

Kretzschmarus, Chph., M., De scholarum origine disserere
incipit . . . De scholarum origine quartum . . . sextum
. . . octavum . . . nonum disserit. Dresdae, Harpeter,
1735—1738. 4°. 5 Hefte. — 900—904.

Dyas orationum de ritu depositionis. Argentorati, Petrus
Aubry, 1666. 8°. — IV. I i. 7 a.

Posener Wochenblatt für Eltern und Lehrer, herausg.
von dem Central-Lehrer-Verein für die Provinz Posen.
Redacteur Schoenke. Posen, W. Decker u. Co., 1849. 8°.
No. 1—39. — II. S. i. 120.

Paedagogische Schriftsteller.

Lullii, Raym., Opera ea, quae ad adinventam ab ipso
artem universalem, scientiarum artiumque omnium breui
compendio, firmaque memoria apprehendendarum locu-
pletissimaque vel oratione ex tempore pertractandarum
pertinent . . . Argentorati, Laz. Zetzner, 1617. 8°. — III.
T. g. 2/1.
— Clavis artis Lullianae et verae logices, duos in libellos
tributa, opera et studio Joh. Henrici Alstedii. Argentor.,
Laz. Zetzner, 1633. 8°. — III. T. g. 2/2.

Comenii, J. A., Opera didactica omnia . . . Amsterdami,
impensis D. Laurentii de Geer, excuderunt Christophorus
Cunradus de Geer et Gabriel a Roy, 1657. Fol. [Mit
Bildn.] — V. G. a. 25.
— Nova et accurata vestibuli Comeniani, sive primi ad lat.
linguam pro primis tyronibus aditus, editio ita adornata
ut versio polonica accesserit . . . Dantisci, J. Z. Stollius,
1633. 8°. — IV. F. l. 38.
— Janua linguarum reserata, sive seminarium linguarum,
et scientiarum omnium . . . Editio tertia, prioribus casti-
gatior, cum collaterali germanica et polonica versione,
vocumque indice etymologico. Dantisci, Andr. Hünefeld,
1634. 8°. — IV. U. o. 10.
— Janua aurea reserata quatuor linguarum, sive compendiosa methodus latinam, germanicam, gallicam et itali-
cam linguam perdiscendi . . . a Nathanaele Dhuez in

L. 13

idioma gallicum et italicum traducta. Lugduni Batavorum, ex offic. Elzeviriorum, 1640. 8°. — IV. U. o. 13.

Comenii, J. A., Linguarum methodus novissima, fundamentis didacticis solide superstructa, latinae linguae exemplo
realiter demonstrata: scholarumque usibus jam tandem
examussim accommodata. 1648. S. l. et a. 8°. — III.
Q. n. 3.

Leutbecher, J., Johann Amos Comnenius Lehrkunst nach
ihrer Gedankenfolge dargestellt. Leipz., Wilh. Baensch,
1855. 8°. — V. G. m. 30.

Pappenheim, Eugen, Amos Comenius, der Begründer
der neuen Paedagogik. Berlin, F. Henschel, 1871. 8°. —
V. K. e. 15.

Ringelbergii, Joach. Fortii, Lucubrationes, vel potius
absolutissima ΚΥΚΛΟΠΑΙΛΕΙΑ, nempe liber de ratione
studii utriusque linguae grammatice, rhetorice, mathematice et sublimioris philosophiae multa. Basileae, Barth.
Westhemerus, 1641. 8°. — IV. U. n. 13.

Imberti, Ottavio, Metodo di studiare le scienze con pietà
e profitto proposto alla gioventù. Roma, F. Gonzaga,
1716. 8°. — IV. K. n. 25.

Francke, A. H., Paedagogische Schriften, nebst der Darstellung seines Lebens und seiner Stiftungen, herausg.
von D. G. Kramer. Langensalza, Hermann Beyer, 1876.
8°. [Aus H. Beyer's Bibliothek paedagogischer Classiker.]
— V. I. k. 26.

Fénélon, Franç. de Salignac de la Mothe —, Arche-
vêque-Duc de Cambrai, De l'éducation des filles . . .
Augmentée d'une lettre du même auteur à une dame de
qualité sur l'éducation de M***, sa fille unique. Paris,
J. Th. Hérissant, 1763. 12°. — III. L. k. 25.

— De l'éducation des filles. Nouvelle édition, où l'on a joint
un ouvrage de Mr. de la Chetardye, intitulé: Instruction
pour une jeune princesse. Amsterdam et Leips., Arkstee
et Merkus, 1754. 8°. — III. T. l. 8.

— Die Erziehung der Töchter, aus dem Frantz. übersetzt,
nebst einer Vorrede v. A. Die 2. Aufl. Lübeck, P. Böckmann, 1740. 8°. — III. L. i. 9/1.

Locke, Joh., Unterricht von Erziehung der Kinder, aus
dem Engl., nebst Herrn von Fénélon, Ertz-Bisch. von
Cammerich, Gedancken von Erziehung der Töchter, aus
dem Frantz. übers., mit einigen Anm. u. einer Vorrede.
Hannover, o. J. 8°. — III. L. i. 9/2.

Rollin, De la manière d'enseigner et d'étudier les belles
lettres, par rapport à l'esprit et au coeur. Nouv. édition

Halle, Christ. Pierre Franck, 1751—52. 8°. 4 voll. — III.
S. k. 20—23.

Rollin, M., De la manière d'enseigner et d'étudier les
belles-lettres par raport à l'esprit et au coeur. A Leyde,
J. de Wetstein, 1759. 8°. 4 voll. [Av. le portr.] — III.
M. n. 11—14.

Prevost, Mr., Elemens de politesse et de bienséance, ou la
civilité, qui se pratique parmi les honnêtes gens, avec
un nouveau traité sur l'art de plaire dans la conversa-
tion. Strasbourg, Amand König, 1766. 8°. — III. O.
h. 37.

Stanhope, Phil. Dormer, Graf von Chesterfield, Briefe
des Herrn — an seinen Sohn Phil. Stanhope, Esquire,
ehem. ausserord. Gesandten am Dresdener Hofe, aus d.
Engl. übers. Leipz., Weidmann's Erben u. Reich, 1774—
1775. 8°. 2 voll. — IV. E. i. 18—19.

Adèle et Théodore, ou lettres sur l'éducation, contenant
tous les principes relatifs aux trois différents plans
d'éducation des princes, des jeunes personnes et des
hommes. Maestricht, J. E. Dufour et Ph. Roux, 1783.
8°. 3 voll. — III. N. k. 13—15.

Rousseau, J. J., Émile ou de l'éducation. Avignon, J. A.
Joly, 1793. 12°. 6 voll. — III. N. l. 24—26.

— Emil, herausg. von Dr. Theodor Vogt und Dr. E. von
Stallwürk. Langensalza, Hermann Beyer, 1876—78. 8°.
2 Bde. Aus H. Beyer's Bibliothek paedagog. Classiker.
— V. I. k. 29—30.

Pestalozzi, Sämmtliche Werke, gesichtet, vervollständigt
und mit erläuternden Einleitungen versehen von L. W.
Seyffarth. Brandenburg a. H., Adolph Müller, 1869—1873.
8°. 18 Bde. — V. G. k. 28 b.—45.

— Ausgewählte Werke, mit P's Biographie, herausg. von
Friedr. Mann. Zweite Auflage. Langensalza, Hermann
Beyer und Söhne, 1878—1879. 8°. 4 Bände. Aus H.
Beyer's Bibliothek paedagogischer Classiker. — V. I. k.
31—34.

Seyffarth, C. W., Johann Heinrich Pestalozzi nach seinem
Leben und seinen Schriften dargestellt. Sechste Aufl.
Leipzig, Siegismund und Volkening, 1876. 8°. — V.
H. h. 9.

Chavannes, Dan. Alex., Exposé de la méthode élémentaire de H. Pestalozzi, suivi d'une notice sur les travaux
de cet homme célèbre, son institut et ses principaux
collaborateurs. A Paris, J. J. Paschoud, 1809. 8°. — III.
M. n. 20.

Kant, Imm., Ueber Paedagogik. Herausg. von D. Friedr. Theod. Rink. Königsb., F. Nicolovius, 1803. 8°. — III. N. e. 34.

Herbart, Joh. Friedr., Schriften zur Paedagogik, herausg. von G. Hartenstein. Leipzig, Leop. Voss, 1851—52. 8°. 3 Bde. S. Sämmtl. Werke, B. 10—12. — V. C. e. 33—35.

— Paedagogische Schriften mit Herbart's Biographie herausg. von Dr. Friedr. Bartholomäi. 2. Aufl. Langensalza, Hermann Beyer et Söhne, 1877. 8°. 2 Bde. Aus H. Beyer's Bibliothek paedagogischer Classiker. — V. I. k. 27—28.

Schleiermacher, Paedagogische Schriften, mit einer Darstellung seines Lebens, herausg. von C. Platz. 2. Aufl. Langensalza, Herm. Beyer und Söhne, 1876. 8°. Aus H. Beyer's Bibliothek paedagogischer Classiker. — V. I. k. 25.

Beneke, Friedr. Eduard, Erziehungs- und Unterrichtslehre. 3. Aufl., neu bearb. und mit Zusätzen vers. von Joh. Gottl. Dressler. Berlin, E. S. Mittler, 1864. 8°. 2 Bde. — V. H. e. 2.

Spencer, Rob., Erziehungslehre, mit des Verfassers Bewilligung in deutscher Uebersetzung herausg. von Fritz Schultze. Jena, Gustav Fischer, vorm. Friedr. Mauke, 1874. 8°. — V. K. f. 18.

Bain, Alex., Erziehung als Wissenschaft. Leipzig, F. A. Brockhaus, 1880. 8°. Internation. wissenschaftl. Biblioth., B. XXXXV. — VI. C. f. 45.

Curtmann, W. J. G., Lehrbuch der Erziehung und des Unterrichts. 7. rev. Aufl. des Schwarz-Curtmann'schen Werkes. Leipzig und Heidelberg, C. F. Winter, 1866. 8°. 2 Bde. — V. J. h. 32—33.

Barthel, C., Schul-Paedagogik, ein Handbuch zur Orientirung für angehende Lehrer. Lissa u. Leipz., E. Günther, 1839. 8°. — III. T. m. 1.

— Schul-Paedagogik. 2. Aufl. Lissa u. Gnes., E. Günther, 1845. 8°. — III. K. n. 25.

— Schul-Paedagogik. 3. umgearbeitete, mit den betreffenden Stellen aus den preuss. Regulativen und mit einer Geschichte des Schul- und Erziehungswesens verm. Aufl. Lissa, Ernst Günther, 1856. 8°. — V. B. g. 3.

Dampmartin, Rysy planu edukacyi, tłomaczone przez Jana Nowickiego. Kraków, w drukarni Ign. Gröbla wdowy i sukcessorów, 1800. 8°. 2 tomy. — V. A. k. 41—42.

Preis, J., Jacotot's Universal-Unterricht, als naturgemäss und nachahmungswerth dargestellt und erläutert. 2. vielfach verb. u. verm. Abdruck. Lissa u. Gnes., E. Günther, 1847. 8º. — IV. L. e. 18.

(Hamel, Joseph), L'enseignement mutuel, ou histoire de l'introduction et de la propagation de cette méthode par les soins du docteur Bell, de J. Lancaster et d'autres, description détaillée de son application dans les écoles élementaires d'Angleterre et de France, ainsi que dans quelques autres institutions, trad. de l'allemand. Paris, L. Colas, 1818. 8º. — III. O. e. 27.

Neumann, Joh. Frid., Disseritur de quaestione, quae hodie justissima sit et gravissima, cum omnis antiquioris litteraturae tam latinitatis in scholis discendae exercendaeque commendatio. Gorlicii, Fickelscherr, 1790, März 26. 4º. — 995.

Siedler, Dr. Oberl., Das klassische Alterthum in der Realschule, eine Aufgabe des deutschen Unterrichts. (Progr. der Königl. Realschule zu Fraustadt vom 10., 11. April 1854.) Fraustadt, L. S. Pucher, 1854. 4º. — II. S. i. 177.

— Der Geist des klassischen Alterthums, ein Lehr- u. Lesebuch für die oberen Klassen höherer Bildungsanstalten. Lissa, E. Günther, 1855—58. 8º. 2 Bde. — V. B. h. 15—16.

Deinhardt, Joh. Heinr., Der Begriff der Bildung, mit besonderer Rücksicht auf die höhere Schulbildung der Gegenwart. Bromberg, E. S. Mittler, 1855. 8º. — V. B. f. 52.

Fischer, Kuno, Über das akademische Studium u. seine Aufgabe. Heidelberg, Friedr. Bassermann, 1868. 8º. — V. H. e. 1.

Preis, J., Rektor, Die Licht- und Schattenseiten d. preuss. und deutschen Schulwesens von der Universität bis zur Volksschule herab, nebst den geeignetsten Mitteln durch Beseitigung des Schattens das Licht zu verstärken. Lissa, E. Günther, 1849. 8º. — IV. D. e. 27.

— Die Licht- und Schattenseiten des preuss. und deutschen Schulwesens. 2. verb. Aufl. Lissa, E. Günther, 1854. 8º. — V. B. f. 11.

Villers, Charles, Coup-d'oeil sur les universités et le mode d'instruction publique de l'Allemagne protestante, en particulier du royaume de Westphalie. Cassel, Impr. Royale, 1808. 8º. — II. B. f. 23.

Mill, Joh. Stuart, Rectorats-Rede. [Ueber das Universitäts-Studium u. die Gegenstände desselben.] S. Gesammelte Werke, B. I. 8º. — V. I. f. 19/3.

Battig, Gustav, Skizzen aus der Schulwelt ... Lissa,
E. Günther, 1858—60. 8°. 3 Bde. — V. B. g. 59a.

Schmerbauch, Moritz, Dr. phil., Paedagogische Abhandlungen. Regensburg, G. J. Manz, 1842. 8°. — III.
O. b. 50.

Kerst, S. G., Andeutungen über die Bestimmung und Ein-
richtung der Königlichen Realschule. Programm des
Kgl. Realschule zu Meseritz, Ostern 1839. Posen, W.
Decker et Comp., 1839. 4°. — III. Q. a. 10/1.

Niethammer, Friedr. Imm., Der Streit des Philantro-
pismus und Humanismus in der Theorie des Erziehungs-
Unterrichts unsrer Zeit. Jena, Fr. Frommana. 8°. —
IV. G. h. 11.

Salhausen, Jan-Abrah. de, De praeparatione adole-
scentum nobilium ad munera reipublicae, orationes duae.
Lipsiae, Mich. Lantzenberger, 1600. 4°. — IV. C. i. 17/8.

Kaulfuss, Joh. Sam., Die Erziehung für den Staat, Versuch eines Plans zur Einrichtung des Erziehungswesens
im preuss. Staate. Posen, Decker u. Comp., 1817. 8°. —
II. N. 1. 25.

Kock, C., Über nationale Erziehung, Schulrede, gehalten
am 15. October 1855. Anclam, W. Dietze, 1854 (sic!).
8°. — V. D. f. 7/1.

Condillac, l'abbé de, Cours d'étude pour l'instruction du
prince de Parme, aujourd'hui S. A. R. l'infant D. Ferdinand Duc de Parme etc.
1. Grammaire.
2. Art. d'écrire, de raisonner.
3. Art. de raisonner.
4. Art. de penser.
5—10. Introduct. à l'étude de l'histoire ancienne.
11—15. Introduction à l'étude de l'histoire moderne.
16. Où l'on a joint les directions pour la conscience d'un
roi. Introduction à l'étude de l'histoire moderne. —
Parme, Imprimerie Royale, 1775. 8°. 16 voll. — III. R.
d. 28—43.
— id. opus. A Genève, F. Dufart, 1789. 8°. [Av. portr.]
16 voll. — III. N. f. 53—68.

Klein, Giov. Gugl., Descrizione d'un felice sperimento
per istruire fanciulli ciechi a publica utilità di —. Tradotto
dal tedesco in italiano da A*** F*** Vienna, stamperia
da P. P. Mechitaristi, 1822. 8°. — III. N. f. 14.

Knie, Joh., Versuch über den Unterricht der Blinden etc.
Breslau, W. A. Holäufer. 8°. [Mit Illustrationen.] —
III. S. h. 23.

Verschiedene Abhandlungen zur Paedagogik.

Spiller, Ueber die Methode des Examinirens. Progr. des Kath. Gymn. in Glogau zum 14.—17. Aug. 1832. Glogau, Günther, 1832. 4°. — III. R. f. 16.

Brennecke, Ueber den Organismus der Realschulen, ein Beitrag zur Beleuchtung der Realschulfrage. Posen, W. Decker et Comp., 1861. 4°. — V. D. f. 2/8.

Les études convenables aux demoiselles, contenant la grammaire, la poésie, la rhétorique, le commerce des lettres, la chronologie, la géographie, l'histoire, la fable héroique, la fable morale, les règles de la bienséance et un court traité d'arithmétique. Tome I.—II. A Dresde, G. C. Walther, 1775. 8°. 2 voll. Von Bd. 1 fehlt der Anfang bis Seite 17. — III. R. n. 25—26.

Majus, Jo. Frid., De scriptorum ingeniosorum venustate bonis moribus periculosa pauca disserit. Lips., Breitkopf, 1756. 4°. — 967.

Müllerus, Aug. Frid., De lectione librorum docta disserit. Lips., Breitkopf, 1752. 4°. — 966.

Salhausen, Jan Abraham de, Oratio de peregrinatione, utrum adolescens nobilis ad exteras nationes emigrare debeat, nec ne. Budisini, N. Zipser, 1602. 4°. — IV. C. i. 17/9.

Gruberi, Dan., Discursus de peregrinatione studiosorum. V. Pauli Hentzneri, Itinerarium. Norib., 1629. 8°. — II. O. n. 20/2.

Plotius, Hugo, J. U. D., Tabula peregrinationis, continens capita politica. V. Hentzneri, P., Itinerarium. Norib., 1629. 8°. — II. O. n. 20/3.

Genlis, Madame de, Nouvelle méthode d'enseignement pour la première enfance. Hamb. et Brunsw., P. F. Fauche et Cie., 1799. 8°. — III. T. h. 9.

— Discours moraux sur divers sujets et particulièrement sur l'éducation. III. éd. A Paris, Maradan, 1802, X. 8°. — III. T. k. 8.

(Berthaud.) Le quadrille des enfans, ou système nouveau de lecture. VII. édition. Yverdon, 1785. 8°. · — III. S. h. 27.

Gottsched, Jo. Chph., De usu linguae vernaculae in actibus oratoriis academicis. Lips., Breitkopf, 1752, Sept. 5. 4°. — 965.

Bindseil, Dr., Zur Methodik des deutschen Unterrichts in der Prima der Gymnasien. Posen, Merzbach, 1883. 4°. — II. S. i. 244.

Brennecke, W. Dr., Mittheilung über den Unterricht in
der darstellenden Geometrie auf Realschulen. Posen,
L. Merzbach, 1869. 4°. — II. S. i. 200.

Szumski, Thomas von, Rede üb. d. wichtigsten Pflichten
der Jünglinge, besonders der Schüler des Königl. Gymnasiums von Posen, polnisch gehalten . . . d. 8. Oktober
1827 und ins Deutsche übersetzt. 2. Aufl. im J. 1828.
Posen, W. Decker & Comp., (1828.) 8°. Mowa o nay-
ważnieyszych powinnościach młodzieńców, mianowicie
uczniów królewskiego gimnazyum poznańskiego miana
w polskim języku przy otwarciu nowego kursu szkólnego
dnia 8. paźdz. roku 1827 i na niemiecki język przełożona
przez Tomasza Szumskiego. Wydanie drugie r. 1828.
W Pozn., W. Decker i Sp., 1828. — III. T. m. 26.

Scholtzius, Joh., M., Oratio de allegorica comparatione
paradysi et scholarum. Breslae, G. Baumann, 1610. 4°.
— IV. C. i. 17/7.

Geschichte einzelner Bildungsanstalten.

[Breslau, Elisab. Gymn. 1610.]
Orationes duae introductoriae in gymnasio Wratislavien-
sium, . . . quarum prior habita est a. M. Joh. Scholtzio,
. . . posterior a novo rectore Petro Kirstenio, phil.
& med. D.) d. V. Aug. ao. 1610. Acc. carmina gratulatoria. Breslae, G. Baumann, 1610. 4°. — IV. C. i. 17/7.

Bunzlau. —
Kawerau, P. F. Th., Festrede am Geburtstage ... Friedr.
Wilhelm III. d. 3. Aug. 1830, auf dem Betsaale der Kgl.
Waisen- und Schul-Anstalt u. des Seminars zu Bunzlau.
Bunzlau, S. Luge, 1830. 8°. — III. K. n. 14.

Gotha. —
Vockerodt, Gothofr., De re Gothanorum scholastica.
Gothae, Reyher, 1713, Sept. 17. 4°. — 976.

Frankf. a/O. Universitat. —
Verordnung an sämmtliche Regierungen u. Ober-Landes-
Justiz - Collegia, die Vergehungen gegen Personen des
Militair-Standes, insonderheit gegen Wachen u. Patrouillen
betreffend. De dato Berlin, d. 17. Julii 1788. Frankf.
a/O., Ch. L. F. Apitz, 1803. 4°. — II. B. d. 11/1.

— Verordnung wegen Verhütung und Bestrafung der die
öffentlichen Ruhe stöhrenden Excesse der Studirenden
auf sämmtlichen Akademien in den Königlichen Staaten,
d. d. Berlin, den 23. Juli 1798. 2 Bll. 4°. — II. B.
d. 11/2.

Frankfurt a. O., Universität.

Verordnung in Ansehung der Schulden der Studirenden auf den Königl. Preuss. Universitäten, de dato Berlin u. Ansbach, den 8. Januar 1802. Berlin, G. Decker, 1802. 4⁰. 1 Bog. — II. B. d. 11/3.

— Erlass wegen Bestrafung studentischer Excesse. Berlin, d. 15. Febr. 1802. An die Univ. zu Frankf. a/O. 1 Bl. 4⁰. — II. B. d. 11/4.

— Bekanntmachung der Universität Frankf. a/O., betreffend das Schuldenmachen der Studirenden. D. d. 13. Januar 1803. 4⁰. 1 Bl. — II. B. d. 11/5.

— Gesetze für die Königlich-Preussische Universität Frankfurt an der Oder. Frankf. a/O., Ch. L. F. Apitz, 1801. 4⁰. 24 Stn. — II. B. d. 11/6.

— Trygophorus, Caleb., M., organi logici prof. designat., Ad studiosos logicae in celeberrima academia Marchionum Brandeb., quae est Francofurti ad Oderam, scriptum publice propositum, pridie Non. Sextil. ao. 94., cum ad Dn. Philippi Melanthonis dialecticam publice explanandam accingeretur. Francof., typis Sciurianis, 1594. 4⁰. — II. O. e. 32/6.

— Trygophorus, Caleb., M., latinae linguae design. prof., Scriptum ad latinae linguae studiosos in inclyta Marchionum academia, quae est Francofurti ad Viadrum, publice propositum a. 1592 feriis paschalibus. Francof., A. Eichorn, 1592. 4⁰. — II. O. e. 32/5.

— Roberus, Elias, Scriptum in illustri academia Marchica ad studiosos juris publice propositum, dum iis significaret, se ex praescripto statutorum Institutionum Juris Imperialium explicationem repetiturum. Francof., A. Eichorn 1598. 4⁰. — II. O. e. 32/4.

Helmstädt.

Meibom, Henr., Oratio de origine, dignitate et officio cancellariorum academicorum anno 1612. 17. Kal. Quintilis habita in illustri Julia (Helmestadii). V. Meibom, H., Rer. germ. libri III. III., p. 238. Fol. — II. M. a. 1/45.

— Meibomii, Henrici, Oratio de origine Helmestadii. V. Meibom, H., Rer. germ. libri 3., p. 224. Fol. — II. M. a. 1/44.

— Meibomii, Henrici, Oratio do academiae Juliae (Helmestadii) primordiis et incrementis, habita quum natalis ejus XXXI. celebraretur. V. Meibom, H., Rer. germ. libri 3. III., p. 215. Fol. — II. M. a. 1/43.

Ingolstadt.

Rotmarus, Valent., M., Almae Ingolstadiensis academiae tomus primus in septem divisus partes, quarum

[Ingolstadt.]
1. acclamationes poeticas,
2. cancellarios et procancellarios amplissimos,
3. principes illustrissimos,
4. comites illustres,
5. barones generosos,
6. archiepiscopos et episcopos reverendissimos,
7. professores ss. theologiae venerandos complectitur, inchoatus primum a —, jam nunc post immaturum ipsius obitum accurate fideliterque absolutus a M. Joanne Engerdo, ss. theol. baccal. etc. Ingolstadii, Dav. Sartorius, 1581. 4°. — II. L. a. 10.

Köln. —
Descriptio novi collegii theologici Agrippinensis magnifici reverendique domini dn. Joannis a Schwolgen, almae universitatis pro tempore rectoris, fauore et benevolentia, ac doctorum theologorum studio, pro orthodoxae religionis conseruatione erecti, adjunctis orationibus a dictatore et fisco in prima collegii inauguratione habitis. Coloniae, Ludovic. Alectorius etc., 1578. 4°. — II. J. g. 40/2.

Leipzig, Univ. —
Jubel-Fest, Das dritte, der berühmten Universität Leipzig, mit historischer Feder entworffen, nebst darzu gehörigen Kupffern und andern merckwürdigen Dingen etc. Leipzig, J. Th. Boetius, 1710. 4°. [Mit Kk.] — II. O. e. 23/3.

, — Bericht von der Universität Leipzig und ihrem 1709 den 4. Decembris begangenen dritten Jubilaeo, nebst Herrn D. Gfr. Olearii, SS. Theol. PP., gehaltener Jubel-Predigt. Leipzig, Th. Fritsch, 1709. 4°. — II. O. e. 23/4.

— Menckenii, Jo. Burchardi, D., Oratio secularis de viris eruditis, qui Lipsiam scriptis atque doctrina illustrem reddiderunt. Lipsiae, J. F. Gleditsch, 1710. 4°. — 959.

(Neustadt in W.-Pr.)
Fest - Programm des königl. katholischen Gymnasiums zu Neustadt in Westpr., ausgegeben zur Einweihungsfeier des neuen Schulgebäudes, am 24. September 1866. (Enthält Notizen über das Gymnasium von Neustadt.) Neustadt in Westpr., Druck von H. Brandenburg, 1866. 4°. — V. B. b. 23.

Paris. —
Statuta facultatis medicinae Parisiensis. Parisiis, apud Franc. Muguet, 1660. 12°. — IV. R. l. 29.

— Doye, Jo. Bapt., M., Ritus et insigniora saluberrimi medicorum Parisiensium ordinis decreta. Editio altera authoritate totius ejusdem ordinis excusa. Parisiis, J. Quillau, 1716. 12⁰. — II. S. i. 65.

Posen. —

Programm des Königl. Marien-Gymnasiums zu Posen, für das Schuljahr 1872/73.

1. Festrede zum dreihundertjährigen Jubiläum der Anstalt von Gymn.-Lehr. Dr. Warnka, mit vorangeschickter kurzer Beschreibung des Festes vom stellvertretenden Director.
2. Geschichte des Königlichen Marien-Gymnasiums zu Posen, seit 1804 von Dr. Warnka.
3. Schulnachr. vom stellv. Dir. Prof. Dr. Rymarkiewicz. Posen, W. Decker et Co., 1873. 4⁰. — II. S. i. 236.

— Starke, Hermann, Zur Geschichte des Königl. Friedrich-Wilhelms-Gymnasiums zu Posen, 1834—1884. Posen, Merzbachsche Buchdruckerei, 1884. 4⁰. — V. B. a. 23.

— X. Programm der städtischen Mittelschule zu Posen.

1. Die Mittelschule und die Elementarschulen in Posen, I. Theil.
2. Schulnachrichten. Beides v. Rect. K. Hielscher. Posen, L. Merzbach, 1869. 4⁰. — II. S. i. 197.

Rostock. —

Bacmeister, Seb., Antiquitates Rostochienses, h. e. historia urbis, academiae et ecclesiae Rostochiensis, duobus libris comprehensa, ex variis mstis monumentis et archivis studiose olim collecta, iterumque revisa . . . a filio Jo. Bacmeistero. V. Westphalen, E. J. de, Monum. ined. rer. Germ., tom. III. Lips., 1743. Fol. — II. U. g. 3/26.

— Bacmeister, Seb., Megapoleos literatae h. e. historiae literariae Megapolensis, speciatim Rostochiensis, prodromus, in quo agitur de rectoribus academiae Rostochiensis ab ejus incunabulis, anno 1419 usque ad annum 1700 etc. V. Westphalen, E. J. de, Monum. ined. rerum Germ., tom. III. Lips., 1743. Fol. — II. U. g. 3/27.

— Bacmeister, Seb., Megapoleos literatae, specialim Rostochiensis liber primus singularis, quo agitur de jctis Rostochiensibus ab anno academiae initiali usque ad annum 1700, — liber secundus specialis de medicis a tempore natali academiae usque ad ann. 1700. V. Westphalen, E. J. de, Monum. ined. rer. Germ., tom. III. Lipsiae, 1743. Fol. — II. U. g. 3/28, 29.

Wittenberg. —

Siberus, Adam Theod., Oratio solennibus D. Catharinae collegii philosophici Witebergensis habita. Witeb., P. Helwig, 1599. 4⁰. — IV. C. i. 17/10.

Wittenberg. —

Siberus, Adam Theod., Oratio secularis monumentum
erga . . . celeberrimam academiam Witebergensis vene-
rationis ad ante XV. Cal. Novembr. natalem ejus academiae centesimum scripta. Acc. ejusdem carmen seculare.
Witeb., Crato, 1602. 4°. — IV. C. i. 17/11.

Fremdes Schulwesen.

Łukaszewicz, Józ., Historya szkół w Koronie i w W.
Ks. Litewskim. . . . aż do roku 1794. Poznań, J. K.
Żupański, 1849—1851. 8°. 4 voll. — IV. D. h. 10—13.

Szczepański, Alfr., Szkoły i wychowanie w Polsce.
Przegląd histor. od najdawn. do najnowszych czasów.
Poznań, nakł. Tyg. Wielkop., 1873. 8°. Vergl. hierzu:
„Geschichte der Schul- und Bildungsanstalten (in Polen)
Bd. III. S. 262 ff. — V. D. m. 60.

Kaulfuss, Jo. Chph., General-Consenior, Ueber die
Schulen der Augsburgischen Konfessions-Verwandten
in Polen. Mit einer Vorrede von D. Johann Georg
Rosenmüller. Leipzig, J. A. Barth, 1790. 8°. — II.
J. h. 16.

— Freymüthige Betrachtungen über den gegenw. Zustand
in Polen, worin besondere Merckwürdigkeiten, welche
die Dissidenten daselbst betreffen, angeführet werden;
wobey vornehmlich gezeiget wird, dass eine heilsame
Verbesserung der Schulen das sicherste Mittel ist, etc.
Frankf., u. Leipz., 1770. 8°. — 11. J. n. 7.

Duppa, B. F., Esq., Industrial-schools for the peasantry
by —. London, Taylor and Walton, 1837. 8°. — III.
N. k. 35.

Report, Thirty-eighth annual, of „The controllers of the
public schools of the first School district of Pennsylva-
nia" comprising the city and county of Philadelphia,
for the year ending December 31., 1856. Philadelphia,
Crissy et Markley, printers, 1857. 8°. — V. B. h. 49.

Uebersicht über die Thätigkeit des Ministeriums der Volks-
aufklärung für das Jahr 1872. St. Petersburg, 1873. 8°.
— V. E. k. 17.

Bericht an Seine Majestät den Kaiser über den Zustand
des Unterrichtswesens im J. 1873, erstattet vom Minister
des Unterrichts. St. Petersburg, Buchdruck. von Roett-
ger u. Schneider, 1875. 8°. — V. K. f. 8/1.

— an Seine Majestät den Kaiser über den Zustand des
Unterrichtswesens im Jahre 1875, erstattet vom Minister

des Unterrichts. St. Petersburg, Buchdruckerei von Röttger u. Schneider, 1877. 8°. — V. K. f. 8/2.

Schulbücher.

Weinkauf, F., Erstes Lesebuch für Elementarschulen, 2. unveränd. Aufl. Trzemeszno, G. Olawski, 1846. 8°. — II. J. f. 63.

Schönke, K. A., Deutsche Fibel, oder elementarisches Lesebuch, 1 Abth. Ein Beitrag zur Schreib-Lese-Methode. Posen, J. J. Heine, 1843. 8°. — IV. U. h. 38.

— Elementarisches Lesebuch. 2 Abth. Posen, J. J. Heine, 1843. 8°. — III. U. m. 30.

Auswahl von Mustern deutscher Prosaiker und Dichter, ein Lesebuch zum Gebrauche für Schulen. I. Theil. 3 Aufl. Posen, J. J. Heine, 1838. 8°. — III. T. m. 7.

Schönke, K. A., 670 Wiederholungs-Fragen zu R. J. Wurst's Sprachdenklehre. Posen, J. J. Heine, 1843. 8°. — III. U. m. 24.

Schweminski, J., Lehrbuch für den deutschen Unterricht. Zweiter Cursus für die mittleren Klassen. Erste Abth. Lehre vom Satz- und Periodenbau. Zweite Abth. Deutsches Lesebuch. Posen, J. K. Żupański, 1845. 8°. 2 Thle. in 1 Bde. — III. K. n. 32.

Bleich, W., Die Regeln der Orthographie u. Interpunction. Krotoschin, A. E. Stock, 1844. 8°. — III. K. n. 15.

Langenberg, C. H., Praktische Stylübungen für die Unter- und Oberklasse in Landschulen. Rawitsch, in Commis., bei R. F. Frank, 1853. 12°. — V. B. d. 34.

Koniecki, K. W., Goldblumen, eine Auswahl von Gedichten und prosaischen Aufsätzen, aus den Werken deutscher Klassiker gesammelt. Posen, W. Decker u. Co., 1841. 8°. — III. V. m. 14.

Rosenberg, M., Declamatorisches Final bei öffentlichen Schulprüfungen, eine Sammlung von 36 Declamations-Stücken, worunter 3 poetische Reisen auf der Karte . . . Posen, Th. Scherk, 1836. 8°. — III. N. m. 12.

Brennecke, Anfangsgründe der Planimetrie für die unteren und mittleren Klassen höherer Lehranstalten. [M. zahlr. in den Text eingedruckten Figuren.] Posen, J. K. Żupański, 1865. 8°. — V. D. f. 14.

Kretschmer, Dr., Welche Aufgabe soll die Mathemathik in der Gymnasialerziehung erfüllen? Posen, W. Decker u. Co., 1875. 4°. — II. S. i. 222.

Fleischer, A. L., Erster Cursus des geogr. Schul-Unterrichts oder Memorien-Buch zur Erlernung des physisch-topischen Theiles der allgemeinen Erdbeschreibung. Zweite Aufl. Lissa und Leipzig, Ernst Günther, 1837. 8⁰. — II. C. e. 33.

Cursus, Erster, des geographischen Schul-Unterrichts oder Memorien-Buch zur Erlernung des physisch-topischen Theiles der allgemeinen Erdbeschreibung. III. Aufl. Lissa u. Gnesen, E. Günther, 1843. 8⁰. — II. E. n. 35.

Kielczewski, A., Grundriss der Geographie von Deutschland. Posen, Louis Merzbach, 1862. 8⁰. — V. C. i. 17.

Raff, Geo. Chn., M., Geographie für Kinder. I. Thl. Europa. 5. Aufl. II. Thl. Asia und Africa. Nach des Vf. Tode fortges. v. Chn. Carl Andre. Göttingen, J. Ch. Dieterich, 1786—1790. 8⁰. 2 voll. — IV. C. d. 25—26.

Bäck, A., Die Provinz, oder das Grossherzogthum Posen in geographischer, statistischer und topographischer Beziehung ... Berlin, Posen u. Bromberg, Ernst Siegfr. Mittler, 1847. 8⁰. [Titelbl. u. S. 79 bis 140 fehlen.] — IV. W. g. 34.

Schönke, K. A., 1612 Wiederholungsfragen zu der Weltgeschichte v. Welter. Erster Theil. Die alte Geschichte. Posen, Scherk, 1843. 8⁰. — III. U. m. 25.

Bossuet, L'histoire universelle de, exposée par demandes et par réponses en faveur des écoles et des familles chrétiennes ... par D***. Paris, Dubroca, an XII., 1803. 8⁰. — III. J. i. 23.

Barth, C. W. A., Historischer Gedächtnissschatz für den ersten Cursus des Geschichtsunterrichts zusammengestellt. Zweite Auflage vermehrt durch einen Abriss der griechischen Mythologie. Posen, Louis Merzbach, 1862. 8⁰. — V. C. i. 4.

Haupt, Otto, u. **Heinrich Krahmer**, Vocabularium latinum für Quinta und Sexta ... Zweite umgearb. Auflage, besorgt von Dr. Otto Haupt. Posen, Louis Merzbach, 1863. 8⁰. — V. C. i. 47.

Autorum triennalium in schola syntaxeos per provinciam Bohemiae Societatis Jesu praelegendorum annus secundus. Pragae, typis Univers. Carolo-Ferdin. in Collegio Soc. Jesu ad S. Clementem, 1697. 8⁰. — V. A. m. 24.

Guhra, P., Kalligraphische Vorlegeblätter zum methodischen Schreib-Unterricht in Elementar-Schulen, auch zum Privat- und Selbstunterricht eingerichtet. Erstes Heft. Deutsche Curr.-Schrift. Lissa u. Gnesen, Verlag von E. Günther, F. Kampe lith. 4⁰. — III. O. b. 22.

Sänger, Der kleine —, eine Sammlung der besten und angenehmsten ein- und zweistimmigen Gesänge, besond.

für israelitische Schulen. I. Heft. Posen, Jacob Cohn, 1845. 8°. — IV. J. e. 48.

Battig, Gustav, Liederhalle, Sammlung von 100 auserlesenen Volksliedern . . . Dazu geh. ein Heft Melodien. Lissa, Ernst Günther, 1858. 8°. [Die Melodien fehlen.] — V. B. g. 48.

Schönke, K. A., Gebete und Lieder für Kinder zum Haus- und Schulgebrauch herausgegeben. Posen, Louis Merzbach, 1851. 8°. — V. A. k. 38.

Greulich, Adolph, junior, Musiklehrer in Posen, Die Disciplin des Musikunterrichts in Form von Censurlisten zunächst für Pianoforte-Schüler. Posen, L. Merzbach, 1857. 4°. Dyscyplina w nauce muzyki w formie tablic cenzurowych nasamprzód dla uczących się na fortepianie. — II. S. i. 189. i. 1—2.

Olawsky, Eduard, Die Wiedereinführung der Leibesübungen in die Gymnasien. Lissa u. Leipz., E. Günther 1838. 8°. — III. N. n. 44.

Jugendschriften.

Bernard, Madame Julie de, Trois nouvelles pour la jeunesse adolescente . . . Lissa, Erneste Günther, 1861. 8°. — V. B. k. 31.

Berquin, L'ami des enfants, année 1782—1783. (I.—IV.) Tome V.—VI.: L'ami de l'adolescence. En Suisse. 1782—88. 8°. 6 voll. — III. R. l. 41—46.

Bibliothèque illustrée des contes les plus amusants pour les enfants, en français et en polonais, tirés de meilleurs auteurs et édites par J. N. Bobrowicz. Avec gravures sur bois par Bertall, Johannot etc. Biblioteka malownicza najzabawniejszych powieści dla dzieci . . . Leips., Librairie étrangère, 1846. 8°. 5 voll. — IV. L. e. 51—55.

Braunfeld, W. v., geb. v. Cler, Geschenk für gute Kinder. Posen, Gebr. Scherk, 1848. 8°. — IV. L. e. 37.

Delpech, J. L., Recueil des petits contes en prose et en vers . . . à l'usage de l'adolescence. Liegnitz, E. d'Oench, 1838. 8°. — III. N. m. 35.

Emblems for the improvement and entertainment of youth. London, R. Ware, 1755. 8°. [M. Kk.] — III. R. l. 47.

Éphémérides pour la jeunesse ou lectures instructives et agréables pour chaque jour de l'année. Trimestre premier. A Hambourg, Chaidron & Cie., 1786. 8°. — III. M. k. 16.

Genlis, Mme de, La petite La Bruyère ou caractères et moeurs des enfans de ce siècle etc. Hambourg et Brunswic, P. F. Fauche & Cie., 1799. 8°. — III. R. d. 24.

— Les annales de la vertu ou histoire universelle iconographique et littéraire; à l'usage des artistes et des jeunes littérateurs et pour servir à l'éducation de la jeunesse. Nouvelle édition . . . Paris, Maradan, an X., 1802. 8°. 5 voll. — III. R. h. 24—28.

— Les petits émigrés ou correspondance de quelques enfans, ouvrage fait pour servir à l'éducation de la jeunesse, A Paris, Onfroy, à Berl., Fr. de Lagarde, 1798. 8°. 2 voll. — III. V. i. 6—7.

The Lilliputian Library or Gullivers Museum in ten volumes, containing: Lectures on morality. Historical pieces. Interesting fables. Diverting tales. Miracolous voyages. Surprising adventures. Remarkable lives. Poetical pieces. Comical jokes. Useful letters. The whole forming a complete system of juvenile knowledge for the amusement and improvement of all little masters and misses, whether in summer, or winter, morning, noon or evening, by Lilliputius Gulliver Citizen of Utopia and Knight of the most noble ordre of human prudence. Berlin, Ch. F. Himburg, 1782. 8°. 10 Theile in 2 Bänden. — III. N. k. 19—20.

Mosch, Cora de, Lectures instructives et amusantes pour le jeune âge. Recueillies et publiées par —. Posen, Scherk, 1846. 8°. — III. O. p. 14.

Parley, Peter, Histoire de la Chine et des Chinois, traduit de l'anglais par Mme. A. B. . . . [Avec gravures] Paris, P. C. Lehuby. 8°. — V. B. d. 20.

Pawlecki, Joh., Wilhelm I., König von Preussen, von seiner Jugend bis zur Krönung. Fraustadt, Selbstverlag, Berlin, in Commiss. bei Ferd. Geelhaar, 1862. 8°. — V. C. i. 40.

Schönke, K. A., Das Weihnachtsfest in Erzählungen und Gedichten. Posen, Jacob Cohn, 1846. 8°. — III. U. k. 39.

Siedler, Herm., Die homerischen Jungfrauen, eine Gabe für Deutschlands Jungfrauen. Lissa, Ernst Günther, 1856. 16°. [Mit einer colorirten Abbildung.] — V. A. m. 36.

Steck, J. J., Recueil de contes et de nouvelles pour la jeunesse, extraits des ouvrages des auteurs contemporains

les plus distingués. Lissa et Leips., E. Günther, 1840. 8°.
— III. T. m. 10.

Wentzel, O., geborne Otto, Märchen für den Weihnachts-
tisch. Posen, M. Leitgeber, 1869. 8°. — V. B. m. 57.

Mathematik.
Vgl. Bd. III., S. 500.
Einleitende Schriften. — Sammelwerke.

Ersch, Joh. Sam., Literatur der Mathematik, Natur- und
Gewerbekunde, mit Inbegriff der Kriegskunst und anderer
Künste, ausser der schönen, seit der Mitte des 18. Jahr-
hunderts bis auf die neueste Zeit systematisch bearbeitet.
Amsterd. u. Leipz., Kunst- und Industrie-Comptoir, 1813.
8°. — III. S. d 12.

Encyclopédie méthodique. Mathématiques, par M. M.
d'Alembert, l'abbé Bossut, de la Lande, le Marquis de
Condorcet etc. Tome I. — III. Paris, chez Panckoucke,
Liège, chez Plomteux, 1784—1789. 4°. 3 voll. — IV. Q.

Bossut, Charles, Essai sur l'histoire générale des mathématiques. Tome II. Paris, Louis, 1802. 8°. — V. J. l. 47.

Suter, Heinr., Geschichte der mathematischen Wissenschaften. 2. Aufl. Zürich, Orell, Füssli u. Co., 1873—75.
8°. 2 Bde. — V. H. c. 14.

Schiaparelli, G. V., Die Vorläufer des Copernicus im
Alterthum, historische Untersuchungen, unter Mitwirkung
des Verf. in's Deutsche übertr. vom Maximil. Curtze.
Leipzig, Quandt und Händel, 1876. 8°. — VI. F. c. 6.

Histoire de l'académie royale des sciences, année 1707,
1708. Avec les Mémoires de mathématique et de physique pour la même année ... Paris, Jean Boudot,
1708—1709. 4°. 2 voll. — IV. M. d. 15.

Journal polytechnique ou bulletin du travail fait à l'école
centrale de travaux publics ... Cahier I.—II., IV.—V.
Paris, l'imprimerie de la république, an III.—VI., 1796
—98. 4°. 2 voll. |Av. figg.] — IV. D. c. 7—8.

Kepleri, Jo., Opera omnia, ed. Ch. Frisch. Francofurti
ad M. et Erlangae, Heyder et Zimmer, 1858—1871. 8°.
8 voll. (Vol. VIII cont.: Histor. astronomiae saec. XVI.
et Vitam Jo. Kepleri, autore Ch. Frisch.) — V. H. c.
17—24.

Jacobi's, C. G. J., Gesammelte Werke, herausg. auf Veranl.
der Kgl. Preuss. Akademie der Wissenschaften von C. W.

I. 14

Borchardt. [Der zweite Band herausg. von K. Weier-
strass.] Berlin, G. Reimer, 1881. 4°. 2 Bde. — V. H.
a. 18—19.

Steiner, Jac., Gesammelte Werke, auf Veranl. der Kgl.
Preuss. Akad. der Wissensch. herausg. von K. Weier-
strass. [Mit dem Bildnisse Steiners und 67 Figurentafeln. Berlin, G. Reimer, 1881—82. 8°. 2 Bde. — VI.
B. b. 8—9.

Grischow. Augustin., M., praes., Horn, Carol. Phil.,
resp., Isagoge ad mathematica studia seu mathematum
praecognita, quoad eorundem naturam, partes, locum in
philosophia debitum methodumque mathematicam. Jenae,
Müller, 1712, Apr. 16. 4°. — 886.

Wideburgii, Joh. Bernh., Programma de methodo mathematica singulis disciplinis philosophicis accommodanda.
Helmst., H. D. Hamm, 1717. 4°. — 875.

Penther, J. F., Mathesin in vita humana necessariam ostendit . . . Göttg., A. Vandenhoeck, 1737, Apr. 2. 4°. [Cum
tab. aen.] — 878.

— Programma von der mathesi thaumaturgia, (worin er
zugleich seine künfftige Lectiones academicas bekandt
macht.) Göttg., A. Vandenhoeck, 1736. 4°. — 877.

Hausen, Christ. Aug., Solutio quaestionis, an mathemata
faciant ad felicitatem humanam. Lips., Breitkopf, 1721,
Mai 18. 4°. — 876.

Reine Mathematik.

Sturmii, Joh. Chph., Compendiaria sive tyrocinia mathematica tabulis . . . comprehensa et figuris aeri incisis
illustrata. Lips. et Coburgi, P. G. Pfotenhauer, 1707.
Fol. [Cum tab. aen.] — IV. F. d. 2.

Wolfii, Christiani, Elementa matheseos universae. Ed.
nova, . . . auctior et correctior. Genevae, apud Marcum
Michaelem Bousquet et Socios, Tomus II.—V. apud Henricum Albertum Gosse et Socios, 1732—1741. 4°. 5 voll.
[Cum eff. auctoris.] — III. S. c. 6—10.

— Cours de mathématique, . . . traduit en françois . . . par
D***, de la congrég. de Saint-Maur. Paris, Ch. A. Jombert, 1747. 8°. 3 voll. — III. S. f. 41—43.

Fortunatus a Brixia, Elementa matheseos ad mechanicam philosophiam in privatis scholis tradendam et com-
parandam accommodata. Brixiae, J. M. Rizzardi, 1750.
8°. — III. N. o. 22.

(De la Caille, l'abbé), Leçons élémentaires de mathématiques. [Privilège du roi: Paris, le 5. juin 1750.] 8°. — III. L. n. 7.

Mako, Paulus, Compendiaria matheseos institutio, quam in usum auditorum philosophiae elucubratus est. Ed. III. Vindob., Trattnern, 1771. 8°. [Cum figg.] — III. M. n. 15.

Delévieleuse, l'abbé, Élémens des mathématiques. Paris, Jombert fils aîné, 1773. 8°. — III. M. n. 17.

Pechner, J. F., Die Raumlehre, ein methodisches Handbuch für Lehrer in Volksschulen. I. Theil. Formenlehre. [Mit beigedr. Figuren.] Birnbaum, beim Vf., 1840. 8°. — III. T. m. 21.

Spiller, Leitfaden in der niederen Mathematik für den Bedarf der Gymnasien. Gross-Glogau, Günther, 1830—31. 8°. 2 Thle. [M. Kk.] — III. R. f. 17.

Snell, Karl, Lehrbuch der Geometrie. [Mit 6 lithogr. Tafeln.] Leipzig, F. A. Brockhaus, 1841. 8°. — V. A. i. 6.

Legendre, A. M., Éléments de géometrie, avec des notes. 9. éd. Paris, Firmin Didot, 1812. 8°. — III. V. o. 30.

Büchten, P. D., Quadratura vera circuli reperta ac edita. Berolini, Birnstil, 1756. 4°. — 880.

Peurbachii, Georgii, Viennensis, mathematici omnium acutissimi, Algorithmus, — non tam utilis, quam necessarius. 1522. 4°. 8 foll. — III. O. n. 15/3.

Stromer, Henr., Aurbachensis, Algorithmus linealis, numerationem, additionem, subtractionem, duplationem, mediationem, multiplicatiónem, diuisionem et progressionem, una cum regula de tri perstringens. Cracouię, H. Vietor, 1524. 4°. — III. N. n. 1/4.

Glareani, Henrici, De VI. arithmeticae practicae speciebus epitome, denuo ab authore recognita. Cracov., Hier. Scharffenbergus, 1549. 8°. — III. O. o. 21/3.

Arithmetices introductio ex variis authoribus concinnata, denuo diligenter recusa. Cracoviae, Hier. Scharffenberg, 1552. 8°. — III. U. h. 30.

Lacroix, S. F., Traité élémentaire d'arithmétiqne . . . 9. édition, revue et corrigée. Paris. Réimprimé à St. Pétersbourg, chez Alexandre Pluchart et Comp., 1811. 8°. — III. K. e. 34.

Ohm, Martin, Dr., Lehrbuch der niedern Analysis.

    1. Theil. Arithmetik u. Algebra enthaltend. 2. Ausg. Berlin, T. H. Riemann, 1828.

    2. Algebra u. Analysis des Endlichen enthalt. 2. Ausg. Berlin, T. H. Riemann, 1829. A. u. d. T.: Versuch eines vollkommen consequenten Systems der Mathe-

[Ohm, Mart. Dr., Lehrbuch der niedern Analysis.]
　　matik von Prof. Dr. M. Ohm. 1. Theil. Arithmetik
　　und Algebra. 2. Theil. Algebra und Analysis des
　　Endlichen. 8°. — III. V. o. 4—5.

Jacobsohn, N., 3000 Aufgaben zum Zifferrechnen in geord-
　　neter Stufenfolge. 1. Heft: Die 4 Grundspecies in unbe-
　　nannten Zahlen. Posen, Jacob Cohn, 1846. 8°. — III.
　　O. p. 4.

Egen, P. N. C., Handbuch der allgemeinen Arithmetik, be-
　　sonders in Beziehung auf die Sammlung von Beispielen,
　　Formeln und Aufgaben aus der Buchstabenrechnung und
　　Algebra von Meier Hirsch. 2. verb. Aufl. Berl., Duncker
　　u. Humblot, 1833—34. 8°. 2 Bde. — III. V. i. 30—31.

Spiller, P., 3200 arithmetische u. geometrische Rechnungs-
　　aufgaben . . . für Gymnasien etc. [Mit 1 Figurentatel.]
　　Bd. II. Resultate nebst Winken zu deren Auffindung
　　zu den 3200 arithm. u. geometr. Rechnungsaufgaben . . .
　　Berlin, Posen u. Bromb., E. S. Mittler, 1839—40. 2 Thle.
　　in 1 Bde. 8°. — III. U. m. 1.

Brennecke, Einige Sätze aus den Anfangsgründen der
　　Zahlenlehre. Posen, W. Decker & Comp., 1855. 4°. —
　　V. D. f. 2/2—3.

Blindow, Oberl. Dr., Ueber die hypergeometrische Reihe
　　mit complexen Werken ihrer Elemente. (Progr. der Kgl.
　　Realsch. zu Fraustadt. 2. u. 3. April 1855.) Fraustadt,
　　L. S. Pucher, 1855. 4°. — II. S. i. 183.

Buchowski, C. v., Grundlehren der höheren Analyse zum
　　Gebrauch in den oberen Classen der gelehrten Schulen
　　und zum Selbststudium eingerichtet. Posen, Munk, 1823.
　　8°. [M. 1 lith. Taf.] — III. V. f. 24.

Ohm, Martin, Dr., Lehrbuch der höhern Analysis. I.—V.
　　A. u. d. T.: Versuch eines vollkommen consequenten
　　Systems der Mathematik von Prof. Dr. Martin Ohm.
　　III. Differenzialrechnung. IV.—VII. Differenzial- und
　　Integral-Rechnung. Berlin, T. H. Riemann, 1829—33. 8°.
　　5 Bde. — III. V. o. 6—10.

Euleri, Leonhardi, Institutionum calculi integralis vol. II.
　　et III. Ed. II. Petropoli, typis Acad. Imp. Sc., 1792—93.
　　4°. 2 voll. — II. U. a. 3—4.

Bortz, Geo. Henr., Rationes methodi, qua elementa cal-
　　culi integralis conscripta sunt, uberius exponit . . . Lips.,
　　Langenhemius, 1771. 4°. — 884.

L'Hospital, Marquis de, Analyse des infiniment petits
　　pour l'intelligence des lignes courbés. Paris, Franç. Mon-
　　talant, 1716. 4°. — III. S. a. 8.

Kaestner, Abr. Gotthelf, Cautionem in quantitatum infinite parvarum neglectu observandam exemplis quibusdam illustrat . . . Lipsiae, Langenhemius, 1746. 4°. — 879.

Laplace, Marquis de, Théorie analytique des probabilités. 3. éd. Paris, Courcier, 1820. 4°. [Avec 4 suppléments.] — V. H. f. 10.

— Essai philosophique sur les probabilités. 5. éd. Paris, Bachelier, 1825. 8°. — V. H. h. 2.

Schaewen, P. von, Integration der Differentialgleichung Adx + Bdy + C(xdy — ydx) = 0, wo A, B, C lineare Functionen von x und y sind. S. Zur funfzigjähr. Jubelfeier des Kgl. Friedr.-Wilh.-Gymn. zu Posen. S. 57—72. 4°. — V. B. a. 24.

Cognoli, Ant, Trigonométrie rectiligne et sphérique, traduite de l'italien par N. M. Chompré. Seconde edition, considérablement augmentée. A Paris, Courcier, 1808. 4°. [Av. figg.] — II. F. b. 12.

Heinsius, Gfr., De casuum ambiguorum atque determinatorum in trigonometria praesertim sphaerica dijudicatione disserit. Lips., Langenhemius, 1755. 4°. — 887.

— Ea, quae nuper de casuum ambiguorum atque determinatorum in trigonometria praesertim sphaerica dijudicatione disserere incepit, continuat. Lips., Langenhemius, 1755. 4°. — 885.

Salmon, George, Analytische Geometrie des Raumes, deutsch bearbeitet von Wilh. Fiedler. Leipzig, Verl. v. B. G. Teubner, 1863—65. 8°. 2 Bde. [I. B.: Die Elemente der analyt. Geom. d. Raumes. II. B.: Analyt. Geom. d. Curven im Raume u. der algebr. Flächen.] — V. D. e. 13—14.

— Analytische Geometrie der Kegelschnitte, frei bearb. v. Dr. Wilh. Fiedler. 2. umgearb. und verb. Aufl. Leipz., B. G. Teubner, 1866. 8°. — V. D. e. 15.

Magener, Alb., Kubatur des Fusspunktenkörpers eines Ellipsoides. Posen, E. Mittler, 1858. 4°. — V. C. a. 1.

Morstein, von, Ueber die kürzesten Linien auf dem dreiaxigen Ellipsoid. Posen, W. Decker et Co., 1871. 4°. — II. S. i. 217.

Kretschmer, Dr.,

1. Welche Aufgabe soll die Mathematik in der Gymnasialerziehung erfüllen?

2. Die krumme Fläche für die Theorie der Krümmungen als Grenze eines Polyeders betrachtet. Posen, W. Decker et Comp., 1875. 4°. — II. S. i. 222.

Angewandte Mathematik.

Caramuel, Jo., a Lobkowitz, Sublimium ingeniorum crux
jam tandem aliquando deposita, gravium lapsum cum
tempore elapso componente, concordiamque experimentis
et demonstrationibus geometricis firmante. Lovanii, P. van
der Heyden, 1644. 4º. 2 voll. [C. figg] — III. O. n. 9/1.

— Mathesis audax, rationalem, naturalem, supernaturalem,
divinamque sapientiam, arithmeticis, geometricis etc.
fundamentis substruens exponensque . . . Lovanii, Andr.
Bouvet, 1644. 4º. — III. O. n. 9/2.

Schott, Gasp., e s. J., Organum mathematicum libris IX.
explicatum. Opus posthumum.

1. Lib. arithmeticus.
2. geometricus.
3. fortificatorius.
4. chronologicus.
5. horographicus.
6. astronomicus.
7. astrologicus.
8. steganographicus.
9. musicus. Herbipoli, J. A. Endter, 1668. 4º. [M. dem
   Portr. des Hochmeisters des Deutschen Ritterordens
   Jo. Casp. v. Freudenthal u. Ellenberg u. S. 134 Abbildung und Beschreibung einer Rechenmaschine.] —
   III. O. b. 6.

Büsch, Jo. Geo., Mathematik zum Nutzen und Vergnügen
des bürgerlichen Lebens.

1. Thl. Erster Band, welcher das Nutzbarste aus der
   reinen Mathematik enthält. 4. Ausg. [M. 10 Kk.]
2. Thl., welcher die Hydrostatik, Aerometrie u. Hydrautik
   enthält. II. Ausg. [M. 8 Ktaff.]
3. Thl. Zweyter und Dritter Band, welcher die Uebersicht der Wasserbaukunst enthält. Zweyte Auflage
   umgearb. von C. F. Wiebeking. [M. 3 Kk.]
4. Thl. Optik, Dioptrik und Katoptrik . . . hrsg. von
   P. H. C. Brodhagen. [M. 8 Ktaff.] Hamburg, B. G.
   Hoffmann, 1798—1804. 8º. 5 voll. — III. U. e. 11—15.

Sturm, Leon. Chr., Kurtze Anweisung:

1. zur geometr. Verzeichnung der regulieren Viel-Ecke,
2. zu dem Gebrauch des Proportional-Circuls,
3. der Trigonometria plana und
4. Marckscheide-Kunst. Mit deutl. Figuren erkläret,
   nebst e. Vorr. D. Joh. Fridr. Polack's. Frkf. a. O.,
   J. G. Conradi, 1743. 8º. [M. Kk.] — IV. C. k. 31.

Hogreve, J. L., Prakt. Anweisung zur topographischen Vermessung eines ganzen Landes. Hannover u. Leipz., J. W. Schmidt, 1773. 8°. — IV. F. i. 15.

(Augé), Traité sur l'arpentage à l'usage du géographe et du militaire. Vienne, de l'imprim. de la veuve Alberti, 1798. 8°. [Av. 5 tab. grav.] — IV. B. i. 6.

Sammlung der über die Fürstl. Jablonowskischen Aufgaben aus der polnischen Geschichte, der Erdmesskunst und der Haushaltungskunst von der Naturforschenden Gesellschaft in Danzig 1766 gekrönten Preisschriften, nebst der Lobrede auf diesen Fürsten u. der mit dem Accessit bemerkten geometrischen Abhandlung. Danzig, D. L. Wedel, 1767. 4°. — II. J. c. 5.

Auer, Andreae, Disquisitio problematis mathematici, Mensurare et distribuere syluam aut paludem inaccessabilem etc., quam praemio Jablonowskiano soc. phys. Gedanensis adfecit. Danzig, D. L. Wedel, 1767. 4°. — II. J. c. 5/3.

Wilke, Chn. Heinr., Abhandlung über die fürstl. Jablonowskische Preis-Aufgabe aus der Erdmess-Kunst, einen unzugänglichen und undurchsichtigen Wald oder Morast auf die beste Weise auszumessen u. s. w., welcher das Accessit ... ertheilet worden. Danzig, D. L. Wedel, 1767. 4°. — II. J. c. 5/4.

Helsenzrieder, Jo., S. J., Dissertatio de distantia locorum, sive accessorum, sive inaccessorum, cum aut sine instrumentis, Gallica aliisque methodis invenienda. (Acta Soc. Jablonov., 1772.) Lips., 1773. 4°. — II. J. c. 25/10.

Newton, Sir Isaac, Mathematische Principien der Naturlehre, mit Bemerkungen und Erläuterungen herausgegeben von Prof. Dr. J. Ph. Wolfers. Berlin, Rob. Oppenheim, 1872. 8°. — V. H. c. 16.

Klügel, Geo. Sim., Analytische Dioptrik ... Leipzig, Joh. Friedr. Junius. 1778. 4°. [Mit 4 Fig.-Tfln.] — V. A. a. 9.

Sporschil, J., Anleitung zum Selbststudium der Optik, nach dem Book of science. [Mit 49 Abbildungen.] 2. Aufl. Leipzig, Expedition des Pfennig-Magazins, F. A. Brockhaus, 1839. 16°. — V. A. l. 35/4.

Lommel, Eugen, Das Wesen des Lichts, gemeinfassliche Darstellung der physikalischen Optik. [Mit 188 Abbildungen in Holzschnitt und einer farbigen Spectraltafel.] Leipzig, F. A. Brockhaus, 1874. 8°. [Internationale wissenschaftliche Bibliothek, Bd. VIII.] — VI. C. f. 8.

Le Conte, Joseph, Die Lehre vom Sehen. [Mit 131 Abbild.
in Holzschn.] Leipzig, F. A. Brockhaus, 1883. 8°. [Inter-
nation. wissenschaftl. Biblioth., B. LV.] — VI. C. g. 5.

Astronomie.
Vgl. Bd. III., S. 503 ff.

Mädler, J. H. von, Geschichte der Himmelskunde von der
ältesten bis auf die neueste Zeit. Braunschweig, George
Westermann, 1873. 8°. 2 Bde. — V. H. c. 25—26.

Gretschel, Heinrich, Lexikon der Astronomie. Leipzig,
Bibliograph. Institut, 1882. 8°. [Meyer's Populäre Fachlexika.] — VI. D. h. 19.

Drechsler, Adolph, Illustrirtes Lexikon der Astronomie
und Chronologie. [Mit 180 in den Text gedr. Figuren
und Abbildungen.] Leipzig, J. J. Weber, 1881. 4°. —
V. D. c. 22.

Coester, A., und E. Gerland, Beschreibung der Sammlung astronomischer, geodätischer und physikalischer
Apparate im Königl. Museum zu Cassel. Cassel, Hof-
und Waisenhaus-Buchdruck., 1878. 4°. — V. G. a. 21.

Johannis de Sacro Busto Libellus de sphaera. Accessit
ejusdem autoris computus ecclesiasticus et alia quaedam
in studiosorum gratiam edita, cum praefatione Philippi
Melanthonis. Sine l. et a. 8°. — III. M. n. 10/1.

— Joannis de Sacrobosco, astronomi, Celeberrimum sphęri-
cum opusculum, cum lucida et familiari expositione per
Matthaeum Shamotuliensem artium magistrum in studio
almę uniuersitatis Cracouiensis collecta. [Dedicatum Petro
Tomickio.] In fine: Cracoviae, ap. Florianum impensis
Joannis Haller, anno MDXXII. 4°. [Cum figg. liguo
inc.] — IV. G. m. 6/5.

— Sphaera emendata. Eliae Vineti Santonis scholia in eandem sphaeram ab ipso autore restituta. Adjunximus huic
libro compendium in sphaeram per Pierium Valerianum
Bellunensem et Petri Nonii Salaciensis demonstrationem
eorum, quae in extremo capite de climatibus Sacroboscius
scribit, de inaequali climatum latitudine eodem Vineto
interprete. Coloniae, M. Cholinus, 1566. 8°. Pagg. a 96
usque ad finem desunt. — III. Q. n. 4.

— Quaestiones in libellum de sphaera Joannis de Sacro-
Busto . . . per M. Hartmannum Beyer. Witeb., 1573. 8°.
— III. N. p. 26/1.

Pitati, Petri, Veronensis, Almanach novum . . . ad
annos undecim, incipiens ab a. Chr. 1552 usque ad annum

1562. Isagogica in celestem astronomicam disciplinam. Tractatus tres perbreues de electionibus, reuolutionibus annorum et mutatione aeris. Venet., apud Juntas, 1552. 4°. — Auf den leeren Blättern zwischen den einzelnen Jahrgängen sind chronikartige handschriftliche Einzeichnungen, wie es scheint von einem Krakauer, gemacht. — III. N. o. 9.

Gemmae Phrysii, medici ac mathematici, De principiis astronomiae et cosmographiae: deque usu globi, ab eodem editi, item de orbis diuisione et insulis rebusque nuper inuentis . . . His acc. Jo. Schoneri de usu globi astriferi opusculum. Lutetiae, G. Cauellat, 1557. 8°. — III. M. o. 6/1.

— De radio astronomico et geometrico liber, in quo multa, quae ad geographiam, opticam, geometriam et astronomiam utiliss. sunt, demonstrantur. Lutetiae, G. Cavellat, 1558. 8°. — III. M. o. 6/2.

Peucerus, Casp., Elementa doctrinae de circulis coelestibus et primo motu recognita et correcta. Vitebergae, Joannes Crato, 1558. 8°. [Cum tabulis ligno inc.] — III. Q. o. 3.

Strigelius, Vict., Epitome doctrinae de primo motu aliquot demonstrationibus illustrata. Vitemb., Jo. Crato, 1565. 8°. — III. O. o. 3/1.

Spangenberg, Jo., Computus ecclesiasticus in pueriles quaestiones redactus, manu, schalis, rotulis et figuris illustratus, ac in annos sequentes renouatus . . . Cracov., Mtth. Siebeneycher, 1568. 8°. — III. M. o. 10/1.

Schönbornii, Bartol., Med. D., Computus astronomicus . . . una cum forma calendarii usitata . . . Witeb., Jo. Cratonis haeredes, 1579. 8°. — III. M. n. 10/2.

Apiani, Petri, et Gemmae Frisii, Cosmographia siue descriptio universi orbis, jam demum integritati suae restituta. Antv., ex off. Joannis Withagii, 1584. 4°. — II. O. n. 5.

Reinhold, Erasmus, Prutenicae tabulae coelestium motuum. Witebergae, Matthaeus Welack, 1585. 4°. — V. A. m. 3/1.

— Logistice scrupolorum astronomicorum. Witebergae, 1585. 4°. — V. A. m. 3/2.

— Initium canonum prutenicorum. Witebergae, 1585. 4°. — V. A. m. 3/3.

Peucerus, Casp., Elementa doctrinae de circulis coelestibus et primo motu. Witeb., Simon Gronenberg, 1587. 8°. — III. O. o. 3/2.

Newton, Exposition des découvertes philosophiques de M.
le Chevalier —, par M. Maclaurin, de la société royale de
Londres etc. Ouvrage traduit de l'anglois par M. Lavi-
rotte, dr. en méd. A Paris, Durand, 1749. 4°. [Av. tabb.]
— III. S. a. 6.

Rivard, Traité de la sphère et du calendrier. 5. éd., revue
et augmentée par Jérome de Lalande. Paris, Guillaume,
an VI., 1798. 8°. — III. O. m. 3.

Bode, Jo. Elert, Uranographia sive astrorum descriptio
viginti tabulis aeneis incisa. Berolini, apud autorem,
sumptibus Friderici de Hahn, dynastae Remplini. 1801.
[IV. Bll. Vorstücke u. 20 auf Leinw. gezogene Karten.]
— IV. Q. b. 18.

— Allgemeine Beschreibung und Nachweisung der Gestirne,
nebst Verzeichniss der geraden Aufsteigung und Ab-
weichung von 17,240 Sternen, Doppelsternen, Nebelflecken
und Sternhaufen. [Zu dessen Uranographie gehörig.]
Berlin, beym Verfasser, 1801. Fol. — IV. Q. b. 18 a.

Laplace, Marquis de, Traité de mécanique céleste.
Paris, Bachelier, 1802—29. 4°. 5 voll. — V. H. f. 5 — 9.

Zöllner, Joh. Carl Friedr., Principien einer elektro-
dynamischen Theorie der Materie. Leipzig, Wilh. Engelmann, 1876. 4°. I. Bd., 1. Buch: Weber, Wilh., Abhandlungen zur atomistischen Theorie der Elektrodyna-
mik. [Mit einer Photolithographie und drei Tafeln.] —
V. H. a. 10.

Mollet, J., Étude du ciel, ou connaissance des phénomènes
astronomiques . . . Lyon, Frères Perisse, an XI., 1803.
8°. [Av. figg.] — III. O. m. 1.

Hassenfratz, J. H., Cours de physique céleste . . . Paris,
Librairie Économique, an XI., 1803. 8°. [Av. figg.] —
III. O. m. 2.

Beer, Wilh., und J. H. Mädler, Beiträge zur physischen
Kenntniss der himmlischen Körper im Sonnensystem.
[M. 7 Kupfertafeln.] Weimar, Bernh. Friedr. Vogt, 1841.
4°. — V. A. a. 8.

Klein, Herm. J., Handbuch der allgemeinen Himmels-
beschreibung vom Standpunkte der kosmischen Weltanschauung dargestellt. Zweite verbesserte Aufl. Braunschweig, Vieweg und Sohn, 1871—72. 8°. 2 Bde. [Mit
3 lithogr. Sonnen- und Mondtafeln, 1 farbig. Spectraltafel und in den Text eingedr. Holzschn.] — V. H. c. 29.

Zöllner, J. C. F., Grundzüge einer allgemeinen Photometrie
des Himmels. [Mit 5 Kupfertafeln.] Berlin, Mitscher u.
Röstell, 1861. 4°. — V. E. f. 3.

Zöllner, J. C. F., Photometrische Untersuchungen mit besonderer Rücksicht auf die physische Beschaffenheit der Himmelskörper. [Mit 7 Tafeln.] Leipzig, Wilhelm Engelmann, 1865. 8°. — V. I. i. 14.

Klinkerfues, W., Die Prinzipien der Spectral-Analyse u. ihre Anwendung in der Astronomie. Berlin, E. Bichteler et Co., 1879. 8°. — VI. F. c. 40.

Secchi, Angelo P., Die Sterne, Grundzüge der Astronomie der Fixsterne. |Mit 78 Abbild. in Holzschn. u. 9 Tafeln in Farbendruck, Lithogr. u. Stahlstich.] Leipzig, F. A. Brockhaus, 1878. 8°. Internation. wissensch. Biblioth., B. XXXIV. — VI. C. f. 34.

Mädler, J. H. von, Der Wunderbau des Weltalls, oder populäre Astronomie. 7. Aufl., neu bearbeitet und verm. von Prof. Dr. W. Klinkerfues. [Nebst einem Atlas und dem Bildniss des Verf.| Berlin, E. Bichteler et Co., 1879. 8°. — V. K. d. 19—19a.

Young, C. A., Die Sonne. [Mit 82 Abbild. und 2 Lichtdrucktafeln.| Leipz., F. A. Brockhaus, 1883. 8°. |Internation. wissenschaftl. Biblioth., B. LVIII.] — VI. C. g. 8.

Secchi, P. A., Die Sonne. Die wichtigeren neuen Entdeckungen üb. ihren Bau, ihre Strahlungen, ihre Stellung im Weltall und ihr Verhältniss zu den ubrigen Himmelskörpern. Deutsche Ausgabe und Originalwerk bezüglich der neuesten von dem Verfasser für die deutsche Ausgabe hinzugefügten Beobachtungen und Entdeckungen der Jahre 1870 u. 1871, herausgegeben durch Dr. H. Schellen. Braunschweig, George Westermann, 1872. 8°. |Mit 2 Photograph., 2 Chromolith., 7 lithograph. Tafeln u. 217 in den Text eingedr. Holzschn.| — V. H. c. 15.

Granollachis, Bernardus, Barcionensis, Lunarium, in quo reperiuntur conjunctiones et oppositiones lune, et eclypses solis et lune, per anni circulum, festa mobilia, aureus numerus et litera dominicalis. [Romae, Eucharius Franck alias Silber, 1509.| 8°. 8 foll. — II. G. b. 39/9.

Helck, Joh. Chn., Gespräche von den Sonnen- und Mondfinsternissen. Verb. Aufl. Dresd. & Lpz., J. W. Harpeter, 1753. 8°. [M. 1 K.] — III. N. p. 3.

Chappe d'Auteroche, Voyage en Californie pour l'observation du passage de Vénus sur le disque du soleil, le 3. juin 1769 . . . rédigé et publié par M. de Cassini, Fils. Paris, Charles Antoine Jombert, 1772. 4°. [Av. figg] — IV. R. c. 9.

Krabbe, Joh., Cometa, so anno 1604, den 3. Octobris, am Himmel erschienen, sampt desselben Lauff, Höhe, Grösse

vnd Effect. Magdeburgk, 1604. (Der Buchdruckername
ist vom Buchb. weggeschnitten.) 4°. — IV. H. l. 27/2.

Heinsius, Gfr., De phasi rotunda Saturni, quae an. 1760
rediit, observationes et conclusiones profert . . . Lips.,
Langenhemius, 1762, febr. 25. 4°. — 883.

Sarazinus, Jo., Coenomanensis, Horographum catholicum seu universale, quo omnia cujuscunque generis
horologia sciotherica in quacunque superficie data compendio ac facilitate incredibili describuntur. Parisiis,
Seb. Cramoisy, 1630. 4°. — III. O. n. 28/2.

(Triegler, Joh. Geo.), Sphaera, das ist, ein kurtzes astro-
nom. Tractätlein, in welchem nicht allein von des Himmels Lauff, der Sternen Krafft, Natur und Wirckung,
Circulis vnd andern darzu gehörigen Dingen; sondern
auch, wie man Natiuiteten rechnen vnd daraus vertheilen
soll, gehandelt wird. Allen Liebhabern der mathematischen Künsten zu Nutz in die Deutsche Sprache gebracht.
Lpz., Henning Gross, 1622. 4°. — III. N. o. 17.

Campanellae, ord. praedic., Astrologicorum libri VI.,
in quibus astrologia, omni superstitione Arabum et Judaeorum eliminata, physiologice tractatur secundum s.
scripturas, et doctrinam s. Thomae & Alberti et summorum theologorum . . . (Acc. lib. VII.) Lugd., J. A., et
M. Prost, 1629. 4°. — III. O. n. 28/1.

Garcaei, Jo., Astrologiae methodus, in qua secundum
doctrinam Ptolemaei exactissima facillimaque genituras
qualescunque judicandi ratio traditur . . . Accessit huic:
Erasmi Osvaldi Schreckenfuchsii opus novum nobilissi-
morum gentium, utpote Romanorum, Graecorum, Aegyptiorum, Persarum, Arabum et Hebraeorum calendaria
. . . eruditissime demonstrans. Basileae, ex offic. Hen-
ricpetrina, s. a. Fol. [Cum figg.] — III. Q. b. 3.

Spiele.

Encyclopédie méthodique. Dictionnaire des jeux, faisant suite au tome III. des mathématiques. Paris, chez
Panckoucke, Hôtel de Thou, 1792. 4°. — IV. Q.

— méthodique. Dictionnaire des jeux mathématiques, contenant l'analyse, les recherches, les calculs, les probabilités et les tables numériques, publiés par plusieurs célè-
bres mathématiciens, relativement aux jeux de hasard
et de combinaisons et suite du Dictionnaire des Jeux.
Paris, H. Agasse, an VII, (1799) 4°. — IV. Q.

— méthodique. Dictionnaire encyclopédique des amusements
des sciences mathématiques et physiques, des procédés

curieux des arts, des tours récréatifs et subtils de la magie blanche, et des découvertes ingénieuses et variées de l'industrie; avec l'explication de quatre vingt six planches, et d'un nombre infini de figures, qui y sont relatives. Paris, Panckoucke, 1792. 4°. [O. Kk.] — IV. Q.

Kunst, Die, die Welt erlaubt mitzunehmen in den verschiedenen Arten der Spiele, so in Gesellschaften höheren Standes, besonders in der K. K. Residenz - Stadt Wien üblich sind; nebst einem Anhang von dem neuen Spiel Lotto di Genoua. Erster Theil. Wien und Nürnberg, Georg Bauer, 1756. 8°. — III. R. h. 50/1.

Art, Die beste und neueste, das . . . Taroc-Spiel . . . wohl zu spielen, nebst einigen Betrachtungen über dieses Spiel, und moralischen Gedanken über die Spiele überhaupt. Nürnberg, G. Bauer, 1763. 8°. — III. R. h. 50/2.

Stamma, Philipp, Des Arabers, — gebürtig von Aleppo in Syrien, entdeckte Schachspiel-Geheimnisse . . . A. u. d. T.: Philidor, A. D., Die Kunst im Schachspiel ein Meister zu werden. Strasburg, A. König, 1771. 8°. — III. R. m. 20.

Hoyle, Edmond, Traité abrégé du jeu de whist . . . Traduit de l'anglais. 1765. 16". — III. R. m. 27.

Académie universelle des jeux, contenant les règles de tous les jeux, avec des instructions faciles pour apprendre à les bien jouer. Nouv. éd. Augmentée du jeu des échecs par Philidor, et du jeu du Whisk par Edmond Hoyle, traduit de l'anglois. Amsterd., 1773. 8°. 2 voll. — III. R. n. 33—34.

Hellwig, Joh. Christ. Ludw., Versuch eines auf's Schachspiel gebaueten tactischen Spiels, von zwey und mehreren Personen zu spielen. Leipzig, Siegfr. Lebrecht Crusius, 1780. 8°. — IV. B. f. 13.

Naturwissenschaften.
Vgl. hierzu Bd. III., S. 508 ff.

Einleitende Schriften. — Sammelwerke. — Zeitschriften.

Ersch, Joh. Sam., Literatur der . . . Naturkunde . . . seit der Mitte des 18. Jahrh. bis auf die neueste Zeit, systematisch bearbeitet. Amsterd. & Leipz., 1813. 8°. — III. S. d. 12.

Chenu, (J. C.), Encyclopédie d'histoire naturelle . . . Paris,
Marescq et Comp., Gustave Havard, s. a. 4°. 8 voll. —
V. A. a. 13—20.

Müllerus, Gfr. Polyc., praes., Troegerus, Joh. Casp.,
resp., Tentamen generale de signatura corporum naturalium physica. Lips., Schede, 1716, Mai 13. 4°. — 833.

Ravisius-Textor, Jo., Officina, uel potius naturae historia, in qua copiosissime est dispositum, quicquid habent
autores in omnibus disciplinis omnes . . . (Tom. I.) Basileae, B. Westhemerus, 1538. 8°. — II. G. a. 28.

Calceolarii, Francisci, Veron., Musaeum. Veronae,
ap. Angelum Tamum, 1622. Fol. [Cum figg. Tit. desideratur.] — III. K. b. 23.

- - - - - - - -

Bibliothek, Internationale wissenschaftliche. Leipz, F. A.
Brockhaus, 1879—83. 8°. B. I.—LX. — VI. C. f. 1—50.
VI. C. g. 1—10.

Sammlung von Natur- und Medicin, wie auch hierzu gehörigen Kunst- und Literatur-Geschichten, . . . ans Licht
gestellet von einigen Bresslauischen Medicis. Herbst-
quartal 1718. (A. u. d. T.: Annales Physico - Medici.)
Bresslau, M. Hubert, 1720. 4°. (P. 1673—2056.) — IV.
M. l. 1.

Correspondance d'histoire naturelle, ou lettres sur les
trois règnes de la nature. Paris, 1775. 12°. 8 voll. —
IV. O. m. 5—12.

Beyträge, Neue nordische, zur physikalischen und geographischen Erd- und Völkerbeschreibung, Naturgeschichte
und Oekonomie. St. Petersburg u. Leipzig, Joh. Zach.
Logan, 1781—83. 8°. 4 Bde. [M. Kpfrn.] — V. H. l. 1—4.

Journal, The Dublin Quarterly —, of science, edited by
the Rev. Samuel Haughton. 1861. 1862 Jan. u. Oct.
1863 Jan., Apr., Juli, Oct. 1864 Apr. Dublin, M. Glas-
han & Gill, Williams & Norgate,¦ 1861—64. 8°. — V. C.
g. 9—10. & II. S. i. 273.

Memoirs read before the Boston Society of natural history,
being a new series of the Boston Journal of Natural
History. Volume I, part III. Boston, published by the
society, 1868. 4°. Contents of volume I., part III. On
the Spongiae Ciliatae as infusoria flagellata, or observations on the structure, animality and relationship of
Leucosolenia Botryoides Bowerbank, by H. James Clark,
A. B. B. S. With two plates. Notes on the volcanic
phenomena of the Hawaiian islands with a description

of the modern eruptions. By William T. Brigham. A. M.
With five plates. — II. S. i. 266.
Proceedings of the Boston Society of Natural History.
Taken from the society's records vol. XII. April - May,
1869 (bricht ab mit pag. 416.) Vol. XIII., 1869 August,
(fehlt Bog. 2.) Sept., Oct., Nov., 1870, Dec., Jan., Febr.,
March, (bricht ab mit pag. 224.) 8°. — II. S. i. 267.

Bonnets, Karl, Betrachtungen über die Natur, mit Anmerkungen und Zusätzen herausg. von Joh. Dan. Titius.
5. Aufl. Leipzig, Junius, 1803. 8°. 2 Bde. — V. A. g.
53—54.
Darwin, Charles, Die Entstehung der Arten und die
natürliche Zuchtwahl oder die Erhaltung der begünstigten
Rassen im Kampfe ums Dasein, aus dem Englischen
übers. von H. G. Bronn, nach der sechsten engl. Aufl.
wiederholt durchgeseh. u. berichtigt von J. Victor Carus.
Sechste Aufl. [Mit dem Portrait des Verfassers.] Stutt-
gart, E. Schweizerbarth, 1876. 8°. — V. H. c. 7.
— Die Abstammung des Menschen und die geschlechtliche
Zuchtwahl, aus dem Engl. übers. v. J. Victor Carus.
Dritte, gänzl. umgearbeit. Aufl. Stuttgart, E. Schweizerbarth, 1875. 8°. 2 Bde. [B. I. Mit 26 Hlzschnitt. B. II.
Mit 52 Hlzschn.] — V. H. c. 6.
— Das Variiren der Thiere und Pflanzen im Zustande der
Domestication, aus dem Engl. übers. von J. Victor
Carus. Zweite durchgeseh. u. berichtigte Ausg. Stutt-
gart, E. Schweizerbarth, 1873. 8°. 2 Bde. [M. 43 Holz-
schnitten.] — V. H. c. 2—3.
Häckel, Ernst, Natürliche Schöpfungsgeschichte, gemeinverständliche wissenschaftliche Vorträge über die Ent-
wickelungslehre im Allgemeinen und diejenige von Darwin, Goethe und Lamarck im Besonderen. 5. verb. Aufl.
[Mit dem Porträt des Verf. und mit 16 Tafeln, 19 Holzschnitten, 18 Stammbäumen u. 19 systematischen Tabellen.,
Berlin, Georg Reimer, 1874. 8°. — VI. D. c. 22.
— Anthropogenie oder Entwickelungsgeschichte des Menschen, gemeinverständliche wissenschaftliche Vorträge
über die Grundzüge der menschlichen Keimes- u. Stam-
mes-Geschichte. [Mit 12 Tafeln, 210 Holzschnitten und
36 genetischen Tabellen.] Zweite unveränderte Auflage.
Leipzig, Wilhelm Engelmann, 1874. 8°. — VI. D. c. 21.
Schmidt, Oscar, Descendenzlehre und Darwinismus. [Mit
26 Abbildungen in Holzschnitt.] 2 verb. Aufl. Leipzig,

F. A. Brockhaus, 1875. 8°. Internation. wissenschaftl.
Biblioth. B. II. — VI. C. f. 2.

Seidlitz, Georg, Die Darwinsche Theorie, elf Vorlesungen
über die Entstehung der Thiere und Pflanzen durch
Naturzüchtung. 2 verm. Aufl. Leipzig, Wilh. Engelmann, 1875. 8°. [Mit einer tabellarisch. Uebersicht der
Decendenztheorie.] — V. I. g. 1.

Dub, Julius, Kurze Darstellung der Lehre Darwin's über
die Entstehung der Arten der Organismen, mit erläuternden Bemerkungen. [Mit 38 Holzschn.] Stuttgart, E.
Schweizerbart, 1870. 8°. — VI. D. c. 19a.

Vogel, Herm. W., Lichtbilder nach der Natur, Studien und
Skizzen. [M. 49 Holzschnitten.] Berlin, A. Hofmann u.
Co., 1879. 8°. — VI. F. f. 9.

Rossmässler, E. A., Die vier Jahreszeiten. Dritte Aufl.
[Mit vier Charakterlandschaften in Tondruck von F. H.
von Kittlitz und zahlreichen Illustrationen in Holzschn.
und Typen-Naturselbstdruck, nebst dem Bildniss des Verfassers. Heilbronn, Gebr. Henninger, o. J. 8°. — VI.
C. c. 1a.

Sterne, Carus, Werden und Vergehen, eine Entwickelungsgeschichte des Naturganzen in gemeinverständlicher
Fassung. 2. verb. u. verm. Aufl. [M. 392 Holzschnitten
und 11 Vollbildern.] Berlin, Gebr. Bornträger, 1880. 8°.
— VI. F. b. 11.

Arnoldus, Barth., Usingensis, Totius naturalis philosophiae epitome. Ed. Jo. Curio. Erford., 1543. 4°. —
III. Q. m. 1.

Sennerti, Dan., D., Vratislaviensis, Epitome naturalis
scientiae. Ed. ult. Amstelaedami, J. Ravestein, 1651.
12°. Acc.: Auctarium epitomes physicae. Ex aliis ejusdem libris a viro quodam docto excerptum. — IV. P. l. 19.

Spectacle, Le, de la nature, ou entretiens sur les particu-
larités de l'histoire naturelle, qui ont paru les plus propres à rendre les jeunes-gens curieux et à leur former
l'esprit. A Paris, Veuve Estienne et fils, 1752. 7 voll.
[Av. figg.] — III. N. h. 1—7.

Cours d'histoire naturelle ... Paris, Desaint, 1770. 12°.
7 voll. [Av. figg.] — V. A. m. 11—17.

Erxleben, Joh. Chn. Polyk., Anfangsgründe der Natur-
geschichte. 2. vermehrte u. verb. Auflage. [Mit Kpfrn.]
Göttingen und Gotha, J. Ch. Dieterich, 1773. 8°. — IV.
M. e. 1.

Buffon, Comte de, Histoire naturelle générale et particulière. Théorie de la terre. Hist. nat. de l'homme. Miné-

raux. Epoques de la nature etc. Aux Deux-Ponts, Sanson et Cie., 1785—1786. 8°. [Avec figg.] 13 voll. — III. M. g. 21—33.

Buffon, Comte de, Histoire naturelle générale. Qua-. drupèdes. Aux deux-Ponts, Sanson et Cie., 1786—1787. 8°. 12 voll. — III. N. g. 22—33.

— Histoire naturelle générale et particulière. Oiseaux. Aux Deux-Ponts, Sanson et Cie, 1785—1787. 8°. 18 voll. — III. O. h. 40—50. III. O. i. 1.—7.

— Les époques de la nature. A Paris, de l'imprim. royale, 1780. 8°. 2 voll. — III. O. k. 9—10.

— Morceaux choisis, ou recueil de ce, qui ses écrits ont de plus parfait sous le rapport du style et de l'éloquence. Paris, A. A. Renouard, 1807. 12°. — III. N. m. 1.

Goldfuss, Aug., Naturhistorischer Atlas. (Gezeichnet von Henry.) Düsseldorff, Arnz & Co. Thl. I. Taf. 1—272, Thl. II. Taf. 273—352. Fol. — IV. M. a. 2.

— Ausführliche Erläuterung des naturhistorischen Atlasses. Düsseldorf, Arnz & Co., 1826—32. 4°. 2 voll. I. Thl. Taf. 1—100, II. Thl. Taf. 101—200, III. Thl. Taf. 201—300, IV. Thl. (o. Tit.) Bog. 123—148. — IV. M. g. 14—15a.

— dass. I. Thl. 1826, II. Thl. 1828, III. Thl. o. Tit., Bog. 84—111. — II. S. i. 171.

Oken, Allgem. Naturgeschichte für alle Stände. I. Band Mineralogie und Geographie bearb. v. Dr. F. A. Walchner. Stuttgart, Hoffmann, 1839. — II.—III. 1—3 Bd. Botanik, 1839—41. IV.—V. 1—3 u. VI.—VII. 1—3 Thierreich, 1833—38. Zusamm. 13 Bde. 8°. [Mit d. Bildnisse Oken's im IV. Bde. — IV. M. h. 7—19.

— Abbildungen zu Oken's allgemeiner Naturgeschichte für alle Stände. Stuttgart, Hoffmann, 1843. 4°. Mit vorausgehendem Register. — IV. M. a. 7.

Schubert, G. H. von, Lehrbuch der Naturgeschichte für Schulen. 13., verb. u. verm. Aufl. Erlangen, Carl Heyder, 1842. 8°. — V. A. k. 6.

Huxley, T. H., Physiographie, eine Einleitung in das Studium der Natur, für deutsche Leser frei bearbeitet von Herm. Jordan. [Mit 182 Abbild., 8 Karten u. Tafeln.] Leipzig, F. A. Brockhaus, 1884. 8°. [Internationale wissenschaftl. Bibl., Bd. 63.]

Geologie und Geognosie.

Humboldt, Alex. v., Kosmos, Entwurf einer physischen Weltbeschreibung. Stuttgart u. Tübingen, J. G. Cotta, 1845—62. 8°. 5 Bde. — V. B. c. 23—25d.

L

Humboldt, Alex. de, Cosmos, essai d'une description physique du monde, traduit par H. Faye. I. partie. Paris, Gide et Cie., 1846. 8°. — IV. R. e. 6.

Sonnenburg, A., Tellus, oder die vorzüglichsten Thatsachen und Theorien aus der Schöpfungsgeschichte der Erde. [Mit 2 lithograph. Tafeln.] Bremen, A. D. Geissler, 1845. 8°. — V. A. f. 18.

Beudant, F.-S., Milne-Edwards et A. de Jussieu, Cours élémentaire d'histoire naturelle. Géologie. Paris, Langlois et Leclerq, Fortin, Masson et Comp., Leisig, L. Michelsen, 8°. [Av. figg.] — IV. M. e. 28.

Leonhard, Karl Cäsar v., Lehrbuch der Geognosie und Geologie. Stuttgart, E. Schweizerbart., 1835. 8°. [Mit Abbildgn.] — V. A. g. 17.

Hartmann, Karl, Anleitung zum Selbststudium der Geologie, nach dem Book of science. [Mit 16 Abbildgn.] Leipzig, Expedition des Pfennig-Magazins, (F. A. Brockhaus), 1838. 16°. — V. A. l. 36/1.

Gross, L. Frhr. v., Geologie, Geognosie und Petrefactenkunde. [M. 16 Tafeln u. 500 Abbildgn.] Weimar, B. Fr. Voigt, 1844. 8°. — V. A. l. 25.

Marsilli, Louis Ferd. Comte de, Histoire physique de la mer, ouvrage enrichi de figures, dessinées d'après le naturel. Amsterd., aux dépens de la comp., 1725. Fol. [Av. figg.] — II. P. c. 12.

Kuhn, D. jur. et prof. math. Dantisci, Diss. de origine fontium et puteorum, opus quod retulit praemium Burdigalae judicio academiae regiae anno 1741. Tyrnaviae, typis Soc. Jes., 1763. 8°. — IV. H. k. 21/1.

Lamarck, J. B., Hydrogéologie. Paris, Maillard, an X., 1802. 8°. — IV. P. h. 10.

Faujas de Saint-Fond, Recherches sur les volcans éteints du Vivarais et du Velay; avec un discours sur les volcans brûlans, des mémoires analytiques sur les Schorls, la Zéolite, le Basalte, la Pouzzolane, les Laves et les différentes substances, qui s'y trouvent engagées etc. Grenoble, J. Cuchet, 1778. Fol. [Avec figures.] — II. S. c. 7.

Maravigna, Carmelo, Istoria dell' incendio dell' Etna del mese maggio 1819. Catania, da' torchi della R. Università, 1819. 8°. [C. tav.] 8°. — IV. X. d. 25.

Fuchs, Karl, Vulkane und Erdbeben. [Mit 36 Abbildungen in Holzschnitt und einer lithograph. Karte.] Leipzig, F. A. Brockhaus, 1875. 8°. Internation. wissenschaftliche Biblioth., B. 17. — VI. C. f. 17.

Bertrand, E., Essai sur les usages des montagnes, avec une lettre sur le Nil. Zuric, Heidegger & Comp., 1754 8⁰. — IV. S. d. 36.

(Goethe), Höhen der alten und neuen Welt bildlich verglichen von Hrn. G. R. von Goethe. Aus den Allgemeinen Geographischen Ephemeriden, XLI. Bandes 1. Stück, besonders abgedruckt. [Mit einem colorirten Tableau.] Weimar, im Verlage des Landes-Industrie-Comptoirs, 1813. Fol. 2 Bll. Druck u. 1 Bl. in K. gest. — IV. S. a. 2.

Neumayer, G., Anleitung zu wissenschaftlichen Beobachtungen auf Reisen, . . . |Mit 56 Holzschn. und 3 lithographirten Tfln.] Berlin, Rob. Oppenheim, 1875. 8⁰. — V. G. e. 1.

Darwin, Charles, Reise eines Naturforschers um die Welt, aus dem Englischen übers. von J. Victor Carus. [Mit vierzehn Holzschn.] Stuttgart, E. Schweizerbarth, 1875. 8⁰. — V. H. c. 5.

Peters, Karl Ferd., Die Donau und ihr Gebiet, eine geologische Skizze. [Mit 71 Abbild. in Holzschn.] Leipzig, F. A. Brockhaus, 1876. 8⁰. Internation. wissenschaftl. Biblioth., B XIX. — VI. C. f. 19.

Razoumowsky, Le comte de, Histoire naturelle du Jorat et des ses environs . . . Lausanne, Jean Mourer, 1789. 8⁰. 2 voll. — IV. S. g. 11—12.

Valentinus, Mich. Bernh., praes., Müller, Joh. Nic., resp., Prodromus historiae naturalis Hassiae . . . Gissae, H. Müller, 1707. 4⁰. — 836.

Agassiz, Louis, Untersuchungen über d. Gletscher. [Nebst einem Atlas von 32 Steindrucktaf.] Solothurn, in Kommiss. bei Jent und Gassmann, 1841. 8⁰. — IV. N. d. 24.

— Untersuchungen über die Gletscher. Atlas, nach der Natur gezeichnet und lithographirt von Jph. Betannier. Neuchatel in d. Schweiz, H. Nicolet, 1840. Fol. [18 lithogr. Bll] — IV. S. a. 3.

Dufrénoy & Élie de Beaumont, Mémoires pour servir à une description géologique de la France, rédigés par ordre de Monsieur Becquey, sous la direction de M. Brochant de Villiers. Paris, F. G. Levrault, 1830. T. II. 1831, t. III. 1836, t. IV. 1838. 4 voll. [Av. figg.] 8⁰. — IV. R. e. 3—5b.

Koestlin, Charles Henri, Lettres sur l'histoire naturelle de l'Isle d'Elbe . . . Vienne, Jean Paul Kraus, 1780. 8⁰. [Av. la carte.] — IV. W. k. 21.

Bowles, Guillermo, Introduccion á la historia natural y á la geografiá física de España. Segunda edicion,

corregida. Madrid, en la Imprenta Real, 1782. 4°. — IV.
X. d. 23.

Buch, Leop. von, Physikalische Beschreibung der Cana-
rischen Inseln. Berlin, Druckerei der Kgl. Akademie der
Wissenschaften, 1825. 4°. — IV. S. b. 1. IV. S. c. 26.

Humboldt, A. v., Central-Asien, Untersuchungen über die
Gebirgsketten und die vergleichende Klimatologie, aus
dem Französischen übersetzt und durch Zusätze verm
von Dr. Wilhelm Mahlmann. Berlin, Carl J. Klemann,
1844. 8°. 2 Bde. — V. C. c. 15—16.

Expedition, Die preussische, nach Ost-Asien, nach amtl.
Quellen. Berlin, Kgl. Geh. Ober - Hof - Buchdruckerei,
1864—77. 8°. 7 Bde. [M. colorirt. Tfln. u. zahlr. Illustr.]
— V. G. a. 6—12.

Junghuhn, Friedrich, Topographische und naturwissenschaftliche Reisen durch Java, . . . bevorwortet durch
C. G. Nees von Esenbeck. [Mit 38 Tafeln und 2 Höhen-
karten.] Magdeburg, Emil Baensch, 1845. 8°. [Die Tfln.
u. Krtn. fehlen.] — V. A. l. 17.

Darwin, Charles, Geologische Beobachtungen über Süd-
Amerika und kleinere geologische Abhandlungen, aus
dem Englischen übersetzt von Victor Carus. [M. 2 Kart.
5 Tafeln u. 38 in den Text gedr. Holzschn.] Stuttgart,
Schweizerbarth, 1878. 8°. — V. H. c. 13.

Skinner, Joseph, Gegenwärtiger Zustand von Peru, aus
dem Englischen. Hamburg, B. G. Hoffmann, 1806. 8°.
— IV. X. d. 24.

Darwin, Charles, Geologische Beobachtungen über die
vulcanischen Inseln, mit kurzen Bemerkungen über die
Geologie von Australien u. dem Cap der guten Hoffnung,
nach der zweiten Ausg. aus d. Engl. übers. v. J. Vict.
Carus. [Mit einer lithogr. Karte und 14 eingedr. Holzschnitt.] Stuttgart, E. Schweizerbarth, 1877. 8°. — V.
H. c. 12/2.

Mineralogie.

Kobell, Franz von, Geschichte der Mineralogie von 1650
bis 1860. [Mit 50 Holzschn. u. 1 lithogr. Tafel.] München,
Liter.-artist. Anstalt der J. G. Cotta'schen Buchhandl.,
1864. 8°. [Gesch. d. Wissensch. in Deutschl. Bd. II.] —
V. G. e. 11.

Auswahl aus den Schriften der unter Werner's Mitwirkung
gestifteten Gesellschaft für Mineralogie zu Dresden. Leipz.,
J. F. Gleditsch, 1818—19. 8°. 2 Bde. [D. Kk. fehlen.]
— V. A. e. 31—32.

·Volta, Joh. Seraphin, Anfangsgründe der analytischen und systematischen Mineralogie ... Nebst zween Briefen des Herrn Bozza u. Volta üb. die allgem. Revoluzion der Erde, und über die Versteinerungen des Verones. Gebietes, besonders über die versteinerten Fische des berühmten Berges Bolca. A. d. Ital.... von Karl Frhr. v. Meidinger. Wien u. Leipz., Aloys Doll, 1793. 8°. — IV. M. k. 35.

Kirwann, Rich., Esq., Anfangsgründe der Mineralogie. II. Ausg. Aus d. Engl. ... von D. Lorenz von Crell. Berlin, F. Nicolai, 1796—1798. 8°. 2 voll. — IV. O. h. 25—26.

Haüy, Traité de minéralogie. Paris, Louis, 1801. 8°. 4 voll. Tome V.? — IV. P. f. 30—33.

Beudant, F. S., Lehrbuch der Mineralogie, deutsch bearb. von Karl Friedr. Alex. Hartmann. [Mit 10 lith. Tafeln.] Leipzig, F. A. Brockhaus, 1826. 8°. — IV. N. m. 9.

Hartmann, Karl Friedr. Alex., Handwörterbuch der Mineralogie und Geognosie. [Mit 10 lith. Taf.] Leipz., F. A. Brockhaus, 1828. 8°. — V. A. i. 8.

— Anleitung zum Selbststudium der Mineralogie, nach dem Book of science. [Mit 49 Abbildungen.] Leipzig, Expedition des Pfennig-Magazins, (F. A. Brockhaus,) 1837. 16°. — V. A. l. 33/2.

Dufrénoy, A., Traité de minéralogie. Paris, Carilian-Goeury et V. Dalmont, 1844—45. 8°. Tome I., II., IV. |Avec figg.] — IV. M. e. 29—31.

Naumann, Karl Friedr., Lehrbuch der reinen und angewandten Krystallographie. [Mit 39 Kupfertaf.] Leipz., F. A. Brockhaus, 1830. 8°. 2 Bde. — V. A. h. 1—2.

Hartmann, Karl, Anleitung zum Selbststudium der Krystallographie, nach dem Book of science. [M. 45 Abbild.] Leipz., Exped. des Ptennig-Magazins, F. A. Brockhaus, 1837. 16°. — V. A. l. 35/6.

Agricolae, Georgii, De re metallica libri XII. .... Quibus accesserunt: De animantibus subterraneis lib. I. De ortu et causis subterraneorum lib. V. De natura eorum, quae effluunt ex terra lib. IV. De natura fossilium lib. X. De veteribus et novis metallis lib. II. Bermaunus sive de re metallica lib. I. Basileae, sumptib. Emanuelis König, 1657. Fol. [Cum figg. ligno inc.] — III. Q. b. 1.

Knorr, Geo. Wolfg., Norimbergensis, Lapides ex celeberrimorum virorum sententia diluvii universalis testes, quos in ordines ac species distribuit etc. Sammlung von Merckwürdigkeiten der Natur und den Alterthümern des

Erdbodens zum Beweis einer allgemeinen Sündfluth . . .
I. Thl., II. Thl. 1, II. Thl. 2, III. Thl. Fol. 4 voll. —
IV. O. b. 6—9.

Knorr, Geo. Wolfg., Sammlung von Merckwürdigkeiten
der Natur u. Alterthümern des Erdbodens, welche petri-
ficirte Cörper enthält. Herausg. von Joh. Ernst Immanuel Walch. Nürnberg, gedr. bey A. Bieling, 1755. Fol.
Die Vorrede ist datirt Jena d. 16. Febr. 1768. Darauf
folgt ein Vorbericht v. G. W. Knorr, Juli 1755. Darauf
folgen 36 Seiten Text, darauf: ein neuer Titel: „Die
Naturgeschichte der Versteinerungen zur Erläuterung
der Knorrischen Sammlung von Merckwürdigkeiten der
Natur herausgegeben von Joh. Ernst Immanuel Walch.
Erster Theil. Nürnberg, Felszecker, 1773. [Mit Walch's
Bildn. in Kupferstich.] Thl. II. 1, 1768. II. 2, 1769. III.
1771. IV. 1773. (Reg.) 5 Bde. Fol. — IV. O. b. 1—5.

Hartmann, Karl, Anleitung zum Selbststudium der Versteinerungen, nach dem Book of science. [Mit 30 Abbildungen.] Leipzig, Expedition des Pfennig-Magazins,
F. A. Brockhaus, 1838. 16°. — V. A. l. 36/2.

Binninger, Lud. Reinh., Diss. inaug. physico-med., sistens
oryctographiae agri Buxovillani et viciniae specimen
. . . pro licentia (in med.) Argentor., J. H. Heitz, 1762,
Dec. 18. 4°. — 857.

Breithaupt, Aug., Mineralogisch - physiologische Untersuchungen des Schörl-Geschlechts . . . S. Auswahl aus
den Schriften der Gesellsch. für Mineral. zu Dresden. 8°.
— V. A. e. 32.

Frenzelius, Sim. Frid., M., praes., Marthius, Joh.,
auctor. resp., Exercitatio physico-historica de amianto,
nec non lucernis ex eo parandis . . . Witteb., Jo. Borckard,
1668, Sept. 12. 4°. — 848.

Khuon, Jo. Franc. Mich., Diss. inaug. de alumine . . .
pro licentia . . . in medicina . . . Altorfii, J. G. Kohlesius, 1715, Juni 13. 4°. — 849.

Severini, Marci Aurelii, Cl. V. -, Epistolae duae, altera
de lapide fungifero, altera de lapide fungimappa, . . .
orbi literato curioso ex bibliotheca sua communicatae a F. E.
Brückmann, Med. Doct. . . . Gvelpherbyti, 1728. 4°. — 854.

Gerhard, Car. Abr., Disquisitio physico-chymica granato-
rum Silesiae atque Bohemiae . . . pro gradu doct. med.
Francof. ad O., J. Ch. Winter, 1760, Mai. 4°. — 855.

Major, Joh. Dan., praes., Sennert, Joh. Andr., resp.,
Diss. med. de lacte lunae. Kilonii, J. Reumann, 1667,
Nov. 16. 4°. — 740.

Alberti, Valent., praes., Brunnerus, Joh. Amandus, resp., Diss. physica de figuris variarum rerum in lapidibus et speciatim fossilibus comitatus Mansfeldici. Lips., J. George, 1675, Sept. 8. 4°. — 850.

Wend i, G., M., Passio Christi mirandis quibusdam figuris in regno mineralium repraesentata. V. Jaenichii, Meletemata Thorun. Tom. I., p. 172. — III. L. g. 1.

— De lapidibus quibusdam selectioribus et curiosis. 1699. V. Jaenichii, Meletemata Thorun. Tom. I., p. 28. 8°. — III. L. g. 1.

— De mirando sed aenigmatico lapide Thuani lib. VI., pag. 124. V. Jaenichii, Meletemata Thorunensia. Tom. I., p. 34. — III. L. g. 1.

— Examen lapis Suecici figuris variis praediti. V. Jaenichii, Meletemata Thorunensia. Tom. I., p. 77. 8°. — III. L. g. 1.

— De notabili illa lapidis Rostochiensis inscriptione „vivant Gedanenses." V. Jaenichii, Meletemata Thorunensia. Tom. I., p. 139. 8°. — III. L. g. 1.

Kircheri, Athan., Soc. J., Diatribe de prodigiosis crucibus, quae tam supra vestes hominum, quam res alias non pridem post ultimum incendium Vesuvii montis Neapoli comparuerunt. Romae, Blas. Deuersin, 1661. 8°. — III. N. k. 12.

Botanik. — Einleitende Schriften.

Sachs, Jul., Geschichte der Botanik vom 16. Jahrhundert bis 1860. München, R. Oldenbourg, 1875. 8°. Geschichte der Wissensch. in Deutschl. B. XV. — V. G. e. 20.

Ludwig, Chn. Glieb., De rei herbariae studio et usu ... Lips., Langenhemius, 1768. 4°. — 809.

Kentmann, Theoph.
1. Tabula excursionibus botanicis et conficiendis herbariis vivis inserviens.
2. Tabula locum et tempus, quibus uberius plantae potissimum spontaneae vigent ac proveniunt, exprimens. Francof. ad M., Joh. Phil. Andreae, 1715. Fol. — IV. M. l. 6a.

Fabricius, Phil. Conr., Sermo academicus de praecipuis Germanorum in rem herbariam meritis ... Helmst., Schnorr, 1751, Juni 25. 4°. — 824.

Boehmer, Geo. Rud., praes., Friederici, Joh. Frid. Glieb., resp., Planta res varia, diss. inaug. med. ...

pro gradu doctoris ... Witeb., E. G. Eichsfeld, 1765,
Jan. 4°. — 819.

Sigwart, Geo. Frid., praes., Hiller, Carol. Chph.,
auctor, De vegetabilium ulteriori indagine ejusdemq1e
necessitate et utilitate, . . . pro gradu doctoris med.
Tübg., Fues, 1769, Juni 26. 4°. — 822.

Boehmer, Geo. Rud., praes., Doeringius, Glob. Frid.,
resp., De virtute loci natalis in vegetabilia, praeside —,
pro summis in arte med. honoribus . . . disputabit.
Viteb., E. G. Eichsfeld, 1761, Nov. 4°. — 818.

Grienwaldt, Franc. Jos., Diss. phys.-med. inaug. de vita
plantarum, . . . pro summis in med. honoribus . . .
Altorf., J. G. Kohlesius, 1732, Juni 28. 4°. — 812.

Stieff, Jo. Ern., Vratisl., De vita nuptiisque plantarum
disserit. Lips., Breitkopf, 1741. 4°. — 825.

Ziegra, Ch. Sam., M., praes., Reising, Joh. Benj., auct.
et resp., Disp. physica de morte plantarum ... Wittenb.,
J. Wilcke, 1680, Oct. 9. 4°. — 813.

Boehmer, Geo. Rud., praes., Ruffer, Jo. Chn., resp.,
De vegetabilium celluloso contextu, . . . pro lic. Witteb.,
E. G. Eichsfeld, 1753, Oct. 5. 4°. — 820.

Plaz, Ant. Guil., De natura plantas muniente. Lipsiae,
Langenhemius, 1761. 4°. Acc.: Vita doctorandi Glob
Frid. Fischer. — 804.

— Historiam radicum exponit. Lips., Langenhemius, 1733,
Juli 17. 4°. — 823.

— Caulem plantarum explicatum . . . eruditorum disquisitioni committit autor. Lps., Langenhemius, 1745, Sept. 27.
4°. — 816.

Boehmer, Geo. Rud., Commoda, quae arbores a cortice
accipiunt, recensere pergit . . . Witteb., C. Ch. Dürr,
1773. 4°. Acc.: Vita doctorandi Chn. Frid. Nürnbergeri.
    — 792.

Ludwig, Chn. Glieb, De elaboratione succorum plantarum
in universum disserit. Pars I. Radix, caudex, folium.
Acc.: Vita doctorandi Jo. Glieb Biedermann. Lipsiae,
Breitkopf, 1768. 4°. — 113/2.

— De elaboratione succorum plantarum in universum disserit.
Pars II. Flos, fructus, germen. Lips., Langenhemius,
1771. 4°. Acc.: Vita doctorandi Christiani Liebing. —
115/2.

Plaz, Ant. Guil., De plantarum virtutibus ex ipsarum
charactere haud quaquam addiscendis. Lips., Langenhemius, 1762. Acc.: Vita doctorandi Frid. Gotthilf Beer.
    4°. — 167/2.

Boehmer, Geo. Rud., De plantarum superficie exercit. prima. Vitemb., C. Ch. Dürr, 1770. 4°. Acc.: Vita doctorandi Dan. Ghelf. Berthold. — 210/2.

— Chirurgiae curtorum in vegetabilibus feliciter institutae varios modos recenset. Lips., Gerdes., 1758. 4°. Acc.: Vita doctorandi Jul. Chni. Lemmer. — 679.

— De serendis vegetabilium seminibus monita continuat... Witteb., E. G. Eichsfeld, 1761, Nov. 5. 4°. Acc.: Vita doctorandi Glob. Frid. Doeringii. — 811.

Ungebauer, Jo. Andr., M., praes., Hebenstreit, Jo. Chn., resp., Diss. phys. de cultura plantarum ... Lips., J. Ch. Langenheim, 1741, Mai 17. 4°. — 821.

Plaz, Ant. Guil.,' De plantarum sub diverso coelo nascentium cultura . . . Lips., 1764, Juli 6. 4°. Acc.: Vita doctorandi Chn Ghilf. Barth. — 827.

Ludwig, Chn. Glieb., M., praes., Morgenbesser, Mich., resp., De vegetatione plantarum marinarum disserent. Lips., Breitkopf, 1736, Mart. 3. 4°. — 814.

Bosseck, Henr. Otto, M., praes., Küchelbecker, Geo. Glob., resp., De antheris florum ... disputabunt. Lips., Langenhemius, 1701, Nov. 4. 4°. — 815.

Boehmer, Geo. Rud., De plantis fasciatis disserit et ad orationem . . . invitat . . . Wittenberg, E. G. Eichsfeld, 1752, Aug. 4. 4°. — 817.

Mentz, Frid. M., De plantis, quas ad rem magicam facere crediderunt veteres, disputatio prior — pro loco ... Lips., Brandenburger, 1705, Juli 1. 4°. — 810.

Hebenstreit, Jo. Ern., Definitiones plantarum, cum .. Africam occidentalem versus iter susciperet, ... Lipsiae, d. 22. Aug. 1731, discipulis suis exhibet, perennem sui memoriam esse cupiens, . . . respondente itineris Comite Chn. Aug. Ebersbach. Lips., J. Ch. Langenhemius, 1731. 4°. — 826.

Gesneri, Conradi, medici, De raris et admirandis herbis, quae, sive quod noctu luceant, sive alias ob causas, lunariae nominantur, et obiter de aliis etiam rebus, quae in tenebris lucent, commentariolus. Hafniae, M. Godicchenius, imp. Petri Hauboldi, 1669. 8°. — II. S. i. 31/4.

Saporta, G. de, und A. F. Marion, Die paläontologische Entwickelung des Pflanzenreichs. Die Kryptogamen. [Mit 85 Abbildungen.] Leipzig, F. A. Brockhaus, 1883. 8°. [Intern. wissenschaftl. Biblioth. B. LIV.] — V. C. 'g. 4.

Strasburger, Ed., Zellbildung und Zelltheilung. Dritte, völlig umgearb. Aufl. [Mit 14 Tafeln und einem Holzschnitt.] Jena, Gustav Fischer, 1880. 8°. — VI. F. b. 12.

Darwin, Charles, Das Bewegungsvermögen der Pflanzen,
mit Unterstützung von Francis Darwin aus dem Engli-
schen übersetzt von J. Victor Carus. |Mit 196 Holz-
schnitten.] Stuttgart, E. Schweizerbarth, 1881. 8°. — V.
H. c. 13a.

— Die verschiedenen Blüthenformen an Pflanzen der nämlichen Art, aus dem Engl. übers. von J. Victor Carus.
[Mit 15 Holzschn.] Stuttgart, E. Schweizerbarth, 1877.
8°. — V. H. c. 11.

— Die verschiedenen Einrichtungen, durch welche Orchideen
von Insecten befruchtet werden, aus dem Engl. übers.
von J. Vict. Carus. 2. durchgesehene Aufl. [Mit 38 eingedr. Holzschnitt.] Stuttgart, E. Schweizerbarth, 1877.
8°. — V. H. c. 12/1.

— Die Wirkungen der Kreuz- und Selbst-Befruchtung im
Pflanzenreich, aus dem Engl. übers. von J. Vict. Carus.
Stuttg., E. Schweizerbarth, 1877. 8°. — V. H. c. 10.

— Die Bewegung u. Lebensweise der kletternden Pflanzen,
aus dem Engl. übers. v. J. Vict. Carus. |M. 13 Hlzschn.]
Stuttg., E. Schweizerbarth, 1876. 8°. — V. H. c. 9/1.

— Insectenfressende Pflanzen, aus dem Engl. übers. von
J. Victor Carus. [M. 30 Hlzschn.] Stuttg., E. Schweizerbarth, 1876. 8°. — V. H. c. 8.

Lehrbücher. — Systeme.

Turneisseri zum Thurn, Leonh., D., Opus per singula
hominis membra digestum. De radicum, lignorum, herbarum, florum, fructuum et seminum nomenclaturis, generibus etc. Berlini, excudebat Mich. Hentzake, 1578. Fol.
[Cum figg. ligno inc] Tit. deest. — IV. L. a. 16.

Cordi, Euricii, Botanologicon.]XVI. saec. Tit. deest.|
16°. — IV. P. l. 26/1.

Dodonaei, Remberti, Mechliniensis, Stirpium historiae pemptades sex, sive libri XXX. Antv., Plantin, 1616.
Fol. |Cum figg. ligno inc.] — IV. M. c. 5.

Haller, Alb., De methodico studio botanices absque praeceptore . . . Göttg., A. Vandenhoeck, 1736. 4°. — IV.
P. c. 21/1.

— Opuscula botanica prius edita recensuit, retractavit, auxit,
conjuncta edidit. Gottg., J. W. Schmid, 1749. 8°. [Cum
figg.] — IV. O. i. 3.

Linnaei, Caroli, Genera plantarum eorumque characteres
naturales. Lugduni Batavorum, Conrad Wishoff, 1737
4°. — IV. P. f. 15.

Linnaei, Caroli, Philosophia botanica, in qua explicantur fundamenta botanica. Stockholmiae, apud Godofredum Kiesewetter, 1751. 8°. — IV. P. f. 12.

— Species plantarum, exhibentes plantas rite cognitas, ad genera relatas . . . Ed. 2. aucta. Tom. I. Holmiae, imp. Laur. Salvii) 1762. 8°. [Cum eff. auct.] — IV. P. f. 27.

— Tomus II. Editio II. (P. 785—1684.) Holmiae, Laur. Salvius, 1763. 8°. — IV. M. l. 10.

— Fundamentorum botanicorum pars prima et secunda, tom. I.—III., curante Joan. Emman. Gilibert. Coloniae Allobrogum, Piestre et De la Mollière, 1786—1787. 8°. 3 voll. — IV. O. e. 10—12.
Systema vegetabilium secundum classes, ordines, genera, species cum characteribus et differentiis. Editio 15., quae ipsa est recognitionis a b. Jo. Andrea Murray institutae tertia, procurata a C. H. Persoon. Gottg., J. Ch. Diete-rich, 1797. 8°. — IV. O e. 15.

— Miller, Joannes, Illustratio systematis sexualis Linnaei, denuo edita, revisa ac translatione germanica locupletata per Mauritium Balthasarem Borckhauson, adjectis tabulis CVIII. ad originale Millerianum aeri incisis et coloratis. Francofurti ad M., apud Varrentrap et Wenner, 1804. Fol. — IV. M. a. 1.

Hallerus, Theoph. Em., Helveto-Bernas, Dubiorum con-tra sectionem septimam fundamentorum botanicorum illustris Linnaei manipulus primus et secundus . . . Gottg., V. Bossiegel, 1753. 4°. 2 voll. — 831—832.

Ludwig, Chn. Glieb., Institutiones historico - physicae regni vegetabilis. Ed. 2., aucta et emendata. Lipsiae, J. F. Gleditsch, 1757. 8°. — IV. P. e. 18.

Dieterich, Carl, Friedr., Anfangsgründe der Pflanzen-Kenntniss. [M. 12 Kupfert.] Leipz., Casp. Fritsch, 1775. 8°. — IV. P. h. 11.

Encyclopédie méthodique, Botanique par M. le Cheva-lier de Lamarck (continuée par J. L. M. Poiret.) Tome I.--III. Paris, Panckoucke, Liège, Plomteux. Tom. IV.—VI. Paris, H. Agasse, 1783—1804. 4°. 6 voll. — IV. Q.

— Tableau encyclopédique et méthodique des trois règnes de la nature.
Botanique, comprenant la dioecie, la polygamie et la cryptogamie, par le citoyen Lamarck. A Paris, H. Agasse, an VIII., 1800. 4°. Tome premier. — IV. Q.

— Tome second. Incompl. p. 1 -136. A Paris, Panckoucke, 1793. 4°. — IV. Q.

Encyclopédie méthodique. Tableau encyclopédique et
méthodique etc. Botanique. Planches: 900. A Paris,
Panckoucke, 1791. 4°. 3 voll. — IV. Q.

|Gilibert, J. E.|, Demonstrations élémentaires de botanique
. . . suivant la méthode de M. de Tournefort et celle du
chevalier Linné. III. éd. Lyon, Bruyset frères, 1787. 8°.
3 voll. [Av. figg.] — IV. O. f. 1—3.

Winkler, Eduard, Anfangsgründe der Botanik, zum Gebrauche für Schulen und zum Selbstunterrichte. 2. Aufl.,
gänzl. umgearb. und verm. [Mit 140 Abbild.] Leipzig,
F. A. Brockhaus, 1836. 16°. — V. A. l. 37/2.

Zunck, Herm. Leop., Die natürlichen Pflanzensysteme,
geschichtlich entwickelt, eine von der philosoph. Facultät zu Leipzig gekrönte Preisschrift. Leipzig, Hinrichs,
1840. 8°. — IV. M. e. 2.

Holzschuher, Oberl., Erläuterung der natürlichen und
künstlichen Systeme in der Botanik. Programm . . . der
K. Realsch. zu Meseritz, Mich. 1841. Posen, W. Decker
u. Komp. 4°. — III. Q. a. 10/3.

Brüllow, Friedr., Systematische Eintheilung des Pflan-
zenreichs, nach den natürlichen Familien, für Schulen.
Nebst 3 lithogr. Tafeln. Posen, J. J. Heine, 1845. 8°.
— IV. U. h. 48.

Sachs, Jul., Lehrbuch der Botanik, nach dem gegenwärtigen Stand der Wissenschaft bearbeitet. 4. umgearb. Aufl.
[Mit 492 Abbild. in Holzschn.] Leipz., Wilh. Engelmann,
1874. 8°. — V. D. g. 31.

Beschreibung besonderer Pflanzenarten.

Whistling, Ch. Gfr., Oekonomische Pflanzenkunde, . . .
nach dem System des Gebrauchs mit Linnéischen Kenn-
zeichen geordnet. Leipz., K. F. E. Richter, 1805—1807.
8°. 4 Bde. — V. A. f. 37—40.

Candolle, Alph. de, Der Ursprung der Culturpflanzen,
übersetzt von Dr. Edm. Goeze. Leipz., F. A. Brockhaus,
1884. 8°. Intern. wissensch. Bibl., Bd 64.

[Blackwell, Elisab.], Herbarium Blackwellianum emendatum et auctum, id est Elisabethae Blackwell collectio
stirpium, quae in pharmacopoliis ad medicum usum
asservantur, quarum descriptio et vires ex anglico idiomate in latinum conversae sistuntur, figurae . . . emendantur, . . . augentur et probatis botanicorum nominibus
illustrantur. Centuria I. — VI. Cum praefatione . . . D.
D. Chph. Jac. Trew. Excudit, figuras pinxit atque in

aes incidit Nicolaus Frid. Eisenbergerus. Norimbergae,
typis Christiani de Launoy, 1757—1773. Fol. 6 Thle in
3 Bdn. Text. Dazu: Blackwell, Elisabethae, Herbarium
selectum emendatum et auctum. Centuria I.—VI. [Kupfer
illuminirt.] 6 Thle. in 3 Bdn. Zusammen 6 Bde. — IV.
L. a. 10—15.

Giseke, Paul. Diet., Diss. inaug. botanico-medica, sistens
systemata plantarum recentiora, instar speciminis commentarii ad Jo. Herm. Fürstenau desiderata materiae
medicae, . . . pro gradu doct. Gottg., Schulz, 1767,
Nov. 3. 4°. — 829.

Ehrhardt, Friedr., Beiträge zur Naturkunde und den
damit verwandten Wissenschaften, besonders der Botanik,
Chemie, Haus- u. Landwirthschaft, Arzneigelahrheit u.
Apothekerkunst. VI. u. VII. Bd. Hannov. u. Osnabrück,
Chn. Ritscher, 1791—92. 8°. 2 voll. — IV. O. f. 17—18.

Sammlung schön blühender Gewächse für Blumen- und
Garten - Freunde. Erste Centurie, 1 Heft. Düsseldorf,
lithogr. Anst. von Arnz & Co. [50 color. Bll.] Fol. —
IV. M. a. 3.

Beschreibung der am häufigsten vorkommenden . . .
Giftpflanzen. [Mit . . . 29 illum. Abbild.] Ostrowo, Th.
Hoffmann, 1844. 8°. — IV. M. h. 6.

Corda, A. C. J., Pracht-Flora europäischer Schimmelbil-
dungen. |Mit 25 color. Tfln.| Leipz. & Dresd., Gerhard
Fleischer, 1839. Fol. — IV. V. a. 27.

Botanik einzelner Länder.

Wahlenberg, Geo., Flora Upsaliensis. enumerans plantas
circa Upsaliam sponte crescentes. Cum mappa geogra-
phico-botanica regionis. Upsaliae, typ. et impensis R.
Acad. Typographorum, 1820. 8°. — V. A. e. 47.

Gilibert, Jo. Em., Exercitia phytologica, quibus omnes
plantae Europaeae, quas vivas invenit in variis herbatio-
nibus, seu in Lithuania, Gallia, Alpibus, analysi nova
proponuntur, ex typo naturae describuntur, novisque
observationibus aut figuris illustrantur; additis statio-
nibus, tempore florendi, usibus medicis aut oeconomicis,
propria auctoris experientia natis. Volumen primum.
Plantae lithuanicae cum lugdunensibus comparatae. Lugduni Gallorum, ex typis J. B. Dellamollière, 1792. 8°.
— IV. O. n. 2.

Ritschl, G., Beiträge zur Flora des Grossh. Posen. Posen,
W. Decker & Co., 1851 u. 57. (Progr. d. F. W. Gymn.)
4°. — V. D. f. 1/14, 18.

Pampuch, Alb., Flora Tremesnensis . . . Trzemeszno, G. Olawski, 1840. 8°. — IV. P. m. 23.

Walpert, H., Synonyme der Phanerogamen und cryptogamischen Gefässpflanzen, welche in Deutschland und in der Schweiz wild wachsen. Lissa, E. Günther, 1855. 8°. — V. B. f. 36.

Klinggräff, Carl Jul. v., Flora von Preussen. Die in der Provinz Preussen wildwachsenden Phanerogamen, nach natürlichen Familien geordnet und beschrieben. Marienwerder, A. Baumann, 1848. 8°. — V. A. i. 61.

Schwenckfelt, Gasp., Stirpium et fossilium Silesiae catalogus. Lips., Dav. Albert, impr. M. Lantzenberger, 1600. 4°. — III. J. e. 17/2.

Mattuschka, H. Gfr. Graf v., Flora Silesiaca oder Verzeichniss der in Schlesien wildwachs. Pflanzen. Leipzig, W. G. Korn, 1776—77. 8°. 2 Bände. — IV. R. d. 24—25.

Grabowski, Heinr., Flora von Ober-Schlesien und dem Gesenke . . . Breslau, A. Gosohorsky, 1843. 8°. — V. A. i. 3.

Hartmann, Petr. Imm., Plantarum prope Francofurtum ad Viadrum sua sponte nascentium fasciculus primus. Francof. ad V., Winter, 1767, Aug. 12. 4°. Acc.: Vita doctorandi Jo. Gfr. Morgenbesser. — 787.

Link, H. F., Dr., Enumeratio plantarum horti regii botanici Berolinensis altera. Berolini, G. Reimer, 1821—22. 8°. 2 voll. — IV. M. d. 20—21.

— Fr. Klotzsch, Fr. Otto, Jeones plantarum rariorum horti regii botanici Berolinensis, pars I.-III. 120 pagg. textus et 48 folia iconum. Berl., Veit et Comp., 1840—42. 4°. 3 voll. — IV. N. b. 15, 16, 17.

Lindern, Franc. Balth. von, Tournefortius Alsaticus, Cis-et Trans-Rhenanus, sive opusculum botanicum . . . ex principiis Tournefortii . . . conscriptum. Argentor., H. L. Stein, 1728. 8°. — IV. O. i. 28.

Ventenat, E. P., Jardin de la Malmaison. Paris, Crapelet, an XI., 1803. Fol. |118 planches avec le texte.] — IV. M. a. 6.

Ammanus, Jo., M. D., Stirpium rariorum in imperio Rutheno sponte provenientium icones et descriptiones collectae, instar supplementi ad commentar Acad. Scient. Imper. Petropoli, ex Typogr. Acad. Sc., 1739. [C. figg.] 4°. — III. U. a. 6.

Besser, V. S., Enumeratio plantarum hucusque in Volhynia, Podolia, Gub. Kijoviensi, Bessarabia Cis-Tyraica et circa

Odessam collectarum. Vilnae, typ. Josephi Zawadzki, 1822. 4°. — IV. S. h. 5.

Alpini, Prosperi, De plantis Aegypti liber, cum observationibus et notis Jo. Veslingii, equ., . . . Acc.: Alpini de balsamo liber. Editio II. Patavii, P. Frambattus, 1640. [Cum figg. ligno incis.] 4°. — IV. M. g. 12.

Veslingii, Jo., Mindani equ., De plantis Aegyptiis observationes, et notae ad Prosperum Alpinum, cum additamento aliarum ejusdem regionis. Patavii, P. Frambottus, 1638. [Cum figuris ligno incisis.] 4°. — IV. M. g. 12/3.

Karsten, H., Florae Columbiae terrarumque adjacentium specimina selecta in peregrinatione duodecim annorum observata, delineavit et descripsit —. Tomus I. Fol. — III. H. b. 13.

— Tomi II. Fasciculus I.—V. Berol., apud Ferd. Duemlerum, 1854—69. Fol. — II. S. i. 189 h.

Preiss, Ludovicus, Plantae Preissianae, sive enumeratio plantarum, quas in Australasia occidentali et meridionali-occidentali annis 1838—41 collegit, . . . partim ab aliis, partim a se ipso determinatas, descriptas, illustratas edidit Christianis Lehmann. Hamburgi, sumptib. Meissneri, 1844—47. 8°. 2 voll. — V. A. g. 46—47.

Beschreibung einzelner Pflanzen.

Büchner, Andr. Elias, praes., Fuchs, Glieb. Engelb., resp., Diss. inaug. med. de pinastro sive pino silvestri, . . . progr. doct. Halae, Curtius, 1754, Sept. 10. 4°. — 828.

Alpini, Prosperi, De balsamo dialogus, in quo verissima balsami plantae, opobalsami, carpobalsami et xylobalsami cognitio, plerisque antiquor. atque juniorum medicorum occulta, nunc elucescit. Patavii, P. Frambottus, 1639. 4°. — IV. M. g. 12/2.

Zannichelli, Gio., Jac., Lettera . . . del' ippocastano. Venezia, G. Tommasini, 1733. 4°. — IV. P. c. 19.

Francius, Jo., Trifolii fibrini historia, selectis observationibus et perspicuis exemplis illustrata. Francof., Laur. Kroeniger et haeredes Theoph. Goebelii, 1701. 8°. — IV. P. i. 23.

Paullini, Christ. Francisci, ΜΟΣΧΟΚΑΡΥΟΓΡΑΦΙΑ, seu nucis moschatae curiosa descriptio, historico-physico-medica. Francofurti et Lipsiae, imp. Joh. Christoph. Stösselii, 1704. 8°. [Cum eff. auct. et tab. aen.] — IV. P. i. 18.

Meyer, Jo. Aug., De rubo idaeo officinarum. Halae, typ.
J. Ch. Hilligeri, 1764.' 4°. [Diss. inaug.] — IV. P. e. 3.
— id. opus. Halae, typ. J. Ch. Hilligeri, 1774. 4°. [Diss.
inaug.] — IV. P. e. 1.
Bergen, Car. Aug., Epistola de alchimilla supina ejusque
coccis . . . Francof. ad V., J. Ch. Winter. 4°. — 830.

Zoologie. — Einleitende Schriften.

Carus, J. Victor, Geschichte der Zoologie bis auf Joh.
Müller und Charl. Darwin. Munchen, R. Oldenbourg,
1872. 8°. [Geschichte d. Wissenschaften, B. XII.] — V.
G. e. 18.
Theobaldi, Episcopi, Phisiologus, de naturis duodecim
animalium. [Sine notis typogr., ante an. 1500 cf. Hain.
15470.] 4°. — III. F. m. 15/5.
Wilhelmus de Conchis, Philosophia major de naturis
creaturarum superiorum et inferiorum. . . . Tomus II.,
lib. 19—33. 1474. Fol. — IV. P. a. 9.
Cuvier, G., Vorlesungen über vergleichende Anatomie.
I.—II. Thl. gesammelt u. herausgegeben von C. Duméril.
III.—IV. Thl. von G. L. Duvernoy. I. Thl. übers. von
H. Froriep und J. F. Meckel, II.—IV. von dem Letzteren.
Leipz., P. G. Kummer, 1810. 8°. 4 Bde. [M. Kk.] —
IV. P. c. 1—4.
Flourens, Jerzy Cuvier i jego prace, . . . przełożył z fran-
cuzkiego Gustaw Belke. Wilno, Józef Zawadzki, 1851.
8°. — V. A. c. 12.
Geoffroy, Saint-Hilaire, Isidore, Essais de zoologie
générale ou mémoires et notices sur la zoologie générale,
l'anthropologie, et l'histoire de la science . . . Paris, Roret,
1841. 8°. — IV. M. h. 24.
Semper, Karl, Die natürlichen Existenzbedingungen der
Thiere. [Mit 106 Abbild. in Holzschnitt und 2 lithogr.
Karten.] Leipzig, F. A. Brockhaus, 1880. 8°. 2 Bände.
[Intern. wissenschaftl. Biblioth., B. XXXIX—XXXX.] —
VI. C. f. 39—40.
Pettigrew, J. Bell, Die Ortsbewegung der Thiere, nebst
Bemerkung über Luftschifffahrt. [Mit 131 Abbildungen
in Holzschnitt.] Leipzig, F. A. Brockhaus, 1875. 8°.
[Internation. wissenschaftl. Bibliothek., Band X]. — VI.
C. f. 10.
Büchner, Ludw., Liebe und Liebesleben in der Thier-
welt. Berlin, A. Hofmann et Comp., 1879. 8°. — VI.
F. f. 8.

Darwin, Charl., Der Ausdruck der Gemüthsbewegungen bei dem Menschen und den Thieren, aus dem Engl. übers. von J. Victor Carus. Zweite, sorgfält. durchges. Auflage. [Mit 21 Holzschn. 7 heliograph. Tafeln.] Stuttgart, E. Schweizerbarth, 1874. 8°. — V. H. c. 4.

Winklerus, Jo. Henr., Oratio, qua, qnam mirabiles sint, quamque necessariae in animalibus parvitates, exposuit atque professionem philosophiae extraord. in academia Lips. ... d. 3. Junii 1739 auspicatus est. Lips., Breitkopf, 1739. 4°. — 867.

Schmidt, Jo. Andr., praes., **Bugaeus, Seb. Levin**, auct. et resp., Geometriam brutorum . . . praeside — delineabit. — Jenae, Krebs, 1690, Jan. — 4°. [Av. figg.] — 860.

Bohner, Leonh., M., praes., **Lufft, Frid. Mtth.**, resp., Diss. acad. de varietate in formis animalium externis, tanquam indice existentiae divinae. Altorfii, J. G. Kohlesius, 1775, Mai 15. 4°. — 859.

Zoologie. Lehrbücher. Systeme.

Linné, Carl von, Des Ritters — vollständ. Natursystem, nach der 12. lat. Ausgabe ... von Ph. L. St. Müller.
1. Thl. von den säugenden Thieren.
2. von den Vögeln.
3. von den Amphibien.
4. von den Fischen.
5. von den Insecten. (1—2.)
6. von den Würmern. (1—2.)
7. Supplements und Registerband.
Nürnberg, G. N. Raspe, 1773—76. 8°. 9 voll. [Mit Kk.] — IV. E. g. 1—9.

Cuvier, Le règne animal distribué d'après son organisation. Paris, Deterville, 1817. 8°. 4 voll. — IV. O. e. 5—8.

— Das Thierreich, geordnet nach seiner Organisation, nach der zweiten, vermehrten Ausgabe übersetzt und durch Zusätze erweitert von F. S. Voigt. Leipzig, F. A. Brockhaus, 1831—1843. 8°. 6 Bde. — V. A. h. 7—12.

Lamarck, Jean, Zoologische Philosophie, nebst einer biographischen Einleitung von Charles Martius, aus dem Französischen übers. von Arnold Lang. Jena, Hermann Dabis, 1876. 8°. — V. G. h. 25.

Encyclopédie methodique. Histoire naturelle des animaux (et oiseaux).
1. Tome. Paris, chez Panckoucke, Liège, chez Plomteux, 1782.

Encyclopédie méthodique.

 2. Oiseaux, (Continuation). Paris etc., 1784.

 3. Cont les Poissons, (et Insectes). Paris etc., 1787.

 4—7. Insectes. Paris etc., 1789—92. (Tome 5. par M.
  Olivier. Paris, 1790.) 4°. 7 voll. Des vers. Tom. I.
  bis Cone gloire. Paris, 1792. Système anatomique.
  Quadrupèdes par M. Felix Vicq-Dazyr. Tome second.
  Paris, 1792. Zus. 9 Bde. — IV. Q.

— méthodique. Histoire naturelle, quadrupèdes. [112 Kk.
 ohne Titelblatt und Erklärung.] 4°. — IV. Q.

— méthodique. Système anatomique. Quadrupèdes par M.
 Felix Vicq-Dazyr. Tome II. Paris, Panckoucke, Liège,
 Plomteux, 1792. 4°. — IV. Q.

Brüllow, Friedr., Systematische Eintheilung des Thierreichs für Schulen. Posen, J. J. Heine, 1843. 8°. [Mit
 7 lith. Tfln.] — IV. N. h. 27.

Brandt, J. F. u. J. T. C. Ratzeburg, Medizinische Zoo-
 logie oder getreue Darstellung und Beschreibung der
 Thiere, die in der Arzneimittellehre in Betracht kommen.
 Berl., in Comm. bei A. Hirschwald, 1829—33. 4°. 2 Thle.
 [M. Kk.] — IV. N. b. 14.

Beneden, P. J. van, Die Schmarotzer des Thierreichs.
 [Mit 83 Abbildungen in Holzschnitt]. Leipzig, F. A.
 Brockhaus, 1876. 8°. [Intern. wissenschaftl. Bibliothek,
 B. XVIII.] — VI. C. f. 18.

Aldrovandi, Ulyssis, Quadrupedum omnium bisulcorum
 historia, Jo. Corn. Uterverius Belga colligere incaepit,
 Thomas Dempsterus Baro a Muresk Scotus JC. perfecte absolvit, Hieron. Tamburinus in lucem edidit. Bononiae, Seb. Bonhommius, 1621. Fol. In fine: Bononiae,
 typis Jo. Seb. Ferronii, 1641. [Tit. aeri inc.] — III.
 K. a. 10.

— De quadrupedibus digitatis viviparis libri tres et de
 quadrupedibus digitatis oviparis libri duo . . . ed. Barth.
 Ambrosinus. Bononiae, typis Nicolai Tebaldini, 1637.
 Fol. 2 Thle in 1 Bde. — III. K. a. 11.

Hartmann, Robert, Die menschenähnlichen Affen und
 ihre Organisation im Vergleich zur menschlichen. [Mit
 63 Abbild. in Holzschnitt.] Leipzig, F. A. Brockhaus,
 1883. 8°. [Internation. wissenschaftl. Bibl., Bd. LX.] —
 VI. C. g. 10.

Schwenkfeld, Gasp., Theriotropheum Silesiae, in quo
 animalium . . . natura, vis et usus sex libris perstringun-
 tur. Lignicii, Dav. Albert, 1603. 4°. In fine: Lign.
 impr. Nic. Sartorius, 1604. — III. J. e. 17/1.

Forster, Joan. Reinold., Zoologia Indica selecta tabulis XV. aeneis illustrata. Praemittitur De finibus et indole aëris, soli, marisque Indici brevis lucubratio. Sequitur ad calcem breuis enumeratio animalium Indiae. Halae, J. J. Gebauer, 1781. Fol. |M. fein color. Kk.| — IV. M. c. 14.

Azara, Don Felix d', Essais sur l'histoire naturelle des quadrupèdes de la province de Paraguay, . . . traduits sur le manuscrit inédit de l'auteur par L. E. Moreau-Saint-Méry. Paris, Charles Pougens, an IX., 1801. 8°. 2 voll. — IV. R. f. 7—8.

Peters, Wilhelm, C. H., Naturwissenschaftliche Reise nach Mosambique, auf Befehl Seiner Majestät d. Königs Friedrich Wilhelm IV. in den Jahren 1842—1848 ausgeführt. Zoologie. I. Säugethiere. [Mit 46 Taf.] Berlin, Georg Reimer, 1852. 4°. — V. B. a. 30.

Wolff, Geo. Conr., Diss. de cervo, corde glande plumbeâ trajecto a serenissima electrice Brandenburgica Dorothea, mortui instar prostrato et post tres horae quadrantes quatuor circiter passuum millia aufugiente. Francofurti ad V., Ch. Zeitler, 1686. 4°. |Cum tab.| — IV. M. l. 13/39.

Haller, Alb. Dr., De fele monstrosa. Göttg., A. Vandenhoeck, 1742. 4°. Acc. Vita doctorandi: Christ. Jeremiae Rollini. — 368.

Mauchart, Burc. Dav., praes., Elwert, Joh. Phil. resp., Klemm, Chph. Henr., resp., Disp. prior. et posterior de lue vaccarum Tubingensi, pro lic. Tübg., Mez, 1745, Sept. 11., Oct. 4°. — 864, 865.

Bergen, Carol. Aug. a, praes., Brückner, Chn. Melch. resp., Diss. inaug. medico-physica de dentibus, qui sub nomine dentium hippopotami in officinis veneunt pharmaceuticis, . . . pro doctoris gradu. Francof. ad V., Winter, 1747, Nov. 16. 4°. — 861.

(Encyclopédie méthodique), Tableau encyclopédique et méthodique des trois règnes de la nature. Ichthyologie, par Mr. l'abbé Bonnaterre. A Paris, Panckoucke, 1788. 4°. Introduction LXI. Texte 215. Planches 100. — IV. Q.

Aldrovandi, Ulyssis, De piscibus libri V. et de cetis lib. I., Jo. Corn. Uterverius . . . collegit, Marc. Ant. Bernia in lucem restituit. Bononiae, apud Nic. Thebaldinum, 1638. Fol. [Tit. aeri inc.] — III. K. a. 13.

Bloch's, Marc. Elies., Dr., Oeconomische Naturgeschichte
   der Fische Deutschlands. [M. 37 Kupfertaf. nach Orig.]
   Berl., 1782—84. 4°. 3 voll. Zu jed. Bd. ein bes. Titk. —
   IV. N. b. 13—15.
— Naturgeschichte der ausländischen Fische. [Mit 36 aus-
   gemalten Kupfern nach Originalen.] Berlin, Verl. d. Vf.,
   1785—95. 4°. [Mit Bildn. in Kst.] Zu jed. Bd. ein bes.
   Titk. 9 Bde. — IV. N. a. 11—19.
— Kupfer zu Dr. Bloch's oeconomischer Naturgeschichte
   der Fische Deutschlands. [108 Taf. in 3 Bdn.] Taf. 109
   bis 432 ausländische Fische in 9 Bdn. Zus. 12 Bde. —
   Fol. — IV. O. b. 10—12, 13—21.
Agassiz, Ls., Hist. naturelle des poissons d'eau douce de l'Europe centrale. Planches. Neuchatel (Suisse) au frais de
   de l'auteur, institut lithographique de H. Nicolet, 1839.
   Fol. — IV. O. b. 22.
— Histoire naturelle des poissons d'eau douce de l'Europe
   centrale. Embryologie des Salmones par C. Vogt. Neuchatel, aux frais d'auteur, imprimerie d'O. Petitpierre,
   1842. 4°. — IV. O. b. 23.
— Histoire naturelle des poissons d'eau douce de l'Europe
   centrale par Ls. Agassiz, contenant l'Embryologie des
   Salmones - (Planches.) Neuchatel, aux frais de l'auteur
   lithographie de H. Nicolet. Fol. — IV. O. b. 24.
— Monographie des poissons fossiles du vieux grès rouge
   ou système Dévonien (old red sandstone) des îles britanniques et de Russie. Neuchatel (Suisse), aux frais de
   l'auteur, Soleure, chez Jent & Gassmann, 1844. 4°. 8 Stn.
   + 72 Stn. D. Rest unter IV. O. b. 27 am Ende. Dazu e.
   Atl.: Planches (25 Tfln.) Fol. Der Rest d. Atlas unter IV.
   O. b. 28. — IV. O. b. 25 & 26.
— Recherches sur les poissons fossiles . . . Ouvrage cou-
   ronné par la Société géologique de Londres. Tome I.
   contenant l'introduction et toutes les questions générales,
   anatomiques, zoologiques et géologiques. Neuchatel
   (Suisse), aux frais de l'auteur, imprimerie de Petitpierre,
   1833—43. 4°. Tome II, I. partie (steht unter IV. O. b.
   25., II. partie pag. 73—338. contenant les familles de
   Sauroides, des célacanthes, des pycnodontes, des scléro-
   dermes, des gymnodontes, des lophobranches et des aci-
   penserides. Tome V. contenant l'histoire de l'ordre des
   Cycloïdes, (fehlen die Seiten 17—32, 160 Seiten.) Tableau
   général des poissons fossiles rangés par terrains par
   Ls. Agassiz, Neuchatel, imprimerie de Petitpierre, 1844.
   Von den Vorstücken fehlt I.—VIII., vom Text 1—72 steht

unter IV. O. b. 25., vorhanden IX.—XXXVI., vorhanden
73—172. — IV. O. b. 27.

Agassiz, L., Recherches sur les poissons fossiles . . .
Atlas, tom. I. cont. 7 planches de figures restaurées et
3 d'anatomie. Neuchatel en Suisse, aux frais de l'aut.,
lithogr. de H. Nicolet, 1833—43. Fol. Atl. tom. II. conten.
149 planches de l'ordres des Ganoides. Atl. tom. III. cont.
83 planches de l'ordre des plancoides. Atlas tome IV.
cont. 61 planches de l'ordre des Cténoides. Atlas tome
V. cont. 91 planches de l'ordre des Cycloides. Monographie des poissons fossiles du vieux grès rouge ou
système Dévonien (old red Sandstone) des îles Britanniques et de Russie par L. Agassiz. Neuchatel en Suisse,
aux frais de l'auteur, 1844—45. Der Anfang des Atlas
sub IV. O. b. 26. — IV. O. b. 28.

— Recherches sur les poissons fossiles. Planches. X. (et XII.)
Livraison. Neuchatel, Minsinger, A. Münich, 1839. Fol.
— II. S. a. 6—7.

— Recherches sur les poissons fossiles. Neuchatel (Suisse),
aus frais de l'auteur, imprimerie de Petitpierre et Prince,
1833—43. 4°. 3 voll. |O. Kk.| Alex v. Humboldt gew.
Tom. 1.—III.

   1. Tome. 12 Seiten Vorstücke. Darauf Seite 1—40.
   2. 4 Seiten Vorstücke. Darauf Seite 1—264.
   3. 8 Seiten Vorstücke. Darauf Seite 1—140. Dann folgt
      pag. 17 (tom. IV.) —108, pag. 17 (tom. V.) —32, Liste
      des souscriptions (6 Stn.), Feuilleton additional pag.
      1—116. Der zweite Einband enthält: Feuilleton addi-
      tional p. 131—156. Tome IV.: 16 Seiten Vorstücke,
      Text 1—16. 109—292. Dann folgt Table des matiè-
      res du 4 vol., pag. 1—22 u. 1 Blatt unpaginirt. II.
      partie des cycloides malacoptérugiens. Signatur:
      Tome V., 2. partie 1—56. Feuilleton pag. 117—126.
      Avis aux souscripteurs 1—7. Der dritte Einband
      enthält: Feuilleton additional p. 139—144, dann tome
      II., 2. partie p. 1—84, tome III. p. 157—390, Fautes
      à corriger, Table des matières du 3. volume, p. 1—32.
      Gänzlich verbunden, und unvollständig. — IV. N. b.
      12, 13, 13 a.

Hamberger, Geo. Erh., De Cyprino monstroso rostrato V.
Jenae, Ritter, 1748. Acc.: Vita doctorandi Johannis
Josephi Gnändl. 4°. — 283/2.

———

Encyclopédie méthodique, Tableau encyclopédique et
méthodique des trois règnes de la nature. Ornithologie,

Paris, Panckoucke, 1791. 4º. I. (Introduction: XCVII.
Texte. 320 pagg. (incompl.) II. Planches 1—230. — IV. Q.

Aldrovandus Ulysses, Ornithologiae, tomus alter (lib.
XIII.—XVIII.) Bonon., sumpt. M. Anton Berniae, ap.
Nicol. Tebaldium, 1637. Fol. — III. K. a. 14.

— Ornithologiae (lib. XIX.—XX.) tomus tertius. Bononiae,
Nic. Tebaldini, 1640. [Titulus deest.] Fol. — III. K.
a. 12.

Bechstein, Joh. Matth., Ornithologisches Taschenbuch
von und für Deutschland. [Mit 39 illuminirten Kupfern.]
Leipzig, Carl Friedrich Enoch Richter, 1802—3. 2 Bde.
12º. — V. A. k. 60.

Praetorius. Joh., M., praes., Bruno, Franc. Rom.,
resp., Disp. hist. phys. de crotalistria tepidi temporis
hospita, oder von des Storchs Winter-Quartier.... Lips.,
J. Ch. Brandenburger, 1702. 4º. — 866.

Encyclopédie méthodique, Tableau encyclopédique et
méthodique des trois règnes de la nature.　　.
    1. Cétologie: par M. l'abbé Bonnaterre, Introduction XII.,
       Texte 28, Planches. 4º. — IV. Q.
    2. Erpétologie: Introduction XXVIII., Texte, Planches 26.
    3. Ophiologie: Introduction XLIV., Texte 76, Planches
       42 + A.

Encyclopédie méthodique, Tableau encyclopédique et
méthodique des trois règnes de la nature. Insectes:
[Titelbl. u. 267 Kk.] Paris, Henri Agasse, 1797. 4º. —
IV. Q.

Loew, H., Entomotomien. Posen, J. J. Heine, 1841. 8º.
[Mit 6 litograph. Tfln.] A. u. d. T.: Horae anatomicae.
Beiträge zur genaueren Kenntniss der Evertebraten von
H. Loew. Abth. I. — IV. M. e. 5.

Symbolae physicae seu icones et descriptiones insectorum
quae ex itinere per Africam borealem et Asiam occidentalem Friderici Guil. Hemprich et Christiani Godofredi
Ehrenberg, Med. et Chir. DD., studio novae aut illustratae
redierunt. Recensuit Dr. Fr. Klug. Regis jussu et impensis edidit Dr. C. G. Ehrenberg. Decas V. Berolini,
ex officina academica, Impensis G. Reimeri, 1845. Fol.
[10 illum. Kk. m. Text.] — IV. M. a. 6.

Amerling, Karl., Knižka o hmyzech (de insectis.) Praha
Józefa Fetterlowa. 1836. 12º. [Mit 1 Taf. Abbild.] — IV.
N. c. 20.

L o e w , Prof. Dr., Dipterologische Beiträge. (Progr. des
Fr.-Wilh.-Gymn. zu Posen, vom 17. März 1845.) Posen,
W. Decker et Comp., 1845. 4°. — Dipterologische Bei-
träge. II. Abth. (Programm des Fr.-Wilh.-Gymn. zu
Posen, vom 26. März 1847.) Posen, W. Decker et Comp.,
1847. 4°. — II. S. i. 175—176. V. D. f. 1/9, 11.
— Die Gallmücken. (Progr. des F.-W.-G. Posen, 1850.) 4°.
— V. D. f. 1/13.
— Bemerkungen über die in der Posener Gegend einheimi-
schen Arten mehrerer Zweiflügler-Gattungen. (Progr.
des Fr.-W.-G., 1840. 4°. — V. D. f. 1/5.
K l u g , Fr. Neue Schmetterlinge der Insectensammlung des
königl. zoologischen Musei der Universität zu Berlin,
beschrieben von —, nach der Natur abgebildet und
herausgegeben von B. Wienker. Berlin, 1836. 4°. Heft L
— III. Q. b. 17.
B e r g e , F., Schmetterlingsbuch, oder allgemeine und beson-
dere Naturgeschichte der Schmetterlinge, mit besonderer
Rücksicht auf die europäischen Gattungen. [Mit 1100
colorirten Abbildungen.] Stuttgart, Hoffmann, 1842. 4°.
— V. A. a. 10.
L u b b o c k , S i r J o h n , Ameisen, Bienen und Wespen,
Beobachtungen über die Lebensweise der geselligen
Hymenopteren. [Mit 31 Abbild. und 5 lithograph. Karten.]
Leipzig, F. A. Brockhaus, 1883. 8°. [Internation. wissen-
schaftl. Biblioth., B. LVII.] — VI. C. g. 7.
K i r c h m a j e r i , G e o . C a s p . , De locustis insolitis, terge-
mino examine et portentoso numero e Thracia Daciaque
in Pannoniam Inf., perque Austriam in Germaniae region.
plures sese infundentibus et pabula, quo transitus ferebat,
depascentibus, . . . dissertatio epistolica. Witteb., Ch.
Schrödter, 1693. 4°. — 862.
R i c h t e r , Chph. Frid., M., praes., F r i e d e l , F r i d . ,
resp., Diss. physica de cochinilla. Lips., Ch. Fleischer,
1701. 4°. — IV. M. l. 13/38.
H u x l e y , T. H., Der Krebs, eine Einleitung in das Studium
der Zoologie. [Mit 82 Abbild. in Holzschnitt.] Leipzig,
F. A. Brockhaus, 1881. 8°. [Internation. wissenschaftl.,
Biblioth., B. XXXXVIII.] — VI. C. f. 48.

(E n c y c l o p é d i e m é t h o d i q u e .) Tableau encyclopédique
et méthodique des trois règnes de la nature, contenant
l'Helminthologie ou les vers infusoires, les vers inte-

stins, les vers molusques, etc. par M. Bruguière, dr.
en méd. Paris, Panckoucke, 1791. 4°. Introduction
VIII. Text 1—132 incompl., planches 1—159, 160—390.
— IV. Q.

Darwin, Charles, Die Bildung der Ackererde durch die
Thätigkeit der Würmer, mit Beobachtung über deren
Lebensweise, aus dem Engl. übersetzt von J. Victor
Carus. [Mit 15 Holzschn.] Mit Zusätzen nach dem fünften
Tausend des Originals. Stuttg., E. Schweizerbarth, 1882.
8°. — V. H. c. 13b.

Martini, Friedr. Heinr. Wilh., Nenes systemat. Con-
chylien-Cabinet, geordnet u. beschrieben von —, u. unter
dess. Aufsicht nach der Natur gezeichnet und mit
lebendigen Farben erleuchtet (sic). Von Bd. IV. ab
fortges. von Joh. Hieron. Chemnitz. Nürnberg, G. Nic.
Raspe, 1769—95. [In Bd. X. das Bildn. des Verl.] 4°.
11 Bde. — IV. N. b. 1—11.

Darwin, Charles, Ueber den Bau und die Verbreitung
der Corallen-Riffe, nach der zweiten, durchgeseh. Ausg.,
aus dem Engl. übersetzt von J. Victor Carus. [Mit drei
Karten u. sechs Holzschn. Stuttgart, E. Schweizerbarth,
1876. 8°. — V. H. c. 9/2.

Physik.

Encyclopédie méthodique. Dictionnaire de physique par
M. M. Monge, Cassini, Bertholon etc. de l'académie des
sciences. Tome I. (A. — Buffon.) Paris, Hôtel de Thou, 1793.
4°. — IV. Q.

Poggendorff, J. C., Geschichte der Physik, Vorlesungen
gehalten an der Universität zu Berlin. [Mit vierzig
Holzschnitten.] Leipzig, J. A. Barth, 1879. 8°. — V.
K. f. 30.

Marbach, Gotth. Osw., Populäres, physikalisches Lexikon, oder Handwörterbuch der gesammten Naturlehre.
Leipzig, Otto Wigand, 1834—1837. 8°. 4 Bde. — V. A.
h. 3—6.

Lommel, E., Lexikon der Physik und Meteorologie . . .
[Mit 392 Abbild. u. einer Karte der Meeresströmungen.]
Leipzig, Bibliograph. Institut, 1882. 8°. [Meyer's Popu-
läre Fachlexika.] — VI. D. h. 20.

Loescher, Mart. Ghelf, Physica theoretica et experimentis compendiosa . . . Editio 2. Vitemb.. haerr. Gfr.
Zimmermanni, 1728. 8°. — IV. O. i. 18.

Musschenbroek, Petr. van, Elementa physicae conscripta in usus academicos. Lugd. Bat., Sam. Luchtmans, 1734. 8°. [Cum figg.] — IV. O. e. 13.

Mako, Paulus, Compendiaria physicae institutio. Editio altera, ab aut. emend. Vindobonae, J. Th. de Trattnern, 1766. 8°. 2 voll. [Cum figg.] — IV. P. h. 4—5.

Sigaud de la Fond, Description et usage d'un cabinet de physique expérimentale. Troisième édition, revue et corrigée par Rouland. Tours, Letourmy, le jeune, an IV., 1796. 8°. 2 voll. — IV. P. h. 6—7.

Brisson, Mathurin-Jacques, Traité élémentaire ou principes de physique . . . II. éd. A Paris, Bossange, 1797, an V. 8°. 3 voll. — III. V. d. 29—31.

Haüy, L'abbé, Traité élémentaire de physique. 3. édition. Paris, Bachelier et Huzard, 1821. 8°.]Av. figg.] — IV. O. m. 25—27.

Beudant, F. S., Lehrbuch der Physik, nach der 4. franz. Originalausg. übers. von Karl Friedr. Alex. Hartmann. [Mit 15 lith. Taf.] Leipzig, F. A. Brockhaus, 1830. 8°. — IV. N. m. 8.

Peschel, C. F., Lehrbuch der Physik. I. Abth.: Physik der wägbaren Stoffe. Dresden und Leipzig, Arnoldi, 1842—44. 8°. [Mit 13 Figurentafeln u. Tabellen.] — V. A. d. 14—15.

Pouillet, M., Élémens de physique expérimentale et de météorologique. V. éd. [Avec Atlas in fol.] Bruxelles, Haumann et Cie., 1845. 8°. — IV. M. g. 17. IV. M. c. 16.

Tractatus III. Physica particularis. De mundo mixto. In usum dd. academicorum . . . universitatis . . . Pragensis. Pragae, typis Soc. Jesu, 1750. 4°. — III. M. o. 4.

Dissertationes physicae, Clarissimorum virorum —, quae praemium retulerunt Burdigalae. Tyrnaviae, typis coll. ac. Soc. Jesu, 1763. 8°. — IV. H. k. 21.

Boeclerus, Jo., praes., Boeclerus, Jo. Fridr., resp., Positiones ex physica curiosa depromptae. Argentor., J. F. Spoor, 1711, Mart. 13. 4°. — 840.

Wendii, G., M., De curiosis nonnullis, sed immerito in dubium vocatis, hujus seculi inventis. 1697. V. Jaenichius, Meletemata Thorunensia. Tomus I., pag. 3. — III. L. g. 1.

Vitalis, Car., Lex virium in materiam dominatrix, illustrata et ad physicas institutiones accomodata. Mediolani, Jos. Marellus, 1773. 8°. — IV. P. h. 9.

Menzius, Frid., De 'ΕΠΟΧΙΙΙ physico-necessaria. Lips. Jo. Chn. Langenhemius, 1739. 4°. — 842.

Statik. — Dynamik. — Mechanik.

Sporschil, J., Anleitung zum Selbststudium der Mechanik,
nach dem Book of science. [Mit 92 Abbild.] 2. Auflage.
Leipzig, Exp. des Pfennig-Magazins, F. A. Brockhaus,
1842. 16°. — V. A. l. 37/1.

Gerdil, Dissertations sur l'incompatibilité de l'attraction et
de ses différentes loix, avec les phénomènes; et sur les
tuyaux capillaires. Paris, Desaint et Saillant, 1754. 8°.
— IV. O. k. 22.

Jackwitz, Ernst, Ueber die unendlich kleinen Schwin-
gungen eines Pendels ABC., welches nur aus zwei festen
Massenpunkten B. u. C. besteht, die um die Gleichge-
wichtslage AD. oscillieren. Posen, L. Merzbach, 1881.
4°. — II. S. i. 227.

Hausen, Ch. Aug., De reactione. Lips., Langenhemius,
1741, Febr. 12. 4°. — 843.

Klein, Herm., Die Principien der Mechanik, historisch und
kritisch dargestellt, eine von der philosophischen Honoren-
Facultät der Universität Göttingen gekrönte Preisschrift.
Leipzig, B. G. Teubner, 1872. 8°. — V. H. f. 29.

Mach, Ernst, Die Mechanik, in ihrer Entwickelung histo-
risch-kritisch dargestellt. |Mit 250 Abbild.| Leipzig,
F. A. Brockhaus, 1883. 8°. [Internation. wissenschaftl.
Biblioth., Bd. LIX.] — VI. C. g. 9.

Blanchard, Relation du 32me. voyage aërien de Mr. —,
fait à Bronswic, le 10. août 1788. A Berl., G. J. Decker
et fils, 1788. 8°. |Av. 1 fig] — III. N. f. 13.

Scott, Baron, Aérostat dirigeable à volonté. A Paris,
Maradan, 1789. 8°. |Av. figg.| — III. N. o. 18.

Dissertation sur les aérostates des anciens et des modernes par A. G. Ro****. A Genève, 1784. 8°. — III.
Q. f. 26.

Meerwein, Charl. Fréd., L'art de voler à la manière
des oiseaux. [Avec figures.] A Basle, J. J. Thour-
neyssen fils, 1784. 8°. [Av. figg] — III. N. p. 14.

Robertson, La Minerve, vaisseau aërien, destiné aux dé-
couvertes. Minerva, ein zu Entdeckungen bestimmtes
Luftschiff. Frz.-dtsch. Vienne, J. v. Deegen, 1804. 8°.
— IV. E. l. 24.

Weinholz, Wilh., Dr., Luftschifffahrt und Maschinen-
wesen, Nachweisung eines neuen Bewegungsmittels ...
Braunschw. und Leipz., Oehme u. Müller, 1835. 8°. —
IV. M. k. 39.

Wedelii, Jo. Adolphi, De machina pro dirigendis tubis astronomicis emendata. I. et IV. Jenae, J. F. Ritter, 1733—1734. 4°. Acc. Vitae doctorandorum: 1. Caroli Friderici Koppii. 2. Conradi Friderici Tieffenbach. 2 partes. — 873, 874.

Edelcrantz, Traité des télégraphes et essai d'un nouvel établissement de ce genre, traduit du suédois par Hector B . . . . Paris, de l'impr. de C. F. Patris, impr.-libraire, an IX., 1801. 8°. [Av. figg.] — IV. B. i. 20.

Kratzenstein, Theoph., Theoria elevationis vaporum et exhalationum, mathematice demonstrata, quae proemium retulit Burdigalae judicio academiae regiae ao. 1741. Tyrnaviae, typis Soc. Jesu, 1763. 8°. — IV. H. k. 21/3.

Bernoulli, Jac., Dissertatio de gravitate aetheris. Amstelaedami, H. Wetsten, 1683. 8°. [Cum figg.] — IV. F. l. 39.

Sporschil, J., Anleitung zum Selbststudium der Hydrostatik und Hydraulik, nach dem Book of science. [Mit 25 Abbildungen.] 2. Aufl. Leipz., F. A. Brockhaus, 1851. 16°. — V. A. l. 35/2.

Tyndall, John, Das Wasser in seinen Formen, als Wolken und Flüsse, Eis und Gletscher. [Mit 26 Abbildungen.] Leipz., F. A. Brockhaus, 1879. 8°. [Internation. wissenschaftl. Bibliothek, Bd. I.] — VI. C. f. 1.

Wedelii, Jo. Adolphi, . . . De machinarum quarundam, quibus aqua elevatur, inprimis Siphonum, ad incendia compescenda, emendatione. I., II., III. Jenae, Krebs, 1716—1717. 4°. 3 partes. — 869—871.

— De meliori modo parandi embolum hydraulicum olim communicatum. II. Jenae, Ritter, 1736. 4°. 2 Exempl. Acc. Vita doctorandi Aug. Casp. Loescheri. — 872.

Segner, Jo. Andr., D., In contemplationibus hydraulicis pergit —. Gottg., A. Vandenhoeck, 1746, Oct. 24. 4°. [Cum tab. aen.] — 868.

Meteorologie.

Hartmann, Karl, Anleitung zum Selbststudium der Meteorologie, nach dem Book of science. [Mit 4 Abbildungen.] Leipzig, F. A. Brockhaus, 1838. 16°. — V. A. l. 34/3.

Scott, Rob. H., Elementare Meteorologie, übers. von W. von Freeden. [Mit 63 Abbild. und 11 Tafeln.] Leipzig, F. A. Brockhaus, 1884. 8°. [Internationale wissenschaftl. Bibliothek, Bd. 61.]

Dove, H. W., Die Verbreitung der Wärme auf der Ober-
fläche der Erde, erläutert durch Isothermen, thermische
Isanomalen und Temperaturcurven. [Mit 5 grossen und
2 kleinen Karten.] 2. sehr verm. Aufl. der Monatsisother-
men. Berlin, Dietr. Reimer, 1852. 4°. — V. H. b. 1.

— Die Verbreitung der Wärme in der nördlichen Hemisphäre
innerhalb des 40. Breitengrades, auf zwei v. H. Kiepert
entworfenen Karten: 1) Karte der nördl. Hemisphäre,
2) Karte der Nordpolarländer, dargestellt und erläutert.
Berlin, Dietr. Reimer, 1855. Fol. [Sechs Spalten Text
u. 2 Karten in Gross-Folio.] — V. H. b. 2.

— Das Gesetz der Stürme in seiner Beziehung zu den allgemeinen Bewegungen der Atmosphäre. [Mit Holzschn. u.
zwei Karten.] 4. verm. Aufl. Berlin, D. Reimer, 1873.
8°. — V. L. d. 13.

— Die Stürme der gemässigten Zone, mit besonderer Berücksichtigung d. Stürme des Winters 1862—63. [M. 1 Karte.]
Berlin, D. Reimer, 1863. 8°. — V. K. f. 15.

Tractatus de tempestate. Sine notis typogr. c/a. 1775. 8°.
Titulus deest. — IV. P. i. 23.

Gloeckner, Joh. Frid., Specimen novum nephelemetriae,
seu diss. de pondere nubium. Halae, typis Joh. Chn.
Hilligeri, 1722. 4°. Diss. inaug. — IV. P. e. 20.

Magener, Alb., Das Klima v. Posen, Resultate der meteorologischen Beobachtungen auf der kgl. meteorologischen
Station zu Posen in den J. 1848—1865. [M. 1 Isothermen-
karte und einer Karte der tägl. Wärmemittel für Posen.]
Posen, J. Lissner, 1868. 8°. — V. D. g. 17.

— Das Klima von Posen, Resultate der meteorologischen
Beobachtungen auf der königl. meteorologischen Station
zu Posen in den Jahren 1866—1870. Posen, J. Lissner,
1872. 8°. — V. D. g. 17a.

Dittmar, Die bevorstehende Winterwitterung, nebst einigen
Andeutungen über verschiedene meteorologische Gegen-
stände in der kalten Jahreszeit u. über den angeblichen
Einfluss der Kometen auf den Dunstkreis der Erde.
Berl., E. Heinr. Geo. Christiani, 1819. 8°. — IV. N. h. 8.

Stürme, Die grossen, und Überschwemmungen in Teutschland, England, Frankreich, Russland u. anderen Ländern
Europa's im Jahre 1824 . . . Leipzig, Friedr. Fleischer,
1825. 8°. — III. S. b. 18.

Fritz, Herm, Das Polarlicht. [Mit 2 Abbild., einer Karte
und 4 Tafeln.] Leipzig, F. A. Brockhaus, 1881. 8°.
[Internation. wissenschaftl. Bibliothek, Bd. XXXXIX.]
— VI. C. f. 49.

Wärme.

Mayer, J. R., Die Mechanik der Wärme. 2. umgearb. und verm. Auflage. Stuttgart, J. G. Cotta, 1874. 8°. — V. J. e. 22.

Tyndall, John, Die Wärme, betrachtet als eine Art der Bewegung, herausg. durch H. Helmholtz und G. Wiedemann, nach der 5. Aufl. des Originals. [Mit zahlr. in den Text eingedr. Holzschnitten und einer Tafel.] Dritte verm. Aufl. Braunschweig, Vieweg u. Sohn, 1875. 8°. — V. H. c. 30.

Sporschil, J., Anleitung zum Selbststudium der Pyronomik, nach dem Book of science. [Mit 13 Abbild.] 2. Aufl. Leipz., F. A. Brockhaus, 1839. 16°. — V. A. l. 35/3.

Fuchsius, Geo. Aug., praes., Molther, Phil. Henr., resp., Diss. physico-mathematica de igne, ejusque ad fornaces cubiculares adplicatione. Jenae, Buch, 1737, Mai 4. 4°. [Cum tab. aen.] — 838.

Wedelii, Jo. Adolphi, De circulatione aeris per tubos fornacis quadratos horizontales melius obtinenda. Jenae, J. F. Ritter, 1739, Mai 19. 4°. Acc. Vita doctorandi: Caroli Gfr. Held de Hagelsheim. — 837.

Succov, Laur. Jo. Dan., M., praes., Gamme, Sim. Glieb., resp., Diss. phys. de expansione aeris per ignem indeque cognoscenda ignis quantitate, ad thermometron chimicum adplicata, et meditatio de instrumento geometrico ad lineas in agris mensurandas ... Jenae, Schill, 1746, Apr. 26. 4°. — 839.

Baier, Jo. Guil., praes., Krafft, Gabr. Erasm., resp., Diss. physico-curiosa de aeolipila. Altdorffii, J. G. Kohlesius, 1708, Febr. 4. 4°. [Cum tab. aen.] — 841.

Licht.

Tyndall, John, Das Licht, autorisirte deutsche Ausg. von Gust. Wiedemann. [Mit einem Portrait von Thom. Young und in den Text eingedr. Holzschnitten.] Braunschweig, Vieweg u. Sohn, 1876. 8°. — V. G. i. 27.

Rood, Ogden N., Die moderne Farbenlehre mit Hinweisung auf ihre Benutzung in Malerei und Kunstgewerbe. [Mit 31 Abbild. in Holzschnitt u. einer Farbentafel.] Leipzig, F. A. Brockhaus, 1880. 8°. [Internation. wissenschaftl. Biblioth., B. XXXXI.] — VI. C. f. 41.

Euler, Leonhard, Dioptricae pars prima, continens librum primum de explicatione principiorum, ex quibus constru-

ctio tam telescopiorum, quam microscopiorum est petenda.
Ed. II. Petropoli, imp. Acad. Imp. Sc., 1769. 4°. Dioptricae pars secunda, cont. librum secundum de constru-
ctione telescopiorum dioptricorum cum appendice de con-
structione telescopiorum catoptrico-dioptricorum, ib. 1770.
Ed. II. 2 voll. — III. U. a. 1—2.

Dioptrik, v. Des Cartes. — IV. F. h. 9.

Roscoe, H. E., Die Spectralanalyse in einer Reihe von
sechs Vorlesungen mit wissenschaftlichen Nachträgen,
autorisirte deutsche Ausg., bearb. von C. Schorlemmer.
[Mit 80 in den Text eingedr. Holzschn., Chronolithogr.,
Spectraltafeln etc.] 2. verm. Aufl. Braunschweig, Friedr.
Vieweg und Sohn, 1873. 8°. — V. K. f. 31.

Lockyer, J. Norman, Studien zur Spectralanalyse.
[M. 51 Abbild. in Holzschn. u. 8 Tfln. in Photographie,
Farbendruck und Holzschn.] Leipzig, F. A. Brockhaus.
1879. 8°. [Internat. wissenschaftl. Biblioth., B. XXXV.]
— VI. C. f. 35.

Schall.

Sporschil, J., Anleitung zum Selbststudium der Akustik,
nach dem Book of science. [Mit 12 Abbild.] Leipzig,
Expedition des National - Magazins, 1834. 16°. B. L —
V. A. l. 33/1. u. 35/1.

Tyndall, John, Der Schall, ... autoris. deutsche Ausg.
... durch H. Helmholtz und G. Wiedemann. [Mit 169
in d. Text eingedr. Holzstichen.] 2. Aufl. Braunschweig,
Frdr. Vieweg und Sohn, 1874. 8°. — V. I. i. 32.

Melde, Franz, Akustik, Fundamentalerscheinungen und
Gesetze einfach tönender Körper. [Mit 87 Abbildungen
in Holzschn.] Leipz., F. A. Brockhaus, 1883. [Internat.
wissenschaftl. Biblioth., B. LVI.] 8°. — VI. C. g. 6.

Blaserna, Pietro, Die Theorie des Schalls in Beziehung
zur Musik. [Mit 36 Abbild. in Holzschn.] Leipzig, F. A.
Brockhaus. 1876. 8°. [Internat. wissenschaftl. Biblioth.,
B. XXIV.] — VI. C. f. 24.

Helmholtz, H., Die Lehre von den Tonempfindungen, als
physiologische Grundlage für die Theorie der Musik.
[M. in d. Text eingedr. Holzstichen.] 4. umgearb. Ausg.
Braunschweig, Frdr. Vieweg und Sohn, 1877. 8°. — V.
K. f. 29.

Euler, Leonhard, Tentamen novae theoriae musicae, ex
certissimis harmoniae principiis dilucide expositae. Petropoli, ex Typogr. Ac. Sc., 1739. 4°. — III. U. a. 5.

Winklerus, Jo. Henr., Tentamina circa soui celeritatem per aerem atmosphericam exponit. Lipsiae, Breitkopf, 1763, Oct. 15. 4°. — 844.

Elektrizität.

Sporschil, J., Anleitung zum Selbststudium der Elektrizität, des Galvanismus und Magnetismus, nach dem Book of science. [Mit 13 Abbild.] 2. Aufl. Leipz., F. A. Brockhaus, 1839. 16°. — V. A. l. 35/5.

Tyndall, John, Faradey und seine Entdeckungen, eine Gedenkschrift. Autoris. deutsche Uebers., herausg. durch H. Helmholtz. Braunschweig, Frdr. Vieweg und Sohn, 1870. 8°. — V. K. f. 16.

Tentamina, quaestiones et conjecturae circa electricitatem animantium. Lips., 1770, Jan. 21. 4°. [Tit. deest.] — 834.

Volta, Alex., D., Schriften über thierische Elektrizität, aus dem Ital. übersetzt, herausg. von Dr. Johann Mayer. Prag, J. G. Calve, 1793. 8°. — IV. M. k. 37.

Cassius, Larcher Daubancourt et De Saintot, Précis succinct des principaux phénomènes du galvanisme, suivi de la traduction d'un commentaire de J. Aldini sur un mémoire de Galvani: „Des forces de l'electricité dans le mouvement musculair" et de l'extrait d'un ouvrage de Vassali Eandi: „Expériences et observations sur le fluide de l'électromoteur de Volta" par . . . Paris, Delaplace et Goujon, an XI., 1803. 8°. — IV. N. d. 11.

Galvani, Aloysi, Abhandlung über die Kräfte der thierischen Elektrizität auf die Bewegung der Muskeln, nebst einigen Schriften der H. H. Valli, Carminati und Volta über eben diesen Gegenstand, eine Uebers., herausg. von D. Joh. Mayer. [M. 4 Kk.] Prag, J. G. Calve, 1793. 8°. — IV. M. k. 38.

Magnetismus.

Scharfius, Jo. Fr., praes., Viebeg, Joh. Chph., resp., Miraculum naturae magnes. Wittenb., M. Henckel, 1674, Oct. 4°. — 858.

Scheid, Jo. Val., praes.. Kast, Jo. Joach., resp., Quaestionum decades duae de magnete. Argentor., Staedel, 1683, Dec. 2. 4°. — 856.

Vesti, Justus, praes., Fischer, Joh. Andr., resp., Disp. physico - med. de magnetismo macro - et microcosmi. Erfordiae, J. H. Grosch, 1687, Dec. 20. 4°. — 835.

Chemie. — Einleitung.

Encyclopédie méthodique. Chymie, pharmacie et métallurgie. La chymie, par M. de Morveau. La pharmacie,
par M. Maret. La métallurgie par M. Duhamel. A Paris,
chez Panckoucke, à Liège, chez Plomteux, 1786—96. 4°.
3 voll.

2. Tome. La chimie par M. Fourcroy. La pharmacie
par M. Maret. La métallurgie par M. Duhamel.
A Paris, chez Panckoucke, 1792.

3. La chimie par M. Fourcroy. La pharmacie par M.
Chaussier. La métallurgie par M. Duhamel. A Paris,
chez H. Agasse, 1796. (A — chimie.) (Es sollen
6 Bde mit 62 Kk. sein.) — IV. Q.

Wurtz, Ad., Geschichte der chemischen Theorien seit La-
voisier bis auf unsere Zeit, deutsch herausg. von Alph.
Oppenheim. Berlin, R. Oppenheim, 1870. 8°. — V.
F. l. 41.

Kopp, Herm., Die Entwickelung der Chemie in der neueren
Zeit. München, R. Oldenbourg, 1873. 8°. Gesch. der
Wissensch. Bd. X. — V. G. e. 16.

Baumer, Jo. Wilh., Bibliotheca chemica. Giessae, Jo.
Justus Friedr. Krieger, 1782. 8°. — IV. N. e. 22.

Cadet, Charles Louis, Dictionnaire de chimie. Paris,
Chaignieau ainé, 1803. 8°. 4 voll. — IV. O. e. 1—4.

John, J. F., Handwörterbuch der allgemeinen Chemie.
Leipzig und Altenburg, F. A. Brockhaus, 1817—19. 8°.
5 Bde. [M. 8 Kpfrtfln.] — IV. P. e. 34—38. V. A. k.
22—26.

Stromeyer, Friedr., Tabellarische Uebersicht der che-
misch einfachen und zusammengesetzten Stoffe, mit
Rücksicht auf die Synonymie . . . Göttg., H. Dieterich,
1806. Fol. — IV. M. e. 15.

Bergmann, Torbern, Kleine physische und chymische
Werke, aus dem Lat. übers. v. Heinr. Tabor. Bd. I.1.,
I.2. — VI. Frkf. a. M., J. G. Garbe, 1782 — 1790. 8°.
6 Thle. in 7 Bdn. — IV. O. g. 24—30.

Lavoisier, Physikalisch-chemische Schriften, aus d. Franz.
übers. von Christ. Ehrenfr. Weigel. Greifswald, A. F.
Röse, 1783 — 1785. 8°. 3 Bde. [Mit Kk.] — IV. M. i.
18 — 20.

Liebig, Justus, Chemische Briefe. Heidelb., C. F. Winter,
1844. 8°. — IV. P. m. 17.

— Chem. Briefe. 6. Aufl. Leipz. u. Heidelberg, C. F. Winter,
1878. 8°. — V. J. e. 12.

Lehrbücher.

Rolfincii, Guerneri, Chimia in artis formam redacta, sex libris comprehensa. Genevae, 1671. 4°. — IV. P. d. 30.

Ichnographia chymiae fundamentalis ex specimine Stahliano doctrinae Beccherianae in compendium redacto collecta curâ et usu auditorii privati. Budinguae, J. F. Regelein, 1722. 8°. — IV. O. i. 32/1.

Kunckel v. Löwenstern, Joh., Collegium physico-chymicum experimentale oder Laboratorium chymicum, ... hrsg. von Joh. Casp. Engelleder. II. Ed. Hamb. und Leipzig, Sam. Heyl, 1722. 8°. [Mit Bildn.] — IV. O. i. 1/1.

Chaptal's, J. A., Anfangsgründe der Chemie, aus dem Franz. ... von Friedr. Wolff. Nebst einer Vorrede von Dr. S. F. Hermbstädt. Königsberg, F. Nicolovius, 1791 —1805. 8°. 4 voll. — IV. O. e. 16—19.

Fourcroy, A. F., Élémens d'histoire naturelle et de chimie. 5. éd. Paris, chez Cuchet, l'an II., 1794. 8°. 5 voll. — IV. O. m. 13—17.

— Système des connaissances chimiques et de leurs applications aux phénomènes de la nature et de l'art. Paris, Baudouin, IX. 1801. 8°. 10 voll. — III. R. f. 20—29.

Bouillon-Lagrange, E. J. B., Manuel d'un cours de chimie. Paris, Bernard, an XI. 1802. 8°. 3 voll. — IV. O. m. 1—3.

Lavoisier, Ant. Lor., System der antiphlogistischen Chemie, aus dem Franz. ... von D. S. F. Hermbstädt. 2. Ausg. Berl. et Stettin, Fr. Nicolai, 1803. 8°. 2 Bde· [M. Bildn.] — IV. M. f. 23—24.

Black's, Josef, D., Vorlesungen über die Grundlehren der Chemie, ... aus d. Engl. übers. von Dr. Lorenz von Crell. Hamburg, B. G. Hoffmann, 1804. 8°. [Mit Kk. u. Bildn. des Verf.] — IV. P. d. 35—38.

Bartels, Ernst, Dr., Grundlinien einer neuen Theorie der Chemie und Physik. Hannover, Hellwing, 1804. 8°. — IV. M. f. 29.

Hagen, Karl Gfr., D., Grundsätze der Chemie, durch Versuche erläutert. 4. Ausg. Königsb., Fr. Nicolovius, 1813. 8°. — IV. O. c. 36.

Lampadius, W. A., Grundriss des Systems der Chemie, oder klassische Aufstellung der einfachen u. gemischten Körper, vorzügl. nach Lavoisier u. Berzelius. Freyberg, Craz u. Gorlach, 1822. 8°. — IV. O. e. 9.

L.   **17**

Thenard, L. J., Traité de chimie élémentaire théorique et
   pratique. 5. éd. Paris, Crochard, 1827. 8°. 5 voll. —
   IV. O. e. 20—24.
Gay-Lussac, Cours de chimie. Paris, Pichon & Didier,
   1828. 8°. 2 voll. — IV. O. f. 37—38.
Turner, Ed., Lehrbuch der Chemie, deutsch bearb. von
   Karl Friedr. Alex. Hartmann. [Mit 2 lithogr. Tafeln.]
   Leipzig, F. A. Brockhaus, 1829. 8°. — V. A. f. 41.
Logier, Cours de chimie générale. Paris, Pichon et Didier,
   1829. 8°. 4 voll. [Av. figg.] — IV. O. m. 21—24.
Hermbstädt, Siegesm. Friedr., Grundsätze der theo-
   retischen und experimentellen Kameral-Chemie. 1. Bd.
   Berlin, G. Reimer, 1833. 8°. — IV. O. m. 27.
Mitscherlich, E., Lehrbuch der Chemie. 2. Aufl. Mit
   Holzschnitten von F. L. Unzelmann. 1. Band. Berlin,
   E. S. Mittler. 1834. 8°. — IV. O. m. 20.
Meissner, P. T., Neues System der Chemie. 1. Bd. Wien,
   J. G. von Mösle, 1835. 8°. — IV. O. m. 28.
Hartmann, Karl, Anleitung zum Selbststudium der
   ˙Chemie, nach dem Book of science. [Mit 9 Abbildungen.|
   Leipzig, F. A. Brockhaus, 1838. 16°. — V. A. l. 34/1.
Stöckhardt, Jul. Adolph, Die Schule der Chemie, oder
   erster Unterricht in der Chemie, versinnlicht durch ein-
   fache Experimente. 6. verb. Aufl. [Mit 290 in den Text
   eingedruckten Holzschnitten.] Braunschweig, Fr. Vieweg
   und Sohn, 1852. 8°. — V. B. l. 39.
Cooke, Josiah P., Die Chemie der Gegenwart. [Mit 31
   Abbildungen in Holzschnitt.] Leipzig, F. A. Brockhaus,
   1875. 8°. [Internation. wissenschaftl. Biblioth, B. XVI.]
   — VI. C. f. 16.
Wolff, Emil Th., Vollständige Uebersicht der elementar-
   analytischen Untersuchungen organischer Substanzen ...
   Halle, Eduard Anton, 1846. 8°. — V. A. c. 16.
Rose, Heinr., Handbuch der analytischen Chemie. 4. Aufl.
   Berlin, E. S. Mittler, 1838. 8°. 2 Bde. — V. A. h.
   13—14.
Hochheimer, C. F. A., Chemische Mineralogie od. vollständ.
   Gesch. der analyt. Untersuchung der Fossilien. Leipz.,
   J. A. Barth, 1792—93. 8°. 2 voll. — IV. M.˙f. 25—26.
Berthelot, M., Die chemische Synthese. Leipzig, F. A.
   Brockhaus, 1877. 8°. [Internation. wissenschaftl. Biblioth.
   Bd. XXV.] — VI. C. f. 25.
Berthollet, Claude Louis, Versuch einer chemischen
   Statik d. i. einer Theorie der chemischen Naturkräfte,
   aus d. Franz. übers. v. Geo. Wilh. Bartoldy und mit

Erläuterungen begleitet von Ernst Gfr. Fischer. Berlin,
Duncker & Humblot, 1811. 8°. — IV. M. k. 36.

Dumas, J., Versuch einer chemischen Statik der organischen Wesen. 2. Aufl. Aus d. Frz. von Carl Vieweg.
Lpz., J. T. Wöller, 1844. — IV. P. m. 22.

Geubel, H. C., Grundzüge der wissenschaftlichen Chemie
der unorganischen Verbindungen. Frankfurt a. M., J.
D. Sauerländer, 1847. 8°. — V. A. g. 50.

Wurz, Ad., Die atomistische Theorie. [Mit einer lithogr.
Tafel.] Leipzig, F. A. Brockhaus, 1879. 8°. [Internation.
wissenschaftl. Biblioth. Bd. XXXVII.] — VI. C. f. 37.

Angewandte Chemie.

Dumas, J., Handbuch der angewandten Chemie. Aus dem
Frz. übers. . . . v. G. A. u. Friedr. Engelhart. V. Bd. 6
ab von Dr. L. A. Buchner, junior. Nürnberg, J. L.
Schrag, 1830—1850. 8°. [Mit Kk.] 8 Bde. — IV. P. m.
5 — 10 c.

Dammer, Otto, Lexikon der angewandten Chemie. [Mit
48 Abbild.] Leipzig, Bibliograph. Institut, 1882. 8°.
Meyers Populäre Fachlexika. — VI. D. h. 21.

Löbe, William, Naturgeschichte für Landwirthe, Gärtner
und Techniker. [Mit 20 lith. u. illum. Tafeln.] Neue
Ausg. Leipzig, F. A. Brockhaus, 1849. 8°. — V. A. f. 42.

Chaptal, le Comte, Chimie appliquée à l'agriculture.
A Paris, Mme. Huzard, 1823. 8°. 2 voll. — III. O. e.
23 — 24.

Gmelin, Joh. Friedr., Handbuch der technischen Chemie.
Halle, J. J. Gebauer, 1795—96. 8°. 2 Bde. — IV. O. m.
18 — 19.

Lampadius, W. A., Experimente über die technische
Chemie. Göttingen, H. Dieterich, 1815. 8°. — IV. O.
m. 4.

Morelot, Simon, Histoire naturelle appliquée à la chimie,
aux arts, aux différents genres de l'industrie et aux
besoins personnels de la vie. A Paris, F. Schoell et H.
Nicolle, 1809. 8°. 2 voll. — IV. O. e. 25—26.

Chaptal, J. A., Chimie appliquée aux arts. A Paris, Deterville, 1807. 8°. 4 voll. — III. O. d. 37—40.

— Chimie appliquée aux arts, avec les notes et additions
devenues nécessaires par Mr. Guilbery. Bruxelles, Vve.
Ad. Stapleaux, 1830. 4°. [Av. figg.] — IV. M. g. 16.

Hermbstädt, S. F., Elemente der theor. und prakt. Chemie
für Militärpersonen, bes. für Ingenieur- u. Artillerie-

Offiziere. Berlin, C. F. Amelang, 1823. 8°. 3 voll. —
IV. O. e. 27—29.

Geiger, Phil. Lor., Handbuch der Pharmacie. 5. Aufl.,
neu bearbeitet von Dr. Justus Liebig. [Mit Kk. und
Hschn.] A. u. d. T.: Handbuch der Chemie mit Rücksicht
auf Pharmacie von D. J. L. Erste Abth.: Anorganische
Chemie. Zweite Abth.: Organische Chemie. Heidelberg,
C. F. Winter, 1843. 8°. 2 Bde. — IV. P. m. 11—12.

Schubarth, Ernst Ludw., Lehrbuch der theoret. Chemie,
zunächst für Aerzte u. Pharmaceuten. Berlin, A. Rücker,
1822. 8°. — IV. O. c. 37.

Ancell, Henry, Dr., Liebig's Thierchemie u. ihre Gegner,
ein vorzüglich für pract. Aerzte berechneter ausführlicher
Commentar zu dessen physiolog., patholog. und pharma-
kolog. Ansichten, nach dem Engl. bearb. u. mit Anm.
verm. von Dr. A. W. Krug. Pesth, C. Geibel, 1844. 8°.
— IV. P. m. 21.

Jacquin, Joseph Franz Edler von, Lehrbuch der allgem. u. medic. Chymie. 3. Aufl. Wien, Ch. F. Wappler
u. Beck, 1803. 8°. 2 voll. [M. Kk.] — IV. M. f. 27—28.

Remer, W. H. G., Lehrbuch der polizeilich-gerichtlichen
Chemie. 2. verm. u. verb. Aufl. Helmstädt, C. G. Fleck-
eisen, 1812. 8°. — IV. O. c. 38.

Einzelne Gegenstände der Chemie.

Turba philosophorum. Auriferae artis, quam chemiam vocant,
antiquissimi authores sive — Bas., Petr. Perna, 1572. 8°. —
III. O. n. 22.

Paracelsi, Theophrasti, Aurora thesaurusque philosophorum —. Acc. monarchia physica per Gerardum Dor-
neum in defensionem Paracelsicorum principiorum a suo
praeceptore editorum etc. Bas., (sub signo: „Palma Guar.“)
1577. 8°. Pag. 65: Monarchia triadis, in unitate soli
deo sacra, autore Gerardo Dorn. (Tractatus mysticus.)
Pag. 129: Anatomia corporum adhuc viventium, qua docet
Theophrastus Paracelsus, . . . ante mortem aegris esse
consulendum, postquam sero medicina paratur. — IV. P.
l. 29. III. G. o. 10/2.

— De summis naturae mysteriis commentarii tres, a Gerardo Dorn. conuersi. Bas., ex off. Pernaea per Conr.
Waldkirch, 1584. 8°. — III. G. o. 10/1.

Sala, Angelus, Chrysologia, seu examen auri chymicum
. . . Adjecti sunt: Aphorismi chymiatrici. Hamb., Henr.
Carstens, 1622. 8°. — IV. P. k. 38.

Servii, Petri, Spoletini, Dissertatio philologica de odoribus ad Franciscum Barberinum cardinalem. Romae, Franc. Caballus, 1641. 8°. — IV. M. l. 20.

Hollandus, Johannes Isacus, Des hocherleuchteten — Opus vegetabile, worin er den treuhertzigen filiis doctrinae ... unterricht gibt, ... welcher gestalt aus den Vegetabilien ... die wahre philosophische Quinta essentia zu ziehen, und ein jedes derselben zu seiner höchsten perfection, nemlich in einen vegetabilischen wunderwürckenden Medicinalstein zu perficiren ... Auss niederländischen Manuscriptis ... vom Sohn Sendivogii, genannt J. F. H. S. Amsterdam, bey Henrico Betkio im Jahr 1659. 8°. — II. S. i. 68/1.

Glauber, Joh. Rudolph, Miraculi mundi ander Theil oder dessen vorlängst geprophezeiten Eliae Artistae triumphirlicher Einritt vnd auch was der Elias Artista für einer sey? nemlich der Weisen ihr Sal artis mirificum, als aller Vegetabilien, Animalien vnd Mineralien höchste Medicin. Ambsterdam, Joh. Jansson, 1660. 8°. — II. S. i. 68/2.

— Teutschlands Wohlfahrt, fünffter Theil, darinnen gründlich vnd ausführlich tractiret, was Alchymia sey, vnd wie durch dieselbe an allen Orten Teutschlands grosser Nutzen geschafft werden könte, gleichsam mit Fingern gezeiget wird. Ambsterdam, Joh. Jansson, 1660. 8°. — II. S. i. 68/3.

Gerberus, Geo. Salom., M., praes., Thilo, Joh. Melch., resp., Driff Helmontii ... disputatione inaugurali pro licentia summos in arte medica honores ... capessendi publice examinandum proponit praeses. Erford., Grosch, 1685, Juli 7. (17.) 4°. — 847.

Krausius, Rud. Wilh., praes., Conrad, Heinr. Frid., resp., Disp. inaug. sistens theses medico-chimicas de principiis et transmutatione metallorum ... pro lic. ... in med. Jenae, Krebs, 1686, Aug. 7. 4°. — 851.

Hoffmann, Fridericus, praes., Greuling, Joh. Henr., defend., Diss. physico-chymica experimentalis de generatione salium, 1693., recusa: Halae, 1701. 4°. — IV. M. l. 13/23.

Hofmanni, Caroli, Diatriba chymico-medica de acido vitrioli vinoso. Norimb., ap. Wolg. Maur. Endteri haered., 1733. 4°. — IV. P. f. 19.

Teichmeyer, Herm. Frid., De phosphoris. L Jenae, Müller, 1731. 4°. Acc. Vita doctorandi Petri Liebmanni Kaehleri. — 214.

Teichmeyeri, Herm. Frid., Programma de phosphoris tertium. Jena, Müller, 1732. 4°. Acc. Vita doctorandi Joannis Samuelis Pillingii. — 716.

— De rhytmis Basilii Valentini V. (Spiritus nitri fumans vel flammificus et igneus.) Acc. Vita doctorandi Christiani Jacobi. Jenae, Horn, 1734. 4°. — 215.

— De rhythmis Basilii Valentini VI. (Spiritus anodynus.) Acc. Vita doctorandi Ludolphi Arnoldi Goesslingii. Jenae, Ritter, 1734, Mai 12. 4°. — 216.

— De rhythmis Basilii Valentini XII. (De depuratione Mercurii.) Jenae, Croeker, 1738. 4°. Acc.: Vita doctorandi Caroli Glob Rückeri. — 217.

— De rhythmis Basilii Valentini XV. (De spiritibus radicalibus, sulphure et mercurio.) Acc.: Vita doctorandi Immanuelis Friderici Schauer. Jenae, Croeker, 1741. — 218.

— De rhythmis Basilii Valentini XVII. (De regulo antimonii martiali.) Acc.: Vita doctorandi Joh. Jac. Mülleri. Jenae, Ritter, 1741. 4°. — 219.

Wedel, Jo. Adolph, De furnulo chimico sine craticula usus tamen egregii. Jenae, J. F. Ritter, 1745. 4°. Acc.: Vita doctorandi Danielis a Raesfeld. — 647.

Krafftius, Geo. Wolfg., praes., Frommann, J. Henr. resp., Diss. phys. de phialis vitreis ab injecto silice dissilientibus, (pro magisterio.) Tübg., Cotta, 1748, Juli 15. 4°. — 845.

Portz, Joh. Dav., Bacchus enucleatus, hoc est, examen vini rhenani, ejusque tartari, spiritus, aceti etc., ex novis principiis depromptum ac demonstratum. Leovardiae, ap. Hieron. Nautam in de Peperstraedt. 12°. — IV. P. l. 9.

Schützenberger, P., Die Gährungserscheinungen. [Mit 28 Abbild. in Holzschn.] Leipzig, F. A. Brockhaus, 1876. 8°. |Internation. wissenschaftl. Biblioth., B. XXIII.] — VI. C. f. 23.

Lavoisier, Des Herrn —, Abhandlungen über die Wirkung des durch die Lebensluft verstärkten Feuers, aus dem Franz. . . . von F. L. Ehrmann. Strassb., J. G. Treuttel, 1787. 8°. |M. 2 Kk.| — IV. M. i. 17.

Landwirthschaft.
Vgl. hierzu Bd. III. 531 ff.

Encyclopédie méthodique. Agriculture, par M. l'abbé Tessier, . . . M. Thouin et M. Fougeroux de Bondaroy. . . . (A — Cytise.) Paris, chez Panckoucke, à Liège, chez Plomteux, 1787—93. 4°. 3 voll. — IV. Q.

Encyclopèdie méthodique. Art aratoire et du jardinage. Paris, H. Agasse, an V., 1797. 4°. — IV. Q.

— Recueil des planches du dictionnaire encyclopédique de l'art aratoire et du jardinage. Paris, H. Agasse, 1802. 4°. — IV. Q.

Monthly reports of the department of agriculture for the year 1868. Edited by J. R. Dodge, statistician. Dto 1870. Washington, government printing office, 1868—71. 8°. 2 voll. — II. S. i. 268—269.

Report of the commissioner of agriculture for the year 1867, 1868, 1869. Washington, government printing office, 1868—70. 8°. 3 voll. — II. S. i. 263—265.

— of the commissioner of patents for the year 1855—56. Arts and manufactures. Agriculture. Washington, printers. T. I. & V., A. O. P. Nicholson, T. II.—IV. Cornelius Wendel, 1856—57. 8°. 5 voll. [M. Holzschnttn. u. color. Abbild.] — V. B. m. 1—5.

Zeitung, Landwirthsch., für das Grossh. Posen, unter Mitwirkung der Herren von Sczaniecki, Lehmann-Nitsche, K. Sander und O. Roux. Lissa, Theod. Scheibel, 1866. Fol. [Von Nr. 40 ab grösseres Format.] U. d. T.: Landwirthschaftliche Zeitung für das Grossherzogthum Posen, unter Mitwirkung des Rgbs. Rob. Lehmann und des Domänenpächters K. Sander, herausgegeben v. O. Roux. (Nr. 47 fehlt.) — III. W. bb. 1.

Mittheilungen der landw. Vereine zu Bromberg und Wirsitz. Bromberg, Louis Levit, 1847. 8°. — IV. L. c. 36.

Central-Blatt, Landw., für die Provinz Posen, herausg. von Prof. Dr. Peters. Posen, 1873—83. Fol. — III. H. d. 1—8.

Fraas, C., Geschichte der Landbau- und Forstwissenschaft seit d. 16. Jahrh. bis zur Gegenwart. München, Liter.-artistische Anstalt der J. G. Cotta'schen Buchh., 1865. 8°. [Gesch. der Wissenschaften in Deutschl., B. III.] — V. G. e. 12.

Crescentiis, Petrus de, ciuis Bonon., Ruralium commodorum libri 12. Augsb., Joh. Schüssler, 1471. Fol. — III V. c. 14.

— zu teutsch mit figuren. 1496. Fol. — IV. O. a. 2.

Bussato, Mario, da Ravenna, Giardino di agricoltura di —. In Venetia, Seb. Combi, 1599. 4°. — III. O. n. 31.

Bastien, J. F., La nouvelle maison rustique ou économie rurale, pratique et générale de tous les biens de cam-

pagne. Nouvelle édit., entièement refondue et considérablement augmentée. Paris, Deterville, an XII., 1804.
4°. 3 Bde. [M. 60 Kpfr.] — IV. C. b. 1—3.

Nordmann, G. L., auf Liszkowo, Anweisung zur Führung
der Landwirthschaft auf meinen Gütern. Bromberg,
L. Levit, 1838. 8°. — III. T. m. 8.

Rothe, A., Die rechte Mitte in Beziehung auf Landwirth-
schaft und deren Leitung. Lissa und Leipzig, Ernst
Günther, 1835—36. 8°. 3 Theile. — III. O. m. 40. III.
T. d. 27.

— — V. Abschnitt: Die Fabriken in ihrer Beziehung zum
Wirthschaftsbetriebe. VI. Abschn.: Ueber Regulirung
der bäuerlichen Verhältnisse und deren Wirkungen auf
die Landgüter. Lissa u. Leipzig, E. Günther, 1837. 8°.
2 Bde. — III. N. n. 31—32.

— dasselbe. Zweite Aufl. Lissa, Ernst Günther, 1854. 8°.
V. B. f. 16.

Petzholdt, Alex., Die Agriculturchemie in populären Vorlesungen. [Mit eingedruckten Holzschnitten.] 2. umgearb. Aufl. Leipzig, Carl B. Lorck, 1846. 8°. — V.
A. c. 3.

Nowak, Franz, Die Düngergrube des Landmanns Gold-
Grube, ein wohlgemeinter Rath zur Beförderung des
ländlichen Wohlstandes. I. u. II. Aufl. Lissa, E. Günther,
1850. 8°. — II. S. i. 99—100.

Patzig, G. C., Der praktische Rieselwirth. [Mit 80 Abbildungen.] Leipzig, Gebr. Reichenbach, 1842. 8°. — IV.
N. h. 28.

Wehner, Robert, Praktischer Unterricht in Wiesen-
Wässerungs-Anlagen . . . Glogau, C. Flemming, 1844.
8°. [Mit 9 lith. Tafeln.] — III. T. p. 11.

Eiselen, Joh. Chph., Handbuch oder . . . Anleitung zur
näheren Kenntniss des Torfwesens . . . Berlin, W. Vieweg, 1795. 8°. [M. Kk.] — III. M. n. 21.

Lesquereux, Leo, Quelques recherches sur les marais
tourbeux en général par —. Neuchatel, H. Wolfarth,
1844. 8°. — III. K. n. 19.

— Directions par l'exploitation des tourbières dans la principauté de Neuchatel et Valangin. Neuchatel, imprim.
de Henri Wolfrath, 1844. 8°. — IV. P. h. 27.

Wendland, W., Kurze Anweisung zum Anbau des rothen
Klees. Nauka o uprawie koniczyny czerwonéj. Lissa,
Günther, 1836. 8°. — III. N. m. 15/3.

Schwarz, J. L., Weisser Senf als Ersatzmittel für ausge-
winterte Oelfrüchte. Bromberg, Louis Levit, 1858. 8°.

Flatau, Jos. Jac., Ueber Hopfenbau. 2. Aufl. Berlin,
G. Bosselmann, 1861. 8°. — V. C. i. 7.

Anleitung zur Verbesserung der Pferdezucht, insbesondere
. . . für die kleinen . . . Grundbesitzer im Grossherzogthum Posen. Posen, W. Decker & Co., 1838. 8°. Dtsch.-
u. poln. — IV. M. k. 42.

Corte, Claudio, di Pauïa, Il cavalerizzo di messer —. In
Lyone, A. Marsilii, 1573. 4°. — III. N. o. 8.

Grisone, Federico, Ordini di cavalcare, et modi di cognoscere le nature de cavalli, di emendare i lor vitii et
d'ammaestrargli per l'uso della guerra et giouamento
degli huomini: con varie figure di morsi, secondo le bocche
et il maneggio che si vuol dar loro. In Venetia, A. Muschio, 1590. 4°. [M. Hschn.] — III. O. n. 27.

— Scielta di notabili avvertimenti, pertinenti à cavalli: distinta
in tre libri. Nel primo . . . far razze eccellenti, nel secondo
. . . l'anatomia de caualli, le cause d'ogni loro interna
indispositione, et le cure à lor necessarie, nel terzo si ragi-
ona della chirurgia et de suoi effetti. Venetia, A. Muschio,
1590. 4°. — III. O. n. 27.

Eisenberg, Baron von, Des Herrn —, Wohleingerichtete
Reitschule oder Beschreibung der allerneuesten Reitkunst,
in ihrer Vollkommenheit, durch nöthige Schulen erkläret,
und in richtigen Figuren vorgestellet, welche von dem
Verfasser selbst nach dem Leben gezeichnet und durch
den weiland berühmten Bernhard Picard in 56 Kupfertafeln gebracht worden. Diesen ist noch beygefügt ein
Wörterbuch . . . Amsterdam u. Leipz., Arckstee u. Merkus,
1776. Fol. [M. Kk.] — III. W. a. 14 a.

Rothe, A., Der erfahrene Schäfer, Friedrich Nowack . . .
Breslau, Ferd. Hirt, 1844. 12°. — III. U. h. 37.

Dubravii, Jani, qui postea Olomucensis episcopus creatus
est, De piscinis et piscium, qui in eis aluntur naturis,
libri quinque . . . ad illustrum virum Antonium Fugge-
rum. Item Xenocratis de alimento ex aquatilibus, graece
et latine nunc primum aeditus cum scholiis Con. Gesneri.
Bas., 1559. 8°. — III. N. p. 24/1.

Wollenhaupt, F., Kurze Anweisung zur einträgl. u. angenehmen Bienenzucht in hölzernen Magazinen. Lissa
u. Leipz., E. Günther, 1837. 8°. — III. N. n. 36/2.

Türk, Wilh. v., Vollständige Anleitung zur zweckmässigen
Behandlung des Seidenbaues . . . 3. umgearb. Auflage.
Leipzig, Gebr. Reichenbach, 1843. 8°. [M. Kk.] — IV.
M. g. 28.

Hamilton's, Aug., Branntwein - Brennerei - Erfahrungen.
[Mit drei Steindrucktafeln und vielen Tabellen.] Leipz.,
Otto Spamer, 1849. 8°. — V. B. d. 21.

Dubrunfaut, Traité complet de l'art de la destillation.
Paris, Bachelier, 1824. 8°. [Av. figg.] 2 voll. — IV. L.
m. 27—28.

Musch, Karl W., Die Branntwein-Brennerei nach ihrem
gegenwärtigen Standpunkte. Posen, Jakob Cohn, 1846.
8°. — III. O. p. 15a.

Kratochwill, Vinc. Dominik, Vollständige Abhandlung
über die Methode, den Brandwein mittelst einer Dampfmaschine auf eine sehr vortheilhafte Art zu destilliren.
Wien, M. A. Schmidt, 1811. 8°. [Mit 1 Kupfer.] — III.
M. n. 19.

Hauswirthschaft.

Genlis, Mme. de, Maison rustique, pour servir à l'éducation de la jeunesse, ou retour en France d'une famille
émigrée. A Paris, Maradan, 1810. 8°. 3 voll. — III. N.
d. 33—35.

Bradley, R., The country housewife and lady's director
in the management of a house, and the delights and pro-
fits of a farm. The fifth edition. London, Woodmann
et Lyon, 1728. — III. O. f. 20.

Boreux, Anweisung, . . . Schokolate und Kaffee zu bereiten,
. . . herausg. v. Dr. Chn. Gotthold Eschenbach. Leipz.,
J. C. Hinrichs, 1805. 4°. [M. Kk.] — IV. E. c. 12.

Wolf, Rebekka, geb. Heinemann, Kochbuch für israelitische Frauen . . . Dritte, sehr verm. Aufl. Berlin,
W. Adolf u. Comp., 1859. 8°. — V. A. m. 39.

Willichius, Jodocus, Ars magirica, hoc est coquinaria
de cibariis, ferculis opsoniis, alimentis et potibus diversis
parandis, eorumque facultatibus . . . Huic accedit Jacobi
Bifrontis Rhaeti De operibus lactariis epistola. Tiguri,
apud Jacobum Gesnerum, (1563.) 8°. — IV. P. k. 30.

Gartenbau.

Perring, W., Lexikon für Gartenbau- und Blumenzucht.
Leipz., Bibliogr. Institut, 1882. 8°. [Meyer's Populäre
Fachlexika.] — VI. D. h. 26.

Christ, J. L., Handbuch über die Obstbaumzucht u. Obst-
lehre. [Mit 5 Kupfert.] 4. sehr verb. u. verm. Auflage.
Frankfurt a. M., Hermann, 1817. 8°. — III. O. m. 13.

Hinkert, F. W., Systematisches Handbuch der Pomologie. München, A. Weber, 1836. 8°. 3 Bde. — V. A. c. 42—44.

Kecht, J. S., Der verbesserte Weinbau in Gärten und vorzüglich auf Weinbergen, mit einer Anweisung den Wein ohne Presse zu keltern. 3. verm. u. verbess. Aufl. [Mit 2 Kupfertafeln.] Berlin, G. C. Nauck, 1823. 8°. — IV. M. e. 3.

Kelerus, Paullus, Dissertatio de vineis Vngariae, annexa est diatriba germanica de vitiferis montibus Tokainensibus. V. Jaenichii, P., Meletemata Thorunensia, tom. III., p. 215. 8°. — III. L. g. 1.

Wollenhaupt, F., Guter Rath, um frühe, schöne u. grosse Weintrauben zu erziehen. Lissa u. Leipz., E. Günther, 1837. 8°. — III. N. n. 36/1.

Forstbau und Jagdwesen.

Encyclopédie méthodique, Dictionnaire de toutes les espèces de chasses. Paris, H. Agasse, l'an. III., 1795. — IV. Q.

— méthodique. Dictionnaire de toutes les espèces de pêches. Paris, H. Agasse, l'an. IV., 1795. 4°. — IV. Q.

— Planches des pêches. Paris, Panckoucke, 1793. 4°. Texte 32 pagg. Planches 1—114 (ou plûtot 132, à cause de 18. doubles.) — IV. Q.

Naschke, J. G., Gutachten über die Verdrängung der Kiefer aus ihrem Standorte durch Ueberhandnahme der Birkenpflanzung. Lissa, Druck von Ernst Günther, 1843. 8°. — IV. N. h. 26.

Hennert, Carl Wilh., Ueber den Raupenfrass u. Windbruch in den Kgl. Preuss. Forsten in den J. 1791 bis 1794. [Mit 8 Ktaff.] Berlin, Auf Kosten des Verf., 1797. 4°. — III. N. o. 3.

Moser, H. C., Die praktisch-geometrische Aufnahme der Waldungen mit der Bousole und Messkette. Leipzig, H. Gräff, 1797. 4°. [M. Kk.] — IV. E. c. 13.

Pomai, Franc., S. J., Unterschiedliche vortreffliche Probestücke der Wohlredenheit, in sich haltende:

1. Dreyssig Beschreibungen so vieler unterschiedener Blumen.
2. Zwantzig Beschreibungen verschiedener Sachen.
3. Ein sehr artig Büchlein von dem Weydwerck und der Falcknerey. (Frz.-lat.-deutsch.) Coloniae et Francofurti, Serv. Noethe, 1740. 4°. — IV. M. d. 14.

Jagdkunde, Die, für den Standpunkt des Dilettanten bearbeitet. Lissa und Gnesen, Ernst Günther, 1844. 8°. —
III. Q. m. 57 b.

Riesenthal, O. von, Jagd-Lexikon, Handbuch für Jäger
und Jagdfreunde. [Mit 123 Abbild.] Leipz., Bibliograph.
Institut, 1882. 8°. [Meyers Populäre Fachlexika.] — VI.
D. h. 27.

Gewerbe.

Vgl. hierzu Bd. III. 531 ff.

Encyclopédie méthodique. Manufactures, arts et mé-
tiers par Mr. Roland de la Platière. Paris, Panckoucke,
1784. Liège, Plomteux, 1785—90. 4°. 3 voll. — IV. Q.
— Arts et metiers mécaniques ... Paris, Panckoucke, Liége,
Plomteux, 1782—1791. 4°. 8 voll. — IV. Q.
— Recueil de planches de l'encyclopédie par ordre de matières. Tome I.—IV., VI.—VIII. Paris, Panckoucke et
Plomteux, 1783. 4°. 7 voll. [Planches aux: Arts et
metiers mécaniques.] — IV. Q.

Karmarsch, Karl, Geschichte der Technologie seit der
Mitte des 18. Jahrh. München, R. Oldenbourg, 1872. 8°
[Gesch. d. Wissensch, XI.] — V. G. e. 17.

Chevalier, Michel, Rapports du jury international.
(Exposition univ. de 1867 à Paris.) Paris, Paul Dupont,
1868. 8°. 13 voll. — V. D. h. 3—15.

Napp, Rich., Die argentinische Republik, im Auftr. des
argent. Central-Comité's für die Philadelphia-Ausstellung
und mit dem Beistand mehrerer Mitarbeiter bearbeitet.
Buenos Aires, Dampfdruck der Sociedad Anónima, 1876.
8°. [Mit 6 Karten.] — V. J. h. 1.

Jacobsons, Joh. Karl Gfr., Technologisches Wörterbuch oder alphabetische Erklärung aller nützlichen
mechanischen Künste, ... hrsg. v. Otto Ludw. Hartwig,
mit einer Vorrede von Joh. Beckmann. Berlin & Stettin,
F. Nicolai, 1881—84. 4°. 4 voll. — III. U. b. 1—4.

Brelow, G., Dammer, O., u. E. Hoyer, Technologisches
Lexikon ... Leipz., Bibliograph. Institut, 1883. 2. Bde.
8°. [Meyer's Populäre Fachlexika.] — VI. D. h. 28—29.

Ersch, Joh. Sam., Literatur der ... Gewerbskunde ...
seit der Mitte des 18. Jahrh. bis auf die neueste Zeit,
systematisch bearbeitet. Amsterd. & Leipz., 1813. 8°. —
III. S. d. 12.

Karmarsch, Karl, Handbuch der mechanischen Technologie, 5. vollst. neubearb. u. verm. Aufl. von Dr. Ernst

Hartig. Hannover, Helwing, 1875—76. 8°. 2 Bde. — V. I. i. 23—24.

Brelow, G., und E. Hoyer, Mechanische Technologie und Maschinenkunde. [S. Brelow, Technolog. Lexikon, B. II.] 8°. — VI. D. h. 29.

Dammer, Otto, Chemische Technologie. [M. 303 Abbild.] [S. Brelow, Technolog. Lexikon, B. I.] 8°. — VI. D. h. 28.

Vorbilder für Fabrikanten und Handwerker, herausg. von der Kgl. Technischen Deputation für Gewerbe. Berlin, gedr. bei Aug. Petsch, o. J. 4°. 3 Thle. — III. S. b. 1.

Bessoni, Jac., Theatrum instrumentorum et machinarum, cum Franc. Beroaldi figurarum declaratione demonstrativa. Lugduni, apud Barth. Vincentium, 1578. Fol. — III. L. a. 7.

Le Blanc, Recueil des machines, instrumens et appareils, qui servent à l'économie rurale et industrielle . . . I.—IV. partie. Paris, chez l'Auteur. Fol. (Incompl.) — IV. Q. b. 19—23.

Manuel de l'artificier, 2. éd. Paris, Ch. A. Jombert, 1757. 8°. [Av. figg.] (Feuerwerkskunst.) — IV. C. l. 13.

Blondel, E., Der selbstlehrende Feuerwerker od. gründliche Anweisung zur Lustfeuerwerkskunst für Liebhaber. [M. Kpfrn.] Neue Aufl. Leipzig, 1803. 8°. — IV. B. f. 29.

Hoffmann, Earl, Taschenbuch für Kunstfeuerwerker. [Mit 4 Steindrucktaf.] Berlin, G. Reimer, 1835. 12°. — IV. B. e. 13.

Hartmann, Fr. J., Praktischer Unterricht in der Feuerwerkerkunst für Dilettanten und angehende Feuerwerker, nach Ruggieri bearbeitet. [Mit 29 Tafelabbild.] Quedlinburg und Leipzig, Gottfr. Basse, 1832. 8°. — IV. B. e. 12.

Biringuccio, Vanuccio, Nobile Senese, Pirotechnia; li diece libri della pirotechnia. Venet., Giov. Padoano a instantia di Curtio di Nauo, 1550. 4°. [Mit Holzschn.] — II. L. a. 7.

Boethke, C. H. S., Anweisung zum Bau mit getrockneten Lehmziegeln, nebst Beschreibung des gestreckten Windelbodens und der besten Art Dächer. Berlin, gedruckt bei Johann Michael Kunst, o. J. 8°. — IV. N. h. 12.

Gilly, Wilhelm, Ausführliche Anweisung zur Einrichtung und Erbauung von Torf-Ziegel-Oefen und zum Zubereiten und Brennen der Ziegel. Berlin, Gottlieb Aug. Lange, 1791. 8°. [Mit Kpfrn.] — IV. N. h. 2.

Nachricht, Kurze, von einem in Tarnowo, Posener Kreises, aufgestellten flachen Dache. Posen, Gebr. Scherk, 1842. 8°. — III. R. m. 59.

Gilly, D., Handbuch der Landbaukunst, vorzüglich in Rücksicht auf die Konstruktion der Wohn- und Wirthschaftsgebäude, für angehende Kameral-Baumeister und Oekonomen. 5. Auflage . . . bearbeitet von F. Triest. [In drei Bänden mit Kupfertafeln.] Erster Band. Braunschweig, F. Vieweg, 1831. 8⁰. — III. S. d. 54.

Hube, Joh. Mich., Hr. —, Abhandlung über die Aufgabe aus der Haushaltungskunst, „auf was für eine Art kann ein festerer und stärkerer Damm, als sonsten gebräuchlich gewesen, aufgeführet werden u. s. w." [Mit dem Fürstl. Jablonowskischen Preise gekrönt.] Danzig, D. L. Wedel, 1767. 4⁰. — II. J. c. 5/2.

Sachs, S., Beschreibung einer neu erfundenen Dach-Construction. 2. verm. Aufl. [Mit 2 Kupfertafeln.] Berlin, Schüppel, 1829. 8⁰. — III. T. h. 24.

Lipowitz, A., Anleitung zur Conservation des Holzes nach Boucherie, . . . sowie eine Anweisung dasselbe durch seine ganze Masse zu färben. [Mit einer lithograph. Tafel.] Lissa und Gnesen, Ernst Günther, 1841. 8⁰. — IV. M. e. 4.

Wölfer, Marius, Der auf vieljährige Erfahrung gegründete Kunst- u. Brunnenmeister in allen seinen praktischen Verrichtungen . . . Quedlinburg und Leipzig, Gottfried Basse, 1840. 8⁰. [Mit 24 Zeichn. u. 2 Plänen.] — III. U. h. 39a.

L'art de bâtir les vaisseaux. Amsterd., Dav. Mortier, 1719. 4⁰. 2 voll. [Av. figg.] — IV. W. d. 30.

Hoste, Paul, Théorie de la construction des vaisseaux, qui contient plusieurs traitez de mathématique sur des matières nouvelles et curieuses. A Lyon, Anisson et Posuel, 1697. Fol. [Av. figg.] — III. D. a. 11/2.

Karsten, C. J. B., Handbuch der Eisenhüttenkunde. Halle, Curtsche Buchh., 1816. 8⁰. 2 Bde. — III. O. m. 11—12.

Erklärung der Kupfertafeln im fünften Hefte der Gleiwitzer Gusswaren-Abbildungen. [14 Kupfertafeln und 2 Blatt Text.] W. Kalide fec. Ed. Susemihl sc. Nach 1825. Fol. — IV. W. a. 17.

Thurston, Robert H., Die Dampfmaschine, Geschichte ihrer Entwickelung, bearbeitet und mit Ergänzungen versehen von W. H. Uhland. [Mit 188 Abbildungen in Holzschnitt.] Leipzig, F. A. Brockhaus, 1880. 8⁰. 2 Bände. [Internationale wissenschaftliche Bibliothek, Bd. XXXXIII.—XXXXIV.] — VI. C. f. 43—44.

Hartmann, Karl, Anleitung zum Selbststudium der Berg- und Hüttenkunde, nach dem Book of science. Mit 5

Abbildungen. Leipzig, Expedition des Pfennig-Magazins, (F. A. Brockhaus), 1838. 16°. — V. A. l. 84/2.

Thylesii, Ant., De coloribus libellus ... S. Bayfii, Lazari, Annotat. in legem II. de captivis. Basileae, 1537. 4°. — III. G. d. 36/3.

Berthollet, Handbuch der Färbekunst. aus dem Franz. mit Anm. von J. F. A. Göttling. Jena, J. M. Mauke, 1792. 8°. 2 Bde. — IV. M. f. 30—31.

Rockstroh, Heinr., Die Glasblasekunst im Kleinen, oder mittelst der Docht- oder der Strahlflamme ... [M. vier erläuternden Kupfern.] Lissa u. Leipz., Ernst Günther, 1833. 8°. — III. V. f. 25.

Schmithals, J. J., Die Glas-Malerey der Alten, eine Anleitung für Künstler und Liebhaber zum Nutzen und Vergnügen dargestellt, mit einer Vorrede von Dr. Rudolph Brandes. Lemgo, Meyer, 1826. 8°. — III. D. m. 3.

Geheimnisse der Alten bei der durchsichtigen Glasmahlerei, nebst der Kunst, die dazu nöthigen Farben zu bereiten und einzubrennen, praktisch dargestellt von C. S. Leipz., Ch. E. Kollmann, 1831. 8°. [M. 1 Ktaf.] — III. D. m. 4.

Le Père, Gratien, Deuxième recueil de divers mémoires sur les Pouzzolanes naturelles et artificielles. Paris, Coeury, 1807. 4°. — IV. O. d. 29/1.

— Recueil des rapports et observations sur les expériences faites à Cherbourg pour remplacer la Pouzzolane dans les constructions hydrauliques. II. éd., suivi du mémoire de M. Guyton-Morveau ... sur les Cimens et Pouzzolanes. Paris, Coeury, 1805. 4°. — IV. O. d. 29/2.

Werner, Ferd., Die Galvanoplastik in ihrer technischen Anwendung. [Mit 12 Kupfertafeln.] St. Petersburg, 1844. 8°. — V. C. d. 45.

Lipowitz, A., Praktischer Unterricht in der Galvanoplastik. [Mit einer lith. Tafel.] Lissa und Gnesen, E. Günther, 1842. 8°. — III. S. m. 23.

Vogel, Herm., Die chemischen Wirkungen des Lichts und die Photographie in ihrer Anwendung in Kunst, Wissenschaft und Industrie. [Mit 94 Abbild. in Holzschnitt und 6 Tafeln ...] Leipz., F. A. Brockhaus, 1874. 8°. [Internationale wissenschaftliche Bibliothek. Band V.] — VI. C. f. 5.

Hager, Hermann, Vollständige Anleitung zur Fabrikation künstlicher Mineralwässer ... [Mit einer grossen Zahl in den Text eingedruckter Holzschn.] Lissa, E. Günther, 1860. 8°. — V. B. k. 6.

Bayfii, Lazari, Annotationes in tractatum de auro et
argento legato . . . V. ejusdem Annotat. in legem II. de
captivis. Basileae, 1537. 4°. — III. G. d. 36/2.

Lorck, Carl B., Die Herstellung von Druckwerken . . .
Dritte, umgearb. und verm. Aufl. Leipz., J. J. Weber,
1879. 8°. — V. K. d. 17.

Handel.

Vgl. hierzu Bd. III. 546 ff.

Encyclopédie méthodique. Commerce. Paris, Panckoucke, Liège, Plomteux, 1783—84. 4°. 3 voll. — IV. Q.

Anderson's, A., historische u. chronologische Geschichte
des Handels von den ältesten bis auf jetzige Zeiten,
aus d. Engl. übersetzt. Riga, J. F. Hartknoch, 1773—79.
8°. 7 voll. — II. B. f. 28—31.

Fischers, Friedr. Chph. Jonathan, Geschichte des
teutschen Handels. I.—II. Bd. 2. Auflage. Hannover,
Helwing, 1793—97. III., 1791. IV., 1792. 8°. 4 Bde. —
II. D. m. 32—35.

Ustariz, Geronymo de, Théorie et pratique du commerce
et de la marine, traduction libre sur l'espagn. de Don —,
sur la seconde édition de ce livre à Madrid en 1742.
Hambourg, Chn. Hérold, 1753. 8°. — II. N. e. 23.

Jung, Karl Emil, Lexikon der Handelsgeographie . . .
[Mit einer Karte des Weltverkehrs.] Leipz., Bibliograph.
Institut, 1882. 8°. [Meyers Populäre Fachlexika.] — VI.
D. h. 24.

Löbner, Arthur, Lexikon des Handels- und Gewerbe-
rechts . . . Leipzig, Bibliographisches Institut, 1882. 8°.
[Meyers Populäre Fachlexika.] — VI. D. h. 25.

Intéréts, Les — des nations de l'Europe dévélopés relativement au commerce. Paris, Desain, 1766. 4°. 2 voll.
— IV. W. d. 28—29.

Kramer, Matth., Banco-Secretarius, das ist: 300 italiä-
nisch- und teutsche, wolstylisirte Kauffmanns-Briefe etc.
Nürnberg, W. M. Endters Erben, druckts J. E. Adelbulner, 1726. 8°. — III. N. p. 5.

Mortimer, T., Every man his own broker: or a guide to
exchange-alley, in which the nature of the several
funds, vulgarly called the stocks, is clearly explained.
London, S. Hooper, 1761. 8°. — III. M. g. 18.

Büsch, J. G., The practical correspondent for merchants.
Hamburgh, J. H. Gundermann, 1811. 8°. 2 voll. — IV.
H. k. 20.

Toeplitz, Jakob, Die doppelte und einfache Buchführung. Posen, Gebr. Scherk, 1845. 8°. — III. K. n. 28.

— Die kaufmännische Buchführung (einfache und doppelte) für den Unterricht und den praktischen Gebrauch, unter Zugrundlegung des Allg. Deutsch. Handelsgesetzbuches. Zweite Aufl. Posen, L. Türk, 1874. 8°. — V. E. k. 16.

Postreglement für das Deutsche Reich, vom 30. Novbr. 1881. Posen, L. Merzbach, 1872. 16°. — V. E. l. 11.

Jutrosinski, Moritz, Die Bedeutung der Baumwolle. Posen, Louis Merzbach, 1862. 8°. — V. C. h. 71.

Kunst.

Vgl. hierzu Band III., S. 269—275.

Kunstgeschichte.

Ersch, Joh. Sam., Literatur der schönen Künste seit der Mitte des 18. Jahrhunderts bis auf die neueste Zeit, systematisch bearbeitet. . . . Amsterd. u. Leipz., Kunst- und Industrie-Comptoir, 1814. 8°. — III. S. d. 7.

Picart, Bern., Chef d'oeuvres de l'antiquité sur les beaux arts, monuments précieux de la réligion des Grecs et des Romains, de leurs sciences, de leurs loix, de leurs usages, de leurs moeurs, de leurs superstitions et de leurs folies, tirés des principaux cabinets de l'Europe, gravés en taille-douce par —, et publiés par M. Poncelin dela Roche Tilhac Paris, chez l'Auteur et Lamy, 1784. Fol. 2 voll. — III. Q. c. 17—18.

Caylus, Recueil d'antiquités égyptiennes, étrusques, grec-ques et romaines (et gauloises.) Paris, Desaint et Saillant, 1761—67. 4°. 7 voll. [Av. figg. et portr.] — III. R. c. 13 — 19.

Gerhard, Eduard, Auserlesene griechische Vasenbilder, hauptsächlich etruskischen Fundorts. Berlin, G. Reimer, 1840—47. 4°. 4 Bde. [Mit lithogr. color. Abbild.] — V. B. a. 13—16.

Winkelmann, Johann, Geschichte der Kunst des Alter-thums, nach dem Tode des Verfassers herausgegeben und dem Fürsten Wenzel von Kaunitz-Rietberg gewidmet v. der K. K. Akad. der bildenden Künste. Wien, Akadem. Verlag, 1776. 4°. 2 voll. — III. T. c. 10—11.

— Geschichte der Kunst des Alterthums, herausgegeben von Heinr. Meyer und Joh. Schulze. I.—IV. (1—2.) Band.

L

18

[Werke, Bd. III.—VI.] Dresden, Walther, 1809—1815. 8°.
5 voll. — III. Q. f. 13—17.

Winkelmann, Histoire de l'art de l'antiquité, par M. —,
traduite de l'allemand par M. Huber. Tome I.—III.
Leipzig, J. G. J. Breitkopf, 1781. 4°. 3 voll. — III. T.
c. 1—3.

Meyer, Heinr., Geschichte der bildenden Künste bei den
Griechen von ihrem Ursprunge bis zum höchsten Flor.
Dresden, Walther, 1824. 8°. 2 Bde. — III. B. h. 23.

Perrot, Georges, und Charles Chipiez, Geschichte
der Kunst im Alterthum. Aegypten, bearb. von Rich.
Pietschmann. Mit einem Vorwort von Georg Ebers.
[Mit 602 Abbild. im Text, 5 farbigen und 9 schwarzen
Tafeln.] Leipzig, F. A. Brockhaus, 1884. 4°.

Piranesi, Giambatista, Le antichita Romane . . .
divisa in quattro tomi. Tomo primo. In Roma, nella
stamperia Salomoni, 1784. Vrbis aeternae vestigia ab
eq. J. B. Piranesio jam aeneis tabulis incisa, nunc denuo
iis, que supererant edenda, quaeque noviter detecta sunt,
decorata, adaucta, amplificata, eques Franciscus filius
Gustavo III. Goth. Svec. Vand. regi etc. . . . d. d. d.
[43 Kk. Ausserdem das Bildniss des Jo. B. Piranesi;
ein in K. gest. Titelbl. u. Vign.] Fol. — IV. W. a. 12.

— Le antichita Romane . . . Tomo secondo et terzo, continente gli avanzi de monumenti sepolcrali, di Roma e
dell' agro Romano. Fol. [Bloss 63 und 54 Tafeln in
Kstich ohne gedr. Text.] — IV. W. a. 13, 14.

— Le antichita Romane . . . tomo quarto continente i ponti
antichi gli avanzi de teatri de portici e di altri monumenti di Roma. [57 in K. gest. Bll. ohne gedr. Text.]
— IV. W. a. 15.

— Campus Martius antiquae vrbis. Romae, 1762. Veneunt
apud auctorem. Vgl. Ebert 16945, bildete den Band X.
der Collection d'ouvrages sur les antiquités et l'architecture, . . . auch in dies. Exempl. fehlt K. 6—10. Vorh.
sind 42 Bll. Kk. u. 2 in K. gest. Titelblätter u. mehrere
Vignetten in Kstich. Fol. — IV. W. a. 11.

Bosius, Antonius, Roma sotterranea, opera postuma,
compita, disposita et accresciuta dal M. R. P. Giovanni
Severani da S. Severino, . . . publicata dal commendatore
Fr. Carlo Aldobrandino, . . . herede del autore. In Roma,
apresso Gulielmo Facciotti, 1632. Fol. [M. zahlreichen
Kk.] — IV. W. a. 10.

Fiorillo, J. D., Geschichte der zeichnenden Künste, von
ihrer Wiederauflebung bis auf die neuesten Zeiten. I. Bd.,

die Geschichte der römischen und florentinischen Schule
enthaltend. Göttg., J. G. Rosenbusch, 1798. 8°. A. u.
d. T.: Geschichte der Künste und Wissenschaften seit
der Wiederherstellung derselben bis an das Ende des
achtzehnten Jahrhund., von einer Gesellschaft gelehrter
Männer ausgearb. II. Abth. Geschichte d. zeichnenden
Künste. 1. Geschichte der Mahlerey von J. D. Fiorillo.
II. Bd., die Geschichte der venezianischen, lombardischen
und der übrigen italiänischen Schulen enthaltend. Göttg.,
J. F. Röwer, 1801. III. Bd., die Geschichte d. Mahlerey
in Frankreich enthaltend. Göttg., J. F. Röwer, 1805. —
III. V. e. 8—10.

Fiorillo, J. D., Geschichte der zeichnenden Künste in
Deutschland und den vereinigten Niederlanden. Hannov.,
Brüder Hahn, 1815—20. 8°. 4 voll. — III. V. e. 11—14.

Kugler, Franz, Handbuch der Kunstgeschichte. 4. Aufl.
bearb. von Wilh. Lübke. [Mit Illustr. und dem Bildniss
von F. K.] Stuttgart, Ebner und Seubert, 1861. 2 Bde.
8°. — V. D. c. 17—18.

— Atlas zum Handbuch der Kunstgeschichte von Dr. F.
Kugler. Denkmäler der Kunst zur Uebersicht ihres
Entwickelungsganges, . . . herausg. von Ernst Guhl . . .
und Joseph Caspar.

   1. Bd. Denkmäler der alten Kunst, begonnen von Prof.
   A. Voit in München. Stuttgart, Ebner & Schubert,
   1851.
   2. Denkmäler der romantischen Kunst. Stuttgart, 1851.
   3. Denkmäler der modernen Kunst. Stuttgart, 1853.
   4. Die Kunst-Denkmäler der Gegenwart, herausg. von
   Dr. Wilhelm Lübke und Joseph Caspar. Stuttgart,
   1856. 4 Bde. Fol. — IV. T. a. 15, 16a, b, c.

Schnaase, Carl, Geschichte d. bildenden Künste. 2. verb.
u. verm. Aufl. Düsseld., J. Buddeus, 1866—79. Bd. VIII.
In Stuttg., bei Ebner und Seubert. 8°. 8 Bde. — V. G.
i. 1—7a.

Lübke, Wilhelm, Geschichte der Plastik von den ältesten
Zeiten bis zur Gegenwart. 3. verm. u. verb. Aufl. Leipz.,
E. A. Seemann, 1880. 8°. 2 Bde. [Mit 526 Illustr. in
Hlzschn.] 8°. — V. H. b. 5—6.

— und Carl v. Lützow, Denkmäler der Kunst, zur Uebersicht ihres Entwickelungsganges von den ersten Versuchen bis zu den Standpunkten der Gegenwart. Ergänzungsband zur 1. und 2. Auflage. Text. Stuttgart,
Ebner et Seubert, 1879, 8°. Atlas in Fol. [M. 34 Taf.
in Stahlst. u. 3 farb. Tafeln.] — VI. B. a. 9—10.

Schultz, Alwin, Kunst und Kunstgeschichte. Leipzig,
G. Freytag, 1884. 8°. 2 Bde. — VI. F. f. 26—27.
Woltmann, Alfr., Aus vier Jahrhunderten niederländisch-
deutscher Kunstgeschichte. Studien. Berlin, A. Hof-
mann, 1878. 8°. — VI. F. f. 5.
Müller, K. O., Handbuch der Archäologie der Kunst.
3. nach dem Handexemplare des Verf. verb., bericht. und
verm. Aufl. von Fr. G. Welcker. Breslau, Jos. Max und
Comp., 1848. 8°. — III. D. e. 14a.
Bucher, Bruno, Geschichte der technischen Künste, im
Verein mit Justus Brinckmann, Albert Ilg, Julius Lessing,
Fr. Lippmann, Herm. Rollett herausgegeben. Bd. I.
Stuttgart, W. Spemann, 1875. 8°. — VI. B. b. 6.
Förster, Ernst, Beiträge zur neueren Kunstgeschichte.
[Mit 4 Kk.] Leipzig, F. A. Brockhaus, 1835. 8°. — IV.
D. b. 26.
Micali, Jos., Monuments antiques pour l'intelligence de
l'ouvrage intitulé: „L'Italie avant la domination des
Romains". A Paris, Treuttel et Würtz, 1824. Fol. [M.
Kk] — II. Q. a. 10.
Förster, Ernst, Geschichte der italienischen Kunst.
Leipzig, T. O. Weigel, 1869—1878. 8°. 5 Bde. — V. K.
e. 35—39.
Fortoul, Hippolyte, De l'art en Allemagne. Bruxelle,
Wouters et Cie., 1844. 8°. 3 voll. — IV. L. h. 10—12.
Goethe, Ueber Kunst und Alterthum in den Rhein- und
Mayn-Gegenden. I. Heft. A. u. d. T.: Kunst u. Alter-
thum am Rhein und Mayn. Mit einem Nachbilde der
Vera Jcon, byzantinisch-niederrheinisch. Stuttgart, Cotta,
1816. 8°. [M. 1 K.] — IV. X. l. 23.
Lübke, Wilhelm, Geschichte der deutschen Renaissance.
[Mit 261 Illustrationen.] Stuttgart, Ebner und Seubert,
1873. 8°. 2 Bde. [S. Kugler, Gesch. der Baukunst.
Bd. V., 1—2.] — V. I. g. 27—28.
[Elgin, Earl of,] Memorandum on the subject of the Earl
of Elgin's pursuits in Greece. London, W. Miller, 1811.
8°. [Mit Kk.] — IV. X. c. 11.
The Hampton-Court Guide, containing a descriptive
account of the paintings, statues etc. in the palace and
gardens and a plane of the Maze. Sixth edition. London,
Sherwood, Neeley and Jones, 1821. 12°. — IV. S. l. 20.
Exhibition, International, 1862. Official Catalogue of the
fine art departement. London, printed by Truscott, Son
et Simons. 8°. — V. B. e. 60.

Kunst-Lexika.

Prezel, M. de, Dictionnaire iconologique ou introduction
à la connoissance des peintures, sulptures, estampes,
médailles, pierres gravées, emblèmes, devises etc., avec
des descriptions tirées des poètes anciens et modernes.
Nouv. édition. A Paris, Hardouin, 1779. 8°. 2 voll. —
III. T. h. 7.

Seroux d'Agincourt, J. B. L. G., Sammlung der vorzüglichsten Denkmäler der Architektur, Sculptur, Malerei,
vorzugsweise in Italien, vom IV. bis zum XVI. Jahrhundert, gesammelt und zusammengestellt —, nebst Einleitung und erläuterndem Texte, revidirt von A. Ferd.
von Quast, und zwanglos erscheinenden Ergänzungs-
Heften von A. F. von Quast, Hofbaurath Stüler und
mehreren Mitgliedern des Berliner Architekten-Vereins,
[LXXIII. Kupfertafeln.] Berlin, Enslinsche Buchhandl.,
(Ferd. Müller).

    1. Abth. Architectur. [73 Kupfer.]
    2.   „   Sculptur. [51 Kupfer.]
    3.   „   Malerei. [204 Kupfer.]
    3 Thle in 1 Bde. Fol. — III. H. b. 7.

Encyclopédie méthodique. Beaux-arts. Paris, Panckoucke,
Liège, Plomteux, 1788—91. 4°. 2 voll. — IV. Q.

— Recueil des planches du dictionnaire des beaux-arts,
faisant partie de l'encyclopédie méthodique, par ordre de
matières. A Paris, H. Agasse, an XIII., 1805. 4°. —
IV. Q.

Seubert, A., Allgemeines Künstlerlexikon oder Leben und
Werke der berühmtesten bildenden Künstler. 2. Aufl.,
umgearb. und ergänzt. Stuttgart, Ebner und Seubert,
1878—79. 8°. 3 Bde. — V. K. e. 6—6 a, 6 b.

Müller, Herm. Alex., Biographisches Künstler-Lexikon
der Gegenwart. Leipzig, Bibliograph. Institut, 1882. 8°.
[Meyers Populäre Fachlexika.] — VI. D. h. 17.

Theorie der Kunst.

Sulzer, Joh. Geo., Allgem. Theorie der schönen Künste.
2. Aufl. Leipzig, M. G. Weidmann's Erben und Reich,
1778—79. 8°. 4 Thle. in 2 Bdn. — III. A. e. 25—26.

— Allgemeine Theorie der Schönen Künste . . . nach alph.
Ordnung der Kunstwörter. 2. Aufl. Leipz., Weidmann,
1792—94. 8°. 4 voll. — III. S. f. 1—4.

[Sulzer, J. G.] Nachträge zu Sulzer's allgemeiner Theorie
der schönen Künste: Charaktere der vornehmsten Dichter
aller Nationen, nebst kritischen und historischen Abhandlungen über Gegenstände der schönen Künste und
Wissenschaften, von einer Gesellschaft von Gelehrten
(G. Schatz und Joh. Gottfr. Dyk). Leipzig, Dyksche
Buchhandl., 1792—1808. 8°. 8 Bde. — III. B. i. 27—34.

— Blankenburg, Friedr. von, Litterarische Grundsätze zu
Johann George Sulzer's allgemeiner Theorie der schönen
Künste in einzelnen nach alphab. Ordnung der Kunst-
wörter auf einander folgenden Artikeln abgehandelt.
Leipz., Weidmann, 1796—98. 8°. 3 voll. — III. V. c. 7—9.

Mably, L'abbé de, Du beau. V. Oeuvres posthumes.
Paris, Guillaume, an VI., 1798. 8°. Tom. II., p. 241. —
IV. F. h. 32.

Herder, Joh. Gottfr. v., Kritische Wälder, oder Betrachtungen, die Wissenschaft und Kunst des Schönen
betreffend . . . S. Sämmtl. Werke. Berlin, Weidmann,
1878. 8°. B. III—IV. — VI. F. d. 10—11.

Brücke, Ernst, Bruchstücke aus der Theorie der bildenden Künste. [Mit 39 Abbildungen in Holzschn.] Leipzig,
F. A. Brockhaus, 1877. 8°. — VI. C. f. 28.

Lespinasse, L. N., Traité de perspective linéaire à l'usage
des artistes. Paris, Magimel, an IX., 1801. 8°. [Av. figg.]
— IV. F. i. 14.

Schadow, G. Dr., u. F. Berger, Lehre von den Knochen
und Muskeln, von den Verhältnissen des menschlichen
Körpers und von den Verkürzungen, in dreissig Tafeln,
zum Gebrauch bei der Kgl. Academie d. Künste. Berl.,
1830. Fol. — III. W. a. 3.

Zeichenkunst und Malerei.

Schreiner, J. G., Neue Zeichnungs-Schule nach classischen
Vorbildern der Gegenwart. 5 Hefte zu 6 Blatt. Auf
Stein gezeichnet und herausg. München, Jos. Aumüller.
Fol. 24 Bll. [Lithogr.] — IV. V. a. 17.

Werner, G. H., Unterricht, wie die zur Zeichenkunst gehörige Anatomie Mahler, Bildhauer und Anfänger der
Chyrurgie zu erlernen haben. Erfurt, J. J. F. Straube,
1770. 8°. [Mit Kk.] — III. N. o. 31.

Zeichenbuch, Neues theoretisch-praktisches, zum Selbstunterricht für alle Stände, nebst einer Anleitung zum
Coloriren der Landschaften und zur Blumen- u. Pastellmahlerey.

Zeichenbuch, Neues, theoretisches, etc.

4. Heft. Eine ausführl. Anleitung zum Coloriren land-
schaftlicher Gemählde enthaltend. [Mit 7 Kupfertaf.]
Hof, G. A. Grau, 1798. 4°. (Pag. 103—182.)

5. Heft. Eine Anweisung zum Zeichnen, Tuschen und
Coloriren der Thiere, ingleichen zur Pastellmahlerey
und zur Zubereitung der Pastellfarben enthaltend.
[Mit 10 Kk.] Hof, G. A. Grau, 1799.

6. Heft. Eine Anleitung zum Zeichnen und Mahlen
der Blumen, ingleichen zum Zeichnen der Silhouetten
auf Goldgrund enthaltend. M. 17 Kk. [Kupf. fehlen.]
Hof, G. A. Grau, 1800.

7. Heft. Von der Art, Risse zu mancherley Hausge-
räthen zu entwerfen, von den Handzeichnungen
berühmter Meister, Zeichnungsmanieren einiger der
berühmtesten Mahler, Theorie der höheren Zeichen-
und Mahler-Kunst.

8. Heft. Erklärung der mahlerischen Kunstwörter, nach
Sulzer u. Pernety, von der Ingenieur-Zeichenkunst
oder der militairischen Planzeichnung. Hof, G. A.
Grau, 1800. 4°. [Mit Kk.]
Supplementheft I. [Mit 6 Kk.] Hof, G. A. Grau,
1801. III. R. m. 1.

Primer, R., Formen-Lehre in Verbindung mit dem Zeichnen
für Lehrer und Schüler . . . Lissa, E. Günther, 1852. 4°.
— V. B. d. 41.

Junii, Franc., F. F., De pictura veterum libri tres, tot in
locis emendati et tam multis accessionibus aucti, ut plane
novi possint videri. Accedit catalogus adhuc ineditus
architectorum, mechanicorum, sed praecipue pictorum,
statuariorum, caelatorum, tornatorum, aliorumque artificum
et operum, quae fecerunt, secundum seriem litterarum
digestus. Roterodami, Typis Regneri Leers., 1694. Fol.
[Cum figg.] — III. B. c. 6.

Crowe, J. A. und G. B. Cavalcaselle, Geschichte der
italienischen Malerei. Deutsche Orig.-Ausg. von Dr. Max
Jordan. Leipzig, S. Hirzel, 1869—76. 8°. 6 Bde. [Mit
Holzschn.] — V. D. i. 6a—6f.

Lübke, Wilh., Geschichte der italienischen Malerei vom
vierten bis ins sechzehnte Jahrhundert. Stuttg., Ebner
und Seubert, 1879. 8°. 2 Bde. — V. K. d. 11—12.

Rumohr, C. F. v., Italienische Novellen von historischem
Interesse, übersetzt und erläutert von —. A. u. d. T.:
Sammlung für Kunst und Historie. Zweytes Heft. Ham-
burg, Perthes u. Besser, 1823. 8°. — II. C. l. 18.

(Rosini, Giovanni), Descrizione delle pitture del campo santo di Pisa coll' indicazione dei monumenti ivi raccolti. Pisa, Niccolo Capurro, 1816. 8°. [C. figg.] — IV. R. l. 17.

Galerie impériale et royale de Florence. Nouvelle édition, ornée des planches de la Vénus de Médicis, de celle de Canova et de l'Apollon. Florence, Joseph Landi, 1816. 8°. — IV. S. f. 17.

Crowe, J. A. u. G. B. Cavalcaselle, Geschichte der alt-niederlaendischen Malerei, deutsche Originalausg., bearb. von Anton Springer. [Mit 7 Tafeln.] Leipz., S. Hirzel, 1875. 8°. — V. D. i. 6.

Parthey, G., Deutscher Bildersaal, Verzeichniss der in Deutschland vorhandenen Oelbilder verstorbener Maler aller Schulen in alphabet. Ordnung zusammengestellt. Berlin, Nicolai, 1861—64. 8°. 2 Bde. — V. C. h. 1—2.

Becker, Wilh. Glieb., Augusteum, Dresden's antike Denk-mäler enthaltend, herausgegeben von —. Leipz., C. A. Hempel, Gedr. bei G. J. Göschen, 1804. II., III. B. 1808—11 auf Kosten des Vf. in Com. bei Gleditsch. 3 Bde. — III. B. c. 8—10.

Liepmann, J., Der Ölgemälde-Druck, erfunden u. beschrieben von ... Berlin, L. Sachse u. Comp., 1842. 4°. [M. 6 Tfln. Abbild.] — III. Q. b. 36.

Kupferstiche, Holzschnitte, Steindrucke.

Castrum doloris — und — Ara propitiationis. Fol. [Zwei Kupferst., welche zwei symbolische Altäre darstellen. Ohne Angabe des Zeichners, Kupferstech. u. des Ortes.] — IV. I. a. 10.

(Bolte, G. F.), Neapel von S. Martino aus gesehen. Eine Beigabe zu G. F. Bolte's Panorama von Neapel von G. Stier. Selbstverlag von G. F. Bolte. Berlin. 4°. 16 Stn. [M. einem lithographirten Plane.] Bolte's Panorama 4 grosse Bll. in Kstich. Fol. — III. H. a. 10.

Entrata in Roma dell' Eccellmo. Ambasciatore di Pollonia l'anno MDCXXXIII. Gio. Jacomo de Rossi le stampa in Roma alla Pace. [6 Bll. in Kst.] Fol. — III. H. b. 5.

(Gorius, Ant. Franc.), Monumentum sive columbarium libertorum et servorum Liviae Augustae et Caesarum, Romae detectum in Via Appia, anno 1726, ab Antonio Franc. Gorio presbytero baptisterii Florentini descriptum, et XX. aere incisis tabulis illustratum, adjectis notis clariss. V. Antonii Mariae Salvinii. Florentiae, ap. Tarti-nium et Franchium, 1727. Fol. [C. tab. aen.] — III. A. a. 4.

Müller, Andreas, Ein Kupferstich von Rafael in der Sammlung der Koenigl. Kunst-Akademie zu Düsseldorf, beschrieben von dem Conservator dieser Sammlung, Andr. Müller. [Nebst einem Facsimile des Stiches von Rafael und einer Photographie nach Marc-Antonio.] Düsseldorf, Julius Buddeus, 1860. 4°. — V. A. a. 34.

Miracula e vita Christi. Nr. III.—V. Ohne Druckdaten. Fol. [Mit Stichen von Joh. Hyrtl und chromolithogr. Mosaikabbild. von G. Seiffert.] — V. A. b. 2.

Ridinger, Joh. El., Acht Blatt Thierbilder Hunde, Füchse, Wölfe, Löwen darstellend. [Kpfrst.] Fol. — III. W. a. 13.

Skjöldebrand, A. F., Voyage pittoresque au Cap Nord, dessiné par A. F. Skjöldebrand, gravé par M. R. Heland. J. F. Martin, A. F. Skjöldebrand, C. Akrel, mit dem Titelblatt 61 in K. gest. Bll. Stockh., 1801—2. Fol. — IV. V. a. 22.

Ternite, W., Wandgemälde aus Pompeii und Herculanum, nach den Zeichnungen und Nachbildungen in Farben von —, mit einem erläuternden Text v. C. O. Müller. Berlin, bei G. Reimer. Fol. — III. H. b. 9.

Vorbilder für Fabrikanten und Handwerker, auf Befehl des Ministers für Handel, Gewerbe u. Bauwesen herausgegeben von der technischen Deputation für Gewerbe. Berlin, 1821. Fol. [Kupferstiche, theilweise illuminirt.] — IV. W. a. 20.

Gemälde-Gallerie, Kgl. Preussische, I. Lieferung. 8 Bll. Lithogr. Fol. — IV. Q b. 24/3.

Vues, Dix — de Lisbonne, dessinées d'après nature et lithographiées par Mlle. Cne. B. Lith de Schmid a Genéve. Dix Vues de Cintra, dessinées d'après nature et lithographiées par Mlle. Cne. B. Lith. de Schmid à Genève. Fol. — III. H. a. 6.

9 lithogr. Blätter, gez. von F. Wolf.

1. Ein Moment vor der Krönung S. M. König Ferdinand V. in Pressburg, d. 28. Sept. 1830.
2. Moment auf dem Königsberg bey der Krönung S. M. König Ferdinand V. in Pressburg am 28. Sept. 1830.
3. König Ferdinand V. empfängt seine . . . Gemahlin in Schönbrunn . . . 26. Februar 1831.
4. Papst Gregor XVI. giebt in Rom den ersten Segen.
5. Abfahrt des Dampfschiffes vom Prater . . . 19. April 1831.
6. Der 1. May 1831 im Tivoli.
7. Das Innere der Contumaz-Anstalt nächst Schlosshof in N.-Oesterreich, gez. d. 12. Aug. 1831.

Neun lithogr. Blätter, gez. von F. Wolf.

    8. Panorama der Vorstädte Wiens. Blatt I. Von der Augustinerbastey aus.

    9. Contumaz-Anstalt nächst Schlosshof.

    Fol. — IV. Q. b. 24/2.

Kreutz, Giov. e Luigia, Mosaici secondarii non compresi negli spaccati geometrici ma che completano con essi tutto l'interno della basilica di S. Marco disegnati dal vero e publicati da —. In Venezia, Tip. Perini, 1854. Fol. 53 Bll. Kupferstiche mit 4 Bll. gedr. Indices. — IV T. a. 22.

Portrait des Historikers Jędrzej Moraczewski. Lithogr. von Nietzsch. Verl. v. K. Żupański in Posen. Fol.

Monument sepulcral en marbre de Christine Sapieha, née Csse. de Tarnov, dans l'église de S. Michel du couvent de Clarisses, érigé en 1672. Impr. lith. F. Sala & Co., Berlin, publié par la Commission archéologique de Vilna. Fol.

Musée de Vilna. La salle d'archéologie, déssiné par A. Zamett. Bachelier lith. Impr. Lemercier & Cie. à Paris. [Chromolithogr.] Fol.

Widok Krakowa od Podgorza. Lit. J. Brydak wedł. fotogr. W. Rzewuskiego. Nakł. D. E. Friedleina w Krakowie. Fol.   .

Sculptur.

Sandrart, Joach. de, in Stockau, Sculpturae veteris admiranda sive delineatio vera perfectissimarum eminentissimarumque statuarum, una cum artis hujus nobilissimae theoria ... Norimb., Ch. S. Froberg, 1680. Fol. [Mit dem Bildn. des Vf.] O. Kk. — III. Q. c. 20.

Sponius, Jac., Miscellanea eruditae antiquitatis, in quibus marmora, statuae, musiva, toreumata, gemmae, numismata, Grutero, Ursino, Boissardo, Reinesio aliisque antiquorum monumentorum collectoribus ignota et hucusque inedita referuntur ac illustrantur. Lugduni, sumptibus auctoris, 1685. Fol. [Cum figg.] — III. B. c. 5.

Lenoir, Alex., Description historique et chronologique des monumens de sculpture réunis au musée des monumens français par —, fondateur et administrateur de ce musée. Augmentée d'une dissertation sur la barbe et les costumes de chaque siècle, du procès verbal des exhumations de Saint-Denis et d'un traité de la peinture sur verre, par le même auteur. VI. éd. Paris, l'auteur, an X. 1801/2. 8°. — IV. R. d. 23.

Visconti, Chevalier, Description des antiques du musée royal. Paris, Mme. Hérissant Le Doux, 1817. 8°. — IV. S. k. 13.

Winckelmann, Description des pierres gravées du feu Baron de Stosch. Florence, A. Bonducci, 1760. 4°. Acc.: Catalogue abregé de l'atlas du feu Baron de Stosch en 324 tomes in Fol. grandpapier imperial, avec cartes, planches et desseins. P. 571—596. 4°. — IV. E. c. 17.

Panofka, Theodor, Terracotten des Königl. Museums zu Berlin. Berlin, G. Reimer, 1842. 4°. 2 Thle. [M. Lith.] — IV. S. a. 4—5.

Baukunst.

Encyclopédie méthodique. Architecture, par M. Quatremere de Quincy, . . . Tome I. A. — Colonne. A Paris, chez Panckoucke, à Liège, chez Plomteux, 1788. 4°. — IV. Q.

Durand, J. N. L., Recueil et parallèle des édifices en tout genre, anciens et modernes, remarquables par leur beauté, par leur grandeur, ou par leur singularité, dessinés sur une même échelle par —. Bruxelles, Meline, Cans et Cie. Fol. — III. W. b. 2.

Legrand, J. G., Essai sur l'histoire générale de l'architecture par —, pour servir de texte explicatif au recueil de planches des édifices . . . par J. N. L. Durand. Bruxelles, Meline, Cans et Cie., 1842. 8°. — III. R. e. 43.

Palladio, Andrea, I cinque ordini di architettura di — esposti per un'esatta istruzione di chi ama e coltiva questa bella utilissima arte. Venetia, L. & G. Fratelli Bassaglia, 1784. 8°. [C. figg.] — III. R. m. 4.

Sacken, Ed. Freiherr von, Katechismus der Baustyle oder Lehre der architektonischen Stylarten von den ältesten Zeiten bis auf die Gegenwart. Sechste Aufl. [Mit 103 in den Text gedruckten Abbild.] Leipzig, J. J. Weber, 1879. 8°. — VI. F. g. 38.

Kugler, Franz, Geschichte der Baukunst. [Mit Illustr. u. anderen artistischen Beilagen.] Stuttgart, Ebner und Seubert, 1856—1873. 8°. 6 Bde. — V. L. g. 24—28.

Burckhardt, Jac., Geschichte der Renaissance in Italien. 2. vom Verf. selbst durchges. und verm. Aufl. [Mit 221 Illustr. in Holzschnitt.] Stuttg., Ebner u. Seubert, 1878. 8°. [Auch u. d. Tit.: Geschichte der neueren Baukunst von Jacob Burckhardt und Wilhelm Lübke. I. Bd.] — — V. K. d. 3.

Kugler, Franz, Geschichte der romanischen Baukunst.
Stuttgart, Ebner u. Seubert, 1859. 8°. [Gesch. der Baukunst. Bd. II.] — V. I. g. 25.

Mothes, Oscar, Die Baukunst des Mittelalters in Italien
von der ersten Entwicklung bis zu ihrer höchsten Blüthe.
[Mit 211 Holzschnitten und 6 Farbendrucktafeln.] Jena,
Herm. Costenoble, 1884. 8°. 2 Bde. — VI. C. b. 6—7.

Mertens, Franz, Die Baukunst in Deutschland v. J. 900
bis zum Jahr 1600 nach Chr., chronographische Tafeln,
begleitet von einem erklärenden Text. [2 Tafeln. Taf. 4
und 6: Deutschland 900—1135, 1135—1270.] Berlin, Verl.
des Vf., 1851. Fol. — III. .W. a.

Kugler, Franz, Geschichte der gothischen Baukunst.
Stuttg., Ebner u. Seubert, 1859. 8°. [Gesch. d. Baukunst.
B. III.] — V. I. g. 26.

Schultz, Alwin, Ueber Bau u. Einrichtung der Hofburgen
des XII. u. XIII. Jahrhunderts, ein kunstgeschichtlicher
Versuch. Berlin, Nicolai'sche Sortiments-Buchhandlung,
M. Jagielski, 1862. 4°. — V. D. f. 7/1.

Viollet-le-Duc, Dictionnaire raisonné de l'architecture
française du XI. au XVI. siècle. Paris, A. Morel, 1867—68.
4°. 10 voll. [Avec le portr. de l'auteur et gravures sur
vois.] — V. D. c. 5—14.

Rondelet, Jean, Traité théorique et pratique de l'art
de bâtir. Supplément par G. Abel Blouet. Planches.
Paris, Firmin Didot frères, fils et cie. Fol. — IV. Q.
a. 25.

Seroux d'Agincourt, J. B. L. G., Sammlung der vorzüglichsten Denkmäler der Architectur vom IV. bis zum
XVI. Jahrhundert, nebst erläuterndem Texte, revidirt
von A. Ferd. v. Quast. Text. Berlin, Enslin'sche Buchhandl., 1840. 4°. — III. Q. b. 12.

Belidor, Architectura hydraulica, oder die Kunst das Ge-
wässer zu denen verschiedenen Nothwendigkeiten des
menschlichen Lebens zu leiten, . . . aus dem Franz. ins
Teutsche übersetzt. Verb. Aufl., . . . m. Vorrede v. Christian Wolffen. Augspurg, Eberh. Klett, 1764—71. Fol.
4 Bde. — III. Q. b. 13—15.

(Gilio, C.), Chiese principali d'Europa dedicate A. S. S. Papa
Leone XII. — Basilica di S. Marco di Venezia. Fasci-
colo IX. [12 St. Text u. 10 Bll. in Kpfrstich., 2 illum.]
Milano, Giov. Bernardoni, 1830. Fol. — IV. V. a. 15.

Stringa, Giov., La chiesa di S. Marco . . . di Venetia
descritta brevemente . . . In Venetia, Fr. Rampazetto,
1610. 8°. — IV. K. m. 26/2.

Kreutz, Giov. et Luigia, La basilica di San Marco in
Venezia, esposta nei suoi musaici storici, ornamenti
scolpti e vedute architettoniche disegnati dal vero e publicati a proprie spese da —, sezione prima. Venezia
tipi di B. Höfel in Vienna, 1843. Fol. 9 Bll. |Kstich.]
1 Bl. Tit. — IV. Q. b. 16.

Modèles de bâtiments à l'usage de toutes sortes de personnes tant pour la ville que pour la campagne. [116 Bll.
in Kstich] O. Druckdaten. 17. — 18. Jahrh. Fol. —
IV. V. a. 30.

(Wood, Robert), The ruins of Balbec, otherwise Heliopolis
in Coelosyria. London, 1757. Fol. |46 Ktaff.] — III.
W. a. 5.

Sayer, Robert, M., Ruinen und Ueberbleibsel von Athen
nebst andern merkwürdigen Alterthümern Griechenlands,
nun mit einem aus der englischen Beschreibung zur
Erläuterung desselb. kurzverfassten historischen Auszuge
nach dem englischen Original. Augsburg, C. H. Stage,
1782. Fol. [M. Kk.] — II. S. c. 9.

Du Perac, I vestigi dell' antichita di Roma, raccolti et ritratti
in perspettiva... Roma, appresso Lorenzo della Vaccheria,
1575. Fol. — IV. R. c. 8.

Demontiosii, Ludovici, Gallus Romae hospes, ubi multa
antiquorum monimenta explicantur... Romae, ap. Jo.
Osmarinum, 1585. 4°. [Cum figg. aen.] — III. Q. b. 7.

Falti, Joh. Bapt., Romanus, Romanorum, Fontinalia,
sive nitidissimorum perenniumque intra et extra urbem
Romam fontium vera, varia et accurata delineatio. Norimb.,
sumtibus Sandrartianis, 1685. [Cum 42 figg.] Fol. —
III. W. a. 10.

Piranesi, Giambattista, Vedute di Roma disegnale ed
incise da — architetto Venetiano. 2 voll. [C. figg.] Fol.
— III. W. a. 1—2.

Raccolta, Nuova, delle principali e più interessanti vedute
della città di Roma l'anno 1817. In Roma, presso Pietro
Valenti. 8°. |Ohne Text, 30 Blatt Ansichten (mit Unter-
schriften) in Kpfr. gest.] — IV. X. d. 40.

Gutensohn, J. G., & Knapp, J. M., Denkmale der christ-
lichen Religion oder Sammlung der aeltesten christlichen
Kirchen oder Basiliken Roms vom 4. bis zum 13. Jahrh.
Rom, De Romanis, 1822. Fol. [35 Kk.] — IV. V. a. 18.

Baumgärtner, Albr. Heinr., Die Ruinen v. Paestum od.
Posidonia in Gross-Griechenland, aus dem Engl. übersetzt. [M. Kpfrn.] Wirzburg, J. J. Stahel, 1781. [Mit
24 Kk.] Ritter Gray verschaffte sich die Zeichnungen

und liess Untersuchungen über die Ruinen anstellen.
Thomas Mayor gab sie heraus. Fol. — IV. W. a. 6.

Hittorff, J. & Zanth, L., Architecture moderne de la
Sicile ou recueil des plus beaux monumens religieux et
des édifices publics et particuliers les plus remarquables
des principales villes de la Sicile, mesurés et dessinés
par. — Livr. 1. Paris, chez J. Hittorff, 1826. Fol. [72 in
K. gest. Bll. 59 doppelt, 63 fehlt.] — IV. V. a. 19.

Turpin de Crissé, Comte T., Souvenirs du vieux Paris,
exemples d'architecture de temps et de styles divers . . .
Avec des notes historiques ou-descriptives par Mme la
princesse de Cravy, Mme la Comtesse de Meylay et par
messieurs de Beauchesne,' Castellay, de Clarac, de Cour-
champs, de la Porte, de Lasalle, de Pastores, Quatremère
de Quincy, Raoul Rochette, de Rességnier, Revoil, du
Sommerard et de Vimeux. Paris, E. Duverger, 1835. Fol.
— II. S. d. 7.

Pernot, F. A., Le vieux Paris, reproduction des monumens
qui n'existent plus dans la capitale, d'après les dessins
de —, éxécutés avec l'autorisation de M. le préfet de la
Seine et acquis pour la bibliothèque de la ville, lithographiés
par Nouveau et Asselineau, (avec) texte explicatif. Paris,
Jeanne et Dero-Becker, 1838/39. Fol. [80 Abbild. mit
Text.] — IV. V. a. 28.

Chillon, Genève, Ch. Gruaz, 1833. 8°. [4 Lithogr. u. 4 Bll.
Text incl. Tit.] — IV. W. d. 36.

Puttrich, L., Dr., Denkmale der Baukunst des Mittelalters
in der königlich preussischen Provinz Sachsen, bearb. und
herausg. von —, unter Mitwirk. von G. W. Geyser dem
Jüngern, Maler. I. Bd. Leipzig, F. A. Brockhaus, 1836
—43. II. Bd. 1844—50. 4°. — III. H. b. 11—12.

— Merseburg. — Memleben. Schulpforte. Freiburg an der
Unstrut. Naumburg a. d. Saale. [Mit 10 Abbild.] 4°.
— III. H. b. 11/1.

— Die Kirchen zu Kloster Memleben, Schraplau u. Treben
Leipz., F. A. Brockhaus, 1837 4°. — III. H. b. 11/2.

— Schul - Pforte, seine Kirche und sonstigen Alterthümer.
Leipz., F. A. Brockhaus, 1838. 4°. — III. H. b. 11/3.

— Die Stadtkirche und die Schlosskirche zu Freiburg an
der Unstrut. Mit histor. u. artist. Erläuterung von C. P.
Lepsius. Leipz., F. A. Brockhaus, 1839. 4°. — III. H. b. 11/4.

— Naumburg an der Saale, sein Dom und andere alter-
thümliche Bauwerke. Leipz., F. A. Brockhaus, 1841. 4°.
A. u. d. T.: Der Dom zu Naumburg, beschrieben und
nach Anleitung urkundlicher Quellen archaeologisch erl.

von C. P. Lepsius ... Mit einigen Zusätzen über andere
mittelalterliche Bauwerke dieser Stadt, herausg. von Dr.
L. Puttrich. Leipz., F. A. Brockhaus, 1841. — III. H. b. 11/5.

Puttrich, L., Dr., Merseburg, sein Dom und andere alter-
thümliche Bauwerke. Leipz., F. A. Brockhaus, 1838. 4°. —
III. H. b. 11/6.

— Mittelalterliche Bauwerke zu Eisleben und in dessen
Umgegend: Seeburg, Sangerhausen, Querfurt, Conradsburg.
[Mit 18 Abbild.] Leipz., F. A. Brockhaus, 1844. 4°. —
III. H. b. 11/7.

— Mittelalterliche Bauwerke zu Halle, Petersberg und Landsberg. [Mit 23 Abbild.] Leipzig, F. A. Brockhaus, 1845.
4°. — III. H. b. 11/8.

— Mittelalterliche Bauwerke zu Jüterbog, Kloster Zinna
und Treuenbriezen. [Mit geschichtlichen Nachrichten
von H. Otte, Pastor zu Fröhden. [M. 18 Abbildungen.]
Leipzig, F. A. Brockhaus, 1846. 4°. — III. H. b. 12/1.

— Erfurt, sein Dom und andere mittelalterliche Bauwerke
daselbst. [Mit 14 Abbild.] Leipzig, F. A. Brockhaus,
1846. 4°. — III. H. b. 12/2.

— Mittelalterliche Bauwerke in den gräflich Stolberg'schen
Besitzungen am Harz. [M. 11 Abbildungen.] Leipzig,
F. A. Brockhaus, 1848. 4°. — III. H. b. 12/3.

— Bauwerke des Mittelalters in der königl. preussischen
Lausitz. [M. 11 Abbildungen.] Leipz., F. A. Brockhaus,
1848. 4°. — III. H. b. 12/4.

— Mittelalterliche Bauwerke zu Wittenberg, Mühlberg,
Zeitz etc. [M. 8 Abbildungen.] Leipz., F. A. Brockhaus,
1850. 4°. — III. H. b. 12/6.

— Mittelalterliche Bauwerke zu Mühlhausen, Nordhausen,
Heiligenstadt und in einigen andern Orten Thüringens
und des Eichsfeldes. [M. 20 Abbildungen.] Leipz., F. A.
Brockhaus, 1850. 4°. — III. H. b. 12/5.

— Systematische Darstellung der Entwickelung der Baukunst in den obersächsischen Ländern vom X. bis XV.
Jahrhundert. Schlusstext der Denkmale der Baukunst
des Mittelalters in Sachsen. Unter besonderer Mitwirkung von G. W. Geyser den Jüngern, Maler, in Vereinigung mit Dr. C. A. Zestermann. [M. 13 Abbildungen
und 4 Vignetten.] Leipz., F. A. Brockhaus, 1852. Fol.
76 Stk. — II. S. i. 189 d.

Lucanus, F. G. H., Dr., Der Dom zu Halberstadt, seine
Geschichte, Architektur, Alterthümer und Kunstschätze.
La cathédrale d'Halberstadt, considerée et expliquée sous
les rapports de son histoire, son architecture, de ses ob-

jets d'art et d'antiquité . . . par Fréd. Lucanus. Halberstadt, chez l'auteur, 1837. Fol. — III. W. b. 1.

Simons, Andr., Werke des Mittelalters in Rheinland und
Westphalen. Erstes Heft. Die Doppelkirche zu Schwarz-
Rheindorf. [11 lithogr. Blätter.] Aufgenommen und auf
Stein gezeichnet von Andreas Simons. Bonn, 1846. Fol.
— IV. T. a. 37.

— Die Doppelkirche zu Schwarz-Rheindorf, aufgenommen,
auf Stein gezeichnet und mit architektonischen Erläuterungen begleitet. Bonn, 1846. 8°. Aus: Werke des Mittelalters in Rheinland und Westph. Heft I. — V. A. a. 11.

Quast, Ferd. v., Denkmale der Baukunst in Preussen, nach
Provinzen geordnet, gezeichnet und herausg. von —. I.
Abth. Königreich Preussen. Berlin, Königl. lithogr. In-
stitut, in Comm. bei Ernst & Korn, 1852. Fol. Enth.:
Zueign. an König Friedrich Wilhelm IV.

1. Bl. Ansicht von Heilsberg.
2. Schloss Heilsberg.
3. Grundriss, Durchschnitt und Détails der Schlosses
Heilsberg.
4. Innerer Hof des Schlosses Heilsberg.
5. Kellergewölbe und kleinere Kapelle im Schlosse
Heilsberg.
6. Pfarrkirche und Stadtthor in Heilsberg.
7. Ansicht von Roessel.
8. Schloss zu Roessel.
9. Kirche zu Roessel.
10. Dom zu Gutstadt.
11—12. Kirche zu Wormditt.
Nachtrag zu Bl. 10., 11. u. 12.
13. Frauenburg von Westen gesehen.
14. Eingangsthor des Domhofes zu Frauenburg.
15. Dom zu Frauenburg. Westfronte und deren Détails.
16. Westl. Vorhalle des Doms zu Frauenburg.
17. Dom zu Frauenburg. Grundriss nebst Durchschnitten
und Détails.
18. Oestl. Ansicht von Frauenburg.
19. Kirche und Schloss zu Braunsberg.
20. Kirchen: S. Katarina u. S. Trinitatis in Braunsberg.
21. Schloss Allenstein.
22. Pfarrkirchen zu Allenstein und Seeburg.
23. Kirchen zu Wartenburg und auf den Dörfern des
Ermlandes.
24. Kirche zu Kiewitten.
[24 Bll. in Lithogr. und Chromolith. nebst Text.]

Hundeshagen, Bernh., Kaiser Friedrichs I. Barbarossa's Palast in der Burg zu Gelnhausen, eine Urkunde vom Adel der von Hohenstaufen und der Kunstbildung ihrer Zeit, historisch und artistisch dargestellt. II. Aufl. [Mit 13 Kupferabdrücken.] Mainz, gedr. bei Florian Kupferberg. Auf Kosten des Verfassers, 1819. Fol. [M. Kk.] — IV. S. c. 10.

Schadaeus, Oseas, Summum Argentoratensium templum, das ist: ausführliche vnd eigendtliche Beschreibung, des viel künstlichen, sehr kostbaren vnd in aller Welt berühmten Munsters zu Strassburg . . . Strassburg, Lazari Zetzners Seligen Erben, 1617. 4º. — IV. X. d. 16.

Schweigheuser, Jos., Description nouvelle de la cathédrale de Strasbourg et de sa fameuse tour . . . Strasbourg, F. A. Häusler, 1770. 8º. [Av. figg.] — IV. R. i. 11.

Dom zu Königsberg, 1833. 6 Blatt. [Lithogr.] Fol. — IV. Q. b. 24.

Campe, Jac. van, Afbeelding van't Stadthuys van Amsterdam in dartigh coopere plaaten geordineert door — en geteeckent door Jacob Vennekool. Tot Amsterdam, Dancker Danckerts, 1661. Fol. [Mit dem Bildn. des Autors.] Beigebunden 7 Blatt Kupferstiche, Darstellungen von Altären, gest. von Joh. Bernh. Haltinger. — III. W. a. 7.

— Quellinius, Artus, Antverpiensis, Curiae Amstelodamensium Statuarius. [Portr.] Hub. Quellinius delin. et sculpsit. Darauf folgen 46 in Kupfer gestochene Blätter Darstellungen von Werken des Quellinius aus d. Amsterdamer Stadthaus. Fol. — III. W. a. 11.

Minutoli, Alex. Freih. v., Der Dom zu Drontheim und die mittelalterliche christliche Baukunst der scandinavischen Normannen. Nebst zwölf lithographirten Tafeln. [Mit 168 Abbildungen.] Berlin, D. Reimer, 1853. Fol. — IV. V. a. 21.

Ornamentik. — Kunstgewerbe.

Blätter zur Anlage und Verschönerung von ländlichen Gebäuden und Gärten. I. Lieferung. Lissa u. Leipzig, Ernst Günther, 1838. 4º. — III. U. n. 1.

Würtemberg, Carl, Sammlung architektonischer Entwürfe, als Beitrag zur Verschönerung und Vervollkommnung ländlicher Wohnungen und landwirthschaftlicher Gebäude. I. Lieferung. Lissa u. Gnesen, Ernst Günther, 1846. Fol. [2 Bll. Vorw. u. 15 lithogr. Bll. mit Text.] — IV. T. a. 33.

L.   19

Zahn, Wilh., Ornamente aller klasisschen Kunst-Epochen, nach den Originalen in ihren eigenthümlichen Farben dargestellt. [100 in Farben gedruckte Tafeln.] Berlin, bei Dietrich Reimer, 1849. Fol. — III. H. b. 14.

Bussler, F., Verzierungen aus dem Alterthume. Berlin, Selbstverlag des Verfassers. 4º. Heft 13—21. [M. Kpf.] V. B. a. 6.

Antonini, Carlo, Manuale di vari ornamenti tratti dalle fabbriche, e frammenti antichi per uso e commodo de pittori, scultori, architetti etc. Roma, Casaletti, 1781. Fol. 2 voll. [C. figg.] — III. S. a. 1—2.

Ornamentenbuch, Kleines, oder Sammlung der verschiedenartigsten Verzierungen im neuesten Geschmack, als Attribute, Arabesken, Vignetten, Rosetten, Borduren etc. II. Lieferung. Lissa und Gnesen, E. Günther. 4º. XII. Tafeln. — III. U. n. 5.

Unteutsch, Friderich, Neues Ziratenbuch, ander theil, durch Meister —, Stattschreinern in Franckfurth. Zu finden in Nurnberg, bey Paulus Fürsten, Kunsthändler. Fol. [25 Kupfer.] Blatt 12 fehlt, desgleichen 15, 16. Vorgeheftet sind 5 Bogen und hinten 4 Bogen, worauf allerhand Zeichnungen, Gebete und Beschreibungen von Altären und dergl. zu finden sind, so auf Bl. 9. vorn: Kurtze beschreibung, die Mas der Still (Stühle) im Küer zu Possen. Bl. 10. Beschreibung, eines „hoen altars" in Possen. Hinten Bl. 1. Der kleine Altar in Possen des H. Cassemirs, die Mas etc. Bl. 7b: Die Mas vom kleinen Altar zu Koźmin Sanct Peter von Alkanter. — III. W. a. 15.

Ein Sammelband von 35 Kk. u. 1 Handzeichnung, Darstellungen von Altären, Rahmen, Zierrathen, gestochen von G. B. Göz u. Joh. Geo. Hertel. Die Handzeichnung von Fr. Florianus Wunsch, Rokitnae, die 15. Apr. 1760? — III. W. a. 12.

— — von 40 Kk., Darstellungen ornamentirter Thüren, Friesen, Kunstmobeln, Altaren, Beichtstühlen, Denkmälern und einigen anatom. Tafeln, gestochen von Joh. Trautner, aus Nurnberg, M. Engelbrecht (nach Zeichnungen von Johannes Rump), und 8 Blatt von Joh. El. Ridinger, Bilder von Hunden, Fuchsen, Löwen. — III. W. a. 13.

Schübler, Joh. Jac., Prächtige und zierliche Meublen, ... welche sowohl zu innerer Ausziehrung fürstlicher Palläste und anderer schöner Zimmer, ... auch Kirchengebäuden etc. ... gebraucht werden können. Augspurg, Jeremias Wolff, o. J. Fol. 6 Blatt. — IV. C. a. 3.

Jaennicke, Friedr., Grundriss der Keramik in Bezug auf
das Kunstgewerbe, eine historische Darstellung ihres
Entwickelungsganges in Europa, dem Orient und Ost-
asien, von den ältesten Zeiten bis auf die Gegenwart.
[Mit ca. 400 Illustrationen und über 2500 Marken und
Monogrammen. Stuttgart, Paul Neff, 1879. 4°. — V. F.
a. 22.

Musik.

Amiot, missionaire de Pekin, Mémoire sur la musique des
Chinois, tant anciens, que modernes. Avec des notes, des
observations et une table des matières, par M. l'abbé
Roussier . . . Paris, Nyon l'ainé, 1779. 4°. [Avec figg.] —
II. B. c. 9.

Köstlin, Heinr. Adolph, Geschichte der Musik im Um-
riss. 2. umgearb. Aufl. Tübingen, H. Laupp, 1880. 8°.
— V. J. h. 37.

Brendel, Franz, Geschichte der Musik in Italien, Deutschland und Frankreich, von den ältesten christlichen Zeiten
bis auf die Gegenwart. 6. von Dr. F. Stade neu durchgesehene und bis auf die unmittelbare Gegenwart fort-
geführte Aufl. Leipzig, Matthes, 1879. 8°. — V. I. i. 25.

Listenii, Nicolai, Musica. Viteb., G. Rhau, 1548. 8°. —
IV. K. n. 27/4.

Kircheri, Athanasii, Musurgia universalis, sive ars
magna consoni et dissoni in X. libros digesta... Romae,
Franc. Corbellettus, 1650. Fol. 2 voll. — III. U. c. 7.

— Phonurgia nova sive conjugium mechanico-physicum
artis et naturae paranympha phonosophia concinnatum,
qua universa sonorum natura, proprietas, vires effectuum-
que prodigiosorum causae nova et multiplici experimentorum exhibitione enucleantur etc. Campidonae, per
Rudolphum Dreher, 1673. Fol. [Cum figg. Exemplar non
intactum.] — III. U. c. 9.

Fux, Traité de composition musicale, traduit en français
par le Sr. Pietro Denis. A Paris, M. Boyer. 8°. [272
Stn. u. Titelblatt in Kupfer gestochen]. — III. N. c. 22.

Ollivier, F. H., Avantages de la musique, imprimée en
caractères mobiles de —, pour lequel, comme inventeur,
il a reçu des prix accordés par le gouvernement, an IX.,
1801. Barcarole: „La nuit étoit brillante.“ 8°. 1 Blatt.
— IV. C. i. 26/2.

Jones, William, Ueber die Musik der Indier, eine Abhandlung des Sir —, aus d. Engl. von F. H. v. Dalberg,

nebst einer Sammlung indischer u. anderer Volksgesänge.
[Mit 30 Kk.] Erfurt, Beyer und Maring, 1802. 4°. — II.
C. c. 10.

Riemann, Hugo, Musik-Lexikon, Theorie und Geschichte
der Musik, die Tonkünstler alter uud neuer Zeit, mit
Angabe ihrer Werke . . . Leipzig, Bibliographisches
Institut, 1882. 8°. [Meyers Populäre Fachlexika.] — VI.
D. h. 18.

Conversations-Lexikon, Musikalisches, eine Encyklopädie der gesammten musikalischen Wissenschaften,
begründet von Hermann Mendel, vollendet von Dr. Aug.
Reissmann. Zweite (erste Stereotyp-) Ausgabe. Berlin,
Rob. Oppenheim, 1880—83. 8°. 12 Bde. — V. E. f.
23—34.

Zeitung, Allgemeine musikalische.

    7. Jahrg. vom 3. Oct. 1804 bis 25. Sept. 1805. [M. dem
       Bildn. Joseph Haydn's.]

    8. Jahrg. 1805—6. [M. d. Bildn. Mozart's.]

9.	„	1806—7.	„ „	„	J. P. Kirnberger's.
10.	„	1808.	„ „	„	Dr. E. F. F. Chladni's.
11.	„	1808—9.	„ „	„	Carl Fasch's.
12.	„	1809—10.	„ „	„	J. B. Rameau's.
13.	„	1810—11.	„ „	„	J. H. Hasse's.
14.	„	1811—12.	„ „	„	J. N. Forkel's.
18.	„	1816.	„ „	„	Abt Vogler's.
19.	„	1817.	„ „	„	L. v. Beethoven's.
20.	„	1818.	„ „	„	P. v. Winter's.
21.	„	1819.	„ „	„	G. Albrechtsberger's.
22.	„	1820.	„ „	„	E. L. Gerber's.

Leipz., Breitkopf und Härtel. 13 voll. 4°. — III. S.
a. 11—23.

Carissimi's Werke, herausgegeben v. Friedr. Chrysander.
Erste Abtheilung: Oratorien. (Jephte. Judicium Salomonis. Baltazar. Jonas.) Bergedorf bei Hamb., Exp.
der Denkmäler, 1869. 4°. [Denkmäler der Tonkunst.
B. II., 1.]

Corelli, Werke, herausgeg. v. Joseph Joachim. Bergedorf,
bei Hamburg, Exp. der Denkmäler, 1871. 8°. B. I. —
V. J. b. 22.

Couperin, Werke, herausgeg. v. Johannes Brahms. Bergedorf, bei Hamburg, Exp. der Denkmäler, 1871. 8°. B. I.
— V. J. b. 23.

Palestrina, Werke, herausgeg. von Heinrich Bellermann.
Bergedorf bei Hamburg, Exp. der Denkmäler, 1871. 8°.
B. I. — V. J. b. 24.

Palestrina, Pierluigi da, Motetten, in Partitur gesetzt und redigirt von Theodor de Witt. Leipzig, Druck u. Verlag von Breitkopf und Härtel, o. J. 4°. B. I.—XII. — V. B. a. 10—12. V. K. a. 1—4.

Urio, F. A., Te Deum, als Quelle zu Händels Saul, Allegro, Dettinger, Te Deum etc., herausg. v. Friedr. Chrysander, Bergedorf bei Hamburg, Expedition der Denkmäler, 1871. 4°. [Denkmäler der Tonkunst. B. V.]

Grüzmacher, F., Seminardir., Schul-Liederbuch. Erstes Stück. Musik-Heft. 2. Aufl. Bromberg, J. Hirschberg, 1835. 8°. [Mit Ziffern u. Misiknoten.] — IV. J. e. 87/3.

Steinbrunn, T. S., Kleines Choralbuch für Schulen, enth. 100 der gebräuchlich. Choralmelodieen ein- u. zweistimmig. [Mit Musiknoten.] Bromberg, J. Hirschberg, 1835. 8°. — IV. J. e. 87/2.

— dasselbe. [Mit Ziffern.] Bromberg, J. Hirschberg, 1836. 8°. — IV. J. e. 87/1.

Kriegswissenschaft.

Vgl. B. III. S. 547—550, desgl. 275—282.

Encyklopaedie. — Zeitschriften.

Encyclopédie méthodique. Art militaire. Tome I.—III. Tome IV. Supplément. A Paris, Panckoucke et à Liège, Plomteux, Tome IV. Paris, H. Agasse, 1784—1797. 4°. 4 voll. 2 Ex. — IV. Q. et IV. C. c. 3—6.

— Art militaire. . . . Recueil de planches de l'encyclopédie . . . Tome VII. A Paris, chez Pancoucke, 1789. 4°. — IV. B. c. 26.

— Arts académiques: Equitation, escrime, danse, et art de nager. A Paris, Panckoucke et à Liège, Plomteux, 1786. 4°. — IV. Q.

Rosenthal, G. E., Encyklopädie der Kriegswissenschaften. Gotha, Carl Wilh. Ettinger, 1794—1795. 4°. 1—3 Band, A. — Citadell. — IV. B. d. 31—33.

Streit, F. L., Militair. Encyklopädie für künftige Officiere, besonders für Preussische. I. B., 1. u. 2. Theil. Berlin, Belitz, 1800. 8°. — IV. B. d. 8.

Fäsch, Joh. Rud., Kriegs-Ingenieur-Artillerie und See-Lexicon . . . Dresden u. Leipz., F. Hekel, 1735. 8°. [Mit Ktaff.] — IV. C. d. 13.

Hoyer, J. G., Französisch-deutsches u. deutsch-franz. Handwörterbuch aller Kunstausdrücke in der Kriegwissenschaft.
2. Aufl. Paris u. Strassburg, Treuttel u. Würz, 1812. 8°.
— IV. B. f. 10.

Perrin-, Parnajon, C. von, Real-Kriegs-Wörterbuch für
das Militair u. Zeitungsleser . . . Leipz., J. C. Hinrichs,
1811. 8°. — IV. C. k. 29.

Castner, Julius, Militär-Lexikon, Heerwesen und Marine
. . . Leipzig, Bibliograph. Institut, 1882. 8°. [Meyers
Populäre Fachlexika.] — VI. D. h. 22.

Ligne, Le prince Charles de, Catalogue raisonné des
livres militaires de la bibliotèque de S. A. Le Prince de
Ligne. [Oeuvres militaires, Band XIV.] — IV. B. m. 9.

(Walther, Conrad), Versuch einer vollständigen Militair-
Bibliothek. Dresden, Walther, 1783—99. 8°. 2 Theile.
[M. Titk.] — IV. D. f. 11, 12.

Ersch, Joh. Sam., Literatur . . . der Kriegskunst . . . seit
der Mitte des 18. Jahrh. bis auf die neueste Zeit, systematisch bearb. Amsterd. & Lpz., 1813. 8°. — III. S. d. 12.

Monatsschrift, Militärische, 1775. Versch. Artikel
des I., II., IV. und V. Bandes, ausgeschn. und zusammengebunden. [Herausgeber dieser Zeitschrift (Redakteur)
war seit dem Jahre 1786 Herr A. L. v. Massenbach, zu
Potsdam, der bis dahin nur Beiträge für dieselbe lieferte.]
Desgleichen 1785, 1787. 8°. — IV. B. l. 11, 22, 27 und IV.
D. l. 20.

Bellona, Ein militärisches Journal. Dresden, Walther,
1781—85. 8°. 18 St. in 3 Bdn. [M. Kk.] — IV. C. f. 1—3.

Journal, Neues militärisches, Hannover, Helwing,
1788—1804. 8°. Stück 1—14, 17—18, 23—24. — IV. B. k.
19. IV. C. k. 37—41. IV. F. l. 15. IV. E. i. 1—2. Mit Kk.

Archiv für Aufklärung über das Soldatenwesen. I. Band,
1. u. 2. Theil. Leipzig, Joach. Göschen, 1792. 8°. — IV.
B. m. 28.

Bellona, Neue, oder Beiträge zur Kriegskunst und Kriegsgeschichte, herausg. von einer Gesellschaft hessischer
und anderer Offiziers. Leipzig, Hinrichs, 1801—1805. 8°.
8 Bde. [M. Kk.] (Vom 2. Bande ab herausg. von H. P.
R. v. Porbeck.) — IV. C. g. 31.

Militairarchiv, Neues, bearbeitet von einer Gesellschaft
erfahrner Deutscher und Schweizer-Offiziere. Zürich,
Orell, Fussli & Co., 1804—1806. 8°. 3 voll. [M. Kk.] —
IV. C. i. 32—34.

Mars, Eine allgem. militärische Zeitung. Berlin, Himburg,
1805. 8°. 3 voll. [M. Kk.] — IV. D. g. 28.

Einleitende Schriften.

Gaya, de, Traité des armes, des machines de guerre, des feux d'artifice, des enseignes et des instrumens militaires anciens et modernes . . . Paris, S. Cramoisy, 1678. 12⁰. !Av. figg.] — IV. D. m. 29.

Hendel, Joh. Chn., Versuch ein. historischen Beschreibung aller ehemaligen und jetzt üblichen Wehr- uud Waffenarten . . . [M. 11 Kk., Holzschn. u. 2 Tabellen.] Halle, J. C. Hendel, 1802. 8⁰. [M. Kk.| — IV. D. f. 17.

Hiltl, G., Waffensammlung Sr. Königl. Hoheit des Prinzen Karl von Preussen. mit Text, hrsg. von . . . Nürnberg, S. Soldan, o. J. Fol. [M. 100 Tfln. Abbild., in Lichtdruck.| — VI. B. a. 7—8.

Elementarbegriffe von Dienstsachen. Wien, Chn. Fr. Wappler, 1784. 8⁰. |Mit Ktaff. von Jos. van der Heyden.] — IV. C. d. 12.

Santa Cruz de Marzenado, Marquis de, Reflexions militaires et politiques, traduites de l'espagnol de M. le — par M. de Vergy. A la Haye, P. de Hondt, 1735—1740. 8⁰. 12 voll. en 6 tomes. — IV. C. m. 1—6.

Versuche über das wahre Verdienst des Offiziers, von dem Verf. des Zeitvertreibs eines Soldaten. Aus dem Franz. Mietau u. Leipzig, A. W. Steidel et Comp., 1771. 8⁰. — IV. C. k. 24/2.

D'Arçon, De la force militaire considérée dans ses rapports conservateurs. Strasbourg, J. H. Heitz, 1789. 8⁰. — IV. C. d. 30.

Schmettow, Woldemar Friedr. Graf v., Patriotische Gedanken eines Dänen, über stehende Heere, polit. Gleichgewicht und Staatsrevolution. 2. Aufl. 1792. 8⁰. — IV. C. k. 28/1.

-- Erläuternder Commentar zu den Patriot. Gedanken eines Dänen über stehende Heere, . . . von dem Verfasser derselben . . . 1793. 8⁰. — IV. C. k. 28/2.

Soldat, Der, als Beistand der Polizei, od. Anleitung zur Kenntnis der Garnisonpolizei etc. Weimar, 1802, Gädicke. 8⁰. — IV. C. d. 15.

Beweis, dass der Civilstand durch den Militairstand wesentliche Vortheile erhalte, . . . von einem Königlich Preussischen Offiziere. Weimar, 1802, Gädicke. 8⁰. — IV. C. g. 17.

Nicolai, v., Die Anordnung einer gemeinsamen Kriegsschule für alle Waffen, ein Entwurf. Stuttgart, Joh. Benedikt Mezler, 1781. 8⁰. — IV. B. g. 13.

Dippoldt, D., Noth- und Hülfsbuch für deutsche Soldaten. In 4 Abschnitten. 1. Feld- und Hausbedarf f. Soll. 2. Sittenlehren u. Klugheitslehren. 3. Sammlung merkw. Handlungen. 4. Gesammelte Lieder. Dresden, Walther, 1804. 8°. — IV. C. k. 27.

Reiche, J. C. E. v., Militairisches Lesebuch für Garnison-, Bürger- und Landschulen. I. Theil. Bayreuth, Selbstverlag, 1800. 8°. — IV. B. d. 21. IV. B. k. 16.

Briefsteller für junge Militairpersonen oder Anweisung, zur Verfertigung schriftlicher Aufsätze, nebst militairischen Wörterbuche, zum Unterricht in Militärschulen. Neue Aufl. Potsdam, Carl Christ. Horvath, 1804. 8°. — IV. B. h. 2.

Taktik.

Bibliothek für Officiere. Göttingen, Joh. Christian Dieterich, o. J. 8°. [M. Kpfrn.] Zweites und drittes Stück. — IV. B. k. 14.

Turpin u. Le Febure, Zum Taschenbuche, worinnen die Zeichnungen und Anweisungen der Bewegungen eines Heeres oder Corps, in den meisten Fällen insgleichen die Arbeiten bey Belagerungen und Vertheidigungen eines vesten Platzes deutlich und verständlich anzutreffen sind. Berl. et Leipz., bey Chn. F. Günther, Buchhändler in Glogau. 4°. 8 Bll. + 126 Stn. + 3 Bll. Das ganze Werk in Kupfer gestochen. — IV. C. g. 12.

Latrille, G., Considerations sur la guerre et particulièrement sur la dernière guerre. Paris, Magimel. 8°. — IV. B. i. 22.

De la guerre en général par un officier de distinction. V. Vauban, De l'attaque, tome II. 4°. — IV. C. b. 4.

Mora, Domenico, Il soldato, nel quale si tratta di tutto quello, che ad un uero soldato et nobil caualliere si conuiene sapere et essercitare nel mestiere dell' arme. Venetia, Gabriel Giolito di Ferrarii, 1570. 4°. — IV. B. f. 22.

Machiavel, Nicholas, The art of warre translated out of Italian into English by Peter Whiteborn. London, imprinted by Thomas East, for Jhon Wight, 1588. 4°. — IV. B. f. 31.

Cataneo, Girolamo, Novarese, Most briefe tables to know redily how manie ranckes of footemen armed with corslettes, as unarmed, go to the making of a iust battaile, from an hundred unto twentig thousand, tourned out of Italian in to English by H. G. London, imprinted by Thom. East, for John Wight, 1588. 4°. Enth. nur 30 Bll., der Rest fehlt. — IV. B. f. 31.

Whiteborn, Peter, Certaine waies for the ordering of souldiours in battelray, and setting of battailes, after divers fashions, with their manner of marching, and also figures of certaine new plattes for fortification of townes, and mercouer, how to make saltpeter, gounpouder and divers sortes of fireworkes or wilde fire, with other thinges appertayning tho the warres. London, Imprinted by Thomas East, for Jhon Wight, 1588. 4°. — IV. B. f. 31.

Agrippa, Camillo, Milanese, Dialogo di —, del modo di mettere in battaglia presto et con facilità il popolo. Roma, B. Bonfadino, 1593. 4°. [Mit Kk.] — IV. D. f. 27/3.

Eguiluz, Martin de, Bizcayno, Milicia, discurso, y regla militar, etc. En Anvers, 1595. Pedro Bellero. 4°. — IV. C. g. 11. 1V. D. i. 14/2.

Valdes, Francisco de, Espeio y disciplina militar por el maestre de campo, — eu el qual se tratta del officio del Sargento Mayor. En Brusselas, R. Velpius, 1596. 4°. — IV. D. i. 14/1.

Londoño, Sancho de, El discurso sobre la forma de reduzir la disciplina militar a meior y antiguo estado. En Brusselas, R. Velpius, 1596. 4°. — IV. D. i. 14/3.

Contarini, Pier' Maria, Corso di guerra et partiti di guerreggi are e combattere . . . Venetia, G. Perchacino, 1601. 4°. — IV. D. f. 10.

Basta, Giorgio, conte d'Hust, Il mastro di campo generale. Venetia, Giov. Battista Ciotti, 1606. 4°. [Mit dem Bildn. d. Verf. in Kupfer nach Joannes von Ach.] — IV C. c. 12.

Du Praissac, Les discours militaires du Sieur. Paris, S. Thibout, 1625. 8°. [M. Hschn.] — IV. D. k. 25.

Billon, J. de, Sr. de la Prugne, Les principes de l'art militaires. Lyon, chez la vefve de Claude Rigaud, 1637. 8°. 2 voll. [Av. 13 tabb.] — IV. B. m. 23.

Dela Valiere, Pratique et maximes de la guerre . . . Avec l'Exercice général et militaire de l'infanterie du Sieur d'Aigremont. A la Haye, H. v. Bulderen, 1688. 8°. [Av. figg.] — IV. D. m. 6.3.

Montecuculi, Raym., Mémoires, ou principes de l'art militaire en général, divisez en trois livres. Paris, J. Muzier, 1712. 8°. [Av. figg.] — IV. D. k. 21.

— Besondere und geheime Kriegsnachrichten, worinnen die Anfangs-Gründe der Kriegs-Kunst sehr deutlich beschr. sind. Von dem eigenh. Manuscr. des Autors ins Teutsche übers. u. mit dessen Zeichn. u. Kupferstich vers. Leipz., Weidmann, 1736. 4°. — IV. B. f. 5.

Fleming, Hans Friedr. v., Der vollkommene teutsche Soldat, welcher die gantze Kriegswissenschaft insonderheit was bey der Infanterie vorkommt . . . vorträgt. Leipz., J. Chn. Martini, 1726. Fol. [Mit Kupfern.] — IV. F. d. 17.

Feuquiere, (Antoine des Pas), Marquis de, Mémoires, contenans ses maximes sur la guerre et l'application des exemples aux maximes. Nouvelle édition, revùe et corrigée sur l'original, augmentée de plusieurs additions considérables, ensemble d'une vie de l'auteur, donnée par M. le comte de Feuquiere, son frère, et enrichie de plans et de cartes. Londres, Pierre Dunoyer, et Paris, Rollin, Fils., 1750. 8°. 4 voll. — IV. B. i. 35—38.

— Mémoires sur la guerre . . . Amsterdam, J. F. Bernard, 1734. 4°. — IV. D. m. 23.

Quincy, Marquis de, L'art de la guerre contenant les instructions et maximes nécessaires pour tout homme de guerre, . . . auquels on a joint un traité d'artillerie et des mines, . . . par Mr. le maréchal de Vauban. A la Haye, F. H. Scheuerleer, 1715. 8°. Tome II. 1741. 2 voll. — IV. E. i. 3—4.

La science de la guerre. Turin, Imprimerie Royale, 1744. 8°. — IV. D. i. 9.

Puysegur, de, Art de la guerre par principes et par règles. Tome second. Paris, 1749. 4°. [Av. figg.] 2 Exempl. — IV. B. c. 30 u. 31.

Turpin de Crissé, Le comte, Essai sur l'art de la guerre Paris, Prault, fils ainé (et Jombert), 1754. 4°. 2 voll. [Av. 25 figg. en Fol.] — IV. C. c. 17—18.

Dupain, Les amusemens militaires, ouvrage servant d'introduction aux sciences, qui forment les guerriers. Paris, G. Desprez, 1757. 8°. [Av. figg.] — IV. C. f. 20.

Saxe, Maurice comte de, Mémoires sur l'art de la guerre, . . . augmentés du traité des legions ainsi que de quelques lettres de cet illustre capitaine sur ses opérations militaires. Dresde, G. C. Walther, 1757. 8°. [Av. figg.] — IV. C. i. 16.

Saxe, Maurice, comte de, Les rêveries ou mémoires sur l'art de la guerre, publiées par (Zach. de Pazzi) de Bonneville. Manheim, Jean Drieux, 1757. 4°. |Av. 40 figg.] — IV. B. g. 25.

Ray von Saint Genies, Praktische Kriegeskunst, oder der Dienst im Felde, für den General, Stabsoffizier, Hauptmann und Subalternen-Officiers. Zwey Theile. [Mit Kupfern.] Berlin und Leipzig, Christ. Friedrich Günther, Buchhändl. in Glogau, 1760. 8°. [Mit 16 Karten und Tfln. in Kupferst.] — IV. B. i. 23.

(Frédéric II), L'esprit du chevalier Folard, tiré de ses commentaires sur l'histoire de Polybe, pour l'usage d'un officier. De Main de Maître. Paris, 1760. 8°. [Av. figg.] — IV. D. i. 15.

— Instruction militaire du Roi de Prusse pour ses généraux, traduite de l'allemand par Mr. Fraesch. [Av. 13 planches, gravées en taille douce. Francfort et Leipsic, 1761. 8°. — IV. B. m. 19.

— L'arte della guerra in ottava rima italiana, tratta dal poema francese del filosofo di Sans-Souci, dal Signore di Sanseverino. In Parigi, P. di Lormel, 1761. 8°. — III. S. h. 30.

— Écrits sur les sciences militaires. 3 voll. V. Oeuvres. Berlin, 1846—57. 4°. — II. L. a. u. b.

Principes de l'art militaire, extraits des meilleurs ouvrages des anciens. Berlin, Haude et Spener, 1763. 8°. 2 voll. [Av. figg.| — IV. B. d. 29—30.

Le Comte, Abrégé de la théorie militaire à l'usage de ceux, qui suivent le parti des armes. Vienne, J. Th. de Tratthnern, 1766. 8°. |Av. figg.| — IV. C. g. 23.

Cugnot, Élémens de l'art militaire ancien et moderne. Paris, Vincent, 1766. 8°. 2 voll. [Av. figg.] — IV. D. k. 9—10.

Joly von Maizeroy, Theoretisch-praktische Einleitung in die Taktik, durch historische Beyspiele erläutert. Aus dem Franz. übs. von Moritz Grafen von Brühl. |M. Kk.| Strassburg, Bauer u. Comp., 1772. 8°. II. Bd. — IV. B. f. 3.

— Beyträge zur Kriegskunst, als ein Anhang zur theoretisch-praktischen Einleitung in die Taktik. Aus dem Franz. ubersetzt von Moritz Grafen von Brühl. [M. Kk.] Strassburg, Bauer u. Comp., 1772. 8°. III. Band. — IV. B. f. 4.

(Guibert), Essay général de tactique. Liége, C. Plomteux, 1773. 8°. [Verf.: General Jacq. Ant. Hippolyte Guibert.| 2 voll. — IV. B. f. 1—2.

Guibert. Remarques sur quelques articles de l'essai gé-
néral de tactique. [Par le général K. Im. de Warnery?]
Turin, Frères Reycends, 1773. 8°. [Avec 3 figg.] — IV.
B. f. 6.

— Commentaires sur les commentaires du comte de Turpin
sur Montecuculi, avec des anecdotes relatives à l'histoire
militaire du siècle présent et des remarques sur Guibert
et autres ecrivains anciens et modernes par M. de W.
G. M. St. Marino, Roturier, 1777—1789. I., II., 1, 2, III.
3 voll. [Av. figg.] 8°. — IV. D. k. 5—6. IV. D. k. 24.

— Remarques sur l'essai général de tactique de Guibert.
Pour servir de suite aux commentaires et remarques sur
Turpin, César et autres auteurs militaires, anciens et
modernes par L. G. de W . . . y. Varsovie, 1782. 8°.
— IV. D. k. 23.

— Mélange de remarques sur-tout sur César et autres auteurs
militaires, anciens et modernes. Pour servir de continuation aux commentaires des commentaires de Turpin sur
Montecuculi et sur la tactique de Guibert par le Général-
Major de W. Varsovie, 1782. 8°. — IV. D. L 16.

Dupain de Montesson, Les connoissances géométriques,
à l'usages des officiers employés dans les détails des
marches, campements et subsistances des armées. Paris,
Charles-Antoine Jombert, 1774. 8°. [Av. 7 figg.] — IV.
B. g. 6.

Grimoard, Chevalier de, Essai théorique et pratique sur
les batailles. Paris, Desaint, 1775. 4°. |Av. figg.] — IV.
B. c. 10.

Silva, Marquis de, Pensées sur la tactique et la straté-
gique ou vrais principes de la science militaire. Turin,
Impr. Royale, 1778. 4°. [Av. 30 figg.] Acc.: Considerations
sur la guerre de 1769, entre les Russes et les Turcs.
Nouv. édit., corrigée et augm. de plusieurs notes historiques. — IV. C. a. 11.

Schwerin, Graf von, Des Königl. Preuss. Feldmarschalls,
Gedanken über einige militärische Gegenstände. Wien
u. Leipzig, R. Grässer, 1779. 8°. — IV. C. m. 20.

Grundsätze, Taktische, und Anweisung zu militärischen
Evolutionen, von der Hand eines berühmten Generals.
Frankf. u. Leipz., 1781. 8°. [Mit Kk.] — IV. D. i. 16.

Mauvillon, J., Essai sur l'influence de la poudre à canon
dans l'art de la guerre moderne. Dessau, Librairie des
savants, 1782. 8°. [Av. 7 figg.] — IV. B. g. 29.

Lloyd, Abhandlung über die allgemeinen Grundsätze der
Kriegskunst. Aus dem Engl. [Mit 4 illum. Karten und

5 Plänen.] Frankfurt u. Leipzig, Phil. Heinr. Perrenon, 1783. 4°. — IV. B. c. 14.

Préjugés, militaires, par un officier antrichien. Tom. II. Fantaisies militaires. A Kralovelhota, 1783. 8°. 2 voll. — IV. D. l. 17.

Zanthier, Frdr. Wilh. v., Versuch über die Lehre von Detachements. Dresden, Walthersche Buchh., 1783. 8°. — IV. B. g. 24.

Nockhern de Schorn, J., Idées raisonnées sur un système général et suivi de toutes les connoissances militaires et sur une méthode lumineuse pour étudier la science de la guerre avec ordre et discernement, en trois parties avec sept tables méthodiques. Nuremberg et Altdorf, G. P. Monath. 1783. 4°. — IV. D. d. 17.

König, C. K., Beyträge zur Kriegskunst für junge nicht in Campagne gediente Officiers, ... nebst e. Anh. von der milit. Lecture. Göttingen, J. Ch. Dietrich, 1783. 8°. — IV. C. f. 12.

Mallet, Allain Manesson, Les travaux de Mars ou l'art de guerre. Paris, D. Thierry, 1784—85. 8°. 3 voll. [Av. figg.] — 4. D. f. 3—5.

Cessac, de, Le guide des officiers particuliers en campagne. Paris, L. Cellot, 1785. 8°. 2 voll. [Av. figg.] — IV. C. f. 36—37.

Scharnhorst, G., Handbuch für Officiere ... I. Theil von der Artillerie. II. Theil, worin die Verschanzungskunst. III. Theil von der Tactik. Hannover, Helwing, 1787—90. 8°. 3 Bde. [Mit Kk.] — IV. C. i. 1—3.

— Militairisches Taschenbuch zum Gebrauch im Felde. [Mit Kupfern.] Hannover, Helwing, 1793. 8°. — IV. D. m. 12.

Réflexions d'un militaire impartial (sur les innovations des nouveaux tacticiens). 1789. 8°. Ueber: „Sur les principes généraux de tactique par M. de Kalio. Paris, 1769. Desain." — IV. C. f. 25.

Lindenau, Carl Friedr. von, Ueber Winterpostirungen. Leipz., J. G. Beygang, 1789. 8°. [M. Kk] — IV. D. g. 13.

— Ueber die höhere preussische Taktik, deren Mängel und zeitherige Unzweckmässigkeit. Leipz., J. G. Beygang, 1790. 8°. 2 Bde. [M. Kk.] — IV. D. i. 4—5.

— Rhode, Ueber die Schrift des ... Herrn von Lindenau, betreff. die höhere Preuss. Taktik, deren Mängel und zeitherige Unzweckmässigkeit. I. Heft über d. I. u. II. Kap. des I. Thls. Potsdam, C. Ch. Horvath, 1791. 8°. — IV. C. g. 13.

[Lindenau], Leipziger, A. W. von, Kritische Beleuchtung
der Lindenauischen Bemerkungen über die höhere preuss.
Taktik. Erster Theil. [M. Kk.] Bresl., Ch. F. Gutsch,
1793. 8°. — IV. C. f. 11.

Abhandlungen allgemeiner Grundsätze über die Ele-
mentar-Taktik. [Mit 10 Kupfertafeln.] Berlin, Petit und
Schöne, 1790. 8°. — IV. B. l. 13.

Fragmente, Patriotische und militairische, mit zwey illu-
minirten Plans von V. Leipzig, J. S. Heinsius, 1790. 8°.
[Vom Adel. Von der Vaterlandsliebe. Von berühmten
Churfürstl. Sächs. Generals und Officiers vormaliger
Zeiten. Vom Gebrauch der Lanzen. Merkw. Reden . . .
Gustav Adolphs. Auszüge aus dem Belisair des Mar-
montel.] — IV. B. k. 24.

Werkamp-Alt-Berkhausen, der Aeltere, Fr. v., Versuch
einer theoretisch-praktischen Anleitung zur Ausübung
der Taktik in den Evolutionen und beim Manövriren.
Stuttgart, gedr. auf Kosten des Verf. in der Buchdr. der
Hohen Karlsschule, 1791. 8°. [M. 12 Kpfrtaf.] — IV. B. i. 30.

Dupuy-Lauron, Tactique françoise, ou la tactique rendu
à ses vrais principes et au génie militaire de la nation
françoise. Paris, Firmin Didot, 1792. 8°. [Av. 3 figg.]
— IV. B. d. 11.

Taschenbuch für Officiere. Braunschweig, Schul-Buchh.,
1792. 8°. [Mit 14 Kupfertaf.] — IV. B. g. 10.

Katechismus, Neuer französisch-militärischer dekretirter,
oder vollständige Abhandlung über die Kriegsübung der
Infanterie, der Kavalerie, mit Kanonen, Bomben und mit
Picken. Leipzig, Friedr. Gotthelf Baumgärtner, 1794. 8°.
[M. Kpfrn.] — IV. B. g. 17.

Betrachtungen über die Kriegskunst, über ihre Fort-
schritte, ihre Widersprüche und ihre Zuverlässigkeit.
Leipzig, G. Fleischer d. Jüng., 1797—98. 8°. 2 Bde. —
IV. D. l. 8—9.

— über einige Unrichtigkeiten in den Betrachtungen über
die Kriegskunst . . . Berlin, F. Nicolai, 1802. 8°. — IV.
D. m. 16.

Randglossen, Nothw., zu den Betrachtungen über einige
Unrichtigkeiten in den Betrachtungen über die Kriegs-
kunst . . . Leipzig, G. Fleischer d. Jüng., 1802. 8°. —
IV. C. k. 13.

Aphorismen vom Verfasser der Betrachtungen über die
Kriegskunst, über ihre Fortschritte, ihre Widersprüche
und Zuverlässigkeit. Leipzig, Gerh. Fleischer d. Jüng.,
1805. 8°. — IV. B. m. 11.

Taschenbuch für junge Officiere in der Garnison und im
Felde. Berlin, 1798. [M. 10 Kpfrtfln.] 8°. — IV. B. m. 26.

Wimpffen, François, Le militaire expérimenté ou instruction du général de division —, à ses fils et à tout jeune
homme destiné au métier des armes. Paris, Magimel,
an VII., 1798/99. 8°. — IV. C. m. 18.

Venturini, G., Lehrbuch der angewandten Taktik oder
eigentlichen Kriegswissenschaft, nach den besten Schrift-
stellern entworfen und mit Beispielen auf wirklichem
Terrain erläutert. Zwei Theile in vier Bdn. Schleswig,
J. G. Röhss, 1798—1800. 8°. 4 Bde. [Mit 21 Plänen in
Kpfr.] — IV. B. g. 1—5.

— Mathematisches System der angewandten Taktik oder
eigentlichen Kriegswissenschaft. Schleswig, J. G. Röhss,
1800. 8°. — IV. D. f. 13.

Bülow, von), Geist des neuern Kriegssystems, hergeleitet
aus dem Grundsatze einer Basis der Operationen, auch
für Laien in der Kriegskunst fasslich vorgetragen von
einem ehemaligen preussischen Offizier. Hamburg, B. G.
Hofmann, 1799. 8°. [Mit eingedr. Figuren in Holzschn.]
— IV. B. i. 28. IV. D. k. 28.

— Taktik, Neue, der Neuern, wie sie seyn sollte. Vom Vf.
des Geistes des neuen Kriegssystems. Leipzig, J. A.
Barth, 1805. 8°. 2 Bde. — IV. C. m. 21—22.

— Lehrsätze des neuern Krieges oder reine und angewandte
Strategie, aus dem Geist des neuern Kriegssystems hergeleitet, von dem Verf. des Geistes des neuern Kriegssystems
und des Feldzuges von 1800. Berlin, H. Frölich, 1805.
8°. [M. Kk.] — IV. D. g. 9.

— Binzer, v., Ueber die militärischen Werke des Herrn von
Bülow, ehemal. Königl.-Preuss. Offiziers. Kiel, Königl.
Schulbuchdruck., 1803. 8°. — IV. B. m. 13.

Meinert, Friedr., Aufsätze aus der Kriegskunst. [Mit
zwey Plans.] Halle, Joh. Gottfr. Trampens Erben, 1800.
8°. — IV. B. g. 21.

Correspondance de deux généraux sur divers sujets,
publiée par le citoyen T***. Paris, Magimel, an IX.,
1801. 8°. — IV. C. f. 19.

Beyträge zur Kriegskunst in Fragmenten über verschiedene
taktische Gegenstände, 1. u. 2. Heft. Königsb., Goebbels,
u. Unzer, 1802. 8°. [Mit 2 Kk.] — IV. C. m. 13.

Aufgaben, taktische, hundertfunfundzwanzig, für Anfänger
und Liebhaber dieser Wissenschaft, vom Verfasser der
Taktischen Fragmente. [Mit 4 Kupfern.] Königsberg,
Göbbels u. Unzer, 1805. 8°. — IV. B. g. 19.

Vertheidigung Friedrichs des Grossen in Ansehung der Fehler, welche ihm in der Charakteristik der wichtigsten Ereignisse des 7jähr. Krieges etc. Schuld gegeben werden, nebst e. Anh. über seine Erfindung der schrägen Schlachtordnung. Berlin et Stettin, F. Nicolai, 1803. 8⁰. — IV. C. d. 21.

Lehmann, H. L., Briefwechsel zweier Churfürstl. Sächs. Officiere über verschiedene militärische Gegenstände . . . Zerbst, A. Füchsel, 1804. 8⁰. — IV. D. g. 24.

Voss, Julius von, Beyträge zur Philosophie der Kriegskunst. Berlin, Himburgsche Buchhandlung, 1804. 8⁰. — IV. B. l. 7.

Gay de Vernon, Traité élémentaire d'art militaire et de fortification. Paris, an XIII., 1805. 4⁰. 2 voll. [Av. 33 figg.] — IV. B. c. 28—29.

Fossé, de, Ueber dem (sic!) Gebrauch der Mannschaften bey Angriff und Vertheidigung, aus d. Franz. übers. v. H. J. Krebs. Neue Ausgabe. [M. XI. Kupfern.] Kopenhagen u. Leipz., Joh. Heinr. Schubothe, 1805. 4⁰. — IV. B. c. 22.

Ligne, Le prince Charles de, Oeuvres militaires. Vienne et Dresde, G. F. Walther, 1806. Vom vierten Bande an ist auf dem zweiten Titel hinzugefügt: „A mon refuge sur le Leopoldberg près de Vienne, et se vend à Dresde chez les Frères Walther. Diese Ausg. ist ein Auszug aus desselb. Verf.: „Mélanges militaires, littéraires et sentimentaires" in 28 Bdn. 8⁰. 14 voll. [Mit 12 Kpfrtfln.] — IV. B. m. 1—9.

Essai sur le mécanisme de la guerre . . . Paris, 1808. Magimel. 8⁰. [Av. figg.] — IV. C. d. 14.

Leipziger, Aug. Wilh. v., Ideal einer stehenden Armee im Geiste der Zeit. Berlin, Fröhlich, 1808. 8⁰. [Mit dem Portrait des Verf.] — IV. B. e. 3.

Strantz, F. v., Hülfsbuch der Kriegswissenschaften. Breslau, J. Max et Komp., 1825. 8⁰. — IV. D. i. 13.

Willisen, W. v., Theorie des grossen Krieges, angewendet auf den russ.-poln. Feldzug v. 1831. [Mit 6 lith. Taf.] Berlin, Duncker und Humblot, 1840. 8⁰. 2 Bde. — IV. B. e. 29.

Atlas du Traité de Tactique. [Chr. Gabr. d'Arsac.] 18 planches:

1. Marche de front de Freimersheim à Freischbach.
2. Marche de flanc de Herxheim à Minfeld.
3. Attaque des lignes de Mayence.
4. Champ de bataille de Fontenoy.
5. Champ de bataille de Hochkirch.

Atlas du Traité de Tactique.

6. Bataille d'Ocaña.
7. Bataille de Wagram.
8. Inconvenients des manoeuvres tournantes.
9. Bataille de Craone.
10. Bataille de Toulouse.
11. Bataille de Neerwinden.
12. Bataille d'Austerlitz.
13. Bataille de Rioseco.
14. Bataille d'Almonacid.
15. Bataille de Montmirail.
16. Bataille de Dresde.
17. Bataille de La Rothiere.
18. Bataille de Lützen.

Infanterie.

Exercitia und Handgriffe mit der Flinte. Elbing, Samuel
Preuss, o. J. 4°. Schluss fehlt. — IV. J. i. 14.

Wallhausen, Joh. Jac. v., Kriegskunst zu Fuss. Oppenheim, Hieronymus Gallerus, 1650. Fol. [M. 1 Titelkpfr.
u. 33 Kpfrtfln.] — IV. C. a. 7.

Delamont, Les fouctions des tous les officiers de l'infanterie, depuis celle du sergent jusques à celle du colonel.
Paris, Gabriel Quinet, 1668. 8°. — IV. B. l. 10.

— Les fonctions de tous les officiers de l'infanterie. A la Haye,
H. v. Bulderen, 1688. 8°. [Av. figg.] — IV. D. m. 6/2.

Bombelles, de, Mémoires sur le service journalier de
l'infanterie. Paris, F. Muguet, 1719. 8°. 2 voll. — IV.
C. k. 3—4.

Tabellen, worinnen die im ersten Theile des Königl. Infanterie Reglements vorgeschriebenen sämmtlichen Evolu-
tions unter gewissen Zeichen vorgestellt und erkläret
sind. [Das ganze Werk in Kupfer gestochen.] C. Fritzsch
del., et Schiffbeck sculps., 1740. 4°. — IV. D. d. 19.

Exercitium mit dem Gewehr, mit und ohne Bajonnet, für
die Infanterie nebst beygefügter Erläuterung und nöthigen
Anmerkungen. 1764. 8°. — IV. B. l. 24.

Traité sur · la constitution des troupes légères et sur leur
emploi à la guerre, auquel on a joint un supplément
contenant la fortification de campagne. Paris, Nyon
l'aîné, 1782. 8°. [Av. figg.] — IV. D. f. 18.

Tactik der Infanterie, die Feldverhaltungen der Convoys etc.
und ein Unterricht von der Wahl der Positionen und
Dispositionen, aufgesetzt von einem Königl. Preuss.

Officier. Dresd., Walther, 1784. 8°. [Mit 30 Kk.] — IV.
D. i. 19.

Düteil, Manoeuvers für die Infanterie, durch welche sie der
Kavallerie nicht nur Widerstand leisten, sondern dieselbe
auch mit Vortheil angreifen kann, aus dem Franz.
übersetzt von J. F. von Schönfeld. Berlin, Joh. Fridr.
Unger, 1785. 8°. [M. 8 Kpfrtfln.] — IV. B. i. 31.

Bolstern, Geo. Wilh. v., Der kleine Krieg oder die Maximen der leichten Infanterie, Kavalerie, Scharfschützen
und Jäger. [Mit 17 Kk.] Magdeburg, 1789. 8°. — IV.
D. i. 20.

Mirabeau, Grundsätze der neueren Infanterietaktik, . . .
nebst e. Anh. üb. Cavallerietaktik, . . . bearb. von Mauvillon, . . . übers. von J. H. Malherbe. Meissen, 1792.
K. F. W. Erbstein. Gedruckt in Annaberg bei Hasper.
8°. — IV. C. d. 11.

Hugo, Coup d'oeil militaire sur la manière d'escorter, d'atta-
quer et de défendre les convois . . . Paris, Magimel, 1796,
l'an IV. 8°. — IV. D. m. 19.

Unterricht für die Kgl. Preuss. Infanterie . . . Berlin,
E. Felisch, 1797. 8°. — IV. D. m. 5.

Klipstein, F. L., Versuch einer Theorie des Dienstes der
leichten Truppen, besonders in Bezug auf leichte Infanterie.
Giessen, G. F. Heyer, 1799. 8°. — IV. C. k. 7.

Boreux, J. G., Durch welches Mittel kann die Wirkung
des Feuergewehrs dergestalt vermehrt werden, dass nur
wenig Truppen denjenigen zu widerstehen vermögen,
die sich desselben bedienen, nebst Erklärung über die Art
und Weise, Truppen ohne Brücken, Flösse oder Kähne
über's Wasser zu setzen und selbige darinnen manoeu-
vriren und feuern zu lassen, aus dem Franz. übersetzt.
Dresden, Waltherische Hofbuchh., 1799. 8°. [Mit einer
Kpfrtafel.] — IV. B. i. 14.

Fossé, Précis sur la défense relative au service de campagne
. . . à l'usage de l'officier d'infanterie, ou extrait de
l'ouvrage intitulé: Idées d'un militaire sur la défense et
l'attaque des petits postes. Paris, Treuttel et Würtz,
an X., 1801. 12°. — IV. B. m. 10.

Instruktion für die leichten Truppen und die Officiere bey
den Vorposten, nach der Instrukt. Friedrich II. für die
Kavallerie-Officiere, aus dem Franz. übers. Züllichau,
Darnmann, 1801. 8°. — IV. B. g. 8.

Cacault, J., Nouvelles manoeuvres de l'infanterie contre la
cavallerie. A Paris, Brochot, an XI., 1802. 8°. [Av. figg.]
— IV. C. f. 23.

Dohna, Albr. R. B. zu, Versuch einer Instruction für den Kommandeur eines preussischen Infanterie-Regiments. Glogau, Günter, 1802. 8°. — IV. D. m. 15.

(Paumgartten, Max Sigmund von), Abhandlung über den Dienst der Feldjäger zu Fuss. Wien, Grosser, 1802. 8°. [M. Kk.] — IV. D. g. 17.

Abhandlung über den kleinen Krieg u. üb. d. Gebrauch der leichten Truppen, mit Rücks. auf den französ. Krieg, von einem preussischen Officier, mit Anm. von L. S. von Brenkenhof. 2. Ausgabe. Dem Oberstlieut. v. York zugeeignet. Berlin, Himburg, 1802. 8°. [M. Kk.] — IV. D. f. 22.

Gedanken u. Bemerkungen, Freymüthige, besonders über die Verfassung der leichten Truppen, von einem Churpfalzbayrischen Officier. Nürnberg, Felszecker, 1804. 8°. — IV. C. l. 23.

Meyfarth, Joh. Chph. Ferd., Unterricht f. Unterofficiere der Infanterie. Giessen u. Darmstadt, G. F. Heyer, 1805. 8°. — IV. D. k. 20.

Instruction zu Abrichtung der Scharfschützen, nebst Anmerkungen u. vorausgeschickten Winken üb. die Tendenz der Taktik des Fussvolks u. die Geschichte der leichten Infanterie seit der Erfindung des Schiesspulvers. [Mit vier Plans.] Leipzig, J. C. Hinrichs, 1807. 8°. — IV. B. d. 13.

Zorzi, Antonio, Guida dei sotto-ufficiali dell' infanteria italiana in campagna, in marcia, in alloggiamento ed in guarnigione. Prima edizione italiana, regolata dal . . . Milano, Francesco Sonzogno di Gio. Battista, 1809. 8°. [M. 5 Kpfrtfln. u. 17 Tabellen.] — IV. B. g. 30.

Perrin-Parnajon, E. v., Geist der leichten Truppen im Felde nach den neuesten taktischen Grundsätzen, oder Bildung der Schützen, Jägers und Partisans. Leipzig, J. E. Hinrichs, 1811. 8°. — IV. B. k. 26.

Voss, Jul. von, Feld-Taschenbuch für junge freiwillige Detachementsjäger u. Conscribirte. Berl., J. W. Schmidt, 1813. 12°. — IV. D. m. 33.

Dienstunterricht für die angehenden und wirklichen Unterofficiere des Kgl. Garde-Füsilier-Bataillons. Bresl., 1813. 8°. —IV. B. k. 9.

Bagensky, von, u. Klaatsch, Das Preuss. Infanterie-Gewehr. Berlin, E. W. Starck, 1820. 8°. [Mit 2 lithogr. Tafeln.] — IV. D. i. 11.

Mauritius, Ernst v., Beschreibung des neu-preussischen Infanterie-Gewehrs, wie es vorschriftsmässig geliefert wird. Dritte Aufl. [Mit 3 illum. Kupf.] Magdeburg, Creutz und Berlin, Ernst Siegfried Mittler, 1821. 8°. — IV. B. e. 9.

Instruction, que le Roi a fait expédier, pour régler provisoirement l'exercice de ses troupes d'infanterie, du 30. Mai 1775. Strasbourg, de l'imprim. de Jean Franç. Le Roux, 1775. 8°. — IV. B. k. 35.

Verordnung, Königliche, vom 1. Junii 1776, nach welcher das Exercitium, dero sämmtl. Infanterie eingerichtet werden soll, auf Höchsten Befehl aus dem Franz. ins Deutsche übersetzt. Strassburg, J. Lorenz, 1776. 8°. — IV. C. k. 10.

Ordonnance provisoire, arretée par le Roi, concernant l'exercice et les manoeuvres de l'infanterie, du 20. Mai 1788. Metz, J. B. Collignon, 1788. 8°. — IV. B. k. 20.

Extrait du réglement, concernant l'exercice et les manoeuvres de l'infanterie, du 1. août 1791. Ecole de soldat. Ecole de Peloton. Paris, Magimel, an XI., 1803. 8°. [Av. figg.] — IV. C. m. 10.

Règlement, concernant l'exercice et les manoeuvres de l'infanterie, du 1. août 1791. Paris, Magimel, 1793. 8°. [Av. 40 figg.] — IV. B. b. 13.

— de l'infanterie 1791. Planches relatives au réglement, concernant l'excercice et les manoeuvres de l'infanterie, du 1. août 1791. Paris, Magimel, 1793. 8°. — IV. C. m. 12.

Planches (40) relatives au réglement, concernant l'exercice et les manoeuvres de l'infanterie, du premier août 1791. Paris, Magimel, an troisième de la Republique, 1795. 8°. — IV. B. l. 14.

— relatives au règlement, concernant l'exercice et les manoeuvres de l'infanterie, du premier août 1791. Paris, Magimel, 1808. 8°. [Av. 1 tab.] — IV. B. b. 6.

Règlement provisoire sur le service de l'infanterie en campagne, du 5. avril 1792. Paris, Magimel, an VII, 1799. 8°. — IV. C. k. 18/1.

Ordonnanz, Königliche, vom 17. Februarii 1753, den Dienst der Infanterie im Felde betreffend. [Ohne Titelblatt.] 8°. — IV. B. k. 31.

Exerzir-Reglement für die Infanterie der Kgl. Preuss. Armee. Berlin, G. Decker, 1812. 8°. [Mit Ktaff.] — IV. C. l. 28.

Auszug des Exerzir-Reglements für die Infanterie der Kgl. Preuss. Armee. Breslau, gedr. m. Scholzschen Schriften, 1813. 8°. [Mit drei Blatt Noten für Hornsignale] — IV. B. l. 17.

L'Homme de Courbiere, R. de, Auszug aus den Verordnungen für die Königl. Preuss. Infanterie, zusammengestellt b. z. 1. Juli, mit den wesentlichen Ergänzungen bis zum 1. September 1850. Posen, Gebr. Scherk, 1851. 8⁰. — V. A. h. 20.

Unterricht für die Scharfschützen bei der Churfürstlich Sächsischen Infanterie. (Um 1780.) 8⁰. — IV. C. l. 14.

Exercir-Reglement für die Churfürstlich Sächsische Infanterie vom Jahr 1776. Dresden, 1776. 8⁰. — IV. B. k. 38.

— für die Kgl. Würtemberg. Infanterie. Erste Abtheilung. Stuttgart, Gebr. Mäntler, 1809. 8⁰. [Mit Ktaff.] — IV. C. d. 31.

Reglement für die Hessische Infanterie. Cassel, 1754. 8⁰. — IV. B. k. 36.

Auszug aus dem Exerzirreglement. Zeitz, gedruckt bei Wilh. Webel, 1805. 8⁰. — IV. B. i. 17.

Reglement über das Exerzitium und die Evolutionen der Bernerischen Infanterie. In zwei Theilen. Bern, gedr. in Hochobrigkeitlicher Buchdruckerey, 1786. 8⁰. [Mit 6 Kupfertaf.] — IV. B. d. 12.

— Allerneuestes Königlich-Schwedisches, für den Dienst des Fussvolks im Felde und zu Hause im Lande, übersetzt von L. v. Klein. Dresden, Waltherische Hofbuchh., 1786. [Mit 7 Kupfertafeln.] 8⁰. — IV. B. k. 29.

Exercitien-Reglement, so den 12. May puplicirt (sic!) und bei der Holländischen Infanterie eingeführet worden. Schiedamm, 1751. 8⁰. — IV. B. l. 24.

Règlement provisionnel pour l'exercice de l'infanterie, fait à Turin le 22. Mai 1775, Chiavarina par ordre du Roi. Turin, 1775. 8⁰. — IV. D. g. 8.

Cavallerie.

Basta, Geo., Governo della cavalleria, das ist, Bericht von der Anführung der leichten Pferde, aus der ital. in unsere teutsche Muttersprach verdolmetschet durch Theod. de Bry. Franckfurt, Matthes Becker, 1614. Fol. [M. Kk.] — IV. B. a. 13.

Débirac, Les fonctions d'un capitaine de cavalerie et d'infanterie avec la prattique de la guerre. A la Haye, H. van Bulderen, 1688. 8⁰. — IV. D. m. 6.

Lecoqmadeleine, Le service ordinaire et journalier de la cavalerie. Paris, L. D. Delatour, 1720. 8⁰. — IV. D. l. 25.

De la Gueriniere, École de cavalerie, contenant la connoissance, l'instruction et la conservation du cheval.
Paris, 1754. 8°. [Av. figg.] — IV. B. d. 35.

Montag zu Schönachen, Ritter v., Anmerkungen über
die Vortheile des Cavalleriedienstes zur Bildung eines
jungen Offiziers. Prag, F. A. Höchenberger, 1770. [Mit
Kk.] — IV. D. k. 16.

Holtermann, Nic. Jac., Beyträge zum Kriegswesen, die
Cavallerie betreffend. Göttingen, J. Ch. Dieterich, 1775.
8°. [M. 4 Kk.] — IV. B. m. 22.

Remarques sur la cavalerie par Mr. de W., Général-Major.
Lublin, 1781. 8°. — IV. D. m. 26.

Vom Dienst der leichten Cavalerie im Felde, besonders
vor den Subaltern-Offizier. Dresden, Walther, 1784. 8°.
[M. Kk.] — IV. D. i. 12.

Entwurf, den Kavalleristen, sowol den Officier, als den
Gemeinen, auf den Felddienst abzurichten, und ihm im
Frieden deutliche Begriffe von Allem beizubringen. [Aus-
schnitte aus der Militär. Monatsschrift 1785, 1786.] 8°.
[M. 1 Ktaf.] — IV. C. k. 8.

Drummond de Melfort, comte, Traité sur la cavalerie.
Dresde, frères Walther, 1786. 4°. 2 voll. [Av. figg.] —
IV. C. a. 14—15.

Handbuch für Kavallerieoffiziers über den Dienst im Felde.
Dresden, Walther, 1789. 8°. 2 Thle. in 1 Bde. [M. Kk.]
— IV. C. g. 20.

Frae-Rex, Gründliche Anweisung zum Satteln und Packen,
dass kein Pferd gedrückt werde. Berlin, H. Mylius 1791.
8°. — IV. C. k. 30.

Ordonnance, concernant l'exercice et les manoeuvres des
troupes à cheval, du 20. Mai 1788 . . . Paris, Magimel,
1793. 8°. — IV. D. m. 22.

Regeln und Anmerkungen über den Dienst im Felde für
Officiers überhaupt und für Husarenofficiers insbeson-
dere. Neue Aufl. Berlin, Friedr. Maurer, 1794. 8°. —
IV. B. l. 16.

Lindenau, v., Anleitung zu Unterhaltungs-Stunden für
Officiers mit Unter-Officiers und dem gemeinen Mann,
vorzüglich in Hinsicht der Kavallerie. München, F. S.
Hübschmann, 1802. 8°. — IV. C. f. 10.

Hünersdorf, Ludwig, Anleitung zu der natürlichsten
und leichtesten Art Pferde abzurichten, nebst einem
Anhang über das Cavalleriepferd. 3. Auflage. Marburg, Akademische Buchhandlung, 1805. — IV. F.
l. 12.

Versuch 'eines zweckmässigern Vorpostendienstes bei den
deutschen Armeen, ... von einem deutschen Kavallerie-
offizier. Mit schwarzen und illuminirten Plans. Leipz.,
Baumgärtner. 1805. 8°. — IV. D. f. 15.

Règlement des princes frères du roi, concernant l'instruction et les manoeuvres à cheval, pour les compagnies de
gentilshommes. 1792. 8°. — IV. C. k. 25.

Ordonnance provisoire sur l'exercice et les manoeuvres de
la cavalerie, rédigée par ordre du ministre de la guerre,
du 1. vendémiaire an XIII., II. éd. Paris, Magimel, 1808.
8°. 2 voll. [Texte et figg.] — IV. C. l. 21—22.

Instruction, destinée aux troupes légères et aux officiers,
qui servent dans les avant-postes, rédigée sur une instruction de Frédéric II. à ses officiers de cavalerie. 4. éd.
Paris, Magimel, l'an II., 1794. 8°. — IV. C. k. 14.

Règlement pour la cavalerie prussienne, traduit de l'allemand par le baron de Sinclaire. Francfort, Koch et
Eslinger, 1762. 8°. [Av. 2 figg.] — IV. B. k. 28.

Exercir-Reglement für die Kavallerie der Königlich
Preuss. Armee. Berl., G. Decker, 1812. 8°. [M. Kk.] —
IV. C. l. 9.

— für die Churfürstl. Sächsische Cavallerie. Dresden, Hof-
buchdruckerey, 1777. 8°. (Schluss von S. 264 ab fehlt.)
— IV. C. k. 9.

Dienst-Reglement für sämmtliche Chur-Braunschweig-
Lüneburgische Truppen. II. Theil: Besonderes Dienst-
Reglement für die Cavallerie. Hannover, Helwing, 1787.
8°. — IV. B. f. 25.

Lascy, Graf von, Neustes Reglement für die sämmtl. K.
K. Kavallerie . . . I. Thl. Das Eskadronenreglement.
11. Thl. Das Regimentsreglement. Berlin, J. F. Unger,
1786. 8°. — IV. C. d. 19.

Artillerie.

Manuel, Petit, du canonier. 3. éd. Paris, Magimel, l'an II.
— IV. C. k. 11/1.

Manoeuvres de force en usage dans l'artillerie. Metz,
Collignon. 8°. — IV. C. k. 11/2.

Versuch über den Gebrauch der Artillerie im Krieg, im
freyen Felde und bey Belagerungen. [Titelblatt fehlt. —
18. Jahrh.] 8°. — IV. D. k. 27.

Geyn, Jac. de, Waffenhandlung von den Rören, Mus-
quetten vndt Spiessen, gestalt nach der ordnung des . . .
Herrn Moritzen, Printzen zu Oranien, . . . figürlichen

abgebildet. Gedr. ins Grauenhagen, 1608. Fól. [M. Kk.]
12 Kupfer am Anfang herausgeschnitten. — IV. D. a. 9.

Schwachius, Joh., Von der Artigliaria, das ist, von des
Geschutzes der Stücke, Mörseln, Fewerwereke, Petarden
und aller darzu gehörigen Kunste erster Inuention, ihrer
Macht, Effecten, Nutzbarkeit, Nothwendigkeit und recht-
messigem christlichem Gebrauch, historische und theologische Discurs. Dressden, in Verl. Wolff Seyfferts, gedr.
durch Gimel Bergen, 1624. 4°. — IV. B. k. 17.

Uffano, Diego, Archeley, das ist: gründlicher u. eygent-
licher Bericht von Geschütz und aller Zugehör, . . . in
hispanischer Sprach beschrieben, jetzund in teutscher
Spraach publiciret und mit schönen und nothwendigen
Kupfferstücken geziehret durch Johann Theod. de Bry.
Franckfurt, Egenolph Emmel, 1614. Fol. [Mit Kk.] —
IV. B. a. 14.

Elrich, Daniel, Der grossen Artillerie, Feuerwerck- und
Büchsen-meisterey-Kunst. II. Theil. Franckfurt am M.,
Joh. Dav. Zunner, 1676. Fol. [Mit 25 Kupfern.] — IV.
C. a. 21.

Surirey de St. Remy, Mémoires d'artillerie, recueillis par
le Sr. —. Paris, Impr. Royale, 1697. 4°. 2 voll. [Av.
176 figg.] — IV. C. c. 1—2.

Belidor, Le bombardier françois ou nouvelle méthode de
jetter les bombes avec précision. Amsterdam, 1734. 4°.
[Av. figg.] — IV. D. d. 20.

Vauban, de, Traité d'artillerie et des mines, ainsi que des
tables pour l'approvisionnement des places de guerre.
. V. Quincy, de, L'art de guerre. A la Haye, Scheurleer,
1745. 8°. — IV. E. i. 3—4.

Struensee, Carl Aug., Anfangsgründe der Artillerie.
Leipzig und Liegnitz, David Siegert, 1760. 8°. [Mit 29
Kk.] — IV. B. g. 31.

Bigot von Morogues, Versuch aus den Centralkräften
die Wirkungen des Schiesspulvers zu bestimmen, woraus
zugleich eine zur Verbesserung der verschied. Mündungen
des Schiessgewährs dienliche Theorie hergeleitet wird.
Nürnberg, J. F. Fleischmann, 1766. 8°. [Mit 1 K.] —
IV. C. k. 32.

Arcy, Riter von, Versuch einer Theorie der Artillerie.
Dressden, Walther, 1766. 8°. [Mit Kupfertafeln.] — IV.
B. g. 7.

Essai sur l'usage de l'artillerie dans la guerre de campagne
et dans celle de sièges. Amsterdam, Arckstée et Merkus,
1771. 8°. [Av. figg.] — IV. B. d. 18.

Artillerie, L', nouvelle, ou examen des changements faits dans l'artillerie franç. depuis 1765. Par M.*** (Tronson?) Amsterdam, 1773. 8°. — IV. B. g. 23.

Bricard, Manoeuvre d'une pièce de quatre de campagne. Paris, Firmin Didot, 178... 8°. [Avec 8. figg.] — IV. B. m. 14.

Papacino d'Antoni, Abhandlung über den Artillerie-Dienst im Kriege, aus dem Italiänischen in die franz. Sprache nebst Zusätzen und Anmerk. übers. durch Herrn von Mont-Rozard, und aus letzterer Sprache in's Deutsche übertragen, auch mit nöthigen Anmerk. und Zusätzen vermehrt von J. H. Mal-Herbe. Dresden, Waltherische Hofbuchh, 1782. 8°. [M. 12 Kk.] — IV. B. i. 12.

Artilleriedienst, Der, im Felde für den Hauptmann u. Subalternofficier. Freyberg u. Leipz., Carl Craz, 1786. 8°. — IV. D. k. 13.

D'Urtubie, Manuel de l'artilleur, ou traité des différents objets d'artillerie pratique. 2. éd. augm. Paris, Didot fils aîné, 1787. 8°. [Av. 13 figg. Les prem. 3 tables manquent.] — IV. B. k. 27.

Lombard, Instruction sur le manoeuvre et le tir du canon de bataille. (Ce traité est extrait de celui des „Manoeuvres de l'Artillerie," par M. Demeuve.) A Dole, J. F. X. Joly, 1792. 8°. — IV. C. f. 15.

Instruction générale sur le service de toutes les bouches à feu en usage dans l'artillerie. Nouv. éd., augm. de la manoeuvre d'une pièce de quatre et ornée de planches. Paris, Magimel, 1793. 12°. [Av. 8 figg.] — IV. B. m. 25.

Monge, Gasp., Description de l'art de fabriquer les canons. Paris, de l'imprim. du Comité de Salut public, an II., 1794. 4°. [Av. 60 figg.] — IV. C. a. 12.

Grobert, J. F. L., Observations sur les affuts et caissons sans avant-train. L'an IV. 1796. 4°. [Av. 2 figg.] — IV. B. c. 23.

Betrachtungen über die reitende Artillerie, deren Organisation, Gebrauch und Tactic, von einem Artillerie-Officier. [Mit 1 Kupfer.] Leipzig, in Commission der Supprianschen Buchh., 1803. 8°. — IV. B. l. 9.

Leitfaden zum Unterricht in der Artillerie für die Königl. Preuss. Brigade-Schulen dieser Waffe. Berl., G. Reimer 1818. 8°. [M. 11 Kk.] — IV. D. f. 23.

Instruction pour l'artillerie. Paris, 1786. 8°. Tit. fehlt. — IV. C. m. 9.

Dienst-Reglement für sämmtliche Chur-Braunschweig-Lüneburgische Truppen, II. Thl. Besonderes Dienst-

Reglement für die Artillerie. I. Abschn. im **Frieden,**
II. Abschn. im Kriege. Hannover, W. Pockwitz jun.,
1787. 8°. 2 Thle. in 1 Bde. |Mit Kupfern.| — **IV.**
C. k. 15.

Marine.

Dassié, C. R., L'architecture navale, contenant la manière
de construire les navires, galères et chaloupes. Paris,
Jean de la Caille, 1677. 4°. |Av. figg.| — IV. B. c. 19.

Hoste, Paul, L'art des armées navales, ou traité des évolutions navales, qui contient les règles utiles aux officiers généraux et particuliers d'une armée navale; etc.
A Lyon, Anisson et Posuel, 1697. Fol. [Av. figg.] —
III. D. a. 11/1.

Pinière, C. A. B., Principes organiques de la marine militaire et causes de sa décadence dans la dernière guerre,
c'est-à-dire, depuis huit aus. Tom. I. Paris, an X.,
1. Mai 1802. 8°. — IV. B. i. 9.

— Des classes d'hommes de mer. Paris, Lenormand. XI.,
1802. 8°. — IV. C. f. 17.

Bourdé de Villehuet, Le manoeuvrier, ou essai sur la
théorie et la pratique des mouvemens du navire et des
évolutions navales. Nouv. éd. Paris, Bachelier, 1814. 8°.
[Av. figg.] — IV. B. d. 6.

Sue, Eug., Histoire de la marine française. Paris, Félix
Bonnaire, 1835—36. 8°. 5 voll. et atlas de 40 planches.
— IV. B. b. 15—20.

Guérin, Léon, Histoire maritime de France. Avec 31 belles
gravures. Paris, Abel Ledoux, 1843. 8°. 2 voll. —
IV. B. e. 43 - 44.

Fortification, Minir- und Ingenieurkunst.

Fäsch, Joh. Rud., Kurtze . . . Anfangsgründe zu der
Fortification. Nürnberg, J. Ch. Weigel's Wittib. Fol.
|Titelblatt und 32 Bll. in K. gestochen. Die Vorrede
gedruckt.| — IV. D. a. 4/1.

Goulon, von, s. Sturm, L. Ch., Der wahre Vauban etc. 4°.
— IV. C. f. 21.

Michaud, Des fortifications et des relations générales de la
guerre de siège. Paris, Magimel, l'an II., 1794. 8°. —
IV. D. i. 7.

Speckle, Dan., Architectura von Vestungen, wie die zu
unsern Zeiten mögen erbawet werden . . . Strassburg,

Bernh. Jobin, 1589. Fol. [M. Kk. und Holzschnitten.] — IV. D. a. 8.

Vredeman, Jo., Frisius, Perspective, id est, celeberrima ars inspicientis aut transpicientis oculorum aciei, in pariete, tabula aut tela depicta ... Lugd. Bat., Henr. Hondius, 1605. 2 voll. Fol. [Tabulae figg. 7 et 8 desunt.] — IV D. a. 6/4 7/4.

Marolois, Sam., Géométrie, contenant la théorie et practique dicelle, nécessaire à la fortification. Hagae-Comitis, ex off. Henr. Hondii. Dédié au roi Gustave Adolphe. [Av. figg.] Fol. — IV. D. a. 6/1 7/1.

— Fortification ou architecture militaire, tant offensive, que défensive. Hagae - Comitis, ex off. Henr. Hondii, 1615. Fol. [Av. figg.] — IV. D. a. 6/2 7/2.

— Ars perspectiva, quae continet theoriam et practicam ejusdem. Hagae · Comitis, apud Henr. Hondium, 1615. Fol. [Cum figg.] — IV. D. a. 6/3. 7/3.

(Hondius, Henr. & Vredeman, Jean), Les cinq rangs de l'architecture, à scavoir tuscane, dorique, ionique, corinthiaque et composée, avec l'instruction fondamentale, faicte par Henry Hondius. Avec encores quelques belles ordonnances d'architecture, mises en perspective, inventées par Jean Vredeman Frison et son fils et taillées par le dit H. Hondius etc. Amsterdam, H. Hondius, 1617. Fol. [Texte et figg.] — IV. D. a. 7/5.

Sardi, Pietro, Romano, Corona imperiale dell' architettura militare. Acc.: L'Artiglieria di Pietro Sardi Romano. Venetia, in a spese dell autore, 1618. Fol. [C. figg.] — IV. D. a. 10.

(Freitag, Adam), Fritach, Adam, L'architecture militaire ou la fortification nouvelle. Leide, chez les Elzeviers, 1635. Fol. [Av. 35 figg.] Dédié à Vladislaus IV., Roy de Pologne, Grand Duc de Lithuaniae." „Ad eximium virum Adamum Freitagium, Borussum," carmen, quod „extempore scribebat Daniel Heinsius." Bentk. II., 359. Starowolski, Monum. Sarmat. Fol. — IV. B. a. 11.

Barca, Giuseppe, Breve compendio di fortificatione moderna. Bologna, N. Tebaldini, 1643. 4°. — IV. C. d. 32.

Magirus, Joh., D., Compendium fortificatorium, od. kurtzer ... Vnterricht vom Vestungsbaw ... (a. u. d. T.: Compend. fortif. oder kurtzer Begriff der gantzen Fortification ...) Berl., Ch. Runge, 1646. 8°. [M. Kk.] — IV. C. k. 12.

Dögen, Matthias, (von Dramburg), Heutiges Tages übliche Krieges-Bau-kunst. Amsteldam, Ludwich Elzevier, 1648. Fol. [Mit Kk.] — IV. C. a. 23.

Dögen von Dramburg, Matth., Streit-Bau-Kunst oder
der Kriges-kunst heutiges Tages gebräuchlicher Sturm-
und Währ-Bau. Amsterd., Ludw. Elzevier. 1648. Fol.
— IV. C. a. 23.

Schildknecht, Wendelin, Harmonia in fortalitiis constru-
endis, defendendis et oppugnandis, das ist, eine Beschr.
Festungen zu bawen. Alt Stettin, gedr. u. verlegt von
Joh. Valentin Rheten, 1652. Fol. [Mit Kupfern.] — IV.
B. a. 17.

De Ville, Chevalier Antoine, Tholosain, Les fortifica-
tions du —, avec l'attaque et la défence des places.
A Paris, Libraires du Palais, 1666. 8°. [Av. figg.] —
IV. C. g. 15.

Bitainvieu, de, L'art universel des fortifications françoises,
holandoises, espagnoles, italiennes et composées . . .
Troisiéme édition, rev., corrig. et augmentée. Paris,
Jacques Du Brueil, 1674. 4°. [Av. figg.] — IV. C. a. 10.

Scheither, Joh. Bernh., Novissima praxis militaris oder
neu-vermehrte und verstärckte Vestungs-Baw- u. Krieges-
Schuel . . . Braunschweig, Christoff Friederich Zilliger
und Caspar Gruber, 1672. Fol. [Mit 28 Kk.] — IV.
C. a. 4.

— Examen fortificatorium, darin so wohl eine gantz newe
Art oder Manier vom Festungs-Bau . . . vorgestellet,
erwiesen und behauptet, als auch denen von . . . Chn.
Neubauern . . . darwider . . . gethanen Einwürffen wider-
sprochen . . . wird. Strassb., J. F. Spoor u. R. Wächtler,
1677. Fol. [M. Kk.] — IV. K. d. 9. IV. C. a. 4.

Neubawr, Chr., Wolmeinende Gedancken oder Discours
über der neulich aussgegangenen Fortification des Hrn.
Johan Bernhard Scheithern . . . Cölln an der Spree,
druckts George Schultze, 1673. Fol. [Mit 1 Kupfer.] —
IV. C. a. 4.

Rimpler, Georg, Des Herrn Ingenieurs Johann Bernhard
Scheiters furieuser Sturm auf die befestigte Festung tota-
liter abgeschlagen. 1677. 4°. — IV. C. a. 4.

Rossetti, Donato, Fortificazione a rovescio. In Torino,
Bartolom. Zappata, 1678. Fol. [C. figg.] — IV. K. d. 8.

Fortification, nouvelle, françoise et espagnole, italienne
et hollandoise, ou recueil de différentes manières de fortifier en Europe, composé par Mr.*** [Avec 46 figures
en taille douce.] Amsterdam, George Gallet, 1698. 8°.
— IV. B. k. 33.

Sturm, Leonh. Chph., Architectura militaris hypothetica
et eclectica, d. i.: Eine getreue Anweisung, wie man sich

der gar verschiedenen . . . Befestigungs-Manieren mit gutem Nutzen . . . bedienen könne. Nürnberg, L. Hoffmanns Witt., 1702. 8°. [M. Kk.] — IV. D. 1. 23.

Coehorn, Minno Baron de, Nouvelle fortification, . . . representée en trois manières sur le contenu intérieur de l'exagone à la françoise. Wesel, Jaques van Wesel, 1706. 8°. [Av. figg.] — IV. C. f. 9.

— Neuer Vestungs-Bau . . . Wesel, Jacobus von Wesel, 1708. 4°. [M. Kk.] — IV. C. d. 8.

Ulrici, Hans Sigm., Speculum architecturae militaris oder eigendlicher Prospect der heutigen Befestigungsart, nach Anweisung der zwantzig berühmten Kriegs-Baumeister in Europa. Torgau am 30. Martii anno 1708. Fol. 1 Bl. — IV. D. a. 4/2.

Rimpler, George, Sämmtliche Schriften von der Fortification, herausgegeben von Lud. Andr. Herlin. Dressden u. Leipzig, Christoph Hekel, 1724. 4°. [Mit Titelbild u. Tafeln in Kupfer.] — IV. B. c. 12.

(D'Azin), Nouveau sistême (sic!) sur la manière de défendre les places par le moyen des contremines, ouvrage posthume de Mr.*** . . . Paris, Jacques Clouzier, 1731. 8°. [Av. figg.] — IV. B. 1. 20.

— Des Herrn —, Unterricht, Festungen vortheilhaft anzulegen und durch Contreminiren . . . zu beschützen, aus d. Frantz. Halle im Magdeburgischen, Renger, 1747. 8°. [M. Kk.] — IV. F. 1. 13/1.

Landsberg, Nouveaux plans et projets de fortification. A la Haye, Pierre Husson, 1731. Fol. [Av. figg.] — IV. B. a. 15.

— Neue Grundrisse und Entwürffe der Kriegsbaukunst, ins Teutsche übersetzt. Dressden u. Leipzig, Friedr. Hekel, 1746. 4°. [M. Kk.] — IV. B. a. 20.

Rozard, Nouvelle fortification françoise. Nuremberg, Jean George Lochner, 1731. 4°. 2 voll. [Av. 41 figg.] — IV. C. a. 9.

Herbort, Jean Ant. d', Nouvelles méthodes pour fortifier les places et pour remedier à la foiblesse des anciennes. Augsbourg, J. A. Pfeffel, 1735. 8°. |Av. figg.] — IV. D. f. 21.

Oettinger, Joh. Friedr., Kriegs-Ingenieur u. Artillerie-Charte, welche die vornehmste Terminos, so wohl der Geometrie, Fortification, Artillerie u. Ernst-Feuerwerck, als auch anderer im Krieg vorkommenden Sachen . . . vorstellet. Ausgefertigt von Homannschen Erben, 1737. Fol. 1 Blatt. — IV. D. a. 4/3.

Sturm, Leonh. Christ., Der wahre Vauban, oder der von
den Tentschen und Holländern verbesserte französische
Ingenieur, worinnen I. die Arithmetic, II. die Geometrie,
III. die off- und defensiv-Kriegs-Bau-Kunst, nach den
Grundsäzen des berühmten Herrn von Vauban, deutlich erkläret: nebst einer ganz neuen Methode zur irre-
gulairen Fortification, mathematisch bewiesen und mit
vielen Kupfer-Rissen erläutert von —. Nürnberg, P. C.
Monath, 1737. 4°. [M. Kk.] — IV. C. f. 21/1.

Goulon, v., Bericht von Belagerung und Vertheidigung
einer Vestung. Nürnb., P. C. Monath, 1737. [M. Kk.] —
IV. C. f. 21/2.

Vauban, (Sébastien) de, De l'attaque et de la défense
des places. A la Haye, Pierre de Hondt, 1737—42. 4°.
2 voll. [Av. 36 figg. Fol.] Dédié par l'éditeur: „A son
Altesse Royale, Mgr. le Prince de Prusse." Vol. II. cont.:
Un traité pratique des mines, par le même, et un autre
de la guerre en général, par un officier de distinction.
— IV. C. b. 4.

Bardet de Villeneuve, Traité de la défense des places.
A la Haye, Jean van Duren, 1742. 8°. [Av. figg.] — IV.
B. d. 25.

Le Blond, Traité de l'attaque [des places. Paris, Charles
Ant. Jombert, 1743. 8°. [Av. 17 figg.] — IV. B. f. 14.
IV. C. i. 15.

Abhandelung von denen Belagerungen, so zur Ergänzung
des Angriffs und der Vertheidigung der Oerter des Herrn
Marschalls von Vauban dienen kann, aus dem Frantz.
übers. Potsdam, Ch. F. Voss, 1747. 8°. — IV. F. l. 13/3.

Abhandlung, Kurtze und deutliche, von der Construction
der jetzo gebräuchlichen Arten von Feld-Schantzen,
Redouten, Tête du Ponts, Circon- und Conttavallations-
Linien etc. wie auch einer teutschen Uebersetzung aller
bei der Fortification üblichen frantzösischen und lat.
Kunstwörter von T. Berlin, Haude et Spener, 1748. 8°.
[Auf Schreibp., m. Kk.] — IV. C. k. 26.

Le Blond, Elemens de fortification. 3. éd. Paris, Ch. A.
Jombert, 1752. 8°. [Av. figg.] — IV. D. m. 24.

Clairac, v., Abhandlung von der Befestigungskunst im Felde,
nach der Paris. Ausg. v. J. 1749 übersetzet. Breslau,
und Leipzig, J. J. Korn, 1755. 4°. [Mit Kk.] — IV.
B. c. 16.

Deidier, l'Abbé, Le parfait ingenieur françois, ou la fortification offensive et défensive. Paris, Ch. A. Jombert,
1757. 4°. [Av. figg.] — IV. B c. 15.

Hähn, Joh. Friedr., Anweisung zur Kriegs-Baukunst. Berlin, Buchladen der Realschule, 1757. 8°. — IV. B. k. 11.

Picht, J. G., Der Ingenieur im Felde. Frankf. & Leipz., 1762. 8°. [M. 5 Kk.] Mit Schreibpapier durchschossen und mit handschriftl. Nachträgen versehen. — IV. C. k. 20.

Unterricht von Befestigung, Angriff und Vertheidigung wichtiger Posten im Felde und wie sich jeder Officier dabei zu verhalten hat. Von M. H. M. Breslau, Joh. Friedr. Korn, 1763. 8°. [M. Kk.] — IV. B. f. 11.

Beschreibung eines kleinen regulairen sechseckichten Kriegsplatzes, von einer neuen und des jetzigen gewaltsamen Angrifs mehr proportionirten Erfindung. Frankfurt und Leipzig, Heinr. Ludw. Brönner, 1764. 4°. [Mit 3 Kk.] — IV. B. c. 21.

Le Febure, Essais sur les mines. Neisse, aux fraix de l'Auteur, 1764. 4°. [Av. figg.] — IV. B. c. 7.

Recherches sur l'art militaire ou essai d'application de la fortification à la tactique. A la Haye, P. Gosse jun., 1767. -8°. — IV. C. d. 20.

Le Blond, Versuch über die Lagerkunst oder Anleitung ein Feldlager auszumessen und abzustecken, aus dem Franz. übersetzt von Johann Moritz Grafen von Brühl. Colmar, J. H. Decker, 1767. 8°. [Mit Kupfern.] — IV. C. k. 17.

Gaudi, Friedr. Wilh. v., Versuch einer Anweisung für Officiers von der Infanterie, wie Feldschanzen . . . angelegt u. erbauet, u. wie verschied. andere Posten in Defensionsstand gesetzt werden können. Wesel, J. F. Röder, 1767. 8°. [M. Kk.] — IV. C. g. 16.

Lehrgebäude, Neues, von der Kriegesbaukunst. Halle, Waisenhaus, 1767. 8°. [M. Kk.] — IV. F. l. 13/2.

Bellersheim, P. F. v., Neue Methode irreguläre Vestungen zu vertheidigen, zu verstärken und auf allen Seiten gleich stark zu befestigen. Frankfurt a. M., Heinr. Lud. Brönner, 1767. 4°. [M. Kk.] — IV. B. c. 9.

Traité de la défense des places par les contre-mines, avec des réflexions sur les principes de l'artillerie. Paris, Ch. A. Jombert, 1768. 8°. — IV. D. i. 18.

Tielcke, J. G., Unterricht für die Officiers, die sich zu Feld-Ingenieurs bilden . . . Dresd. u. Lpz., J. N. Gerlach, 1769. 8°. [M. Kk.] — IV. D. g. 19.

Cugnot, La fortification de campagne théorique et pratique ou traité de la science, de la construction, de la défence et de l'attaque des retranchemens. Paris, C. A. Jombert, 1769. 8°. [Av. 12 figg.] — IV. B. k. 25.

Glaser, Joh. Chph., Vrat. Sil., Hinterlassener Gedanken von der Kriegs-Baukunst erste Sammlung, nebst vier Kupfer-Tafeln durch Friedrich Ludwig Aster. Dresden, Hilscher, 1776. 4°. — IV. D. d. 15.

Vauban, Le maréchal de, Traité de l'attaque des places. Paris, L. Cellot et Jombert, 1779. 8°. [Avec 29 figg.] — IV. B. f. 21.

Étienne, J. D., Traité des mines. Münster, Phil. Henry Perrenon, 1779. 4°. [Av. 7 planches.] — IV. B. c. 13.

Müller, Ludwig, Versuch über die Verschanzungskunst auf Winterpostirungen. Potsdam, Selbstverlag, gedr. bei M. G. Sommer, 1782. 8°. [M. 15 Kk.] — IV. B. i. 32.

Zach, Ant. v., Vorlesungen über die Feldbefestigung, Vertheidigung und Angriff. Wien, Joh. Georg Mössle, 1783. 8°. [Mit 18 Kk.] — IV. B. d. 9.

Science, Nouvelle, des ingénieurs. Berlin et S. Pétersbourg, Societé du Pôle arctique, 1787. 8°. — IV. B. k. 13.

Mémoires sur la fortification perpendiculaire, par plusieurs officiers du corps royal, du génie, rédigés par M. de Fourcroy. Paris, Nyon l'ainé, de l'imprim. de Clousier, .1786. 4°. [Av. figg.] — IV. C. a. 22.

Montalembert, Marquis de, Réponse au mémoire sur la fortification perpendiculaire, par plusieurs officiers du corps royal du génie, présenté à l'Académie Royale des Sciences. Paris, Didot, 1787. 8°. [Av. figg.] — IV. B. e. 1.

Tielke, Joh. Gottl., Unterricht für die Officiers, die sich zu Feld-Ingenieurs bilden, oder doch den Feldzügen mit Nutzen beywohnen wollen, durch Beyspiele aus dem letzten Kriege erläutert und mit den nöthigen Plans versehen. Vierte Aufl. Dressden und Leipzig, Joh. Sam. Gerlach, 1787. 8°. [Mit 32 Kk.] — IV. B. h. 1.

Stahlswerd, Grundsätze zu Vorlesungen über reguläre Fortification, aus dem Schwed. übersetzt durch Peter Petersen, Copenhagen und Gotha, Carl Wilh. Ettinger, 1788. 8°. [Mit 14 Kk.] — IV. B. f. 15.

Traité complet de fortification... I. partie. Paris, Barrois l'ainé, 1792. 8°. [Av. figg.] — IV. C. d. 17.

Montalembert, M. R., L'art défensif, supérieur à l'offensif, par une nouvellemanière d'employer l'artillerie et par la suppression totale des bastions, ou la fortification perpendiculaire, oeuvre enrichi d'un grand nombre des planches. Paris, Firmin Didot, 1793. 4°. 10 voll. — IV. B. a. 1—10.

Jetze, Franz Chph., M., Theor. pract. Handbuch der
Feldbefestigungswissenschaft ... Bresslau, Ch. F. Gutsch,
1793. 8°. [Mit 10 Kk.] — IV. C. g. 18.

Julienne Belair, A. P., Élémens de fortification. Sec.
édition. Paris, Magimel, 1793. 8°. [Av. 30 figg.] — IV.
B. g. 11.

Hoyer, J. G., Versuch eines Handbuches der Pontonnier-
Wissenschaften in Absicht ihrer Anwendung zum Feld-
gebrauch. Leipzig, Joh. Ambr. Barth, 1793—1794. 8°.
3 Bde. [M. 19 Kk.] — IV. B. g. 35—37.

Michaud (Darçon), Considérations militaires et politiques
sur les fortifications. Paris, Impr. de la République, an
III., 1795. 8°. — IV. B. d. 23.

Darçon, Militärisch-politische Betrachtungen über Befesti-
gungen, übersetzt und zum Gebrauch anderer Staaten
bearbeitet von E. G. von Ebermayer. Halberstadt, Joh.
Heinr. Gross, 1801. 8°. — IV. B. k. 32.

Bousmard, de, Essai général de fortification, et d'attaque,
et défense des places ... par M. de B***, ingénieur
françois. Berlin, G. Decker, 1797—99. Tome IV. Paris,
Magimel, an XII., 1803. 4°. 4 voll. — IV. D. d. 1—4.

— Planches de l'essai général de fortification, et d'attaque et
défense des places. Berlin, George Decker, 1797. Fol.
— IV. F. c. 14.

Feldfortification, Die, ... oder ausführl. und deutliche
Anweisung, wie man Feldverschanzungen zweckmässig
anordnen und einrichten kann, von einem Ingenieur-
Officier. Halle, Schimmelpfennig und Komp., 1804. 8°.
[M. 22 Ktaff.] — IV. C. g. 24. IV. C. f. 16.

Mouzé, Traité de fortification souterraine, suivi de quatre
mémoires sur les mines. Paris, Levrault, Schoell et Cie.,
an XII., 1804. 4°. [Av. figg.] — IV. B. c. 17.

Reiche, L. C. v., Versuch einer vollständigen Baupraktik
für Feld-Ingenieure und Infanterie-Offiziere insbesondere,
oder Anweisung zum praktischen Bau aller im Felde
vorkommenden Verschanzungen u. alles dessen, was auf
Feldbefestigung Bezug haben kann. Berlin, Himburg,
1805. [Mit 15 Kpfrtaf.] 8°. — IV. B. d. 27. IV. C. g. 9.

Minutoli, Menu v., Betrachtungen über die Kriegsbaukunst. [Mit zwei color. Kupfertafeln.] 2. ganz umgearb.
und vermehrte Aufl. Berlin, Frdr. Maurer, 1808. 8°. —
IV. B. m. 20.

Cormontaigne, Mémorial pour la fortification permanente
et passagère. Paris, Ch. Barrois, 1809. 8°. [Av. figg.]
— IV. B. d. 7.

Carnot, De la défense des places fortes... St. Pétersbourg,
  Pluchart & Co., 1812. 8°. 3 voll. — IV. D. m. 7.
Catel, L., Der Helepol der Neueren, ein Versuch einige
  Methoden der alten Belagerungskunst in die neuere über-
  zutragen und über die Mittel sich durch jede Art von
  Terrain verdeckt den Festungen zu nahen. Berlin,
  C. Salfeld, 1814. 8°. — IV. B. i. 7.

Planzeichnen.

Dupain l'aîné, La science des ombres par rapport au
  dessein, ouvrage nécess. à ceux, qui voulent dessiner
  l'architecture civile et militaire, ou qui se destinent à la
  peinture etc. Nuremberg, Ch. Weigel, 1762. 8°. [Av. figg.]
  — IV. C. g. 14.
— de Montesson, L'art de lever les plans de tout ce,
  qui a rapport à la guerre et à l'architecture civile et
  champêtre. Paris, C. A. Jombert, 1763. 8°. [Av. 5 figg.]
  — IV. B. d. 22.
Pirscher, J. D. C., Coup d'oeil militaire où courte instruction pour se procurer le point de vue militaire, s'en servir
  à lever des cartes ... Berlin, A. Wever, 1775. 8°. [Av.
  4 figg.] — IV. C. m. 15.
Wiebeking, C. F., Ueber topographische Carten. Mülheim
  am Rhein, gedruckt bei J. C. Eyrich, 1792. 4°. — IV.
  B. f. 17.
Gaudi, F., Instruction adressée aux officiers d'infanterie
  pour tracer et construire toutes sortes d'ouvrages de
  campagne, augmentée par A. P. J. Belair. [Avec des
  planches.] Paris, Magimel, 1793. 8°. — IV. B. d. 20.
Anweisung, Deutliche und ausführliche, wie man das militairische Aufnehmen nach dem Augenmaas ohne Lehr-
  meister erlernen könne, v. ein. kgl. preuss. Ingenieur.
  [Mit 10 Kpfrtfln.] Neue unveränd. Aufl. Leipzig, Gräff,
  1794. 8°. — IV. B. g. 20.
Gerstenbergck, Joh. Laur. Jul. von, Ausführliche
  Beschreibung einer neuen . . . Methode, Gegenden zum
  militairischen Gebrauch aufzunehmen und zu zeichnen.
  Jena, Cröker, 1796. 8°. [Mit 3 Kupfertafeln.] — IV.
  D. l. 28.
Anweisung, wie ökonom. und milit. Situationskarten nach
  bestimmten Grundsätzen zu zeichnen sind, durch 15
  theils illumminirte von Carl Jaeck gest. Kupferabdrücke
  erläutert, von J. A. E. Berlin, Carl Jäck, 1799. 8°.
  [o. Kk.] — III. U. g. 15.

Lespinasse, L. N., Traité du lavis des plans, appliqué principalement aux reconnaissances militaires. Paris, Magimel, an IX., 1801. 8°. [Avec figg.] — IV. D. g. 21.

Binzer, von, Versuch einer theoretisch-praktischen Anleitung zur Bergzeichnung, nebst einer kleinen Abhandlung über Charten und Situationspläne. Hamburg, F. Perthes, 1802. 4°. [Mit Kk.] — IV. E. f. 5.

Mémorial topographique et militaire, rédigé au dépôt général de la guerre . . . No. 1. Topographie. No. 2. Historique. No. 3. Topographie. Paris, an XI., l'imprim. de la rép. 8°. 3 voll. |Av. figg.] — IV. C. f. 31.

Kunz, Ferd., Versuch eines Handbuches der reinen Geographie als Grundlage zur höheren Militair-Geographie, zum Gebrauch für Kriegsschulen u. für Officiere. Stuttg. u. Tübingen, J. G. Cotta, 1812. 8°. — IV. B. d. 28.

(Mentelle, M.), Atlas de la monarchie prussienne, contenant dix cartes géographiques, quatre vingt-treize planches de tactique et plus de cent tableaux numériques. Londres, 1788. Fol. — II. P. c. 8.

Venturini, G., Lehrbuch der Militair-Geographie der östlichen Rheinländer. In 2 Thl. Erster Thln.: Militair-Geographie der Länder am Nieder-Rhein. Kopenhagen u. Leipzig, Schubote, 1801. 8°. — IV. B. f. 19.

Bourcet, De, Mémoires militaires sur les frontières de la France, du Piémont et de la Savoie, depuis l'embouchure du Var jusqu'an lac de Genève. Berlin, George Decker, 1801. 8°. [Av. 1 table géogr.] — IV. B. f. 20.

Bodenehr, Gabr., Curioses Staats- und Kriegs-Theatrum in Polen, durch unterschiedliche . . . Land-Carten, Grundrisse u. Prospect erläutert. Augspurg, Gabr. Bodenehr. Fol. [30 Bll. in Kstich.] — IV. C. a. 3.

— Curioses Staats- und Kriegs-Theatrum am Rhein, durch unterschiedliche . . . Land-Carten, Grundrisse u. Prospect erläutert. Augsp., Gabr. Bodenehr. Fol. 2 Thle. [58 Bll. in Kstich.] — IV. C. a. 3.

— Curioses Staats- und Kriegs-Theatrum in Italien, durch unterschiedliche . . . Land-Carten, Grundrisse u. Prospect erläutert. Augspurg, Gabr. Bodenehr. Fol. [30 Bll. in Kstich.] — IV. C. a. 3.

Militärökonomie.

Reglement, Neues, die Verpflegung des Röm. Kays. Kön. General-Staabs und anderer Militar-Parteyen betreffend. Nebst dem neuen Verpfleg-System der Infanterie- und

Cavallerie - Regimenter. Anno 1762. 4°. 20 Stn. — **IV.**
C. f. 14/2.

Dantziger, Jac., Portefeuille zur Nachsicht bei Fourage-
geschäften, enthaltend die Verhältn. der Körnersorten
gegen einander u. deren Reductionen, die Berechn. der
Verhältn. des schles., sächsisch., böhmisch., polnisch. u.
russisch. Maasses gegen den Berl. Scheffel. Berlin, Chr.
Gottfr. Schöne, 1792. 8°. — IV. B. f. 7.

Weinberg, Joh. Jac., u. **Schrapel**, Joh. Geo., Gründl.
Anweisung, was bey einem zu errichtenden Feldkriegs-
magazin . . . zu beobachten . . . Erster Theil. Dresden,
1784. 8°. — IV. C. i. 6.

— Anhang zu dem milit. Werke, Tit.: Gründl. Anweisung
zu Anlegung eines Fouragemagazins und Verpflegung
einer Armee im Felde. Berlin, 1790. 8°. — IV. C. i. 7.

Quillet, P. N., État actuel de la législation sur l'administration des troupes. 3. éd. Paris, Magimel, 1808. 8°.
3 voll. — IV. C. g. 27—29.

Mauschwitz, C. v., Handbuch über Oekonomie-Verwal-
tungen bei der königlich preussischen Armee. Posen,
W. Decker & Comp., 1849. 8°. [Mit Abbldgn] — IV.
B. h. 5.

Müller, Bestimmungen über die Geld-Verpflegung der
Kgl. Preuss. Truppen im Frieden, incl. Reise- u. Vor-
spannkosten, so wie über Servis und Einquartierung,
zusammengetragen bis Mitte December 1849. Posen,
Gebr. Scherk, in Commiss., 1850. 8°. [M. 23 Beilagen.]
— IV. B. h. 4.

Militär-Sanitäts-Wesen.

Portius, Luc. Ant., Neapolit., De militis in castris sanitate
tuenda, oder von dess Soldaten im Läger Gesundheit-
Behaltung. Viennae Austriae, typis haer. Viviani, 1685.
12°. — II. S. i. 57.

Hilscher, Simon Paul, praes., **Segner**, Joh. Mich.,
auctor resp., Diss. inaug. medica de principum militiam
sequentiam tuenda valetudine, . . . pro lic. Jenae, Müller,
1734, Sept. 18. 4°. — 302.

Wrede(n), Otto Just, Kurtzer Unterricht vom chirur-
gischen Feld-Kassen, . . . zum Druck befördert von D. C.
T. v. Hagen. Hannover, N. Förster, 1757. 8°. [M. Kk.]
— IV. D. g. 25.

Pingeron, Manuel des gens de mer ou recueil d'observations sur les moyens de conserver leur santé pendant les

voyages de long cours. II. partie. Paris, A. Jombert,
jeune, 1780. 8°. [Av. figg.] — IV. C. l. 7.

Janin, L'antiméphitique ou moyens de détruire les exha-
laisons pernicieuses et mortelles des fosses d'aisance etc.
Paris, Th. D. Pierres, 1782. 8°. — IV. D. c. 29.

Feldlazareth-Reglement, Königlich preussisches —.
Berlin, G. J. Decker, Potsd., 16. Sept. 1787. 8°. — III.
U. g. 13.

Rosenmeyer, A. G., Taschenbuch für Militär-Chirurgen
zur Einrichtung eines pharmaceutischen Feldapparats.
Potsdam, C. Ch. Horvath, 1804. 8°. — IV. D. g. 22.

De la Santé des troupes à la grande armée. Strasbourg,
Levrault, 1806. 8°. — IV. B. d. 14.

Hapdé, J. B. A., Les sépulcres de la grande armée ou
tableau des hôpitaux pendant la dernière campagne de
Buonaparte. Paris, Dentu, 1814. 8°. — IV. B. d. 16.

Wendt, J. C. W., Dr., Uebersicht des Medicinalwesens der
dänischen Armee . . . Kopenhagen, Andr. Seidelin, 1826.
8°. — IV. C. e. 12.

Metzig, Joh. Chr. Heinr. Dr., Das Kleid des Soldaten,
vom ärztlichen Standpunkte aus betrachtet, ein Beitrag
zur Kriegs-Hygieine. Lissa und Leipzig, Ernst Günther,
1837. 8°. [M. 1 Steindrktf.] — IV. B. e. 14.

— Ein Beitrag zur Verständigung über die Reformen des
preuss. Milit.-Medicinal-Wesens. Lissa, E. Günther, 1845.
8°. — IV. M. h. 4.

Zur Geschichte des Militärs.

Reglement für die Röm. Kays. Kön. Infanterie, Cavallerie
und Feld-Artillerie. Anno 1757. 4°. — IV. C. f. 14/1.

Fragmente aus dem österreichischen Kriegs-Reglement.
Frankfurt und Leipzig, 1783. 8°. [Mit Kupfern.] — IV.
C. i. 11.

Schriften, Das österreichische Militär betreffende. Erster
Band: Das Generalreglement oder Verhaltungen für die
K. K. Generalität. Frankfurth und Leipzig, in Commiss.
bey S. L. Crusius, 1786. 8°. [M. 2 lithgr. Tfln.] — IV.
B. g. 12.

Schematismus der Oesterreichisch-Kaiserlichen Armee für
das Jahr 1812. Wien, Graeffer & Comp. 8°. — IV.
D. m. 30.

Hohnhorst, C. L., Feldprediger, Rede vor dem Hochlöbl.
Gräflich von Lottumschen Dragoner-Regiment bei der
Feier eines Jahrhunderts nach seiner Stiftung und bei

der Enweihung neuer Fahnen den 17. Mai 1790. Berlin,
W. Dieterici, 1790. 8°. — IV. C. l. 11/2.

Arnim, v., Ueber die Canton-Verfassung in den preussischen Staaten und die von dem Obristen von Brösecke
verweigerte Verabschiedung des Enrollirten Elsbusch.
Frkf. u. Lpz., 1788. 8°. — IV. C. f. 24.

Militairverpflichtung, Die, der preuss. Staatsbürger in
ihren verschiedenen Abstufungen und Beziehungen und
deren Ableistung, sowohl in Folge der jährlichen Ersatz-
aushebung, als durch freiwilligen Eintritt in das stehende
Heer, eine Zusammenstellung der darüber vorhandenen
Bestimmungen. Berlin, August Rücker, 1830. 8°. — IV.
B. e. 2.

Müller, Geo. Friedr., Königlich-Preussisches Kriegsrecht.
Berlin, Haude u. Spenersche Buchhandl., 1760. 8°. [Mit
einem Bildn. „Fridericus Magnus, Rex Borussiae, S. R.
I. Elector“ nach Hempel in Kupfer gestochen.] 8°. — IV.
B. l. 6.

[Woyna, v.,] Geschichte des Königl. 18. Infanterie-Regi-
ments von 1813—1847. Posen, in Commiss. bei Gebr.
Scherck, 1848. 8°. [M. d. Bildn. des Generallieutn. von
Loebell.] — IV. L. c. 25.

Dienst-Reglement für sämmtliche Chur-Braunschweig-
Lüneburgische Truppen. Hannover, Helwing, 1787. 8°.
. 2 Bde. — IV. C. f. 4—5.

(Militärische Monatsschrift. Zweites Stück, Februar
1787.) Beschreibung zweier Manöver der Kurfürstl. Sächs.
Armee im Mai des J. 1786. 8°. [M. Kk] — IV. D. k. 26,2.

Gedanken über eine zweckmässige Militär-Verfassung,
vorzüglich in Bezug auf die sächs. Staaten. Dresden,
Arnoldi, 1814. 8°. — IV. C. f. 39.

Schmieder, Gottfr., Chur-Sächsisches Kriegsrecht, sammt
dem Verfahren vor denen Kriegsgerichten. Dresden,
Walther, 1768. 8°. — IV. B. d. 26.

Kriegs-Gerichts-Reglement, Ihr. Chur-Fürstl. Durchl.
zu Sachsen etc. etc. vom 23. Jan. 1789, nebst dem . . .
Mandat de dato Dressden am 31. Januar 1789. Dresden,
C. C. Meinhold, 1789. 4°. — IV. D. d. 16.

Verzeichniss sämmtlicher seit d. J. 1608 bis zu d. Ende
d. J. 1777 in Kgl. Preuss. Krieges-Diensten gestandenen
Chefs der Regimenter, Bataillons u. Corps. Hannover,
H. E. C. Schlüter, 1778. 4°. — IV. E. d. 7.

Bessel, Friedr. Wilh. von, Entwurf eines Militair-Feld-
Reglements. Hannover, Schlüter, 1778. 8°. [Mit Kk.]
— IV. D. f. 14.

Daníel, Gabr., de la Comp. de Jésus, Histoire de la milice fiançoise et des changemens, qui s'y sont faits depuis l'établissement de la monarchie françoise dans les Gaules, jusqu' à la fin du règne de Louis le Grand. Paris, Denis Mariette, 1721. 4°. 2 voll. [Av. 70 figg.] — IV. C. a. 1—2.

Michel, Ordonnances militaires du roy reduites en pratique et appliquées au détail du service. Paris, F. Leonard, 1710. 8°. — IV. C. m. 11.

Zur-Lauben, Baron de, Histoire militaire des Suisses au service de la France. Paris, Desaint et Saillant, 1751. 12°. 5 voll. — IV. B. l. 1—5.

Règlement concernant les troupes en marche dans l'intérieur de la république, du 25 fructidor an VIII. de la rép. fr. Paris, Magimel, 1799. 8°. — IV. C. k. 18/2.

Loi et arrêtés concernant l'avancement militaire. Acc.: „Instruct." par Carnot et „Règlement" par Alex. Berthier.] Paris, Magimel, an IX., 1801. 8°. — IV. B. k. 21.

Champeaux, État militaire de la rép. française pour l'an XII. Paris, Leblanc, an XII., 1804. 8°. — IV. D. l. 22.

Recherches sur la force de l'armée française, les bases pour la fixer selon les circonstances, et les sécrétaires d'état ou ministres de la guerre depuis Henri IV. jusqu'en 1805. Paris, Treuttel et Würtz, 1806. 8°. — IV. D. i. 8.

Recueil des ordonnances militaires de Sa Majesté Britannique et des Seigneurs Etats - Généraux des Provinces-Unies des Paıs-Bas pour le Règlement des Troupes ... Seconde éd. A la Haye, H. van Bulderen, 1708. 8°. — IV. F. l. 20.

General Regulations and orders for His Majesty's forces. London, War-office, printed and sold by J. Walter, 1786. 8°. — IV. B. k. 37.

Vorschriften, Allgemeine, und Befehle für die Truppen Sr. Königl. Grossbritannischen Majestät, aus d. Engl. übers. Hannover, Helwing, 1786. 8°. — IV. C. k. 19.

Plotho, Carl von, Ueber die Entstehung, die Fortschritte und die gegenwärtige Verfassung der Russischen Armee, doch insbesondere von der Infanterie, geschr. im Juny 1810. Berlin, F. Braunes, 1811. 8°. — IV. D. l. 24/1.

Warnery, De, Remarques sur le militaire des Turcs et des Russes. Breslau, Guil. Th. Korn, 1771. [Av. figg. 8°. — IV. B. l. 8.

Reif, Mahmud, Effendi, Tableau des nouveaux règlements de l'empire ottoman. Imprimé dans la nouvelle imprimerie du génie, sous la direction d'Abdurrahman

Effendi, professeur de géométrie et d'algèbre, à Constantinople, 1798. Suivi de remarques par Mr. H. de Menu.
[Avec trois planches.] Berlin, libr. de Himbourg, 1802.
8⁰. — IV. B. m. 24.

Della Sala ed Abarca, Francesco Ventura, Spanisches
Kriegs-Reglement . . . aus d. Spanischen ins Italiänische
übersetzt von Giuseppo di Zamora, nunmehro auf Sr.
Königl. Majestät in Preussen . . . Special-Befehl ins
Deutsche gebracht von Otto von Graben zum Stein.
Berlin, Ambrosius Haude, 1736. 8⁰. [Mit d. Bildn. des
Kaiserl. General-Feldm. Guido v. Stahremberg in Kpfrst.]
— IV. B. k. 30.

Kierulf, Herm., Calender over alle ved den Kongelike
Danske Armee. Nr. XXII. Kjöbenhavn, P. S. Martin,
1830. 8⁰. — IV. C. e. 11.

Kriegsgeschichte.

Campana, Cesare, Assedio e racquisto d'Anversa, fatto
dal Sereniss. Alessandro Farnese, prencipe di Parma.
Vicenza, G. Greco, 1595. 4⁰. [Mit 1 Holzschn. in folio.]
— IV. D. f. 24/1.

Ray de St. Geniés, Histoire militaire du règne de Louis
le Juste, XIII. du nom, roy de France. Paris, Durant,
1755. 12⁰. 2 voll. — IV. B. m. 38—39.

Rohan, Henri duc de, Mémoires et lettres sur la guerre de
la Valteline, publiés pour la première fois et accompa-
gnés de notes géographiques, historiques et généalogi-
ques, par M. le baron De Zur-Lauben. Genève et Paris,
Vincent, 1758. 12⁰. 3 voll. — IV. B. l. 34—36.

Montglat, Franç. de Paule de Clermont, marquis
de, Mémoires, contenant l'histoire de guerre entre la France
et la maison d'Autriche durant l'administration du cardinal de Richelieu et du cardinal Mazarin, . . . 1635
—1660. Amsterdam, 1727. 12⁰. 4 voll. — IV. B. m.
33—36.

Bessé (vel Besset) de la Chapelle-Milon, Henri
de, Relations des campagnes de Rocroi et de Fribourg
en l'année 1643 et 1644. Paris, François Clousier, 1673.
8⁰. — IV. B. l. 25.

Petis de la Croix, Franz, Geschichte des Krieges,
welchen die Türken mit Polen, Moskau und Hungarn
geführet haben, aus dem Französischen von G. F. C. S.
Fürth, Georg Friedrich Casimir Schad, 1775. 8⁰. — IV.
B. f. 34.

Campagne de monsieur le maréchal de Luxembourg en
    Hollande 1672. [Ohne Titel und Druckdaten. Das Werk
    enthält den Briefwechsel des Marschalls von Luxembourg
    mit dem Hofe und dem Ministerium in Paris etc.] Fol.
    — IV. D. a. 1.

Histoire militaire de Flandre depuis l'année 1690 jusqu'en
    1694. Ouvrage fait sur les mémoires manuscrits des
    camps marches, batailles et sièges de M. le maréchal duc
    de Luxembourg, sur sa correspondance avec la cour etc.
    Tome II. & III. A la Haye, P. F. Gosse, 1776. Fol.
    [Av. figg.] — IV. D. a. 2, 3.

Relation succincte de ce, qui s'est passé de plus considé-
    rable sous le commandement de son altesse Mgr. le
    Prince d'Orange dans la campagne de 1674, où l'on
    trouve un détail de la bataille de Senef. A Leide, J.
    Luzac, 1747. 8°. — IV. D. m. 8.

— du siège de Grave en 1674 et de celui de Mayence en
    1689. Avec le plan de ces deux villes. Paris, C. A. Jom-
    bert, 1756. 12°. — IV. B. l. 30.

Suttinger, Daniel, Entsatz der Käyserlichen Haubt- und
    Residendz-Stadt Wien in Oesterreich. Dresden, Christoph
    Mathesius, 1688. Fol. [Mit dem Bildn. Leopolds I.,
    einem Plan der v. d. Türken belagerten Seite Wiens u.
    einer Ansicht der Hauptstadt, gezeichnet von Dan. Sut-
    tinger, in Kupfer gestochen von C. Weigel, in Gr.-Fol.]
    — IV. C. a. 8.

— Gloriosa Viennae, Austriae metropolis, liberatio, e ver-
    sione Merbitziana. Dresdae, typ. Christophori Mathesii,
    1688. Fol. [Mit einer Ansicht von Wien, gez. von Dan.
    Suttinger, in Kpfr. gestoch. v. C. Weigel, Gr.-Fol.] — IV.
    C. a. 8.

Hočke, Nic., Kurtze Beschreibung dessen, was in wehren-
    der Türckischen Belägerung der Kayserlichen Residentz-
    Statt Wienn von 7. Julii biss 12. Semptembris dess ab-
    gewichenen 1683. Jahres, sowohl in Politicis et Civilibus,
    als auch in Militaribus passiret. Gedruckt zu Wienn in
    Oesterreich bey Leopold Voigt im Jahr Christi 1685. 4°.
    [M. 1 Kpfrtfl.] — IV. B. i. 18.

Campagne, La, de l'Ille, contenant un journal fidèle de ce,
    qui s'est passé au siège de cette importante place et
    à l'occasion de Wynendael, comme aussi le fameux pas-
    sage de l'Escaut. A la Haye, Pierre Husson, 1709. 12°
    [Av. 2 planches.] — IV. B. m. 18.

Mémoires de la guerre d'Italie, depuis l'année 1733 jusqu'en
    1736. Paris, veuve Duchesne, 1777. 8°. — IV. B. l. 28.

Massuet, P., Histoire de la guerre présente, contenant tout ce, qui s'est passé de plus important en Italie, sur le Rhin, en Pologne et dans la plupart des cours de l'Europe. Amsterdam, François L'Honoré, 1735. 8°. [M. Karten.] — IV. B. m. 12.

Warmund, Friedlieb, Das vollständige Journal, was vor, in und nach der Belagerung der Stadt Dantzig, wie auch in den russischen Trenchéen Merkwürdiges vorgegangen ist. 1735. 4°. — IV. J. i. 14.

Omer, Kadi, Effendi, Die Kriege in Bossnien in den Feldzügen 1737, 1738 u. 1739. Aus dem Türk. übers. v. Joh. Nepom. Dubsky, Freiherrn von Trzebomislitz. Wien, Johann David Hörling, 1789. 8°. [M. 1 Titelkupf.] — IV. B. d. 34.

Schmettau, Le comte de, général à l'armée du Roi de Prusse, Mémoires secrets de la guerre d'Hongrie, durant les campagnes de 1737, 1738 et 1739. Nouv. édition, revûe et corrigée. Francfort, Compagnie des Libraires, 1772. 8°. — IV. B. k. 18.

Le Rouge, Journal du camp de Compiegne de 1739, augmenté des épreuves des mines, faites en présence du Roi par M. M. de Turmel et Antoniazzi, ... auquel on a joint un Traité-pratique des Mines par M. le Maréchal de Vauban. Paris, le Rouge, 1761. 8°. [Av. figg.] — IV. D. g. 6.

Müller, Ludw., Kurzgefasste Beschreibung der drei Schlesischen Kriege, zur Erklärung einer Kupfertafel, auf welcher 26 Schlachten u. Hauptgefechte abgebildet sind. Berlin, J. F. Unger, 1785. 4°. — IV. D. d. 18.

Sammlung ungedruckter Nachrichten, so die Geschichte der Feldzüge der Preussen von 1740 bis 1779 erläutern. Dresden, Walthersche Hofbuchh., 1782—85. 8°. 5 Bde. — IV. B. i. 1—5.

Saint-Simon, le marquis de, Histoire de la guerre des Alpes, ou campagne de 1744. Amsterdam, Marc Michel Rey, 1770. 4°. [Av. figg.] — IV. B. c. 18.

Espagnac, Le chevalier d', Relation de la campagne en Brabant et en Flandres de l'an 1745—47. Imprimé sur la copie de Paris, à la Haye, Pierre van Os, 1747—61. 8°. 3 voll. — IV. B. l. 18.

Heeren, A. G. L., Mémoires sur les campagnes des Pays-Bas en 1745, 1746 et 1747. Goettingue, Jean Frédéric Roewer, 1803. 8°. — IV. B. b. 12.

Journaux des sièges de la campagne de 1746 dans le Pais-Bas. Amsterd., P. Mortier, 1750. 8°. [Av. figg.] — IV. D. m. 11.

Bergopzoom, 1747. Journal de siège de Bergopzoom en 1747. Amsterd. et Leipsic, Arkstee et Merkus, 1750. 8°. [Av. figg.] — IV. D. m. 4.

Dispositiones zu denen Bewegungen der sächsischen Armée im Monat Junio 1753. 8°. — IV. B. l. 29.

Lloyd, Général, Introduction à l'histoire de la guerre en Allemagne en 1756. Londres, Bruxelles, A. F. Pion, 1784. 4°. [Av. figg.] — IV. B. c. 27.

Backenberg, F. H., Geschichte der Feldzüge der österr. u. preuss. Armeen in d. J. 1756 bis 1762. Leipzig, J. B. Fleischer, 1805. 8°. (Karten fehlen.) — IV. F. i. 27.

W(arnery), de, Campagnes de Frédéric II, roi de Prusse, de 1756 à 1762, par Mr. de W ... 1788. 8°. — IV. B. i. 11.

Histoire de la campagne, contenant tout ce, qui s'est passé d'intéressant dans l'électorat de Hanovre, la principauté d'Embden, le landgraviat de Cassel, la Westphalie, le Bas-Rhin et le comté de Hanau, depuis le commencement de cette année jusquà la fin du mois de Juillet. Avec le détail de l'affaire du comte de Mallebois contre le maréchal d'Estrées et les mémoires rélatifs à cet objet. Francfort, Koch et Esslinger, 1758. 8°. — IV. B. m. 21.

— de la guerre entre la Russie et la Turquie et particulièrement de la campagne de 1769. [Avec 9 cartes.] Saint-Pétersbourg, 1773. 8°. — IV. B. i. 19.

Considérations sur la guerre de 1769 entre les Russes et les Turcs. Nouvelle édit., corrigée et augm. de plusieurs notes historiques. 4°. — IV. C. a. 11.

Pläne zu dem Feldzuge der Russen gegen die Türken vom J. 1769. Fol. (Ohne Titelblatt.) — IV. F. c. 10.

Anecdotes et pensées historiques et militaires, écrites vers l'année 1774 par Mr. le G. de W., et tirées du XVI. tome du Magazin d'histoire et de géographie de Mr. Büsching. Halle, J. J. Court, 1781. 4°. — IV. D. d. 11.

Charte, militairische, des Lagers der kgl. preussischen Armee in Böhmen und Schlesien im J. 1778 unter Kommando des Königs von Preussen. Vier Sectionen, (auf Leinwand aufgezogen). Fol. — IV. B. c. 25.

Uiber den Feldzug in Deutschland vom Jahre 1778, aus dem Taschenbuch eines Offiziers. Frankfurt u. Leipzig, 1779. 8°. — IV. B. g. 16.

Bourscheid, J. W. v., Der erste Feldzug im vierten preuss. Kriege, im (sic) Gesichtspunkte der Strategie beschrieben. Wien. 1779. 4°. — IV. D. d. 13.

— Freymüthiger Beytrag, zur Geschichte des oesterr. Militairdienstes, veranlasst durch die Schrift: Ueber den

ersten Feldzug des vierten preuss. Krieges. Frankf. u.
Leipz., 1780. 4°. — IV. D. d. 22.

Nachrichten von Gibraltar, in Auszügen aus Original-
Briefen eines hannöverischen Offiziers aus Gibraltar vor
und während der letzten Belagerung. Frankfurt und
Leipzig, Fleischerische Buchhandl., 1784. 8°. [Mit 1
Karte.] — IV. B. k. 22.

Joly de St. Valier, Histoire raisonnée des opérations militaires et politiques de la dernière guerre, suivie d'observations sur la révolution, qui est arrivée dans les moeurs.
et sur celle, qui est sur le point d'arriver dans la constitution d'Angleterre. Liège, 1783. 8°. [Bezieht sich auf
den Krieg vom J. 1780.] — IV. B. d. 36.

Histoire du siège de Gibraltar fait pendant l'été de 1782,
sous les ordres du capitaine Général Duc de Crillon ...
A Cadix, Hermil, 1783. 8°. — IV. F. i. 19.

Brief an einen Freund über einen Vertheidigungsplan der
Holländer bey wirklichem Ausbruche des Krieges. Frankf.
u. Leipz., 1784. 8°. — IV. B. b. 1.

Pfau, Théod. Phil. de, Hist. de la campagne des Prussiens
en Hollande en 1787. Trad. de l'allemand. Berlin, Impr.
Royale, 1790. 4°. [Av. figg. et portr. de Charles Guill.
Ferd. Duc de Brunswic.] — IV. B. a. 19.

Tagebuch von dem preuss. Feldzug in Holland 1787. 8°.
— IV. B. b. 8.

Carl, Prinz von Hessen, Geschichte des Feldzuges in
Schweden im Jahre 1788. Hamburg, 1789. 8°. — IV.
B. e. 6.

Victoires, conquêtes, désastres, revers et guerres civiles
des Français de 1792 à 1815, par une sociéte de militaires et de gens de lettres. Paris, C. L. F. Panckoucke
1817—22. 8°. 26 voll. [Avec 171 tables géogr.] — IV.
C. b. 5—30.

Schulze, J. M. F., Vollständige Geschichte des französischen
Krieges, ein Lesebuch für alle Stände. Erster Theil.
Geschichte des Krieges vom Anfange desselben bis
zu Ende des dritten Jahres der Frankenrepublik, 20.
April 1792 bis 23. September 1795. Berlin, königl. preus-
sische Kunst- und Buchhandlung, 1797. 8°. — IV.
B. f. 24.

Denkwürdigkeiten, Militairische, unserer Zeiten, insbesondere des franz. Revolutions-Krieges im Jahre 1792
u. s. f., von dem Herausg. des Militairischen Journals.
Hannover, Helwing'sche Hofbuchhandl., 1797. 8°. — IV.
B. k. 34.

Denkwürdigkeiten, Militairische, unserer Zeiten, insbes.
des franz. Revolutionskrieges im J. 1792 u. s. f. Zweiter
und fünfter Band. A. u. d. T.: Journal, Neues militairisches — 17. und 18., 23. und 24. Stück. Hannover,
Helwing, 1804. 8°. — IV. E. i. 1—2.

Helden, général van, Relation de la prise de Francfort
sur le Mein par S. M. le Roi de Prusse et réponse aux
déclamations calomnieuses du général Custine. A la Haye,
J. van Cleef, 1798. 8°. — IV. B. g. 33.

Frédéric II., roi de Prusse, Réflexions sur les projets de
campagne. On y a joint un mémoire raisonné du duc
de Brunswic, touchant la campagne 1792. Tubingue,
J. G. Cotta, 1808. 8°. — IV. B. d. 15.

Unternehmen der Preussen auf Bitsch in der Nacht des
17. November 1793. [Mit einem Plane dieser Festung.]
Frankfurt, Friedr. Esslinger, 1795. 8°. — IV. B. b. 4.

Uebersicht, Kurze, des Feldzuges im Jahr 1793 zwischen
dem Rhein und der Saar, ... aus dem Tagebuche eines
bey der Alliirten Armee befindlichen englischen Officiers
frey übersetzt. Frankfurt und Leipzig, 1793. 8°. — IV.
B. m. 15.

Unterberger, Freyherr L. v., Tagebuch der Belagerung
u. Bombardirung der französischen Festung Valenciennes
durch die Kaiserlichen Königlichen, Königl. Englischen
und Chur-Hannöverischen Truppen im Monat Junius und
Julius des J. 1793. Zweyte mit einem neugestochenen
Plane verseh. Ausg. Wien, Carl Ferdin. Beck, 1815. 8°.
[Der Plan colorirt.] — IV. B. i. 24.

Neander, der Zweite, Erklärung der Operationskarte, welche
die Feldzüge am Oberrhein unter ... Friedr. Wilhelm II.,
dem ... Herzog von Braunschweig, dem ... Feldmar-
schall Grafen von Wurmser 1793 und unter dem Feld-
marschall von Möllendorf 1794 darstellet. Berlin, Georg
Decker, 1798. 8°. — IV. B. k. 8.

Mémoires sur la dernière guerre entre la France et l'Espagne dans les Pyrénées occidentales par le citoyen B***.
Avec une carte militaire de la frontière de France et
d'Espagne, où sont tracés les camps retranchés et batteries
des Français et des Espagnols. Paris et Strasbourg,
Treuttel et Würtz, an X., 1801. 8°. — IV. B. i. 21.

(Mack, Frh. v.), Nähere Beleuchtung des dem ... Freyh.
v. Mack zugeschriebenen Operationsplans für den Feldzug
1794 des oesterreichisch-französischen Krieges. Berlin,
J. F. Unger, 1796. 8°. 3 Bde. [Mit 2 Kk.] — IV. D. d.
26—28.

Magazin der neuesten und merkwürdigsten Kriegsbegeben-
heiten. Frankf., F. Esslinger, 1794—96. 8°. 7 Bde. —
IV. C. g. 1—7.

Porbeck, H. P. R., Kritische Geschichte der Operationen,
welche die engl. Armee zur Vertheidigung von Holland
in d. J. 1794 und 1795 ausgeführt hat. Braunschweig,
F. B. Culemann, 1802. Königslutter, C. W. Hahn, 1804.
8°. 2 Bde. [M. Kk.] — IV. C. k. 1—2.

Wiebeking, Der Uebergang der Franzosen über den Rhein
am 6. September 1795. Frankfurt am Mayn, Wilhelm
Fleischer, 1796. 8°. — IV. B. l. 15.

Beitrag zur Geschichte des Feldzuges vom Jahr 1796. In
besonderer Rücksicht auf das schwäbische Korps. Altona,
1797. 8°. — IV. B. l. 12.

Histoire du siège de Lyon ... depuis 1789 jusqu'en 1796.
Paris, Vve. Rusand, an V., 1797. 8°. 2 voll. — IV. C.
g. 25—26.

Feldzüge, Buonaparte's, in Italien, aus dem Franz. des
Bürgers P. [Mit Kupfern und einer Karte.] Leipzig,
Karl Wilh. Küchler, 1798. 8°. Eine Uebersetzung des
Werkes des Generals P.(ommereul): Campagnes du général
Bonaparte en Italie pendant les années IV. et V. (1796—7).
Paris, 1797. [Mit dem Bildniss Napoleon's nach Charles
Vernet, und Massena's.] — IV. B. g 34.

De la Fitte, Mémoire militaire sur la frontière de Flandre
et de Hainault depuis la mer jusqu'à la Meuse, s'est-à-
dire depuis Dunkerque jusqu' à Charlemont. Basle,
J. Decker, 1797. 8°. — IV. C. i. 14.

Berthier, (Alex.), Relation des campagnes du général
Bonaparte en Égypte et en Syrie. Paris, P. Didot l'aîné
an VIII., 1800. 8°. — IV. B. f. 9.

Wylliams, Cooper, Reise auf dem Mittelmeere im Gefolge
des Admirals Nelson. Mit e. Beschr. der Schlacht bei
Abukir am 1. August 1798 etc. Aus d. Engl. Hamburg,
A. Campe, 1803. 8°. [M. 1 Karte.] — IV. C. f. 88.

Miot, Jacques, Mémoires pour servir à l'histoire des expé-
ditions en Égypte et en Syrie, pendant les années VI.,
VII. et VIII. de la République française. Paris, Demo-
noille, an XII., 1804. 8°. — IV. B. g. 18.

Pièces diverses et correspondance, relatives aux opérations
de l'armée d'Orient en Égypte. Paris, Baudouin, Messidor
an IX., 1801. 8°. — IV. B. e. 7.

Campagne des Austro-Russes en Italie sous le comman-
dement du comte Alexandre Suworow Rymniskoi-Italskoi.
Avec des cartes militaires, des plans de sièges et de

batailles, coloriés av. soin. Leips., Reinicke et Hinrichs,
1800. 4°. — IV. B. C. 24.

M a r è s , Précis historique de la campagne du général Massena,
dans les Grisons et en Helvétie, depuis le passage du
Rhin jusqu'a la prise de position sur l'Albis, ou recueil
des rapports, qui contiennent les détails des opérations
de celle campagne. Paris, l'imprim. de Vatar Jouannet,
an VII., 1795. 8°. — IV. B. g. 28.

H a l l e r , C a r l L u d w i g v o n , Geschichte der Wirkungen
und Folgen des östreichischen Feldzuges in der Schweiz,
ein histor. Gemälde der Schweiz vor, während und nach
ihrer versuchten Wiederbefreyung. II. Thl. Weimar,
Gebrüder Gädicke, 1801. 8°. — IV. B. f. 23.

(S u w o r o w) , Histoire des campagnes du comte Alexandre
Suworow Rymnikski, général-feld-maréchal . . . Londres,
1799. 8°. 2 voll. — IV. C. l. 4—5.

P r é c i s des évènemens militaires . . . ou essai historique
sur la guerre présente. 1799. Nr. 1—12. Hambourg,
Fr. Perthes, 1799. 8°. [Av. figg.] — IV. C. g. 27—30.

— des évènemens militaires. Nr. VII. Mois octobre — decembre
1799. Paris, Treuttel et Würtz, 1799. 8°. [Av. planches.]
— IV. B. g. 22.

B o r e u x , Tableaux des principaux évènemens militaires de
la guerre présente et des changements arrivés dans la
division géographique et politique de l'Europe, en cinq
cartes coloriées. Leipsic, Reinicke et Hinrichs, 1799. 8°.
— IV. B. g. 27.

W a l s h , Der Feldzug in Nordholland im J. 1799. Nach d.
Engl. bearb. v. Menu von Minutoli. Berlin, Himburg,
1810. 8°. [Mit 1 Karte.] — IV. D. l. 14.

M o r r i e r , J. P., Ueber den Feldzug der Türken in Egypten
vom Februar bis zum Julius 1800. Aus dem Englischen.
Leipzig, Wilhelm Rein, 1802. 8°. — IV. B. e. 5.

B ü l o w , v., Feldzug, Der, von 1800, milit.-polit. betrachtet
von dem Verfasser des Geistes des neueren Kriegssystems. Berlin, H. Frölich, 1801. 8°. — IV. C. f. 8.

C a m p a g n e des Français en Italie en 1800, sous le comman-
dement de Bonaparte et de Berthier, par W . . . .
officier attaché à l'état-major, pour servir de suite à la
Campagne des Austro-russes en Italie. Leipsic, Reinicke
et Hinrichs, 1801. 4°. [Mit d. Portr. des ersten Consuls
Bonaparte nach David, gest. v. Moreau, u. 4 color. Karten
in Fol.] — IV. C. a. 19.

H é n i n , F., Journal historique des opérations militaires du
siège de Peschiera et de l'attaque des retranchemens de

Sermione. Accompagné de cartes et de plans et suivi d'une noto sur la maison de campagne de Catulle. An IX., 1801. 8°. — IV. B. g. 9.

[Thiébault, baron], Journal des opérations militaires du siège et du blocus de Gênes . . . Paris, Magimel, an IX., 1801. 8°. — IV. D. g. 12.

Scharnhorst, G. v., Die Vertheidigung der Stadt Menin und die Selbstbefreiung der Garnison unter dem Generalmajor v. Hammerstein. [M. 1 Plane.] Hannover, Helwing, 1803. 8°. — IV. C. l. 25.

Betrachtungen, Militärische und politische über den jetzigen Zustand von Europa. 1804. 8°. — IV. B. b. 7.

Mack, von, Vertheidigung des östreichischen Feldzugs von 1805, dem Hofkriegsrath übergeben von dem General-Feldzeugmeister —. Deutschland, 1806. — IV. C. l. 17.

(Bülow, v.), Der Feldzug von 1805, militärisch-politisch betrachtet. Erster Thl. Auf Kosten des Vf., 1806. 8°. — IV. E. l. 27.

Bataille, La, d'Austerlitz, par un militaire, témoin de la journée du 2. décembre 1805. Hambourg, 1806. 8°. |Mit 1 Landkarte des Kriegsschaupl. in Kupferstich.] — IV. B. i. 13.

Kotzebue, Wilh. von, Versuch einer Beschreibung der Schlacht bey Dürnstein, am 11. Nov. 1805 . . . Herausg. von A. v. Kotzebue. — 1807. 8°. [Mit d. Plane.] — IV. D. l 27/1.

Pièces officielles relatives à la guerre et au blocus des îles Britanniques. Novembre, 1806. Berl., Imprimerie Royale, 8°. — IV. B. e. 24.

Bülletins der Grossen Armee. Ohne Titelblatt. 8°. [Enthält: Erstes Bülletin der Grossen Armee. Bamberg, den 8. Octob. 1806, bis zum 26. Bülletin, d. 3. Novemb. 1806.] — IV. B. k. 23.

Bericht eines Augenzeugen von dem Feldzuge, der während den Monaten September und October 1806 unter dem Komm. des Fürsten Hohenlohe-Ingelfingen gestandenen königl. preuss. und kurfürstlich sächsischen Truppen. Von R. v. L. Nebst Plänen und Beylagen. Tübingen, J. G. Cotta, 1807. 8°. [Mit 4 Kupfertaf.] — IV. B. i. 16.

(Saalfeld), 10. Oct. 1806. Das Gefecht bei Saalfeld an der Saale. Germanien, 1807. 8°. [M. Plan.] — IV. D. l. 27/2.

Fragmente aus dem Tagebuche eines preussischen Regiments-Schreibers über die Begebenheiten des 14. Octobers 1806 und der folgenden Tagen. 1807. 8°. — IV. B. e. 4.

Voss, Julius v., Was war nach der Schlacht von Jena zur Rettung des preussischen Staates zu thun? Eine kriegskünstlerische Untersuchung. Berlin, Joh. Wilhelm Schmidt, 1807. 8⁰ — IV. B. g. 26.

Reflexions d'un militaire sur les événemens de la dernière guerre. Cologne, chez Pierre Marteau, 1806. 8⁰. — IV. C. i. 9/1.

Kritik des Feldzugs in Deutschland im J. 1806. — 1808. 8⁰. — IV. D. g. 27.

Dietrich, G. S., Gross-Glogau's Schicksale von 1806—14. Glogau, Günter, 1815. 8⁰. — IV. C. i. 8.

Schlacht, Die, von Eylau . . . unter persönlicher Anführung von Napoleon, gegen die vereinigten Armeen der Russen und Preussen, den 8. Februar 1807. 4⁰. Deutsch und franz. [Mit dem Bildn. des Feldmarsch. J. A. Graf von Kalkreuth, gez. von Dähling, gest. v. Bollinger, und 5 colorirten Schlachtplänen in Kpfr. in Fol.] — IV. C. a. 13.

Belagerungsgeschichte der Festung Glogau. Glogau, Günter, 1807. 8⁰. — IV. R. k. 17.

Tagebuch der Blokirung von Stralsund und deren Folgen, geführt von einem unterrichteten Augenzeugen bis zum 19. April 1807. Leipz., H. Gräff, 1808. 8⁰. [M. 1 Plan.] — IV. F. l. 25.

Rocca, de, Mémoires sur la guerre des Français en Espagne. Seconde édition. Paris, Gide Fils, H. Nicolle, 1814. 8⁰. — IV. B. i. 34.

Staff, H. v., Der Befreiungskrieg der Katalonier in den Jahren 1808 bis 1814. Breslau, Kommiss.-Verlag von Joseph Max, 1821. [Mit 1 Karte und 2 Plänen.] 8⁰. — IV. B. d. 24.

Foy, Max. Sébastien, Histoire de la guerre de la Péninsule sous Napoléon, précédée d'un tableau politique et militaire des puissances belligérantes, publiée par Mme. la comtesse Foy. Bruxelles, H. Tarlier, 1827. 12⁰. 4 voll. — IV. B. e. 15—18.

Zug der verbündeten Europäer und Asiaten nach Ostindien. Leipz., Wilh. Heinsius, 1808. [Mit einer Karte.] 8⁰. — IV. B. k. 15.

Ehrmann, Theoph. Friedr, Ueber die Heereszüge zu Lande nach Indien, ein geographisch-historischer Versuch. Weimar, Landes-Industrie-Comptoir, 1808. [M. 1 Karte.] 8⁰. — II. B. d. 32/1.

Briefe, Vertraute, über Oestreich, in Bezug auf die neuesten Kriegsereignisse im J. 1809. I. Theil. Stralsund, Leipzig, Heinr. Gräff, 1810. 8⁰. — IV. B. b. 11.

L.   22

Krieg, Der, von 1809 zwischen Oesterreich und Frankreich, von einem österreich. Offizier. I. Band, 1. Abschnitt. Wien, Anton Strauss, 1811. [M. Karten u. Plänen.] 8°. — IV. B. g. 14.

Janitsch, Aemilian, Merkwürdige Geschichte der Kriegsvorfälle zwischen Oesterreich und Frankreich im J. 1809, nebst einem Anhang von Aktenstücken und Beylagen. Wien, Cath. Gräffer u. Co., 1812. [M. 3 illum. Plänen.] 8°. — IV. B. f. 26.

Landweg, Der, durch Russland nach Indien, deutlich beschrieben und durch eine illuminirte Charte bezeichnet. Leipzig, C. F. Steinacker, 1812. 8°. — II. B. d. 32/2.

Durdent, R. J., Campagne de Moscow en 1812. Paris, A. Eymery et Le Normant, 1814. 8°. — IV. B. i. 27.

Tschuikewitsch, P. v., Betrachtungen über den Krieg von 1812. St. Petersburg, gedr. bei F. Drechsler, 1813. 8°. — IV. B. d. 17.

Vuitel, Sammlung von officiellen Aktenstücken in Bezug auf den Krieg von 1812 zwischen Frankreich und Russland. Dresden, Carl Gottlob Gärtner. 4°. Zweispaltig, in franz. und deutsch. Sprache, unvollendet, reicht bis zum 21. Bülletin der grossen Armee, datirt: Moskwa, den 20. Sept. 1812. — IV. B. f. 16.

Krieg, Der, der Franzosen und ihrer Alliirten gegen Russland 1812 und 1813. Von *r. I. Bd. Leipzig, W. Engelmann, 1813. 8°. — IV. B. k. 12.

Geschichte, Chronologische, oder Tagebuch vom deutschen Freiheits-Kriege. Erster Theil. Enthaltend den Zeitraum vom 3. December 1812 bis Ende December 1813. oder von der Flucht der Franzosen aus Russland bis zum Uebergange der alliirten Truppen über den Rhein. Berlin, Gebr. Gädicke, 1814. 8°. — IV. B. i. 33.

Nosselt, Friedr. Aug., Geschichte des Feldzuges in Schlesien im Jahr 1813. Breslau, im Selbstverl., 1817. [Mit 1 Karte und 2 Plänen.] 8°. — IV. B. i. 8.

Lüders, Ludwig, Welthistorische Ansicht vom Zustande Europa's am Vorabend der Schlacht bei Leipzig im J. 1813. Mit einem Plane der Schlacht bei Lützen. Leipz. und Altenburg, F. A. Brockhaus, 1814. 8°. — IV. B. k. 6.

Schlacht, Die, bei Leipzig. Von G. v. H. [Hofmann?] Posen, gedr. bei W. Decker u. Co., 1835. 8°. — IV. B. e. 11.

Schoberl, Frédéric, Batailles de Leipsick, depuis le 14 jusqu'au 19 octobre 1813, ou récit des événemens mémorables, qui ont eu lieu dans cette ville et aux environs pendant ces cinq journées, le tout originairement écrit en allemand par un témoin oculaire. Traduit de l'anglais de M. Frédér. Schoberl sur la 8. édit. et accompagné de notes. Paris, J. G. Dentu, 1814. 8°. — IV. B. g. 15.

Darstellung der Ereignisse in Dresden im Jahr 1813, von einem Augenzeugen. Dresden, Arnoldi'sche Buchhandl., 1816. 8°. — IV. B. i. 29.

Hofmann, von, Zur Geschichte des Feldzuges von 1813. Posen, gedr. bei W. Decker und Comp., 1838. 8°. — IV. B. e. 19.

Michailowsky-Danilewsky, A., Denkwürdigkeiten aus dem Feldzuge vom Jahre 1813, aus d. Russisch. übers. v. K. Goldhammer. Dorpat, C. A. Kluge, 1837. [Mit 1 Karte und 5 Schlachtplänen.] 8°. — IV. B. f. 32.

Ott, Konrad, Geschichte der letzten Kämpfe Napoleon's, Revolution und Restauration. Leipzig. F. A. Brockhaus, 1843. 8°. 2 Bde. — IV. B. e. 45—46.

Heusinger, E., Ansichten, Beobachtungen u. Erfahrungen, gesammelt während der Feldzüge in Valencia und Catalonien, . . . 1813 u. 1814 . . . bis . . . 1816. Braunschw., G. C. E. Meyer, 1825. 8°. — IV. D. f. 16.

Michailowsky-Danilewsky, A., Erinnerungen aus den Jahren 1814 und 1815, aus dem Russischen übers. von Karl R. Goldhammer. Dorpat, A. C. Kluge, 1838. 8°. — IV. B. f. 33.

Beiträge zur Kriegsgeschichte der Feldzüge 1813 u. 1814. von einem Officier der alliirten Armee. Berl., Realschulbuchhandl., 1815. 8°. — IV. B. f. 12.

Giraud, P. F. F. J., Campagne de Paris en 1814, précédée d'un coup-d'-oeil sur celle de 1813. Seconde édition, corrigée et augmentée. Paris, 1814. 8°. — IV. B. i. 26.

Hugo, Abel, Histoire de la campagne d'Espagne en 1823, ornée de 22 gravures par Couché fils. Paris, Lefuel, 1821—25. 8°. 2 voll. — IV. B. e. 20—21.

Iwanitschew, Fedor, Geschichte des russisch-türkischen Krieges. Erster Theil: Feldzug von 1828, nebst Darstellung der diplomat. Verhandlungen u. der dem Kampf vorhergegangenen Ereignisse, mit Rücksicht auf den Gang der Begebenheiten im Jahr 1829. Ilmenau, Druck und Verlag von Bernh. Fr. Voigt, 1829. 8°. — IV. B. e. 10.

Journal d'un officier de l'armée d'Afrique. Paris, Anselin, 1831. 8°. [Mit 1 Plan von Algier in Kpfr.] — IV. B. e. 22.

— des opérations de l'artillerie au siège de la citadelle d'Anvers, rendue le 23 décembre 1832 à l'armée française sous les ordres de M. le maréchal comte Gérard. Paris, Impr. Royale, 1833. 4°. [Av. 2 tabb. in Fol.] — IV. C. a. 24.

Willisen, W. v., Der italienische Feldzug des Jahres 1848. Berlin, Duncker u. Humblot, 1849. 8°. [Der „Theorie des grossen Krieges,“ dritter Theil.] — IV. B. e. 51.

Krieg, Der deutsch-französische, 1870—71, redigirt von der kriegsgeschichtlichen Abtheilung des grossen Generalstabes. Berlin, Ernst Siegfr. Mittler u. Sohn, 1872—1881. 8°. 5 Bde. — VI. E. b. 1—5.

— — Atlas. Fol. — VI. A. a. 1.

Fay, Charles, Oberstlieutenant im Generalstabe, Tagebuch eines Officiers der Rhein-Armee, aus dem Französischen nach der 3. Ausg. von Dr. Oskar Schmidt. Deutsche Orig.-Ausg. Posen, Louis Merzbach, 1871. [Mit einer Karte des Kriegstheaters bei Metz.] 8°. — V. E. k. 6.

Medicin.

Vgl. hierzu Bd. III., S. 517—522.

Literatur, Bibliographie und Geschichte der Medicin.

Mangeti, Jo. Jac., Bibliotheca scriptorum medicorum, veterum et recentiorum. Genevae, Perachon et Cramer, 1731. Fol. Vol. I.—III. A. — Quintiis, vol. IV. deest. [Cum figg. et eff. auctoris: B. Guillibaud pinxit, J. G. Seiller sculpsit.] — IV. L. a. 17—19.

Platner), Bibliothecae Platnerianae medicae sectio prior. Lipsiae . . . a. d. 24. Febr. 1749 auctionis lege distribuenda. P. 495 pars posterior. Lips., 1749. 8°. — IV. O. k. 19.

Boehmeri, Joh. Benj., Bibliotheca medico-philosophica, Lipsiae, die V. Maii 1755 . . . vendenda. Ex offic. Crucigeriana. 8°. — IV. P. k. 5.

Voss, Leopold, Bibliotheca physi-comedica. Verzeichniss wichtiger älterer sowohl, als sämmtlicher seit 1821 in Deutschland gedruckter Bücher aus den Fächern der Physik, Chemie, Geognosie, Mineralogie, Botanik, Zoologie. vergleich. u. menschl. Anatomie, Physiologie, Pathologie, Therapie, Materia medica, Chirurgie, Augenheilkunde, Geburtshülfe, Staatsarzneikunde, Pharmacie, Thierarzneikunde etc. Leipz., im Jan. 1832. 8°. — II. S. i. 74.

Catalogus bibliothecae medico-miscellaneae D. Henrici Alberti Nicolai. Argentinae, ex typogr. Kürsneriana, 1743. 8°. — IV. N. k. 13.

(Juncker, Jo.), Catalogus dissertationum academicarum sub praesidio Dn. D. Joannis Junckeri, prof. med. p. o., ventilatarum. (1718—1749.) Halae, J. Ch. Hendel, 1749. 4°. — 311.

Heisteri, Laur., Apparatus librorum, nec non instrumentorum . . . ., Helmstadii a. d. III. Jan. et seqq. A. 1760 auctionis lege publice divendendorum. Helmst., Jo. Drimborn, 1760. 8°. — IV. O. i. 15.

Ersch, Joh. Sam., Literatur der Medicin seit der Mitte des 18. Jahrh. bis auf die neueste Zeit, systematisch bearbeitet . . Amsterdam u. Leipzig, Kunst- u. Industrie-Comptoir, 1812. 8°. — III. S. d. 10.

Koszutski, Józef, Dr., Bibliografia dzieł o dyfteryi. Z. O stósunku dyfteryi do krupu. 8°.

Stolle, Glieb, Anleitung zur Historie der medicinischen Gelahrheit, in dreyen Theilen. Jena, J. Meyers Wwe., 1731. 4°. — IV. P. c. 7.

Sprengel, Kurt, Versuch einer pragmat. Geschichte der Arzneikunde. Halle, J. J. Gebauer, 1792—93. 8°. 2 Bde. — IV. O. d. 10—11.

Schulzii, Jo. Henr., Historia medicinae a rerum initio ad annum urbis Romae 535 deducta. Lips., P. C. Monath, 1728. 4°. [Cum figg.] — IV. P. c. 9.

Donatus, Marcellus, De medica historia mirabili libri sex . . . Venetiis, F. Valgrisius, 1588. 4°. — IV. P. c. 17.

Freind, J., Histoire de la médecine, . . . depuis Galien jusqu'au commencement du 16. siècle, trad. de l'anglois . . . par Etienne Coulet. Tome I. cont. les auteurs Grecs. Leide, J. A. Langerak, 1727. 8°. — IV. N. f. 12.'

Hecker, A. F., Die Heilkunst auf ihren Wegen zur Gewissheit, oder die Theorien, Systeme u. Heilmethoden der Aerzte seit Hippokrates bis auf unsere Zeiten. 3. Aufl. (Der Auserles. Mediz.-Bibl. 46ster Theil.) Wien, A. Doll, 1813. 8°. — IV. O. c. 30.

Stahl, Geo. Ern., Propempticon inaugurale de historia medica practica, Acc. Vita Joach. Petri Gaethe. Halae Magd., Chr. Henckel, 1705. 4°. — IV. M. l. 13/8a.

Bontii, Jacobi, De medicina Indorum lib. IV. Notae in Garciam ab Orta, De diaeta sanorum. Observationes e cadaveribus. Lugd. Bat., apud Franc. Hackium, 1642. 12°. (Ueber die Krankheiten in Ostindien, die Mittel dagegen und Praeservative.) — IV. O. l. 31.

Garçia ab Horto, Aromatum et simplicium aliquot medicamentorum apud Indos historia, primum quidem Lusita-
nica lingua _ΠΑΛΟΓΙΚΩΣ_ conscripta . . . Deinde latino
sermone in epitomen contracta . . . a Carolo Clusio Atre-
bate. IV. ed. Antv., ex off. Piantiniana, 1593. 8°. |Cum
figg. ligno inc.] — IV. P. g. 22.
Platner, Jo. Zach., De arte obstetricia veterum. Lips.,
Langenhemius, 1735. 4°. — 57.
Haller, Alb. de, praes., Walbaum, Jo. Jul., auctor,
Diss. inaug. med. chirurg. de venae sectione veterum ac
recentiorum, . . . pro gr. doct. Goettg., Hager, 1749,
prid. Cal. Oct. 4°. — 592.
Sprengel's, Kurt, Beyträge zur Geschichte des Pulses,
nebst einer Probe seiner Commentarien über Hippokrates'
Aphorismen. Leipz. u. Bresl., J. E. Meyer, 1787. 8°. —
IV. O. i, 11.
Castellanus, Petrus, Vitae illustrium medicorum, qui
toto orbe ad haec usque tempora floruerunt. Antv., Guil.
a Tongris, 1618. 8°. — IV. O. k. 26.
Boerner, Friedrich, Nachrichten jetztlebender berühmter
Aerzte und Naturforscher in und ausser Deutschland.
III. Bdes 5. u. letztes Stück (mit der Lebensbeschr. des
E. Gfr. Baldinger.) Wolfenbuttel, J. Ch. Meissner, 1764.
8°. — IV. O. i. 26.
Menjotii, Ant., Epistola apologetica de variis sectis ample-
ctendis. Lugd. Bat., J. de Vivie, 1688. 12°. — IV. P. l. 10/2.
Hofsteteri, Joh. Adami, D., Epistola gratulatoria (ad
Joh. Just. Gravium), in qua de sectis medicorum agitur.
Halae, J. Gruner, 1706. 4°. — IV. M. l. 13/41.
Le Viseur, C. J., Geschichtliche Skizze der Wahrhaftigkeit
und der Luge in der ärztlichen Praxis, von ihrem Anbeginn
bis in die Neuzeit . . . Posen, J. J. Heine, 1859. 8°. —
V. B. g. 54.

Medizinische Zeitschriften.

Bartholini, Thomae, Acta medica et philosophica Haf-
niensia an. 1671 et 1672. Hafniae, P. Haubold, 1673. 4°.
|Cum figg.| — IV. M. l. 4/1.
Arzt, Der, eine medicinische Wochenschrift. I. Thl., 2 Aufl.
— XII. Thl. Hamb., G. C. Grund's Wwe, 1759—64. [M. d.
Portr. von D. J. A. Unzer in Kupferst.] 8°. 12 Bde. —
IV. N. c. 1—12.
Land-Physicus, Der chursächsische, eine medicinisch-
physicalische Monatsschrift, unter der Direction des Dr.

Friedrich August Weiz. Naumburg, 1771. [Vom Januar
1771 bis Decemb. 1773.] 4°. — IV. P. f. 10.

Baldinger, Ernst Gfr., Neues Magazin für Aerzte. I.—
XVI., XIX.—XX. Bd. Leipzig, Fr. G. Jacobäer u. Sohn,
1779—94, 1797—98. 8°. 18 Bde. — IV. P. d. 1—18.

Beiträge, Neue, zur Natur- u. Arzenei-Wissenschaft, heraus-
gegeben von C. G. Selle. Berlin, Aug. Mylius, 1782—83.
8°. 2 Bde. [Mit Beiträgen auch von Marcus Herz und
Martin Heinr. Klaproth: „Geschichte der Bestuscheffschen
Nerventinctur und der Lamottischen Goldtropfen."] —
IV. N. d. 8.

Hufeland, Ch. W. Dr., Neueste Annalen der französischen
Arzneykunde u. Wundarzneykunst. Leipz., A. F. Böhme,
1791—93. 8°. 2 Bde. [Mit Kk.] — IV. O. f. 4—5.

— Journal der practischen Arzneykunde und Wundarzneykunst. 10.-27. Bd. A. u. d. T.: Neues Journal d. pract.
Arzneykunst. 3.—20. Bd. Jena, Acad. Buchhandlung,
1800—1808. 8°. 19 Bde. Acc : Universal-Register zu den
ersten zwanzig Bänden des Journals der practischen
Heilkunde herausg. von Dr. C. W. Hufeland. Berlin,
L. W. Wittich, 1807. 8°. — IV. O. h. 1—19.

Paracelsus.

Dethardingius, Geo. Chph., praes., Ehlers, Jo. Leonh.,
resp., Disp. med. inaug. de Cambucca Paracelsi, quam
sub praesidio —, pro gradu doctoris rite obtinendo, . . .
publicoeruditorum examini submittit —. Rostochii, Adler,
1756, Sept. 30. 4°. — 77.

Paracelsi ab Hohenheim, Theophr., Generosi omnique
in scientiarum genere expertissimi uiri —. Libri quatuor
de uita longa, diligentia et opera Adami a Bodenstein
recogniti, nuncque primum in lucem aediti. Basileae,
1560. 8°. — III. N. p. 24/3.

— De meteoris liber, de matrice liber alius, de tribus principiis liber tertius, quibus astronomica et astrologica
fragmenta quedam accesserunt, omnia ex versione Gerardi
Dorn. Bas., P. Perna, (1569?) 8°. — IV. O. k. 18.

— Kleine Wundartzney —, drey Bücher begreiffendt, durch
M. Geo. Forbergern . . . in Truck vertertiget. Basel,
Peter Perna, 1579. 8°. — IV. P. l. 30.

— Centum quindecim, curationes experimentaque e germanico
idiomate in latinum versa. Accesserunt quaedam prae-
clara atque utilissima a B. G. (Penoto) a Bortu Aquitano
annexa. Item abdita quaedam Isaaci Hollandi de opere

vegatabili et animali adjecimus. Adjuncta est denuo practica operis magni Philippi a Rovilasco Pedemontani. Basileae, excudebat Johannes Lertout, [post a. 1582.] 8°. — IV. P. l. 31.

Paracelsi, Theophrasti, Labyrinthus medicorum errantium, cui accessit: dialogus de crisi et catacrisi mali cujusdam medici. Hanoviae, Guil. Antonius. 1599. 8°. — IV. P. k. 19.

Vehr, Irenaeus, praes., Scholtz a Schollenstern, Jul. Ern., resp., Disp. inaug. med. qua Diaceltatesson Helmontii exponitur, . . . pro licentia. Francof. ad V., Chph. Zeittler, 1698, Apr. 9. 4°. — 612.

Geschichte der Krankheiten.

Razae libellus de peste, de graeco in latinum sermonem uersus per Nicolaum Macchellum. Venetiis, Andr. Arrivabenus, 1555. 8°. — IV. O. k. 34/2.

Alphani, Franc., De peste, febre pestilentiali et febre maligna, nec non de variolis et morbillis, quatenus nondum pestilentes fuerunt. Neapoli, Hor. Salvianus, 1577. 4°. — IV. P. e. 6.

Massäria, Alex., De peste libri duo. Venetiis, Altobellus Salicatius, 1579. 4°. — IV. M. i. 5.

Schröter, Joh., Dr., . . . Bericht vnnd Rathschlag, wie man . . . in diesen schweren leufften der Pestilentz, sich halten vnd bewaren, auch so jemandt damit befleckt, wie er damit gebaren sol . . . Leipzig, Henning Gross, 1583. 4°. — IV. M. l. 6/3.

Scepsius, Dan., Bericht vnd Ordnung, wie man sich jetzt vnd künfftig in Sterbens leufften, . . . weil es auff die neyge der Welt kommen, recht preseruiren vnnd curiren soll. Neyss, auffm Kaldenstein, 1585. 4°. — IV. M. l. 6/4.

Schöps, Dan., Kurtzer Bericht, wie es sich inn der jetzo geschwinden Straff der Pestilentz Reich vnd Arm zu uerhalten . . . Bresslaw, Geo. Bawman, 1599. 4°. — IV. M. l. 6/12.

Bökelii, Joh., D., Pestordnung der Stadt Hamburg. Hamburg, Jac. Lucius, 1597. 4°. — IV. M. l. 6/11.

Neeffe, Joh., Ein kurtzer Bericht, wie man sich in den jetzo vorstehenden Sterbensleufften mit der Praeseruation, . . . mit der Curation der Pestilentz vnd etzlicher ihrer Accidentien oder Zufellen verhalten sol. Dressden, Matthes Stockel, 1597. 4°. — IV. M. l. 6/2.

Strubius, Casp., D., Kurtzer bericht vnd Ordnung, wie menniglich . . . in itzo gefehrlichen sterbensleufften sich solle verhalten. Wittenberg, Zach. Lehmann, 1597. 4°. — IV. M. 1. 6/13.

Barthii, Zach., De epidemia sive febre pestilentiali et maligna, quae hisce temporibus in regione septentrionali saeviebat, neque adhuc desinit vagari, liber . . . [Dedidatum Adamo Sendziwoj a Czarnkow, Posnaniae, 5. die Nov. 1597.] Posnaniae, apud vid. et haer. Jo. Wolrabi, 1598. 16°. — IV. O. i. 30.

Bericht, Kurtzer, wie die Artzneyen, welche in vorstehender Sterbensgefahr allhier in Wittenberg in der Apotheken angeordnet, . . . zu gebrauchen sind, gestellet von dem Collegio Medico daselbst. Wittenbg., Paul Helwig, 1607. 4°. — IV. M. 1. 6/17.

Rindtfleisch, Dan., und Rumbaum, Geo., Kurtzer Bericht, wie man sich an itzo vorstehenden Sterbensleufften mit der Praeservation, darnach auch mit der Curation verhalten solle. Bresslaw, Geo. Bawmann, 1607. 4°. — IV. M. 1. 6/16.

— — Kurtzer . . . Bericht, von der jtzt regierenden auffallenden Seuche, derer Praeservation vnd Curation, sampt . . . Taxa der Artzneyen . . . Bresslaw, Geo. Bawman, 1613. 4°. — IV. M. 1. 6/18.

Jessenii a Jessen, Johannis, Adversus pestem consilium, cum ejusdem de mithridatio et theriaca disputatione etc. Giessae, Caspar. Chemlin, 1614. 12°. — IV. P. 1. 2/2.

Reysingh, Jo. Hennem., Med. Dr., Idaea loimodes, in qua salubres oppido ac certissimae in praesentissima luis pestiferae contagie praeservandi curandique rationes ac media . . . suggeruntur. Francof., typis Ant. Hummii, 1615. 4°. — IV. M. 1. 6/5.

Untzeri, Matthiae, Antidotarium pestilentiale, in duos libros tributum. Halae, Michael Olschelegius, 1621. 4°. |Cum eff. auctoris.] — IV. P. f. 7.

Diemerbroeck, Isbrandi de, De peste libri quatuor Arenaci, Joan. Jacobus, 1646. 4°. — IV. P. f. 14.

Grüling, Philipp, Sonderbarer Tractat von der Peste, worinnen zu finden, was die Peste sey, worbey sie zu erkennen, wie man . . . sich vor derselben bewahren und . . . curiren könnt. Nordthausen, Joh. Erasm. Hynitzsch, 1659. 4°. — IV. P. f. 7.

Rivini, A. Q., D., Dissertatio de Lipsiensi peste anni 1680. Lips., L. S. Cörnerus, 1680. 8°. — IV. O. l. 11.

Apinus, Joh. Lud., Febris epidemicae anno 1694 et 95 in Noricae ditionis oppido Herspruccensi et vicino tractu grassari deprehensae tandemque petechialis redditae historica relatio. Norimb., A. O. Swobacus, 1697. 8⁰. — IV. O. k. 30.

Unterricht, Kürtzlicher und gründlicher, wie bey denen anitzo grassirenden gefährlichen Seuchen ein jeglicher sein eigener Medicus seyn ... könne. Halle, Chn. Henckel, 1709. 4⁰. — IV. O. f. 21/2.

Boerhaave, Herm., Atrocis rarissimique morbi historia altera. Lugd. Bat., Sam. Luchtmans et Theodor Haak, 1728. 8⁰. — IV. P. k. 24.

Schreiber, Jo. Fred., Regiomont., Observationes et cogitata de peste, quae annis 1738 et 1739 in Ukraïna grassata est. Petropoli, typis Acad. Scient. 4⁰. — II. C. c. 17.

Vogel, Zach., Merkw. Kranken-Geschichte und nützliche Erfahrungen aus der Geneskunst u. Wundarzney. Erste Sammlg. Rostock u. Wissmar, Berger u. Boedner, 1756. 8⁰. — IV. N. i. 18.

Lautter, Franc. Joseph, Historia medica biennalis morborum ruralium ... 1759—1761. Vindob., J. Th. Trattner, 1761. 8⁰. — IV. O. d. 15/3.

Kaehler, Jo. Siegfr., Morbi spasmodici aliquot historiae. Soraviae, J. Th. Herold, 1778. 8⁰. Pagg. 1—49 desunt. — IV. O. i. 13.

Haller, Albr. v., Sammlung akad. Streitschriften, die Geschichte und Heilung der Krankheiten betreffend, in einen vollst. Auszug gebracht ... von D. Lorenz Crell. Helmstedt, J. H. Kuhnlin, 1779—1780. 8⁰. 3 Bde. — IV. N. i. 1—3.

Von einer vngewöhnlichen ... Schwachheit, welche der gemeine Mann dieserort in Hessen die Kribelkranckheit, Krimpffsucht oder ziehende Seuche nennet, durch die Professores Facultatis Medicae der Universität zu Marpurg in Hessen. Marpurg, 1597. 4⁰. — IV. M. l. 6/14.

Dornkreyl, Tobias, Dr., Consilium von zweyen vngewohnlichen ... Kranckheiten, die dieses 1602 Jars entstanden vnd ... grassiron. Vlsen, M. Kroner, 1602. 4⁰. — IV. M. l. 6/15.

Keppler, Ludovicus, Febris epidemica Regiomontana anni 1649. Elbingae, typis Corellianis, 1650. 4⁰. — IV. O. i. 4.

Monro's, Donald, Beschreibung der Krankheiten, welche in d. britt. Feldlazarethen in Deutschland vom Jan. 1761

bis . . . März 1763 am häufigsten gewesen, . . . aus d.
Engl. v. J. E. Wichmann. Altenburg, Richter, 1766. 8⁰.
— IV. M. f. 13.

Medicinischer Aberglaube.

Baricelli, Julii Caesaris, a Sancto-Marco, Hortulus
genialis sive arcanorum . . . compendium. Colon., Mth.
Smitz, 1619. 12⁰. — IV. P. l. 33.

Indagine, Joannis ab, Introductiones apotelesmaticae in
physiognomiam, complexiones hominum, astrologiam naturalem, naturas planetarum cum periaxiomatibus de facie-
bus signorum et canonibus de aegritudinibus hominum:
omnia nusquam fere ejusmodi tractata compendio, quibus ob
similem materiam access. Gulielmi Grataroli Bergomatis
opuscula de memoria reparanda, augenda et conservanda, de
praedictione morum naturarumque hominum, de mutatione
temporum ejusque signis perpetuis et Pomponii Gaurici
Neapolitani tractatus de symmetriis, lineamentis et physiognomia ejusque speciebus. Argentorati, Laz. Zetzner,
1630. 8⁰. — III. O. n. 33.

Michaelis, Joh., praes., Marquart, Ant., resp., Morbos
ab incantatione et veneficiis oriundos . . . publice exami-
nandos proponit. Lips., T. Höne, 1650, Jun. 27. 4⁰. — 727.

Zentgraff, Joh. Joach., M., praes., Petri, Geo. Henr.,
resp., Disputatio prior (et posterior) de tactu Regis Franciae, quo strumis laborantes restituuntur. Ed. II. Witteb.,
Mich. Wendt, 1667—1670. 4⁰. 2 partes. — 451/1.

Gerardus Bucoldianus, physicus regius, De puella, quae
sine cibo et potu vitam transigit, brevis narratio. Vide
Schard, Sim., Historic. opus. T. II, p. 1866. Fol. —
III. Q. b. 29.

— id. opus. Schardius redivivus, 1673. II., 618. Fol. — II.
M. a. 2/72.

Crausii, Rudolphi Wilhelmi, De influxu astrorum.
Jenae, G. H. Müller, 1687, Juli 20. 4⁰. Acc. Vita doctorandi: Conradi Rud. Hertz. — 319.

Crausius, Rudolf Wilh., praes., Rauschelbach, Joh.
Ern., resp., Diss. med. inaug. de incantatis, pro lic.
Jenae, Krebs, 1701, Mai. 4⁰. — 255.

Schelhammer, Gunth. Chph., praes., Burchard, Cph.,
Mart., resp., Disp. inaug. med. de morbis magicis . . .
(pro doctoratu.) Kilonii, B. Reuther, 1704, Mai 2. 4⁰.
Acc. Programma praesidis de fide historica, cum vita
doctorandi. — 739.

Hoffmann, Frid., praes., Usenbenz, Jo. Andr., M., resp., Diss. med. inaug. de siderum in corpora humana influxu medico, ... pro gradu doct. Halae, Ch. A. Zeitler, 1706, Dec. 4°. — 276.

Eyselius, Jo. Phil., praes., Lange, Sam., resp., Diss. inaug. med. de fuga daemonum, ... pro gradu doct. Erford., J. H. Grosch, 1714, Apr. 23. 4°. Vocatur autem planta nostra ... fuga daemonum eo, quod contra spectra a plebejis adhibetur. — 320.

Hoffmann, Frid., praes., Israel, Theod., resp., Diss. inaug. med. de praestantia remediorum domesticorum, ... pro gradu doctoris. Halae, Chr. Henckel, 1718, Apr. 4°. — 220.

Fischer, Joh. Andr., praes., Ermelius, Joh. Frid., resp., Diss. inaug. physico-medica de osculo vim philtri exserente, pro gradu doct. Erfordiae, J. H. Grosch, 1719, Marz 27. — 188.

— De osculo medico. Erfordiae, J. H. Grosch, 1719. 4°. Acc.: Vita doctorandi Jo. Frid. Ermelii. — 188/2.

De Pre, Jo. Frid., praes., Teutscherus, Jo. Chn., resp., Theses medicae inaugurales de usu et abusu amuletorum, von Brauch und Missbrauch der Anhängsel wider die Kranckheiten, ... pro lic. Erfordiae, J. H. Grosch, 1720, Juni 8. 4°. — 766.

Steuer, Christ. Frid., Diss. med. inaug. de obsessione eademque spuria, von besessenen u. vor besessen gehal- tenen Menschen, pro gradu doct., 9' Oct. 1724. Recusa. Rostochii, J. J. Adler. 4°. C. 2 tabb. aen. — IV. P. c. 25/3.

Krause, Carol. Chn., D., praes., Wagner, Carol. Chn., resp., De amuletis medicis cogitata nonnulla, (pro loco.) Lips., Langenhemius, 1758, Dec. 29. 4°. — 207.

Lange, Joh. Henr., D, Tentamen medico-physicum de remediis Brunsvicensium domesticis. Brunsv., Orphano- tropheum, 1765. 8°. — IV. O. k. 23.

Medicinische Encyklopädie und Methodologie, Propädeutik und Hodegetik.

Encyclopédie méthodique, Médecine, cont. 1°. l'hy- giène. 2°. la Pathologie. 3°. la séméiotique et la noso- logie. 4°. la thérapeutique ou matière médicale. 5°. le médecine militaire. 6°. la médecine vétérinaire. 7°. la médecine légale. 8°. la jurisprudence de la médecine et de la pharmacie. 9°. la biographie médicale etc. par una société de médécins, mise en ordre et publiée par M. Vicq d'Azyr. A Paris, Panckoucke, à Liège, Plomteux, 1787 —98, an VI. 4°. 7 voll. — IV. Q.

Blancard, Steph., Lexicon medicum graeco-latinum. Jenae, literis Müllerianis, 1683. 8°. — IV. N. l. 8.

— Lexicon medicum, graeco-latinum. Editio altera, cui in fine adjecta est ejusdem autoris praxeos medicae idea nova. Amstelodami, apud Isbrandum Haring. 1687. 8°. [Cum effigie auctoris.] — IV. P. e. 31.

Dykcyonarz powszechny medyki, chirurgii i sztuki hodowania bydląt, czyli lekarz wiejski, ... dzieło przez Towarzystwo Lekarzów Francuskich napisane, na język polski przełożone i wielu ważnemi dodatkami powiększone przez W. K***. Warsz., P. Dufour, 1788—1793. 8°. 9 tomów. — IV. P. h. 14—22.

Onomatologia medico-practica, encyklopädisches Handbuch für ausübende Aerzte in alphabet. Ordnung, ausgearb. von einer Gesellschaft von Aerzten. Nürnberg, Raspe, 1783—86. 8°. 4 Bde. — IV. M. f. 18—21.

(Falcucci, Nic.), Sermonum liber scientie medicine Nicolai Florentini doctoris excellentissimi: qui continet octo sermones. Sermo primus hujus libri est: De subjecto medicine et ejus conseruatione. Acc. Sermo tertius de membris capitis. In fine: Venetiis impressus per Bonetum Locatellum presbiterum nomine heredum nobilis viri domini Octauiani Scoti, ciuis Modoetiensis, MDVII. VI. Idibus Augustas. Fol. Goth. 2 Col. 2 voll. — IV. P. a. 11.

Celsi, Aur. Corn., De re medica libri octo . . . Q. Sereni Samonici praecepta medica versibus hexametris. Quinti Rhemnii Pannii Palaemonis de ponderibus et mensuris liber . . . Haganoae, per Joan. Secerium, 1528. 8°. — IV. P. k. 21.

— De re med. lib. VIII. Acc. Q. Ser. Samonici vita. Ejusdemque carmen: De med. praecepta saluberrima, Ant. Molinii Matisconensis opera diligenter emaculata. Q. Rhemnii Fanni Palaemonis de ponderibus et mensuris liber. Lugduni, Jo. Tornaesius, 1554. 12°. — IV. P. l. 22.

— Krause, Car. Chn., A. C. Celsi de re medica libros quatuor posteriores emendat . . . Lipsiae, ex offic. Langenhemia, 1762. 4°. — IV. P. e. 1.

— Kühn, C. G., D., A. Cornelii Celsii editio nova exoptatur. Continuatio IV. Lipsiae, 1822. 4°. — IV. M. d. 10/2.

Steeghii, Godefr., Amorfortii, Ars medica ... Francof., ap. Cl. Marnium, 1606. Fol. — IV. M. c. 2/2.

Quercetanus, (Jos.), redivivus, h. e. ars medica dogmatico-
hermetica ex scriptis Jos. Quercetani . . . tomis tribus
digesta . . . operâ Jo. Schröderi. Francof., Jo. Beyer,
1648. 4°. 3 voll. — IV. P. d. 31.

Villaume, Histoire de l'homme. II. éd. Wolfenbüttel,
Librairie des écoles, 1786. 8°. — III. R. k. 14.

Jordani, Hieron., De eo, quod divinum aut supernaturale
est in morbis humani corporis ejusque curatione, liber.
Francof. ad M., J. Gfr. Schönwetter, 1651. — IV. M.
l. 12/18.

Fioravanti, Leon., M., Bolognese, Della fisica . . . In
Venetia, G. Zattoni, 1678. 8°. — III. N. p. 18.

Vinck, Daniel, Diss. philologico-medica inauguralis de
medicina ejusque praestantia, pro gradu doctoris. Traj.
ad Rh., Alex. van Megen, 1729, Febr. 14. 4°. — 260.

Goelicke, Andr. Ottom., De mathematum studio cum
medicina conjungendo. Francof. cis V., typis Sigismundi
Gabriel. Alex., 1740. Acc. Vita doctorandi: Ern. Ephr.
Eberti, Zdunensis Poloni. 4°. — 264, 671.

Morgagni, Jo. Bapt., Nova institutionum medicarum
idea medicum perfectissimum adumbrans. Lips., J. F.
Langenheim, 1775. 8°. — IV. O. g. 21/3.

Bertrutius, Bononiensis, Methodi cognoscendorum
marborum. [Ed. Chph. Heyll.] Mogunt., an. 1534. 4°. —
IV. P. d. 29/2.

Castellionei, Hier., Cardani, De malo recentiorum
medicorum medendi usu libellus. Venetiis, 1536. 8°. —
IV. P. g. 26/11.

Pechey, Jo., Promptuarium praxeos medicae seu methodus
medendi, praescriptis celeberrimorum medicorum Londinensium concinnata. Amstelod., juxta exemplar Londinense, 1694. 12°. — IV. P. l. 3/1.

Stahlii, Geo. Ern., De methodo medicandi. „Methodus
medicandi arcanum." Acc.: Vita doctorandi Pauli Chph.
Richter. 1702. 4°. — 261.

Hoffmann, Frid., praes, Zaumsegel, Jac., resp., Diss.
inaug. medica de ΣΥΛΛΗΨΙΑΙ praxeos medicae . . . de
opportunitate temporis in methodo medendi, pro lic.
Halae., J. Ch. Hilliger, 1724, März. 4°. — 344.

Boerhave, Herm., Methodus discendi medicinam. Londini,
1726. 8°. — IV. O. f. 34.

Werlhofii, Pauli Glieb., Cautiones medicae de limitan-
dis laudibus et vituperiis morborum et remediorum.
Hannoverae, sumpt. haered. Nicolai Foersteri et Filii,
1734. 4°. — IV. P. f. 6.

Röschlaub, Andr., Dr., Erster Entwurf eines Lehrbuches der allgemeinen Jaterie und ihrer Propädeutik. I. Theil. Frkf. a. M., Andreae, 1804. 8°. — IV. E. f. 6.

Cornax, Mathias, Medicae consultationis apud aegrotos secundum artem et experientiam salubriter instituendae enchiridion ... Basil., Jo. Oporinus, 1564. 8°. — IV. O. k. 17.

Paternus, Bernardinus, De humorum purgatione in morborum initiis tentanda. Ejusdem tractatus, quod coena uberior prandio esse debeat ... Spirae, Bernh. Albinus, 1581. 8°. — IV. O. f. 32.

Lemosius, Lud., De optima praedicendi ratione libri sex, Item judicii operum magni Hippocratis liber unus. Venet., R. Meietus, 1592. 8°. — IV. O. l. 10.

Kirstenii, Petri, Liber de vero usu et abusu medicinae una cum praefatione inclytae facultatis medicae in academia Lipsiensi. Breslae, sumptibus authoris, 1610. 8°. — IV. O. l. 13/1.

— Trewe warnung von rechtem Gebrauch und Missbrauch der Artzeney, ... ins Deutsche vorsetzet. Bresslaw, 1610. 8°. — IV. O. l. 13/2.

Claudinus, Jul. Caes., Responsionum et consultationum medicinalium tomus unicus. Venetiis, apud Bertanos, 1646. 4°. — IV. P. c. 27/2.

Wedelii, Geo. Wolfg., Theoremata medica seu introductio ad medicinam ... Ed. II. Jenae, J. Bielcke, 1692. 12°. — IV. O. l. 22/1.

Bohnius, Joh., praes., Lehmann, Joh. Chn., M., resp., De medici officio diss. prima. Lipsiae, Fleischer, 1697, Febr. 22. 4°. — 258.

Machiavellus medicus, seu ratio status medicorum, secundum exercitium chymicum delineata et in certas regulas redacta atque ob usum, quem junioribus practicis praestat, publicae luci donata a Philiatro. Argentorati, 1698. 4°. (Aerztlicher Rathgeber für das Verhalten in der Praxis. — IV. M. l. 13/37.

Werckmeister, Franc. Heinr., praes., Wachtel, Joach. Frid., resp., Diss. med. filum ariadneum in studio medico ... sustinebit. Halae, Chn. Henckel, 1698. 4°. — IV. M. l. 13/35.

Trilleri, Jo. Maur., Tractatus practicus de officio medici praesentibus contraindicationibus. Jonae, Chph. Cröker, 1701. 12°. — IV. P. l. 14/1.

Bohn, Joh. Dr., De officio medici duplici, clinici nimirum et forensis ... Lips., J. F. Gleditsch, 1704. 4°. — IV. M. i. 1.

Hofsteteri, Joh. Adami, Epistola gratulatoria (ad Geo.
Sigism. Schweitzerum), in qua de experientia et ratione
. . . in arte medica agitur . . . Halae Magdeb., Chr.
Henckel, 1705. 4⁰. — IV. M. l. 12/16.

Stahlius, Geo. Ern., De autoritate et veritate medica.
Acc.: Vita doctorandi Christiani Meisner. Halis, 1. 5.
Oct. 10. 4⁰. — IV. M. l. 13/15a. 309.

Alberti, Mich, Epistola gratulatoria (ad Chph. Berghauer',
in qua mysterium naturae in medicina explicatur. Halae,
Chn. Henckel, 1707. 4⁰. — IV. M. l. 12/3.

Heinrici, Heinricus, propraes., Neumann, Jo. Geo.,
resp., Disp. inaug. med. de temporibus medicis, . . . pro
gradu doct. Halae, Ch. Henckel, 1710, Febr. 4ⁿ. — 324.

Heister, Laur., De veritatis inveniendae difficultate in
physica et medicina. Altorf, Kohlesius, 1710, Dec. 4⁰.
— 459.

Verdries, Jo. Melch., Vera ad veram medicinam via —
primis lineis designata. Giessae, Jo. Muller, 1714. 4⁰. — 596.

Hoffmann, Frid., praes., Kupffer, Ang. Glieb., resp.,
De imprudenti medicatione multorum morborum causa,
. . . pro doctoris gradu . . . Halae, Ch. A. Zeitler, 1715,
Sept. 4⁰. — 332.

— praes., Troppanneger, Chn. Glieb., auctor, Diss.
inaug. med. exhibens praestantissimas medendi leges . . .
pro gradu doct. Halae, Ch. Henckel, 1719, Juli. 4⁰. — 631.

Burchardus, Chph. Mart., praes., Burgmann, Petr.
Chph, resp., Diss. inaug. med. de demonstrandi ratione
in arte medica, (pro doctoratu). Rostochii, J. J. Adler,
1726, Aug. 4⁰. — 323/2.

Brunneri, Balthasaris, Consiliorum medicorum liber
unicus ex biblioth: Jo. Jac. Strasskirchneri. Acc.: Vita
autoris et index. Francof. et Lips., C. Ch. Immig, 1727.
4⁰. — IV. O. c. 18.

Gerike, Petr., praes., Weidenheim, Jo. Chn., resp.,
Diss. med. de studio novitatis in anatomia et physiologia.
Halae, Jo. Chr. Hilliger, 1724, Jan. 4⁰. — 674.

Observatio de usu et abusu mechanismi in corporibus animatis. P. 425—488. Halae Magd., J. Ch. Hendel, 1721. 8⁰.
— IV. O. k. 21/1.

Epistola de vana et imperita studii mechanici applicatione
ad medicinam. Pagg. 489—494. Halae Magd., J. Ch. Hendel,
1721. 8⁰. — IV. O. k. 21/2.

Burchardus, Chph. Mart., Programma de experientia
rationali etc. Rostochi, J. J. Adler, 1726, Sept. 3. 4⁰.
Acc. Vita doctorandi Petri Chph. Burgmanni. — 323/1.

Fleck, Aug., Ideam boni medici castrensis inaug. hac dissertatione adumbratam . . . pro licentia . . . publice exami-
nandam proponet. Altorfi, J. G. Kohlesius, 1721, Apr. 4.
4⁰. — 259.

Heisteri, Laurentii, Oratio de hypothesium medicarum
fallacia et pernicie publice dicta ipsis nonis Dec. 1710.
Editio II. Acc. Programma: De veritatis inveniendae
difficultate in physica et medicina. Altorf, Kohlesius,
1720. 4⁰. — 257.

Ledel, Joh. Sam., Breviarium epistolicum medico-consulta-
torium sive brevis manuductio ad epistolas medico-consul-
tatorias conscribendas . . . Cui acc. Observationum medico-
physicarum decuriae tres. Soraviae, G. Hebold, 1734. 8⁰.
— IV. O. k. 20.

Alberti, Mich., praes., Lentz, Joh. Const., resp., Diss.
inaug. med. de tortura domestica, sive abusu curae sub-
luxationis vertebrarum plebejae, vom Missbrauch der
Wehthuns-Cur durch Ziehn. pro gradu doctor. Halae,
J. Ch. Hendel, 1735, Oct. 4⁰. — 347.

Scheffelius, Chn. Steph., Programma, quo . . . de prae-
judicio auctoritatis novorum, eorumque utilium inven-
torum in medic. obice disserit. Gryphiswaldiae, Struck,
1748, Apr. 30. 4⁰. Acc. Vita Hans Bernh. Lud. Lembke's.
— 12.

Büchner, Andr. Elias, praes., Dreysig, Traugott,
resp., Diss. inaug. med. de prudenti medicamentorum
mutatione, . . . pro gr. doct. Halae, J. Ch. Hendel, 1752,
Jan. 29. 4⁰. — 664.

Linné, Caroli a, Clavis medicinae duplex, exterior et in-
terior. Iterata editio, foras dedit et praefatus est Ern.
Gfr. Baldinger. Longosalissae, J. Chr. Martini, 1767. 8⁰.
— IV. O. i. 29/5.

Plaz, Ant. Guil., De arte naturam superante. Lipsiae,
Langenhemius, 1772. 4⁰. Acc. Vita doct. Traugott Guil.
Gnauck. — 411/2.

Selle, Ch. G., Studium physico-medicum oder Einleitung
in die Natur- u. Arzeneiwissenschaft. 2. sehr verm. u.
verb. Ausg. Berlin, Ch. F. Himburg, 1787. 8⁰. — IV.
N. i. 22.

Claudini, Julii Caesaris, De ingressu ad infirmos libri
duo, . . . quibus adjectus est coronidis loco de catarrho,
nec non de crisibus et diebus criticis ejusdem auctoris
tractatus. Venet., ap. Bertanos, 1647. 4⁰. — IV. P. c. 27/1.

— De ingressu ad infirmos libri duo, cum appendice de
remediis generosioribu et quaestione philosophico-medica.

de sede principum facultatum, quibus adjectus est coronidis loco de catarrho . . . tractatus. Venetiis, apud
Bertanos, 1663. 4⁰. — IV. O. c. 23.

Stahl, Geo. Ern., Propempticon inaug. de testimoniis
medicis. Halae, 1706. 4⁰. — IV. M. l. 13/17 a.

Eyselius, Jo. Phil., praes., Forbiger, Sam., resp., Diss.
inaug. med. de pseudo-medicis, pro lic. Erfurt, J. H.
Grosch, 1712, Sept. 20. 4⁰. — 275.

Janitsch, Geo. Gfr., Diss. inaug. de somniis medicis . . .
pro gr. doct. Argentor., J. H. Heitz, 1720, März 21. 4⁰.
— 510.

Gilg, Geo. Wolffg., Diss. med. inaug., sistens quosdam
excessus et defectus in medicina, . . . pro lic. Argentor.,
vidua J. Staedelii, 1721, Jun. 16. 4⁰. — 256.

Ettmüller, Mich. Ern., praes., Quellmaltz, Sam. Th.,
M., resp., Diatriben inauguralem medicam de divinatio-
nibus medicis, . . . pro doctoris gradu . . . philiatrorum
censurae...submittit. Impr. Roth., 1723, Aug. 20. 4⁰. — 262.

Ackermann, Jo. Frid., D., De docto medico an infelici
. . . Kiliae, G. Bartsch, 1753, Febr. 4. 4⁰. — 253.

Hilscheri, Sim. Pauli, Prolusio, qua demonstratur, medicum non esse debere haemophobum. Jenae, Tennemann,
1648, Dec. 22. 4⁰. Acc.: Vita doctorandi Johannis
Frid. Arn. Vordanck. — 697.

Plaz, Ant. Guil., De paedantismo medico tertia praelu-
sione exponens. Lips., Langenhemius, 1763. 4⁰. Acc.:
Vita doctorandi Gfr. Bened. Schmiedlein. — 274.

— De paedantismo medico. Lips., Langenhemius. 1763. 4⁰.
Acc.: Vita doctorandi Caroli Traugott Baudii. — 273.

Ludwig, C. G., Medicina cultoribus exitiosa. Lips., Langenhemius, 1764. 4⁰. — 678.

Plaz, Ant. Guil., De scrupulositate medica. Acc.: Vita
Theodori Friderici Lohde. Lips., Langenhemius, 1772.
4⁰. — 55/2.

— De piis medicorum desideriis. Lips., Langenhemius,
1772. 4⁰. Acc.: Vita doctorandi. Gotthelf Leberecht
Wockaz. — 681/2.

— De sostris nonnulla. Lips., Breitkopf, 1768. 4⁰. [Ueber
die Honorare.] Acc.: Vita Georgii Christiani Arnold,
Lesnae, a. 1747 nati. — IV. P. c. 20/4.

Medicinische Lehr- und Handbücher.

Fernelii, Jo., Ambiani, Universa medicina, . . . studio
et diligentia Guil. Plantii, Cenomani, postremum elimata
. . . Pars I. pathologia. II. therapeutice. III. De ab-

ditis rerum causis libri duo. Francof., A. Wecheli
haeredes, 1592. Fol. 3 voll. — IV. O. a. 4.

Bartholini, Casp., D., Syntagma medicum et chirurgicum
de cauteriis praesertim potestate agentibus seu ruptoriis.
Acc. ejusdem auctoris de aëre pestilenti corrigendo consilium medicum. Hafniae, Sal. Sartorius, 1724. 4°. —
IV. O. f. 16.

Ammani, Pauli, D., Medicina critica sive decisoria, cen-
turiâ casuum medicinalium . . . comprehensa . . . latini-
tati donata operâ D. Chn. Franc. Paullini. Stadae,
J. Fessel, 1677. 4°. — IV. O. f. 19.

Schiffmann, Joseph, Corpus juris medicinalis in tres
libros divisum, quo medicus naturae accusantis et morbi
accusati judex propositas lites secundum Neutheriticorum
fundamenta dirimere sciat. Liber primus, pag. 1 — 128.
Venetiis, Ant. Bosius, 1679. 4°. — IV. M. l. 12/19.

Targiri, Joachimi, Medicina compendiaria . . . Lugduni
Batavorum, apud Frederic. Haringium, 1698. 8°. — IV.
P. i. 20.

Hoffmanni, Frid., Medicinae rationalis systematicae
tomus tertius . . . Ed. II. Halae Magdeb., Renger,
1732. 4°. — IV. M. l. 11.

Kaempf, Joh., Enchiridion medicum. Francof. et Lips.,
Garbe, 1778. 8°. — IV. O. l. 7.

Vogel, Sam. Glieb., Dr., Handbuch der pract. Arzney-
wissenschaft zum Gebrauch für angehende Aerzte.
II. Theil. Stendal, Franzen & Grosse, 1785. 8°. — IV.
O. f. 8.

Unzer, Joh. Aug., D., Medizinisches Handbuch, von
neuem ausgearbeitet. Leipz., J. F. Junius, 1789. 8°.
2 Bde. — IV. O. c. 5—6.

Selle, Chn. Glieb., D., Medicina clinica oder Handbuch
der Medicin-Praxis. 5 Aufl. Wien, J. Th. v. Trattnern,
1791. 8°. — IV. O. d. 16.

Bernstein, J. G., Handbuch nach alphabet. Ordnung über
die vorzüglichsten Gegenstände der Anatomie, Physiologie
und gerichtl. Arzneigelahrheit für prakt. Wundärzte.
Leipz., Schwickert, 1794--1795. 8°. 2 Bde. — IV. O.
d. 1—2.

Sennert, Dan., Institutionum medicinae libri V. Editio II.
Witeb., ap. Zach. Schurerum, typis haeredum J. Richteri,
1620. 4°. — IV. M. i. 9.

Boerhavii, Herm., Institutiones medicae in usus annuae
exercitationis domesticos digestae. Cum praef. nova de
studio medico difficili sed jucundo Johannis Phil. Burg-

gravii. Francof. ad M., G. H. Oehrling, 1710. 12°. —
IV. P. l. 13/1.

Boerhaave, Herm., Institutiones medicae in usus annuae
exercitationis domesticos digestae. Lugduni Bat., Th.
Haak etc., 1734. 8°. — IV. O. l. 2.

Moor, Barthol. de, Institutionum medicarum compendium. Amstelaedami, Jacob. Borstius, 1720. 12°. — IV.
O. l. 21.

Vater, Chn., Institutiones medicae in gratiam et usum stu-
diosae juventutis succinctis aphorismis comprehensae et
experimentis hodiernis physicis mechanicis, anatomicis
et chimicis illustratae ac confirmatae. Vitemb., Aug.
Koberstein, 1722. 4°. — 803.

Ludwig, Chn. Glieb, Institutiones medicinae clinicae.
Lipsiae, J. F. Gleditsch, 1758. 8°. — IV. P. f. 25.

Wecker, Jo. Jac., Bas., Medicinae utriusque syntaxes ex
Graecorum, Latinorum, Arabumque thesauris ... collecta
et concinnata. Basileae, per Seb. Henricpetri, 1601. Fol.
— IV. O. a. 3.

Rulandus, Mart., Thesaurus medicus ... conscriptus pro
charissimis suis filiis ao. 1601. Francof. ad M., Phil.
Fievet, 1691. 4°. — IV. M. i. 12/2.

Burnet, Thom., Thesaurus medicinae practicae. Genevae,
J. A. Chouët et D. Ritter, 1698. 4°. — IV. O. c. 19.

Harder, Joh. Jac., Thesaurus observationum medicarum
rariorum ... Basileae, ex off. Episcopiana, 1736. 4°. —
IV. O. c. 11.

Fallopii, Gabrielis, Opera, quae adhuc exstant omnia.
Francof., ap. Wechelium, (1600?) Fol. |Foll. 1—88 valde
mutilata.| — IV. M. c. 3.

Sanchez, Francisci, Opera medica, juncti sunt tractatus
quidam philosophici non insubtiles. Tolosae Tectosagum,
Petr. Bosc, 1636. 4°. — IV. M. g. 8.

Guibertus, Philib., Medici officiosi opera, centies antehac
gallicè edita, nunc primum latiné reddita. |Contenta:
Medicus officiciosus (kurze Anleitung zur Bereitung von
Heilmitteln.) Pharmacopoeus familiaris et domesticus.
De electione ... medicamentorum ... usitatissimorum.
De sena. De gelatinis. De conditis. De tuenda valetu-
dine. De sobrietate. De peste. Galeni de ratione curundi
per sanguinis missionem liber. De fructibus laxativis.
De plantis medicatis. De vitibus medicatis. De carnibus
medicatis. De vinis medicatis. Modus condiendi corpora
mortua.| Parisiis, vidua Theod. Pepingné et St. Maucroy,
1649. [Cum effigie.] 8°. — IV. P. g. 24.

Joelis, Francisci, Opera medica. Amstelaed., J. Ravestein, 1663. 4°. [Cum tab. aen.] — IV. M. i. 10.

Barbette, Pauli, Opera omnia medica et chirurgica . . .
opera et studio Joh. Jac. Mangeti, Med. D. Genevae,
J. A. Chouët, 1683. 4°. 3 voll. — IV. P. c. 29.

Hoffmanni, Frid., Opera omnia physico-medica . . . in
sex tomos distributa. Cum vita auctoris (et effigie.)
Genevae, Fratres de Tournes, 1748. 6 tomi. Acc.: Supplementum (primum.) Genevae, Fratres de Tournes, 1749.
2 tomi. Supplementum (secundum.) Genevae, Fratres de
Tournes, 1753. 2 tomi. Fol. 10 voll. — IV. L. a. 1—9.

Huxhami, Jo., Opera physico-medica, tomus primus et
secundus, curante Georgio Christiano Reichel. Editio
nova, volumine tertio observationum de aëre aucta. Lips.,
J. P. Kraus, 1784. 8°. 2 voll. — IV. O. c. 7—8.

Tissot, S. A. D., Sämmtliche zur Artzneykunst gehörige
Schriften, . . . aus dem Französischen und Lateinischen
übers. . . . v. Jo. Chn. Kerstens. Leipz., F. G. Jacobäer
und Sohn, 1784. 8°. 7 Bände. — IV. N. g. 1—7. IV. O.
g. 8—14.

Ranchini, Franc., Opuscula medica, . . . cura et studio
Henrici Gras. Lugd. Bat., Petr. Ravaud, 1627. 4°. —
IV. M. d. 8.

Bartholini, Casp., Opuscula quatuor singularia: De unicornu ejusque affinibus et succedaneis. De lapide nephritico et amuletis praecipuis. De pygmaeis. Consilium de
studio medico inchoando, continuando et absolvendo.
Hafniae, excudeb. Georgius Hantzschius, 1628. 8°. — IV.
P. k. 24.

Hofmann, Casp., Opuscula medica in duas partes diuisa.
Lutetiae Parisiorum, C. Meturas, 1647. 4°. — IV. M.
g. 11.

Santorini, Jo. Dom., Opuscula medica de structura et
motu fibrae, nutritione animali, haemorrhoidibus et de
catameniis. Roterod., Jo. Don. Beman, 1719. 8°. — IV.
O. l. 15.

Triller, Dan. Wilh., Opuscula medica ac medico-philolo-
gica, . . . curavit et praefatus est Car. Chn. Krause.
Francof. & Lipsiae, J. G. Fleischer, 1766—1773. 4°. 3 voll.
— IV. M. g. 3—4.

Forestus, Petrus, Observationum et curationum medicinalium libri quinque . . . Lugd Bat., in off. Plantiniana
1591. 8°. — IV. O. k. 12.

Gabelchover, Wolfg., Curationum et observationum
medicinalium centuria I.—V. Tubg., typis Ph. Gruppen-

bach, cent. V. typis Philiperti Brunnii, 1611—1627. 8°.
5 voll. — IV. O. k. 13.

Lommii, Jodoci, Observationum medicinalium libri tres
    . . . ex museo Bernh. Rottendorff . . . Francof., J. D.
Zunner, 1643. 8°. — IV. O. k. 4.

Pisonis, Caroli, Selectorum observationum et consiliorum
de praetervisis hactenus morbis affectibusque praeter
naturam, ab aqua seu serosa colluvie et diluvie ortis,
liber singularis . . . II. ed. Lugd. Bat., Franc. Hacke,
1650. 8°. — IV. O. i. 7.

Binningeri, Joh. Nic., Observationum et curationum
medicinalium centuriae quinque . . . Montbelgardi, typis
Hyppianis, 1673. 8°. [Cum effigie.] — IV. O. k. 3.

Verzaschae, Bernh., Observationum medicarum centuria.
Cui acc. celeberr. virorum consilia et epistolae. Basil.,
J. J. Decker, 1677. 8°. Prostat Amsterod., apud Henr.
Wetstenium. — IV. P. g. 3.

Grimbergh, Nic., Observationes medicae . . . Amstelodami, apud Janssonio Waesbergios, 1689. 16°. — IV. O. l. 20.

Spindlerus, Paulus, Observationum medicinalium centuria. Acc. D. Mart. Rulandi sen. thesaurus medicus
    . . . studio et opera Caroli Raygeri, M. D. Francof. a. M ,
Phil. Fievet, 1691. 4°. — IV. M. i. 12.

Hagendorn, Ehrenfried, D., Observationum et historiarum medico-practicarum rariorum centuriae tres, quibus annexa analecta quaedam ad historias nonnullas
illustrandas. Francof. et Lips., Joh. Wilisch, 1698. 8°.
— IV. P. g. 17.

Stahl, Geo. Ern., praes., Englert, Nic. Frid., resp.,
Diss. inaug. med., qua observationes luculentas medicas
    . . . praeside — pro gradu doctorali . . . publico conflictu
ventilandas proponit —. Halae, Ch. Henckel, 1713, Mai.
4°. — 171.

Observationes XII. medicae, pag. 547 — 620. Halae,
Magdeb., J. Ch. Hendel, 1721. 8°. — IV. O. k. 21/4.

Schomberg, R., Aphorismi practici sive observationes
medicae, quas tam ex veterum quam recentiorum scriptis
    . . . collegit. Amstelaed., P. Mortier, 1753. 8°. — IV.
O. k. 7.

Lentin, Lebr. Frid. Benj., Observationum medicarum
fasciculus primus. Praefatus est Dr. Rud. Aug. Vogel.
Lips., J. Chph. Meissner, 1764. 8°. — IV. O. g. 21/1.

Heurnii, Jo., Ultrajectini, Praxis medicinae nova ratio, . . .
ex rec. Zach. Sylvii. Roterod., A. Leers, 1650. 8°. —
IV. N. i. 8.

Moroni, Matthiae, Directorium medico-practicum, . . .
opera et studio Seb. Schefferi D. Francof. ad M., vid.
J. G. Schönwetteri, typis Matthaei Kempfferi, 1663. 4º.
— IV. M. i. 14.

Schmitzii, J. And., Medicinae practicae compendium,
a Christ. Constant. Rumpfio, M. D., quamplurismis sup-
plementis auctum et recensitum. Acc. . . . Antonii Menjotii . . . epistola apologetica de variis sectis amplecten-
dis. IV. ed. Lugd. Bat., J. de Vivie, 1688. 12º. — IV.
P. l. 10.

Sydenham, Thom., Praxis medica experimentalis sive
opuscula universa, quotquot hactenus ab autore ipso
ultimum reuisa et aucta in lucem prodierunt. Lipsiae,
J. Th. Fritsch, 1695. 8º. [Cum eff.] — IV. O. i. 31.

Girtanner, Chph. Dr., Ausführliche Darstellung des
Brownischen Systemes der prakt. Heilkunde nebst einer
vollständigen Literatur u. einer Kritik desselben. [Mit
d. Bildn. des John Brown.] Wien, v. Ghelen, 1798. 8º.
2 Bde. (Der Auserles. Med. Bibl. I. u. IV. Thl.) — IV.
O. f. 9—10.

Aristotelis, Problemata — ac philosophorum medicorum-
que complurium, . . . Marci Antonii Zimarae Sanctipetri-
natis problemata his addita, una cum trecentis Aristotelis
et Auerrois positionibus suis in locis insertis, item
Alexandri Aphrodisei super quaestionibus nonnullis physicis solutionum liber, Angelo Politiano interprete. Francoforti, ex off. Petri Brubachii, 1548. 8º. — IV. O. k. 32/2.

Bayle, Franc., Problemata physica et medica. Hagae
Comitis, apud Petrum Hagium, 1678. 12º. — IV. N. l. 15.

Quaestiones medicae Parisinae. Groningae, Jac. Bolt,
1754. 8º. — IV. P. k. 10.

Brunfelsius, Otho, Theses seu loci communes totius rei
medicae, ex optimis ac vetustissimis scriptoribus, qui
aphorismos et gnomas medicinales scripserunt, . . .
nuper in ordinem digesti. (c. a. 1530.) 8º. Titulus deest.
— IV. O. f. 31.

Mieg, Joh. Rod., praes., Besta, Balth., resp., Theses
medicae. Basileae, E. et J. R. Thurnisii fratres, 1724,
Sept. 12. 4º. — 502.

Eisenmann, Geo. Henr., praes., Sachs, Franc. Jac.,
resp. auctor, Theses medic. miscellaneae. Argent., hered.
Joh. Pastorii, 1738. 4º. — 268.

— praes., Grauel, Joh. Phil., M., resp. auctor., Thesium
medicarum miscella. Argentor., M. Pauschinger, 1738,
Febr. 26. 4º. — 269.

Erasti, Thomae, Disputationum et epistolarum medicinalium volumen doctissimum, nunc recens in lucem editum
opera et studio Theophili Maderi . . . Tiguri, apud
Joannem Wolphium, typis Frosch(overi), 1595. 4°. — II.
S. h. 7.

Bravo de Sobremonte Ramirez, Casp., Disputatio
apologetica pro dogmaticae medicinae praestantia . . .
Huic acc.: tractatus duo, quorum primus continet X. con-
sultationes medicas, alter vero tyrocinium practicum artis
curatricis hominum exhibet.   Coloniae, Jo. W. Friessem
jun., 1671. 4°. — IV. M. l. 4/2.

Roberg, Laur., Disputatio inaug. varias positiones medicas
continens, . . . pro gr. doctoris. Lugd. Bat., Abr. Elzevir,
1693, Juli 3. 4°. — 600.

Deusingii, Antonii, Fasciculus dissertationum selectarum
ab auctore collectarum ac recognitarum.

    1. De morborum quorundam superstitiosa origine et
       curatione.
    2. De morbo man-slacht.
    3. De lycanthropia.
    4. De surdis ab ortu mutisque.
    5. De ratione et loquela brutorum animantium.
    6. De unicornu.
    7. De lapide Bezaar.
    8. De manna.
    9. De saccharo.
   10. De mandragorae pomis pro doudaim vulgo habitis.
   11. De mandragorae mangoniis vulgo dictis Pisse-Diefjes.
   12. De agno vegetabili.
   13. De anseribus scoticis.
   14. Do pelicano.
   15. De phoenice.   Groningae, typis Joh. Coellenii, 1660.
       12°. — IV. P. l. 4.

Sammlung auserlesener Abhandlungen zum Gebrauche
praktischer Aerzte. 24· Bd. Leipz, Dyck, 1807. 8°. —
IV. P. c. 13.

Lindern, Franc. Balth. von, Disp. med. exhibens theoremata medica miscellanea, . . . pro lic. Argentorati,
D. Maagius, 1708, Mai 24. 4°. — 655.

Lange, Joh. Henr., Miscellae veritates de rebus medicis.
Luneburg, Joh. Frider. Wilh. Lemke, 1774. 8°. — IV.
P. i. 10.

Metzgers, Joh. Dan., Vermischte medicinische Schriften.
Königsb., Wagner & Dengel, 1782—84. 8°. 3 voll. — IV.
O. g. 18—20.

Ingen-Houss, Joh., Vermischte Schriften physisch-medizinischen Inhalts, übers. u. herausg. von Nic. Carl Molitor. 2. Aufl. Wien, Chn. F. Wappler, 1784. 8⁰. 2 Bde. [Mit Kk.] — IV. P. d. 19—20.

Weikard's, M. A., Vermischte medizinische Schriften. 2. Aufl. Frankf. a. M., Andreae, 1793. 8⁰. 2 Bde. — IV. O. d. 12—13.

Barholini, Thomae, Epistolarum medicinalium . . . centuria I. et II. Hafniae, P. Haubold, 1563. 8⁰. — IV. P. g. 28.

Hollerii, Jac., De morbis internis libri II. Ejusdem: De febribus. De peste. De remediis *ΚΑΤΑ ΤΟΠΟΥΣ* in Galeni libros. De materia chirurgica. Parisiis, Carol. Macaeus. 8⁰. [Hollerius=Hollier.] — IV. P. k. 3.

Sancto-Amando, Joannes de, De usu idoneo auxiliorum quaedam . . . Moguntiae, 1534. 4⁰. — IV. P. d. 29/3.

Montani, Joan. Bapt., Lectiones . . . in nonum Rhasis ad Almansorem regem, collatione exemplariorum optima fide scriptorum emendatae et cum studiosis rei medicae communicatae a Joanne Cratone Vratislauiense, medico Caesareo. (c/a. 1560.) 8⁰. Titulus deest. — IV. O. f. 36.

D. Alexii Pedemontani de secretis libri septem, a Joan. Jacobo Veckero, Dr. med., ex ital. sermone in lat. conversi et multis bonis secretis aucti. Acc. hac editione ejusdem Weckeri opera octavus de artificiosis vinis liber. Bas, P. Perna, 1563. 8⁰. — IV. D. l. 4.

Waldschmidii, Joh. Jac., et Joh. Dolaei . . . Commercium epistolare de diversis argumentis rem medicam spectantibus. Lugd. Bat., P. van der Aa, 1688. 12⁰. 12 voll. — IV. P. l. 16.

Boerhaave, Herm., De usu ratiocinii mechanici in medicina oratio. Lugd. Bat., Joh. Verbessel, 1703. 4⁰. — IV. P. c. 16.

Jung, Joh. Chph., Diss. med. inaug. de consuetudinis efficacia generali in actibus vitalibus secundum naturam et praeter naturam . . . pro gradu doct. Halae Magdeb, Ch. Henckel, 1705. 4⁰. — IV. M. l. 13 l.

Sanctorii, Sanctorii, De statica medicina . . . Acc.: Staticomastix sive staticae medicinae demolitio authore Hippolyto Obicio. Cum Sanctorii responsione ad Staticomasticem. Juxta exemplar excusum Ferrariae Lugd. Batavorum, vid. Corn. Boutestein, 1713. 12⁰. — IV. P. l. 20/1.

Büttner, Franc., Diss. inaug. med. de probabilitatibus
medicis, . . . pro licentia . . . Altorf, M. D. Meyer, 1722,
Mai. 4°. — 254.

Franck de Franckenau, Georgii, D., Satyrae medicae ·
XX., quibus accedunt dissertationes VI. varii simulque
rarioris argumenti, una cum oratione de studiorum noxa,
editae ab aut. filio Georgio Frid. Franck de Franckenau.
Lips., M. G. Weidmann, 1722. 8°. — II. S. i. 40.

Ering, Ant. Franc., Diss. inaug. med. de viribus imagina-
tionis, pro doct. Vetero Pragae, G. Labaun, 1724. 4°.
— IV. O. d. 27.

Neander, Joh. Sam., Oratio de medicina characterum ...
Francof. ad V., Phil. Schwartz, 1738, Jan. 24. 4°. — 194.

Bauer, Jo. Frid., praes., Hoffmann, Jo. Geo., M., resp.,
De caussa foecunditatis gentis circumcisae in circum-
cisione quaerenda, pro licentia. Lipsiae, Langenhemius,
1739, Jan. 23. 4°. — 279.

Michaelis, Chn. Bened., praes., Schleunitz, Joach.
Dan., resp., Philologemata medica, sive ad medicinam
et res medicas pertinentia, ex Ebraea et huic adfinibus
orientalibus linguis decerpta. Halae Magd., J. Fr. Grunert,
1758, Sept. 4°. — 1013.

Plazius, Ant. Guil., praes., Jaeckel, Traug. Theod.,
resp., De illustrium oblectamentis noxiis, pro gradu doct.
Lips., Langenhemius, 1759, Juli 13. 4°. — 271.

Forst, Theoph. Chph., Diss. inaug. med. de acrimoniae
in corpore humano existentis actione, causis et effectibus,
pro gradu doct. Jenae, Fickelscherr, 1760. 4°. Acc.
vita auctoris in programmate sequenti. — IV. P. c. 24/1.

Laurenti, Jos. Nic., Specimen medicum exhibens synopsin
reptilium emendatam, cum experimentis circa venena et
antidota reptilium Austriacorum. Viennae, J. Th. nob. de
Trattnern, 1768. 8°. — IV. O. f. 14.

Plaz, Ant. Guil., Non omnia in re medica bono semper
fieri exemplo prolusione altera exponit. Lips., Langenhemius, 1771. 4°. Acc.: Leonhardi, Jo. Gfr., doctorandi
vita. — 236 2.

Cappel, Wilh. Friedr., D., Medicinische Responsa. Altenburg, Richter, 1780. 8°. — IV. O. g. 21/2.

Hartwig, Chn. Adolph., Quaedam de chemiae ad medicinam faciendam necessitate. Lipsiae, Jacobaeer, 1781,
Nov. 2. 4°. — 853.

Herz, Marcus, Briefe an Aerzte, I. und II. Sammlung.
II. Aufl. Berlin, Chn. Friedr. Voss u. Sohn, 1784. 8°.
2 Thle. in 1 Bde. — IV. P. g. 1.

Anatomie: Bibliographie, Allgemeines, Compendien, Vermischtes, Atlanten.

Haller, Alb. de, Bibliotheca anatomica, qua scripta ad anatomen et physiologiam facientia a rerum initiis recensentur. Tiguri, Orell, Gessner, Fuessli et Soc., 1774—77. 4°. 2 voll. — IV. M. d. 16—17.

Knolle, Joh. Frid., Polonus, Decas librorum anatomicorum rariorum. Lipsiae, Langenhemius, 1761, Apr. 4°. — 629.

Praeparata anatomica in liquore, sicca, sceleta et ossa Gunziana, publica auctione Dresdae, die Lunae seqq. post Dom. Invocavit ao. 1757 venduntur. Dresdae, Harpeter, 1757. 8°. 66 pagg. — IV. O. i. 29/4.

Thebesii, Dan. Glob., Med. Doct., Tractatio philosophico-anatomico-medica de principio rationis sufficientis maximi in anatomia usus, oder: Von dem allgem. Satz des zureichenden Grundes, insofern derselbe mit grossem Nutzen in der Anatomie gebrauchet werden kann etc., 1732. 4°. (In lat. Spr.) — 492.

Platner, Jo. Zach., De accuratioris anatomes utilitate. Lipsiae, Langenhemius, 1734. 4°. — 387.

Reinmann, Joh. Chph., Dass die Betrachtung des menschlichen Cörpers eine der edelsten und nützlichsten Beschäftigungen sey. Rudolstadt, Löwe Wwe., 1751. 4°. — 528.

Schenck, Joh. Theod., Structuram corporis humani artium et scientiarum, cumprimis sacrae medicinae cultoribus commendat ... Jenae, J. Nisius, 1662. 4°. — 374.

Protospatharii, Theophili, De corporis humani fabrica libri quinque, a Junio Paulo Crasso Patavino in latinam orationem conuersi. Venetiis, 1536. 8°. — IV. P. g 26/7.

Bauhini, Casp., De corporis humani fabrica libri IV. Basileae, per Seb. Henricpetri, 1590. 8°. [C. figg. ligno inc.] — IV. P. i. 17.

Riolani, Jo., Opera cum physica, tum medica ... Cui acc.: Anatomia Jo. Roliani filii ... Francof., D. Zach. Palthenius, 1611. [Cum eff.] Fol. — IV. M. c. 2/1.

Saltzberger, Joh. Rup., De admiranda ... corporis humani fabrica ... Lipsiae, 1629, Apr. 24. Fol. — 587.

Bartholini, Casp., Institutiones anatomicae. Goslariae, typ. Nic. Dunckeri, imp. Johan Hallervordii, 1632. 8°. — IV. N. k. 14.

Vesalii, Andreae, Epitome anatomica, opus redivivum, cui accessere notae et commentaria P. Paaw Amstelodamensis. Amstelodami, H. Laurentii, 1633. 4°. — IV. O. f. 15.

Bartholini, Casp., Anatomicae institutiones corporis humani utriusque sexus historiam et declarationem exhibentes. Oxonii, Guil. Turner, 1633. 12°. — IV. O. l. 18.

Veslingius, Jo., Syntagma anatomicum. Francof., J. Beyer, 1641. 12°. — IV. O. l. 23/1.

— Syntagma anatomicam . . . Patavii, P. Frambottus, 1647. 4°. — IV. M. d. 18.

Bartholini, Thomae, Casp. f., Anatomia, . . . tertium ad sanguinis circulationem reformata cum iconibus . . . Lugd. Bat., Frc. Hacke, 1651. 8°. — IV. O. a. 7.

Rolfincii, Guerneri, Dissertationes anatomicae methodo synthetica exaratae, sex libris comprehensae. Noribergae, M. Endter, 1656. 4°. — IV. M. l. 2.

Muralto, Joh. de, Vade mecum anatomicum sive clavis medicinae, pandens experimenta de humoribus, partibus et spiritibus. Tiguri, D. Gessner, 1677. 12°.— IV. P. l. 15.

Veslingii, Jo., Syntagma anatomicum cum commentariis, exhibente Gerardo Blasio. Patavii, P. M. Frambottus, 1677. 4°. [Cum eff. auctoris et figg.] — IV. O. c. 22.

Drelincurtii, Caroli, Experimenta anatomica, quibus adjecta sunt plurima curiosa super semine virili, foemineis ovis, utero, uterique tubis atque foetu. Lugd. Bat., Corn. Boutesteyn, 1684. 12°. — II. S. i. 60/2.

Blancardi, Steph., Anatomia practica rationalis sive rariorum cadaverum morbis denatorum anatomica inspectio. Acc. item tractatus novus de circulatione sanguinis per tubulos deque eorum valvulis. Amstelod., Corn. Blancard, 1688. 12°. [Cum tab. aen.] — IV. P. l. 7.

Tauvry, Dan, Nova anatomia ratiociniis illustrata, quibus usus, structurae partium corporis humani et quorundam aliorum animalium secundum leges mechanicae explicantur, latinitate donata a M. F. Geudero. Ulmae, G. W. Kuhn, 1694. 8°. [Cum figg.] — IV. O. i. 9.

Vateri, Abrah., Museum anatomicum proprium . . . Acc. observationes quaedam autoris anatomicae et chirurgicae . . . Cum praefatione Laurentii Heisteri. Helmstadii, Ch. F. Weygand, 1701. 4°. — IV. O. c. 17.

Hoffmanni, Joh. Maur., Disquisitio corporis humani anatomico-pathologica. . . . Altdorfii-Noricorum, M. D. Meyer, 1713. 4°. — IV. O. c. 10.

Bidloo, Gfr., Opera omnia anatomico-chirurgica. Lugd. Bat., Samuel. Luchtmans, 1715. 4°. [Cum figg.] — IV. P. e. 7.

Haller, Alb., de, Opuscula sua anatomica rec., emend., auxit, novasque icones addidit. Gottingae, Jo. Wilh. Schmidt, 1751. 8°. — IV. N. d. 9.

Sömmering, S. Th., Vom Baue des menschlichen Körpers. I. Thl. Knochenlehre. II. Thl. Bänderlehre. III. Thl. Muskellehre. IV. Gefässlehre. V. Thl. Hirn- u. Nervenlehre. V., 2 Abth. Eingeweidlehre. Frankf. a. M., Varrentrapp und Wenner. I. 1791. II., 2. Ausg. 1800. III, 2. Ausg. 1800. IV. 1792. V. 1791. V, 2. 1796. 8°. 6 Thle. in 5 Bdn. — IV. M. f. 1—5.

Fallopii, Gabr., Observationes anatomicae. Coloniae, haer. Arn. Birckmanni, 1562. 8°. — IV. N l. 4.

Dresserus, Matth., De partibus corporis humani et de anima ejusque potentiis libri duo. Francof., Nicol. Bassaeus, 1584. 8°. — IV O. k. 33/1.

Albertus, Sal., Historia plerarumque partium humani corporis, membratim scripta . . . Vitaebergae, haer. Jo. Cratonis, 1585. 8°. — IV. O. k. 16.

Grimbergii, Nic., Observationes medicae anatom.-practicae descriptionibus quarundam partium humanarum refectae . . . Hafniae, Justinus Hög, 1695. 4°. — IV. P. c. 25/5.

Vieussens, Raymundi, Novum vasorum corporis humani systema. Amstelaedami, Paulus Marret, 1705. 8°. — IV. P. k. 16.

Eschenbach, C. E., D., Observata quaedam anatomico-chirurgico-medica rariora. Rostochii, Koppe, 1753. 4°. — IV. P. c. 22/3. IV. P. e 1.

— Observatorum rariorum continuatio. Rostochii literis Rósenianis, 1755. 4°. [Cum figg.] — IV. P. e. 5.

Bergen, Carol. Aug. de, praes., Wesenfeld, Car. Steph. Lud., resp., Disp. inaug. sistens anatomiae experimentalis partem priorem, pro gradu doctoris. Francof. ad V., J. Ch. Winter, 1755, Juni 11. 4°. — 314.

— Elardi, Joh., Chn., resp., Disp. inaug sistens anatomiae experimentalis partem posteriorem, pro gradu doctoris. Francof. ad V., J. Ch. Winter, 1755, Juni 11. 4°. — 315.

Knobloch, Tobias, Disputationes anatomicae et psychologicae. [Titulus deest. — Cum figg. ligno inc.] 8°. — IV. P. k. 4.

Wharton, Thom., Adenographia sive glandulorum totius corporis descriptio. Amstelaedami, Jo. Ravesteyn, 1608. 12°. [Cum tab. aen.] — II. S. i. 54.

Hofmanni, Casp., De thorace ejusque partibus commentarius tripartitus. Francof., Wechel, 1627. Fol. — IV. M. c. 8.

Molinetti, Ant., Dissertationes anatomicae et pathologicae de sensibus et eorum organis. Patavii, M. Bolzetta de Cadorinis, 1669. 4⁰. — IV. O. c. 21.

Vieussens, Raymundi, Epistola, nova quaedam in corpore humano inventa exhibens etc. Lips., Thom. Fritsch, 1704. 4⁰. — 497.

Scheidius, Joh. Val., praes., Boeclerus, Joh., resp., Doctrinae splanchnologicae succinctis thesibus comprehensae dissertatio prima. Argentor., Joh. Pastorius, 1705. Febr. 4. 4⁰. — 684.

Leitersperger, Jeremia Adamus, Dissertatio anatomica, exhibens encheirisin novam, qua ductus thoracicus una cum receptaculo chyli in quovis subjecto humano demonstrari potest. Argentorati, typis viduae Jo. Frider. Spoor, 1711. 4⁰. [Cum tabula aenea.] — IV. P. e. 20.

Widmannus, Joh. Guil., Norimberg. De tonsillis, pro lic. Altorfii, M. D. Meyer, 1712, Juni 14. 4⁰. [Cum tab. aen.] — 446.

Scheid, Jo. Gfr., Diss. inaug. medica, brevem historiae mulieris cujusdam, quae inopinato casu subito loquelam amisit et ex insperato repente recepit, enodationem sistens, (pro gr. doct.) Argentor., J. F. Welper, 1726, Oct. 22. 4⁰. — 680.

Hallewaard, Petr., Goesa-Zeelandus, Disp. medico-chirurgica inaug. de spina bifida, pro gradu doctoris. Duisburgi ad Rh., Joh. Sas, 1733, Aug. 4⁰. — 308.

Schwartz, Jo. Mich., De membranarum et tunicarum corporis humani numero, pro gradu doctoris disputabit. Argentorati, ex off. Pauschingeriana, 5. Nov. 1737. 4°. — 111.

Haller, Alberti, D., Strena anatomica, nuperrimarum nempe observationum ex theatro Gottingensi fasciculus d. 1. Januarii 1740. Gottg., A. Vandenhoeck, 1740. 4°. — 367.

Bauer, Joh. Frid., praes., Pitschel, Frid. Liebeg., resp. auctor, De axungia articulorum, pro doctoratu. Lips., Langenhemius, 1740, Juli 29. 4⁰. — 209. 434.

Ludwig, Chn. Glieb, De glandularum differentia dissertatio. Lipsiae, Langenhemius, 1740. 4⁰. — 702.

Moseder, Jo. Friedr., Diss. med. inaug. de vesicula fellea, pro licentia etc. Argentorati, 1742, Februarii 28. 4°. — 117.

Haller, Alb., De valvula coli observationes. Gottingae, apud Abram Vandenhoeck, 1742. 4°. — IV. P. e. 5.

Hensing, Frid. Wilh., Observationes binas anatomicas de omento atque intestino colo exhibet. Giessae, Eb. H. Lammers, 1745, Jan. 11. 4°. — 123.

Vogel, Rud. Aug., De laryngo humano et vocis formatione . . . (pro doctoratu). Erfordiae, Hering, 1747. 4°. — IV. P. c. 24/7.

Wohlfahrt, Jo. Aug., Specimen inaug. anatomico-medicum de bronchiis vasisque bronchialibus, . . . pro honoribus doctoralibus. Halae, J. Ch. Hilliger, 1748, Jun. 4°. — 122.

Eisenmann, Geo. Henr., praes., Roth, Joh. Jac., auctor resp., Diss. med. de lipuore pericardii. Argentor., M. Pauschinger, 1748, Sept. 3. 4°. — 468.

Haller, Alb., D., Morbos aliquos ventriculi in cadaveribus observatos describit. Goettg., A. Vandenhoeck, 1749. 4°. Acc. Vita doctorandi Gerhardi Armbster. — 370.

— De gibbo ejusque causis observationes. Gottingae, Abram Vandenhoeck. 4°. — IV. P. e. 5.

— Gibbi descriptionem proponit. Göttg., A. Vandenhoeck, 1749. 4°. Acc. Vita doctorandi Dan. Langhans. — 369.

Roloff, Chn. Ludov., Diss. inaug. anatomico-physiologica de fabrica et functione lienis, ... pro gradu doctoris . . . Francof. ad Od., J. Ch. Winter, 1750, Aug. 15. 4°. — 125.

Kaltschmied, Carol. Frid., De experimento infantis pulmonum aquae injectorum, adjecta observatione anatomica inferioris lobi pulmonum infantis dextri lateris unius et quadrantis anni aquae injecti fundum petentis. Acc. Vita doct. Jul. Alb. Henr. Zeller. Jenae, Tennemann, 1751. 4°. — 460.

Jancke, Jo. Gfr., Observationes quasdam anatomicas de capsis tendinum articularibus proponit. Lips., Langenhemius, 1753. 4°. — 391.

Roederer, Jo. Geo., Observationum medicarum de suffocatis satura. Gottg, Bossigel, 1754. 4°. — 228.

Kaltschmied, Carol. Frid., De uno rene in cadavere invento. Jenae, Tennemann, 1755. 4°. Acc. Vita doct. Johannis Henrici Jaenisch. — 465.

Frenzelius, Chn. Gfr., De polyphago et allotriophago Wittebergensi, diss. inaug. Wittebergae, Gerdes, 1756. 4°. — IV. P. e. 20.

Mertens, Carolus, Diss. inaug. medico-chirurgica, sistens vulnus pectoris complicatum cum vulnere diaphragmatis et arteriae mesentericae inferioris, . . . pro lic. Argent., J. H. Heitze, 1758. 4°. — IV. P. c. 24/8.

Ludwig, Chn. Glieb., De causis praeternaturalis viscerum abdominalium situs disserit. Lips., Langenhemius, 1759, Juli. 4°. Acc. Vita doctor. Traugott Theodori Jaeckel. — 271/2.

Bose, Ern. Glob., praes., Fischer, Glob. Frid., resp., De anastomoseos vasorum corporis humani dignitate, pro gradu doct. Lipsiae, Langenhemius, 1761, Apr. 10. 4°. — 338.

Leveling, Henr., Palmatius, Diss. inaug. med. sistens pylorum anatomico-physiologice consideratum ... pro lic. Argent., J. H. Heitzius, 1764. 4°. |Cum 2 tabb. aen.| — IV. P. c. 25,4.

Haase, Jo. Glob., M., praes., Frey, Carol., resp., Zootomiae specimen, sistens comparationem cavicularum animantium brutorum cum humanis. Lips., Langenhemia Vid., 1766, Oct. 29. 4°. — 382.

Stanèk, Wenzel, Dr., Anatomischer Atlas in 10 Tafeln, nebst einem erklärenden Texte, gezeichnet und in Stein gearbeitet von Franz Bělopotocký. Böhm.-deutsch. Fol. — IV. N. b. 15.

— Základowé pitwy (anatomie.) Praga, Wáclaw Špinka, 1840. 8°. — IV. N. h. 20.

Ichnographia anatomiae nomenclaturam oeconomiae animalis tabulis synopticis exhibens. Budingae, J. F. Regelein, 1722. 8°. 32 Stn. — IV. O. i. 32/2.

Havers, Clopton, Novae quaedam observationes de ossibus et partibus eo pertinentibus, ubi et ratio, qua crescunt et nutriuntur exponitur, versio nova, cui accessit Joan. Ch. Heyne Sueci tentamen chirurgico-medicum de praecipuis ossium morbis. Amstelaed., Janssonio-Waesbergii, 1731. 8°. — II. S. i. 56.

Platner, Jo. Zach., De ossium confirmatione et colore quaedam disserit. Lipsiae, Langenhemius, 1738. 4°. Acc. Vita doctorandi Polycarpi Fridericii Schacher. — 406.

Hensing, Fried. Wilh., Observationes anatomicae de apophysibus ossium corporis humani. Giessae, E. H. Lammers, 1742. 4°. — 738.

Monro, Alex., sen., Knochenlehre nach der Ausgabe des Herrn Sue ubers. und mit der 6. engl. Ausg. verglichen, nebst der Nervenlehre ... durch C. Chn. Krause. Leipz., C. Fritsch, 1761. 8°. — IV. N. i. 12.

Heisteri, Laur., De pilis, ossibus et dentibus in variis corporis humani partibus praeter naturam repertis. |Cum tab. aen.| S. l. t. et a. 4°. — 225.

(V;esalius, Andr.), Vivae imagines partium corporis humani aereis formis expressae. Antverpiae, Chph. Plantinus, 1579. 4⁰. [Tabulae aeneae cum textu.] — IV. M. d. 7.

Cardani, H., Medici Mediolanensis, Metoposcopia libris tredecim et octingentis faciei humanae iconibus complexa. Cui accessit Melampodis de naeuis corporis tractatus, graece et latine nunc primum editus, interprete Claudio Martino Laurenderio, doctore medico Parisiensi. Lutetiae Paris., Thom. Jolly, 1658. Fol. — IV. F. d. 12.

Platner, Jo. Zach., De Magno Hundt, tabularum anatomicarum ut videtur autore, disserit. Lipsiae, Langenhemius, 1731. 4⁰. — 386.

Needham, Gualterus, M. D., Disquisitio anatomica de formato foetu. Londini, G. Godbid, 1667. 8⁰. [Tabb. aen. desunt.] — II. S. i. 36.

Tilingii, Matthiae, De tuba uteri deque foetu nuper in Gallia extra uteri cavitatem in tuba concepta, exercitatio anatomica. Rinthelii, typis G. C. Wächter, 1670. 12⁰. — IV. M. l. 21.

Nuck, Ant., Adenographia curiosa et uteri foeminei anatome nova . . . Lugd. Bat., J. Luchtmans, 1692. 8⁰. — IV. N. i. 23.

Slevogtius, Jo. Hadr., De incerta placentae uterinae sede. Jenae, Krebs, 1710, Nov. 5. 4⁰. Acc.: Vita Matthiae Zach. Pillingii. — 29.

Platner, Jo. Zach., D., Anatomicas exercitationes in foeminae cadavere d. XVII. Martii et sequentibus publice instituendas indicit. Acc. observationes variae anatom. Lipsiae, Langenhemius, 1736. 4⁰. — 398.

Zinn, Jo. Gfr., Descriptio anatomica oculi humani iconibus illustrata. Gottingae, Vidua Abr. Vandenhoeck, 1755. 4⁰. [Cum figg.] — IV. M. i. 6.

Botalli, Leonardi, De via sanguinis a dextro in sinistram cordis ventriculam. Francof., Jo. Beyer, 1641. 12⁰. — IV. O. l. 23/4.

Folius, Caecilius, Sanguis a dextro in sinistrum cordis ventriculum defluentis facilis reperta via, cui non vulgaris in lacteas nuper patefactas venas animadversio praeponitur. Francof., Jo. Beyer, 1641. 12⁰. — IV. O. l. 23/2.

Ruyschii, Frederici, doct. med., Dilucidatio valvularum in vasis lymphaticis et lacteis cum figg. aen. Acc. quaedam observationes anatomicae rariores. Amstelaedami, Janssonio-Waesbergii, 1720. 4⁰. — IV. P. c. 23/6.

Haller, Alb., praes., Reyman, Henr. Chn., resp., Diss. inaug. de vasis cordis propriis ... pro lic. Goettg., A. Vanden-

L   24

hoeck, 1737. 4°. [Mit Haller's Autograph.] — IV.
O. f. 12/1.

Haller, Alb., Joh. Ludolphi Christiani Meier disputationem
... indicit, ... idem iteratas de vasis cordis observationes addidit. Gottg., A. Vandenhoeck, 1739. 4°. — IV.
O. f. 12/2.

Boehmer, Phil. Adolph., praes., Theune, Nicol., auct.,
Specimen inaugurale anatomico-medicum de confluxu
trium cavarum in dextro cordis atrio, pro gradu doct.
Halae, Hendel, 1763, Jan. 4. 4°. — 527.

Günzii, Justi Gfr., Commentatio de arteria maxillari
interna. Lipsiae, Langenhemius, 1743. 4°. — 129.

Faselius, Jo. Frid., praes., Cappe, Chph. Frid. Carol.,
auct. resp., Disp. med. inaug. de arteriis non sanguiferis
... pro gradu doctoris. Jenae, Marggraf, 1763, Apr. 6.
4°. — 116.

Hörmann, Jo. Casp., De arteriarum flexuoso progressu,
pro gradu doctoris ... Lipsiae, Breitkopf, 1763. 4°. Acc.
vita in sequente programmate. — IV. P. c. 22/1.

Asellius, Casp., De lactibus sive lacteis venis, quarto
vasorum mesaraicorum genere novo invento, ... dissertatio. Basileae, typis Henricpetrinis, 1628. 4°. — IV.
O. a. 9.

Gaetke, Joach. Petrus, Diss. med. inaug. de vena portae
porta malorum hypochondriaco-splenetico-suffocativo-
hysterico-colico-haemorrhoidariorum, pro lic. 1698. Recusa
Halae, Ch. Henckel, 1705. 4°. — IV. M. l. 13/8.

Walther, Aug. Frid., Observationes anatomicas selectas
tres: de ductu thoracico bipartito, vena bronchiali sinistra,
et inferiore arteria hepatica, superioris meseraicae sobole,
exhibet. Lips., Langenhemius, 1731. 4°. — 385.

Monro, Alex., De venis lymphaticis valvulosis et de earum
inprimis origine. Berolini, Gottl. August Langius, 1760.
8°. — IV. P. e. 11.

Jankius, Jo. Gfr., De ratione venas corporis hominis
augustiores in primis cutaneas ostendendi. Lips., Langenhemius, 1762. 4°. — 383.

Malpighius, M., De cerebro epist. De lingua epist. Exercitatio de omento, pinguedine et adiposis ductibus. [Titu-
lus et finis libri a pag. 150 desideratur.] 1664. — IV·
O. l. 24.

Mezger, Geo. Balth., praes., Horlacher, Conr., resp.,
CKLΛΓΡΑΦΙΑ suturarum cranii humani earumque veri
usus. Tubg., Martinus Rommeius, 1684, Oct. 3. 4°·
— 456.

Slevogtius, Joh. Hadr., praes., Xylander, Carol. Chn., resp, Diss. med. de dura matre. Jenae, J. D. Werther, 1690, Mai. 4°. — 182.

Teichmeyer, Herm. Frid., De magna cerebri valvula. Jenae, Müller, 1728. 4°. Acc.: Vita doctorandi Immanuelis Eggerti. — 313.

Stumphius, Nic., Diss. anat. inaug. de cerebro, pro gr. doctoratus. Lugduni Batavorum, G. Wishoff, 1736. 4°. — 203.

Goelicke, Andr. Ott.om., praes., Magirus, Valent. Benj., resp., Disp. anatomica circularis de meninge arachnoidea. Francof. ad V., Ph. Schwartz, 1738, Mai 10. 4°. — 467.

Günz, Just. Gfr., Observationes anatomicae de cerebro. Lips., Langenhemius, 1750. 4°. — 392.

Jancke, Jo. Gfr., Observationes quasdam anatomicas de cavernis quibusdam, quae ossibus capitis hamani continentur, proponit ... Lips., Langenhemius, 1753. 4°. — 393.

Pohlius, Jo. Chph., Observationes de effusis in cerebro aquis proponit ... Lips., Langenhemius, 1763, Junii 3. 4°. — 394.

Luys, J., Das Gehirn, sein Bau und seine Verrichtungen. [Mit 6 Abbild. in Holzschnitt.] Leipzig, F. A. Brockhaus, 1877. 8°. — VI. C. f. 26.

Plempii, Vopisci, Fortunati, Ophthalmographia, sive tractatio de oculo. Ed. II. Lovanii, Hier. Nempaeus, 1648. Fol. — IV. M. c. 7.

Schott, Otto Phil., Diss. anatomica de aure humana. Argentor., D. Maagius, 1719. 4°. — IV. O. f. 11.

Zinn, Joh. Gfr., Observationes quaedam botanicae, et anatomicae de vasis subtilioribus oculi et cochlea auris internae. Gottg., Abr. Vandenhoeck, 1753. 4°. — 60.

Pohlius, Joan. Christophor., De apta musculorum disquisitione et divisione. Lips., ex offic. Langenhemia, 1772. 4°. — IV. P. e. 4. IV. M. d. 11/2.

Roederer, Jo. Geo., Animadversiones de arcubus tendineis, musculorum originibus. Gottg., Schulz, 1760, Mart. 29. 4°. Acc.: Vita doctorandi Geo. Wilh. Stein. — 682.

— Animadversiones de arcubus tendineis musculorum originibus continuat. Gottg., Schulz, 1760, Mai 22. 4°. — 128.

Teichmeyer, Herm. Frid., De musculosa durae matris substantia. Jenae, Müller, 1729. 4°. Acc.: Vita doctorandi Joannis Heinrici Gieseleri. — 489.

Salzmann, Joh., praes., (pater), Salzmann, Joh. Gfr., resp., (fil.), Diss. med. sistens plurium pedis musculorum

defectum. Argent., J. H. Heintz, 1734, Decemb. 30.
4⁰. — 625.

Haller, Alb., De uracho pervio et allantoide humana.
Goettg., A. Vandenhoeck, 1739, Mart. 4⁰. Acc. Vita doct.
Lehman Isaac Kohen. — 354.

Martinii, Henrici, Dantiscani, Anatomia urinae Galeno-
spagyrica ex doctrina Hippocratis et Galeni nec non recentiorum, imprimis Theophrasti Paracelsi et Leonh. Thurn-
heuseri . . . Cui acc.: Ejusd. ars pronuntiandi ex urinis
. . . et Caesaris Odoni de urinis libellus posthumus. Frcf.,
G. Fickwirt, 1658. 16⁰. — IV. P. l. 23/1.

Faselius, Jo. Frid., De uracho programma quintum. Jenae,
Fickelscherr, 1760. 4⁰. — IV. P. c. 24/2.

— Programma de uracho septimum. Jenae, Fickelscherr,
1760. 4⁰. — IV. P. c. 24/6.

Haller, Alb., praes., Taube, Hardovicus Wilh. Lud.,
resp., Diss. inaug. de vera nervi intercostali origine,
. . . pro doct. Gottg., A. Vandenhoeck, 1743, Jan. 31. 4⁰.
— 356.

Schmidelii, Cas. Chph., D., Epistola anatomica, qua de
controversa nervi intercostalis origine quaedam disseruntur.
Erlangae, J. F. Becker, 1747. 4⁰. [Cum tab. aen.] — IV.
M. d. 12.

Meckel, Jo. Frid., Tractatus anatomico-physiologicus de
quinto pare nervorum cerebri, duabus figurarum tabulis
illustratus. Gottingae, Abram Vandenhoeck, 1748. 4⁰. —
IV. P. e. 1.

Asch, Geo. Thom., Diss. inaug. de primo pare nervorum
medullae spinalis, pro gr. doct. Gottg., Vidua Vandenhoeck, 1750. 4⁰. — IV. O. c. 15.

Haase, Jo. Glob., Diss. neurologica de gangliis nervorum,
pro loco. Lipsiae, Langenheim, 1772. 4⁰. — IV. P.
c. 22/11.

Gunzius, Just. Godofr., praes., Thilo, Jo. Gabr., Gedanensis, resp., Observationes anatomico-physiologicae circa
hepar factae. Lips., Langenhemius, 1748, Aug. 2. 4⁰. — 124.

Christison, Robert, Über die Entartung der Nieren,
aus dem Englischen übersetzt von Johann Mayer, mit
Anmerkungen von Carl Rokitansky. Wien, Carl Gerold,
1841. 8⁰. — IV. N. h. 24.

Lipstörp, Gust. Dan., De poris humani corporis, diss.
inaug. Francof. ad Od., Ch. Zeitler, 1685. 4⁰. — IV.
P. e. 20.

Huber, Jo. Jac., De medulla spinali. Gottg., A. Vandenhoeck, 1739, Oct. 4⁰. — 378.

Landolt, Matthias, Diss. inaug. med. de dignitate duo-
deni in dijudicandis et curandis morbis, pro doct. gradu.
Erlangae, Tetzschner, 1757. 4°. — IV. P. c. 22/9.

Physiologie.

Eyselii, Jo. Phil., Compendium physiologicum. Erfordiae,
impens. Autoris, stanno Groschiano, sine a. 8°. — IV.
N. l. 2.

Vesalii, Andr., De humani corporis fabrica librorum
epitome. Witebergae, Z. Lehmann, 1582. 8°. — IV.
O. i. 20.

Varandaei, Joh., Physiologia et pathologia, quibus accesserunt ejusdem tractatus prognosticus, item tractatus de
indicationibus curativis. II. editio. Monspessuli, Franc.
Chouët, 1620. 8°. — IV. P. g. 8.

Wedelii, Geo. Wolfg., Physiologia reformata. Jenae,
ap. Joan. Bielkium, 1688. 4°. — IV. P. f. 23.

Hildebrandt, Fried., Lehrbuch der Physiologie. 3. Aufl.
Erlangen, J. J. Palm, 1803. 8°. — IV. N. g. 11.

Bohnii, Joh., D., Circulus anatomico-physiologicus, seu
oeconomia corporis animalis, hoc est, cogitata functionum
animalium potissimarum formalitatem et causas concernentia . . . Lipsiae, Gleditsch, 1686. 4°. — IV. M.
l. 13/43.

Vesti, Justi, Oeconomia corporis humani, in qua 8 dissertationibus functiones pleraeque et potiores . . . proponuntur et ex suis causis deducuntur. Cui acc. duo tractatus: alter de purgatione, alter de medicamentorum formulis conscribendis ejusd. autoris. Jenae et Erf., sumt.
J. J. Ehrt. 8°. — IV. O. k. 15.

Hermann, L., Handbuch der Physiologie. Leipzig, F. C.
W. Vogel, 1879—82. 8°. 6 Bde. — VI. C. d. 27—35.

Steiner, J., Grundriss der Physiologie des Menschen.
2. verb. Aufl. [Mit zahlreichen in den Text eingedruckten
Holzschnitten] Leipzig, Veit u. Comp., 1883. 8°. — VI.
C. d. 19.

Rosenthal, J., Allgemeine Physiologie der Muskeln und
Nerven. [Mit 75 Abbild. in Holzschnitt.] Leipzig, F. A.
Brockhaus, 1877. 8°. [Internat. wissenschaftl. Biblioth.
B. XXVII.] — VI. C. f. 27.

Bain, Alex., Geist und Körper, die Theorien über ihre
gegenseitigen Beziehungen. [Mit 4 Abbildungen in Holzschnitt.] Leipzig, F. A. Brockhaus, 1881. 8°. [Internat.
wissenschaftl. Biblioth. B. III.] — VI C. f. 3.

Bastian, H. Charlton, Das Gehirn als Organ des Geistes.
[Mit 181 Abbild. in Holzschnitt.] Leipzig, F. A. Brock-
haus, 1882. 8°. 2 Bde. [Internation. wissenschaftl.
Biblioth. B. LII.—LIII.] — VI. C. g. 2—3.

Bernstein, Julius, Die fünf Sinne des Menschen. [Mit
91 Abbild. in Holzschn.] Leipzig, F. A. Brockhaus, 1875.
8°. [Internation. wissenschaftl. Biblioth. B. XII.] — VI.
C. f. 12.

Meyer, Geo. Herm. v., Unsere Sprachwerkzeuge und ihre
Verwendung zur Bildung der Sprachlaute. [M. 47 Abbild.
in Holzschnitt.] Leipzig, F. A. Brockhaus, 1880. 8°.
[Intern. wissenschaftl. Bibl. B. XXXXII.] — VI. C. f. 42.

Fick, Adolf, Mechanische Arbeit und Wärmeentwickelung
bei der Muskelthätigkeit. [Mit 33 Abbild. in Holzschnitt.]
Leipzig, F. A. Brockhaus, 1882. 8°. [Internation. wissenschaftl. Biblioth. B. LI.] — VI. C. g. 1.

Le Mortii, Jac., Idea actionis corporum, motum intestinum,
praesertim fermentationem delineans. Lugd. Bat., Fr.
Haaring, 1693. 12°. — IV. P. l. 3/2.

Teichmeyer, Herm. Frid., Elementa anthropologiae, sive
theoria corporis humani, in qua omnium partium actiones
. . . declarantur. Jenae, Jo. Fel. Bielcke, 1719. 4°. — IV.
P. e. 23.

Leske, Nath. Gfr., Physiologiam animalium commendat.
Lips., Jacobaeer, 1775, Febr. 22. 4°. — 700.

Rivinus, Aug. Quir., Dr., Theses physiologicae. Lipsiae.
12°. — IV. P. l. 20/3.

Berger, Jo. Gfr., praes., Pauli, Aug. Chn., autor resp.,
Positiones physiologicae de homine. Witeb., M. Schultze,
1691, Oct. 21. 4°. — 301.

Metzger, J. D., Adversaria medica, cont. chirurgica, physiologica, practica. Francof. ad M., Eslinger, 1775. 8°. —
IV. N. d. 15.

[Sylvius, (De le Bois), Franc.] Disputationes medicae,
auctore Francisco de le Boe Sylvio . . .
  1. De alimentorum fermentatione in ventriculo.
  2. De chyli a faecibus alvinis segregatione.
  3. De chyli mutatione in sanguinem.
  4. De spirituum animalium in cerebro cerebelloque con-
     fectione per nervos distributione absque usu vario.
  5. De lienis et glandularum usu.
  6. De bilis ac hepatis usu.
  7. De respiratione usuque pulmonum.
  8. De vasis lymphaticis et lympha.
     Patauii, Pasquatus, 1672. 12°. — IV. O. l. 27.

Boyle, Rob, Tentamina quaedam physiologica ... Cum
ejusdem: Historia fluiditatis et firmitatis, ex anglico in
latinum sermonem translata. Amstelodami, Dan. Elzevir,
1667. 12°. — IV. U. o. 28.

Teichmeyer, Herm. Frid., praes., Otto, Car. Jo. Aug.,
auct. et resp., Exercitatio physiologico-anatomica, sistens
quasdam theses de generatione, quam ... sub praesidio
— eruditorum disquisitions submittit auct. et resp. —
Jenae, Fickelscherr, 1736, Sept. 26. 4°. — 25.

Deusingii, Ant., De motu cordis et sanguinis, itemque de
lacte ac nutrimento foetus in utero dissertationes. (Acc.
De venae sectione in pleuritide. — Oratio panegyrica de
judicii difficultate seu in verba Aph. 1. 5. 1. Hipp.: judicium difficile.) Groningae, F. Bronckhorst, 1655. 12°. —
IV. P. l. 21.

Lowe, Rich., Tractatus de corde, item de motu, colore et
transfusione sanguinis et de chyli in eum transitu, ut
et de venae sectione. His accedit: De origine catarrhi.
Editio sexta cum figuris aeneis. Lugduni Batavorum,
Johannes et Hermannus Verbeek, 1728. 8°. — IV. P.
k. 13.

Pezold, Josias Gfr., De corde et ejus motu epistola.
Lips., Langenhemius, 1750, März 14. 4°. — 127.

Friess, Mart. Frid., De sanguine. Lips., Wittig, 1673.
4°. — 151.

Scheid, Joh. Val., praes., Saltzmann, Joh., resp.,
Theses medicae de dilecto naturae filio, sanguine. Argentorati, A. Giessen, 1702, Oct. 5. 4°. — 457.

Mercklinus, Geo. Abr., Tractatio medico-curiosa de ortu
et occasu transfusionis sanguinis. Norimb., J. Zieger,
1679. 8°. — IV. O. l. 8.

Stahl, Geo. Ern., praes., Brehme, Joh. Salomo, resp.,
Diss. phisiologico-medica de sanguificatione in corpore
semel formato. Halae Magd., Ch. Henckel, 1684, Apr.
4°. — 375.

Slegelii, Pauli Marquarti, De sanguinis motu commentatio, in qua praecipue in Joh. Riolani v. c. sententiam inquiritur. Hamburgi, J. Rebenlin, 1650. 4°. —
IV. O. f. 23.

Stahl, Geo. Ern., De commotionibus sanguinis activis et
passivis. Acc. Vita doctorandi Chmi. Alb. Richter, 1698.
4°. — 237.

Reichel, Geo. Chn., De sanguine ejusque motu experimenta refert. Lips., Breitkopf, 1767, Oct. 2. 4°. [Cum
tab. aen.] — 120.

Loeseke, Jo. Lud., Leber., De motu sanguinis intestino, diss. inaug. Halae, Schneider, 1745. 4°. — IV. P. e. 1.

Günz, Just. Gfr., De sanguinis motu per durioris cerebri membranae sinus observationes quasdam proponit. Lips., Langenhemius. 4°. — 604.

Lange, Chn. Joh., M., Diss. phys. de circulatione sanguinis. Lips., Chn. Scholvinus, 1680. (Unvollst.) Von gleichzeitiger Hand: „Haec disputatio videtur mihi a professore medicinae Lipsiensi Bohnio integra fere composita, ad minimum ex collegiis Bohnianis extracta et in hanc formam satis accurate contracta, quae compendium doctrinae circulationis sanguinis vocari meretur.“ 4°. — IV. M. l. 12/10.

Gakenholz, Andr. Chn., praes., Helmbold, David Chph., auct. resp., Exercitatio med. inaug. de sanguinis circulatione . . . pro lic. Helmstadii, G. W. Hamm, 1710, Juli. 4°. — 342.

Wedel, Jo. Adolph, praes., Goesslingius, Ludolph Arnold, resp., Diss. inaug. med. de velocitate sanguinis a statu vasorum diverso dependente, pro licentia. Jenae, J. F. Ritter, 1734, Mai 8. 4°. — 193.

Mürcke, Andr., Diss. physiolog. de viribus sanguinis et solidorum motum facientibus curatius definiendis, pro gradu doctoris. Lipsiae, Langenhemius, 1772, Juni 19. 4°. — 153/1.

Notter, Joh. Georg, Theses inaug. medicae de depuratione sanguinis per renes, pro summis in med. honoribus. Argentor., Joh. Beck, 1614, Juli, 2. 4°. — 119.

Teichmeyer, Herm. Frid., praes., Tannenberger, Joh. Chph., auct. et resp., Exercitatio academica de elatere sanguinis . . . Jenae, Fickelscherr, 1724, Mai 27. 4°. — 696.

Jacobi, Frid. Glob, M., De sanguinis colore, pro doctoris gradu disserit. Lips., Langenhemius, 1748, Sept. 6. 4°. — 488/1.

Bose, Ern. Glob, De seri sanguinis consideratione in medicina clinica et forensi, 1774. 4°. — IV. P. e. 2.

Schroeter, Maur., praes., Kest, Franc., M., resp., Theses disputationis medicae ordinariae de fluxu haemorrhoidum secundum naturam. Lips., M. Lantzenberger, 1612, Juni 18. — 763.

Goelike, Andr. Ottomar, praes., Zappel, Augustinus, resp., Diss. inaug. med. de ingressu aëris in sanguinem sub respiratione ejusdemque effectibus, pro gradu doct. Francof. ad V., Ph. Schwartz, 1738, Aug. 15. 4°. — 515.

Moleschott, Jac, Der Kreislauf des Lebens. 5. gänzl.
umgearb. Auflage, Bd. I. Mainz, Victor v. Zabern, 1877.
8°. — V. H. c. 31.

Specimen, Novae hypotheseos de pulmonum motu et respirationis usu —. Londini, impensis J. P., 1671. 8°. —
IV. P. k. 16.

Blumentrost, Joh. Deodatus, Diss. inaug. pulsuum theoriam et praxin examinat. pro doctoris gradu. Halae,
Ch. Henckel, 1702. 4°. — IV. M. l. 13/21.

Excusatio respondens examini pulsuum celeris et frequentis,
eorumque constans distinctio, qua demonstratur, quod
argumenta adversus illam, iterum publico scripto prolata,
thesin non feriant. Literis Henckelianis. 4°. — 238.

Bergen, Carol. Aug. a, praes., **Hückelius, Barthold.
Ludov.**, auctor et resp., Diss. med. inaug. de pulsu, pro
gradu doct. Francof. ad V., Philipp. Schwartz, 1740. 4°.
— 239.

Berger, Jo. Gfr., praes., **Berger, Jo. Sam.**, M. resp.,
Diss. inaug. de vita et morte . . . praeside — pro licentia
p. p. —. Vitembergae, Gerdes, 1713, Sept. 28. 4°. — 620.

Heffter, Chn. Traugott, De viribus vitae disserit. Lips.,
Langenhemius, 1772, Apr. 10. 4°. — 701.

Unzerus, Ghilf Andr., De nutritione, cumprimis ut in
hominibus animalibusque congeneribus se habet, diss.
inaug. Jenae, prelo Nisiano, 1676. 4°. — IV. P. e. 21.

Hoffmann, Frid., praes., **Bucherus, Urban. Godofr.**,
auct. resp., Dissertatione inaug. med. leges naturae in
corporum productione et conservatione praeside — pro
adipiscendis summis in arte salutari honoribus ... exponet
auctor. Halae, J. Gruner, 1707, Nov. 22. 4°. — 173.

Burchardus, Chph. Mart., praes., **Grapius, Joh. Sam.**,
resp., Diss. physiol. circularis de principio movente in
animatis et quidem in specie sectio I. de anima plantarum.
Rostochii, J. J. Adler, 1723, Jan. 4°. — 377.

Saltzmann, Joh. Rud., praes., **König, Joh. Chph.**, M.,
resp., Quaestionum medicinalium de tribus microcosmi
partibus principibus decades tres. [De cerebro, de corde,
de hepate.] Argentor., J. Reppius, 1618, Marz. 4°. — 602.

Pohlius, Jo. Chph., De motu humorum in contextu cellu-
lari corporis animalis . . . Lips., Langenheim, 1767. 4°.
— IV. P. c. 21/7.

Plenk, Jos. Jak., Hygrologie des menschlichen Körpers
oder chemisch-phisiologische Lehre von den Säften des
menschlichen Körpers. Wien, Ch. F. Wappler. 8°. —
IV. M. k. 22.

Garmann, Chn. Frid., L., Homo ex ovo sive de ovo humano dissertatio. Chemnitii, sumptibus authoris, typis J. G. Gütneri, 1682. 4°. -- 24.

Schacher, Polyc. Glieb., De conceptione. Acc.: Vita doctorandi Pauli Chn. Mülleri. Lipsiae, Schniebes, 1728. 4°. — 26.

Meibomius, Brandanus, praes., **Ellerndorff, Joh. Chph.,** resp., Diss. inaug. de conceptione, quam praeside —, pro gradu doct. . . . eruditorum examini submittit. Helmstadii, P. D. Schnorr, 1731, Junii 21. 4°. — 27.

Büchner, Andr. Elias, praes., **Reichart, Gotthard Wilh.,** auctor, Diss. inaug. med. de uteri connexione cum mammis, pro gradu doctoris . . . Halae, J. Ch. Hendel, 1753, April 16. Acc. carm. gratul. et diploma doctorale. 4°. — 643.

Nunn, Andr., Mogonus, Diss. inaug. med., qua eversa vasorum rubrorum uteri anastomosi ac communicatione cum placenta saniorem ac natura instituto magis consentaneum nutritionis foetus modum ac mechanismum . . . . demonstraturus est —. Erfordiae, J. Ch. Hering, 1751, Mai 24. 4°. — 199.

Lischwitz, Jo. Chph., Sanguinis renum in foetubus, urinae secretionem declinans, diverticulum proponit. Kiliae, Gfr. Bartsch, 1736, Apr. 21. 4°. Acc. Vita doctor. M. Lud. Frid. Falckneri. — 658.

Drelincurtii super humani foetus umbilico meditationes elencticae. Lugd. Bat., Corn. Boutesteyn, 1685. 12°. — II. S. i. 60 l.

Thejmelius, Jo. Chn., Dr., Commentatio medica, qua nutritionem foetus in utero per vasa umbilicalia solum fieri occasione monstri ovilli sine ore et faucibus nato ostenditur. Lips., Langenhemius, 1751. 8°. — 772.

Jampert, C. F., praes., **Schoenau, Balth. Sigism.,** resp., Foetum effectu respirationis non carere . . . Halae ad Salam, Curtius, 1755, Mart. 22. 4°. — 453.

Gehler, Jo. Carol., De prima foetus respiratione. Lips., Langenhemius, 1773. 4°. — 163.

Bose, Ern. Glob., praes., **Zschuck, Chn. Glieb.,** resp., De respiratione foetus et neogeniti dissertatio prima, quam . . . praeside —, pro gradu doctoris, disputat —. Lips., Langenhemius, 1772, Julii 24. 4°. 2 Exempl. — — 35/1.

Grambs, Joh., De nutritione et augmento foetus in utero theses academicae . . . pro summis in med. honoribus. Giessae, typ. vid. Jo. Reinh. Valpii, 1714, Nov. 4°. — 34.

Roedererus, Jo. Geo., praes., Dietz, Jo. Frid. Guil.,
resp., Diss. inaug. med. de temporum in graviditate
et partu aestimatione. Gottg., Schulz, 1757, Sept. 15.
4⁰. — 30.

Mappus, Marcus, praes., Espich, Joh. Jac., resp.,
Quaestio medica physiologica de aquis, in quibus tem-
pore gestationis foetus humanus quasi natat. Argentor.,
J. Welper, 1685, Marz. 4⁰. — 28.

Boecler, Joh., praes., Bruckmann, Phil. Lud., resp.,
Diss. med. continens theses de chylo. Arg., S. Kürsner,
1720, Nov. 4⁰. — 496.

Faschius, Augustinus Henr., De chylificatione. Jenae,
1684, Jan. 20. Acc. Vita doctorandi Geo. Ern. Stahl. 4⁰.
— 421.

Pohlius, Jo. Chph., De chylificatione comment. Lips.,
Langenhemius, 1758. 4⁰. — 422.

Boeclerus, Joh., Diss. inauguralis historiam instrumentorum
deglutitioni, praeprimis vero chylificationi inservientium
tradens, . . . pro gr. doct. Argentor., J. F. Spoor, 1705,
Jan. 24. 4⁰. — 803 a.

Schacher, Polyc. Gottl., De necessitate excretionum.
Lips., 1729. 4⁰. — 233.

Büchner, Andr. Elias, praes., Kuppius, Jo. Henr.
Aug., auct., Diss. inaug. med. de secretionum legibus
generalioribus, quam . . . pro gradu doctoris . . . publice
defendet autor. Halae, Hendel, 1768, Aug. 17. 4⁰. — 102.

Stahl, Geo. Ern., Propempticon inaugurale de ΗΛΙΡΑΙΟ-
ΓΙΟΜΩ proportionis figurae pororum secretoriorum. Halis,
Magdeb., 1702. 4⁰. — IV. M. l. 13/2 a.

Emmerich, Geo., praes, Hübner, Chph. Frid., resp.,
Diss. academica sistens paradoxon physico-medicum de
inspiratione. Regiomonti, Frid. Reusner, 1698, Junii —. 4⁰.
— 463.

Pohlius, Jo. Christoph, praes., Schnupff, Jo Glieb.,
auctor et resp., Diss. de respiratione sana et laesa. Lips.,
Langenhemius, 1738, Mai 13. 4⁰. — 438.

Gunzius, Just. Gfr., Novam sententiam de respiratione
proponit. Lips., Langenhemius, 1739. 4⁰. — 164.

Bruno, Jac. Pancr., praes., Miller, Ludov., M., resp.
author., Disp. physiologica de transpiratione insensibili,
quam sub umbone — defendet. Altdorfii, H. Meyer, 1680.
4⁰. — 101.

Wedelius, Ern. Henr., praes., Granzin, Chph., resp.,
Diss. med. physiologica de transpiratione insensibili . . .
Jenae, Krobs, 1708, Mai. 4⁰. — 417.

Kadelbach, Chn. Frid., M., De exhalationibus naturalibus disp. II., pro gr. doct. Lips., Loeper, 1767, Apr. 7.
4°. — 449/1.

Bose, Ern. Glob., praes., Leonhardi, Joh. Gfr., resp.,
De resorptione cutanea disserit, simulque . . . Geo. Chn.
Arnold, Lesna Polono, . . . sumos in arte medicina honores
. . . gratulatur sub praesidio —. Lips., Langenhemius, 1768,
Dec. 16. 4°. — 121.

Methe, Joh. Henr., Diss. inaug. med. de urinarum natura
ac diversitate . . . pro lic. summisque in medicina honoribus. Marburgi Cattorum, Ph. C. Müller, 1727, Aug. 12.
4°. — 6.

Engelhardt, Geo., Diss. med. inaug. de succo nervoso
(pro lic. et doct.) Altorf, H. Meyer, 1704, Junii 12. 4°.
— 414.

Haller, Alb., praes., Berckelmann, Matth. Ludwig
Rud., resp., Disp. inaug. anatomico-physiologica de
nervorum in arterias imperio . . . (pro doctoratu). Gottg.,
A. Vandenhoeck, 1724, Sept. 15. 4°. — 365.

Frankenau, Geo. Frid. de, Disquisitio epistolaris succi
nutritii per nervos transitum ejusque effectum in corpore
humano expendens. Lipsiae, J. M. Liebe, 1696. 12°. —
IV. O. l. 22/2.

Vater, Chn., praes, Glosemeyer, Joh., resp., Existen-
tiam et motum spirituum animalium in nervis . . . praeside — defendet. Wittenbergae, M. Schultz, 1687. 4°.
— 413.

Winrichius, Mart., De ortu monstrorum commentarius.
Vratislaviae, sumpt. Heinrici Osthusii, 1595. 8°. — IV.
P. k. 12.

Bartholini, Thom., Spicilegia bina ex vasis lymphaticis,
ubi clariss. virorum Pecqueti, Glissoni, Backii, Cattierii,
le Noble, Tardii, Whartoni, Charletoni, Bilfii etc. sententiae examinantur. Amstelaed., apud P. van den Berge,
1661. 12°. — II. S. i. 50.

Sultzberger, Sigism. Rupert, praes., Fritsch, Gfr.,
Wratisl., aut. et resp., de rore microcosmi. Lipsiae,
vidua H. Coleri, 1665, Dec. 28. „Definitur Ros, quod sit
humor albicans tenuior ex liquidiore alimentorum parte,
potissimum vero ex chylo in intestinis a fermento bilis
permutato factus, ut irrorationi et nutritioni partium
praecipue inserviat." 4°. — 213.

Burg, Joh., Vratisl. Sil., Visum . . . physiologice examinandum . . . sistet auctor. Jenae, Krebs, 1674. 4°. —
IV. M. l. 12/14.

Mohr, Nicol. Conr., De affectione hypochondriaca diatribe, pro doct gradu. Rinthelii, G. C. Wächter, 1678. 4°. [Cum tab. aen.] — IV. O. d. 23.

Johrenius, Conr., praes., Elers, Joh., M., resp., Disp., inaug. med. de volatili et fixo sanitatis humanae conservativo. destructivo et restaurativo, . . . pro licentia. Rinthelii, G. C. Wächter, 1678, Oct. 4°. — 567.

Bohn, Joh., praes., Kirchhoff, Joh. Adam, resp., Exercitatio physiologica de menstruo universali animali. Lips., haerr. Ballii, 1687, Juni 17. 4°. — 593.

Scheid, Jo. Val., Quaestionum de usu lienis ΠΕΝΤΑΣ pro dissertatione academica solenni proposita. Argentor., Joh. Welper, 1691, Dec. 6. — 621.

Finger, Chn. Gfr., M., praes., Cronbusch, Geo. Sigism., resp , Diss. phys. de quotidiano corporis humani decremento. Lips., Ch. Fleischer, 1694, Mart., 3. 4°. — 380.

Slevogtius, Jo. Hadrian, praes., Möllerus, Jo. Geo., resp., Diatribe physiologica de affectihus animi, tribus dissertationibus medicis singularem irae, metus atque tristitiae utilitatem per rationes et experientiam demonstrantibus praemissa . . . Jenae, Nisius, 1695, Mart. 4°. — 376.

Fischer, Joh. Andr., praes., Uffel, Henr. Chn., auth. et resp., Disp. anatomico-physiologica de musculis horumque officio naturali et praeternaturali. Erfordiae, J. H. Kindler, 1697, Junii 8. 4°. — 371.

Trefurth, Joh. Frid., Diss. inaug. med., exhibens historiam dentium physiologice et pathologice pertractatam, pro lic. Halae, Chph. Salfeld, 1698. 4°. — IV. M. l. 13/36.

Hoffstadt, Joh. Dan., Diss. inaug. de generatione salium morbosorum in corpore humano, pro doctoris gradu. Halae, Chn. Henckel, 1702. 4°. — IV. M. l. 13/24.

Hoffmann, Frid., praes., Gumprecht, Geo. Glieb., resp., Diss. inaug. med. de consensu partium praecipuo pathologiae et praxeos medicae fundamento, pro gradu doctoris. Halae, Ch. Henckel, 1717, April. 4°. — 263.

Loeber, Em. Chn., Historiam inflammationis ex principiis anatomicis et mechanicis deductam, . . . pro doctoris gradu, . . . publ. examini submittit. Halae, Jo. Gruner, 1722, Nov. 2. 4°. — 613.

Schurigius, Mart., D., Sialologia historico-medica, h. e. salivae humanae consideratio physico-medico-forensis. Dresdae, haerr. Miethii, 1723. 4°. — IV. O. d. 20.

Ott, Joh., Epistola de scriptis Holderi de elementis sermonis (de voce humana), et Morlandi de stentorophonia. Vide

Wepferi, Historiae apoplecticorum. Amstelaed., apud
Janssonio Waesbergios, 1724. 8°. — IV. O. l. 1.

Lischwitz, Joh. Chph., Diss. med. de masticatione, . . .
pro loco. Lips., A. M. Schede, 1725, Junii 1. 4°. — 685.

Amman, Jo. Conr., Surdus loquens, sive dissertatio de
loquela, qua non solum vox humana et loquendi artifi-
cium ex originibus suis eruuntur: sed et traduntur media,
quibus ii, qui ab incunabulis surdi et muti fuerunt, loquelam adipisci, quique difficulter loquuntur, vitia sua emendare possint. Lugd. Bat., J. A. Langerak, 1727. 8°. —
IV. O. l. 16/2.

Wallis, Joh., De loquela, sive sonorum formatione tractatus
grammatico-physicus. Editio VI. Lugd. Bat., Jo. Arn.
Langerak, 1727. 8°. — IV. O. l. 16/1.

Teichmeyer, Herm. Frid., De lympha cerebri. I. Jenae,
Muller, 1728, Mai 3. 4°. Acc. Vita doctorandi Jo. Ant.
Schlungii. — 481.

Crausius, Rud. Guil., praes., Crausius, Rud. Guil.,
resp., Diss. med. inaug. de dentium sensu, . . . pro lic.
Jenae, Krebs, 1704, Julii. 4°. — 441.

Brunnerus, Wolfg. Matth., Diss. physico-med., sistens
rationis rationem, qua simul tam ipsum principium
motuum in corpore animali investigatur et definitur,
quam ipsius effectus, qui sunt motus circa negotia vitale,
animale et rationale rationaliter eruuntur et proponuntur.
Halae, Ch. Henckel, 1705. 4°. — IV. M. l. 13/20.

Crausii, Rud. Guil., De varietate lusuum naturalium
speciatim in animalibus et cumprimis hominibus. IV.
Jenae, Krebs, 1705. 4°. Acc. Vita doctorandi Hermanni
Friderici Teichmeyeri. — 597.

Grav, Joh. Christ., Diss. med. physiologica: De cerumine. Jenae, Christoph Krebs, 1705. 4°. — IV. M.
l. 13 42.

Wedelius, Ern. Henr., praes., Grav, Joh. Chn., resp.,
Diss. med. physiologica de cerumine (in auribus repe-
riundo.) Jenae, Ch. Krebs, 1705, Mai. 4°. — 305.

Glosemeyer, Joh., praes., Sendel, Nathanael, aut. et
resp., Diss. med. physica de sapore. Gedani, J. Z. Stolle,
1709, Juni 19. 4°. — 224.

Mercklinus, Joh. Chph., Diss. inaug. med. de secretionum anomaliis salutaribus, . . . pro lic. Altorf, M. D.
Meyer, 1709, Juni 25. 4°. — 715.

Werloschnig, Jo. Bapt., Curationis verno-autumnalis,
purgationi, venae sectioni, vomitioni etc. innitentis abu-
sus. Acc. celeberrimorum medicorum de hac materia

epistolae. Francof., Dominic. a Sande, 1713. 8°. — IV.
P. i. 13.

Hoffmann, Frid., praes., Blüdorn, Chn., resp., De
generatione mortis in morbis, . . . pro doctoris gradu.
Halae, Ch. A. Zeitler, 1715, Dec. — 618.

Venette, Nic., De la génération de l'homme, ou tableau de
l'amour conjugal. Cologne, Claude Joly, 1716. 8°. [Av.
le portr. et figg.] — IV. N. l. 12.

Isaac, Chn. Henr., Diss. inaug. med. de consuetudine
ejusque effectibus ex fibra sensim mutata deducendis,
. . . pro gradu doctoris . . . Erfordiae, Hering, 1737,
Juni 13. 4°. — 482.

Walther, Aug. Frid., praes., Ludwig, Chn. Glieb, M.,
resp., Diss. inaug. de deglutitione naturali et praepostera,
pro gradu doctoris. Lips., Langenhemius, 1737, Mai 31.
4°. — 251.

Adelbulner, Mich., Theses medicae physiologico-patholo-
gicae pulmonum fabricam, usum, variaque, quibus affli-
guntur, incommoda generatim complectentes, pro licentia
. . . Altorfii Noricorum, J. G. Meyer, 1738, Juni 23. 4°.
— 126.

Delius, Henr. Frid., De consensu pectoris cum infimo
ventre, diss. inaug. Halae, typ. Jo. Chn. Hilligeri, 1743.
4°. — IV. P. e. 3.

Nicolai, Ern. Ant., Diss. inaug. med. de dolore, pro gr.
doct. Halae, C. H. Hemmerde, 1745, Juni. 4°. — 708.

Cartheuser, Jo. Frid., praes., Reinbeck, Joach. Chn.,
auct., Diss. inaug. med. de ciborum neglecta manduca-
tione, pro gradu doct. . . . Francof. ad V., J. Ch. Winter,
1748, Oct. 4. 4°. — 760.

Quelmalz, Sam. Theod., praes., Hanicke, Joh. Chph.,
resp., De liene, praeside —, pro gradu doct. disputabit.
Lips., Langenhemius, 1748, Mai 28. 4°. — 615.

Kannegiesser, Gottl. Henr., praes., Walther, Jac.,
auct. resp., Diss. solemnis de pneumatosi, pro licentia.
Kilonii, Gfr. Bartsch, 1748, Febr. 4°. — 412.

Büchner, Andr. Elias, praes., Thebesius, Wilhelm
Salom., resp., De consensu pedum cum intestinis, prae-
side — pro gradu doctoris . . . disputabit. Halae, Joh.
Justin. Gebauer, 1749, Nov. 5. 4°. — 170.

Haller, Alb. de, praes., Albrecht, Joh. Melch. Frdr,
resp., Diss. inaug. med., sistens experimenta quaedam in
vivis animalibus praecipue circa tussis organa exploranda
instituta, pro doct. Goettg., G. L. Schulz, 1751, Apr. 4°.
— 589.

Büchner, Andr. Elias., praes., Hintz, Benj. Lud., aut. resp., Diss. inaug. med. de fame, pro gradu doctori. Halae, J Ch. Hendel, 1751, Dec. 24. 4°. — 418.

Boehmer, Jo. Benj., D., Callum ossium e rubiae tinctorum radicis pastu infectorum describit. Lipsiae, Langenhemius, 1752. 4°. — 384.

Droysen. Julius Frid., Diss. inaug. de renibus et capsulis renalibus, pro doct. Gottg., J. Ch. L. Schultz, 1752, Oct. 4°. — 640.

Eberhard, Jo. Petr., praes., Clauswitz, Sam. Aug., resp., Sensationum theoria physica geometrice demonstrata. Halae Magdeb., J. Ch. Hendel, 1752, Apr. 22. 4°. — 379.

Jampert, Chn. Fridr., Causas incrementum corporis animalis limitantes, pro gr. doct., d. 5. Oct. 1754 publice defendet. Halae, ex off. Fursteniana, 1754. 4°. — 635.

Boehmer, Geo. Rud., De experimentis, quae cel. Réaumur ad digestionis modum in variis animalibus declarandum instituit, pauca. Acc.: Vita doctorandi Christiani Godofredi Frenzelii. Gerdes, 1757. 4°. — 290.

Diebold, Dan. Andr., Diss. inaug. med. de aëre in humoribus corporis humani . . . pro lic. Argentorati, J. H. Heitzius, 1757, Juli 1. 4°. — 688.

Jampert, C. F., praes., Müller, Paul Sam., auctor., Leges naturae, tensionem et laxitatem fibrarum totius corporis humani inter se semper esse proportionales . . . praes. —, stabiliet auctor —. Halae, Fürst, 1757, Aug. 27. 4°. — 803. f.

Gmelin, Phil. Frid., praes., Andreae, Jac. Eberh., aut. et resp., Diss. inaug. med. de irritabilitate animali, pro doctoris gradu. Tubg., Erhard, 1758, Nov. 13. 4°. — 719.

Ludwig, Chn. Glieb., praes., Oschatz, Carol. Ern., resp., De laesa ossium nutritione, pro gradu doctoris. Lips., Langenhemius, 1759, Dec. 7. 4°. — 165/1.

Leonhardi, Joh. Gfr., M., De resorptionis in corpore humano praeter naturam impeditae causis atque noxis, . . . pro gradu doctoris . . . Lips., Langenhemius, 1771, Oct. 25. 4°. — 236/1.

Bose, Ern. Glob., De lacte oberrante disserit. Acc. Vita doctorandi Andreae Mürcke. Lips., Langenhemius, 1772. 4°. — 153/2.

Krause, Car. Chn., praes., Gnauck, Traug. Guil., resp., De irritabilitate partium corporis humani dissertatio prima, . . . pro gradu doct. Lips., Langenhemius, 1772, Junii 5. 4°. — 411.

Meibomius, Henr., praes, Hellberg, Andr. Herm., resp., Disp. med. inaug. de vomitu, pro lic. Helmest., H. D. Müller, 1678. 4°. — 450.

Morgenbesser, Mich., Vratisl., De vomitu, ... pro gr. doct. disserit. Lips., Langenhemius, 1738, Juni 27. 4°. Desunt pagg. 65—72. — 769.

Bose, Ern. Glob., De suturarum cranii humani fabricatione et usu ... Lips., Langenhemius, 1763. 4°. — 672.

Schroeder, Phil. Geo., Experimentorum ad veriorem cysticae bilis indolem explorandam captorum sectionem primam proponit. Goettg., V. Bossiegel, 1764, Dec. 22. 4°. — 201, 669.

Wedelius, Geo. Wolffg., praes., Ehrhard, Joh. Dav., resp., Diss. med. de ructu. Jenae, Krebs, 1698, Apr. 4°. — 451.

Bertrand-Rival, Jean-Franç., Précis historique physiologique et moral des principaux objets en cire préparée et coloriée d'après nature, qui composent le musée de —. Paris, Richard, an X., 1801. 8°. [Avec portr.] — IV. R. d. 22.

Pathologie und Therapie. — Allgem. Pathologie.

(Rivinus, Aug. Quirin., Dr.), D. A. Q. R., Notitia morborum compendiosa. Lipsiae, literis Goetzianis. 12°. — IV. P. l. 20/2.

Plateri, Felicis, Observationum in hominis affectibus ... libri tres. Basileae, Ludov. König, 1614. 8°. — IV. O. f. 29.

Charletonii, Gualt., Oeconomia animalis, novis in medicina hypothesibus superstructa et mechanice explicata. Accessere ejusdem dissertatio epistolica de ortu animae humanae et consilium hygiasticum. Editio 4. Londini, Joh. Redmayne, 1669. 12°. — IV. O. l. 17.

Wedelii, Geo. Wolffg., Pathologia medica dogmatica. Jenae, Jo. Bielke, typis Krebsianis, 1698. 4°. — IV. O. c. 9.

Eyselii, Jo. Phil., Compendium pathologicum. Erfordiae, impens. autoris, stanno Kindlebiano, 1699. 8°. — IV. N. l. 2.

Welsch, Gfr., Rationale vulnerum lethalium judicium, in quo de vulnerum lethalium natura et causis ... agitur. Ed. II., cui acc. signa lethalitatis in iis, qui veneno extincti sunt. Lipsiae, sumpt. Ritzschianis, 1662. 8°. — IV. P. i. 22.

L

Bohn, Joh., De renunciatione vulnerum, seu vulnerum
lethalium examen, exponens horum formalitatem et causas
. . . Lips., Joh. Frid. Gleditsch, 1689. 8°. — IV. P. i. 16.

Gualtherus, Ludov. Frid., Disp. med. inaug. de inflammationis vera pathologia . . . pro licentia . . . 1698. Recusa:
Halae Magdeb., Chn. Henckel, 1705. 4°. — IV. M. l. 13.2.

Lommii, Jodoci, Observationum medicalium libri tres.
Amstel., J. Fred. Bernard, 1715. 8°. — IV. N. l. 10.

Boerhaave, Herm., Praelectiones academicae in proprias
institutiones rei medicae, ed. et notas add. Alb. Haller.
Gottingae, Abram Vandenhoeck, 1739—44. 8°. 7 voll. —
IV. N. k. 1—7.

— Haen, Ant. de, Praelectiones in Herm. Boerhaave insti-
tutiones pathologicas . . . ed. F. de Wasserberg. Viennae,
R. Graeffer, 1780—1782. 8°. 5 voll. [Cum effigie auct.]
— IV. M. k. 1—5.

— Aphorismi de cognoscendis et curandis morbis. Norimb.,
A. J. Felsecker, 1747. 8°. — IV. O. i. 19.

— Swieten, Gerardi van, Med. Doct., Commentaria in Hermanni Boerhaave aphorismos de cognoscendis et curandis morbis. Lugd. Bat., J. et H. Verbeek, 1742. Tom. II.
1745, III. 1753, IV. 1764, V. 1772. 4°. 5 voll. — IV. M.
d. 1—5.

Sauvages, De, Pathologia methodica, seu de cognoscendis
morbis. Amstelodami, sumpt. Fratrum de Tournes, 1752.
8°. — IV. N. k. 12.

Cartheuser, Jo. Frid., Fundamenta pathologiae et therapiae. Francof. ad V., J. Ch. Kleyb, 1758—62. 8°. 2 voll.
— IV. N. i. 4—5.

Klimmius, Chph. Alb., De secretionis in corpore humano
natura et causis, pro gradu doctoris . . . Acc. Vita in
sequenti programmate. Lips., Langenheim, 1767. 4°. —
IV. P. c. 21/6.

Halleri, Alb., Opuscula pathologica. Lausannae, Franç.
Grasset et Soc., 1768. 8°. — IV. N. d. 5.

Plenk, Jos. Jak., Sammlung von Beobachtungen über
einige Gegenstände der Wundarzneywissenschaft. Verb.
und verm. Auflage. Wien. R. Grätter, 1775. 8°. — IV.
M. k. 25.

— Lehre von den Hautkrankheiten . . . Aus d. Lat. . . . von
F. X. von Wasserberg. Wien, R. Gräffer, 1777. 8°. —
IV. M. k. 24.

Nicolai, Ernst Ant., Pathologie oder Wissenschaft von
Krankheiten. Halle, C. H. Hemmerde, 1769—79. 8°.
6 Bde. [Mit Bildn.] — IV. N. f. 1—6. IV. O. g. 1—4.

Nicolai, E. A., D., Fortsetzung der Pathologie oder Wissenschaft von Krankheiten. Halle, Hemmerde, 1781—84. 8°. 3 Bde. — IV. N. f. 7—9. IV. O. g. 5—7.

Metzger, Joh. Dan., Grundsätze der sämmtlichen Theile der Krankheitslehre. Koenigsberg, G. L. Hartung, 1792. 8°. — IV. P. f. 17.

Cullen, Gulielmus, Apparatus ad nosologiam methodicam seu synopsis nosologiae methodicae. Editio nova, ...aucta ... systemate morborum symptomatico, a J. B. M. Sagar proposito. Amstelodami, Fratres de Tournes, 1775. 4°. — IV. M. d. 13.

Dreyssig, Wilh. Friedr., Handbuch der Pathologie der sogen. chronischen Krankheiten. Leipz., Schwickert, 1796. 8°. — IV. O. d. 7.

Sprengel, Kurt, Handbuch der Pathologie. Wien, in Commiss. bei Aloys Doll, 1811. 8°. 3 Bde. — IV. P. f. 34—36.

Paulicki, Aug., Dr., Allgemeine Pathologie. I. Abth. Die Störungen der Formation. I. u. II. Lieferung. Lissa, Ernst Günther, 1862. 8°. — II. S. i. 271.

Allgemeines über verschiedene Krankheiten.

Stieff, Jo. Ern., De morbis ex somno. (Titulus deest.) — 202.

Stahl, Geo. Ern., Propempticon inaugurale. De morbis contumacibus. 4°. — IV. M. l. 13/10 a.

Wedelius, Geo. Wolfg., praes., Käseberg, Frid., resp., Disp. medica inauguralis de morbis a fascino, — pro licentia. Jenae, Krebs, 1682, Sept. 6. 4°. — 106.

Lindemann, Joh., Disp. inaug. med. de morbo retrogrado, pro doctoris gradu. Halae, Ch. A. Zeitler, 1697. 4°. — IV. M. l. 13/9.

Hesse, Adamus, Diss. med. inaug. de praecipuo studiosorum morbo, ejusque genuinis causis, ... pro doctoratus gradu. Halae, Ch. A. Zeitler, 1699. 4°. — IV. M. l. 13/27.

Vater, Chn., praes., Schiefordegherus, Bernh., Vratisl., auctor et resp., De ulceribus fistulosis. Vitemb., Goderitsch, 1700, Jan. 4°. — 322.

Brunnerus, Erhardus, Disp. med. inaug., De frequentia morborum in corpore humano prae brutis, ... pro lic. Halae, Magdeb., 1705. 4°. — IV. M. l. 13/6.

Meisner, Chn., Diss. inaug. med. de incurabilibus affectibus, pro lic. Halae, Ch. Henckel, 1705. 4°. Vita auctoris in sequenti propemptico inaugurali. — IV. M. l. 13/15.

Stahl, Geo. Ernest, Propempticon inaugurale de morbis
aulicis. Cum vita Erh. Brunneri. Halae Magdeb., 1705.
4°. — IV. M. l. 13/6 a.

Burchart, Joh., Diss. med. inaug., De haereditaria disposi-
tione ad varios affectus, . . . pro lic. Halae, 1706. Vita
auctoris in sequenti propemptico inaug. 4°. — IV. M. l. 13/17·

Alberti, Mich., Epistola gratulatoria ad Joh. Glob.
Titium, qua morbos mortiferos describit. Halae Magdeb.,
Chn. Henckel, 1711. 4°. — IV. M. l. 12/7.

Scholtz, Sam. Glieb., Diss. med. inaug. de ulceribus uteri,
pro gradu doct. Traj. ad Rh., Guil. van de Water, 1713,
Juni 17. 4°. — 800.

Hoffmann, Frid., praes., Stute, Joh. Wilh., resp., De
morbis ex aliis prodeuntibus, . . . pro doctoris gradu . . .
Halae, Chn. Henckel, 1716, Mai. 4°. — 730.

Zentgravius, Joh. Melch., Diss. inaug. med., sistens
morbos aetatibus speciatim imminentes, pro lic. Argentor.,
Dan. Maagius, 1716, Mai 28. 4°. — 266.

Plazius, Ant. Guil., praes., Liebich, Henr. Chn.,
autor (resp.), De morbis ex munditie intempestiva. Lips.,
Langenhemius, 1746, Juli 29. — 109.

Junckerus, Jo., praes., Pillich, Joh. Ferd., resp., Diss.
inaug. med. de morbis virorum, quam . . . praeside —,
pro gradu doctoris . . . exponet —. Halae, J. Ch. Hilliger,
1748, Sept. 4°. — 90.

Hallerus, Alb., Morbos aliquos ventriculi in cadaveribus
observatos describit. Goettg., A. Vandenhoeck, 1749, Juli.
Acc.: Vita doctorandi Gerhardi Armbster. 4°. — 359.

Büchner, Andr. Elias, praes., Schnell, Abrah., auct.
resp., De morbis ex varia temperamentorum conditione
oriundis, . . . pro gradu doctoris . . . Halae, J. Ch.
Hendel, 1750, Dec. 9. 4°. — 677.

Cartheuser, Jo. Frid., praes., Borchard, Frid, resp.,
Diss. inaug. med. de ischuria et dysuria, pro gradu doct.
Francof. ad V., J. Ch. Winter, 1750, Oct. 24. 4°. — 752.

Büchner, Andr. Elias, praes., Gerlach, Jo. Dan., auct.
resp., De debilitate ab imminuto partium corporis humani
motricium elastico vitali motu pendente, pro gradu doct.
Halae, Curtius, 1752, Oct. 24. 4°. — 410.

Hallerus, Alb., De morbis colli observationes. Gotting.,
G. L. Schulze, 1753, Jan. 4°. Acc.: Vitae doctorandorum
Petri Castelli et Georgii Ernesti Remi. — 364.

Wedelius, Geo. Wolfg., praes., Seeberus, J. Steph.,
resp., Diss. inaug. med. de fistulis, sub praesidio —, pro
licentia summos in arte medica honores . . . consequendi

publicae . . . disquisitioni submissa. Jenae, Krebs, 1754,
Febr. 4°. — 82.

Kaltschmied, Car. Frid., praes., Buch, Jo. Chph.,
auct. resp, Diss. inaug. med. de morbis periostii, pro gr.
doct. Jena, Marggraf, 1759, Apr. 14. 4°. — 634.

Regae, Henr. Josephi, Tractatus duo de urinis . . .
Francof. et Lips., Fleischer, 1761. 8°. — IV. O. g. 21/4.

Pohlius, Jo. Chph., De morbis contextus cellulosi in genere
disserit . . . Acc.: Vita doct.: Wilh. Jo. Frid. Heinigke.
Lips., Langenhemius, 1765. 4°. — 40/2.

Bidermannus, Joh. Glieb., Caussas subitae mortis ful-
mine tactorum, . . . pro gradu doctoris obtinendo, ex-
pendit. Lips., Breitkopf, 1768, Nov. 18. 4°. — 113/1.

Büchner, Andr. Elias, praes., Hincke, Jo. Glieb.,
Vratisl., auctor. resp., Diss. inaug. med. de differentiis
morborum, quae constitutioni epidemicae debentur, quam
praeside . . . pro gradu doctoris publ. defendet auctor.
Halae, Hendel, 1768, Dec. 19. 4°. — 112.

Triller, Dan. Wilh., praes., Bertholdus, Dan. Ghelf.,
auct. resp., Diss. inaug. med. de morbis pubertate solutis,
pro gradu doct. Vitemb., C. Ch. Dürr, 1770, Aug. 14. 4°.
— 210/1.

Medicus, Friedr. Cas., Sammlung von Beobachtungen
aus der Arzneywissenschaft. Neue Aufl. Zürich, Orell,
Gessner, Fuesslin & Comp., 1776. 8°. — IV. N. g. 16.

Einzelne Krankheiten (chronologisch.)

Huth, Joan. Chph., ΤΑ ΠΕΡΙ ΤΗΝ ΕΓΚΟΙΜΗCΙΝ (de
ritibus incubationis). Witemb., Finkel, 1601. 4°. (Graece).
— 806.

Schelhammer, Chph., praes., Mollenbroccius, Val.
Andr., resp., Disp. med. inaug. de veneno . . . pro lic.
Jenae, Ch. L. Kempff, 1649, Dec. 4°. — 575.

Meibomius, Henr., praes., Neukranz, Joh. Ant., resp.,
Diss. med. inaug. de vulneribus lethalibus, . . . pro lic.
Helmest., H. D. Müller, 1674, Sept. 3. 4°. — 599.

Schilling, Joh., Disp. inaug. med., aegrum ex amore cata-
lepticum factum proponens, . . . pro doctor. Giessae,
F. Karger, 1676, Jun. 4°. — 649.

Sultze, Geo. Dav., Disp. med. inaug. de angina, strangu-
lationem aemulante affectu, . . . pro licentia. Altdorfii,
J. H. Schönnerstaedt, 1677, Juni 18. 4°. — 337.

Major, Joh. Dan., praes., Förtsch, Joh. Phil., resp.,
Disp. med. inaug. de petechiis, quam . . . sub praes. —

pro licentia summum in arte medica gradum impetrandi
exponit --. Kilonii, J. Reumann, 1681, Oct. 4°. — 74.

Anthoni, Joh. Gregorius, Diss. inaug. med. exhibens
aegrum nephritico dolore laborantem, . . . pro lic. . . .
Giessae, H. Müller, 1685, Nov. 5. 4°. — 478.

Meierus, Joh. Jac., Meditatio de memoria laesa seu obli-
vione, . . . pr. doct. gr. Bas., Em. & J. G. König, 1687,
Febr. 4°. — 645.

Kast, Jo. Joach., Diss. inaug. medico-chirurgica de gangraena et sphacelo, pro doct. Argentor., J. F. Spoor,
1688, Oct. 4°. — 469.

Mappus, Marcus, praes., Henninger, Joh. Sigism.,
aut. resp., Disp. med. de cephalalgia. Argentor., J. Pastorius, 1691, Apr. 26. 4°. — 445.

Majus, Henr., praes., Kopff, Arpold Phil., resp., Meditatio inaug. medica de morbo castrensi, quem vulgus
cephalalgiam epidemicam vocitat, pro gradu doctoris.
Rinthelii, Gfr. C. Wächter, 1691, Febr. 19. et 20. 4°.
— 495.

Mappus, Marcus, Diss. med. inaug. de lienosis, . . . pro
doct. Argentor., J. F. Spoor, 1692, März 28. 4°. — 343.

Schelhammer, Gunth. Chph., praes., Schramm, Mich.,
resp., Diss. med. inauguralis de lethargo . . . pro lic.
Jenae, Krebs, 1692, Juli. 4°. — 105/1.

Zeller, Joh., praes., Ruoff, Ch. Abr., resp., Diss. med.
posterior de morbis ex strictura glandularum p. n. natis
. . . pro doct. gr. . . . Tubg., Eitel & Rommbius, 1695,
Mart. 4°. — 181.

Slevoglius, Jo. Hadrian., Cariem cranii memorabili
exemplo et medica ΕΞΗΓΗΣΕΙ tractatam . . . pro loco
sistit. Jenae, J. Z. Nisius, 1695, Mai 27. 4°. [C. tab. aen.]
— 776.

Linck, Jo. Carol., Casum medicum aegri epileptici in disputatione inaugurali pro licentia . . . philiatrorum ventilationi subjiciet. Altorf, H. Meyer, 1698, Juni. 4°.
— 656.

Wedelius, Geo. Wolfg., praes., Wedelius, Chn., resp.,
Diss. medica de aneurysmate. Jenae, Ch. Krebs, 1699,
Mai. 4°. — 405.

Vater, Chn., praes., Hugo, Jo. Geo., resp., Disp. inaug.
med. de affectibus soporosis, . . . pro lic. Vitemb., Chn.
Kreusig, 1699, Juni. 4°. — 692.

Slevogtius, Jo. Hadrian, praes., Büchelmann, Jo.
Seb., resp., Rhonchum infantis ex ulcerum paroticorum
intempestiva curatione variis symptomatibus stipatum

. . . sub praesidio — pro licentia . . . eruditor. examini exponet. Jenae, Gollner, 1699, Oct. 25. 4°. — 689.

Mappus, Marcus, praes., Hoffmann, Geo. Bernh., M., resp., Theses medicae de erysipelate. Argentor., J. F. Spoor, 1700, Aug. 4°. — 403.

Klose, Friedr. Wilh., Dissertationem de tumore aneurysmatico . . . pro loco . . . exponet. Lips., Chn. Goezius, 1702, Mai 5. 4°. — 404.

Kolreuter, Sigism., Tractatus de arthritide ejusque differentiis seu speciebus. Lencopetrae, G. Hantzsch, 1563. [M. Autograph d. Vf.] 4°. — IV. O. i. 5.

Stahl, Geo. Ern., praes., Emmerich, Joh., Vratisl., resp., Diss. inaug. de morbis corruptis, . . . pro licentia . . . Halae, Chr. Henckel, 1702, Mai. 4°. — 177.

Naboth, Mart., M., Disp. inaug. med. de auditu difficili, . . . pro lic. Halae, Ch. Henckel, 1703. 4°. — IV. M. l. 13/29.

Müller, Joh. Matth., Disp. inaug. medica de inflammatione vesicae urinariae, . . . pro gradu doctoris . . . Altorf, J. G. Kohlesius, 1703, Oct. 16. 4°. — 183.

Leidenfrost, Joh. Ern., Disquisitio med. solenn., sistens affectum rarissimum, perpetui succi nutritii ex thorace stillicidii, pro doctoratu. Halae, J. Gruner, 1704. 4°. — IV. M. l. 13/34

Adolphi, Chn. Mich., Diss. academica de spina ventosa, (Gliedschwamm.) Halae, Ch. Henckel, 1705. 4°. — IV. M. l. 13/33.

Kennedy, Thomas, Scoto-Britannus, Diss. inaug. De temperamento fundamento morum et morborum in gentibus, . . . pro gr. doct. Dedicata: Dan. Ern. Jablonskio. Halae, Ch. A. Zeitler, 1705. 4°. — IV. M. l. 13/25.

Vater, Chn., praes., Moehring, Carol. Rudolph., resp., De venenis et philtris propinatis aliisve modis applicatis, . . . pro licentia . . . Vitemb., Hake, 1706, Nov. 18. 4°. — 764.

Wedelius, Geo. Wolffg., praes., Goeritzius, Joh. Adam, Adriani, Diss. inaug. med. de tumoribus testium, . . . pro licentia . . . Jenae, Krebs, 1706, Dec. 4°. — 514.

Jacobi, Ludv. Frid., praes., Gercke, Frid., resp., Disp. inaug. med. de scandalo et gloria medicorum, nempe hydrope ascite, . . . pro gradu doct. Erford., Grosch, 1707, Oct. 26. 4°. — 616.

Hoffmann, Frid., praes., Engmann, Jo. Dan., resp., Duodenum multorum malorum sedem, . . . pro gradu doct. Halae, Ch. A. Zeitler, 1708, Jan. 4°. — 657.

Pauli, Joh. Guil., praes., **Schön, Elias, Fraustad.**
Polon., resp., Disp. inaug. med. de raucitate, . . . pro
licentia . . . Lips., Brandenburger, 1709, Nov. 29. 4°.
— 729.

Vesti, Justus, praes., **Scheel, Paul. Sim.**, resp., Disp.
inaug. med. proponens vermem umbilicalem, . . . pro
doctoratu. Erfordiae, Grosch, 1710, Juni, 27. 4°. — 462.

Schoff, Joh. Chn., Diss. inaug. med. de proportione humorum ad motus, pro gr. doct. Halae, Ch. Henckel, 1711.
4°. — IV. M. l. 12/4.

Hoffmannus, Frid., praes., **Conradi, Joh. Frid.,** auct.
resp., De passione Iliaca, praeside, pro doctoris gradu
publice disputabit auctor. Halae, G. J. Lehmann, 1716,
Juli. 4°. — 93.

Charisius, Chn. Lud., D., Disp. chirurgico-medica de
meliceria Cesi (vom Glied-Wasser), pro loco. Regiomonti,
Reusner, 1717, Sept. 15. 4°. — 166.

Wedelius, Jo. Adolph., praes., **Heermann, Carol.**
Gottlebius, resp., Diss. inaug. medica de gangraena
et sphacelo, pro licentia. Jenae, Ritter, 1719, Mart. 4°.
— 353.

Adolphi, Chn. Mich., praes., **Kriegel, Chn. Laur.,**
resp., Diss. med. de tunica intestinorum villosa, plurimorum morborum foco atque immediato curationis subjecto. Lips., Schede, 1721, Mai 16. 4°. — 653.

De Pre, Jo. Frid., praes., **Schepan, Mart.,** aut. et resp.,
Diss. inaug. med. de acrimonia acuta magis accidentali
universaliter resoluta, pro lic. Erford., Grosch, 1721,
Nov. 29. 4°. — 472.

Scheid, Jo. Val., praes., **Scheid, Jo. Gfr.,** resp., Diss. med.
exhibens observationes quasdam lienum disruptorum.
Argentinae, Joh. Pastorius, 1725, Febr. 4°. — 118.

Verdries, Jo. Melch., praes., **Nebel, Geo. Henr.,** resp.,
Diss. inaug. de appetitu depravato, quem picam vulgo
vocant. Giessae, Vidua J. H. Vulpii, 1726, Mai. 4°.
— 310.

Adolphus, Chn. Mich., D., praes., **Eichholtz, Glob.,**
Wrat. Sil., resp, Diss. med. inaug. de porcello Casso-
viensi . . . sub umbone — pro licentia summos in med.
honores . . . capessendi. Lips., Rothe, 1728, April 9. 4°.
— 98.

Heister, Laur., praes., **Wreeden, Otto Justus,** resp.,
Diss. inaug. de debilitate fibrarum, quam praeside . . .
pro gr. doct. obtinendo elaboravit et defendet. Helmst.,
P. D. Schnorr, 1728, Mai 13. 4°. — 330.

Lischwiz, Jo. Chph., praes., Leonhard, Dav., resp.,
Diss. inaug. med. de morbillis, pro lic. Lips., Gfr. Rothe,
1729, Mart. 4. 4°. — 687.

Caspart, Jo., Diss. inaug. chirurgico-medica de exostosi
cranii rariore . . . pro gradu doct. Argent., S. Kürsner,
1730, Dec. 4°. [Cum tab. aen.] — 777.

Hilscheri, Simonis Pauli, Med. D. et P. P. O., De
mutatione, quae usum sacrae coenae sequi solet in morbis.
Jenae, Müller, 1730. Acc.: Vita doctorandi Joannis Jac.
Karges. 4°. — 1006.

Schacher, Polyc. Glieb., De pulmone in liquidum con-
verso. Lipsiae, Titius, 1730. 4'. Acc.: Vita doctorandi
Joh. Ferd. Simsen. — 439.

Goelicke, Andr. Ottom., praes., Nicht, Gfr.', auct. et
resp., Disp. med. pract. inauguralis de empyemate, . . .
pro lic. Francof. ad V., T. Schwartz, 1732, Juli 4. 4°.
— 516.

Hoffmann, Frid., praes., Marggraff, Andr. Glieb.,
. . auct. resp., Diss. inaug. med. de spasmis pharyngis oder
vom Krampf des Ober-Schlundes, pro gradu doct. Halae,
J. Ch. Hilliger, 1733, Aug. 4°. — 328.

— Feige, Sam. Gfr., auctor. resp., Diss. inaug. med.
chirurg. de morbo Lazari, quam . . . praeside, pro doct.
gradu publicae eruditorum disquisitioni submittit . . .
auctor. Halae, J. Ch. Hilliger, 1733, Sept. 4°. — 75.

Adolphi, Chn. Mich., praes., Sembder, Chph. Benj.,
resp., Diss. inaug. med. de affectu mirachiali . . . pro lic.
Lips., Langenhemius, 1734, Juli 9. 4°. — 499/1.

Teichmeyer, Herm. Frid., praes., Haller, Jo. Glob.,
resp. auctor, Diss. inaug. med. chir. de morsu canis non
rabidi pernicioso, pro lic. . . . Jenae, Fickelscherr, 1736,
Juli 21. 4°. — 331.

Walther, Aug. Frid., De entero-sarco-cele disserit. Lips.,
Langenhemius, 1737. 4°. Acc.: Vita doctorandi Casparis
Krisch, Vrat. — 420.

Homeroch, Jo. Chph., De pinguedine ejusque sede, tam
secundum, quam praeter naturam, constitutis, pro gradu
doct. Acc. Vita. Lips., Langenheim, 1738. 4°. — IV.
M. g. 7.

Hebenstreit, Jo. Ern., praes., Springsfeld, Glob.
Carol., auct. et resp., Diss. med. de partium coalescentia
morbosa, quam . . . praeside — pro gradu doctoris sistit
auct. et resp. Lips., Langenhemius, 1738, Juli 11. 4°. — 104.

Mauchart, Burc. Dav., praes., Gmelin, Phil. Frid.,
Lumbrici teretis in ductu pancreatico reperti, nec non

aliorum p. n. observatorum in femina antocheire historia
et examen. Tubg., Schramm, 1738, Dec. 4°. — 476.

Bergen, Carol. Aug. a, praes., Hermannus, Leonh.
Dav., auct. resp., Disp. inaug. de palpitatione cordis, pro
gradu doct. Francof. ad V., Ph. Schwartz, 1740, Nov. 4.
4°. — 340.

Teichmeyer, Herm. Frid., praes., Scherffius, Joh.
Frid., aut. resp., Diss. inaug. med. de spasmo ventriculi,
. . . pro lic. Jenae, Horn, 1743, April. 4°. — 695.

Pohlius, Jo. Chph., praes, Hagemeyer, Joh. Arn.
Lebrecht, De fibra senili, pro licentia, praeside —, disserit — Lips., Langenhemius, 1746, Sept. 16. 4°. — 524.

Cartheuser, Joh. Frid., praes., Hempel, Joh. David,
resp., Diss. inaug. med. de plethorae imminutione critica
per varias excretiones mucosas, . . . pro gradu doctoris.
Francofurti ad V., Ph. Schwartz, 1746, Octobr. 24. 4°.
— 157.

— praes., Thym, Joh. Ign. Glieb., resp., Diss. inaug.
med. de subitanea habitus cutanei inflatione, quam . . .
praeside — pro gradu doctoris . . . publico examini
submittet. — Francof. ad V., J. Ch. Winter, 1747, Oct.
4°. — 76.

Doederlein, Chph. Zach., Diss. inaug. med. de epilepsia
autocratia naturae curata, . . . pro licentia. Altorfii,
Hessel, 1747, Juni 22. 4°. — 99.

Büchner, Andr. Elias., praes., Nasse, Jo. Chn., auct.
resp., Diss. inaug. med. sistens mechanicam obstructionis
theoriam, pro gradu doct. Halae, J. Ch. Hilliger, 1747,
Sept. 5. 4°. — 490.

Gundlfinger, Jos. Geo. Adam, Diss. med. inaug. de
cardiogmo, vom Anwachsen der Kinder, pro licentia . . .
Argent., Pauschinger, 1747, Juni 26. 4°. — 426.

Camerarius, Elias, praes., Hummel, Jac. Bernh.,
resp., Helminthologia intricata, Clericanis, Andryanisque
placitis illustrata, . . . pro lic. in med. Tubg., J. Sigmund, 1724, Aug. 4°. — 863.

Mauchart, Burc. Dav., praes., Schmid, Theoph. Erh.,
resp., Luxatio nuchae . . . pro lic. Tubg., Erhard, 1747,
Sept. 27. 4°. — 250.

Hilscher, Sim. Paul., praes., Schullus, Jo. Chph.,
auctor resp., Diss. med. inaug. de tenesmo, pro gradu
doctoris. Jenae, J. Ch. Tennemann, 1748, Mai. 4°.
— 401.

Kaltschmied, Carol. Frid., praes., Heisterbergk,
Car. Aug., resp., Diss. inaug. med. sistens casum de

virgine, nymphomania laborante, pro gradu doct. Jenae,
J. Ch. Tennemann, 1748, Aug. 7. — 474.

Gerike, Petrus, praes., Kaulitz, Geo. Lud., resp., Diss.
inaug. med. de temperamentis, . . . pro gradu doctoris.
Helmstadii, P. D. Schnorr, 1748, Aug. 30. 4⁰. — 473.

Mauchart, Burc. Dav., praes., Camerer, Joh. Rud.,
resp., Diss. med. de pulsu intermittente et de crepitante,
pro licentia. Tubg., Erhardt, 1748, Oct. 4⁰. — 161.

Valentinus, Jun., Observatio admiranda de ejectione
membranarum sanguinolentarum per secessum formam
viperę referentium, ubi de fluxu hepatico larga fiet disputatio. Venetiis, P. Milocus, 1621. 8⁰. — IV. O. f. 33.

Langhans, Dan., De consensu partium corporis humani.
Gottingae, apud Abram Vandenhoeck, 1749. 4⁰. — IV.
P. e. 5.

Hallerus, Alb., De ossificatione ut vocant praeternaturali
observationes. Goettg., Hager, 1749. 4⁰. Acc.: Vita
doctorandi Johannis Julii Walbaum. — 591.

Guinz, Justus Gfr., De entero-epiploocele observationem
proponit. Lipsiae, Langenhemius, 1749. 2 Exempl. 4⁰.
— 395.

Pohlius, Jo. Chph., praes., Isaac, Jo. Dan., resp., Exercitii disputatorii tentamen V., quo laesam a vitiata saliva
chylosin moderante — tuebitur —. Lips., Langenhemius,
1749, Aug. 9. 4⁰. — 100.

— praes., Hiebnerus, Frid. Glieb., resp., Exercitii
disputatorii tentamen VI., quo morbos epidemicos ab aere
atmosphaerico, moderante —, tuebitur —. Lips., Langenhemius, 1749, Aug. 30. 4⁰. — 114.

Schmiedelius, Cas. Chr., praes, Voigt, Joh. Chn.,
auct. resp., Diss. inaug. med. de lepra, . . . pro doctoris
gradu. Erlangae, Tetzschner, 1750, Jan. 3. 4⁰. — 329.

Cartheuser, Joh. Frid., praes., Munster, Joh. Chn.,
resp., Diss. periodica de diversis obstructionum caussis
et remediis. Francof. ad V., J. Ch. Winter, 1750, Sept. 26.
4⁰. — 754.

Büchner, Andr. Elias, praes., Rosa, Eman. Ludov.,
autor, Diss. inaug. med. de nausea et vomitu eorum, qui
curru vehuntur, pro gradu doct. Halae, J. Ch. Hendel,
1751, Febr. 23. 4⁰. — 307.

Berchelmann, Jo. Phil., Diss. inaug. med. de liene, . . .
pro gr. doct. Gissae, Jo. Jac. Braun, 1752, Apr. — 675.

Rother, Joh. Geo., De pure absorpto, symptomatum causa,
pro licentia summos in arte medica honores consequendi.
Lips., Langenhemius, 1752, Juli 19. 4⁰. — 103.

Hallerus, Albertus, Aliqua de morbis uteri. Gottg.,
J. Ch. L. Schultz, 1753. 4⁰. Acc.: Vita doctorandi Jo.
Andreae Hammerschmidt. — 590.

Hamberger, Geo. Erh., praes., Sailler, Joh., auctor
resp., Diss. med. inaug. de suffocatione, pro gradu doct.
Jenae, Ritter, 1753, Juli 7. 4⁰. — 461.

Kaltschmied, Carol. Frid., praes., Haybach, G. Chn.,
autor, Diss. inaug. med. de ileo, pro gradu doct. Jenae,
Marggraf, 1753, Juli 11. 4⁰. — 732/1.

Gilbertus, Jo. Erdfried Mauritius, De putredine in
corpore animali, . . . pro gradu doct. Lipsiae, Langenhemius, 1753, Sept. 21. 4⁰. — 603/1.

Winter, Joan. Ludov., De metastasi morborum, diss.
inaug. Wittebergae, Ephr. Glob. Eichsfeld, 1754. 4⁰. —
IV. P. e. 3.

Quelmalz, Sam. Theod., De musculorum capitis externorum paralysi disserit. Lipsiae, Langenhemius, 1754.
Acc.: Vita doctorandi Jo. Chn. Reiche. 4⁰. — 665/2.

Gernhard, Aug. Henr., De spasmo ab inanitione, . . . pro
gradu doctoris. Lipsiae, Langenhemius, 1755, März 18.
4⁰. — 168 u. 713.

Bergen, Carol. Aug. de, praes., Kohntzen, Fab. Jac.,
M., auct. et def., Disp. med. inaug. de phrenitide, pro gr.
doct. Francof. ad V., J. Ch. Winter, 1756, Aug. 7. 4⁰. — 663.

Roederer, Jo. Geo., Observationes ex cadaveribus infantum
morbosis. Gottg, J. F. Hager, 1758, Mart. 31. 4⁰. Acc.
Vita doctorandi Christophori Weber. — 706.

— praes., Samuel, Jacob., auctor resp., Disp. inaug. med.
de raucitate, pro doct. Goettg., Hager, 1759, Juni 11. 4⁰.
— 212.

Bingen, Jo. Nep. Rud. de, Diss. inaug. med. de carno-
sitate vesicae morbosa, pro gr. doct. Altorfii Noricorum,
J. G. Meyer, 1759, Aug. 2. 4⁰. — 339.

Roederer, Jo. Geo., De morsu canis rabidi sanato observatio. Gottg., Pockwitz et Barmeier, 1760, Aug. 14. 4⁰.
Acc.: Vita doctorandi Petri Henrici Dahl. — 72.

Roederer, Jo. Geo., et Car. Glieb. Wagler, De morbo
mucoso liber singularis. Goettingae, ap. Victor. Bossi-
gelium, 1762. 4⁰. [Cum 3 tabb. aen.] — IV. P. f. 4.

Bloch, Marcus Elieser, Diss. inaug. med. de exanthe-
matibus, pro gradu doctoris. Francof. ad V., J. Ch.
Winter, 1762, Mai. 4⁰. — 417.

Nicolai, Ern. Ant., De notione morbi maligni. Jena,
F. Fickelscherr, 1763, Apr. 6. 4⁰. Acc. Vita doctorandi
Chph. Frid. Carol. Cappe. — 265.

Spangenberg, Petrus Ludolphus, De chorea Sancti Viti, diss. inaug. Gottingae, Jo. Henr. Schulze, 1764. 4°. — IV. P. e. 3.

Tralles, Balth. Ludov., Vera patrem patriae annuente divina clementia sanum et longaevum praestandi methodus, ... deducta a —. (Stanislao Augusto regi Poloniarum dedicata.) Vratislaviae, J. E. Meyer, 1767. 4°. — IV. P. c. 28.

Ludwig, Chn. Glieb., De suctione vulnerum pectoris disserit. Lips., Langenheim, 1768. 4°. [Cum tab. aen.] — IV. P. c. 23/4.

Neumeister, Erdm. Gottwerth, De intestinis se intus suscipientibus et rarissima hujus morbi congeniti observatione, diss. inaug. Helmstadii, ex typogr. viduae Schorriae, 1769. 4°. — IV. P. e. 5.

Bose, Ern., Glob., De miasmate morboso in corpore oberrante disserit. Lips., 1774. 4°. Acc. Vita doctorandi Friderici Gotth. Jaessing. — 252/2.

Pohl, Jo. Chph., De nervis animadversiones . . . Lipsiae, Langenheim, 1774. 4°. — IV. P. c. 21/3.

Reiniger, Ern. Sam., De prole parentum culpas luente diss. inaug. Lipsiae, ex offic. Breitkopfia, 1774. 4°. — IV. P. e. 2.

Abscesse.

Stahl, Geo. Ern., praes., Koelichen, Andr., resp., Diss. med. inaug. de abscessu et furunculo, pro licentia. Halae, Ch. Henckel, 1701, Apr. 4°. — 187.

Meibomii, Henr., D., De abscessuum internorum natura et constitutione discursus. Dresdae et Lips., literis Harpetrianis, 1718. 4°. — IV. P. c. 11.

Apoplexie.

Paulmier, Gründlicher Unterricht vom Podagra u. dessen Heilung. Aus d. Franz. Dresden, Walther, 1780. 8°. — IV. N. i. 20.

Wepferi, Joh. Jacobi, Historiae apoplecticorum . . . Amstelaedami, ap. Janssonio-Waesbergios, 1724. 8°. [Cum eff. auctoris.] — IV. O. l. 1.

Lancisii, Joan. Mariae, De subitaneis mortibus libri duo. Juxta exemplar excusum Romae sumpt. Joh. Frider. Gleditsch, bibliopolae Lipsiensis, 1709. 8°. — IV. P. k. 8.

Salzmann, Jo., praes., Goeritz, Joh., resp., Diss. med.
de subitanea morte a sanguine in pericardium effuso.
Argentor., J. H. Heitz, 1731, Apr. 4°. — 624.

Schmid, Geo. Ephr., Diss. inaug. med. sistens virum apoplexia exstinctum ab haemorrhoidum inconsulta suppressione, pro lic. Altdorf, J. G. Kohlesius, 1723, Apr. 16.
4°. — 191.

Vater, Chn., praes., Kühn, Jo. Chn., resp., Diss. inaug.
med. de apoplexiae remediis selectissimis cito, tuto et
prudenter adhibendis, quam praeside — doctoris in arte
med. honores . . . consequendi (causa) publico eruditorum
examini . . . submittit. Vitemb., Vidua Gerdesia, 1725,
Maji. 4°. — 94.

Grass, Sam., Vratisl. Sil., Disp. med. inaug. de paralysi,
pro licentia. Jenae, Sam. Krebs, 1677. 4°. 2 Ex. — IV.
M. l. 12/11. u. 13.

Wedelius, Geo. Wolfg., praes., Hoffmannus, Jo.
Mart., resp., Exercitatio medica aegrum paralysi laborantem sistens, quam sub praesidio . . . publ. examini
submittit. Jenae, Krebs, 1682, Aug. 4°. — 89.

— Pizler, Andr., resp., Diss. med. de affectibus soporosis
et catalepsi ex epitome praxeos clinicae. Jenae, Krebs,
1708, Sept. 4°. — 85.

Delii, Henr. Frid., De catalepsi diatribe medica. Ed. II.
Erlangae, J. D. M. Camerarius, 1754. 4°. — 523.

Asthma.

Macasius, Joh. Centur., praes., Hofmann, Joh., Vrat.,
resp., Disp. de asthmate. Lips., Spörel, 1668, Mai 29. 4°.
— 436.

Beck, Joh. Geo., Diss inaug. med. historiam de viro palpitatione cordis et asthmate violento mortuo, ejusdemque
viscerum, cultro anat. nudatorum, mirabilem structuram
exhibens, pro lic. Giessae, Vid. Jo. Reinh. Vulpii, 1718.
Dec. 4°. — 341.

Cardialgia.

Glaser, Joh. Henr., praes., Schadius, Joh. Val., auct.
et resp., Theses de *KAPΔIAΛΓIA* . . . Bas., J. Bertsch,
1672, Juni 14. 4°. — 723.

Cartheuser, Jo. Frid., praes., Reinhard, Christ. Tob.
Ephr., resp., Diss. med. inaug. de cardialgia spuria,
quam . . ., praeside —, pro gradu doctoris . . . erudi-

torum examini submittet. Francof. ad V., Ph. Schwartz, 1745, Oct. 29. 4°. — 80.

Richter, Geo. Glob., praes., Koelerus, Carol. Salom., auctor resp., Cardialgia ... praeside — pro obtinendis ... summis honoribus medicis ... publicae disquisitioni exposita auctore. Gottg., J. F. Hager, 1750, Juli 29. 4°. Finis a p. 40 desideratur. — 79.

Katarrhe.

Paparellae, Seb., De catarrho libri duo. Papiae, apud Hieron. Bartolum, 1562. 8°. Tit. deest. — IV. M. k. 40.

Dörmer, Aug. Mich., Casum laborantis coryza, praeside Geo. Wolffg. Wedelio ... publice ventilandum proponit. Jenae, Sam. Krebs, 1672. 4°. — IV. M. l. 12/12.

Wedel, Geo. Wolfg., praes., Aeplinius, Geo. Frid., resp., Disp. inaug. med. de catarrho suffocativo, (Steckoder Stickfluss), pro lic. Jenae, vidua S. Krebsii, 1681, Jan. 4°. — 435.

Nachricht, Gründliche, von der so genandten Pohlnischen Kranckheit, ... worinnen gewiesen wird, was sie eigentlich sey? woher sie komme? woran sie zu erkennen und wie sie ... zu curiren. Anno 1735. 8°. [Der Verf. sagt S. 7: „Man nennt sie insgemein die Pohlnische Kranckheit, da sie doch gar nichts neues, sondern auffmercksamen Medicis als ein Affectus catharrhalis, oder ordentliches Fluss-Fieber ... nicht unbekandt seyn kann" ...] — IV. N. k. 8.

Winnicki, Aug. Paulus, Varsoviensis, De catarrho et coryza diss. inaug. med. Berol., Krause, 1821. 8°. — IV. E. g. 22.

Cholera.

Bauer, Jo. Henr. Jos., Diss. inaug. med. de cholera, ... pro gr. doct. Altorfii, Jo. Geo. Meyer, 1751, Febr. 11. 4°. — 494.

Barchewitz, Ernst, Dr., Ueber die Cholera, nach eigener Beobachtung in Russland und Preussen. Danzig, F. S. Gerhard, 1832. 8°. — IV. O. f. 37.

Cabinetsordre, Allerhöchste, v. 5. Februar 1832, enthalt. die Bestätigung der Instruction über das in Betreff der asiatischen Cholera in allen Provinzen des preussischen Staates zu beobachtende Verfahren. Acc.: Instruction über das in Betreff der asiat. Cholera in allen Provinzen des preuss. Staates zu beobachtende Verfahren, d. d. Berlin

d. 31. Januar 1832. Berlin, E. S. Mittler, 1832. [20 Stn.]
4°. — II. S. i. 174.
Jerzykowski, Stanisław, Dr., Krótka rzecz o cholerze
według najnowszych badań. Poznań, z drukarni J. L.
Kraszewskiego, 1884. 8°. — IV. N. h. 29.

Diphtheritis.
Koszutski, Józef, Dr., O dyfteryi. — IV. N. h. 30.

Dyssenterie.
Sennert, Dan., De dyssenteria tractatus ... Wittebergae,
Zach. Schürer, 1626. 8°. — IV. O. k. 8.
Faschius, Aug. Henr., praes., Ziegler, Joh. Bernh.,
resp., Disp. med. inaug. de dysenteria epidemica, pro lic.
Jenae, Gollner, 1678, Sept. 28. 4°. — 751.
Heilersieg, Jac. Henr., Diss. med. inaug. de dyssenteria,
... pro licentia. Halae, Ch. Henckel., 1706. 4°. — IV.
M. l. 13/19.
Crausius, Rudolfus Guil., praes., Crollius, J. Phil.,
resp., Diss. med. inaug. de dyssenteria, quam ... praeside
—, pro lic. summos in arte medica honores ... capessendi
... publicae ... disquisitioni submittet. Jenae, Krebs,
1708, Oct. 4°. — 92.
Mills, Matthaeus, Anglus ex insula S. Christophori, Diss.
med. inaug. de dysenteria, pro gradu doct. Lugd. Bat.,
G. Potuliet, 1735. 4°. — 632.
Kaltschmied, Carol. Frid., praes., Vordanck, Joh.
Frid. Arn., resp. auctor, Diss. inaug. med. de dysenteria,
pro gradu doct. Jenae, J. Ch. Tennemann, 1748, Dec. 24.
4°. — 661.

Fieber.
Ducretus, Tussanus, Commentarii duo: unus de febrium
cognoscendarum curandarumque ratione, alter de earun-
dem crisibus. Lausannae, Franc. Le Preux, 1578. 8°. —
IV. O. i. 6.
Worman, Franc., Dresd. Misn., Theses medicae de febribus,
supremae in arte medica laureae consequendae gratia.
Basil., Oporinus, 1588. 4°. — 138.
Vidii, Vidi, De febribus libri VII. Patavii, Paul. Meiettus,
1591. 4°. — IV. P. f. 5.
Sennerti, Dan., Epitome instit. med. Acc.: Ejusdem epi-
tome librorum de febribus. Wittebergae, sumpt. Zach.
Schürerii sen., 1634. Supersunt pagg. 458—936, 1—250.
12°. — IV. P. l. 18.

Bontekoe, Corn., Diatriba de febribus, belgice conscripta, tandem latinitate donata a Jano Abr. a Gehema. Hagae Comitis, P. Hagius, 1683.* 8°. — IV. O. k. 10. IV. P. g. 19/1.

Helvetii, Adriani, Methodus febres omnis generis ita curandi, ut nihil ore assumendum exhibeatur, e lingua gallica ... in lat. translata. Lips., J. Th. Fritsch. 1694. 12°. — IV. P. l. 3/3.

Stahlii, Geo. Ern., Problemata practica febrium pathologiae et theraphiae. Halae, Chph. Salfeld, 1695. 4°. — 133.

Wolff, Pancratius, praes., Gasto, Abr. Flaminius, resp., Disp. med. chirurgica, declarans Hippocratis regulas et cautelas de febrium crisibus per abscessus, erysipelata, tumores arthriticos, variolas, bubones et carbunculos aeque pestilentes. Halae, Chr. Henckel, 1705, Febr. 9. 4°. — 137.

Camerarius, Rud. Jac., praes., Screta a Zavorziz Henricus, Scafusio-Helvetius, resp., Disp. inaug. med. de febribus, pro licentia. Tubg., J. C. Reisius, 1716, Nov. 4°. — 705.

Schilling, Jo. Laur., Diss. inaug. med. de causis, cur febres in locis paludosis sint frequentiores et perniciosiores, pro licentia. Altdorfii, J. A. Hessel, 1746, Apr. 29. 4°. — 136.

Coliny, Nic. Franc., Tractatus de febribus intermittentibus cognoscendis et curandis. Argent., J. F. Le-Roux, 1760. 8°. — IV. O. i. 21.

Reil, Joh. Chn., Ueber die Erkenntniss und Cur der Fieber. 2. Aufl. Halle, Curt, 1799—1802. 8°. 4 Bde. — IV. O. c. 1—4.

Gramann, Michael, De quartana intermittente, diss. inaug. Jenae, typ. Krebsianis, 1666. 4°. — IV. P. e. 21.

Moreau, Jacque, De la veritable connoissance des fièvres continues, pourprées et pestilentes ... Paris, Laurent d'Houry, 1685. 8°. — IV. P. k. 7.

Cole, Guil., Novae hypotheseos ad explicanda febrium intermittentium symptomata et typos excogitatae hypotyposis, una cum aetiologia remediorum, speciatim vero de curatione per corticem peruvianum. Acc. dissertatiuncula de intestinorum motu peristaltico. Lipsiae, Joh. Jac. Winckler, 1695. 8°. — IV. P. i. 26.

Bohn, Joh., praes., Kuttenberg, Geo. Frid., M., resp., Disquisitio traditionis vulgaris de praematuriore intermittentium fuga suspecta ... Lips., Brandenburger, 1709, Aug. 2. 4°. — 622.

L.

Boettger, Chn. Frid., Diss. med. de febribus intermittentibus, pro loco ... Lips., A. M. Schede, 1721, Jul. 25. 4°.
— 334.

Cartheuser, Joh. Frid., praes., Münster, Joh. Chn.,
resp., Diss. inaug. med. de febrium intermittentium vul-
garium et epidemicarum differentia, pro gradu doctoris.
Francof. ad V., J. Ch. Winter, 1751, Oct. 4°. — 746.

Nonne, Jo. Phil., M., Diss. inaug. med., exhibens febres
intermittentes, ... pro gradu doctoris. Erford., Hering,
1754, Jan. 8. 4°. — 333.

Crausius, Rud. Guil., praes., Schomburgius, Joh.,
resp., Disp. inaug. med. de febre quotidiana intermittente,
pro licentia. Jenae, Krebs, 1692, Jun. 4°. — 139.

Stahl, Geo. Ern., praes., Pauli, Dav. Guil., Vratisl.
Sil., resp., Diss. med. inaug. de febribus secundariis, pro
licentia. Halae, Ch. Henckel, 1707, März. 4°. — 594.

Marbach, Joh. Jac., Diss. inaug. med. de febre tertiana
intermittente, pro licentia. Argentor., Joh. Pastorius,
1711, Sept. 12. 4°. — 131.

Meyer, Gfr., Berol., Diss. med. inaug. de tertiana, febris
genium universum manifestante, pro licentia. Halae
Magdeb., Ch. Henckel, 1706. 4°. — IV. M. l. 13/11 & 134.

Berchelmann, Jo. Phil., D., De hydrope ascite in gra-
vida cum febre quartana conjuncto post abortum funesto
historiam cum epicrisi exhibet. Gissae, Braun, 1753. 4°.
— 87.

Indiae, Francisci, Hygiphilus tertius vel de symptomatum febri malignae supervenientium natura et curatione. Veron., Hier. Discipulus, 1596. 4°. — IV. O. c. 16.

Döring, Michael, M., Vratisl., De febrium malignarum
natura et caussis disputatio. Witeb., M. Henckel, 1607.
4°. — IV. M. l. 6/6.

— De febrium malignarum differentiis et signis disputatio.
Witeb., M. Henckel, 1607. 4°. — IV. M. l. 6/7.

— Malignarum febrium examen generale. Giessae, Gasp.
Chemlinus, 1611. 4°. — IV. M. l. 6/9.

— Putridarum febrium examen generale ... Giessae, Casp.
Chemlin, 1612. 4°. — IV. M. l. 6/10.

— De febrium natura discursus, in suos articulos distri-
butus. Giessae, Casp. Chemlinus, 1612. 4°. — IV. M.
l. 6/8.

Neucrantzii, Pauli, De purpura liber singularis, in
quo febrium malignarum natura et curatio proponitur.
Francof. et Lubecae, Aug. Joh. Becker, 1660. 8°. — IV.
P. g. 9.

Wolfius, Henr., Febris malignae anatomia, das ist: des gifftigen Fleck-Fiebers Zerlegung, Praeservation und Curation. Halberstadt, J. E. Hynitzsch, 1670 4°. — 198.

Haller, Alb., praes., **Pappelbaum, Geo. Chph.**, Tirschtiegelo-Polonus, resp., Diss. med. inaug. de febre maligna per gangraenam pedis dextri in regione malleoli externi critice soluta. Gottingae, A. Vandenhoeck, 1743. 4°. — 355.

Tissot, S. A. D., Dissertatio de febribus bilosis, seu historia epidemiae bilosae Lausannensis anni 1755. Acc.: Tentamen de morbis ex manustupratione. Basileae, Joh. Jac. Flick, 1780. 12°. — IV. P. i. 21.

Cartheuser, Jo. Frid., praes., **Cleemann, Joh. Benj.**, resp., Diss. inaug. med. de febre biliosa, . . . pro gradu doctoris. Francof. ad V., Phil. Schwartz, 1746, Oct. 22. 4°. — 143.

Mertens, Car. de, Observationes medicae de febribus putridis, de peste, nonnullisque aliis morbis. Vindobonae, R. Graeffer, 1778. 8°. — IV. P. g. 18.

Vesti, Just., praes., **Ehrlich, Joh. Theod.**, resp., Diss. med. de febri ardente maligna. Erfurti, J. H. Groschius, 1686, Juli 7. (17.) 4°. — 140.

Faschius, Aug. Henr., praes., **Müller, Joh.**, resp., Specimen inaug. medicum de febre amatoria, pro lic. Jenae, Krebs, 1689, Nov. 4. 4°. — 278.

Stahl, Geo. Ern., praes., **Ewald, Joh. Jac.**, resp., Disp. med. inaug. de hectica febre, . . . pro licentia. Halae, Chr. Henckel, 1699, Mai. 4°. — 142.

Moor, Barth. de, praes., **Moor, Gualt. de**, ab Immerzeel, resp., Disp. med. continens observationem singularem febris continuae cum exacerbationibus. Groningae, Catharina Zandt, 1706. 4°. — 735.

Titius, Joh. Glob., Winzigâ-Sil., Diss. inaug. med. de febre lethifera Hippocratis, . . . pro gradu doctorali . . . Halae Magd., Chn. Henckel, 1711. 4°. — IV. M. l. 12/6.

Schacher, Polyc. Gottl., praes., **Steinfeld, Joh. Theoph.**, resp., Diss. inaug. med. de febre acuta exanthematica aegram quinquies serie non interrupta invadente, pro licentia. Lipsiae, Roth, 1723, Sept. 9. 4°. — 724.

Mühlpauer, Jo. Max. Jos., Theses med. de febre catarrhali passim hactenus epidemia, . . . pro licentia . . . Altorfii, J. G. Kohlesius, 1730, Apr. 3. 4°. — 141.

Hilscherus, Sim. Paul., praes., **Fischer, Jo. Glieb.**, auctor. resp., Diss. inaug. med. de recto vini circa febres

usu, . . . pro licentia . . .   Jenae, Müller, 1733, Oct. 8.
4⁰. — 144.

Tannenberger, Joh. Chph., praes., Blum, Conrad.,
Hardw., resp., Febres exanthematicas . . . publico eruditorum examini subjiciunt. Jenae, Müller, 1784, Juli 21.
4⁰. — 169.

Neifeld, Ern. Jerem., Zdunensis Polonus, De genesi
caloris febrium intermittentium, diss. inaug. Lipsiae, ex
offic. Langenhemiana, 1744. 4⁰. — IV. P. e. 3.

Scholtz, Car. Chn., De metastasi febrili, diss. inaug.
Halae, J. Ch. Hendel, 1750. 4⁰. — IV. P. e. 3.

Meyer, Frid. Wilh., Diss. inaug. med. chirurgica de abscessu ad coxam in febribus in lentam degenerantibus,
. . . pro gradu doctoris. Gottg., Schulz, 1759, Apr. 4⁰.
— 135.

Fischer, Joh. Bernh. de, De febre miliari, purpura alba
dicta, . . . tractatus . . .   Rigae, J. F. Hartknoch, 1767.
8⁰. — IV. O. f. 25.

Frauenkrankheiten.

(Vuolphius, Casp., Tigurinus), Gynaeciorum, hoc est,
de mulierum tum aliis tum gravidarum, parientium et
puerperarum affectibus et morbis, libri veterum ac recentiorum aliquot, partim nunc primum editi, partim multo
quam antea castigatiores etc.   Insunt: Cleopatrae,
Moschionis, Prisciani et incerti cujusdam muliebrium
libri, etc. Gynaeciorum . . . Albucasis medendi ratio. Trotulae sive potius Erotis, medici liberti Juliae, liber . . .
Nicolaus Rocheus, . . . Ludov. Bonaciolus, Jac. Sylvius.
Basileae, per Thomam Guarinum, 1566. 4⁰. — II. S. h. 6.

Musitani, Caroli, De morbis mulierum tractatus, cui quaestiones duae, altera de 'semine, cum masculeo, tum foe-
mineo, altera de sanguine menstruo, . . . sunt praefixae.
Coloniae Allobrogum, Chouët, 1709. 4⁰. — IV. O. c. 14.

Fortis, Raym. Jo., Veronensis, De febribus et morbis
mulierum facile cognoscendis atque curandis. Patauii,
haeredes Pauli Frambotti, 1668. 4⁰. — IV. M. i. 11.

Brussati, Valentini, Diss. inaug. med. de morbis faemi-
narum. Vindobonae, J. Th. de Trattnern, 1766. 8⁰. —
IV. O. g. 23/4.

Richter, Chn. Sigism., Diss. inaug. med. De affectibus
periodicis, pro lic. Halae, typ. Orphanotrophii, 1702. 4⁰.
— IV. M. l. 7.

Bayle, Franc., Diss. med. tres: De causis fluxus menstrui mulierum. De sympathia variarum corporis partium cum utero. De usu lactis ad tabidos reficiendos. Hagae-Comitis, apud Petrum Hagium, 1678. 12°. — IV. N. l. 15.

Stahl, Geo. Ern., praes., Sultze, Maur. Andr., resp., Diss. med. inaug. de periodis acutarum sine criseos eventu exquisitis, pro lic. Halae, Ch. Henckel, 1708, Mart. 4°. — 673.

Wedelius, Jo. Adolph., praes., Hedluff, Jo. Ehregott., auct. resp., Diss. inaug. med. de viis mensium insolitis, pro gradu doct. Jenae, Ritter, 1745, Oct. 23. 4°. — 668.

Schönfeld, Dan., Wratisl., Disp. med. inaug. de sterilitate, pro gr. doct. Lugd. Bat., Abr. Elzevier, 1692, Juni 19. 4°. — 799.

Teichmeyer, Herm. Frid., praes., Kövesdy, Jo. Carol, auct. resp., Diss. inaug. med. de sterilitate mulierum, quam ... praeside — pro gradu doctoris ... publico eruditor. examini submittit auctor. Jenae, Horn, 1743, Juli. 4°. — 16.

Stockius, Jo. Chn., praes., Schreck, Geo. Phil., auct resp., Diss. inaug. med. de sterilitate, pro doctoris gradu. Jenae, Marggraff, 1752, Oct. 4. 4°. — 204.

Schorkopff, Just. Theod., Diss. med inaug. de hydrope ovarii muliebris ..., pro lic. Bas., J. Bertschius, 1685, Febr. 13. 4°. — 18.

Camerarius, Elias, praes., Wagner, Joh. Erhard., auct. et resp., Diss. med. inaug. de hydrope uteri, pro lic. Tubg., J. Sigmund, 1729, Sept. 4°. — 19.

De Pre, Jo. Frid., praes., Frick, Ern. Wilh., auct. et resp., Diss. inaug. med. de chlorosi, pro gr. doct. Erford., Grosch, 1727, Sept. 26. 4°. — 755.

Major, Joh. Dan., praes., Tralles, Joh. Chn., Strelä-Sil., Disp. med. inaug. de malacia, quam praeside, — pro summis in medica arte honoribus ... eruditorum examini subjicit. Kilonii, J. Reumann, 1677, Juli 4. 4°. — 32.

Kinderkrankheiten.

Boehmer, Geo. Rud., praes., Nürnberger, Chn. Frid., auct. et resp., Disp. med. inaug. de damnis ex lactatione nimium protracta ... pro gr. doct. Witteb., C. Ch. Dürr, 1773, Sept. 30. 4°. — 791.

Victoriis, Leonelli Faventini de, De aegritudinibus infantium tractatus admodum salutifer. De eadem tractatione appendicula per D. Geo. Khufnerum juniorem exarata. Ingolstadii, Alex. Weissenborn, 1544. 8°. — IV. O. i. 33.

Leber.

Sultzberger, Sigism. Rup., praes., Crügerus, Andr. Laur., resp., Disp. med. inaug. de ictero flavo (Gelbsucht), . . . pro lic. Lips., J. Wittigau, 1665, Oct. 20. 4°. — 648.

Goelicke, Andr. Ottom., praes., Kramer, Joh. Henr., auct. resp., Diss. inaug. med., de singularibus hepatis humani in statu naturali et praeternaturnali, . . . pro doctoris gradu . . . Francof. ad V., Ph. Schwartz, 1736, Mai 22. 4°. — 178.

Wedelius, Jo. Ad., praes., Reinmann, Jo. Chph., auct. et resp., Diss. inaug. med. de hepate obstructo multorum morborum causa, . . . pro gradu doctoris . . . Jenae, Ritter, 1746, Apr. 27. 4°. — 481.

Kaltschmied, Car. Frid., De raro coalitu hepatis et lienis in cadavere invento . . . Jenae, Tennemann, 1752, Nov. 4°. Acc. Vita: Joa. Frid. Hufeland, nat. 1730, Maii 30. — 623.

Wasserscheu.

Slegelius, Paul. Marqu., praes., Winddorffer, Jo. Aug., resp., Disp. med. de hydrophobia seu rabie contagiosa. Jena, Steinmann, 1640, März. 11. 4°. — 71.

Limmer, Conr. Phil., Disp. med. inaug. de hydrophobia, . . . pro doct. Altdorfii, H. Meyer, 1688, Juni 27. 4°. — 650.

Schmidel, Cas. Chph., praes., Selig, Chn. Frid., resp. auct., Diss. inaug. med. de hydrophobia ex esu fructuum fagi, quam . . . praeside — pro doctoris gradu . . . eruditorum disquisitioni subjicit auctor et respondens. — Erlangae, J. D. M. Camerarius, 1762, Jan. 8°. 4°. — 73.

Wassersucht.

Rolfinck, Wern., praes., Gregorii, Victorinus, resp., Positiones has med. de hydrope ascite, pro honoribus . . . doctoreis . . . sub praesidio —, publico examini subjicit. Jenae, T. Steinmann, 1630, Juli 9. 4°. — 86.

Mercklinus, Joh. Abrah., Disp. med. inaug. de hydrope saccato, quam . . . pro licentia summos in medicina

honores ... impetrandi publico philiatrorum examini
sistit. — Altdorfii, H. Meyer, 1695, Apr. 8. 4°. — 88.

Blaw, Joh. Franc. Ad., Diss. medica inaug. de hydrope
peritonaei, ... pro lic. ... Argentor., Pauschinger,
1752, Juni 10. 4°. — 506.

Fehr, Joh. Jac., Diss. inaug. med. sistens virginem hydrope
utriusque ovarii cum ascite conjuncto laborantem —, pro
lic. ... eruditorum censurae submittit. — Argentor.,
J. H. Heitz, 1762, Juli 21. 4°. [Cum tab.] — 796.

Hargens, Wolf. Marqu. Frid., De hydrope pectoris.
Goettingae, ex offic. Schultziana, 1763. 4°. — IV. P. e. 1.

Gaudelius, Jo. Henr., De hydrocephalo, diss. inaug.
Gottingae, liter. Schulzianis, 1763. 4°. — IV. P. e. 3.

Ludwig, Chn., De hydrope cerebri puerorum, diss. inaug.
Lipsiae, ex off. Breitkopfia, 1774. 4°. — IV. P. e. 2.

Kolik.

Prükkel's, Geo., Foetus posthumus, oder Bericht von
dem grausamen Reissen und Grimmen im Leibe, Colica
genannt ... an den Tag gegeben von Johann Peter
Prükkeln. Jena, Joh. Jac. Bauhofer, 1676. 4°. — IV.
P. f. 24.

Bohnius, Joh., praes., Grimm, Joh. Casp., resp., Diss.
inaug. de torminibus colicis, pro lic. Lips., Ch. Banck-
mann, 1689, Nov. 1. 4°. — 503, 627.

Mappus, Marc., praes., Scheid, Jo. Val., M., resp., De
flatibus quaestiones decem. Dolhopff, 1675, Dec. 30. 4°.
— 505.

Krebs.

Boezo, Heinr., De cancro morbo illo perniciosissimo, disp.
med. ... pro loco ... Lips., J. A. Mintzel, 1640, Dec. 10.
4°. — 759.

Schumacher, Mart., Disp. solennis medica de cancro ...
pro lic. 1699. Recusa Halae, Ch. Henckel, 1705. 4°. —
IV. M. l. 13/12.

Rumpel, Lud. Frid. Euseb., Diss. inaug. med. de spina
ventosa, ... pro gr. doct. Erford., H. R. Nonnius, 1762,
Juni 18. 4°. — 348/1.

Neuenhahn, Joh. Ludov., Diss. med. inaug. carcinomatis
malignitatem, ejusque curam exhibens, ... pro lic. Altdorfii, H. Meyer, 1785, Juni 11. 4°. — 712.

Englische Krankheit.

Glissonii, Franc., De rachitide sive morbo puerili tractatus, opera primo ac potissimum —, adscitis in operis societam Georgio Bate et Ahasuero Regemortero ... Editio III. Lugd. Bat., Corn. Driehuysen et Felix Lopez, 1671. 8°. — II. S. i. 35.

Faschius, Aug. Henr., praes., Ersfeldius, Nic. Wilh., resp., Diss. inaug. med. de rhachitide, — pro lic. Jena, S. Krebs, 1682, Mai 30. 4°. — 95.

Buchner, Joh. Petr., Tractatus de rachitide perfecta et imperfecta, ex observationibus rarissimis deductus. Argentorati, J. D. Dulsecker, 1755. 4°. — 96.

Hansen, Geo. Lud., De rhachitide, diss. inaug. Gottingae, literis Schulzianis, 1762. 4°. — IV. P. e. 3.

Magnetismus.

Reichel, Jo. Dan., M., Diss. de magnetismo in corpore humano. Lipsiae, Langenheim, 1772. 4°. — IV. P. c. 22/10.

Mesmer, Der gerechtfertigte — od. Abhandl. üb. d. thier. Magnetismus. Aus d. Franz. Frankf. und Leipz., 1785. 8°. — IV. N. i. 17.

Hufeland, Friedr. D., Ueber Sympathie. Weimar, 1811. 8°. — IV. N. i. 15.

Arndt, W., Beyträge zu den durch animalischen Magnetismus zeither bewirkten Erscheinungen, aus eigener Erfahrung. Breslau u. Leipz., C. Cnobloch, 1816. 8°. — IV. P. d. 34.

Dumez, Victor, Über Magnetismus u. Homöopathie. Posen, Louis Merzbach, 1854. 8°. — V. B. e. 47.

Melancholie, Hypochondrie, Hysterie, Manie.

Heisterus, Laur., praes., Byscher, Jo. Gfr., auct. resp., Diss. philos. med. inaug de perturbatione animi atque corporis, ... pro gr. doct. Helmst., P. D. Schnorr, 1738, Juli 4. 4°. — 667.

Pinel, Ph., Traité médico-philosophique sur l'aliénation mentale. II. éd., entièrement refondue et très-augmentée. Paris, J. Ant. Brosson, 1809. 8°. — IV. P. e. 13.

Georget, De la folie, considérations sur cette maladie. Paris, Crevot, 1820. 8°. — IV. P. e. 14.

Spurzheim, G., Observations sur la folie ou sur les dérangemens des fonctions morales et intellectuelles de l'homme. [Avec deux planch.] Paris, Treuttel et Würtz, 1818. 8⁰. — IV. P. e. 10.

Espich, Valent., praes., Stubendorff, Jos., resp., De melancholia medicae theses. Viteb, Crationiani haeredes, 1585. 4⁰. — 466.

Wolff, Geo. Conr., Berol. March., Disput. med. inaug. de melancholia, pro lic. Francof. a. O., Chph. Zeitler, 1687. 4⁰. — IV. M. l. 12/16a.

De la Motte, Henr. Jac., De malo hypochondriaco, pro licentia. Argentor., M. Pauschinger, 1738, Febr. 6. 4⁰. — 660.

Cartheuser, Joh. Fr., praes., Colohri, Mendel Aaron, Cracovia-Polonus, Diss. inaug. med. de passione hypochondriaca, pro gradu doct. Francof. ad V., J. Ch. Winter, 1751, Juli. 4⁰. — 748.

Stahl, Geo. Ern., Exercitatio medico-pathologica de vena portae porta malorum hypochondriaco-splenetico-suffocativo-hysterico-colico-haemorrhoidariorum in forma dissertationis inauguralis quondam habita, nunc . . . recusa. Halae, J. Ch. Hendel, 1751. 4⁰. — 180.

Haller, Alb. de, praes., Stirtz, Petr. Joseph., auctor. resp., Diss. inaug. medica de malo hypochondriaco, pro doctoratu. Goettingae, G. L. Schultze, 1752, Juli 8. 4⁰. — 363.

Falret, J. P., De l'hypochondrie et du suicide, considérations sur les causes, sur le siége et le traitement de ces maladies. Paris, Croullebois, 1822. 8⁰. — IV. P. e. 19.

Schacher, Polyc. Glieb., praes., Crellius, Jo. Frid., M., auctor. resp., De melancholia hysterica . . . pro gr. doct. Lipsiae, Breitkopf, 1732, Dec. 30. 4⁰. — 636.

Büchner, Andr. Elias, praes., Brockmann, Henr. Dav., resp., Diss. inaug. med. de clavo hysterico, pro gradu doctoris. Halae, J. Ch. Hendel, 1751, März 31. 4⁰. — 428.

Wedel, Geo. Wolfg., praes., Printz, Cael. Amandus, resp., Diss. med. de mania. Jenae, Krebs, 1708, März. 4⁰. — 430.

Cartheuser, Jo. Frid, praes., Wachter, Frid. Wilh., resp., Diss. inaug. med. de typhomania, pro gradu doct. Francofurti ad V., J. Ch. Winter, 1750, Mart. 13. 4⁰. — 756.

Horstii, Gregor., D., Dissertatio de natura amoris . . . Additis resolutionibus quaestionum . . . de cura furoris amatorii, de philtris, atque de pulsu amantium. Giessae, Casp. Chemlinus, 1611. 4°. — 1012.

Faschius, August. Henr., praes., Backhauss, Aug. Sever., resp., Diss. inaug. de amore insano, pro licentia. Jenae, Krebs, 1686, Juni 26. 4°. — 277.

Salomon, E., Dr., pract. Arzt in Szamocin, Welches sind die Ursachen der in neuester Zeit so sehr überhand nehmenden Selbstmorde, und welche Mittel sind zur Verhütung anzuwenden? ... [Mit statistischen Tabellen.] Bromberg, Louis Levit, 1861. 8°. — V. B. h. 41.

Pleuritis.

Amman, Paulus, praes., Bohn, Joh., M., resp., Disp. inaug. de pleuritide vera, pro licentia. Lipsiae, Ritzsch, 1666, Febr. 9. 4°. — 318.

Maichanguez, Jos. Ant., Disp. med. inaug. de pleuritide, ... pro summis in arte med. honoribus ... Argentor., Joh. Welper, 1705, Apr. 18. 4°. — 83.

Loescher, Mart. Ghelff, praes., Tittmann, Franc. Frid., auct., Mechanismum venae azygae pleuritidis causam, praeside ... pro gradu doctoris obtinendo, publice disputandum proponit auctor. Viteb., Vidua Gerdesia, 1724, Juli 11. 4°. — 595.

Triller, Dan. Wilh., Succincta commentatio de pleuritide ejusque curatione ... Francof. ad M., Frc. Varrentrapp, 1740. 8°. — IV. N. i. 13.

Kaltschmied, Carol. Frid., praes., Teichmeyer, Aug. Henr. Lud., auctor, Diss. inaug. med. sistens pleuritidem veram, ... pro gr. doct. Jenae, Tennemann, 1752, Oct. 12. 4°. — 84/1.

Polyp.

Schacher, Polyc. Glieb., De polypo. Lips., Imm. Titius, 1721. 4°. — 81.

Grateloup, Bened. Franc., Diss. inaug. med. de polypo cordis, quam ... pro lic. summos in arte med. honores ... consequendi ... philiatrorum censurae subjicit. Argentorati, Sim. Kürsner, 1731, Jan. 24. 4°. — 78.

Pruritus.

Seeber, Jo. Lud., De pruritu, diss. inaug. Lipsiae, ex offic. Langenhemiana, 1756. 4°. — IV. P. e. 4.

Büchner, Andr. Elias, praes., Schuster, Chn. Frid., auct. resp., Diss. inaug. med. de difficili vitiorum pruri-

ginosorum cutem obsidentium curatione . . ., pro gradu
doctoris. Halae, ex off. Hendeliana, 1759, Oct. 6. 4º.
— 676.

Sommer, Jo. Frid., Diss. inaug. med. de affectibus pruri-
ginosis senum, . . . pro lic. Altorfii, M. D. Meyer, 1727,
Oct. 4º. — 415.

Purpura.

Bötticher, Andr. Jul., praes., Schmidt, Jo. Andr.,
resp., Diss. inaug. med. de purpura rubra, vulgo den
Rothen Friesel, . . . pro lic. Helmst., H. D. Hamm, 1718,
Juli 1. 4º. — 628.

Hoffmann, Frid., praes., Mackius, Steph., resp., De
purpurae genuina origine, indole et curatione, . . . pro
gradu doctor. Halae, J. Ch. Hilliger, 1725, Mai. 4º.
— 423.

Blutsturz.

Regemann, Sam. Gfr., Diss. med. inaug. De haemoptysi
. . . pro licentia. Erfurt, Joh. Henr. Grosch, 1711. 4º.—
IV. M. l. 12/9.

Bergen, Joh. Georg a-, praes., Beuch, Joh. Frid., aut.
et resp., Disp. med. inaug. de haemoptysi, pro gr. doct.
Francof. ad V., T. Schwartz, 1711, Oct. 3. 4º. — 336.

Reichel, Jo. Andr., Diss. inaug. med. sistens theoriam
haemoptoës, pro gr. doct. Erford., Hering, 1737, Juni 25.
4º. Pagg. a 16 ad fin. desunt. — 437.

Quelmalz, Sam. Theod., De haemorrhagia auris sinistrae.
Lips., ex offic. Langenhemiana, 1750. 4º. — IV. P. e. 2.
152/2.

Kozak, Joh. Sophronius, Tractatus de haemorrhagia.
Ulmae, Balth. Kühn, 1666. 8º. — IV. N. k. 10.

Juch, Herm. Paul, Diss. inaug. med. de motu sanguinis
haemorrhoidali et haemorrhoidibus externis, . . . pro lic.
1698. Acc.: vita auctoris in sequenti prompemptico inaugurali. Recusa Halae, Ch. Henckel, 1705. 4º. — IV.
M. l. 13/10.

Eysener, Theoph. Casim., Diss. med. inaug. de sanguinis temperie optima conservanda et restauranda, . . .
pro licentia. Halae, Ch. Henckel, 1706. 4º. — IV. M.
l. 13/14.

Schweiss.

Goodschalk, Didericus, Disp. med. inaug. de transpiratione, pro gradu doct. Lugd. Bat., Abr. Elzevier, 1689.
4º. — IV. P. c. 25/1.

Drossander, Andr., praes., Wingius, Olaus O., Suder-
mannus, resp., Diss. med. de sudore ejusque speciebus
insuetis . . . Upsaliae, H. Keyser, 1692, Martii 23. 8°. —
II. S. i. 43.

Pfaehler, Joh. Gfr., Diss. med. inaug. de sudoris vitiis,
pro licentia . . . Argentor., G. A. Piescker, 1734, Oct. 30.
4°. — 736.

Jantke, Jo. Jac., praes., Baier, Chph. Guil., auctor,
Diss. pathol. medica de sudore sanguineo. Altorf, vidua
Meyeriana, 1737, März 13. 4°. — 509.

Husten. Schwindsucht.

Limprecht, Joh. Adam, Vratisl. Sil., Disp. med. inaug.
de tussi, pro gradu doctoratus. Lugd. Bat., vidua et
haeredes Joh. Elsevirii, 1675. 4°. — IV. M. l. 12/5.

Cramer, Joh. Andr., Disputatio medica de tussi. Jenae,
Krebs, 1688. 4°. — IV. M. l. 12/1.

Rosén, Nic., praes., Rosén, Eberh., resp., Dissertationis
medicae de tussi partem priorem theoreticam . . . sub
praesidio — ad publicam disquisitionem defert. Upsaliae,
1739, Nov. 14. 4°. — 734.

Haller, Alb. de, praes., Steding, Carol. Gerh., auctor
resp., Diss. inaug. med. de tussi, pro gradu doctoris.
Gotting., A. Vandenhoeck, 1749, Dec. 31. 4°. — 361.

Geller, C. G., Scrutinium physico-medicum de tussi epidemica infantum convulsiva anno 1757 in ducatu Megapo-
litano furente, raris plane et singularibus observata
symptomatibus . . . Rostochii, J. Ch. Koppius, 1763. 4°.
— 522.

Ammann, Paul., praes., Teicher, Chph., autor et resp.,
Disp. med. de phthisi. Lips., Chn. Michaelis, 1666, Sept.
21. 4°. — 703.

Schlegelius, Joh., De phthisi, diss. inaug. Jenae, typ.
Wertherianis. 1667. 4°. — IV. P. e. 21.

Kaltschmied, Carol. Frid., praes., Pettmann, Phil.
Bernh., auct. resp., Diss. med. inaug. de phthisi pulmo-
nali ejusque praeservatione, pro gr. doctoris. Jenae,
Tennemann, 1751, Oct. 20. 4°. — 710.

Scirrhus.

Hoffmann, Frid., praes., Schmidt, Sigism. Henr.,
resp., Diss. inaug. med. de scirrho hepatis, pro gradu
doct. Halae, J. Ch. Hilliger, 1722, Mai 16. 4°. — 345.

Wedel, Jo. Adolph, praes., Grantzius, Gust. Ad., resp., Diss. inaug. med. de scirrho, pro lic. Jenae, Ritter, 1731. Jul. 4°. — 402.

Roederer, Jo. Geo., Observatio de cerebri scirrho. Gottg., Schultz, 1762, Juni 25. 4°. Acc. Vita doctorandi Friderici Wendt. — 694.

Scorbut.

Suter, Henr., Dantiscanus, Disp. med. inaug. de scorbuto, pro gradu doctor. Hardervici, Alb. Sas, 1691, Aug. 26. 4°. — 91.

Brucaeus, Henr., De scorbuto propositiones, de quibus disputatum est publice Rostochii. Amstelod., J. F. Bernard, 1720. 8°. — IV. P. g. 4/3.

Brunerus, Balth., De scorbuto tractatus duo. Amstelod., J. F. Bernard, 1720. 8°. — IV. P. g. 4/2.

Engalenus, Sev., Doccumanus, De morbo scorbuto liber, cum observationibus quibusdam . . . Amstelodami, J. F. Bernard, 1720. 8°. — IV. P. g. 4.

Kirstetter, Otto, Diss. inaug. med. sistens aegram affectu raro scorbutico pustulari laborantem, . . . pro doctoris gradu. Halae, Ch. Henckel, 1704. 4°. — IV. M. l. 13/28.

Thebesius, Geo. Dan., Haynoviensis Silesius, Diss. med. inaug. de scorbuti et venereae luis diversis signis et medicinis, . . . pro lic. Halae Magdeb., Ch. Henckel, 1706. 4°. — IV. M. l. 13/18.

Wedelius, Jo. Ad., praes., Schlegelius, Jo. Chph. resp., Diss. inaug. med. de cachexia scorbutica, . . . pro lic. J. F. Ritter, 1719, Juli. 4°. — 325.

Steinkrankheiten.

Untzeri, Matth., De renum calculo florilegium medicochymicum . . . Magdeb., typ. A. Bezelii, 1623. 4°. — IV. O. c. 20/1.

Rolfincius, Guernerus, praes., Friederici, Joh. Chn., resp., Disp. inaug. med. de renum et vesicae calculo, . . . pro lic. Jenae, Joh. Nisius, 1663, Jan. 18. 4°. — 611.

Macasius, Joh. Centurio, Valle. Joachimic Bohem., Ph. et M. D., praes., Hippius, Joh. Chn., M., resp., Disp. med. de calculo renum, . . . pro loco . . . Lips., H. Coler, 1666, März 30. 4°. — 7.

Scherbius, Chn., Disp. med. inaug. de renum calculo, . . .
pro gr. doct. Ultrajecti, Meinardus a Dreunen, 1669,
Oct. 9. 4°. Reliqua a pag. 8 desunt. — 491.

Slevogtius, Jo. Hadr., praes., Müller, Jo. Casp., resp.,
Polypos capitis . . . praeside — pro licentia . . . calculo
philiatrorum placido exponit. — Jenae, typis Pauli
Ehrichii, 1699, Febr. 4. 4°. — 372.

Stahl, Geo. Ern., praes., Richter, Joh., resp., Diss. med.
inaug. de calculorum generatione sive lithogenesi, quam . . .
sub praesidio — pro licentia summos in arte med. honore
. . . capessendi . . . exponet. Halle, Ch. A. Zeitler, 1699,
Jun. 29. 4°. — 10.

Wedelius, Geo. Wolfg., praes., Helvigius, Chph.
resp., Diss. med. de calculi mechanica. Jenae, Krebs,
1701, Juli. 4°. — 9.

Fischer, Joh. Andr., praes., Klepperbein, Joach.
Glieb., Birnbaumensis-Polonus, auctor et resp., Disp.
inauguralis medica de renum et vesicae calculo . . .
pro licentia. Erfordiae, J. H. Grosch, 1721, März. 8. 4°.
— 662.

Ziegenhorn, Chph. Ant., De calculo observationes, diss.
inaug. Wittenbergae, literis viduae Gerdesiae, 1726. 4°.
[Folia partim mutilata.] — IV. P. e. 20.

Teichmeyer, Herm. Frid., praes., Palitzsch, Ludov.
Frid., auctor. resp., Diss. inaug. med. de calculo, . . .
pro gradu doctoris. Jenae, Fickelscherr, 1734, Apr. 10.
4°. — 350/1.

Scherer, Chn. Arend, De calculis e ductu salivali ex-
cretis, . . . pro licentia. Argentor., M. Pauschinger, 1737,
Juli 1. 4°. — 731.

Ferster, Car. Felic., Disquisitio medica de certioribus
calculi renum et vesicae indiciis, . . . pro licentia . . .
Altorf., J. G. Meyer, 1741, Aug. 13. 4°. — 185.

Lembke, Hans Bernh. Ludw., Diss. inaug. med. de
calculo renali . . . Gryphisw., Struck, 1748, Apr. 30.
[Folia 1—4 desunt.] — 13.

Hallerus, Alb., De calculis felleis frequentioribus observationes. Gottg., A. Vandenhoeck, 1749, Oct. Acc.: Vita
doctorandi Geo. Chn. Oeder. 4°. — 360.

Jahn, Jo. Guil. Frid., Diss. med. inaug. de insolita calculi
ingentis per scrotum exclusione . . ., pro gradu doctoris.
Vitemb., Eichsfeldius, 1750, Oct. 2. 4°. — 512.

Haller, Albertus de, De calculis felleis observationes
nuperiores addit. Gottg., P. Ch. Hager, 1753. Acc.: Vita
doctorandi Philippi Conradi Leonhard. 4°. — 588.

Fabricius, Phil. Conr., praes., Pini, Ern. Aug., resp., Diss. med. inaug. sistens genuinam calculi renalis genesin, quam praeside — pro gradu doctoris . . . consequendo . . . publice defendet —. Helmstadii, P. D. Schnorr, 1756, Mai 20. 4°. — 11.

Venerie.

Almenar, Jo., Hispanus, Libellus de morbo gallico . . . Venetiis, 1535. 8°. — IV. P. g. 26/5.

Leoniceni, Nicolai, Vicentini, In librum de epidemia, quam Itali morbum gallicum vocant. Venetiis, 1535. 8°. — IV. P. g. 26/1.

Liber de morbo gallico, in quo diuersi celeberrimi in talia materia scribentes medicine continentur auctores, videlicet: Leonicenus, Nicolaus, Vicentinus, Hutten, Vlrichus de, Germanus, Mattheolo, Petr. Andreas, Senensis, Laurentius, Phrisius, Almenar, Jo., Hispanus, Angelus, Bologninus. Venetiis, per Joannem Patauinum et Venturinum de Ruffinellis, 1535. 8°. — IV. P. g. 26.

Mattheolus, Petr. Andr., Morbi gallici novum ac utilissimum opusculum . . . Venetiis, 1535. 8°. — IV. P. g. 26/3.

Rouorellis, Jo. Ant., Bollogninus, artium et med. Doct., De morbo quodam patursa affectu, qui vulgo gallicus appellatur, tractatus, 1537. 8°. — IV. P. g. 26/10.

Rostinius, Petrus, Trattato di mal francese. In Vicenza, Megietti, 1623. 8°. — IV. O. l. 14.

Blancard, Steph., Die belägert und entsetzte Venus, das ist, chirurgische Abhandl. von den sogenannten Frantzoszen, aus dem Niederländischen übers. Leipz., J. F. Gleditsch, 1689. 8°. [Mit 1 Kpfr.] — IV. N. l. 1.

Vater, Chn., praes., Juch, Gustavus Prosper, resp., Historiam et curam bubonis inguinalis, cum perforatione intestini et eruptione lumbricorum, . . . sub praesidio — pro lic. summos in arte medica honores . . . consequendi . . . philiatrorum examini submittit. Witteb., Ch. Kreusig, 1693, Mart. 4°. — 4.

Blegny, Nicolas de, L'art de guérir les maladies vénériennes. IV. éd. Amsterdam, A. de Hoogenhuysen, 1696. 3 voll. 12°. — IV. O. l. 19.

Slevogtius, Jo. Hadrian., praes., Schünemann, Geo. Amandus, resp., Diss. inaug. med. exhibens gonorrhoeam virulentam cum chorda, . . . pro lic. Jenae, Gollner, 1704, März 31. 4°. — 351.

Neubaur, Jo. Geo., Diss. inaug. de lue venerea cognoscenda
et praeservanda, pro lic. Argentor., J. Welper, 1706, Mai.
4°. — 704.

Themelius, Jo. Chn., auctor., Wedelius, Jo. Adolph.,
praes., Diss. inaug. med. de tumore testium venereo, . . .
pro licentia summos in arte medica honores . . . consequendi. Jenae, J. F. Ritter, 1735, Mai 14. 4°. — 1.

Astruc, Joh., De morbis venereis libri sex. Parisiis, 1738,
(Nachdruck.) 4°. — IV. P. c. 18.

Plenck, Jos. Jac., Neue und leichte Art, den mit der Lustseuche angesteckten Kranken das Quecksilber zu geben,
nebst einem Versuche die Wirkung dieses Metalles in die
Speichelwege zu erklären. Aus dem Lateinischen übers.
von H. D. G. Wien, auf Kosten des Erben Friedrichs
Bernhardi, 1767. 8°. — IV. P. i. 23.

Schacher, Polyc. Gottlieb, praes., Ruppius, J. Geo.,
resp., Diss. medica inaug. de aegro ex lue venerea in
cephalalgiam chronicam delapso, pro lic. Lips., Langenhemius, 1782, Mai 2. 4°. — 718.

Schwediauer, F., Von der Lustseuche, nach der letzten
franz. Ausg. übers. von Gustav Kleffel, mit einer Vorrede
. . . von Kurt Sprengel. Berlin, Chn. F. Himburg, 1799.
2 Thle. 8°. — IV. P. c. 5.

Monteggia, G. B., Practische Abhandlungen über die vene-
rischen Krankheiten und ihre Heilart, aus dem Italien.
übers. von S. Schlessing. Wien, Phil. Jos. Schalbacher,
1804. 8°. — IV. P. f. 21.

Weber, Joh. Karl, Keine Ansteckung mehr, oder die
Syphilis ohne Arzt. Posen, Gebr. Scherk, 1847. 8°. —
IV. L. c. 27.

Cirillo, Dominique, Traité complet sur les maladies vénériennes, trad. de l'ital. par Chaıles Eduard Auber. Paris,
Arthus-Bertrand, an XI., 1803. 8°. — IV. N. d. 18.

Weichselzopf.

Theophrasti Veridici, Scoti, Plicomastix, seu plicae
e numero morborum ΆΠΟCΠΑCΜΑ. Typis Universitatis
Abredoniensis in Scotia impressus, nunc vero Dantisci
. . . per Jacobum Pufflerum. Sereniss. Reg. Majestatis
Bibliopolam, 1668. 4°. [Dedicatum: „Domino Joanni
Andreae Comiti de Morstin."] — IV. P. f. 29.

Scheiba, Mich., Diss. inaug. med. sistens quaedam plicae
pathologica, germ. Judenzopff, polon Koltun, pro gradu
doct. . . . Regiomonti, Reusner, 1739. 4°. — IV. O. c. 28.

Belehrung über den Weichselzopf. Lissa und Gnesen,
E. Günther, 1844. 8°. — IV. M. h. 5.

Aetiologie.

Fernellii, Joannis, De abditis rerum causis libri duo,
postremo ab ipso autore recogniti ... Francof., Andr.
Wechelus, 1581. 8°. — IV. P. k. 6.

Liceti, Fortunii, De monstrorum causis, natura et differentiis libri duo. Patavii, Casp. Crivellarius, 1616. 4°.
— IV. P. f. 8.

Odoni, Caesaris, De urinarum differentiis, causis et indiciis breviss. et clariss. methodus. (Ed. Seb. Schefferus.)
1658. 12°. — IV. P. l. 23/2.

Tappius, Jac., Diss. de principum sive sensuum internorum
functionum laesionibus earumque veris contra vulgarem
opinionem causis et curationibus. Helmest., Jac. Müller,
1676. 4°. — IV. O. a. 6.

Stahl, Geo. Ern., praes., Richter, Chn. Alb., resp., Diss.
med., qua temperamenta physiologico - physiognomico-
pathologico-mechanice enucleantur. Halae, Ch. Henckel,
1697, Apr. 4°. — 470.

Ludwig, Chn. Glieb., De nimiis haemorrhagiis caussa
debilitatis in morbis disserit. Acc.: Vita doctorandi Glob.
Sigism. Schneider. 4°. — 155.

Hebenstreit, Jo. Ern., Ordo morborum causalis. Specimen
sextum, sistens: limites generum morbi. Acc.: Vita
doctorandi, M. Geo. Glob. Küchelbecker. 4°. — 206.

Hoffmann, Frid., praes., Geiniz, Joh. Leonh., resp.,
De aëris intemperie multorum morborum causa, ... pro
gradu doctor. Halae, Ch. A. Zeitler, 1715, Sept. 4°.
— 485.

Stahl, Geo. Ern., praes., Struve, Ern. Ghold., resp.,
Diss. med. semiotica de facie morborum indice, seu mor-
borum aestimatione ex facie. Halae, J. J. Krebs, 1700.
Oct. 4°. — 504

Ettmüller, Mich. Ernst, De venenorum assumtorum
cognitione. Lips., B. Ch. Breitkopf, 1729. 4°. — 574.

Gerike, Petr., praes., Blum, Conr. Hardovicus, resp.,
Diss. inaug. med. de ischuriae causis, ... pro gradu
doctoris. Helmst., P. D. Schnorr, 1736, Mai. 4°. — 326.

Mauchart, Burcard. Dav., praes., Becher, Gallus
Henr., resp. et auth., Diss. med. inaug. de inflamma-
tione in genere, ... pro licentia ... Tubg., Roebel, 1740,
Apr. 16. 4°. — 317.

L   27

Neifeld, Ern. Jerem., Zdunensis Polonus, Diss. inaug. de genesi caloris febrium intermittentium, pro doctoratu. Lips., Langenhemius, 1744, Sept. 4. 4°. — 196.

Hebenstreit, Jo. Ern., Ordo morborum causalis, specimen quartum de notionibus simplicibus ad constituendos morborum ordines ex solidorum indole. Lipsiae, Langenheim, 1756. 4°. — IV. P. c. 23/2.

Boernerus, Chn. Frid., M., De nisu et renisu ut cansa vitae sanae pars prior philosophica. (De nisu mutuo solidorum et fluidorum ut causa roboris corporum organicorum.) Lips., Langenheim, 1757. 4°. — IV. P. c. 23/5.

Müller, Paul Sam., Convulsionum et epilepsiae infantum ex leviori dolore prodeuntium rationes medicas, pro gr. doctoris, proponet. Halae, Curtius, 1757, Sept. 24. 4°. — 425.

Krumm, Jo. Laur. Frid., Diss. inaug. med. de obstructione mesenterii ut causa multorum variorum morborum, pro gradu doctoris. Acc. Vita auctoris in sequenti programmate. Jenae, Fickelscherr, 1760. 4°. — IV. P. c. 24/5.

Plaz, Ant. Guil, De cauta signorum mortis exploratione spec. V. Acc. Vita doctorandi Caroli Augusti Seiler. Lips., J. F. Langenhemius, 1767. 4°. — 513.

Gruner, Chn. Gfr., Diss. inaug. med. de caussis sterilitatis in sexu sequiori ex doctrina Hippocratis veterumque medicorum, pro gradu doctoris. Halae, Tramp, 1769. 4°. — IV. P. c. 21/4.

Pohl, Joh. Ehrenfr., De sensibus morborum causis, diss. inaug. Lipsiae, ex offic. Langenhemia, 1772. 4°. — IV. P. e. 4. IV. M. d. 11/1.

Jaessing, Frid. Ghelf, Diss. inaug. med. De morbis ex vitae genere, pro doctoratu. Lips., 1774. 4°. Tit. deest. — 252/1.

Magenise, Dan., Theorie der Entzündungen aus Gründen und Erfahrungen, aus d. Engl. übers. v. F. A. Weber. Goettg., J. Chn. Dieterich, 1776. 8°. — IV. O. i. 29/6.

Meyer, Salom. Leyser, Virilis impotentiae rationes, pro gradu doct. Trajecti ad Viadrum, Winter, 1782, Mai. 4°. — 312.

Semiotik.

Eyselii, Jo. Phil., Compendium semiologicum. 8°. — IV. N. l. 2.

Viscerus, Joan., praes., Schroederus, Henr., resp., Disp. de dolorum thoracis dignotione. Tubg., G. Gruppenbach, 1584. 4°. — 452.

Heurnii, Joh., De morbis oculorum, aurium, nasi, dentium et oris. — De morbis pectoris liber, editus post mortem auctoris ab ejus filio Othone Heurnio. — in off. Plantiniana Raphelengii, 1602. 4°. — IV. O. f. 22/1.

Varandaei, Joh., De prognosi medica tractatus, opera Petri Janichii in lucem editus. Hanoviae, typ. Petri Antonii, 1619. 8°. — IV. P. i. 9.

Casulanus, Protus, Senensis, De lingua, quâ maximum est morborum acutorum signum. Florentiae, P. Cecconcellius, 1621. 8°. — IV. O. f. 20.

Camerarius, Elias Rud., praes., Planer, Andreas, resp., Indicatio symptomatum ventilata, pro doctoratu Tubg, J. H. Reisius, 1686, Sept. 10. 4°. — 272.

Vater, Chn., praes., Jormann, Joh. Andr., resp., Judicium e sanguine per venae sectionem emisso. Vitteb., Goderitsch, 1693, Nov. 4°. — 146.

Magirus, Joh. Gfr., Disp. med. inaug. de morbis complicatis . . . pro gradu doctor. Traj. ad Rh., 1698, Sept. 30. 4°. — 390.

Boerhaave, Herm., Aphorismi de cognoscendis et curandis morbis in usum doctrinae domesticae digesti. Francof. ad M., G. H. Oehrling, 1710. 12°. — IV. P. l. 13/2.

Fickins, Jo. Jac., praes., Bonhoeferus, Frid. Franc., resp., Dissertatio inauguralis med. de lingua morborum praesaga, pro licentia. Jenae, Werther, 1725, Mai. 12. 4°. — 149.

Juchius, Herm. Paul., praes., Hederich, Car. Chn., auctor. et resp., Diss. inaug. med. de ambiguitate uroscopiae, pro gradu doctorali. Erfordiae, J. Ch. Hering, 1732, Sept. 25. 4°. — 197.

Hahn, Jo. Gothofr., Carbo pestilens a carbunculis sive variolis veterum distinctus . . . Vratisl., J. J. Korn, 1736. 4°. — IV. M. g. 6.

Bergen, Car. Aug. a, praes., Oerius, Joh. Rud., resp., Disp. inaug. de *AIMATOCKOΠIAI* sive judicio medico ex sanguine per venae sectionem emisso, . . . pro gradu doctoris. Francof. ad V., Phil. Schwartz, 1740, Mai 2. 4°. — 147.

Thebesius, Jo. Ehrenfr., Hirschb. Sil., De somno ut signo, . . . pro gradu doctoris disserit. Lips., Langenhemius, 1740, Jun. 22. 4°. — 145.

Cartheuser, Joh. Frid., praes., Voigt, Car. Ferd., resp., Diss. inaug. med. de recta motuum naturae aestimatione in morbis, pro gradu doctoris. Francof. ad V., J. Ch. Winter, 1747, Oct. 13. 4°. — 227.

Juchius, Hier. Paul., praes., Schütz, Jo. Frid., auct. et resp., Diss. med. inaug. de oculis ut signo, pro lic. Erfordiae, J. Ch. Hering, 1748, Apr. 8. 4°. — 148.

Ackermann, Jo. Fred., praes., Feuerlein, Geo. Guil., resp., Praesagia medica ex praecordiis. Goettg., J. F. Hager, 1752, Juni. 3. 4°. — 641.

Boehmer, Geo. Rud., praes., Wagner, Sam. Aug., auct. resp., De crocidismo et carphologia signo in morbis acutis plerumque lethali, praeside — pro gradu doctoris impetrando disserit auctor. Vitemb., Gerdes, 1757, Sept. 27. 4°. — 107.

Hebenstreit, Jo. Ern., praes., Elhard, Jo. Chph., resp. et auct., De suspecta valetudine, diss. inaug. med. . . . pro doctoris gradu. Lips., Langenhemius, 1757, Aug. 5. — 211/1.

Boernerus, Chn. Frid., Disputatio altera de nisu atque renisu, fonte adversae valetudinis, pro doctor. Lips., Loeper, 1759, Oct. 26. 4°. — 409.

Büchner, Andr. Elias, praes., Gumpert, Chn. Glob., Mesericio-Polonus, autor., De difficili morborum cognitione, pro gr. doct. Halae, Curtius, 1764, Oct. 10. 4°. — 803 g.

Steinecke, Bern. Dieter. Franc., Diss. inaug. med. sistens hydropis ascitae semiologiam, pro doctoratu. Goettg., Schultze, 1764. 4°. — IV. P. c. 22/6.

Aretaei, Cappadocis, De causis et signis acutorum morborum. Argentorati, excudebat Jonas Lorenz, 1767. 8°. [Tit. deest.] — IV. N. l. 7.

Hecker, Aug. Friedr., D., Deutl. Anweisung die verschiedenen Arten des Trippers genau zu erkennen und richtig zu behandeln. Wien, A. Doll, 1810. 8°. — IV. P. d. 23.

Diagnostik.

Vater, Chn., praes., Koppehelius, Jac., resp., Observationes medico-practicae selectiores de morbis complicatis et intricatis, eorumque diagnosi et cura, . . . pro lic. Vitemb., Vidua Gerdesia, 1728, Nov. 4°. — 471.

Hebenstreit, Jo. Ern., D., De indicatione medica, . . . pro loco .˙. . Lips., J. Ch. Langenhemius, 1733, Dec. 11. 4°. — 226.

Marcinkowski, Car., De fontibus indicationum generatim, diss. inaug. Berolini, formis Brüschkianis, 1823. 8°. — V. C. l. 1.

Collin, Malthaei, Epistola, qua demonstratur, pustulas miliares male a quibusdam medicis factitias et symptomaticas dici. Vindobonae, J. Th. Trattner, 1764. 8°. — IV. O. f. 28.

Preysinger, Bern., Dissertatio inauguralis medica de diagnosi morborum capitis. Viennae, typ. Joan. Thomae Trattner, 1764. 8°. — IV. P. e. 11.

Bose, Ern. Glob., De diagnosi veneni ingesti et sponte in corpore geniti. Lipsiae, litteris Breitkopfiorum, 1774. 4°. — IV. P. e. 2.

Dreyssig, Wilh. Friedr., D., Handbuch der medicinischen Diagnostik . . . Erfurt, G. A. Keyser, 1801—1803. 8°. 2 Bde. — IV. N. i. 6—7.

Pathologische Anatomie.

Marchius, Casp., praes., Beselin, Henr. Bernh., resp., Disp. inaug. de luxatione ossium in genere, pro licentia. Kilonii, J. Reumann, 1666, Jan. 8. 4°. [Die erste Promotion in Kiel.] — 248/1.

Mustinger, Joh. Casp., Diss. inaug. med. chirurg. de luxutionibus, . . . pro lic. . . . Argentor., D. Maagius, 1713, Febr. 9. 4°. — 249.

Wedelius, Geo. Wolfg., praes., Stussius, Joh. Geo., resp., Diss inaug. med. chir. de carie ossium, . . . pro licentia . . . Jenae, Krebs, 1713, Nov. 10. 4°. — 408.

Heintze, Frid. Gfr., Specimen inaug. medico-chirurgicum de carie ossium, . . . pro licentia . . . Gryphiae, typis Struckianis, 1751, Sept. 4°. Acc.: Diploma. — 407.

Roederer, Jo. Geo., Observationes de ossium vitiis. Gottg., Schultz, 1760, Mart. 4°. Acc.: Vita doctorandi Jo. Chn. Bruns. — 683.

Allgemeine, praktische und specielle Therapie.

Pauli Aeginetae praecepta salutaria, Guilielmo Copo, Basileiensi, interprete. Parisiis, ex offic. Henrici Stephani, 1512. 4°. — IV. P. e. 9.

Lusitani, Amati, Curationum medicinalium centuriae quatuor. Venetiis, apud Vincentium Valgrisium in offic. Erasmiana, 1557. 8°. — IV. N. l. 3.

— Medici physici praestantissimi, Curationum medicinalium — centuriae duae, quinta videlicet ac sexta . . . Venetiis, ex off. Valgrisiana, 1560. 8°. — II. S. h. 12/1.

A m a t u s L u s i t a n u s, (sive Joh. Rodericus Castelli Albi),
Curationum medicinalium . . . centuria septima, Thessa-
lonice curationes habitas continens . . . Venetiis, Vinc.
Valgrisius, 1566. 8°. — IV. O. l. 4/1.

F e r n e l l i i, J o., Therapeutices universalis, seu medendi
rationis libri VII. Francof., Andr. Wechelus, 1581. 8°.
— IV. P. k. 6.

W e r n e r, J o., Therapeutica hoc est sanitatis restituendae
ratio artificiosa libris duobus proposita et commentariis
illustrata. Francofurti, Jo. Saurius, 1596. 8°. — IV. P.
g. 14.

L e o n u s, D o m i n i c u s, Lunensis, Ars medendi humanos
particularesque morbos . . . Francof., Wechel, 1597. 8°.
— IV. N. f. 10.

B a y r i, P e t r i, T a u r i n e n s i s, De medendis humani corporis malis enchiridion, quod vulgo veni mecum vocatur,
cui adjunximus ejusdem authoris tractatum de peste.
Francof., Jo. Saurius, 1612. 12°. — IV. P. l. 1.

V a r a n d a e i, J o., De indicationibus therapeuticis tractatus
vere aureus, studio Petri Janichii in lucem editus. Hanoviae, apud Petrum Antonium, 1619. 8°. — IV. P. i. 9.

S e p t a l i i, L u d., Animadversionum et cautionum medicarum
libri novem. Dordrechti, apud Vinc. Caimax, 1650. 8°.
— IV. N. l. 5.

H e l v e t i i, J o h. F r i d., Diribitorium medicum de omnium
morborum accidentiumque in- et externorum definitionibus
ac curationibus. Amstelodami, Jo. Janssonius a Waesberge, 1670. 8°. — IV. P. k. 26.

L o s s i i, F r i d., Conciliorum sive de morborum curationibus
liber posthumus. Londini, Awnsham Curchill, 1684. 8°.
— IV. N. i. 10.

A b e r c r o m b i i, D a v., Nova medicinae tum practicae, tum
speculativae clavis, sive ars explorandi medicas plantarum
ac corporum quorumcunque facultates ex solo sapore.
Londini, Sam. Smith, 1685. 8°. — IV. P. k. 26.

P o r t a, C a s p., Medicina brevis, exhibens hominis machinam,
ejusque morbum, morbique curationem paucis iisque
selectis et rite paratis medicaminibus instituendam ad
mentem Neotericorum. Lugd. Bat., F. Haaring, 1688. 8°.
— II. S. i. 31/5.

H e c k e r, A u g. F r i e d r., Therapia generalis, oder Handbuch der allgemeinen Heilkunde. Berl., Ch. Fr. Himburg,
1789. 8°. — IV. N. d. 14.

— Neue Ausgabe. Erfurt, Henning, 1808. 8°. — IV. N.
c. 19.

Hahnemann, Sam., Organon de l'art de guérir, traduit de l'original allemand par Ern. Geo. Brunnow. Dresde, chez Arnold, 1824. 8°. — IV. P. e. 17.

Guaynerii, Ant., Opus praeclarum, ad praxim non mediocriter necessarium, cum permultis adnotamentis Jo. Falconis . . . Lugduni, Scipio de Sabiano, 1534. 8°. — IV. P. e. 27.

Plateri, Felicis, Praxeos seu de cognoscendis, praedicendis, praecavendis, curandisque affectibus homini incommodantibus tractatus. De functionum laesionibus libris duobus agens, quorum primus sensuum, secundus motuum laesiones continet . . . Basil., Conr. Waldkirch, 1602. 8°. — II. G. b. 1.

Sennert, Dan., Practicae medicinae liber primus et secundus. Witteb., typis haered. Sal. Auerbach, 1629. 4°. 2 voll. — IV. M. i. 7.

Riverii, Laz., Praxis medica. Goudae, Guil. van der Hoeve, 1649. 8°. — IV. P. e. 26.

Feynii, Franc., Medicina practica in IV. libros digesta, . . . e bibliotheca . . . Renati Moraei . . . Lugduni, J. A. Huguetan et M. A. Ravaud, 1650. 4°. — IV. M. i. 2.

Moronus, Matth., Directorium medico-practicum, sive indices duo praeternaturalium affectuum, cum distinctorum, tum implicatorum. Lugduni, J. A. Huguetan et M. A. Ravaud, 1650. 8°. — IV. O. k. 25.

Dorncreilius ab Eberhertz, Tobias, Medulla totius praxeos medicae aphoristica, auxit Joach. Schelius, . . . absolvit Val. Andr. Möllenbroccius. Erffurt, sumpt. Chn. a Saher, 1656. 4°. — IV. M. f. 10.

Riverii, Laz., Medicina practica, studio et sumptibus Bernhardi Verzaschae. Basileae, Jac. Werenfelsius, 1663. 8°. — IV. P. i. 6.

Epitome praxeos clinicae. 1. de convulsione, 2. de melancholia. 3. de apoplexia. 4. de paralysi, 5. de dolore capitis. 6. de vertigine. 7. de epilepsia. 8. de mania. 9. de incubo. 10. de affectibus soporosis. 11. de catalepsi, 12. de catarrho, raucedine et coryza. 13. de phrenitide. Lipsiae, c. a. 1675. Titulus deest. — IV. P. c. 24/10.

Blancardi, Steph., Praxeos medicae idea nova. Amstelodami, ex officina Jo. ten Horn, 1685. 8°. — IV. O. i. 34.

Stahl, Geo. Ern., praes., Gohl, Joh. Dan., resp., Diss. med. pathologico-practica de morborum aetatum fundamentis pathologico-therapeuticis. Halae, Chn. Henckel, 1698, März 4. 4°. — 479.

Hoffmann, Frid., praes., Hack von Anckerau, Lud., resp., Diss. med. inaug. tradens compendiosam et clinicam praxin inflammationum cum cautelis, pro lic. Halae, J. Gruner, 1705, Jan. 4°. — 768.

Hoffmann, Frid., praes., Geiger, Mart., resp., Praxis clinica morborum infantum, ... pro doctoris gradu. Halae, J. Grunert, 1715, Juli. 4°. — 424.

Weinhart, Ferd. Car., Medicus officiosus, praxi rationali methodico-aphoristica cum selectis remediorum formulis instructus. Norimbergae, Joh. Frider. Rüdiger, 1715. 8°. — IV. P. i. 3.

Bauermüller, Jo. Sim., Specimen theoriae medicae ad usum practicum accommodatae ... Würzburg, J. Ch. Lochner, 1716. 8°. — IV. O. k. 24.

Hoffmannus, Frid., Fundamenta praxeos medicae, seu therapiae specialis, ... una cum cautelis et regulis practicis, ... ex Friderici Hoffmanni medicina rational
. systematica ... deprompta. Halae, in offic. Rengeriana, 1748. 8°. — IV. P. i. 14.

Löseken, Joh. Ludw. Leber., Therapia specialis interna oder gründl. Anweisung zur Erkenntnis u. Cur d. innerl. Krankheiten des menschl. Körpers. Dresd. u. Warschau, M. Gröll, 1761—63. 8°. 4 Bde. — IV. N. g. 8—9.

Adversaria medico-practica; voluminis II., pars L—IV. Lips., haeredes Weidmanni et Reich, 1771. 8°. 4 voll. — II. S. i. 33.

Tissot, S. T., Epistolae medico-practicae, denuo edidit Ern. Godofr. Baldinger. Jenae et Lips., Christ. Frid. Gollner, 1771. 8°. — IV. P. i. 7.

Vogel, Sam. Glieb., Handbuch der practischen Arzney-wissenschaft. Stendal, Dan. Christ. Franz u. Grosse, 1785—88. 8°. B. I. u. III. — IV. N. d. 3—4.

Brookes, R., The general practice of physic, extracted chiesty from the writings of the most celebrated practical physicians ... London, printed for J. Newberg. 8°. 2 voll. — IV. P. i. 1—2.

Journal der practischen Arzneykunde und Wundarzney-kunst, herausgegeben von C. W. Hufeland. Jena, Akadem. Buchh., 1795—1800. 8°. B. I—IX. — IV. N. e. 13—21.

Tractatus, de temporibus et modis recte purgandi in morbis, nobili socio Salodiensi medico autore. Lugd., Alex. Martilius, 1577. 12°. — II. S. i. 58.

Wecker, Jo. Jac., Antidotarium generale. Basil., Euseb. Episcopius, 1585. 4°. — IV. M. i. 5/2.

Cratonis a Kraftheim, Jo., Consiliorum et epistolarum
medicinalium liber, ex collectaneis ... Petri Monavii,
Vratisl., selectus, et nunc primum a Laurentio Scholzio,
Sil., in lucem editus. Francof., A. Wecheli haerr., 1591.
8°. — IV. O. k. 28.

Loniceri, Adami, De purgationibus libri III. Francofurti, sumpt. haeredum Petri Fischeri, 1596. 8°. — IV.
P. k. 15.

Riverii, Laz., Observationes medicae et curationes insignes,
quibus accesserunt observationes ab aliis communicatae.
Delphis, A. Vlacq, 1651. 8°. — IV. N. i 14.

Ponce Sanctacruz, Ant., De impedimentis magnorum
auxiliorum in morborum curatione libri III., secundis
curis ... Petri a Castro. Patavii, P. Frambottus, 1652.
12°. [Pagg. 316 usque ad finem maxime laesae.] — IV.
P. l. 25.

Spindlerus, Paul., Observationum medicinalium centuria.
Accessit Martini Rulandi thesaurus medicus, continens
aurea medicamenta pro omni aetate et sexu, contra
omnes morbos, studio et opera Caroli Raygeri. Francofurti ad Moenum, typ. et sumpt. Philippi Fieveti, 1691.
4°. — IV. P. e. 8.

Harvei, Gedeonis, Ars curandi morbos expectatione;
item de vanitatibus, dolis et mendaciis medicorum. Accedunt his praecipue supposita et phaenomena, quibus
veterum recentiorumque dogmata de febribus, tussi,
phthisi, asthmate, apoplexia, calculo renum et vesicae,
ischuria et passione hysterica convelluntur, aliaque veri-
similiora traduntur. Amstelodami, 1695. 12°. — II. S.
i. 55.

Wepfer, Joh. Jac., Observationes medico - practicae de
affectibus capitis internis et externis ... Scaphusi, J.
A. Ziegler, 1727. 4°. — IV. M. i. 13.

Matheolus Perusinus, Tractatus ... de memoria inaugenda per regulas et medicinas ... Ante a. 1500. 4°.
— IV. H. k. 15/3.

Haller, Alb. de, praes., Klaerich, Frid. Wilh., auct.
resp., Observationes medicae practicae:
  1. de febre soporosa sive apoplectica tertiana remittente,
  2. de vehemente colica ex rheumatismo retrogrado,
  3. de mola, pro gradu doct. Gottg., J. F. Hager, 1750,
     Aug. 15. 4°. — 362.

Hebenstreit, Jo. Ern., ΙΙΑΓΑΙΟΛΟΓΙΑC therapiae specimen XXVIII.: de fonte auxiliorum therapeutico medico,
deque fluentibus ex illo medicamentis primas vias pur-

gantibus. Lips., 1751. 4°. Acc.: Vita doct. Frid. Glieb. Hiebneri. — 526.

Mead, Rich., Monita et praecepta medica. Londini, apud Joan. Brindley, 1751. 8°. — IV. P. i. 8.

Woodward, John, Select cases and consultations in physick, now first published by Dr. Peter Templeman. London, L. Davis and C. Reymers, 1757. 8°. — II. S. i. 32.

Wipacher, Dav., De phlogisto animali, ut variorum morborum medela, ... pro loco ... Lips., Büttner, 1765, Mai 24. 4°. — 642.

Röschlaub, A., Lehrbuch der Nosologie. Bamberg und Wirzburg, Tobias Göbhardt, 1801. 8°. — IV. P. f. 22.

Struve, Chn. Aug., Dr., Triumph der Heilkunst, oder ... pract. Anweisung zur Hülfe in den verzweiflungsvollsten Krankheitsfällen. Breslau, J. F. Korn d. ält., 1800—1802. 8°. 3 Bde. — IV. O. g. 15—17.

Hufeland, Ch. W., Dr., Ueber die Natur, Erkenntnissmittel und Heilart der Skrofelkrankheit. (Gekr. Preisschrift.) 3. Auflage. Der Auserles. Mediz. Bibl. II. Thl. Wien, A. Doll, 1810. 8°. — IV. O. c. 31.

Sereni, Q., Samonici, De med. praecepta saluberrima, per ... D. Caesarium ab omnibus, quibus scatebant, mendis emaculata. Item: Q. Rhemnii Fannii Palaemonis De ponderibus et mensuris liber utilissimus. Haganoae, per Johan. Secerium, 1528. 8°. [Cum eff.] — IV. P. k. 21.

Angeli Bolognini, Liber de cura ulcerum exteriorum, et de unguentis, ... de quorum numero nonnulla in morbum gallicum inserta sunt. Venetiis, 1535. 8°. — IV. P. g. 26/6 et 6 a.

Phrisius, Laur., Epitome opusculi de curandis pustulis, ulceribus et doloribus mali Frantzoss. Venetiis, 1535. 8°. — IV. P. g. 26/4.

Schnebergeri, Ant., patricii Tigurini, Medicamentorum simplicium corpus humanum a pestilentiae contagione praeservantium catalogus, et quo modo iis utendum sit, brevis institutio. Apposita sunt etiam stirpium nomina polonica ... Cracoviae, apud Lazarum Andreae, 1556. 8°. [Sehr defect: Nur 27 Blatt vorhanden, das Übrige fehlt. Angeheftet ist: Graduationes simplicium secundum seriem alphabeti. Handschrift aus dem XVI. Jahrh. 24 Blatt in 8°.] — IV. P. e. 33.

Fernelii, Jo., Ambiani, Febrium curandarum methodus generalis. Francof., A. Wechelus, 1577. 8°. — IV. O. l 4/3.
— De luis venereae curatione perfectissima liber. Antv., Chph. Plantinus, 1579. 8°. — IV. O. l. 4/2.

Ferri, Donati Ant., De podagra enchiridion. Neapoli, apud Horatium Salvianum et Caesarem Caesaris, 1585. 8⁰. — IV. N. l. 11.

Caxanes, Bernhardus, medicus Barcinonensis, Adversus Valentinos et quosdam alios nostri temporis medicos, de ratione mittendi sanguinem in febribus putridis libri III. Barcinone, ex officina Pauli Mali, 1592. 8⁰. — II. S. i. 46.

Angelutius, Theod., a Belforte, De natura et curatione malignae febris libri IV. Venetiis, apud Rob. Meiettum, 1593. 4⁰. — IV. P. e. 6.

Armbruster, Joh., Disquisitio medica succincta circa modum, quo purgant medicamenta cathartica. Stuttg., M. Fürsterus, 1599. 8⁰. — IV. O. l. 5/2.

Ceckii, Joh., Bononiensis, De puerorum tuenda valetudine atque de eorum morbis profligandis, brevis et integra methodus ex Latinorum, Arabum et Graecorum placitis excerpta, nunc primum in Germania edita. Wittebergae, typ. Wolfg. Meisneri, 1604. 8⁰. — IV. P. k. 23.

Salae, Angeli, Veneti, Ternarius Bezoardicorum et hemetologia seu triumphus vomitoriorum, ... e gallico sermone latinitate *ΚΑΤΑ ΠΟΔΑΣ* donati cum exegesi chymiatrica Andreae Tentzelii. Erfurt, Joh. Birckner, 1618. 8⁰. 2 voll. — IV. O. l. 5.

Raici, Joh., Tractatus de podagra medico-kimicus. Francof., in off. Dan. et Dav. Aubriorum et Clem. Schleichii, 1621. 8⁰. — IV. P. k. 38.

Glandorp, Matth., Methodus medendae paronychiae, cui acc. decas observationum. Bremae, Joh. Willius et Geo. Hoismann, 1623. 8⁰. — IV. P. k. 25.

Faschius, August. Henr., *ΘΕΑ ΜΙΚΟΠΤΩΝΟΣ*, vulgo medicorum opprobrium podagra, diss. inaug. Jenae, Sam. Krebsius, 1663. 4⁰. — IV. P. e. 21.

Möllenbroccii, Val. Andr., De varis, seu arthritide vaga scorbutica tractatus, editione altera auctior et emendatior. Lipsiae, sumpt. Johann. Grossii et Socii, 1672. [Cum tab. aen.] 8⁰. — IV. P. i. 12.

Willius, Joh. Val., Tractatus medicus de morbis castrensibus internis. Hafniae, sumpt. Dan. Paulli, 1676. 4⁰. — IV. N. d. 12.

Bayle, Franc., Tractatus de apoplexia. Hagae - Comitis, apud Petrum Hagium, 1678. 12⁰. — IV. N. l. 15.

Ziegra, Chn. Sam., M., Disp. physica prior, de magica morborum curatione, pro loco ... Wittenb., M. Henckel, 1681, Mai 19. 4⁰. — 381.

Scholtz, Adam Sigism., Vrat. Sil., Mars [i. e. ferrum] salutifer omnigenum morborum debellator, pro licentia. Jenae, J. Nisius, 1682. 4°. — IV. M. l. 12/17.

Scheffel, Mart., Disp. inaug. med., virginem chlorosi laborantem exhibens, pro summis in arte med. honoribus. Altdorfii, Schoenerstadt, 1684, Sept. 11. 4°. — 17.

Cortnummii, Justi, Nova . . . apoplexiam seu morbum attonitum curandi methodus . . . Hildesiae, Chn. Denhard, 1685. 4°. — IV. M. g. 5.

Blancard, Steph., Accurate Abhandlung der Podagra, oder der lauffenden Gicht. Leipzig, Joh. Fr. Gleditsch, 1690. 8°. — IV. N. l. 1.

Vater, Chn., praes., Schondorff, Jo. Balth., resp., Historia et cura sarcomatis monstrosi et cancrosi. Wittenb., Ch. Schrödter, 1693, Dec. 9. 4°. — 419.

Slevogtius, J. Hadrian, praes., Goldammerus, Casp. Gothofr., Lesnensis Polonus, resp., Diss. medico-chirurg.-inauguralis de ambustione ejusque remediis . . . pro lic. Jenae, Gollner, 1698, Mai 3. 4°. — 247.

Madai, Dav. Sam., Kurtze Nachricht von dem Nutzen und Gebrauch einiger bewährten Medicamenten, welche zu Halle in dem Wäisenhause dispensirt werden und womit . . . nicht nur geringe, sondern auch schwere Kranck-heiten . . . können curiret werden. 2. Aufl. Halle . . . im Wäisenhause, o. J. 8°. — IV. P. k. 36.

Stahl, Dr., Gründl. Bericht von der balsamischen, blut-rei-nigenden und confortirenden Pillen zuverläss. sonderb. Wirckung und rechtem Gebrauch. Halle, Chn. Henckel, 4°. — IV. M. l. 13/22.

Linnaeus, Carol., praes., Zetzell, Petr., resp., Conse-ctaria electrico - medica, . . . sub praesidio —, pro gradu doctoris med. obtinendo publ. examini subjicit. Upsaliae, L. M. Hojer. 4°. — 686.

Andry, Nic., De la generation des vers dans le corps de l'homme . . . Amsterd., Th. Lombrail, 1701. [Av. figg.] 8°. — IV. O. l. 6/1.

Paullini, Chn. Franc., De lumbrico terrestri schediasma. Francof. et Lipsiae, imp. J. Ch. Stösselii, 1703. [Valde mutilatum exemplar.] 8°. — IV. C. i. 24.

Gohl, Joh. Dan., Epistola gratulatoria (ad Ludovicum Haack ab Anckerau), qua simul evolvitur, an citae cura-tiones semper soleant esse tutae et jucundae? Halae Magdeb., J. Gruner, 1705. 4°. — IV. M. l. 13/4a.

Haack von Anckerau, Ludovicus, Diss. med. inaug. tradens compendiosam et clinicam praxin inflammationum

cum cautelis, pro lic. Halae Magdeb., Joh. Gruner, 1705.
Sub. 4b diploma doctorale. 4°. — IV. M. l. 13/4 et 4b.

Hoffmann, Frid., praes., Geiniz, Wolfg. Sigism.
resp., Diss. med. inaug. tradens compendiosam et clinicam
praxin dolorum cum cautelis, . . . pro gradu doctorali
. . . Halae Magd., Joh. Gruner, 1706, Oct. 4°. — 176.

Richter, Chn. Frid., Diss. med. inaug. de sensu naturae
circa curationes incongruas et de noxa exinde prove-
niente, . . . pro lic. Halae, literis Orphanotrophii, 1706.
4°. — IV. M. l. 13/16.

Stahl, Geo. Ern., De intempestiva assumtione medicamentorum. Halae, Ch. Henckel, 1708. 4°. Acc. vita doctorandi Maur. Andr. Sultze. — 673/2.

Hoffmann, Frid., praes., Andreae, Chn., resp., Diss.
inaug. med. sistens compendiosam et clinicam praxin
morborum ex atonia viscerum ortorum cum cautelis,
. . . pro lic. Halae Magd., Salfeld, 1709, Oct. 4°. — 174.

Helvetius, (Adrien), Recueil des méthodes pour la
guérison de diverses maladies. A la Haye, Adrian Moet-
jens, 1710. 8°. — IV. P. i. 19.

Stahl, Geo. Ern., praes., Woelffing, Joh. Heinr.,
resp., Diss. inaug. med. de praeparatione artificiali, pro
circulatione humorum vitali, secretoria et excretoria,
. . . pro lic. Halae, Henckel, 1710, Juli 8. 4°. — 172.

Glockengiesser, Geo., Diss. inaug. med. de curationibus
castrensibus, . . . pro gradu doctorali. Halae Magdeb.,
Chr. Henckel, 1711. 4°. Acc.: Georgii Ern. Stahl propempticon inaugurale: De isagoge practica. — IV. M.
l. 12/8.

Stahl, Geo. Ern., praes., Steiner, Geo. Frid., Vratisl.,
resp., Diss. inaug. med. de erroribus practicis circa conta-
giosarum malignarum febrium curationem evitandis, . . .
pro gradu doctorali. Halae, Chr. Henckel, 1713, Nov. 4°.
— 335.

Hoffmann, Frid., praes., Flamberg, Frid. Ed. de,
resp., Diss. med. inaug. praxin clinicam et compendiosam
morborum ex uteri vitio, . . . praeside —, pro gradu
doctoris publ. defendet —. Halae, Ch. A. Zeitler, 1715,
Juni. 4°. — 14.

— praes., Bass, Henr., author, Diss. inaug. chirurg. de
fistula ani feliciter curanda, . . . pro doctoris gradu —.
Halae, G. J. Lehmann, 1718, Juli. 4°. — 781.

Wedelii, Jo. Ad., De liquore non corrosivo lapides duriores
absumente. Jenae, literis Wertherianis, 1720, Juli 28. 4°.
Acc: Vita doctorandi Joannis Ottonis Zülichii. — 8.

Hoffmann, Frid., praes., Tittmannus, Dan. Gottw., resp., Diss. inaug. med. de medicina emetica et purgante post iram veneno, . . . pro lic. Halae, Ch. Henckel, 1721, Febr. 4º. — 498.

Boretii, Matth. Ern., Loec. Pruss., Med. Doct., Observationum exoticarum specimen primum, sistens famosam Anglorum variolas per inoculationem excitandi methodum cum ejusdem phaenomenis et successibus; prout nempe in carcere Londinensi (Newgate vulgo) auctoritate publica in sex personis capite damnatis feliciter fuit instituta etc. Regiomonti, Reusner, 1722. 4º. — 779.

Behrisch, Chn. Gfr., De singulari fluoris albi et sterilitatis muliebris cura. Halae, typ. Jo. Graneri, 1722. 4º. — IV. P. e. 20.

Schacher, Polyc. Glieb., praes., Döringius, Glieb., resp., Diss. inaug. medico-chirurgica de fonticulo, . . . pro lic. Lips., J. G. Schniebes, 1722, Mart. 16. 4º. — 722.

— praes., Eysfarth, Chn. Sigism., M., resp., Diss. inaug. med. de recto rationis atque experientiae usu in praxi clinico-forensi, pro lic. Lips., Imm. Titius, 1723, Dec. 3. 4º. — 633.

Berner, Glieb. Ephr., Exercitatio physico-medica de effi cacia et usu aëris in corpore humano, . . . cui annectuntur observationes curiosae medico-practicae de fungo mammarum cancroso et de conquassatione vesicae urinariae. Amstelodami, Janssonius-Waesbergius, 1723. 8º. — IV. N. h. 9.

Alberti, Mich., praes., Hojelsinus, Andr., Petri F., auctor et resp., Diss. inaug. med. de venae sectionis in pede gravidarum usu tuto et salubri, . . . pro lic. Halae, J. Ch. Hendel. 1724, Apr. 4º. — 707.

Quesnay, Franç., L'art de guérir par la saignée. Paris, G. Cavelier, 1736. 8º. — IV. O. i. 10.

Juch, Herm. Paul., praes., Rischmüller, Ern., auct. et resp., Diss. inaug. medico-chirurgica de vera et dubia fonticulorum efficacia, . . . pro gr. doct. Erfordiae, Hering, 1736, Juni 4. 4º. — 580.

Freundt de Weyenberg, Mart. Ant., De febri miliari rubra et alba, . . . diss. inaug. Vienna, Maria Theresia Voigt, 1737. 4º. — IV. P. f. 18.

Schacher, Polyc. Frid., De aëris efficacitate in corpore humano. Lipsiae, ex offic. Langenhemiana, 1738. 4º. — IV. P. e. 1.

Hoffmann, Andr., ΣΚΙΑΓΡΑΦΙΑ exanthematum lateris frontis sinistri theoretico-medice adumbrata, quae paucis promiscuum aquae frigidae potum ceu nocivum declarat. Crosnae, J. F. Liscovius, 1739. 4°. — IV. O. d. 28.

Junckerus, Jo., praes., Gerber, Chn. Glieb., resp., Diss. inaug. med., qua motus in morbis ut cynosura therapeutica commendantur et casu quodam memorabili illustrantur, . . . pro gr. doct. Halae, J. Ch. Hilliger, 1740, Aug. 4°. — 477.

Hilscheri, Sim. Paul., De primo post exantlatos graves morbos in publicum progressu. Jenae, Croeker, 1741, Apr. 13. 4°. Acc.: Vita doct. Tilemann, dicti Schenck, Arnoldi. — 693.

Juncker, Jo., praes, Fiene, Glieb. Chn., auct. resp., Diss. inaug. med. de viscerum laesionibus rite dijudicandis et congrue tractandis, pro gr. doct. Halae, J. Ch. Hilliger, 1745, Apr. 4°. — 725.

Büchner, Andr. Elias, praes., Truppel, Chn. Frid., auct. et resp., Diss. inaug. medica de cauta alvi solutione in morbis, pro gr. doct. Halae, J. Ch. Hendel, 1746, Juli. 4°. — 349.

Kaltschmiedius, Car. Frid., praes., Gnändl, Joh. Jos., auctor, resp., Diss. inaug. med. de Bezoardicorum et regiminis sudoriferi abusu in febribus stomachicis ac intestinalibus meseraicis etiam dictis, pro gr. doct. Jenae, Ch. Fr. Buch, 1748, Aug. 10. 4°. — 283.1.

Roelcke, Jac., De therapia morborum per ulcera, pro gradu doct. Lipsiae, Langenhemius, 1748, Sept. 13. 4°. — 581.

Büchner, Andr. Elias, praes., Krause, Dav. Guil., auctor resp., Diss. inaug. med. de scarificatione quatenus remedio ad regressa exanthemata iterum producenda, pro gradu doctoris. Halae, Kittler, 1750, Decembr. 4°. — 416.

— Foerster, Jo. Carol., auctor, De adminiculis ex aëris temperie in morborum curatione petendis, pro gr. doct. Halae, J. Ch. Henning, 1751, Oct. 29. 4°. — 229.

Schlegelius, Theod. Aug., praes., Struv, Carol. Guil. Frid., resp., Disp. med. practica de morbis sexus feminei ex defectu potus oriundis. Helmst., P. D. Schnorr, 1751, Febr. 22. 4°. — 15.

Hambergeri, Geo. Erh., Progr. inaug, de perversa valetudinis cura quintum, (de purgantibus.) Jenae, Ritter, 1752, Juli 30. 4°. — 97.

Boehmer, Geo. Rud., praes., Boehme, Jo. Traug., resp., Diss. inaug. med. de febri remedio, pro gradu doctoris. Wittenb, E. G. Eichsfeldius, 1754, Aug. 12. 4°. — 132.

Feverlein, Georg. Guil., De ulcerum artificialium in crisibus febrium acutarum imperfectis praeclaro usu, diss. inaug. Gottingae, typ. P. Ch. Hager, 1754. 4°. — IV. P. e. 5.

Reiche, Jo. Chr., De propathia, pro gr. doct. disputabit. Lips., Langenhemius, 1754, Dec. 20. 4°. — 665/1.

Böckmann, Jonas, praes., Bettander, Petr., resp., Exercitium academicum dejectionem corroborantem et simul nexum purgationis alvinae cum sudore, cutisque cum ventriculo et intestinis exhibens. Gryphiae, Struck, 1755, Mai. 4°. — 487.

Kerstens, Joh. Chn., De maturatione, ut causa novae valetudinis, dissertatio altera inauguralis medica, pro gradu doct. Lips., F. G. Jacobaeer, 1757, Sept. 30. 4°. — 525.

Stockii, Jo. Chn., De clysterum emollientium usu in colica suspecto. Jenae, Marggraf, 1757, Apr. 6. 4°. Acc.: Vita doct. Alberti Jacobi Harrsch. — 306.

Ludwig, Chn. Glieb., De debilitate corporum curationem morborum impediente disserit. Acc.: Vita doct. Jo. Chn. Mülleri. Lips., Langenhemius, 1758. 4°. — 235.

Bose, Ern. Glob., praes., Hedwig, Jo., auctor resp., De emesi in febribus acutis, ... pro gradu doct. Lips., Langenhemius, 1759, Mai 18. 4°. — 316.

Swieten, Frhr. Gerh. van, Kurze Beschreibung und Heilungsart der Krankheiten, welche am öftesten in dem Feldlager beobachtet werden. Zürich, Heidegger u. Co., 1760. 8°. — IV. P. e. 15.

Humbourg, Joh. Nep. ab, Observationes de hydrocelis cura radicali. Vindob., J. Th. Trattner, 1761. 8°. — IV. O. d. 15/2.

Girard, Jac. Jos., Diss. inaug. med. de enematibus intestinalibus, pro licentia ... Argentor., F. Christmann et Levrault, 1762, Apr. 3. 4°. — 721.

Locher, Maxim., Observationes practicae circa luem veneream, epilepsiam et maniam. His accedunt casus varii, qui ulteriorem cicutae usum internum et externum in morbis curatu difficillimis confirmant. Viennae Austriae, J. Th. Trattner, 1762. 8°. — IV. O. d. 15/1.

Nunn, Andr., De tumoribus externis suppuratione potius quam resolutione curandis quaedam. Erfordiae, literis Nonnii, 1762. 4°. Acc. Vita doctorandi Lud. Frid. Eus. Rumpel. — 348/2.

Krause, Car. Chn., praes., Schmiedlein, Gfr. Bened., resp., De derivatione ac revulsione humorum per san-

guinis detractionem impetrandis, pro summis in arte med.
honoribus obtinendis. Lips., Langenhemius, 1763, Dec. 23.
4⁰. — 154/1.

Pallucci. Nat. Jos., Ratio facilis atque tuta narium
curandi polypos. Viennae, J. Th. Trattner, 1763. 8⁰. —
IV. O. f. 13.

Schroeder, Phil. Geo., praes., Borstel, Henr. Herm.
von, auctor resp., Diss. medica inaug. exhibens ephe-
meridem variolarum corpori proprio insitarum, praemissis
et subjunctis nonnullis, quae huc spectant animadversionibus, pro summis in med. honoribus. Goetting., Hager,
1765, Sept. 11. 4⁰. — 110.

Wrisberg, Henr. Aug., D., Insitionis variolarum nonnulla momenta recenset . . . Gottg., Schulz, 1765, Apr. 16
4⁰. — 614.

Pohlius, Jo. Chph., De regimine coloris et frigoris in
morbis exanthematicis. Lipsiae, ex offic. Langenhemia,
1768. 4⁰. — IV. P. e. 2.

Drummondi, Alex. Moronis, De febribus arcendis dis-
cutiendisque commentarius. Amstelodami, Jo. Schreuder,
1771. 8⁰. — IV. P. k. 26.

Ludwig, Chn. Glieb., praes., Wockaz, Ghelf. Leber.
resp., De nutritione differentiis oligochymiae accommodanda, pro gradu doctoris. Lips., Langenhemius, 1772,
Martii 20. 4⁰. — 681.

Redlich, Jo. Chn. Guil., De submersorum resuscitatione,
diss. inaug. Lipsiae, ex offic. Langenhemia, 1774. 4⁰. —
IV. P. e. 4.

Laforest, L'art de soigner les pieds . . . Paris, chez l'auteur
1781. 8⁰. — III. J. l. 6.

Stoll, Maximilian, Heilungsmethode in dem praktischen
Krankenhause zu Wien, ein Auszug, welcher den ersten
bis siebenten Theil dieses Werkes enthält. Breslau, Joh.
Frdr. Korn d. Aelt., 1794. 8⁰. 2 Bde. [I. Bd. enth. ein.
kurz. Lebensabriss Stoll's.] — IV. P. f. 1.

— Heilungsmethode in dem praktischen Krankenhause zu
Wien. Breslau, J. F. Korn d. Aelt., 1789—98. 8⁰. 12 Bde.
— IV. N. e. 1—12.

Quin, Carl Wilh., Abhandlung über die Gehirnwasser-
sucht, aus dem Englischen übersetzt von Dr. Chn. Frdr.
Michaelis. Leipz., Casp. Fritsch, 1792. 8⁰. — IV. P. f. 16.

Theden, Joh. Chn. Ant., Neue Bemerkungen und Er-
fahrungen zur Bereicherung der Wundarzneykunst. Dritter
Theil. Berlin u. Leipzig, C. A. Nicolai, 1795. 8⁰. [Mit
Kk.] — IV. N. d. 10.

Schellenberg, Joh. Phil., Meinungen der Aerzte über die Gicht und die Ursachen ihrer Entstehung und die sichersten Mittel ihrer Heilung. Rudolstadt, Hof-Buchh., 1808. 8°. — IV. N. d. 21.

Cadet-de-Vaux, A. A., De la goutte et du rhumatisme. Paris, Louis Colas, 1824. 8°. — IV. N. d. 22.

Heilquellen.

Herilaci, Pamphili, Reatini, Aquarum natura et facultates per quinque libros digesta. Vinorum et aquarum effectuum invicem comparatorum tractatus. De arthritide et podagra consilium. Coloniae, J. B. Ciottus, 1591. 8°. — IV. P. g. 2.

Messerschmid, Jo. Christ., M., Antiquitates balneares ex C. Plinii Caecilii Secundi epistolis collectae. Vitemb., 1762. 4°. — 455.

Guintherii, Jo., Commentarius de balneis et aquis medicatis in tres dialogos distinctus. Argentor., Theodosius Rihelius, 1565. 8°. — IV. O. i. 8/1.

Leigh, Car., Exercitationes quinque, 1. de aquis mineralibus, 2. de thermis candidis, 3. de morbis acutis, 4. de morbis intermittentibus, 5. de hydrope. Oxonii, L. Lichfield, 1697. 8°. — IV. N. i. 21.

Vater, Abr., De fontibus mineralibus medicatis. Vitemb., vidua Scheffler, 1748. Acc.: Vita doctorandi Joannis Chn. Riedel. 4°. — 241.

Stahl, Geo. Ern., praes., Gärtner, Phil. Hartmuth, resp., Diss. inaug. med. de fontium salutariam usu et abusu, pro licentia. Halae, Chr. Henckel, 1713, Apr. 4°. — 280.

Le Roi, Car., De aquarum mineralium natura et usu. Ed. II. Monspelii, Aug. Franc. Rochard, 1762. 8°. — IV. P. e. 11.

Metzger, Geo. Balth., praes., Knisel, Joh. Sam., resp., Thermarum anatome physico-chemica. Tubg., J. H. Reis, 1685. 4°. — 245.

Zückert, Joh. Friedr., Systematische Beschreibung aller Gesundbrunnen und Bäder Deutschlands. Berlin u. Leipz., Rüdiger, 1768. 4°. — IV. M. d. 9.

Zwierlein, Konr. Ant., Allgemeine Brunnenschrift für Brunnengäste und Aerzte, nebst kurzer Beschreibung der berühmtesten Bäder und Gesundbrunnen Deutschlands. [Mit einem Kupfer in Folio. Das Brückenau'er Bad im Fürstenthum Fuld.] Weissenfels und Leipzig, Friedrich Severin, 1793. 8°. — IV. M. f. 12.

Sebizius, Melch., Dissertationum de acidulis sectiones duae. Argentorati, W. Ch. Glaserus. 8º. — IV. N. k. 15.

Giurii, Petri, Med. Doct., Arcanum acidularum, in quo communis opinio de aquarum mineralium aciditate conuellitur auxilio disquisitionis principior. chymicorum. Additae sunt epistolae illustrium medicorum cum responsis. Amstel., Janssonio-Waesbergii, 1705. 12º. — II. S. i. 61.

Walther, Aug. Frid., De nitroso plurium medicatorum fontium sale disserit. Lipsiae, Langenhemius, 1744. 4º. — 196/2.

Hoffmann, Frid., praes., Schroeder, Carl Adam, resp., Diss. solennis medica de aqua medicina universali, . . . pro gradu doct. Halae, G. J. Lehmann, 1712, Oct. 4º. -- 175.

Fickius, Jo. Jac., praes., Schmid, Ern. Frid., auct. et resp., Balnea aquae dulcis frigida. Jenae, Müller, 1717, Nov. 4º. — 619.

Platner, Jo. Zach., Aquam fontanam salubriorem caeteris esse ostendit. Lips., Langenheim, 1738. 4º. — IV. M. g. 7/2.

Tilling, Joh. Chn., De eorum, qui aquis mineralibus utuntur, diaeta. Lipsiae, ex officina Breitkopfia, 1768. 4º. — IV. P. e. 2.

Reumont, Alex, Akwisgrańskie wody siarczane w chorobach syfilitycznych, przełożył na język polski . . . Dr. T. T. Matecki. Poznań, L. Merzbach, 1862. 8º. — V. C. i. 1.

Hinze, A. H., Altwasser und seine Heilquellen. Breslau, W. G. Korn, 1805. 8º. — IV. N. g. 14.

Bahlingen s. Reutlingen.

Berger, Jo. Gfr., De thermis Carolinis commentatio. Vitemb., prelio Gerdesiano, 1709. 4º. — IV. O. c. 13.

Tillingii, Jo. Chn., Observationes medicae singulares circa verum usum thermarum Carolinarum in diversis morbis institutae. Lips., Gleditsch, 1751. 8º. — IV. P. f. 26.

Springsfeld, Glob. Car., Commentatio de praerogativa thermarum Carolinarum in dissolvendo calculo vesicae prae aqua calcis vivae. Lips., J. Ch. Langenheim, 1756. 4º. — 244.

(Charlottenbrunn bei Tannhausen), Vernünftiger und erfahrungsmässiger Rath wie der Charlottenbrunn bey Tannhausen in d. Schweidnitzischen Fürstenthum sowohl im Trincken als Baden, ordentlich und nützlich zu gebrauchen, etc. Breslau, J. J. Korn, 1734. 4º. — II. S. h. 3.

Camerarius, Alex., praes., Elwert, Mich., resp., Exercitatio academica de acidulis Engstingensibus. Tübg., I. C. Reisius, 1719, März. 4º. — 243.

Larouviere, J., Nouveau système des eaux minérales de
Forges. Paris, Laur. d'Houry, 1699. 8⁰. — IV. O. l. 6/2.

Hecht, Jos. Aug., Kurze Darstellung der Analysen, Wir-
kungen und Anwendung der Mineralquellen zu Kaiser-
Franzensbad bei Eger. Eger, Jos. Kobrtsch, 1824. 8⁰.
— IV. N. h. 4.

Wasserkur, Die, zu Gräfenberg, hrsg. v. einem Kurgast.
Lissa u. Leipz., E. Günther, 1837. 8⁰. — III. N. m. 15/2.

Hof-Gastein s. Wildbad.

Heister, Laur., praes., Rahlwes, Geo. Ern., autor,
Diss. inaug. chemico-med. de fonte medicato prope Helm-
stadium nuper detecto ejusque salubri usu, pro gr. doct.
Helmst., Schnorr, 1756, Sept. 18. 4⁰. — 638.

Feuerlein, Geo. Chph., Heylsbronnisches Zeugnuss der
göttlichen Güte und Vorsorge, bey dem uralten, nun aber
neu entdeckten mitten in dem Closter Heylsbronn befindlichen Heylbronnen, dessen Curen, Gehalt, Krafft und
Würckung etc. Nürnberg, P. C. Monath, 1732. 4⁰. —
II. S. h. 5.

Buenau, Przepisy przy używaniu kąpieli solankowych
i morskich w Kołobrzegu. Drugie poprawne wydanie,
na język polski przełożył Dr. Kaczorowski. Poznań,
J. K. Żupański, 1865. 8⁰. — V. A. m. 48.

Vandelli, Domenico, Analisi d'alcune acque medicinali
del Modonese. Padova, 1760. 8⁰. — IV. M. l. 19.

Jordanus a Clauso-Burgo, Thomas, Descriptio aquarum medicinalium Moraviae. 8⁰. Tit. et finis indicis
desunt. — IV. P. k. 24.

Camerarius, Rud. Jac., praes., Siber, Jo. Frid., resp.,
Disp. med. de acidulis Nidernowensibus. Tübg., Vidua
G. H. Reisii, 1710, Apr. 4⁰. — 242.

Heister, Laur., praes., Hahn, Jo. Sigism., resp., Diss.
inaug. med. de aquis medicatis Pyrmontanis, pro gradu
doctor. Helmst., P. D. Schnorr, 1732, Dec. 29. 4⁰. — 598.

Camerarius, Alex., praes., Duvernoy, Bened. Chri-
stophil., resp., Disp. med. inaug. de fontibus soteriis sul-
phureis Reutlingensi atque Bahlingensi, pro lic. Tubg., J.
Sigmund, 1736, Nov. 4⁰. — 246.

Spielmann, Jac. Reinb., praes., Boecler, Joh., auctor
et resp., Diss. med. sistens historiam et analysin fontis
Rippolsaviensis (Rippoltzau). Argentor., J. H. Heitz, 1762,
Jan. 30. 4⁰. — 240.

Limbourg, J. P. de, Recueil d'observations des effects des
eaux minérales de Spa de l'an 1764. Liège, F. J. Desoer,
1765. 8⁰. — IV. N. i. 11.

Kratter, Henr., Wody mineralne szczawnickie w Króle-
stwie Galicyi, chemicznie rozebrane przez Teod. Torosie-
wicza, a pod względem na ich moc leczącą opisane
i ocenione przez —, z niemieckiego przez M. K(okure-
wicza) i J. A. K(amińskiego). Lwów, Piotr Piller, 1842.
8°. [Z widokiem Szczawnicy.] — IV. B. h. 18.

Hansa, Math., Abhandlung vom Teplitzer mineralischen
Badewasser, . . . nebst einem Anhang von denen Biliner
Mineralwässern, Salzen und Magnesia. Gedruckt in der
königl. Stadt Brüx bei Wenzl Fuhr, 1784. 8°. [Mit den
Wappen der Fürstl. Clary-Aldringen'schen Familie und
1 Kpfrtfl.] — IV. P. i. 15.

Beschreibung von Teplitz und den umliegenden Oertern.
Prag u. Carlsbad, Franz Haas, 1805. 8°. — IV. N. f. 14.

Wendt, Joh., Dr., Die Thermen zu Warmbrunn im schlesischen Riesengebirge . . . [Mit 1 Stahlst.] Breslau,
Gosohorsky, 1840. 8°. — IV. W. c. 24.

Mayer, Joh., Wildbad und Hofgastein. Wien, Carl Gerold,
1843. 12°. — IV. N. h. 23.

Weberus, Phil., Thermarum Wisbadensium descriptio. In
Nobili Oppenheimio, Joh. Theod. de Bry, 1617. 4°. —
IV. P. f. 13.

Hygiene, Diaetetik, Nahrungsmittellehre.

Sanchez, Franc., Tractatus philosophici: De longitudine
et brevitate vitae liber. In lib. Aristotelis physiognomicôn
commentarius. De diuinatione per somnum, ad Aristotelem.
Quod nihil scitur, liber. Tolosae, P. Bose, 1636. 4°. —
IV. M. g. 8/2.

Schola Salernitana, de conservanda valetudine, ed. Joannes
Curio et Jac. Crellius. Praef. d. d. Erphordiae XVI. Cal.
Sept. ao. 1545. [Tit. deest.] 8°. — IV. O. k. 32/1.

Curio, Jo., Conservandae sanitatis praecepta saluberrima
Regi Angliae quondam a doctoribus scholae Salernitanae
versibus conscripta . . . cum . . . Arnoldi Villanouani
. . . exegesi. Francof., heredes Chn. Egenolphi, 1559. 8°.
— IV. P. g. 25.

Schola Salernitana de valetudine tuenda. Opus nova
methodo instructum, . . . commentariis Villanovani, Cu-
rionis, Crellii et Costansoni illustratum. Adjectae sunt
animadversiones novae et copiosae Renati Moreau . . .
Lutetiae Parisior., L. Billaine, 1672. 8°. — IV. P. g. 27.

Praecepta, Sanitatis tuendae, cum aliis, tum literarum
studiosis hominibus et iis, qui minus exercentur, cognitu

necessaria. Contra luxum conviviorum. Contra notas astrologicas ephemeridum de secandis venis. Tiguri, per Andream Gesnerum et Jacob. Gesnerum Fratres, 1556. 8⁰. — IV. P. k. 30.

Nigri, Ant., Consilium de tuenda valetudine. Lips., haer. Valentini Papae, 1558. 8⁰. — IV. P. k. 24.

— Consilium de tuenda valetudine. Vitebergae, ex offic. typogr. Simonis Cronenbergii, 1581. 8⁰. — IV. N. k. 17.

Mont-Alti, Hier., De homine sano libri III. Francof., Jo. Wechelus et Petrus Fischerus, 1591. 8⁰. — II. S. i. 42.

Schacher, Polyc. Glieb., De sanitate. Lips., Chn. Scholvinus, 1706, Sept. 23. — 720.

— praes., Friderici, Glieb., M., resp., Dissertatio de sanitate. Lips., Schede, 1718. 4⁰. — IV. P. c. 22/5.

Ramazzini, Bern., De principum valetudine tuenda commentatio. Accessit . . . Vita autoris et nova praefatio Michaelis Ernesti Ettmülleri. Juxta exemplar excusum Patavii sumptib. Joh. Frider. Gleditsch, bibliop. Lipsiensis, 1711. 8⁰. — IV. P. k. 25.

Vater, Chn., praes., Haendler, Jo. Gfr., resp., Hygienen h. e. artem salutarem et infallibilem sanitatem hominis ad senectutem usque conservandi . . . sub praesidio — exponet. Vitemb., A. Koberstein, 1723, Febr. 4⁰. — 475.

Haacke, Ern. Frid., De negotiosa actione propter valetudinem circumcidenda, diss. inaug. Lipsiae, ex officina Langenhemiana, 1744. 4⁰. — IV. P. e. 1.

Stockii, Jo. Chn., Prolusio X. de tuenda sanitate in meditationum laboribus. Jenae, Marggraff, 1751, Oct. 20. 4⁰. Acc. Vita doctorandi Phil. Bernh. Pettmanni. — 710/2.

— Prolusio XVIII. de tuenda sanitate in meditationum laboribus. Jenae, Marggraf, 1753, Juli 14. 4⁰. Acc. Vita doctorandi Georgii Christiani Haybach. — 732/2.

Vater, Chn., praes., Schmiedel, Geo. Corn., resp., De vitae humanae prorogatione, pro lic. Vitembergae, J. G. Meyer, 1704, Aug. 4⁰. — 464.

Hufeland, Ch. W., Dr., Die Kunst, das menschliche Leben zu verlängern. 2. Aufl. Jena, akad. Buchhandlung, 1798. 8⁰. 2 Bde. — IV. O. d. 21—22.

— C. F., Makrobiotyka, czyli sztuka przedłużenia życia ludzkiego, dzieło tłumaczone z języka niemieckiego przez Tomasza Krauze. Warszawa, Łątkiewicz, 1828. 8⁰. — V. A. g. 43.

— K. W., Dobra rada dla matek względem fizycznego wychowania dzieci, na polski język przełożona przez Tom.

Szumskiego. Wrocław, Wilh. Bogumił Korn, 1810. 8°.
|Z rycinami.] — IV. N. h. 22.

Swoboda, Jan, Wykład praktyczny prowadzenia dzieci
małych w chorobie, przeł. z czeskiego Teofil Nowosielski.
Warszawa, wydane nakł. wydziału ochron Warszawsk.
Towarz. Dobroczynności, 1840. 8°. — IV. L. c. 7.

Meibomius, Henr., Epistola de longaevis . . . ad Augustum, Ducem Brunsvicensem ac Lunaeburgensem, octo-
gesimum sextum annum agentem. Helmaestadii, typ.
Henr. Mulleri, 1664. 4°. — IV. P. e. 20.

Harcovet, Longavilla, Storia delle persone, che sono
vissute molté secoli e che ringiovanirono, col segreto di
ricuperare la giovento cavato da Arnaldo di Villanova.
E con alcune regole per conservare la sanita, e per giu-
gnere ad un estrema vecchiaja. Dęl Signor di Longavilla Harcovet. In Venezia, Giov. Malachin, 1719. 8°. —
III. O. k. 51.

Müller, Gerard Andr., Oratio de longaevitate acqui-
renda, habita Gissae, d. 23. Sept. 1751. 4°. Giessae, E.
H. Lammers, 1751. 4°. -- 186.

Plazius, Ant. Guil., praes., Liebìng, Chn., resp., De
amoliendis sanitatis publicae impedimentis praeside, pro
doctoris gradu disputat. Lipsiae, Langenhemius, 1771,
Sept. 20. 4°. — 115.

Horstii, Gregor., D., De tuenda sanitate studiosorum et
literatorum, libri duo. Giessae, C. Chemlinus, 1615. 12°.
— IV. P. l. 2/1.

Schraderus, Frid., praes., Grübeling, Franc. Henr.,
resp., De eruditorum valetudine. Helmaestadii, G. W.
Hamm, 1701, Dec. 3. 4°. — 270.

Hilscheri, Sim. Pauli, Prolusio de animi laboribus,
egregio sanitatis, vitae longae ac honorum praesidio . . .
Jenae, Schill, 1742, Nov. 25. 4°. Acc. Vita doctorandi
Jo. Ern. Greding. — 617.

Stockii, Jo. Chn., Prolusio XI. de tuenda sanitate in
meditationum laboribus etc. Jenae, Marggraff, 1751, Nov.
4°. Acc. Vita doctorandi Jo. Frid. Kessel. — 304.

— Prolusio XVII. de tuenda sanitate in meditationum laboribus . . . Jenae, Marggraff, 1753, Juli 7. 4°. Acc. Vita
doctorandi Joannis Sailler. — 461/2.

Ludwig, Chn. Glieb., De sanitate senili disserit. Lips.,
Langenhemius, 1759, Dec. 4°. Acc. Vita doctorandi Car.
Ern. Oschatz. — 165/2.

Patte, Starość szczęśliwa, czyli sposoby utrzymania czer-
stwości sił umysłu i ciała aż do najpóźniejszego wieku.

Wybrane z dzieła w języku franc. napisanego przez P. —.
Kraków, Jan Maj, 1805. 8°. — IV. L. l. 7.

Hartmann, F. K., Droga do szczęśliwości ludzk., czyli sztuka
używania rozkoszy ziemskich, zachowania i wydoskonalenia przytem zdrowia, urody, oraz siły cielesnéj i dusznéj.
Tłomaczył Dr. N. Bętkowski. Kraków, Stanisł. Giesz-
kowski, 1848. 8°. — V. A. c. 23.

Tissot, (S. A. D.), Avis au peuple sur sa santé. 8. éd. orig.
Lausanne, François Grasset, 1783. 8°. 2 voll. — IV. P.
i. 27—28.

— Rada dla pospólstwa względem zdrowia jego . . . z franc.
na polski język . . . przełożona, po drugi raz przedruko-
wana. Warszawa, Druk. XX. Scholar. Piar., 1777. 8°.
2 tomy. — IV. P. k. 34—35.

— Rada dla pospólstwa . . . Warsz., w druk. XX. Schol.
Piar., 1785. 8°. 2 tomy. Acc.: tom III. Rada dla lite-
ratów i sedentaryą bawiących się ludzi względem zdrowia
ich. Z franc. na polski język przeł. — IV. P. h. 26.

Reveillé-Parise, J. H., Sztuka życia dla umysłowo
zajętych ludzi . . ., wolno przełożona przez Jana Jerzysł.
Freyera. Kielce, 1841. 8°. 2 tomy. — IV. O. n. 29—30.

Berghauer, Chph., Diss. inaug. med. de medicina sine
medico . . . pro licentia. Acc. Geo. Ern. Stahl . . . Propempticon inaugurale de constantia medica. Halle, Chn.
Henckel, 1707. 4°. — IV. M. l. 12/2.

Buchan, Guill., Médecine domestique ou traité complet des
moyens de se conserver en santé, de guérir et de prévenir
les maladies, par le regime et les remèdes simples, . . .
traduit de l'angl. par J. D. Duplanil. 4. éd. Paris, F. J.
Desoer, 1792. 8°. 4 voll. [Av. portr.] — II. S. h. 8—11.

Auda da Lantosca, Domenico, Breve compendio di mara-
vigliosi segreti, approvati e pratticati con felice successo
nelle indispositioni corporali. Con un trattato bellissimo
per conservarsi in sanita . . . In questa quinta impressione ricoretto e ampliato di bellissimi secreti . . . Roma
a spese di Gregorio e Giovanni Andreoli, 1663. 8°. —
IV. P. e. 39.

Krüger, Joh. Glieb., Unterricht, wie ein Soldat ohne
Artzeneyen seine Gesundheit erhalten und sich curiren
könne. Halle u. Helmstädt, C. H. Hemmerde, 1758. 8°.
— IV. P. i. 23.

Jourdan le Cointe, La santé de Mars, ou moyens de
conserver la santé des troupes en temps de paix, d'en
fortifier la vigueur et le courage en temps de guerre,
d'assurer la salubrité des hôpitaux militaires et de pro-

duire un surcroît de population suffisant pour tenir complets tout les régimens du royaume. Paris, Briand, 1790. 12°. [Av. 1 tab.] — IV. B. m. 27.

Bergen, Car. Aug. de, praes, Maxai, Mich., auct. resp., Disp. inaug. hygiastica de exercitatione corporis firmo sanitatis praesidio . . . Francof. ad V., S. G. Alex, 1755, Oct. 3. 4°. — 691.

Jaeger, Wolfg. Seb., de Jaegersberg, Medicam venationis considerationem inaugurali dissertatione instituit, pro licentia. Altorfii, J. G. Kohlesius, 1734, Nov. 29. 4°. — 511.

Platner, Jo. Zach., De pestiferis aquarum putrescentium exspirationibus disserit. Lipsiae, Langenhemius, 1747. Acc. vita licentiandi Nic. Lung. 4°. — 639.

Herrmannus, Joh. Ghelf., M., De olerum vernalium praestantia commentatio. Lipsiae, Langenhemius, 1763, Febr. 18. 4°. — 532.

Wedelius, Jo. Adolph, De aeris frigidi in conclave irruentis accumulatione impedienda. Jenae, Ritter, 1720. Acc.: Vita doctor. Friderici Augusti Treise. 4°. — 500.

Ockel, Chn., Diss. inaug. de potentia ventorum in corpus humanum, ubi simul agitur de ascensu et descensu argenti vivi in barometro, pro doctoris gradu. Halae, Ch. A. Zeitler, 1700. 4°. — IV. M. l. 13/26.

Plazius, Ant. Guil., praes., Lung, Nicol., autor, De munditiei affectatae incommodis. pro lic. Lips., Langenhemius, 1747, Jan. 30. 4°. — 521.

Neigefind, Gfr., De noxiis effectibus frigoris in humanum corpus, pro gradu doctoris. Erfordiae, J. Ch. Hering, 1740, Mai 16. 4°. — 195.

Quelmalz, Sam. Theod., De exhalationum putridarum ex cadaveribus bello trucidatorum suppressione. Lipsiae, Langenhemius, 1757. 4°. Acc.: Vita doctorandi Jo. Chph. Elhard. — 211/2.

Gravius, Joh. Just., Hassus, Specimen solenne . . . de salubritate Hassiae, pro gradu doctoris. Halae, J. Gruner, 1706. 4°. — IV. M. l. 13/40.

Reis, Franc. Ant., De officio medici in itinere principis, pro lic. Altorfii, J. G. Meyer, 1740, Mai 9. 4°. — 753.

Bartholini, Th., De medicina Danorum domestica dissertationes X. Hafniae, Petrus Haubold, 1666. 8°. — IV. P. k. 17.

Gemmel, Regier.- u. Medicinal-Rath, Der Regierungsbezirk Posen vom sanitären Standpunkte aus statistisch beleuchtet. [Mit einer lithographirten Tafel: „Entwurf zu

einem Kreis-Krankenhause."] Posen, Louis Merzbach,
1875. 8⁰. — V. E. k. 28.

Crausius, Rud. Wilh., De calendario valetudinariorum
perpetuo I. Jenae, Krebs, 1697, Oct. 6. 4⁰. Acc.: Vita
doct. Joh. Geo. Siberi. — 480.

Stahl, Geo Ern., praes., Tottinus, Justus, resp., Diss.
med inaug. de diaeta, pro gradu doct. Halae, Ch. A.
Zeitler, 1708, Aug. 4⁰. — 179.

Schacher, Polyc. Glieb., De diaeta. Acc.: Vita doctor.
M. Sam. Theod. Quellmaltz. Lips., Roth, 1723. 4⁰. — 231.

Ridigeri, Andr., De diaeta humanae naturae ad conser-
vandam et propagandam vitam ... Adjecta est Sanctorii
statica medicina, et Ridigeri vita. Lips., in offic. J. M.
Teubneri, 1737. 8⁰. — IV. P. i. 11.

Hebenstreit, Joh. Ern., ΠΑΛΑΙΟΛΟΓΙΑC therapiae specimen V., quo diaetam prophylacticam ad morbos pri-
marum viarum sistit. Lips., Langenhemius, 1748. 4⁰.
Acc.: Vita doct. Frid. Glob. Jacobi. — 488/2.

Camerarius, Joach., Victus et cultus ratio exposita qua-
ternis in singulos menses versibus. Sposób zachowania
zdrowiu służącéy dyety etc. Minasowicz, J. E, Zbiór
rytmów polskich. 4⁰. — III. S. a. 27.

Flemmingius, Chn. Frid., De commodis vitae sobriae,
diss. inaug. Vitembergae, prelo Gerdesiano, 1705. 4⁰. —
IV. P. e. 21.

Marherr, Ant. Jos., Disp. inaug. med. de commoditate ac
mollitie vitae modernae magna morborum causa et horum
difficili curatione. Viennae Austriae, M. Th. Voigtin, 1737,
Oct. 4. 4⁰. — 303.

Mangold, Petrus, Diss. inaug. med. de sex rebus non
naturalibus, pro doct., 1) aër, 2) cibus et potus, 3) motus
et quies, 4) somnus et vigiliae, 5) excreta et retenta,
6) animi pathemata. Bas., J. Bertsch, 1706, Apr. 23. 4⁰.
— 234.

Büchner, Andr. Elias, praes., Brockmann, Jo. Dan.,
resp., De damnis ex nimio calore externo in sanitatem
redundantibus, pro gr. doct. Halae Sax., J. Ch. Hendel,
1751, Mart. 31. 4⁰. — 230.

Platner, Jo. Zach., D., De somno in cubiculis percale-
factis disserit ... Lips., Bittorff, 1741. 4⁰. Acc.: Vita
doct. Sam. Kretzschmar. — 399.

Otto, Engelb. Andr., Motum optimam corporis medicinam
specimine inaugurali, pro gradu doct., publico eruditorum
judicio exponit. Halae, Ch. A. Zeitler, 1701. 4⁰. — IV.
M. l. 13/32.

Bonnaud, M., Dégradation de l'espèce humaine par l'usage des corps à baleine. A Paris, Herissant, 1770. 8º. — III. M. n. 23.

Vater, Chr., praes., Meisner, Joh. Guil., Diss. med. inaug. de hyemis praeter naturam tepidae et humidae noxis earundemque praecautionibus, . . . pro licentia . . . Vittemb., A. Koberstein, 1722, Mai 8. 4º. — 321.

Cohnstein, Wilhelm, Kosmetisches Taschenbuch für die elegante Welt . . . Lissa u. Leipzig, Ernst Günter, 1833. 8º. — III. V. f. 26.

Leviseur, C. J., Die Cholera u. der methodische Gebrauch des Camphors als eines der bewährtesten Mittel gegen dieselbe. Berlin und Posen, E. S. Mittler, 1848. 8º. — IV. L. c. 11.

— Zur Belehrung und Beruhigung meiner Mitbürger in Betreff der Cholera. Berlin u. Posen, E. S. Mittler, 1848. 8º. — IV. L. c. 11.

— Ku nauce i uspokojeniu współobywateli pod względem cholery. Z niemieckiego na polski język przełożył X. Z. Berlin i Poznań, E. S. Mittler, 1848. 8º. — IV. L. c. 11.

Raspail, F. V., Domowy lekarz i domowa apteka. Przekład według trzeciego paryzskiego z r. 1849 wydania. Warszawa, S. Orgelbrand, 1850. 8º. — IV. N. m. 10.

Müller, E. H., Dr., Pomoc jaką w nagłych przypadkach nieść winni aż do przybycia lekarza cyrulicy, policyanci, gminni urzędnicy, . . . przełożył Dr. Matecki z Poznania. Pozn., nakł. i czcionkami L. Merzbacha, 1865. Fol. [Z drzeworytami.] -- V. D. f. 6.

Vogel, Ludw., Diaetetisches Lexikon od. theoretisch-praktischer Unterricht über Nahrungsmittel und die mannigf. Zubereitungen derselben. I.—III. Bd. III. Band Seelendiaetetik. Erfurt, G. A. Keyser, 1800—1803. 8º. 3 Thle. — IV. O. f. 6—7.

Tappius, Jac., praes., Lechel, Joh., aut. et resp., De alimentis diss. med. Helmest., H. Müller, 1659. 4º. — 529.

Cartheuser, Jo. Frid., praes., Cube, Joh. Frid., resp., Diss. med. diaetetica inauguralis de esculentis in genere . . . pro gradu doctoris. Francof. ad V., J. Ch. Winter, 1747, Oct. 4º. — 130.

Zückert, Joh. Friedr., Dr., Allgemeine Abhandlung von den Nahrungsmitteln. Berlin, A. Mylius, 1775. 8º. — IV. M. f. 17.

Smith, Edw., Die Nahrungsmittel. [Mit 19 Holzschnitten.] Leipzig, F. A. Brockhaus, 1874. 8º. 2 Bde. [Internat. wissenschaftl. Biblioth. Bd. VI.—VII.] — VI. C. f. 6—7.

Pisanelli, Baldassare, Trattato della natura de' cibi et del bere. Venitia, appresso Michele Bonibelli, 1596. 8°. — IV. P. k. 11.

Cellarius, Justus, praes., Schrader, Frid., aut. et resp., Exercitatio academica de natura panis . . . Helmestadii, H. D. Müller, 1676, Oct. 4. 4°. — 531.

Castellanus, Petr., ΚΡΕΩΦΑΓΙΑ sive de esu carnium libri IV. Antv., Hieron. Verdussius, 1626. 8°. — IV. P. g. 15.

Odis, Odi de, De coenae et prandii portione libri II. Venetiis, Guil. de Fontaneto, 1532. 8°. — IV. P. g. 26/14.

Berger, Jo. Gfr., praes., Hannekenius, Balth. Meno, resp., Diss. inaug., qua monositia s. consuetudo cibi semel die capiendi improbatur, pro licentia —. Vitemb., Gerdes, 1704, Aug. 7. 4°. — 232.

Pechlini, Joh. Nic., De aëris et alimenti defectu et vita sub aquis meditatio. Kilonii, Gfr. Schultze, 1676. 8°. — IV. P. k. 26.

Meibomii, Jo. Henr., De cerevisiis potibusque et ebriaminibus extra vinum aliis commentarius. Acc. Andr. Turneri libellus De vino. Helmestadii, Joan. Heitmuller, 1668. 4°. — IV. P. f. 9.

Wedel, Geo. Wolfg., De vino modico . . . Jenae, Chph. Krebs, 1698. 4°. Acc.: Vita doctorandi Dan. Martini. — 654.

Quelmalz, Sam. Theod., De vinis mangonizatis disserit. Jena, Langenheim, 1753. 4°. Acc.: Vita doctorandi Jo. Erdfried. Maurit. Gilbert. — 603/2.

Mauchart, Burc. Dav., praes., Kunzen, Joh. Adam., resp., Disp. physico med. de vini turbidi clarificatione, . . . pro licentia. Tubg., Schramm, 1742, Mart. 17. 4°. — 807.

Jacobi, Ludov. Frid., praes., Guttbier, Joh. Chn., resp., Disp. med. inaug. exhibens cerevisiae bonitatem . . . pro licentia. Erfordiae, Grosch, 1704, Nov. 12. 4°. — 530.

Scacchi, Franc., Fabrianensis, De salubri potu dissertatio. Romae, Alex. Zannettus, 1622. 8°. — IV. O. d. 26.

Nonne, Jo. Phil, praes., Schwanecke, Jo. Frid. Conr., aut. et resp., Diss. inaug. med. de secalis tosti decocto (vom Rockentrank), . . . pro gradu doctoris. Erfordiae, H. R. Nonne, 1769, Nov. 23. 4°. — 533.

Elixir, Le véritable, des propriétés, qualités et effets du café. Avec la manière d'en user tant pour la santé, que pour certaines maladies. Breslau, Ch. Gfr. Meyer, 1754.

8°. Dédié au ministre Cocceji, par C. D. L. P. chevalier
Romain, Conseiller, Dr. et Prof. en Philos. et Médecine.
8°. — III. T. h. 19/2.

Krankenhäuser.

Fochetti, Madama, Secrette overo rimedii di —, ... in
questa nuova impressione aggiuntovi la terza parte, che
in essa opera si contiene, tradotti dal francese da Lodo-
vico Castellini. In Venetia, Per il Prodocimo, 1702. 12°.
Der III. Theil u d. T.: Aggiunta de secreti di madama
Focheti del metodo, quale si tiene nell' hospitale degl'
Inualidi di Parigi per curare il mal francese, parte terza
In Venetia, Per il Prodocimo, 1697. 16°. — IV. O. l. 28.
By-laws and regulations of the Magdalen Hospital insti-
tuted 1758. London, 1816. 12° — IV. S. l. 15.
Howard's, John, Esq., Nachrichten von den vorzüglichsten
Pesthäusern in Europa, nebst einigen Beobachtungen
über die Pest ... Aus dem Englischen. [Mit Kk. und
Tabb.] Leipzig, G. J. Göschen, 1791. 8°. — III. S. e. 16.

Chirurgie.

Allgemeines, Handbücher, prakt. Chirurgie, einzelne Operationen.

Encyclopédie méthodique, Chirurgie par M. de la Roche
... et M. Petit-Radel. Tome I.-II. Paris, Panckoucke,
1790—92. 4°. — IV. Q.
— Recueil des planches du dictionaire de chirurgie. Paris,
H. Agasse, an VII, 1799. Pl. I.—CXIII. 4°. —, IV. Q.
Haller, Albertus de, Bibliotheca chirurgica, qua scripta
ad artem chirurgicam facientia a rerum initiis recensentur.
Basileae, apud Joh. Schweighäuser, 1774—75. 4°. — IV.
M. g. 1—2.
Cauliac, Guido de, Cyrurgia. De balneis prorectanis.
Cyrurgia Bruni, Theodorici, Rolandi, Rogerii, Lanfranci,
Bertapalie, Jesu Hali de oculis, Canamusali de Balsac
de oculis. Venet., Andr. Torresanus de Asula et Simon
de Luero, 1499. Fol. — IV. M. c. 11.
Guidonis de Cauliaco, Chirurgia. Lugduni, apud haer.
Jacobi Juntae, 1559. 8°. — IV. P. e. 29.
Guy de Chauliac, Le maistre en chirurgie ou l'abregé de
la chirurgie, expliqué par demandes et réponses. Paris,
Laurent d'Houry, 1697. 8°. — IV. N. l. 6.

Schweizer, Geo. Sigism., Disp. medica inauguralis de medicinae et chirurgiae perpetuo nexu. Halae Magdeburgicae, Chn. Henckel, 1705. 4°. — IV. M. l. 12/15. IV. M. l. 13/5.

Maternus, Geo. Chn., De chirurgia cum medicina necessario conjungenda diss. inaug. Helmstadii, typis Pauli Dieterici Schnorrii, 1732. 4°. — IV. P. e. 21.

Reinmann, Jo. Chph., Brevis prolusio . . . de chirurgia. Rudelstadii, vidua Loewiana. 1751. 4°. — 396.

Heisteri, Laur., praes., Sonntagius, Henr., resp., Diss. academica, in qua chirurgiae novae adumbratio sive delineatio sistitur. Altorfii, J. G. Kohlesius, 1714, Oct. 27. 4°. — 389.

Rossius, Victorius, De consultandi, sive collegiandi arte in morbis ad chirurgiam pertinentibus. 1607? [Tit. et finis indicis desiderantur. 8° — IV. P. i. 25.

Hebenstreit, Jo. Ern., ΠΑΛΑΙΟ-ΛΟΓΙΑC therapiae specimen 35., chirurgiam efficaciorem eorum, quae auferenda vel reponenda sunt, sistens. Acc.: Vita doctorandi M. Christiani Gotthilf Kieslingii. Lipsiae, Langenhemius, 1754. 4°. [2 Exempl.] — 42/2.

Plenk, Jos. Jac., Anfangsgründe d. chirurg. Vorbereitungswissenschaften für angehende Wundärzte. Wien, Gräffer, 1776—77. 8°. 3 Thle. — IV. M. k. 20.

Heister, Lorenz, D., Chirurgie. Neue Aufl. Nürnberg, G. N. Raspe, 1763. 4°. |Mit Bildnissen und Kk.| — IV. P. c. 10.

Botalli, Leon., Opera omnia, medica et chirurgica . . . e museo Joannis van Horne. Lugd. Bat, Daniel et Abraham a Gaasebeeck, 1660. 8°. |Cum figg.] — IV. P. k. 2.

Ettmuller, Mich., Nouvelle pratique de chirurgie medicale et raisonnée. Amsterd., J. Aubie, 1691. 12°. — IV. P. l. 24/1.

Valentini, Mich. Bernh., Praxeos medicinae infallibilis pars altera chirurgica . . . Francof. ad M., Dom. à Sande, 1715. 4°. [C. figg.| — IV. P. c. 6.

De la Charriere, Jos., Nouvelles operations de chirurgie . . . Paris, D. Horthemels, 1692. 12°. — IV. P. l. 24 2.

— Traité des operations de la chirurgie. Paris, chez la veuve de Daniel Horthemels, 1706. 8°. — IV. N. l. 9.

Croissant de Garengeot, René Jacques, Traité des operations de chirurgie . . . Seconde edition, revue, corrigée et augmentée par l'Auteur. Tome II. Paris, Huart l'ainé, 1731. 8°. — IV. P. i. 4.

Le-Dran, Henry Franç., Traité des opérations de chirurgie. A Paris, Ch. Osmont, 1742. 8°. [Av. figg.] — IV. P. d. 21.

Henckel, Joach. Frid., Abhandlung der chirurgischen Operationen. Berlin, G. J. Decker u. G. L. Winter, 1770 —76. 8°. 6 Bde. [M. Kpfrn.] — IV. P. i. 31—34.

Stalpartii, van der Wiel, C., Observationum rariorum medic. anatomic. chirurgicarum centuria prior. Acc. de unicornu dissertatio, centuriae posterioris pars prior, et de nutritione foetus exercitatio. Lugd. Bat., P. van der Aa, 1687. 8°. 2 voll. — IV. O. i. 25.

Verduin, Petri Hadr. F., Observationes chirurgicae, e belgica in latinam linguam translatae a Joanne Tilingio. Lugduni Batavorum, apud Cornel. Boutesteyn et Jordanum Luchtmans, 1693. 8°. |Cum 2 tabb.] — IV. P. e. 16.

Fabricii, Guil., Hildani, Observationum et epistolarum chirurgico - medicarum centuriae in certum ordinem digestae . . . a Joh. Sigism. Henningero. Argentor., Vidua J. F. Spoor, 1713. 4°. — IV. M. i. 8.

Mülleri, J. M., Observationum et curationum medicochirurgicarum rariorum decades II.
 1. de praecipuarum corporis humani partium affectibus,
 2. de capitis praecipue passionibus.
 Una cum annexo tractatulo de effractura cranii . . . Sv. Hall., litteris G. M. Mayeri, 1714. 8°. — IV. O. k. 2/2.

Loescher, Mart. Ghelf., praes., Sauber, Geo. Phil., resp., Diss. inaug. med. chirurg., qua observationes chirurgicas medico practicas, praeside —, pro licentia . . . p. p. —. Vitembergae, Vidua Gerdesia, 1723, Juli 13. 4°. — 770.

Chabert, Observation de chirurgie pratique. Paris, Jean Mariette, 1724. 8°. — IV. N. k. 16.

Vermale, Rémon de, Observations et remarques de chirurgie pratique, précédées d'une nouvelle méthode d'amputer. A Londres, 1733. 4°. — IV. P. c. 23/8.

Heister, Laur., D., Medicinische, chirurgische und anatomische Wahrnehmungen. Rostock, J. Ch. Koppe, 1753. 4°. [Mit Bildn. u. Kk.] — IV. M. g. 9.

Bilguer, Johann Ulr., Chirurgische Wahrnehmungen. Berlin, Arnold Wever, 1763. 8°. [M. Kupfern.] — IV. N. d. 17.

Metzger, J. D., Adversaria medica, continent chirurgica, physiologica, practica. Francof. ad M, Eslinger, 1775. 8°. — IV. N. d. 15.

La Fontaine, F. L. de, Chirurgisch-medicinische Abhandlungen verschiedenen Inhalts, Polen betreffend. [Mit
7 Kupfern.] Breslau und Leipzig, W. G. Korn, 1792. 8°.
— IV. N. d. 16.

Mursinna, Chn. Ludw., Medicinisch-chirurgische Beobachtungen. 2. Aufl. Berl., Chn. Friedr. Himburg, 1796.
8°. — IV. M. l. 3.

Bell, Benj, Lehrbegriff der Wundarzneykunst. Aus dem
Engl. 3. Ausg. I.—V., 1, 2. Wien, Ant, Doll, 1805. 8°.
6 Bde. — IV. N. e. 13—18.

Wirtz, Felix, Practica der Wundartzney . . . Basel, 1596.
8°. — IV. O. l. 3.

Plenck, Jos. Jak., Sammlung von Beobachtungen über
einige Gegenstände der Wundarzneykunst. Wien, R.
Graffer, 1769—70. 8°. 2 Bde. — IV. N. f. 15—16.

Belloste, Le chirurgien d'hôpital, enseignant une manière
douce et facile de guérir promptement toutes sortes de
playes. Cinquième edition, exactement revuë, corrigée et
et augmentée de plusieurs observations nouvelles, d'une
pharmacie chirurgicale et d'une lettre d'Abraham Cyprianus, raportant l'histoire d'un foetus humain de 21. mois,
détaché des trompes de la matrice sansque la mère en
soit morte. Amsterdam, Pierre Mortier, 1708. 12°. [Av.
figg.] — IV. B. m. 17.

Theden, Joh. Chn. Ant., Neue Bemerkungen und Erfahrungen zur Bereicherung der Wundarzneykunst und
Arzneygebahrtheit. Berlin und Stettin, Friedr. Nicolai,
1782. 8°. 2 Bde. [M. 3 Kpfrtfln.] — IV. P. f. 3.

Bilguer, Diss. sur l'inutilité de l'amputation des membres.
Trad. de l'allem, par M. Tissot. Paris, P. F. Didot le
jeune, 1764. 8°. — IV. N. f. 11.

Metzig, Joh., Gegen das Amputiren gleich nach schweren
Verletzungen, ein offenes Sendschreiben, dem Herrn
Professor Seutin zu Brüssel im Namen der Menschheit
überreicht. Lissa, Ernst Gunther, 1857. 8°. — V. B. g. 50.

Stoesserus, Joh. Gothofr., Argentinens, Theses medicae
de venae sectione diss. inaug. Argentorati, J. F. Spoor,
1698. 4°. — IV. M. l. 8. Handexempl. des Vf.

Gailhardi, Joh., Tolosatis, De venaesectione disquisitio,
ubi quaestio, an in apoplexia sit vena secanda, solidis
argumentis confirmatur. Hafniae et Lipsiae, Sam. Garmann, 1699. 12°. — IV. P. l. 14/2.

Alberti, Mich., Do venae sectione timidorum. Halae,
1725. 4°. Acc. Vita doctorandi Dni Christiani am Ende.
— 644.

Siltemann, Jo. Aug., De venae sectione prophylactica et curatoria, pro gradu doctoris . . . Lips., Langenhemius, 1750, Juli 17. 4°. — 152/1.

Eyselius, Jo. Phil., praes., Gellert, Gfr., auctor resp., Diss. inaug. med. chirurgica de venae sectione infelici, pro gradu doct. Erfurt, J. H. Groschius, 1712, Sept. 7. 4°. — 156.

Alberti, Michael, praes., Schlaeger, Joh. Jul., resp., Diss. inaug. med. de venaesectionis salutari intermissione, pro gradu doctoris. Halae, J. Ch. Hendel, 1735, Oct. 4°. — 346.

Bleibel, Paul. Dan., Disp. med. inaug. de venae sectione in pede et aliis certis corporis regionibus, pro licentia. Halae, Ch. Henckel, 1705. 4°. — IV. M. l. 13/13.

Silva, Jean. Bapt., Traité de l'usage des différentes sortes de saignées, principalement de celle du pied. Paris, d'Anisson, 1727. 8°. 2 voll. — IV. N. g. 12.

Teyereisen, Gfr. Benj., De morbis acutis malignis, quatenus venaesectionem indicantibus, diss. inaug. Halae, typ. Joan. Christiani Hendelii, 1750. 4°. — IV. P. e. 3.

Schmiedelein, Gfr. Bened., De derivatione ac revulsione humorum per sanguinis detractionem impetrandis, diss. inaug. Lipsiae, ex offic. Langenhemia, 1763. 4°. — IV. P. e. 4.

Nöttinger, Sam. Frid., Diss. chirurgico-medica inaug. de arteriotomia, ejus recto usu et injusto neglectu, pro gradu doctoris. Argentor., Pauschinger, 1747, Apr. 29. 4°. — 150.

Yonge, Yames, Wounds of the brain proved curable . . . London, Henry Faithorn et J. Kersey, 1682. 12°. — II. S. i. 64.

Manggold, Justus Henr., praes., Vasmar, Dan. Phil., resp., Disp. medico-chirurgica inaug. de vulnere lethali, pro lic. Rinthelii, H. A. Enax, 1701, Febr. 4. 4°. — 400.

Tieffenbach, Joan. Reich., Dissertatio inaug. qua vulnerum in intestinis lethalitas occasione casus rarissimi, quo colon vulneratione inversum per XIV. annos ex abdomine propendens exhibetur. Wittenb., lit. Gerdesianis, 1720. 4°. [Cum tab. aen.] — IV. P. e. 20.

Heister, Laur., praes., Sturmius, Jo. Glob., resp., Diss. med. et chirurg. inaug. de ossium vulneribus rite curandis, pro doct. Helmaestadii, P. D. Schnorr, 1743, Mai 30. 4°. — 507.

Adolphi, Ohn. Mich., praes., Simsen, Joh. Ferd., Vrat. Sil., resp., Diss. inaug. medico-chirurgica de vin-

culis chirurgicis, pro gradu doctoris. Lipsiae, Titius,
1730, Jan. 13. 4⁰. — 652.

Henckel's, Joach. Fried., Anweisung zum verb. chirurg.
Verbande. 3 Aufl. Berlin u. Stralsund, G. A. Lange, 1779.
4⁰. [M. Kk. u. Bildn.] — IV. M. f. 9.

Colin, Alex., Traité des fractures en général. Paris, de
l'imprimerie de Richomme, an X., 1802. 8⁰. — IV. P. e. 11.

Camerarius, Elias Rudolph, praes., Brotbeck, Dav.,
resp., Positiones chirurgicae de fractura cum vulnere,
pro lic. Tubg., J. C. Reisius, 1693, Oct. 18. 4⁰. — 373.

Müller, Joh. Matthias, D., Casus medico-chirurgicus de
effractura cranii et subsecutis gravissimis symptomatibus
divina gratia ex voto curatis, cum notis de capite ejusque
affectibus. Suevo-Hallae, lit. G. M. Mayeri, 1712. 8⁰. —
IV. O. k. 2/1.

Krantz, Jo. Chn., Dresdensis, Diss. inaug. med. de
fractura ossium, ut vulnus sananda, pro doctoratu. Lips.,
Langenheim, 1756. 4⁰. [Cum tab. aen.] Acc.: Vita auct.
in sequenti programmate. — IV. P. c. 23/1.

Bohn, Joh., praes., Berggoldt, Glob., resp., Diss. chirurgica de trepanationis difficultatibus. Lips., J. H. Richter,
1694, Sept. 21. 4⁰. — 388.

Kapp, Chn. Erhard, De exstirpatione tumorum in mamma,
pro doctoratu. Lipsiae, Langenheim, 1768. 4⁰. Acc.: Vita
auctoris in sequenti programmate. — IV. P. c. 23/3.

De Launay, Charles Denis, Dissertation physique et
pratique sur les maladies et sur les operations de la
pierre. Paris, L. d'Houry, 1701. 8⁰. — IV. O. k. I4.

Fabricii, Guilh., Lithotomia vesicae, a Henr. Schobingero
in lat. transl. Bas., Ludov. König, 1628. 4⁰. — IV. O. f. 26.

Pallucci, Nouvelles remarques sur la lithotomie, sur la
séparation du penis et sur l'amputation des mammelles.
Paris, G. Cavelier, 1750. 8⁰. [Av. figg.] — IV. O. i. 2.

Mery, Jean, Observations sur la manière de tailler dans
les deux sexes pour l'extraction de la pierre, pratiquée
par frère Jacques. Nouveau système de la circulation
du sang par le trou ovale dans le foetus humain. Paris,
Jean Boudot, 1700. 8⁰. — IV. N. l. 13.

Hübner, Joan. Christianus, Observationes et cautiones
practicae in curatione calculi, diss. inaug. Halae, typis
Joan. Gruneri, 1721. 4⁰. — IV. P. e. 3.

Fischer, Car. Dan., De calculo vesicae urinariae, a nimio
vini hungarici potu in urethram propulso, ac singulari
encheiresi absque sectione exempto diss. inaug. Erford.,
typ. Heringii, 1744. 4⁰. — IV. P. e. 3.

Meyer, Herm. Pet., Diss. chir. med. de punctura vesicae urinariae in ischuria vesicali adhibenda ... pro licentia privilegia et honores doctorales impetrandi. Marburgi Cattorum, Ph. C. Müller, 1727, Juli 30. 4°. — 5.

Bützer, Mart. Arn., Diss. inaug. med.-chirurgica de hydrocele, pro gradu doctoris. Helmstadii, P. D. Schnorr, 1744. 4°. — IV. P. c. 25/2.

Mauchart, Burc. Dav., praes., Palm, Phil. Sigism., resp., Epiplo-enterocele cruralis, incarcerata, sphacelata, cum deperditione notabili substantiae intestini sponte separati, feliciter curata, alvo naturali restituta. Tubg., Erhardt, 1748, März 20. 4°. — 160.

Heiland, Mich., De fistula, diss. inaug. Lipsiae, Quirinus Bauch, 1653. 4°. — IV. P. e. 21.

Severini, Marci Aurelii, Tractatus absolutissimus de abscessibus. Francof., cura haered. Beyerianorum, 1668. 4°. [Cum figg.] — IV. P. e. 12.

Hoechstetterus, Car. Frid., De spina bifida, diss. inaug. Altdorff, Henr. Meyer, 1703. 4°. — IV. P. e. 5.

Cyprianus, Abr., Lettre raportant l'histoire d'un foetus humain de 21 mois, détaché des trompes de la matrice, sans que la mère en soit morte ... Amsterdam, Pierre Mortier, 1708. 12°. — IV. B. m. 17.

Teichmeyer, Herm. Frid., praes., Gerber, Gfr., auct., Diss. medico-curiosa de novo instrumento repurgatorio ventriculi, von der Magen-Bürste. Jenae, Müller, 1712, Mart. 4°. — 775.

Boretius, Matth. Ern., praes., Tennigs, Mich. Frid., resp., Observationum exoticarum specimen alterum, de operatione alta, Anglis High Operation dicta, ab iisque correcta et emendata, pro loco. Regiom., Reusner, 1723, Sept. 17. 4°. — 780.

Reichard, Joh. Mart., Diss. med. inaug., exhibens uterum gravidae una cum foetu vulneratum. . . ·. pro gradu doctoris. Argentorati, M. Pauschinger, 1735, Aug. 4°. — 711.

Adolphus, Ern. Siegfr., De collo virilis vesicae, cathetere et unguentis illi inferendis. Lips., J. Ch. Langenhemius, 1745. 4°. — IV. P. e. 2.

Guntheri, Frid. Guil., Observatio chirurgico-medica de contusione articulationis genu et inprimis singulari tendinis communis musculorum extensorum tibiae, praemissa descriptione anatomica hujus articuli studio et calamo —. Guelpherbyti, Joannes Christian. Meisner, 1755. 4°. — 108.

Plaz, Ant. Guil., De non semper mortifera funiculi umbilicalis intermissa deligatione. Lips., ex off. Langhemia,
1774. 4°. — IV. P. e. 4.

Feller, Chn. Ghold., Quaedam de enematibus, atque nova
fumum tabaci infiandi methodus. Lips., vid. Büschelia,
1781, Juni. 4°. — 714.

Albinus, Bernh., praes., Heinsius, Ern., resp., Disp.
inaug. med. chirurg. de paracentesi thoracis et abdo-
minis, praeside —, pro lic. Francof. ad Od., Chph. Zeitler,
1687, Mai. 4°. — 717.

Eckoldt, Joh. Glob., Ueber das Ausziehen fremder Körper
aus dem Speisekanale und der Luftröhre. [Mit 5 Kk.]
Leipz., K. Tauchnitz, 1799. 4°. — IV. M. d. 6.

Samter, J., Baterya Greneta i jéj znaczenie w zastósowaniu
galwanizmu do operacyi chirurgicznych. Pozn., Ludwik
Merzbach, 1858. 8°. — V. C. k. 50/1.

Horstii, Joh. Dan., Judicium de chirurgia infusoria Jo.
Danielis Majoris, viri clarissimi. Geo. Fickwirt, 1665.
12°. — II. S. i. 51.

Bergmann, Frid. Conr., Diss. inaug. med. de injectio-
nibus chirurgicis, . . . pro gr. doct. Lips., Langenhemius,
1757, Juni 3. 4°. — 582.

Geburtshülfe.

Knolle, Fred., De artis obstetriciae historia quaedam . . .
Argentinae, Pauschinger. 4°. — 778.

Bartholini, Thomae, Antiquitatum veteris puerperii synopsis, a filio Casparo Bartholino commentario illustrata,
cum Thomae Bartholini ad filium epistola. Amstelod.,
1675. 12°. [Cum figg.] — IV. P. l. 3/4.

Baudelocques, Anleitung zur Entbindungskunst. 2. Ausg.
. . . von Ph. F. Meckel. Leipz., Weygand, 1791—94. 8°.
[M. Kk.] — IV. O. d. 18—19.

Stein, Georg Wilh., Theoretische Anleitung zur Geburtshülfe. Marburg, Akadem. Buchhandlung, 1797. [Mit
12 Kpfrtfln.] 8°. — IV. N. d. 13.

Victorii, Bened., Faventini, Med. clariss., Empirica. Huic
nostrae II. ed. acc.: Camilli Thomaji, Rauennatis,
methodus rationalis etc. Trotulae, antiquissimi authoris,
curandarum aegritudinum muliebrium liber unicus. Venet.,
Vinc. Valgrisius, 1555. 8°. — II. S. h. 12/2.

Johnson's, Rob. Wallace, Neues System der Entbindungskunst, . . . aus d. Engl. . . . von D. Just. Chn.
Loder. Leipz., Weygand, 1782. 8°. [M. Kk.] — IV. M. f. 11.

Peu, La pratique des accouchemens. Paris, Jean Boudot, 1694. 8⁰. [Av. le portr.] — IV. N. d. 7.

Froriep, Ludw., Friedr., Theoretisch-praktisches Handbuch der Geburtshülfe. Weimar, Landes-Industrie-Compt., 1802. 8⁰. [M. 1 Kpfr.] — IV. N. d. 6.

Mohrenheim, Jos. Freyh. v., Abhandlung über die Entbindungskunst. Leipz., H. Gräff, 1803. Fol. [M. 46 Kk.] — IV. W. a. 4.

Crantz, Henr. Nep., De re instrumentaria in arte obstetricia. Norimbergae, Wolfg. Schwarzkopf, 1757. 4⁰. — IV. P. e. 5.

Hoffmann, Frid., praes., Dietz, Chn., auctor et resp., Diss. inaug. med. de eo, quod plurimi juxta regulas artis nascantur, pro doctoris gradu. Halae, J. Ch. Zahn, 1717, Mai. 4⁰. — 296.

Ranchini, Franc., Tractatus duo posthumi 1. de morbis ante partum, in partu et post partum. 2. de purificatione rerum infectarum post pestilentiam. Lugd., P. Ravaud, 1645. 8⁰. — IV. P. g. 10.

Pratis, Jasonis a, Zyricsaei, De pariente et partu liber. Amstelaed., Jo. Blaev, 1657. 12⁰. — IV. P. l. 8.

Schröder, Ern. Frid., Diss. inaug. med. pract. de symptomatibus gravidarum et puerperarum, . . . pro gradu doctoris. Duisburgi ad Rhenum, 1784, Apr. 4⁰. — 293.

Stahl, Geo. Ern., praes., Dittmann, Dav., Vilnâ-Lithv., resp., Diss. med. inaug. de affectibus gravidarum . . . pro gradu doctoris. Halae, 1708, Sept. 4⁰. — 783.

— praes., Coberus, Joach., resp., Disp. med. inaug. de puerperarum affectibus, . . . pro lic. Halae, Ch. Henckel, 1704, Mart. 4⁰. — 757.

Kisner, Jo. Chn., Diss. med. inaug. de morbis puerperarum, . . . pro gradu doctoratus . . . Lugd. Bat., Elias Luzac jun., 1748, Oct. 4. 4⁰. — 801.

Berger, Jo. Just. de, Diss. inaug. med. de puerperarum mania et melancholia, . . . pro doct. honoribus . . . Gottg., A. Vandenhoeck, 1745. 4⁰. — IV. P. c. 20/2.

Schafonsky, Athan., ex Russia parva, De gravidarum parturientium et puerperarum convulsionibus, pro lic. . . . Argentor., S. Kürsner, 1763, Juni 17. 4⁰. — 802.

Hornung, Joh. Imm., Diss. med. inaug. de parturientium situ, pro doct. Argentor., G. Piescker, 1733, Juni 30. 4⁰. — 610.

Teichmeyer, Herm. Frid., praes., Schelhasius, Glob. Ambros. Christ., resp. auctor, Diss. inaug. med. de vomitu gravidarum primis plerumque gestationis mensi-

· bus fiente, quam ... praeside — pro gradu doctoris
publico examini submittit auctor ... Jena, J. F. Ritter,
1738, März 29. 4º. — 31.

Faschius, Aug. Henr., praes., Heydenreich, Just. Rud.,
resp., Ordo et methodus cognoscendi et per curationem
praeservandi abortum, ... pro lic. Jenae, Nisius, 1677,
Jan. 4º. — 749.

Alberti, Mich., praes., Friderici, Joh., respond., Diss.
inaug. med. de purpura puerperarum, quam ... praeside
— pro gradu doctoris ... eruditorum ventilationi subjiciet respondens —. Halae Magd., Hendel, 1728, Aug.
4º. — 43.

Jantke, Jo. Balth., Diss. inaug. med. de praematuro
aquarum parturitionis ex utero gravido effluxu, ...
pro lic. Altdorfii, J. G. Meyer, 1755, Apr. 21. — 508.

Gehlerus, Jo. Geo., praes., Lohde, Theod. Frid., resp.,
Diss. med. chirurg. de partus naturalis adminiculis sectio
altera, quam praeside —, pro summis in medicina honoribus impetrandis ... publice disputabit. Lips., Langenhemius, 1772, Dec. 18. 4º. — 55.

— De sanguine in partu profluente, diss. inaug. Lipsiae,
Langenhemius, 1758, 4º. — IV. P. a. 2 & 605.

— Baumeister, Chn. Frid., resp., De sanguine in partu
profluente . :. pro loco ... disseret J. G. Gehler ...
Lips., Langenhemius, 1759, Dec. 21. 4º. — 39.

— Heinigke, Guil. Jo. Frid., resp., Diss. med. chirurg.
de utero secundinas expellente sectio prior theoretica,
quam ... praeside —, pro summis in arte med. honoribus ... publice disputabit. Lips., Langenhemius, 1765,
Aug. 30. 4º. — 40/1.

— Seiler, Car. Aug., resp., Diss. med. chirurg. de utero
secundinas expellente, sectio altera practica ... pro summis
in arte medica honoribus. Lips., Langenhemius, 1767,
Sept. 25. 4º. — 788, 609.

Kaltschmied, Car. Frid., praes., Landis, Henr., auct.
resp., Diss. inaug. med. sistens varia partus impedimenta
ex capitis vitio, pro gr. doctor. Jenae, Marggraf, 1757,
Aug. 13. 4º. — 297.

Roedererus, Jo. Geo., Diss. inaug. med. de oscitatione
in enixu, quam ... sub praesidio — pro summis in med.
honoribus ... publice disputabit Johannes David Lapehn.
Gottg., Pockwitz et Barmeier, 1758, Sept. 16. 4º. — 54.

Zieger, Frid. Chph., Diss. inaug. chirurgico-medica de
ΔΥCTOKIΑ, (Geburt- oder Kindes-Noth), pro lic. Argent.,
J. Pastorius, 1720, März 27. 4º. — 747.

Hoffmann, Frid., praes., Engel, Christ. Franc., M., resp., Diss. med. inaug. de inflammatione ventriculi, pro gradu doct. Halae, Ch. A. Zeitler, 1706, Dec. 4°. — 429.

Welsch, Gfr., praes., Lossius, Jerem., M., resp., Inaug. de uteri prolapsu dissertatio, pro lic. Lips., J. Wittigau, 1666, März 16. 4°. — 458.

Gulbrand, Joh. Wilh., De sanguifluxu uterino. Ed. II. Havniae, Chn. Glob. Proft, 1776. 8°. — IV. O. g. 23/3.

Schrön, Dan. Chn., De ulceribus uteri, diss. inaug. Jenae, literis Krebsianis, 1690. 4°. — IV. P. e. 21.

Roederer, Jo. Geo., D., De ulceribus utero molestis observationes. Gottg., Hager, 1758, Sept. 18. 4°. — 20.

Gassmann, Jo. Leonard, Scirrhum uteri ... pro lic. ... eruditor. examini subjicit. Argentor., J. H. Heitz, 1758, Mart. 18. 4°. — 789.

De utero insonte. Titulus deest. — 190.

Bohn, Joh., praes., Werther, Geo. Chn., resp., Diss. med. de abortu salubri ... Lips., Brandenburger, 1707, Dec. 2. 4°. — 44.

Delius, Henr. Frid., praes., Brackenhoeffer, Jo. Frid., resp. et auctor, Animadversiones nonnullae ad partum faciliorem spectantes, quas ... praeside — pro licentia summos in med. honores legitime obtinendi publico ... examini submittit auctor et respondens. Erlangae, J. D. M. Camerarius, 1760, Mai 2. 4°. — 51.

Welschius, Gfr., praes., Garmann, Chn. Friedr., resp., Discursus physico-medicus de gemellis et partu numerosiore. Lips., H. Coler, 1667. 4°. — IV. P. d. 24/2.

Roederer, Jo. Geo., Observationum medicarum de partu laborioso decades duae. Gottingae, Bossiegel, 1756. 4°. — IV. P. e. 2.

Sommer, Jo. Chph., De partu laborioso selectae observationes, pro doct. Goettg., J. H. Schulze, 1765, Juli 10. 4°. — 298.

Meyfeldius, Jo. Gfr., Diss. chirurg. med. inaug., sistens historiam partus difficilis ex spastica strictura uteri circa placentam, ... pro summis in medicina honoribus. Altorfii, J. G. Kohlesius, 1732, Juni. 28. 4°. — 53.

Kaltschmied, Car. Frid., De casu partus difficilis, ubi infanticidium licitum est. Jena, Tennemann, 1751. 4°. Acc.: Vita Pauli Conradi Jessen. — 52.

Frensdorff, Joh. Chph., Diss. inaug. medico-chirurgica de partu praeternaturali ac difficili ob procidentiam funiculi umbilicalis, ... pro lic. Argentor., M. Pauschinger, 1749, Aug. 13. 4°. — 773.

Huber, Joh. Jac., D., De partu difficili ex prolapso brachio. Gotting., A. Vandenhoeck, 1740, Apr. 29. 4°. — 795.

Haller, Alb., De rupto in partu utero observationes proponit. Goettg., J. Ch. L. Schulze, 1749, Febr. 4°. Acc.: Vita doctorandi Joh. Conr. Guil. Schmidt. — 357.

— De rupto in partu utero observationes continuat. Gottg., J. F. Hager, 1749, April. 4°. Acc.: Vita doctorandi Joach. Vosse. — 358.

Bose, Ern. Glob., praes., Schnorr, Car. Chrph., auct. resp., Diss. inaug. med. de venaesectione in puerperis, . . . pro gradu doct. Lips., Langenhemius, 1768, Mai 20. 4°. — 793.

Sultzbergeri, Sigism. Rup., Positiones medicae de mola, mole muliebri scilicet sexui molestissima, in ipsa panegyri doctorali exhibita . . . in alma Philurea d. 15. Apr. 1656. Bauch, 1656. 4°. — 22.

Ulstätt, Joh. Dav., Disp. inaug. med. de mola depravatae conceptionis mole, . . . pro gradu doctorali . . . Altdorfii, J. Goebelii Vidua, 1665, Mai 25. 4°. — 23.

Lamzweerde, Joh. Bapt. de, Examen eucharisticum durioris Harderianae apologiae, super fraternas admonitiones in caput XXIV. tractatus mei, de molis uteri, contentas. Francof., J. M. Polichius, 1689. 4°. — IV. P. c. 22/4.

Vater, Chn., praes., Weber, Gfr., resp., Dissertationem solennem de mola, germ. Mond-Kind, praeside —, pro gradu doctoris . . . p. p. —. Vitemb., Goderitsch, 1702, Oct. 4°. — 21.

Hoffmann, Frid., praes., Velthem, Henr. Andr., auct. resp., Diss. inaug. med. de incontinentia urinae ex partu difficili, pro lic. Halae, J. Ch. Hilliger, 1724, März. 4°. — 486.

Vater, Chn., praes., Möllerus, Jo. Geo., resp., De partu Caesareo s. foetus e matre vivente sectione, . . . pro lic. Wittenb., Ch. Kreusig, 1695, Dec. 4°. — 767.

Schacher, Polyc. Glieb., De sectione Caesarea. Lips., J. Ch. Langenheim, 1731. 4°. — 56. 2 Exempl.

Kaltschmied, Car. Frid., praes., Heusler, Joh. Franc., auctor resp., Diss. inaug. medico-chirurgica de partu Caesareo, . . . pro gr. doct. Jenae, J. Ch. Tennemann, 1750, Aug. 12. 4°. — 518.

Slevogtius, Jo. Hadr., praes., Schelhass, Chph. Elias., resp., Dolorum partus spuriorum cum veris collationem . . . praeside — pro lic. insignia et privilegia doctoralia

... capessendi ... publico ... examini submittet —.
Jenae, Gollner, 1702. 4°. — 38.

Dethardingius, Geo. Chph., praes., Behme, Jo., resp.,
Disp. solennis medica de abortu foeminae variolis laborantis innoxio, quam ... praeside — pro gradu doctorali
exponet —. Rostochii, J. J. Adler, 1749, Sept. 30. 4°.
— 46.

Ortlobius, Joh. Frid., praes., Gullmann, Bened., resp.,
Disp. physiologica medica de partu et vita foetus. Lips.,
J. H. Richter, 1695, Sept. 7. 4°. — 33.

Jahn, Aug. Frid. Guil. Ern., De respiratione foetus et
neogeniti dissertatio altera ... pro gradu doctoris ...
Lips., Langenheim, 1774. 4°. — IV. P. c. 21/2.

Armbster, Gerh., Diss. inaug. med. de paragomphosi
capitis foetus in partu, pro gradu doctoris. Gottg., A.
Vandenhoeck, 1749. 4°. — IV. P. c. 24/4.

Lindemann, Andr., Diss. inaug. med. de partu praeternaturali, quem sine matris aut foetus sectione absolvere
non licet operatori, pro doctoris honoribus. Guttingae,
Elias Luzac, 1755, Nov. 27. 4°. — 50.

Fabricius, Phil. Conr., Programma academicum, quo
facilitatem insignem extractionis foetus vivi et incolumis
in parturientibus procidentia uteri sine inversione labo-
rantibus tempestive tentatae notabili quodam casu clinico
practico et argumentis anatomicis declarat. Helmstadii,
P. D. Schnorr, 1748. 4°. — 48.

Schacher, Polyc. Glieb., De longiori foetus mortui at
non corrupti in utero materno mora. Acc. Vita doctorandi M. Joh. Frid. Drechsel. Lipsiae, Zeidler, 1717,
Oct. 24. 4°. — 47.

Horstius, Joh. Otto, Disp. inauguralis med. exhibens
casum de foetu abortivo icterico, pro summis docturae
medicae honoribus. Giessae, F. Karger, 1663, Jan. 30.
4°. — 45.

Dethardingius, Geo. Chph., praes., Zander, Wilh.
Frid., resp., Disp. inaug. de foetus immaturi exclusione,
pro gradu doctoris. Rostochii, J. J. Adler, 1748, März.
4°. — 294.

Hartmann, Petr. Imm., praes., Silber, Jac. Glieb.,
resp., Singularem quandam foetus in perverso quodam
situ expedite vertendi methodum, pro gradu doctoris,
exponit. Francof. ad V., J. Ch. Winter, 1769, Oct. 4°.
— 785.

Burdach, Dan. Chrn., Diss. inaug. de laesione partium
foetus nutritioni inservientium abortus caussa, pro gradu

doct. Lips., Langenhemius, 1768, Jan. 29. 4°. — [Cum tab.] — 794.

Alefeld, Geo. Lud., Specimen medico-chirurgicum de dissectione foetus in utero. Giessae, E. H. Lammers, 1757, Nov. 3. 4°. — 49, 790.

Voigt, Joh. Carol., Diss. inaug. med. chirurgica de capite infantis abrupto, variisque illud ex utero extrahendi modis, pro gradu doctoris . . . Giessae, E. H. Lammers, 1743, Sept. 6. 4°. [C. tab.] — 784.

Morgenbesser, Jo. Gfr., Wrat. Sil., De foetus non vitalis partu dirigendo, pro gradu doctoris disputat. Francof. ad V., J. Ch. Winter, 1767, Aug. 12. 4°. [Cum tabula.] — 786.

Ridder, Jo. Aug., Observationem rariorem de foetu septem annorum per intestinum rectum matre salva et super- stite excluso cum doctis communicat . . . Annabergae, ex off. A. V. Frisii. 4°. — 771.

Faschius, Augustin. Henr., praes., Gerberus, Chn. Frid., resp., Disp. inaug. med. de doloribus post partum, quam . . . praeside, pro licentia summos in med. arte honores . . . impetrandi publico . . . examini . . . sub- mittit. Jena, Krebs, 1683, Dec. 3. 4°. — 37.

Chuden, Chn. Frid., Diss. med. inaug. de doloribus post partum, pro gradu doct. Lugd. Bat., Abr. Elzevier, 1709, Juli 12. 4°. — 798.

Schaeffer, Joh. Henr., M., Disp. med. inaug. de lochiorum suppressione, pro gradu doctoris. Lugd. Bat., haerr. J. Elsevirii, 1676, Mart. 17. 4°. — 797.

Roger, Geo. Joseph, Diss. med. inaug. de lochiorum sup- pressione, pro licentia summos in arto medica honores . . . capessendi. Argentorati, Sim. Kürsner, 1744. 4°. — 41.

Kiesling, Chn. Ghilf, M., Uterum post partum inflam- matum, pro gradu doctoris impetrando sistit. Lipsiae, Langenhemius, 1754, März 1. 4°. [2 Exempl.] — 42/1.

Goelike, Andr. Ottom.,, praes., Wessel, Chn. Lud., auct., Disp. inaug. med. de febre lactea, pro gradu doct. Francoforti ad V., Phil. Schwartz, 1738, Aug. 8. 4°. — 517.

Boehmer, Phil. Adolph., praes., Woltersdorff, Henr. Lud., auct., Diss. inaug. med. de febre lactea puerpe- rarum, pro gradu doct. Halae Magdeb., 1742, Nov. 4°. — 295.

Bose, Ern. Glob., De lacte oberrante disserere pergit. Lips., Langenheim, 1772. 4°. — IV. P. c. 22/8.

Augenheilkunde.

Bartisch, G., v. Königsbrück, ΟΦΘΑΛΜΟΔΟΥΛΕΙΑ, das ist, Augendienst. Newer ... Bericht von Ursachen vnd Erkentnüs aller Gebrechen, Schäden vnd Mängel der Augen vnd des Gesichtes ... Dresden, 1583. Fol. [Mit eingedr. Holzschn.] — IV. M. c. 6.

Scheidius, Jo. Val., De visu vitiato dissertatio. Tit. deest. 4°. — IV. P. e. 20.

Wedelius, Geo. Wolfg., praes., Sauber, Phil. Adam Gvolfg., resp., Diss. med. de nyctalopia. Jenae, Krebs, 1693, Juli. 4°. — 162.|

— praes., Hünerwolff, Jo. Frid., resp., Diss. inaug. med. de aegilope ... pro lic. Jenae, Krebs, 1695, Oct. 2. 4°. — 299.

Vesti, Justus, praes., Hahn, Joh., resp., Diss. med. inaug. de ophthalmia, pro licentia. Erfurti, G. H. Müller, 1701, Juli 13. 4°. — 728.

Röser, Carol. Jac., Disp. inaug. anatomico-medica de epiphora, pro gradu doctoris ... Regiomonti, F. Reusner, 1703, Oct. 18. 4°. — 300.

Vater, Chn., praes., Oertelius, Jo. Gfr., resp., Dissertationem solennem de trachomate, praeside —, pro licentia impetrandi summos in arte salutari honores p. p. Vitembergae, J. G. Meyer, 1704, Aug. 25. 4°. — 63.

Wedelius, Geo. Wolfg., praes., Reyherus, Joh. Gfr., resp., Diss. med. inaug. de cataracta, sub praesidio —, pro licentia etc. exposita a —. Jenae, Krebs, 1706, Mai. 4°. — 58.

Chappuzeau, Alb. Ludov., Disp. medico-chirurgica inaug. de catarrhacta ... pro gradu doctoris. Lugd. Bat., Abr. Elzevier, 1711, Mai 12. 4°. — 774.

Woolhouse, de, Dissertations sçavantes et critiques de monsieur — sur la cataracte et le glaucoma et quelques modernes principalement de messieurs Brisseau, Antoine et Heister, avec une réponse juste et energique à l'apologie du dernier, imprimée à Altorf 1717, tirées des manuscripts de l'autheur et mises au jour par M. Christofle Le Cert. Offenbach sur le Mein, B. de Launoy, après 1717. 8°. — IV P. g. 5.

Brunner, Eman. Alex. Ludov., Diss. inaug. medico-chirurgica de cataracta. Gottg., J. Ch. Dieterich, 1787. 8°. — IV. O. f. 27.

Maître-Jan, Antoine, Traité des maladies de l'oeil et des remèdes propres pour leur guérison. 2 éd. Troyes. Jacques de Febure, 1711. 8°. — IV. O. k. 1.

Anel, Dom., Suite de la nouvelle méthode de guérir les
fistules lacrimales. Turin, Jean François Mairesse, 1714.
4º. — IV. N. d. 19.

— Dissertation sur la nouvelle découverte de l'hydropisie du
conduit lacrimal, sur les causes, qui la produisent et sur
les avantages, que l'on retirera de cette nouvelle découverte . . . Paris, Jean Baptiste Delespine, 1716. 8º. —
IV. P. k. 22.

Heister, Laur., praes., Schwerdtfeger, Gfr. Ludov.,
resp., Diss. inaug. med. de trichiasi oculorum, pro lic.
Helmst., Hamm, 1722, Sept. 18. 4º. — 501.

Mauchart, Burc. Dav., praes., Bilger, Carol. Ferd.,
resp., De ungue oculi seu pure inter corneae lamellas
collecto, praeside —, disputabit pro licentia summos in
med. honores capessendi. Tubg., Pflick et Bauhof, 1742,
Juli. 4º. — 67.

— Gifftheil, Chph. Frid., resp., De ulceribus corneae
. . . praeside — disputabit pro licentia summos in med.
honores . . . capessendi respondens. Tubingae, Pflick
et Bauhof, 1742, Sept. 4º. — 66.

— Seiz, Geo. Frid., resp., De empyesi oculi sive pure in
secunda oculi camera stagnante, praeside —, disputabit pro
licentia summos in medicina honores . . . capessendi
respondens. Tubg., Bauhof et Pflicke, 1742, Nov. 10. 4º. — 64.

— Sarwey, Theoph. Andr., resp., Paracentesis oculi in
hydrophthalmia et amblyopia senum, . . . praeside —, dipu-
tatione pro licentia summos in medic. honores . . . capessendi ventilabitur respondens. Tubingae, Sigmund Mez,
1744, Sept. 28. 4º. — 68.

— Beger, Phil. Thom., resp., Synechia sive praeternaturalis adhaesio corneae cum iride . . ., praeside —, proponitur ventilanda disp. pro licentia summos in medicina
honores . . . consequendi, respondente —. Tubg., Erhardt,
1748, Febr. 26. 4º. — 65.

—, Camerer, Joh. God., resp., Conjunctivae et corneae,
oculi tunicarum, vesiculae ac pustulae, praeside -, respondente —, pro licentia summos in medicina honores
. . . capessendi exponentur. Tubg., Erhardt, 1748, Sept. 6.
4º. — 69.

— Hoelder, Phil. Frid. Benj., resp., Staphyloma vexatum
nomen affectusque oculi difficilis ac intricatus, praeside —,
respondente —, pro lic. etc. dilucidabitur. Tubg., Erhardt,
1748, Dec. 18. 4º. — 70.

— Weber, Christ. Theoph., resp., Palpebrarum tumores
cystici casusque specialis magni tumoris steatomatico-

scirrhosi e palpebra superiore et orbita feliciter nuper-
rime extirpati ... praeside —, respondente —, pro licentia
summos in medicina honores ... capessendi. Tubing.,
Erhardt, 1750, Nov. 4°. — 59.

Kaltschmied, Carol. Frid., De nervis opticis in cadavere latis inventis a compressione per undas facta causa
ante mortem subsecutae guttae serenae. Jena, Tennemann, 1752, Oct. 8. 4°. Acc. Vita doctorandi Aug. Henr.
Lud. Teichmeyer. — 84/2.

Suter, Thom. Geo., Wollgasto-Pomeranus. Diss. inaug.
medica de statu sano et morboso accolarum maris Baltici,
pro licentia. Lipsiae, Langenhemius, 1753, Aug. 24. 4°.
— 205.

Zinn, Joh. Gfr., De ligamentis Ciliaribus programma. —
Gottg., J. Ch. L. Schulze, 1753. 4°. — 62.

Nicolai, Ern. Ant., De genesi vertiginis. Jenae, Marggraff, 1759, Apr. 10. 4°. Acc. Vita doctorandi Jo. Chph.
Buch. — 670.

Ludwig, Chn. Frid., De suffusionis per acum curatione.
Lips., Klaubarth, 1773, Febr. 22. 4°. — 61.

Plenck, Jos. Jac., Doctrina de morbis oculorum Viennae,
Rud. Graeffer, 1777. 4°. — IV. P. f. 11.

Beer, Jerzy Józ., Nauka pielęgnowania zdrowych i chorych
oczów ., . . z niem. przeł. . . . przez Jędrzeja Józefa Pota-
kowskiego. Lwów, K. Wild, 1820. 8°. — IV. P. f. 41.

Martini, Maur. Gust., De fili serici usu in quibusdam
viarum lachrymalium morbis, diss. pro doct. Lipsiae,
Staritius, 1822. [Cum tab.] 4°. Acc. Vita autoris. — IV.
M. d. 10/1.

Amaurosis.

Major, Joh. Dan., praes., Schmidt, Joh. Guil., resp.,
Disputatio medica inaug. de amaurosi vel gutta serena,
quam sub praesidio, pro licentia consequendi summos in
arte medica honores . . . defendet. Kiliae, S. Reumann,
1673, Nov. 4°. — 3.

Oehme, Jo. Bened. Gfr., De amaurosi, pro doctoris gradu
disputabit. Lips., Langenheim, 1748. 4°. — IV. P. c. 23/7.

Zahnheilkunde.

Ehinger, Conr. Casp., Disp. med. inaug. de odontalgia
. . . pro licentia. Altdorfii, H. Meyer, 1683, Juni 18. 4°.
— 442.

Vesti, Just., praes., Brenselius, Wilh., resp., Disp. inaug. med. de *OΛONTAΛΓIA*, pro lic. Erfurti, Kindlebius, 1697, Dec. 21. 4°. — 443.

Süsse, Joh., Vratisl., Disp. inaug. de remediis antodontalgicis, pro gradu doct. Halae, Ch. A. Zeitler, 1700. 4°. — IV. M. l. 13/31.

Schelhammer, Gunth. Chph., praes., Krysingius, Balthasar, resp., Diss. solennis de odontalgia tactu sedanda, pro gr. doct. Kiliae, B. Reutherus, 1701, Oct. 18. 4°. — 440.

Valentini, Mich. Bern., praes., Fuchsius, Sam. Chph., resp., Odontologia anatomico-medica in dissertatione inaugurali de vacillatione, casu et palingenesia dentium, pro gr. doct. Giessae, Vid. J. R. Vulpii, 1727, Aug. 4°. — 444.

Fauchard, Pierre, Le chirurgien dentiste ou traité des dents etc. A Paris, Jean Mariette, 1728. 8°. — II. S. i. 30.

Caliga, Carl Proc., Über die Krankheiten der Zähne und die Mittel sie zu heilen. Wien, Mechitaristen-Buchh., 1838. 8°. — IV. N. h. 7.

Pocken-Impfung.

Silberrad, Jo. Sam., Diss. med. inaug. de variolis, pro lic. Argentor., J. Welper, 1710, Dec. 10. 4°. — 659.

Haen, A. de, Refutation de l'inoculation, servant de réponse à deux pièces, qui ont paru cette année 1759 par M. De la Condamine et M. Tyssot. Vienne, Jean Thom. Trattner, 1759. 8°. — IV. N. d. 20.

Hahn, Jo. Gfr., Variolarum antiquitates nunc primum e Graecis erutae. Accedit de Mesuae Syri scriptis ad celeberrimum Fabricium epistola. Brigae, Gfr. Tramp, 1733. 4°. — II. S. h. 2/1—2.

Trilleri, Dan. Wilh., Epistolae duae de anthracibus et variolis veterum. Vrat., J. J. Korn, 1736. 4°. — IV. M. g. 6/2.

Hilscher, Simon Paul., praes., Raesfeld, Dan. a, auct. resp., Diss. med. inaug. exhibens historiam variarum methodorum defendendi homines a variolis iisdemque medendi, . . . pro gr. doct. Jenae, Horn, 1745, Juni 4. 4°. — 483.

Observations sur la petite vérole naturelle et artificielle. c/a. 1750. 8°. — IV. O. i. 29/3.

Ludwig, Chn. Glieb., Adversaria de contagio varioloso proponit. Lips., Loeper, 1767. 4°. Acc.: Vita doctorandi M. Chn. Frid. Kadelbach. — 449/2.

Roederer, Jo. Geo., praes., Nissen, Hinr. Adolph., auct., Utrum naturalibus praestent variolae artificiales disquirit . . . pro doctor. auctor. Gottg., Schultz, 1757, Juni 7. 4°. Acc.: Scriptorum de inoculatione variolarum notitia, pag. 36—69. — 520.

(Castro, Jacobus a, Medic. Lond.), Diss. in inoculationis seu transplantationis variolarum methodum. Lugd. Bat., J. A. Langerak, 1722. 8°. — IV. E. i. 30.

Le Duc, Ant., Constantinopolit., Diss. in novam, tutam ac utilem methodum inoculationis seu transplantationis variolarum, prima methodus auctoritate Regiae Majestatis Brittannicae comprobata 28 Julii 1721 et publicata . . . a Jacobo a Castro. Medic. Lond., altera methodus praelecta a Gualtero Harris, tertia Byzantina dicta, pro gr. doctoratus Lugduni Batavor. publice ventilata ab —. Lugd. Bat., J. A. Langerak, 1722. 8°. — IV. E. i. 30.

Harris, Gualt., Praelectio de inoculatione variolarum . . . Lugd. Bat., J. A. Langerak, 1722. 8°. — IV. E. i. 30.

Tissot, L'inoculation justifiée ou dissertation pratique et apologétique sur cette méthode. Avec un essai sur la mue de la voix. Lausanne, M. M. Bousquet, 1754. 8°. — IV. P. g. 6.

— Lettre à Msr. de Haen en réponse à ses questions sur l'inoculation. Lausanne, F. Grasset, 1759. 8°. — IV. N. i. 19.

Krause, Carol. Chn., praes., Beer, Frid. Gotthilf, resp., Diss. inaug. de variolarum exstirpatione insitioni substituenda, . . . pro summis in arte med. honoribus. Lips., Langenhemius, 1761, Juni 5. 4°. — 167.

Triller, Dan. Wilh., Geprüfte Pockeninoculation, ein physikalisch-moralisch Gedicht mit nöthigen Anm. u. Zusätzen erläutert. (Gegner der Impfung.) Frankf. und Leipz., J. G. Fleischer, 1766. 4°. — IV. P. c. 12.

Gerike, Petr., praes., Gemmel, Andr. Gfr., resp., Diss. inaug. med. de variolis anno hoc 1746 praesertim Helmstadii grassantibus observationes et monita quaedam exhibens, pro gr. doct. Helmstadii, P. D. Schnorr, 1746, Dec. 9. 4°. — 327.

Fischer, Dan., D., De remedio rusticano variolas per balneum primo aquae dulcis post vero seri lactis feliciter curandi . . . commentatio. Erfordiae, J. F. Weber, 1743? 4°. — IV. P. c. 8.

Hernien.

Döring, Mich., Vratial., Epistola de nova, rara et admiranda Herniae uterinae, atque hanc justo tempore subsequentis partus Caesarei historia. Witeb., W. Meisner, 1612. 4°. -- IV. M. l. 14.

Eyselius, J. Phil., praes., Hübschmann, Balth., resp., Diss. inaug. med. chirurgica de herniae intestinalis legitima cura, pro licentia. Erfordiae, Joh. Henr. Grosch, 1711, Dec. 30. 4°. — 432.

Schacher, Polyc. Gottl., De hernia, quam Graeci ΕΗΙΠΛΟΚΗΛΗΝΕΥ, latini herniam omentalem nuncupant. Lips., Langenhemius, 1734. Acc.: Vita doctorandi Chph. Benj. Sembder. 4°. — 431 & 499/2.

Pohlius, Jo. Chph., De herniis et in specie de CΛPKOKHΛΗ quaedam disserit. Lips., J. Ch. Langenhemius, 1739. 4°. — 601.

Brendel, Jo. Gfr., De herniarum natalibus paucis agit. Goettg., J. Ch. L. Schulz, 1751, Dec. 11. 4°. Acc.: Vita doctorandi Ernesti Gottlieb Schmidt. — 782.

Hallerus, Alb., De herniis congenitis observationes. Gottg., Abr. Vandenhoeck, 1749, Dec. 30. Acc.: Vita doctorandi Caroli Gerhardi Steding. 4°. — 803e.

— Herniarum observationes aliquot. Gottg., Schultz, 1753, Apr. 5. Acc.: Vita doctorandi Jo. Jacobi Vaetterli. 4°. — 803d.

Victoriis, Leonelli Faventini de, De aegritudinibus infantium tractatus admodum salutifer. De eadem tractatione appendicula priore haud minus frugifer per D. Geo. Khufnerum juniorem exarata. Accedit etiam oriatuncula ... per jamjam citatum authorem publice habita... Venet., Vinc. Valgrisius, 1557. 8°. — IV. O. k. 34/1.

Hönisch, Chn., Vrat. Sil., Disp. med. inaug. De infantium affectibus pro licentia. Halae Magdeb., Chr. Henckel, 1705. 4°. — IV. M. l. 13/3.

De Pre, Jo. Frid., praes., Grasso, Henr. Hier., resp., Theses med. inaug. de dentitione difficili, variolis et rubeolis tanquam tribus morborum classibus superandis infantibus . . . pro lic. Erfordiae, J. H. Grosch, 1720, Febr. 4°. — 427.

Medicina forensis.

Rosenstengel, Jo. Jac., Medicus practicus clinico-forensis, seu brevis introductio ad praxin clinicam et forensem, modum sistens aegros visendi cum aliis consultandi et in foro renunciandi et deponendi, opusculum omnibus medicinam facturis, lectum adituris, forumque moderaturis lectu perquam utile et necessarium . . . Francof. ad M., A. F. Boetticher, 1717. 4⁰. — 709.

Hebenstreit, Jo. Ern., D., Anthropologia forensis, sistens medici circa rempublicam causasque dicendas officium... Ed. II. Lipsiae, haeredes Lankisiani, 1753. [Cum figg.] 8⁰. — IV. P. g. 7. IV. N. g. 13.

Scherf, Joh. Chn. Friedr., Archiv der mediz. Polizey und der gemeinnützigen Arzneikunde. Leipz., Weygand, 1783—87. I.—VI. Bd. 8⁰. — IV. M. k. 6—11.

— Beyträge zum Archiv der mediz. Polizei und der Volks- arzneikunde. Leipz., Weygand, 1789—1798. I.—VIII. Bd. 8⁰. — IV. M. k. 12—19.

Schlegel, J. H. G., Dr., Materialien für die Staatsarznei- wissenschaft u. praktische Heilkunde. Jena, J. Ch. G. Goepferdt, 1800—1806. 6 Thle. 8⁰. — IV. M. f. 14—16.

Pyl, Joh. Theod., D., Aufsätze u. Beobachtungen aus der gerichtlichen Arzeneywissenschaft. 2. Auflage. Berlin, Mylius, 1803. II. Bd. 1805, III. 1806, IV. 1786, V. 1787, VI. 1789, VII. 1791, VIII. 1793. 8⁰. — IV. M. k. 27—34.

Roose, Theod. Geo. Aug., D., Taschenbuch für gerichtl. Aerzte u. Wundärzte bey gesetzmässigen Leichenöffnungen. 4 Aufl. (Der Auserles. Med. Bibl. 56. Thl.) Wien, A. Doll, 1810. 8⁰. — IV. O. c. 32.

Seger, Joh. Theoph., praes., Behrisch, Carol. Frid., resp., De sectione cadaveris occisi, pro doct. jur. Lips., Langenhemius, 1769, Oct. 25. 4⁰. Acc.: Programma pro- pempticon cum vita doctorandi. — 803 c./1—2.

Foderé, F. E., Traité du délire, appliqué à la médecine, à la morale et à la législation. Paris, Croullebois, 1817. 8⁰. 2 voll. — IV. P. e. 24—25.

Maudsley, Henry, Die Zurechnungsfähigkeit der Geistes- kranken. Leipzig, F. A. Brockhaus, 1875. 8⁰. [Inter- nation. wissenschaftl. Biblioth. Bd. XI.] — VI. C. f. 11.

Camerarius, Elias, praes., Jaeger, Wilh. Frid., resp., Medicae quaedam annotationes ad Thomasianam dispu- tationem de praesumtione furoris atque dementiae, . . . pro lic. Tübg., Roedelius, 1730, März. 4⁰. — 433.

Vater, Chn., praes., Wernerus, Glob. Ern., resp., Diss. medico-legalis de infanticidii imputati signis diagnosticis. Vitemb., Vidua Gerdesia, 1722, Febr. 4⁰. — 745.

Juncker, Jo., praes., Bertuch, Justinus, resp., Diss. inaug. med. forensis, sistens moderatam disquisitionem canonis istius juridici, quod scilicet non sit homicida, quae abortum procuret, antequam anima corpori sit infusa, pro gradu doctoris. Halae, J. Ch. Hilliger, 1746, Jun. 4°. — 726.

Geelhausen, Jo. Jac., praes., **Geelhausen, Jo. Henr.**, resp., Diss. inaug. physico-medico-legalis de pulmonibus neo-natorum aquae supernatantibus, vel in ea subsidentibus, pro eruendo signo certiori:

1. facti partùs vivi vel mortui,
2. factae vel non factae respirationis,
3. commissi vel non commissi infanticidii ...
   Pragae, 1728, Febr. 3. 4°. — II. S. h. 1.

Leviseur, C. J., Prakt. Erörterung der Aufgabe des Gerichtsarztes in Untersuchungen wegen Verheimlichung der Schwangerschaft und Niederkunft, Abtreibung der Frucht und Kindermordes ... Posen, J. J. Heine, 1837. 8°. — III. N. n. 36/3.

Arnisaei, Henningi, Disquisitiones de partus humani legitimis terminis. Ejusdemque observationes et controversiae anatomicae. Francof., Joh. Dav. Zunner, 1641. 12°. — IV. P. l. 12.

Kaltschmied, Carol. Frid., praes., **Walch, Nic. Chn.**, auct. resp., Diss. inaug. medico-forensis de partu legitimo, pro lic. Jena, Tennemann, 1752, Mai 1. 4°. — 519.

Alberti, Mich., praes., **Kraus, Joh. Henr.**, resp., Diss. inaug. med. legalis de torturae subjectis, ... pro gradu doctoris ... Halae, J. Ch. Hendel, 1729, Nov. 4°. — 352.

Thierheilkunde.

Vegetii Renati Artis veterinariae, sive mulomedicinae libri sex, v. Script. rei rust. Tom. IV. 8°. — III. A. i. 6.

Rohlwes, Jan Mik., Nowy lekarz, czyli sposoby leczenia koni, bydła, owiec i innych domowych zwierząt, tudzież karmienia i rozmnażania onych. Tłumaczenie uwieńczonego dzieła przez Towarzystwo Ekonomiczne w Marchii. Edycya szósta. [Z dwiema rycinami.] Warszawa, S. H. Merzbach, 1847. 8°. — V. A. g. 58.

Peterek, Jan, Wykład systematyczny zarazy bydlęcéj w jéj rozmaitych stopniach, postaci i połączeniach z innemi zaraźliwemi chorobami, z dodaniem środków szerzeniu się onéj zapobiegających ... Przełożył z niemieckiego J. N. Kurowski. Warszawa, w drukarni St. Gałęzowskiego i Sp., 1833. 8°. — V. A. g. 15.

Böhme, Mart., Ein new Buch von bewehrter Ross-Artzneyen ... Itzo zum sechsten mahl mit sonderbarem

Fleisse und mehren Kunststücken verbessert und im Druck verfertiget von ... Berlin, druckts George Runge, in Verlegung Martin Guths, 1638. 8°. — IV. P. k. 38.

Hurel, Traité du farcin, maladie des chevaux, et des moyens de le guérir. Troisième édition. Amsterdam et Paris, 1775. 8°. — IV. P. h. 8.

Chabert, Phil., Instructions sur les moyens de s'assurer de l'existence de la morve, et d'en prevenir les effets. Quatrième édition, à laquelle on a ajouté la loi sur les maladies contagieuses. Paris, chez Meurant, an VI. de la République, 1798. 8°. — IV. B. i. 10.

Apteczka końska, ... z przyłączeniem uwag nad ośpicą owiec, oraz z przydaniem figur do anatomii końskiéj należących, z francuzkiego przetłumaczona przez X. Antoniego Pietraszkiewicza. Warsz., Piotr Dufour, 1780 —1785. 8°. 2 tomy. — IV. P. h. 23—24.

Lafosse, Dictionnaire raisonné d'hippiatrique, cavalerie, manége et maréchallerie. Paris, Boudet, 1775. 8°. 4 Thle. in 2 Bdn. — IV. D. f. 1—2.

Sagar, Jo. Bapt. Mich., Libellus de morbo singulari ovium anni 1765 cum appendice de cultura earundem. Vindob., J. Th. de Trattnern, 1765. 8°. — IV. O. f. 24.

Phaemonis, veteris philosophi, Cynosophion, seu de cura canum liber, graece et latine, ... interprete Andrea Aurifabro. Vitenbergae, apud Joannem Lufft, 1545. 16°. — IV. U. l. 22.

Materia medica, Handbücher, verschiedene Arzneimittel; einzelne Arzneimittel.

Dale, Sam., Pharmacologia seu manuductio ad materiam medicam. Bremae, Ph. Gfr. Saurmann, 1713. 8°. — IV. P. g. 5.

— Pharmacologiae seu manuductionis ad materiam medicam supplementum, medicamenta officinalia simplicia priore libro omissa complectens. Juxta exemplar Londinense 1705. Bremae, Phil. Gfr. Saurmann, 1707. 8°. — IV. P. g. 21.

Morelli, (Petri), Systema parasceuasticum ad praxin materiae medicae. Aureliopoli, Jacob. Chouët, 1628. 8°. — IV. P. k. 28.

Plenck, Jos. Jac., Pharmacologia chirurgica ... Viennae, R. Graeffer, 1782. 8°. — IV. M. k. 21.

— Bromatologia, seu doctrina de esculentis et potulentis. Viennae, R. Graeffer, 1784. 8°. [Cum effigie Jo. Alex. Brambillae.] — IV. O. d. 17.

Geoffroy, Steph. Franc., Tractatus de materia medica. Tom. I. [Tom. II. De vegetabilibus exoticis.] Parisiis, Jo. Desaint et Car. Saillant, 1741. 8°. — IV. P. f. 28. IV. M. l. 9.

Büchner, Andr. Elias, Fundamenta materiae medicae ad specialem praxin imprimis accommodatae. Halae, Renger, 1754. 8°. — IV. P. g. 20.

Cullen's, Wilh., Materia medica oder Lehre von den Arzneimitteln. Aus d. Engl. von J. P. Ebeling. Leipz., Weygand, 1781. 8°. — IV. O. d. 6.

Linné, Caroli a, Materia medica, ed. IV. auctior, curante Jo. Christ. Dan. Schrebero. Acc. Mantissa adj. a J. Ch. D. Schrebero. Lipsiae et Erlang., W. Walther, 1782. 8°. (Enthält eine kurze Pharmakopöe, darauf eine Uebersicht des Regnum animale 32 Stn., Regnum vegetabile 272 Stn., Regnum lapideum 273–304. — IV. M. i. 4.

Löseke, Joh. Ludw. Leber., D., Materia medica oder Abhandlung von den auserlesenen Arzneymitteln . . . 5. Aufl. von D. Joh. Friedr. Gmelin. Berl. et Stett., Fr. Nicolai, 1785. 8°. — IV. O. d. 5.

Cullen, Wilh., Dr., Materia medica oder Lehre von den Nahrungs- und Arzneymitteln. 2. Aufl. Aus d. Engl. von G. W. C. Consbruch. Lpz., Weygand, 1790. 8°. — IV. P. d. 22.

Mellin, Chph. Jak., Praktische Materia Medica. 5. Aufl. Frankf. a. M., Varrentrapp u. Wenner, 1793. 8°. — IV. N. g. 10.

Murray, B. Jo. Andr., Apparatus medicaminum tam simplicium, quam praeparatorum et compositorum in praxeos adjumentum consideratus. Ed. II. auctior curante L. Ch. Althof, D. Goettingae, J. Ch. Dieterich, 1793—94. 8°. 2 voll. — IV. O. d. 3—4.

Arnemann, Just., Chirurg. Arzneimittellehre. 3. Aufl. Göttg., Vandenhoek-Ruprecht, 1799. 8°. — IV. O. d. 14.
— Chirurg. Arzneymittellehre. 5. Auflage. [Der Auserles. Mediz. Bibl. 8. Thl.] Wien, v. Ghelen, 1808. 8°. — IV. O. c. 33.

Cordus, Valerius, Euricii F., In Pedacii Dioscoridis Anazarbaei primum de medica materia librum annotationes. Saec. XVI. Tit. deest. — IV. P. l. 26/2.

Aras, Geo., Enchiridion hermetico-medicum, in quo virtutes . . . omnium fere medicamentorum . . . describuntur. Venetiis, Jo. Jac. Hertz, 1666. 12°. — IV. P. l. 32.

Reisig, Joh. Benj., De sulphuris crudi usu interno, diss. inaug. Lips., ex off. Langenhemia, 1768. 4° — IV. P. e. 4.

Richter, Joh. Gfr., De squilla, diss. inaug. Halae, Hendel, 1722. 4°. — IV. P. e. 3.

Kaehler, Jo. Siegfr., De ferro ejusque praecipuis praeparatis. Lips., ex offic. Langenhemia, 1768. 4°. — IV. P. e. 2.

Quer, Dom Joseph, Dissertation physique et botanique sur la maladie nephrétique et sur son véritable specifique le raisin d'ours. (Uva ursi.) Traduit de l'espagnol. Paris, Durand, 1768. 8°. [Av. une table.] — IV. P. e. 11.

Opisanie Schiff-Hausenskiego balsamicznego plastru, z rossyjskiego ua język polski przetłomaczone. Warsz., w druk. XX. Scholar. Piar., 1791. 8°. — IV. N. h. 5.

Willis, Thom., Pharmaceutice rationalis sive diatriba de medicamentorum operationibus in humano corpore ... Hagae-Comitis, Arnold Leers, 1674. 12°. [Cum tab. aen.] — IV. O. l. 26.

Von der Operation oder Würckung der Medicamenten in des Menschen Leibe. Titelbl. fehlt. 8°. — IV. O. k. 29.

Crausius, Rud. Wilh., Propempticon inaugurale commendans studium inquirendi facultates medicamentorum modumque eorum agendi. Jenae, Chr. Krebs, 1702, Apr. 4°. Acc.: Vita doct. M. Johannis Crügeri. — 222.

Boerhaave, Herm., Tractatus de viribus medicamentorum. Parisiis, Guil. Cavelier, 1723. 8°. — IV. O. k. 6.

Krausius, Geo. Sam., De modo agendi medicamentorum in genere spectato, ex statu praeternaturali solidorum et fluidorum corporis humani deducto, diss. inaug. Erford., Hering, 1738. 4°. — IV. P. e. 2.

Cartheuser, Joh. Frid., praes., Meisner, Casp. Benj., resp., Diss. inaug. med. de ignobili nobilium quorundam medicaminum indole ac virtute, pro gradu doct. Francof. ad V., J. Ch. Winter, 1748, Juli 26. 4°. — 762.

Zerener, Jo. Nicol., Dr., Succincta recensio quorundam longo usu et experientia comprobatorum medicamentorum cum subjuncta instructione, quibus in morbis quibusve sub circumstantiis ea tuto adhiberi possint, quae in usum aegrotantium — praeparantur et Halae Magdeburgicae dispensantur. 1749. 8°. — II. S. i. 29. IV. P. i. 30. IV. P. l. 28.

— Kurze, doch hinlängliche Nachricht vom nützlichem Gebrauch und kräftiger Würkung verschiedener bewährgefundener Medicamenten. Ohne Druckdaten. 8°. — IV. N. h. 1.

Kleinius, Ludov. Gfr., D., Selectus rationalis medicaminum, quorum vera vis est ad felicem praxin clinicam ...

Francoforti et Lipsiae, J. F. Fleischer, 1760. 8°. —
IV. O. i. 14.

. Henckels, Joach. Friedr., Abhandlung von der Wirckung
der äusserlichen Artzneyen an und in dem menschlichen
Körper. Berlin, G. L. Winter, 1761. 8°. [Mit Bildn.] —
IV. O. g. 23/2.

Nicolai, Ern. Ant., De viribus medicamentorum explo-
randis agere pergit II. Jenae, F. Fickelscherr, 1770. 4°.
Acc.: Vita doct. Jo. Phil. Wolff. — 223.

Castelioneus, Hier., Cardanus, De medicinarum simplicium noxa. Venetiis, Octavianus Scotus, 1536. 8°. —
IV. P. g. 26/12.

Hoffmann, Frid., praes., Curtius, Joh. Tob., resp.,
De remediorum benignorum abusu et noxa, pro doctoris
gradu. Halae, C. J. Lehmann, 1714, Nov. 4°. — 221.

Juncker, Jo., praes., Willius, Wilh. Lud., auct. et resp.,
Diss. inaug. chemico-medica de acidorum dulcificatorum
respectu ad sanitatem, morbos et sanationem, . . . pro
gradu doctor. Halae, J. Chn. Hillinger, 1748, Apr. 4°.
— 607.

Ebhardt, Jo. Phil. Henr., Diss. inaug. medico-chemica
de acidorum mineralium natura atque proprietatibus,
pro doct. Gottg., Hager, 1757, Juli. 4°. — 292.

Hoffmann, Frid., praes., Scholvien, Joach., resp., De
medicamentis balsamicis, pro gr. doct. Halae, Ch. A.
Zeitler, 1715, Mai. 4°. — 559.

Rose, Nicol., praes., Kiernander, Jonas, And. Fil,
resp., Diss. med. pharmaceutica sistens decocta infusa
et emulsiones officinales. Upsaliae, 1746, Nov. 8. 4°.
— 536.

Kirstenius, Jo. Jac., praes., Zieglerus, Joh. Paul.,
resp., Diss. pharmaceutico-medica de emulsionibus . . .
Altdorfii Noricorum, J. A. Hessel, 1746, Aug. 20. — 537.

Hoffmann, Frid., praes., Schott, Geo. Lud., resp.,
Diss. solennis med. de medicamentis insecuris, . . .
pro gradu doct. Halae, J. G. Lehmann, 1713, Juli. 4°.
— 159.

— Creutz, Carol. Frid., resp., Diss. solennis de medicamentis infidis, quam praeside . . . pro gradu doct. publ.
examini submittet —. Halae, G. J. Lehmann, 1713, Oct.
4°. — 158.

Zieglerus, Jo. Paul., Diss. inaug. med. de oleorum destil-
latorum usu multiplici, praecipue in castris, . . . pro
licentia. Altorfii, J. A. Hessel, 1747, Septembr. 2. 4°.
— 563.

Schroeter, Car. Glob., Diss. inaug. med. de actione nar-
coticorum in fluidum nerveum, ... pro gradu doctoris
... Halae Magdeb., Hendel, 1762. 4°. — IV. P. c. 15.

Crausius, Rud. Guil., praes., Hilscher, Sim. Paul.,
resp., Diss. med. inaug. de philtris, [pharmacis amoris
parandi causa adhibitis,] pro lic. Jenae, Krebs, 1704, Oct.
4°. — 585.

Curtius, Nic., Libellus de medicamentis lenientibus, prae-
parantibus et purgantibus ... Giessae, C. Chemlin, 1615.
12°. — IV. P. l. 2/4.

Wedel, Geo. Wolfg., praes., De Four, Dav., resp., Disp.
med. de purgantibus rite adhibendis ... Jenae, Krebs,
1675, Dec. 4°. — 586.

Hoffmann, Frid., praes., von der Lahr, Paul., resp.,
Diss. inaug. physico-med. de salium mediorum excellente
et purgante virtute, ... pro gradu doct. Halae, Ch.
Henckel, 1721, Aug. 4°. — 637.

Düttelii, Phil. Jac., Tractatio medico-practica de virulenta
purgantium indole ... Augustae Vindelicor., D. R. Mertz,
1722. 8°. — IV. O. l. 9.

Schroeter, Sigism. Glieb., De modo agendi purgantium
praesertim cuti applicatorum in genere, pro gradu doct.
Halae, ex off. Fürsteniana, 1757, Oct. 5. 4°. — 286.

Stahl, Geo. Ern., praes., Carisius, Chn. Gfr., resp.,
Disp. med. inaug. de evacuantibus selectioribus, ... pro
gradu doctoris. Halae, Ch. Henckel, 1703, Febr. 4°.
— 737.

Juncker, Jo., praes., Tschulcke, Erdm., auctor, Diss.
inaug. med. de resolventibus eorumque modo operandi
et usu, ... gro gr. doct. Halae, J. Chn. Hilliger, 1750,
Oct. 4°. — 608.

Ackermann, Chn. Dav., Animadversiones de resolventibus, ... pro gradu doct. Lips., Langenhemius, 1751,
Apr. 30. 4°. — 584.

Wedelius, Geo. Wolfg., praes., Wilhelmi, Chph.
Lud., resp., Diss. medica de salsorum natura, usu et
abusu ... Jena, Krebs, 1702, Nov. 4°. — 289.

Crausius, Rud. Wilh., praes., Albrecht, Glieb., resp.,
Diss. inaug. med. de natura et usu sternutatoriorum,
... pro licentia. Jena, Muller, 1695, Juli. 4°. — 583.

Herlinus, Jo. Henr., Prussus M. C., Biga remediorum
generosorum sive de remediis sudoriferis, cum praemissis
de sudore, ac analepticis, discursus phisiologico-therapeu-
ticus. Lipsiae, J. Chn. Wohlfart, 1693. 4°. — IV. P.
c. 24/9.

Eyselius, Jo. Phil., praes., Pfauzius, Jo. Chph., M., resp., Disp. inaug. med. exhibens sudorifera, ... pro gradu doctoris. Erfordiae, Grosch, 1712, Juni. 4° — 576.

Meibomius, Brandanus, praes., Spies, Wilh. Joh., resp., Disp. inaug. de vomitoriorum natura atque usu, pro doctoratu. Helmstadii, H. D. Hamm, 1719, Febr. 10. 4°. — 288.

Geisler, Jo. Ehrenfried, Animadversiones de usu vomitoriorum, pro lic. Lips., Langenhemius, 1746, Dec. 30. 4°. — 578.

Gratarolus, Guilh., Liber de vini natura, artificio et usu, deque re omni potabili. De memoria reparanda. De praedictione morum naturarumque hominum, cum ex inspectione partium corporis, tum aliis modis, [de physiognomia.] De temporum mutatione ... signa et prognostica. De tuenda sanitate lib. 2. De peste lib. 1. Argentorati, Theodos. Rihelius, 1565. 8°. Titulus deest. — IV. O. f. 35.

Bartholini, Thomae, Joan. Henr. Meibomi, patris, Henrici Meibomi, filii, De usu flagrorum in re medica et veneria, lumborumque et renum officio. Accedunt de eodem renum officio Joach. Olhafii et Olai Wormii dissertatiunculae. Francof., Hafniae, Dan. Paulli, 1669. 8°. — IV. O. i. 16.

Matthioli, Petri Andr., Senensis, Commentarii secundo aucti, in libros sex Pedacii Dioscoridis Anazarbei de medica materia, adjectis ... imaginibus ... His accessit ejusdem apologia adversus Amathum Lusitanum, quin et censura in ejusdem enarrationes. Venetiis, in offic. Erasmiana, apud Vinc. Valgrisium, 1558. Fol. — III. K. b. 1.

Richter, Geo. Glob., De difficultate judicandi vires plantarum. Gottg., J. Ch. L. Schultze. 4°. Acc.: Vita doct. Joh. Chn. Senckenberg. — 541/2.

Ludwig, Chn. Glieb., De plantarum viribus medicis in universum disserit. Acc.: Vita doctorandi Chni. Glieb. Zschuck. Lipsiae, Langenhemius, 1772. 4°. 2 Exempl. — 35/2.

Boehmer, Joh. Benj., praes, Haussleutner, Sigism. Frid., aut. et resp., De virtutibus fructuum horaeorum medicis, pro gr. doct. Lips., Langenhemius, 1753, Juni 8. 4°. — 545.

Fontana, Felix, Abhandlung über das Viperngift, die amerikanischen Gifte, das Kirschlorbeergift und einige andere Pflanzengifte, nebst einigen Beobachtungen über den ursprünglichen Bau des thierischen Körpers, über die Wiedererzeugung der Nerven, und der Beschreibung eines neuen Augenkanals. I. u. II. Bd. Aus dem Franz. übersetzt. Berlin, Ch. F. Himburg, 1787. 4°. [M. vielen Kk.] — IV. M. g. 13.

Fehr, Joh. Mich., Hiera Piera vel de absinthio analecta. Lipsiae, V. J. Trescher, 1667. 8°. [Cum figg.] — II. S. i. 31/2.

Nüzelius, Jo., Diss. inaug. chymico-medica de aceto, pro gr. doct. Erlangae, vid. J. F. Beckeri, 1748. 4°. Acc.: Diploma doctor. — IV. P. c. 21/5.

Durastantis, Jani Matth., De aceto scillino atque aloë, medicamentis, valetudini tuendae, vitae propagandae singularibus, tractatus duo. Giessae, C. Chemlin, 1614. 12°. — IV. P. l. 2/3.

Sendner, H., Dr. med., Die Normaldosen der Arzneimittel nach Unzen- und Gramm-Gewicht... Lissa, E. Günther, 1863. 8°. — V. C. h. 74.

Musae, Ant., De medicamentis tam simplicibus, quam compositis catharticis ... tractatus. Lugduni, Seb. Barth. Honoratiis, 1555. 16°. — IV. P. k. 39.

Strobelberger, Joh. Steph., Mastichologia, seu de universa mastiches natura dissertatio medica ... Lipsiae, Elias Rehefeld et Johannes Grosius, 1628. 8°. — IV. P. k. 38.

Sala, Angelus, Spagyrische Schatzkammer, darinnen von vnterschiedlichen ... spagyrischen Medicamenten ... gelehret wird. Güstrow, Joh. Jäger, in Verl. Joh. Hallervord, 1634. 8°. — IV. P. k. 38.

Adolphi, Chn. Mich., praes., Mirus, Sam. Ghelf., resp., Diss. med. inaug. de forma medicaminum pro curandis morbis apte et utiliter exhibenda, pro gradu doct. Lips., Stopffel, 1749, Oct. 24. 4°. — 579.

Stahl, Geo. Conr., Diss. de aeris in praxi medica usu. Halae, Ch A. Zeitler, (1694), recusa 1702. 4°. — IV. M. l. 13/30.

Karcher, Joh. Bapt., Diss. med. inaug. de anetho, pro licentia. Argentor., J. Fr. Le Roux, 1734, Mai 12. 4°. — 553.

Lamy, Diss. sur l'antimoine etc. II. éd. Paris, L. D'Houry, 1681. 12°. — IV. P. l. 11.

Hoffmanni, Frid., Exercitatio medico-chymica de cinnabari antimonii ejusque eximiis viribus usuque in morbis secretiori ... Francof. ad M., Ch. Gensch, 1689. 8°. — IV. P. g. 12.

Kapfer, Jo. Geo. Ant., Diss. inaug. med. de medicamentis antimonialibus, pro lic. Altorfii, J. G. Kohlesius, 1732, Juni 27. 4°. — 571.

Schulze, Jo. Henr., praes., Assum, Jo. Chph., auctor resp., Diss. inaug. med. sistens praeparationem, naturam et usum antimonii diaphoretici, pro licentia . . . Halae, J. Ch. Hilliger, 1738, Sept. 4°. — 741.

Hilscher, Sim. Paul., praes., Fuchs, Geo. Aug., auct., Diss. inaug. chemico - medica de partibus constitutivis antimonii ejusque tincturis . . . pro gradu doctor. Jenae, Jo. Ch. Croeker, 1743, Apr. 8. 4°. — 699.

Speculum sapientiae, d. i. Spiegel der Weissheit, oder: Curieuse Chymische Geheimnisse vom Antimonio . . ., Antimonialischen Tincturen. Aus einem 150 jähr. Manuscript des berühmten Leonh. Bernh. von Lindenfels, herausgegeben von S. W. v. G. Frankf. u. Leipz., 1748. 8°. — IV. O. g. 22.

Ludolf, Hieron., D., Zugabe zu der in der Medicin noch immer und immer siegenden Chymie, worin gezeiget wird, wie eine tinctura antimonii in Pulver zu verwandeln; wie die allerbeste erdhafte Mittel zu bereiten; wie die Naphta aus dem Kuchensalze zu bereiten; die rechte Zubereitung der Salium essentialium der Vegetabilien; der Schade des Mercurii dulcis in den Franzosenkrankheiten, und endlich wie der Mercurius durch ein Laugensalz aufzulösen und daraus sowol ein ächtes Mittel für d. Franzosen, als auch ein starkes Menstruum d. Metalle völlig aufzuschliessen, zu verfertigen. Erfurt, J. H. Nonne, 1750. 4°. — 744.

Müller, Phil. Hier., dictus Wohlheimer, Disp. med. inaug. de aqua traumatica Gallorum, eau d'Arquebusade dicta, pro lic. Heidelb., A. Hörth, 1722, Oct. 15. 4°. — 558.

Eyselius, Jo. Phil., praes., Schubart, Joh. Adam, resp., Disp. inaug. botanico-practica de aquilegia (Acheley-Ayley, Ackley) scorbuticorum asylo . . . pro lic. Erfordiae, J. H. Grosch, 1716, Jan. 25. 4°. — 550.

Murray, Jo. Andr., Commentatio de arbuto uva ursi, exhibens descriptionem ejus botanicam, analysin chemicam, ejusque in medicina et oeconomia varium usum. Gottg., Pockwitz et Barmeier, 1765. 4°. — 543.

Wedel, Geo. Wolfg., praes., Scholhass, Chph. Elias, resp., Diss. med. curiosa de aro (Aron, Teutscher Ingwer, Zehrwurtz, Magenwurtzel, Fieberwurtzel) experimentis antiquis et novis illustrata. Jenae, Krebs, 1701, März. 4°. — 548.

Sperling, Paul. Gfr., praes., Tiling, Joh. Gunth., aut., Diss. chymica de arsenico. Wittenberg, M. Henckel, 1685, Oct. 4°. — 572.

Spies, Jo. Carol., praes., Brückmann, Franc. Ern., resp., Diss. bot. med. inaug. de avellana Mexicana (Cacao) . . . pro lic. Helmstadii, H. D. Hamm, 1721, Apr. 22. 4°. — 522.

Bauhini, Casp., De lapidis Bezaaris oriental. et occident. Cervin. et Germanici ortu, natura, differentiis, veroque usu ex veterum et recentiorum placitu liber, priore editione auctior. Basil., Lud. Regis, 1624. 8°. — II. S. i. 41.

Huxham, Medicinisch und chymische Bemerkungen vom Spiessglase, aus d. Engl. übers. Leipzig, J. A. Lübeck, 1759. 8°. — IV. P. k. 18.

Wedelius, Geo. Wolfg., praes., Ehrhard, Joh. Dav., resp, Diss. inaug. med. de tinctura Bezoardica essentificata, pro licentia. Jenae, Chph. Krebs, 1698, Sept. 4°. — 287.

Hoffmann, Frid., praes., Keil, Chph. Henr., M., resp., De usu interno camphorae securissimo et praestantissimo, pro doctoris gradu. Halae, Ch. A. Zeitler, 1714, Dec. 15. 4°. — 561.

Spielmann, Jac. Reinbold, praes., Herrmann, Joh., auctor, Cardamomi historia et vindiciae. Argentorati, J. H Heitz, 1762, Mai 13. 4°. — 539.

Petri, Geo. Chph., Asylum languentium seu Carduus sanctus vulgo Benedictus, medicina patrumfamilias polychresta, verusque pauperum thesaurus. Jenae, V. J. Trescher, 1669. 8°. — II. S. i. 31/3.

Hoffmann, Frid. praes., Friedel, Frid., resp., Diss. medico - physica inaug. de caryophyllis aromaticis, . . . pro doct. gradu. Halae, Zeitler, 1701, Dec. 20. 4°. — 805.

Cartheuser, Jo. Frid., praes., Becker, Jac. Henr., resp., Diss. chymico-medica inaug. de cassia aromatica ejusdemque differentia, principiis ac viribus, pro gradu doctor. Francof. ad V., Ph. Schwartz, 1745, Oct. 15. 4°. — 547.

Faschius, Aug. Henr., praes., Krausoldt, Joh. Ern., resp. autor, Castoreum publico phliatrorum examini committet —. Jenae, J. Nisius, 1677, Nov. [Duo folia desunt.] 4°. — 568.

Hagendornii, Ehrenfr., Tractatus physico-medicus de catechu sive terra Japonica in vulgus sic dicta, ad normam Academiae Naturae Curiosorum. Jenae, J. Bielke, 1679, 8°. [Cum eff. auctoris.] — IV. O. k. 5.

Vater, Abr., praes., Niederstadt, Joh. Theod., resp., Diss. inaug. med. de efficacia admiranda Chinchinae ad gangraenam sistendam in Anglia observata, ... pro gr. doctoris. Vitenb., Schlomach, 1734, Mai. 4°. — 551.

Colmenerus de Ledesma, Ant., Chocolata Inda, opusculum de qualitate et natura Chocolatae, hispanico antehac idiomate editum, nunc vero curante Marco Aurelio Severino ... in latinum translatum. Norimb., Wolfg. Endter, 1644. 12°. — II. S. i. 47/1.

Haën, Ant. de, Ad sibi communicatas observationes Vratislavienses de cicuta responsio. Francofurti et Lipsiae, 1765. 8°. — IV. P. e. 16.

Siltemann, Joh. Rud., Diss. inaug. physico-medica de cortice Winterano, ... pro gradu doct. ... Erfordiae, J. H. Grosch, 1711, Dec. 29. 4°. — 646.

Wedelius, Geo. Wolfg., praes., Teichmeyer, Herm. Frid., resp., Diss. inaug. med. de cubebis, ... pro gr. doct. Jenae, Krebs, 1705, Juni. 4°. — 569.

Ehrmann, Joh. Chn., praes., Diss. med. inaug. de cumino, pro lic. Argentor., J. Pastorius, 1733. 4°. — 742.

Schreck, Chph. Jac., Diss. inaug. botanico-medica de cynoglosso, ... pro licentia ... Altdorfii, J. A. Hessel, 1753, Juni 26. 4°. — 544.

Burchardus, Ern. Frid., praes., Nicolai, Gfr. Reinh., resp., De fascia venenum expellente. Rostochii, G. B. Groschupf, 1746, Nov. 23. 4°. — 208.

Blecourt, Joh. Ant. de, Diss. chemico-medica inaug. de ferro, ... pro gradu doct. Duisburgi ad Rhenum, Joh. Sas, 1734, Oct. — 630.

Huth, Geo. Leonh., D., Sammlung verschiedener die Fieberrinde betreffender Abhandlungen und Nachrichten. (Joh. Douglas, Joh. Shipton, Joh. Wall, Joh. Gray, de la Condamine.) Aus d. Engl. u. Frantz. . . . übers. Nürnb., J. M. Seeligmann, 1760. 8°. [M. K.] — IV. O. i. 23.

Falloppii, Gabr., Opuscula. Acc. Guil. Rondeletii tractatus de fucis. Item arcanorum liber primus. Omnia haec Petri Angeli Agathi opera atque diligentia edita. Patavii, apud Luc. Bertellum, 1566. 4°. — IV. O. c. 27.

Hutten, Vlrichi de, De admiranda Guajaci medicina et morbi Galeni (sic pro Gallici), curatione. Venetiis, 1535. 8°. — IV. P. g. 26/2.

Wedelius, Jo. Adolph, praes., Beckius, Jo. Frid., resp., Diss. inaug. med. de Helenio ... (Alant, Alantwurzel), pro lic. Jenae, J. F. Ritter, 1719, Juni 30. 4°. — 282/1.

Schaller, Joh. Phil. Bonav., Diss. inaug. med. de Jalappa, pro licentia. 1761, Sept. 17. 4°. Notae impr. abscissae. — 192.

Schmidelius, Cas. Chph., praes., Doppelmayer, Jo. Sigism., auct. resp., Diss. inaug. med. chymica de Kermes minerali, . . . de pulvere Carthusianorum seu Kermes minerali, medicamento . . . in Gallia celebratissimo, pro gr. doct. Erlangae, Tetzschner, 1754, Mai. 4°. — 535.

Slegelius, Paul Marquart, praes., Schenck, Joh. Theod., resp., Disp. physico-medica de natura lactis, Jenae, Ern. Steinmann, 1640. 4°. — 36.

Cartheuser, Joh. Frid., praes., Wolff. Sal. Beer, resp. Diss. chym.-med. inaug. de ligno nephritico, colubrino, et semine Santonico, . . . pro gr. doct. Francof. ad V., J. Ch. Winter, 1749, Juli 31. 4°. — 758.

Senckenberg, Joh. Chn., Moeno-Francof., Diss. inaug. med. de lilii convallium ejusque inprimis baccae viribus, pro gr. doct. Gottg., J. C. L. Schultze, 1737, Sept. 2. 4°. — 541/1.

Mauchart, Burc. Dav., praes., Blanchot, Eberh. Frid., auth. et resp., Diss. physiologico-medica de indole varioque usu liquoris amnii, pro licentia. Tubg., Erhardt. 1748, Aug. 6. 4°. — 189.

Stockii, Jo. Chn., De liquore Dianae virtute magis polychresta corroborato prolusio I. Jenae, Marggraff, 1756, Mai 29. 4°. Acc. Vita doctorandi Caroli Martini Weberi. — 556.

Stahl, Geo. Ern., praes., Fritschius, Joh Chph, resp., Diss. academica de lumbricis terrestribus eorumque usu medico. Halae, Ch. Henckel, 1698, Dec. 4°. — 573.

Hoffmann, Frid., praes., Schmidt, Paul Guil., autor resp., De praestantia malorum citrinorum in medicina, pro gradu doctoris. Halae Magdeburgicae, 1715, Mai. 4°. — 200.

Ungnad, Chn. Sam., Diss. inaug. physico-medica de malo persica, pro gr. doct. Francof. ad V., J. Ch. Winter, 1757, Juli 26. 4°. — 606.

Magneni, Jo. Chrysostomi, De Manna. — 1658. 12°. — II. S. i. 59/2.

Deusing, Ant., Dissertationes de Manna et Saccharo . . . Groningae, J. Collenius, 1659. 12°. — II. S. i. 53/1.

Jacobi, Lud. Frid., praes., Grübelius, Jo. Christfried, resp., Disp. physico-med. inaug. de margaritis, pro licentia. Erfordiae, Limprecht, 1608 (1708?), Febr. 3. 4°. — 534.

Untzeri, Matth., Anatomia Mercurii spagirica seu de hydrargyri natura, libri duo. Halae Sax., M. Oelschlegel, 1620. 4⁰. — IV. O. c. 20/4.

Major, Joh. Dan., praes., Schippel, Joh. Nic., resp., Disp. med. inaug. quam de usu et abusu Mercurii in lue Venerea . . . praeside — pro licentia consequendi summos in medicina honores defendendum suscipiet. Kiliae, J. Reumann, 1673, 16. Sept. 4⁰. — 2.

Hebenstreit, Jo. Ern., praes., Sartorius, Chph. Frid., resp., De usu hydrargyri interno ad mentem recentiorum, pro lic. Lips., J. Ch. Langenhemius, 1735, Oct. 21. 4⁰. — 570.

Teichmeyer, Herm. Frid., De rhythmis Basilii Valentini XI. (de mercurio). Jenae, Croeker, 1737. 4⁰. Acc. Vita doctorandi Johannis Geo. Winternitzii. — 493.

Hundertmark, Car. Frid., Diss. medico-chemica de Mercurii vivi et cum salibus varie mixti summa in corpus humanum vi atque efficacitate, ejusque cum sulphure laxius vel arctius conjuncti virtute in idem nulla, pro loco. Lips., U. Ch. Salbach, 1754. 4⁰. — IV. M. g. 10.

Hilscheri, Sim. Pauli, Prolusio II. de aethiope minerali. Jenae, Ritter, 1748, Oct. 13. 4⁰. Acc. Vita doctorandi Adolphi Frid. Hambergeri. — 698.

Geilfusius, Bernh. Wilh., Disp. inaug. de moxa (planta Japponica), pro licentia. Marpurgi, S. Schadewitz, 1676, Dec. 14. 4⁰. — 549.

Cartheuser, Joh. Frid., praes., Fülleborn, Joh. Glieb., resp., Diss. chymico-medica inaug. de eximia myrrhae genuinae virtute, pro lic. Francof. ad V., Phil. Schwartz, 1746, Mai 27. 4⁰. — 556.

Juncker, Jo., praes., Henrici, Chn. Frid., auctor resp., Diss. inaug. med. de nitrosorum modo agendi, usu et abusu, pro licentia. Halae, J. Ch. Hilliger, 1745, Jan. 4⁰. — 284.

Cartheuser, Jo. Frid., praes., Seutter, Joh. Geo., resp., Diss. chymico-med. inaug. de usu nitri depurati amplissimo, pro gr. doct. Francof. ad V., J. Ch. Winter, 1747, Juli 10. 4⁰. — 560.

Berger, Jo. Gfr., praes., Fimmlerus, Chph., resp., De vi opii rarefaciente, a qua ostenditur omnia illius effecta in homini proficisci. Vitemb., Gerdes, 1703, Juli 10. 4⁰. — 285.

Henckelii, Eliae Henrici, De philtris eorumque efficacia ac remediis. Francof., N. Förster, 1690. 8°. — IV.
O. k. 31.

Bohn, Joh., Praecipitationis interiora brevitate investiga-
turus. Acc.: Vita doct. Jac. Sam. Wider. Lips., J. E.
Hahn, 1673. 4°. — 565.

Boeclerus, Joh. (pater), praes., Boeclerus, Joh. (filius),
author resp., Diss. med. de neglecto remediorum vegetabilium circa Argentinam nascentium usu specimen, quod
duodecim comprehendit plantas. Argentor., J. H. Heitz,
1732, Juli 10. 4°. — 281.

Gmelin, Jo. Geo., praes., Bengel, Vict., resp., Rhabar-
. barum officinarum, praeside —, ad consequendos summos
in medicina honores speciminis inauguralis loco proponit.
Tubg., Eihard, 1752, Oct. 4°. — 546.

Teichmeyer, Herm. Frid., De rhytmis Basilii Valentini IV. Jenae, Fickelscherr, 1734, Apr. 4°. De remediis, quae oleum vitrioli suppeditat. Acc.: Vita doctor.
Ludov. Frid. Palitzschii. — 350/2.

Mel, Franc. Petr., Diss. inaug. med., mel saccharo prae-
stantius declarans, pro lic. Altorfii, J. G. Kohlesius, 1724,
März. 4°. — 562 u. 666.

Plaz, Ant. Guil., De saccharo nonnulla. Lips., Breitkopf,
1763. 4°. — IV. P. c. 22/2.

Untzeri, Matthiae, Physiologia salis sen de salis natura
. . . commentatio philosopho-medica, opus posthumum.
Halae, M. Oelschlegel, 1625. 4°. — IV. O. c. 20/2.

Thile, Joh., praes., Rebentrost, Jo. Geo., resp., Disp.
med. chymica, qua sal tartari volatile coagulatum . . . examini publico exponent . . . Witenb., J. Wilcke, 1683, Febr.
4°. — 566.

Alberti, Mich., praes., Boehme, Chn. Paul., auct. resp.,
Diss. inaug. physico-medico-chymica de Salis medii genesi
ex acido aereo, pro gr. doctor. Halae, J. Chn. Hendel,
1737, Nov. 4°. — 291.

Cartheuser, Joh. Frid., praes., Hoppe, Henr. Glieb.,
auct. resp., Diss. inaug. chemico-medica de salibus mediis,
pro gr. doct. Francof. ad V., J. Ch. Winter, 1751, Mai 24.
4°. — 750.

Wedel, Jo. Adolph, praes., Wigand, Wolrad, resp.,
Diss. inaug. med. de scordio, pro lic. Jenae, Krebs, 1716,
Nov. 30. 4°. — 626.

Fehr, Joh. Mich., D., Anchora sacra, vel Scorzonera, ad
normam et formam academiae naturae curiosorum elabo-
rata. Acc.: Schediasma curiosum de unicornu fossili Joh.

Laurentii Bausch, D. Jenae, typis Joh. Jac. Bauhoferi,
Vratisl., imp. Viti Jacobi Trescher, 1666. 8°. — II S.
i. 31/1.

Mizaldus, Ant., Opusculum de sena, planta inter omnes,
quotquot sunt, hominibus beneficentissima et saluberrima.
Lutetia, F. Morellus, 1572. 8°. — IV. O. i. 17.

Dethardingius, Geo. Chph., praes., Siemerling, Chn.,
resp., Disp. med. inaug. de seneca, (Polygala Virginiana,
ab incolis Seneca vocata, „Creutz-Bluhm"), pro gr. doct.
Rostochii, J. J. Adler, 1749, Sept. 30. 4°. — 554.

Spies, Joh. Car., De siliquis convolvuli Americani, vulgo
Vainigliis. Helmst., H. D. Hamm, 1721. 4°. Acc.: Vita
doct. Franc. Ern. Brückmann. — 540.

Meibomius, Henr., praes., Eberfeldt, Henr., resp.,
Disp. med. inaug. de spiritibus ex vegetabilibus per fermentationem paratis, pro doct. Helmest., H. D. Müller,
1674, Oct. 8. 4°. — 808.

Untzeri, Matth., De sulphure tractatus medico-chymicus.
Halae Saxonᵣ n, M. Oelschlegel, 1619. 4°. — IV. O.
c. 20/3.

Vater, Chr., praes., Böhm, Joh. Ephr., resp., Examen
sulphuris vitrioli anodyni. Witeb., vidua A. Brüningii,
1683, Juli 14. 4°. — 564.

Magneni, Jo. Chrysost., Burgundi, Exercitationes de
tabaco. 1658. 12°. — II. S. i. 59/1.

Conringius, Herm., praes., Probst, Andr., resp., Disp.
philosophica ac medica de terris. Helmestadii, H. D.
Müller, 1638, Dec. 15. — 4°. 761.

Eichrodt, Carol. Frid., Diss. botanico-medica de Tertia-
naria herba, (Fieberkraut), pro gr. doct. Basileae, J. H.
Decker, 1737, Juni 21. 4°. — 555.

Cohausens, Joh. Heinr., M. D., Neu angerichtete medicinische Thee-Tafel ... 2. Aufl. ... von Valent. Kräu-
termann, Medic. Pract. Lemgo, Meyer, 1728. 8°. — IV.
O. i. 1/2.

Silvaticus, Joan. Bapt., Jo. Petri F., De compositione
et usu theriacae libri duo. Francof., apud Romanum
Beatum, imp. Nicolai Bassaei, 1600. 8°. — II. S. i. 39.

Volcamer, Joh. Geo., Opobalsami orientalis in theriaces
confectionem Romae revocati examen, doctiorumque cul-
culis approbati sinceritas. Norimb., Wolfg. Ender, 1644.
12°. — II. S. i. 47/2.

Paullini, Chn. Franc., De theriaca coelesti reformata,
liber singularis. Francof. ad M., Fr. Knoch, 1701. 8°. —
IV. P. g. 13.

Deusingii, Ant., Dissertationes de unicornu et lapide Bezaar. Groningae, Joh. Collenius, 1659. 12°. — II. S. i. 53/2.

Bausch, Joh. Laur., De unicornu fossili . . . schediasma. Vrat., V. J. Trescher, 1666. 8°. — II. S. i. 31/1.

Alberti, Mich., praes., Stantcke, Joh. Frid., auct. et resp., Diss. inaug. med. de Valerianis officinalibus, pro gradu doct. Halae, J. Ch. Hendel, 1732, Oct. 4°. — 542.

Franci, Jo., Veronica theézans, id est collatio Veronicae Europaeae cum theé chinitico. Acc. mantissae loco conjectura de Alysso Dioscoridis. Ed. II. Lipsiae et Cob., Pfotenhauer, 1700. 12°. — IV. O. l. 32.

Faschius, Augustinus Henr., Diss. med. chirurg. de vesicatoriis, pro loco . . . Jenae, Bauhofer, 1673, Sept. 4°. — 577.

Confalonerii, Jo. Bapt., Veronensis, De vini natura disputatio. Venet., 1535. 8°. — IV. P. g. 26/9.

Tirellus, Mauritius, De historia vini et febrium libri duo . . . demonstraturque potissimum, quibuslibet febribus et quolibet tempore propinatum salutare. Venetiis, Jac. Scala, 1630. 4°. — IV. O. d. 24.

Wedelius, Geo. Wolfg., praes., Grauel, Joh. Andr. Bened., resp, Diss. inaug. med. de viola martia purpurea, pro licentia. Jenae, Krebs, 1716, Jan. 15. 4°. — 538.

Pharmakognosie. Medic. Waarenkunde.

Gleditsch, J. G., Dr., Einleitung in die Wissenschaft der rohen und einfachen Arzeneymittel. Berlin u. Leipzig, G. J. Decker, 1778—81. 8°. 3 Bde. — IV. M. f. 6—8.

Murray, Joh. Andr., D., Arzneyvorrath od. Anleitung zur Kenntniss der Heilmittel. Aus d. Lat. übers. von L. C. Seger. I. Bd. Braunschweig, Waisenhausbuchhandlung, 1782. 8°. — IV. E. l. 9.

Winkler, Eduard, Vollständiges Real-Lexikon der medicinisch-pharmaceutischen Naturgeschichte und Rohwaarenkunde. Leipzig, F. A. Brockhaus, 1840—42. 8°. 2 Bde. — V. A. d. 9—10.

Pharmacie.

Stisser, Jo. Andr., Actorum laboratorii chemici in academia Julia editorum specimen primum, medico-chemica nec non physico - mechanica observata quaedam rariora exhibens. (Acc. spec. II., III.) Helmstadii, G. W. Hamm, 1701. 4°. — IV. P. c. 14/1.

482   Medicin.

Neukrantz, Jo. Theod., Pharmaciae status priscus et
modernus. Vitemberg., Vidua Gerdesia, 1724, Nov. 7. 4°.
[2 Exempl.] — 852.
Körber, R., Gegenwart und Zukunft der Pharmacie oder
Ansichten über die Reform des Apothekenwesens. Posen,
J. J. Heine, 1850. 8°. — V. A. k. 54.
Augustis, Quiricus de, Lumen apothecariorum. Uercellis
d. 15. Nov. 1491. 4°. — IV. P. c. 30.
Schwenkfeld, Casp., Thesaurus pharmaceuticus ... Adj.
est Gul. Rondeletii tractatus de succedaneis. Basileae,
Froben, 1587. 8°. — IV. P. g. 23.
[Rivinus, Aug. Quir., Dr.], Manuductio ad chemiam phar-
maceuticam. Lipsiae, J. H. Koenig. 12°. — IV. P. l. 20/4.
Plenck, Jos. Jak. v., Anfangsgründe der pharmaceutischen
Chymie oder Lehre von der Bereitung und Zusammen-
setzung der Arzneymittel. Wien, F. Wappler et Beck. 8°.
— IV. M. k. 26.
Hager, H., Manuale pharmaceuticum ... Lesnae, sumpt.
et typis Ernesti Güntheri, 1859. 8°. — V. B. g. 38.
Cordus, Val., Pharmacorum conficiendorum ratio, vulgo
voc. dispensatorium. .Norimbergae, apud Joh. Petrejum,
[Mit zahlreichen handschriftl. Nachträgen.] 12°. — IV.
P. l. 27/1.
— Dispensatorium, hoc est pharmacorum conficiendorum
ratio. Appendix ex scriptis D. Jacobi Sylvii pro instructione pharmacopolarum utilissima. Venetiis, Vinc. Val-
grisius, 1554. 12°. — II. S. i. 44.
[Poter, Petr.], Manes Poteriani i. e. Petri Poterii ... inventa Chymica anxie hactenus desiderata, secundum
mentem autoris elaboranda ex autoris excellentissimi
textu combinata, exhibente editione Francofurtensi Wilh.
Richardi Stockii Ao. 1666, adjunctis enchirisibus accura-
sissimis, producti a Jo. Chph. Etner. Francof. et Lips.,
M. Rolach. 4°. — IV. P. c. 14/2.
Hartmanni, Joh., Praxis chymiatrica prius edita a Joh.
Michaelis ... et Geo. Everhardo Hartmanno, nunc
auctior addita pathologia J. Fernelii, cura Theod.
Boneti ... Genevae, Leon. Chouet, 1682. 8°. — IV.
O. c. 34.
Vindiciae Stahlianae, invasionibus D. D. Heuteri de masti-
catione disputantis oppositae, p. 495—546. Halae Magd.,
J. Ch. Hendel, 1721. 8°. — IV. O. k. 21/3.
Stoeckhardt, Ad. Ghelf., De cacochymiae differentiis ...
pro gradu doctoris. Lips., Langenheim, 1772. 4°. Acc.:
Vita auctoris in sequenti programmate. — IV. P. c. 22/7.

Hager, H., Medicamenta homoeopathica et isopathica omnia,
ad id tempus a medicis aut examinata, aut usu recepta.
Lesnae, Ernestus Günther, 1861. 8°. — V. B. k. 22.

Pharmacopöen.

Codex medicamentarius Europaeus. Sectio prima: Pharma-
copoeam Londinensem, Edinburgensem et Dublinensem
continens. Tomus I. Pcarmocopoea Londinensis. Ed. II.
Lipsiae et Soraviae, Fr. Fleischer, 1821. 8°. — IV.
O. e. 14/1.

— medicamentarius Europaeus. Sectio quinta: Pharmaco-
poeam Rossicam, Fennicam et Polonicam continens.
Tomus I. Pharmacopoea Rossica et Fennica. Lipsiae
et Soraviae, F. Fleischer, 1821. 8°. — IV. O. e. 14/2.

— medicamentarius Europaeus. Sectio quinta: Pharmaco-
poeam Rossicam, Fennicam et Polonicam continens.
Tomus II. Pharmacopoea Polonica. Lipsiae et Soraviae,
F. Fleischer, 1821. 8°. — IV. O. e. 14/3.

Schroederus, Joh., Pharmacopoeia medico-chymica. Francofurti, 1641. 4°. [Tit. deest.] — IV. P. e. 27.

— Pharmacopoeia medico-chymica, Thesaurus pharmacolo-
gicus . . . Ed. V. Ulmae Suevorum, Joh. Görlin, 1662.
4°. 2 voll. — IV. O. a. 5.

Batei, Geo., Selectus Londinensium apparatus chymico-phar-
maceuticus, continens pharmacopoeiam —, ex autographo
autoris depromtam; Goddardiana arcana et Supplementum
ex officina chymica Londinensi . . . cura Jo. Jac. Fickii.
Francof. ad M., G. H. Oehrling, 1711. 12°. — IV. P.
l. 5/1.

Fickii, Joh. Jac., Brevis chymicorum in pharmacopoeia
Bateana et Londinensi officina processuum dilucidatio.
Francof. ad M., G. H. Oehrling, 1711. 12". — IV. P. l. 5/2.

Swediaur, F., M. D., Pharmacopoeia medici practici universalis . . . Parisiis, apud J. J. Fuchs, 1803. 12°. 2 voll.
— III. F. l. 40—41.

Hager, Herm., Die neuesten Pharmakopoeen Norddeutsch-
lands. Kommentar zu der preussischen, Sächsischen,
Hannöverschen, Hamburgischen und Schleswig-Holstei-
nischen Pharmakopoe . . . Lissa, E. Günther, 1855—57.
8°. 2 Bde. — V. B. g. 13—14.

— Dr., Manuale pharmaceuticum seu promptuarium, quo et
praecepta notatu digna pharmacopoearum variarum et
ea, quae ad paranda medicamenta in pharmacopoeas usi-
tatas non recepta sunt atque etiam complura adjumenta

et subsidia operis pharmaceutici continentur. Volumen
primum. Editio altera etc. Lesnae, Ern. Günther, 1861.
8°. — V. D. f. 59.

Hager, Herm., Dr. Apoth., Kommentar zu der siebenten
Ausgabe der Pharmacopoea Borussica, mit besonderer
Berücksichtigung der neuesten Pharmacopoeen des König-
reichs Hannover und des Kurfürstenthums Hessen. Lissa,
Ernst Günther, 1863. 8°. I.—VI. Heft (bis Ferrum pulve-
ratum). — II. S. i. 270.

— Lateinisch-deutsches Wörterbuch zu den neuesten und
auch älteren Pharkopoeen, dem Manuale pharmaceuticum
Hageri und anderen pharmaceutischen und botanischen
Schriften. Nebst einem Anhang, enthaltend die aus der
griechischen Sprache entlehnten und in die pharmaceu-
tische und botanische Kunstsprache und Nomenclatur
aufgenommenen Worte und Wortbildungen. Lissa, Ernst
Günther, 1863. 8°. — V. C. h. 14.

Receptirkunst.

Hager, Herm., Handbuch der pharmaceutischen Receptirkunst. [Mit in den Text eingedruckten Holzschnitten.]
Lissa, Ernst Günther, 1850. 8°. — V. A. g. 25.
— Technik der pharmaceutischen Receptur. Zweite vollst.
umgearbeitete und vermehrte Auflage des Handbuchs der
pharmaceutischen Receptirkunst. [Mit zahlreichen Holzschnitten.] Lissa, E. Günther, 1862. 8°. — V. C. g. 30.

Gorter, Jo. de, Formulae medicinales, cum indice virium,
quo ad inventas indicationes inveniuntur medicamina, in
usum medicorum praxin inchoantium editae. Francof. et
Lips., J. F. Jahn, 1760. 4°. — II. S. h. 4.

Opuscula illustrium medicorum, (Matth. Curtius. Bened.
Victorius. Barthol. Montagnana. Gentilis Fulginas. Tho.
de Garbo. Alchindus. Gul. Rondeletius. Petr. Gorraeus,)
de dosibus seu de justa quantitate et proportione medicamentorum. Venetiis, apud Paulum Meietum, 1575. 8°.
— II. S. i. 67.

Plenck, Jos. Jac. von, Anfangsgründe der Pharmaco-
Katagraphologie oder der Lehre Arzneyformeln zu ver-
schreiben. Wien, Ch. F. Wappler u. Beck, 1799. 8°. —
IV. M. k. 23.

[Praepositus, Nic.], Dispensarium Magistri Nicolai Praepositi ad aromatarios, nuper diligentissime recognitum.
Lugduni, apud Scypionem de Gabiano, 1538. Acc. Ejusdem Isagoge sive introductiones in artem apothecariatus.

In fine: Impressum . . . Lugd. per . . . Joannem Crespin. Ao. di. 1536, 3. die Martii. 4°. — IV. P. c. 26.

Dorncreilii, Tobiae, Dispensatorium novum . . . Acc. ejusd. auctoris tractatus de purgatione utilissimus. Hamburgi, Froben, 1603. 12°. — II. S. i. 52.

Morelli, Petri, Methodus, praescribendi formulas remediorum elegantissima, cum annexo Systemate materiae medicae . . . Genevae, Jacob Chouët, 1639. 8°. — IV. P. k. 27.

Eyselii, Jo. Phil., Enchiridion de formulis medicis praescribendis. Erfordiae, stanno Groschiano, 1698. 8°. — IV. N. l. 2.

Alberti, Mich., D., Isagoge formulas medicamentosas artificiosa methodo conscribendi, praxi clinicae accommodata et in usum auditorii sui succinctis thesibus commendata. Halae, J. Ch. Hendel, 1726. 4°. — 743.

Juncker, Jo., Conspectus formularum medicarum, exhibens tabulis XVI. tam methodum rationalem, quam remediorum specimina ex praxi Stahliana desumpta et therapiae generali accomodata. Editio secunda. Halae, impens. Orphanotrophei, 1730. 4°. — IV. P. f. 20.

Lightning Source UK Ltd.
Milton Keynes UK
UKHW010450040119
334939UK00012B/1948/P

9 780428 104009